MARTIN BUBER

WERKE

Dritter Band

SCHRIFTEN ZUM

CHASSIDISMUS

KÖSEL-VERLAG

VERLAG LAMBERT SCHNEIDER

© 1963 by Kösel-Verlag KG München und Verlag
Lambert Schneider GmbH Heidelberg für diese Ausgabe
Gesamtherstellung: Graph. Werkstätten Kösel, Kempten

VORWORT

Wie ich in den ersten Band der »Werke« zwei frühe Arbeiten (das Buch »Daniel«, verfaßt 1912, und den Aufsatz »Die Lehre vom Tao«, verfaßt 1909) aufgenommen habe, um die Ausgangspunkte meines Denkens deutlich zu machen, so habe ich es auch bei der Zusammenstellung des dritten Bandes gehalten, indem ich in ihm Stücken aus den Einleitungen zu meinen ersten Büchern, den »Geschichten des Rabbi Nachman« (1906, dieses nur auszugsweise)[1] und der »Legende des Baalschem« (1907)[2] Raum gewährt habe. Doch muß hier vermerkt werden, daß ich diesen meinen ersten Schriften über den Chassidismus ferner gerückt bin als jenen frühen philosophischen Versuchen. Diese größere Ferne ist nicht bloß an der Sprache zu erkennen: es hat sich hier (zur Zeit des ersten Weltkriegs) eine fundamentale Änderung in meinem Verhältnis zum Gegenstand vollzogen. Er hat damals aufgehört, nur ein »Gegenstand« zu sein, dem damit genug getan ist, daß er zulänglich »behandelt« wird. Um was es hier letztlich geht, ist am genauesten wohl in antikritischen Äußerungen der letzten Jahre[3] geklärt. Doch seien hier zur Ergänzung einige Sätze von 1924 wiedergegeben.[4]

»Seit ich die Arbeit am chassidischen Schrifttum begonnen habe, ist es mir um die Lehre und den Weg zu tun. Aber damals meinte ich, das sei etwas, was man auch bloß betrachten könne und dürfe; seither habe ich erfahren, daß die Lehre zum Lernen und der Weg zum Gehen da ist. Je tiefer ich es erfuhr, um so mehr ist mir diese Arbeit, an der sich mein Leben maß und vermaß, zur Frage, zum Leid und doch auch zum Trost geworden.«

An den Schluß des Bandes ist, ebenso wie an den Schluß des zweiten Bandes, ein dichterisches Werk gesetzt, das durch seinen Gegenstand mit dem Inhalt des Bandes verknüpft ist, aber darüber hinaus diesen auf jene Weise zu ergänzen geeignet erscheint, die eben der Dichtung gegeben ist.   *Martin Buber*

---

[1] Siehe S. 9 »Die jüdische Mystik«, überdies S. 895 »Rabbi Nachman von Bratzlaw«.
[2] Siehe S. 19 »Vom Leben der Chassidim«.
[3] Siehe S. 975 »Zur Darstellung des Chassidismus« und S. 989 »Noch einiges zur Darstellung des Chassidismus«.
[4] Schluß des Geleitworts des Buches »Das verborgene Licht«, das später in den »Erzählungen der Chassidim« aufgegangen ist.

Die Bibelzitate sind nicht immer nach der Übertragung von Buber und Rosenzweig wiedergegeben worden, da in manchen Fällen der berichteten Deutung eine andere Auffassung des Textes zugrunde liegt.

DIE JÜDISCHE MYSTIK

Die jüdische Mystik versteht sich als eine ununterbrochene Überlieferung. Man hat diese Überlieferung lange Zeit zu leugnen
gesucht; sie kann heute nicht mehr angezweifelt werden. Man
hat nachgewiesen, daß sie von persischen, dann von spätgriechi-
schen, dann gar von albigensischen Quellen gespeist wurde; sie
hat die Kraft des eignen Stroms bewährt, der allen Zufluß aufnehmen konnte, ohne von ihm bezwungen zu werden. Freilich
werden wir sie nicht mehr so ansehen dürfen, wie ihre alten
Meister und Jünger es taten: als »Kabbala«, das heißt: als Übergabe der Lehre von Mund zu Ohr und wieder von Mund zu Ohr,
in solcher Weise, daß jedes Geschlecht sie empfinge, aber jedes
in einer weiteren und reicheren Ausdeutung, bis am Ende der
Zeiten die restlose Wahrheit verkündet würde; doch werden wir
ihre Einheit, ihre Besonderheit und ihr starkes Bedingtsein durch
die Art und das Schicksal des Volkes, aus dem sie heraufwuchs,
anerkennen müssen. Die jüdische Mystik mag recht ungleich-
mäßig erscheinen, oft trübe, zuweilen kleinlich, wenn wir sie an
Eckhart, an Plotinos, an Lao-Tse messen; sie bleibt die wunderbare Blüte eines uralten Baums, deren Farbe fast allzu grell,
deren Duft fast allzu üppig wirkt und die doch eine der großen
Erscheinungen ekstatischer Weisheit ist.

Die mystische Anlage ist den Juden von Urzeiten her eigen,
und ihre Äußerungen sind nicht, wie es gewöhnlich geschieht, als
eine zeitweilig auftretende bewußte Reaktion gegen die Herrschaft der Verstandesordnung aufzufassen. Es ist eine bedeutsame Eigentümlichkeit des Juden, die sich in den Jahrtausenden
kaum gewandelt zu haben scheint, daß sich die Extreme bei ihm
schnell und mächtig aneinander entzünden. So geschieht es, daß
mitten in einem unsäglich begrenzten Dasein, ja gerade aus seiner
Begrenztheit urplötzlich das Schrankenlose hervorbricht und nun
die sich ihm ergebende Seele regiert.

Kommt demnach die Kraft der jüdischen Mystik aus einer ursprünglichen Eigenschaft des Volkes, das sie erzeugt hat, so hat
sich ihr des weiteren auch das Schicksal dieses Volkes eingeprägt.
Das Wandern und das Martyrium der Juden haben ihre Seelen
immer wieder in jene Schwingungen der Verzweiflung versetzt,
aus denen zuweilen der Blitz der Ekstase erwacht. Zugleich aber
haben sie sie gehindert, den reinen Ausdruck der Ekstase auszu-

bauen, und sie verleitet, Notwendiges, Erfahrenes mit Über-
flüssigem, Aufgesammeltem durcheinanderzuwerfen, und in dem
Gefühl, das Eigene vor Pein nicht sagen zu können, am Fremden
redselig zu werden. So sind Schriften wie der »Sohar«, das »Buch
des Glanzes«, entstanden. Mitten unter krassen Spekulationen
leuchten wieder und wieder Blicke der verschwiegenen Seelen-
tiefen auf.

In der Zeit des Talmuds war die mystische Lehre noch ein Geheimnis, das man nur einem »Meister in Künsten und kundig
des Flüsterns« anvertrauen durfte. Erst später greift die Lehre
über das Gebiet der persönlichen Übergabe hinaus. Die älteste
uns erhaltene Schrift, das pythagoreisierende »Buch der Schöpfung«, ist vermutlich nicht später als im sechsten Jahrhundert
entstanden, und der »Sohar« stammt – jedenfalls in seiner
jetzigen Redaktion – aus dem Ende des dreizehnten; zwischen
beiden liegt die Zeit der eigentlichen Entwicklung der Kabbala.
Aber noch lange bleibt die Beschäftigung mit ihr auf enge
Kreise beschränkt, mochte sie sich auch über Frankreich, Spanien, Italien und Deutschland bis nach Ägypten und Palästina
erstrecken. All die Zeit bleibt auch die Lehre selbst dem Leben fremd: sie ist Theorie im neoplatonischen Sinn, Gott-
schauen, und verlangt nichts von der Wirklichkeit menschlichen
Daseins; sie fordert nicht, daß man ihr nachlebe, sie hat keine
Fühlung mit dem Handeln, das Reich der Wahl, das der späteren
jüdischen Mystik, dem Chassidismus, alles bedeutete, ist ihr
nicht unmittelbar lebendig; sie ist außermenschlich und berührt
sich nur in der Behandlung der Ekstase mit der seelischen Realität.

Erst in den letzten Zeiten dieser Epoche werden neue Kräfte
offenbar. Die Vertreibung der Juden aus Spanien gab der Kabbala den großen messianischen Zug. Der einzige energische Versuch der Diaspora, im Exil eine kulturschaffende Gemeinschaft
und eine Heimat im Geiste zu begründen, hatte in Trümmern
und Verzweiflung geendet. Der alte Abgrund tat sich wieder auf,
und aus ihm stieg wieder, wie immer, der alte Erlösungstraum
empor, gebieterisch wie nie zuvor seit den Tagen der Römer. Die
Sehnsucht brennt: das Absolute *muß* Wirklichkeit werden. Die
Kabbala konnte sich dem nicht verschließen. Sie nannte das Reich

Gottes auf Erden »die Welt der Vollendung«. Sie nahm die Inbrunst des Volkes in sich auf.

Die um die Mitte des sechzehnten Jahrhunderts beginnende neue
Ära der jüdischen Mystik, die den ekstatischen Akt des Einzelnen als Mitschaffen an der Erlösung verkündet, wird durch
Isaak Lurja eröffnet. Er war in seinen Gedanken über die Emanation der Welt aus Gott und die demiurgischen Zwischenpo-
tenzen fast durchaus von der älteren Kabbala abhängig; aber
in seiner Darstellung der unmittelbaren Wirkung der Menschenseele, die sich läutert und vollendet, auf Gott und Welterlösung
gibt er den alten Weisheiten eine neue Gestalt und eine neue
Folge.

Schon im Talmud heißt es, der Messias werde kommen, wenn
alle Seelen in das leibliche Leben eingetreten sein würden. Die
Kabbalisten des Mittelalters glaubten zu erkennen, ob die Seele
eines Menschen, der vor ihnen stand, aus der Welt des Ungeborenen in ihn niedergestiegen oder mitten in ihrer Wanderung bei
ihm eingekehrt sei. Der Sohar und die spätere Kabbala bauten
die Lehre aus, die wir bei Lurja endgültig gefaßt finden. Es
gibt danach zwei Formen der Metempsychose: den Kreisgang
oder die Wanderung, Gilgul, und den Überschwang oder die
Schwängerung, Ibbur. Gilgul ist das Eintreten von Seelen, die
auf der Fahrt sind, in einen Menschen im Augenblick seiner Zeugung oder Geburt. Aber auch ein bereits mit einer Seele begabter
Mensch kann in irgend einem Moment seines Lebens eine oder
mehrere Seelen empfangen, die sich mit seiner vereinigen, wenn
sie mit ihr verwandt, das heißt, aus derselben Ausstrahlung des
Urmenschen entstanden sind. Die Seele eines Toten verbindet
sich der eines Lebenden, um ein unvollendetes Werk, das sie im
Sterben lassen mußte, vollbringen zu können. Ein hoher abgeschiedener Geist steigt in ganzer Lichtfülle oder in einzelnen
Strahlen zu einem unfertigen hinab, um bei ihm zu wohnen und
ihm zur Vollendung beizustehen. Oder zwei unvollkommene
Seelen vereinigen sich, um einander zu ergänzen und zu läutern.
Kommt über eine dieser Seelen Schwäche und Hilflosigkeit, dann
wird die andere ihre Mutter, trägt sie in ihrem Schoße und nährt
sie mit dem eigenen Wesen. Auf allen diesen Wegen vollzieht
sich die Reinigung der Seelen von der Urtrübung und die Er-

lösung der Welt aus der ersten Verwirrung. Ist dieses getan, haben alle die Wegreise vollzogen, dann erst zerbricht die Zeit, und das Gottesreich hebt an. Als letzte steigt die Seele des Messias ins Leben herab. Durch ihn geschieht die Erhebung der Welt zu Gott.

Lurjas eigentümliche Tat ist, daß er diesen Weltprozeß auf die Haltung einiger Menschen stellen wollte. Er verkündete, eine unbedingte Lebensführung derer, die sich der Erlösung weihen, in Tauchbädern und Nachtwachen, in ekstatischer Betrachtung und unbedingter Liebe zu allem, würde die Seelen in einem Sturm läutern und das messianische Reich herbeirufen.

Das Grundgefühl, dessen ideelle Äußerung diese Lehre war, fand nahezu hundert Jahre später seinen elementaren Ausdruck in der großen messianischen Bewegung, die den Namen Sabbatai Zwis trägt. Sie war eine Entladung der unbekannten Volkskräfte und eine Offenbarung der verborgenen Wirklichkeit der Volksseele. Die scheinbar unmittelbaren Werte, das heile Leben und der Besitz, waren plötzlich schal und nichtswürdig geworden, und die Menge vermochte es, diesen zu verlassen wie ein überflüssiges Gerät und jenes nur noch mit leichter Hand zu halten wie ein Gewand, das dem Laufenden entgleitet und das er, wenn es ihn allzusehr hemmt, die Finger öffnend fahren läßt, um nackt und frei das Ziel zu ereilen. Der vermeintlich von der Vernunft regierte Stamm entbrannte im Eifer um die Botschaft.

Auch diese Bewegung brach zusammen, jämmerlicher als irgendeine der früheren. Und nun verinnerlicht sich der Messianismus wieder. Das eigentliche Zeitalter der Mortifikation beginnt. Der Glaube, durch mystische Übung die oberen Welten zwingen zu können, dringt immer tiefer ins Volk ein. Um das Jahr 1700 vollzieht sich jener asketische Zug der Fünfzehnhundert in das Heilige Land, der in Tod und Elend aufgeht. Aber auch Einzelne bereiten sich in rückhaltloser Entäußerung. In Polen namentlich reift in vielen der Wille, sich und die Welt zu entsühnen. Manche von ihnen ziehen, da keine einzelne Kasteiung ihnen genugtun kann, auf die Wanderung, »in die Verbannung«, wie sie es nennen, nehmen nirgends Speise oder Trank an, und wandern so, von ihrem Willen getragen, bis mit ihrer Kraft auch ihr Leben erlischt und sie auf fremdem Ort unter Fremden tot hinfallen.

Diese Märtyrer des Willens sind die Vorläufer der letzten und höchsten Entwicklung der jüdischen Mystik, des um die Mitte des 18. Jahrhunderts entstandenen Chassidismus, der sie zugleich fortsetzte und widerlegte. Der Chassidismus ist die Ethos gewordene Kabbala. Aber das Leben, das er lehrt, ist nicht Askese, sondern Freude in Gott. Das Wort Chassid bezeichnet einen »Frommen«, aber es ist eine Weltfrömmigkeit, die hier gemeint ist. Der Chassidismus ist kein Pietismus. Er entbehrt aller Sentimentalität und Gefühlsostentation. Er nimmt das Jenseits ins Diesseits herüber und läßt es in ihm walten und es formen, wie die Seele den Körper formt. Sein Kern ist eine höchst realistische Anleitung zur Ekstase, als zu dem Gipfel des Daseins. Aber die Ekstase ist hier nicht, wie etwa bei der deutschen Mystik, ein »Entwerden« der Seele, sondern deren Entfaltung; nicht die sich beschränkende und entäußernde, sondern die sich vollendende Seele mündet ins Unbedingte. In der Askese schrumpft das geistige Wesen, die Neschama, zusammen, sie erschlafft, wird leer und trübe; nur in der Freude kann sie wachsen und sich erfüllen, bis sie, alles Fehls ledig, zum Göttlichen heranreift.

Wieder war es Polen, das sich schöpferisch erwies, und vor allem die steppenreiche Ebene der Ukraine. Polen hatte eine feste, durch die fremde, verachtende Umwelt in sich gestärkte jüdische Gemeinschaft, und zum erstenmal seit der spanischen Blüte entwickelte sich hier ein eigenes Leben in Werken und Werten, eine dürftige und gebrechliche, aber selbständige Kultur. Waren so die Voraussetzungen für geistiges Wirken überhaupt gegeben, so konnte eine mystische Lehre doch nur auf dem Boden der Ukraine emporwachsen. Hier herrschte seit den kosakischen Judenmetzeleien unter Chmielnicki ein ähnlicher Zustand der tiefsten Unsicherheit und Verzweiflung, wie jener, der einst nach der Vertreibung aus Spanien die Kabbala verjüngte. Und dann war der Jude hier zumeist ein Dörfler, begrenzt im Wissen, aber ursprünglich im Glauben und stark in seinem Traume von Gott.

Der Begründer des Chassidismus war Israel aus Mesbiž (Miedzybož), der »Baal-schem-tow«, das ist Meister des guten Namens, geheißen wurde, eine Bezeichnung, die zweierlei vereinigt, das wirkungsmächtige Wissen um den Gottesnamen, wie es den früheren wundertätigen »Baale-schem« zugeschrieben wurde, und den Besitz des »guten Namens« im menschlichen Sinn, des Volksvertrauens. Um ihn und seine Jünger spann sich eine farbenreiche und innige Legende. Er war ein schlichter, wahrhaftiger Mann, unerschöpflich an Inbrunst und lenkender Gewalt.

Die Lehre des Baalschem ist uns sehr unvollkommen erhalten. Er selbst schrieb sie nicht nieder; und auch mündlich teilte er, wie er einmal sagte, nur das mit, was ihn wie ein allzu volles Gefäß überquellen machte. Unter seinen Schülern scheint er keinen als würdig erfunden zu haben, seinen Gedanken restlos aufzunehmen; ein Gebet von ihm wird überliefert: »Herr, dir ist bewußt und offenbar, wie vieles in mir an Erkennen und Vermögen ruht, und da ist kein Mensch, dem ich es kundtun könnte.« Von dem aber, was er lehrte, scheint vieles ganz unzulänglich niedergeschrieben worden zu sein, oft gänzlich entstellt. Beim Durchblicken einer solchen Niederschrift soll er einmal ausgerufen haben: »Hier ist nicht *ein* Wort, das ich gesagt habe.« Dennoch ist der wirkliche Sinn seiner Grundlehren unverkennbar.

Gott, so lehrt der Baalschem, ist in jedem Ding als dessen Urwesen. Er kann nur mit der innersten Kraft der Seele empfangen werden. Ist diese Kraft freigemacht, dann ist es dem Menschen an jedem Ort und zu jeder Zeit gegeben, das Göttliche aufzunehmen. Jede Handlung, die in sich geweiht ist, mag sie noch so niedrig und sinnlos erscheinen dem von außen Herankommenden, ist der Weg zum Herzen der Welt. In allen Dingen, auch in den scheinbar völlig toten, wohnen Funken des Lebens, die in die bereite Seele fallen. Was wir das Böse nennen, ist kein Wesen, sondern ein Mangel; es ist »Gottes Exil«, die unterste Stufe des Guten, der Thron des Guten; es ist – in der Sprache der alten Kabbala – die »Schale«, die das Wesen der Dinge umgibt und verhüllt.

Es gibt kein Ding, das böse und der Liebe unwürdig wäre. Auch die Triebe des Menschen sind nicht böse; »je größer ein Mensch, desto größer ist sein Trieb«; aber der Reine und Geheiligte macht aus seinem Triebe »einen Wagen für Gott«, er löst ihn von aller Schale ab und läßt seine Seele sich daran vollenden. Der Mensch soll seine Triebe in ihren Tiefen fühlen und sie besitzen. »Er soll den Stolz lernen und nicht stolz sein, den Zorn kennen und nicht zürnen. Und so ist es mit allen Eigenschaften. Der Mensch soll in allen Eigenschaften ganz sein ... Der weise Mensch vermag zu blicken, nach welchem Ort er will, und sich nicht über seine vier Ellen hinaus zu verlieren.« Das Schicksal des Menschen ist nur der Ausdruck seiner Seele: wessen Gedanken an unreinen Dingen umherstreifen, erlebt Unreines, wer sich ins Heilige versenkt, erfährt das Heil. Des Menschen Denken ist sein Sein: wer wahrhaft an die obere Welt denkt, ist in ihr. Alle äußere Lehre ist nur ein Aufstieg zur inneren; der letzte Zweck des Einzelnen ist, selbst eine Lehre zu werden. In Wahrheit ist die obere Welt kein Außen, sondern ein Innen; es ist »die Welt des Gedankens«.

Ist demnach das Leben des Menschen in jedem Anliegen und in jeder Tätigkeit dem Unbedingten geöffnet, so soll er es auch in Weihe leben. Jeder Morgen ist eine neue Berufung. »Er erhebe sich im Eifer von seinem Schlaf, denn er ist geheiligt und ein anderer Mensch worden und ist würdig zu zeugen und ist worden nach der Eigenschaft Gottes, da er die Welten erzeugte.« Auf allen Wegen findet der Mensch Gott, und alle Wege sind voll der Einung. Aber der reinste und vollkommene ist der Weg des Gebetes. Wer in dem Feuer seines Wesens betet, in dessen Kehle redet Gott selber das innere Wort. Dieses ist das Ereignis; das äußere Wort ist nur sein Gewand. »Wie von brennenden Hölzern der Rauch emporsteigt, aber die schweren Teile haften am Boden und werden zu Asche, so steigt vom Gebet nur der Wille und die Inbrunst empor, aber die äußeren Worte zerfallen zu Asche.« Je höher die Inbrunst, je gewaltiger die Intentionskraft, Kawwana, desto tiefer ist die Wandlung. »Es ist eine große Gnade von Gott, daß der Mensch nach dem Gebet am Leben bleibt, denn nach der Natur müßte er sterben, weil er seine Kraft begraben und in sein Gebet eingetan hat, wegen der Kawwana, die er hegt... Er denke vor dem Gebete, daß er bereit ist zu sterben um der Kawwana willen.« Aber das Gebet soll nicht in Pein und Buße, sondern in großer Freude geschehen. Freude allein ist wahrhafter Gottesdienst.

Die Lehre des Baalschem fand bald Eingang im Volke, das ihrer Idee nicht gewachsen war, aber ihr Gottesgefühl mitschwingend empfing. Die Frömmigkeit dieses Volkes hatte von jeher einen Hang zum mystisch Unmittelbaren; sie nahm die neue Botschaft auf wie einen erhobenen Ausdruck ihrer selbst. Die Verkündi-

gung der Freude in Gott wirkte nach einem Jahrtausend freuden-
armer, freudenfeindlicher Gesetzesherrschaft wie eine Befreiung.
Dazu kam, daß das Volk sich bisher einer lebensfremden, aber
nie angezweifelten Aristokratie von Talmudgelehrten gegenüber
gesehen hatte. Nun wurde es mit *einem* Schlage von diesem Gegensatz befreit und auf den eigenen Wert gestellt. Nun wurde
ihm gesagt, nicht das Wissen entscheide über den Rang eines
Menschen, sondern die Reinheit und Weihe seiner Seele, das ist:
seine Gottnähe. Die neue Lehre kam wie eine Offenbarung dessen, was man bisher nicht zu ahnen wagte. Sie wurde wie eine
Offenbarung aufgenommen.

VOM LEBEN DER CHASSIDIM

Hithlahawuth ist »das Entbrennen«; die Inbrunst der Ekstase. Ein feuriges Schwert hütet den Weg zum Baum des Lebens. Es zersprüht vor der Berührung der Hithlahawuth. Ihr Lodern ist ihm übermächtig. Ihr ist die Bahn offen, und alle Schranke versinkt vor ihrem schrankenlosen Schritt. Die Welt ist nicht mehr ihr Ort: sie ist der Ort der Welt.

Hithlahawuth erschließt dem Leben seinen Sinn. Ohne sie hat auch der Himmel keinen Sinn und kein Wesen. »Wenn ein Mensch die ganze Lehre und alle Gebote erfüllt hat, aber die Wonne und das Entbrennen hat er nicht gehabt: wenn der stirbt und hinübergeht, öffnet man ihm das Paradies, aber weil er in der Welt die Wonne nicht gefühlt hat, fühlt er auch die Wonne des Paradieses nicht.« Allerorten und allezeit kann Hithlahawuth erscheinen. Jede Stunde ist ihr Schemel und jede Tat ihre Thronlehne. Nichts kann sich ihr entgegenstemmen, nichts sie herabdrücken; nichts kann sich ihrer Macht erwehren, die allen Körper zu seinem Geist erhebt. Wer in ihr ist, ist in der Heiligkeit. »Er vermag eitle Worte mit seinem Munde zu reden, und die Lehre des Herrn ist in seinem Innern zu dieser Stunde; flüsternd zu beten, und sein Herz schreit in seiner Brust; in einer Gemeinschaft von Menschen zu sitzen, und er wandelt mit Gott: vermischt mit den Kreaturen und abgeschieden von der Welt.« Jedes Ding und jedes Tun wird so geheiligt. »Wenn der Mensch sich an Gott schließt, kann er seinen Mund reden lassen, was er reden mag, und sein Ohr hören lassen, was es hören mag, und er wird die Dinge binden an ihre obere Wurzel.«

Die Gewalt, die so vieles im Menschenleben schwächt und entfärbt, die Wiederholung, ist ohnmächtig vor der Ekstase, die sich gerade an den regelmäßigsten, gleichförmigsten Ereignissen wieder und wieder entzündet. Über einen Zaddik geriet Hithlahawuth jedesmal, wenn im Vortrag der Schrift die Worte kamen: »Und Gott sprach.« Ein chassidischer Weiser, der dies seinen Schülern erzählte, fügte hinzu: »Aber auch ich meine: wenn einer in Wahrheit redet und einer in Wahrheit empfängt, dann ist es genug an einem Worte, die ganze Welt zu erheben und die ganze Welt zu entsühnen.« Ewig neu ist dem Inbrünstigen das Allgewohnte.

Ein Zaddik stand im ersten Morgendämmer am Fenster und rief zitternd: »Vor einer kleinen Stunde war noch Nacht und jetzt ist Tag – Gott bringt den Tag herauf!« Und er war voll der Angst und des Zitterns. Auch sprach er: »Jeder Geschaffene soll sich vor dem Schöpfer schämen: wäre er vollkommen, wie ihm bestimmt war, dann müßte er erstaunen und erwachen und entbrennen über die Erneuerung der Kreatur zu jeder Zeit und in jedem Augenblick.«

Aber nicht ein plötzliches Versinken in die Ewigkeit ist Hithlahawuth, sondern ein Aufstieg zum Unendlichen von Stufe zu Stufe. Gott finden heißt den Weg finden, der ohne Grenze ist. Im Bilde dieses Wegs sahen die Chassidim die »kommende Welt«, die sie niemals ein Jenseits nannten. Ein Frommer schaute einen toten Meister im Traum. Der erzählte ihm, von der Stunde seines Todes an gehe er an jedem Tag von Welt zu Welt. Und die Welt, die gestern als Himmel über seinen Blicken ausgespannt war, die ist heute die Erde unter seinem Fuß; und der Himmel von heute ist die Erde von morgen. Und jede Welt ist reiner und schöner und tiefer, als die vor ihr war. Die Engel ruhen in Gott, aber die heiligen Geister schreiten in Gott vor. »Der Engel ist ein Stehender, und der Heilige ist ein Wandelnder. Darum ist der Heilige über dem Engel.«

Solch ein Weg ist die Ekstase. Wenn sie ein Ende zu bieten scheint, ein Erreichen, Erlangen, Ergreifen, ist es nur ein endgültiges Nein, kein endgültiges Ja: es ist das Ende der Gebundenheit, das Abschütteln der letzten Kette, die Lösung, die allem Irdischen enthoben ist. »Wenn der Mensch von Macht zu Macht wandelt und nur empor und empor, bis er zur Wurzel aller Lehre und alles Gebots kommt, zu Gottes Ich, der einfachen Einheit und Schrankenlosigkeit – wenn er da steht, dann sinken alle Flügel der Gebote und Gesetze nieder, und alle sind sie vernichtet. Denn vernichtet ist der Trieb, da er darüber steht.«

»Über der Natur und über der Zeit und über dem Denken« – so wird der genannt, der in der Inbrunst ist. Er hat alles Leid und alle Schwere abgetan. »Süße Leiden, ich empfange euch in Liebe«, sagt ein sterbender Zaddik, und Rabbi Sussja ruft, da seine Hand sich aus dem Feuer schleicht, in das er sie gelegt hat, verwundert aus: »Wie grob ist Sussjas Körper geworden, daß er sich vor dem

Feuer fürchtet.« Der Inbrünstige regiert das Leben, und kein äußeres Geschehen, das in sein Reich eindringt, vermag seine Weihe zu stören. Von einem Zaddik wird erzählt, er habe, als sich das heilige Mahl der Lehre bis zum Morgen hinzog, zu seinen Jüngern gesprochen: »Wir sind nicht in die Grenzen des Tags eingeschritten, sondern der Tag ist in unsere Grenzen eingeschritten, und wir brauchen vor ihm nicht zu weichen.«

In der Ekstase rückt alles Vergangene und alles Zukünftige zur Gegenwart zusammen. Die Zeit verschrumpft, die Linie zwischen den Ewigkeiten verschwindet, einzig der Augenblick lebt, und der Augenblick ist die Ewigkeit. In seinem unzersplitterten Licht erscheint alles, was war und was sein wird, einfach und gesammelt. Es ist da, wie ein Herzschlag da ist, und wird vernehmbar wie er.

Die chassidische Legende weiß viel von den Wunderbaren zu erzählen, die sich ihrer früheren Daseinsformen erinnerten, der Zukunft wie der eigenen Atemzüge gewahr wurden, von einem Ende der Erde zum andern blickten und alle Wandlungen, die sich in den Welten ereigneten, wie etwas verspürten, was ihrem Körper geschah. All dies ist nicht jener Zustand, in dem Hithlahawuth die Welt des Raums und der Zeit überwunden hat. Wohl aber deuten uns etwas davon zwei naive, einander verwandte und einander ergänzende Anekdoten. Von einem Meister wird erzählt, er habe in Stunden der Entrückung auf die Uhr sehen müssen, um sich in dieser Welt zu erhalten; und von einem andern, er habe, wenn er die Einzeldinge betrachten wollte, eine Brille aufsetzen müssen, um sein geistiges Sehen zu bezwingen: »denn sonst sah er alle Dinge der Welt als eins«.

Aber die höchste Stufe, von der berichtet wird, ist die, auf der der Entrückte der eigenen Inbrunst entgleitet. Als ein Schüler einmal eines Zaddiks »Erkalten« bemerkte und tadelte, wurde er von einem andern belehrt: »Es gibt ein sehr hohes Heiligtum; wenn man dahin kommt, wird man alles Wesen los und kann nicht mehr entbrennen.« So vollendet sich die Inbrunst in der eigenen Aufhebung.

Zuweilen äußert sie sich in einem Tun, weiht es und füllt es mit heiliger Bedeutung. Die reinste Form, die, in der der ganze Körper der erregten Seele dient und jeder ihrer Hebungen und Nei-

gungen das sichtbare Geschwister erschafft, ist der Tanz. Von dem
Tanz eines Zaddiks wird erzählt: »Sein Fuß war leicht wie
eines vierjährigen Kindes. Und alle, die sein heiliges Tanzen sahen – da war nicht einer, in dem sich nicht die heilige Umkehr
vollzog, denn er wirkte im Herzen aller, die es sahen, beides,
Weinen und Wonne, in einem.« Oder die Seele erfaßt die Stimme
des Menschen und macht sie singen, was sie in den Höhen erfahren hat; und die Stimme weiß nicht, was sie tut. So stand ein
Zaddik an den »furchtbaren Tagen« (Neujahr und Versöhnungstag) im Gebet und sang neue Melodien, »Wunder der Wunder,
die er nie gehört hatte und die kein Menschenohr je gehört hatte,
und er wußte gar nicht, was er singt und welche Weise er singt,
denn er war an die obere Welt gebunden«.

Das eigentliche Leben des Inbrünstigen ist nicht unter den Menschen. Es wird von einem Meister gesagt, er habe sich wie ein
Fremdling geführt, nach den Worten Davids, des Königs: Ein
Gastsasse bin ich im Land. »Wie ein Mann, der aus der Ferne
kam, aus der Stadt seiner Geburt. Er sinnt nicht auf Ehre und
nicht auf irgendein Ding zu seinem Wohl, nur darauf sinnt er,
zur Stadt seiner Geburt heimzukehren. Nichts kann er besitzen,
denn er weiß: Das ist Fremdes, und ich muß heim.« Mancher
geht in die Einsamkeit, in »das Wandeln«. Rabbi Sussja pflegte
in Wäldern umherzustreifen und Lobgesänge zu singen, mit so
großer Glut, »daß man schier von ihm gesagt hat, er sei nicht bei
Verstand«. Ein anderer war nur in Gassen und Gärten zu finden.
Als ihn sein Schwiegervater darob ermahnte, antwortete er ihm
mit dem Gleichnis von der Henne, die Gänseeier ausgebrütet
hatte: »und als sie ihre Kinder auf der Wasserfläche umher-
schwimmen sah, lief sie bestürzt hin und her, Hilfe zu suchen für
die Unglücklichen, und verstand nicht, daß dies jenen all ihr
Leben war: dahinzustreifen über die Wasserfläche«.

Doch gibt es tiefer Abgeschiedene, deren Hithlahawuth in alledem
noch nicht erfüllt ist. Die werden »unstet und flüchtig«. Sie gehen in die »Verbannung«, um »das Exil mit der Schechina zu
tragen«. Es ist eine Urvorstellung der Kabbala, daß die Schechina, die »einwohnende« Gegenwart Gottes, verbannt durch die
Unendlichkeit irrt, von ihrem »Eigner« getrennt, und daß sie
erst in der Stunde der Erlösung sich mit ihm wieder vereinigen

wird. So wandern diese Ekstatiker über die Erde, in den stummen Fernen des Gottes-Exils weilend, Genossen des heiligen Allgeschehens. Der dergestalt Abgelöste ist Gottes Freund, »wie ein Fremdling eines andern Fremdlings Freund ist, ihrer Fremdheit auf Erden wegen«. Ihm widerfahren Augenblicke, in denen er die Schechina im Menschenbild schaut, von Angesicht zu Angesicht, wie jener Zaddik sie im Heiligen Lande sah, »in der Gestalt einer Frau, die über den Gemahl ihrer Jugend weint und klagt«. Aber nicht bloß in Gesichten aus dem Dunkel und nicht bloß im Schweigen der Wanderschaft gibt Gott sich dem um ihn Entbrannten, sondern aus allen Dingen der Erde blickt sein Auge in das suchende, und jedes Wesen ist die Frucht, in der er sich der verlangenden Seele darbietet. Schleierlos ist das Sein in des Heiligen Hand. »Wer eine Frau sehr begehrt und ihre buntfarbnen Gewänder betrachtet, dessen Sinn geht nicht auf das Prunkzeug und die Farben, sondern auf die Herrlichkeit der begehrten Frau, die in sie gehüllt ist. Aber die andern sehen nur die Gewänder und nicht mehr. So schaut, wer Gott in Wahrheit begehrt und umfängt, in allen Dingen der Welt nur die Kraft und den Stolz des Bildners des Urbeginns, der in den Dingen lebt. Wer aber nicht auf dieser Stufe ist, sieht die Dinge von Gott getrennt.«

Dies ist das Erdenleben der Hithlahawuth, die sich über alle Grenzen schwingt. Sie ist die Tochter eines Menschenwillens und die Herrin der Welten, das Fünklein eines Wesens, das sterben muß, und die Flamme, die Raum und Zeit verzehrt. Sie erweitert die Seele zum All. Sie verengert das All zum Nichts. Von ihr redet ein chassidischer Meister in Worten des Geheimnisses: »Die Schöpfung des Himmels und der Erde ist die Entfaltung des Etwas aus dem Nichts, das Hinabsteigen des Oberen in das Untere. Aber die Heiligen, die sich vom Sein ablösen und Gott immerdar anhangen, die sehen und erfassen ihn in Wahrheit, als wäre das Nichts wie vor der Schöpfung. Sie wandeln das Etwas in Nichts zurück. Und dies ist das Wunderbarere: das Untere emporzubringen. Wie geschrieben steht in der Gemara: Größer ist das letzte Wunder als das erste.«

Hithlahawuth ist das Gottumfangen ohne Zeit und Raum. Awoda ist das Gottdienen in der Zeit und im Raum.

Hithlahawuth ist das mystische Mahl. Awoda ist das mystische Opfer.

Es sind die Pole, zwischen denen das Leben der Heiligen schwingt.

Hithlahawuth schweigt, da sie an Gottes Herzen liegt.

Awoda redet: »Was bin ich und was ist mein Leben, daß ich mein Blut und mein Feuer dir darbringen will?«

Hithlahawuth ist so fern von Awoda wie Erfüllung von Verlangen. Und doch strömt Hithlahawuth aus Awoda wie Gottfinden aus Gottsuchen.

Der Baalschem erzählte: Ein König baute einst einen großen und herrlichen Palast mit zahllosen Gemächern, aber nur ein Tor war geöffnet. Als der Bau vollendet war, wurde verkündet, es sollten alle Fürsten vor dem König erscheinen, der in dem letzten der Gemächer throne. Aber als sie eintraten, sahen sie: da waren Türen offen nach allen Seiten, von denen führten gewundene Gänge in die Fernen, und da waren wieder Türen und wieder Gänge, und kein Ziel erstand vor dem verwirrten Auge. Da kam der Sohn des Königs und sah, daß all der Irrbau eine Spiegelung war, und sah seinen Vater sitzen in der Halle vor seinem Angesicht.

Das Geheimnis der Gnade ist nicht zu deuten. Zwischen Suchen und Finden liegt die Spannung eines Menschenlebens, ja tausendfacher Wiederkehr der bangen wandernden Seele. Und doch ist der Flug des Augenblicks langsamer als die Erfüllung. Denn Gott *will* gesucht werden, und wie könnte er nicht gefunden werden wollen?

Wenn der Heilige ewig neues Feuer heranbringt, daß die Glut auf dem Altar seiner Seele nicht verlösche, redet Gott selber den Opferspruch.

Gott waltet im Menschen, wie er im Chaos waltete zur Zeit der werdenden Welt. »Und wie als die Welt sich zu entfalten begann und er sah: wenn es weiter auseinander fließt, wird es nicht mehr zu seinen Wurzeln heimkehren können, da sprach er: Genug! — so ist es, wenn die Seele des Menschen im Leiden zerflutet und

das Übel so mächtig wird in ihr, daß sie bald nicht mehr heimkehren könnte, da erweckt sich sein Erbarmen und er spricht:
Genug!«
Aber auch der Mensch kann »Genug!« sagen: zu der Vielfältigkeit in sich. Wenn er sich sammelt und vereint, nähert er sich
der Einheit Gottes, dient er seinem Herrn. Dies ist Awoda.
Von einem Zaddik wurde gesagt: »Bei ihm ist Lehre und Gebet
und Essen und Schlafen, alles eines, und er kann die Seele zu
ihrer Wurzel erheben.«
Alles Tun in eins gebunden, und das unendliche Leben in jeder
Tat eingehegt: dies ist Awoda. »In alle Taten des Menschen,
Sprechen und Blicken und Horchen und Gehen und Stehenbleiben und Sichlegen, sei das Schrankenlose gewandet.«
Aus jeder Tat wird ein Engel geboren, ein guter oder ein böser.
Aber aus den halben und wirren Taten, die ohne den Sinn oder
ohne die Kraft sind, werden Engel geboren mit verrenkten Glie-
dern oder ohne Haupt oder ohne Hände oder ohne Füße.
In allem Tun durchstrahlt von den Wellen der Allsonne und ge-
sammelten Lichtes in allem Tun, dies ist der Dienst. Aber keine
Handlung ist zu ihm auserwählt. Gott will, daß man ihm auf
alle Arten diene.
»Es gibt zwei Arten von Liebe: die Liebe eines Mannes zu seinem
Weibe, der geziemt es, im Geheimen zu sein und nicht am Ort der
Zuschauer, da diese Liebe sich nur an einer von den Wesen ge-
schiedenen Stätte vollenden kann; und die Liebe zu den Geschwi-
stern und den Kindern, die keiner Verborgenheit bedarf. Und
so gibt es in der Liebe zu Gott zwei Arten: die Liebe durch die
Lehre und das Gebet und die Erfüllung des Gebotenen, der geziemt es, in der Stille zu wandeln und nicht im Offenbaren, damit sie nicht zu Ruhm und Stolz verführe; und die Liebe in der
Zeit, da man mit den Geschöpfen vermischt ist, redet und hört,
gibt und nimmt mit ihnen, und in dem Geheimnis seines Herzens hangt man an Gott und läßt nicht ab, ihm zuzusinnen. Und
dies ist eine höhere Stufe als jene, und von ihr ist gesagt: ›Wer
gibt dich mir als Bruder, der an meiner Mutter Brüsten sog!
Fände ich dich auf der Gasse, ich küßte dich, und sie dürften mein
doch nicht spotten.‹«
Dies ist aber nicht so zu verstehen, als sei in dem solcherart

Dienenden eine Spaltung zwischen der irdischen und der himmlischen Tat. Vielmehr ist jede Bewegung des Hingegebenen ein
Gefäß der Weihe und der Macht. Von einem Zaddik wird erzählt, er habe alle seine Glieder so geheiligt, daß jeder Schritt
seiner Füße Welten miteinander vermählte. »Der Mensch ist eine
Leiter, gestellt auf die Erde, und ihr Haupt rührt an den Himmel. Und alle seine Gebärden und Geschäfte und Reden ziehen
Spuren in der oberen Welt.«

Hier ist der innere Sinn der Awoda angedeutet, der aus der
Tiefe der altjüdischen Geheimlehre kommt und das Geheimnis
jener Zweiheit von Inbrunst und Dienst, von Haben und Suchen erleuchtet.

In Zweiheit ist durch die erschaffene Welt und ihre Tat Gottes Sein
zerfallen: in das Gotteswesen, Elohuth, das den Kreaturen entrückt ist, und die Gottespräsenz, Schechina, die in den Dingen
wohnt, wandernd, irrend, verstreut. Erst die Erlösung wird beide
in die Ewigkeit vereinigen. Aber es ist der Besitz des Menschengeistes, durch seinen Dienst die Schechina ihrem Quell nähern,
in ihn eintreten lassen zu können. Und in diesem Augenblick der
Heimkehr, ehe sie wieder niedersteigen muß in das Sein der
Dinge, verstummen die Wirbel, die durch das Leben der Gestirne
sausen, erlöschen die Fackeln der großen Verheerung, entsinkt
die Geißel der Hand des Geschicks, hält die Weltenpein inne und
lauscht: die Gnade der Gnaden ist erschienen, der Segen träuft
nieder auf die Unendlichkeit. Bis die Macht der Verstrickung
die Gottesglorie herabzuzerren beginnt und alles wird wie zuvor.

Das ist der Sinn des Dienstes. Nur das Gebet, das um der Schechina willen geschieht, lebt wahrhaft. »Durch seine Not und
seinen Mangel kennt er den Mangel der Schechina, zu beten, daß
der Mangel der Schechina gefüllt werde und daß durch ihn, den
Betenden, die Einung Gottes mit seiner Schechina geschehe.« Der
Mensch soll wissen, daß sein Leid aus dem Leid der Schechina
kommt. Er ist »eines von ihren Gliedern«, und die Stillung ihres
Entbehrens ist allein die echte Stillung des seinen. »Er sinne nicht
auf seine Lösung zugleich im untern und im obern Bedürfen, daß
er nicht sei, wie der die ewige Pflanzung zerhaut und Trennung
schafft; sondern alles tue er um des Mangels der Schechina willen,

und aus sich selber wird alles gelöst werden, und auch sein eignes Leid wird gestillt werden aus der Stillung der obern Wurzel. Denn alles, Oben und Unten, ist *eine* Einheit.« »Ich bin das Gebet«, spricht die Schechina. Ein Zaddik sagte: »Die Menschen meinen, sie beten vor Gott, aber es ist nicht so, denn das Gebet selber ist Gottheit.«

In der Enge des Selbst kann kein Beten gedeihen. »Wer in Leid betet ob der Schwermut, die ihn beherrscht, und denkt, er bete in der Furcht vor Gott, oder wer in Freude betet ob der Helle seines Gemüts, und denkt, er bete in der Liebe zu Gott, dessen Gebet ist gar nichts. Denn diese Furcht ist nur Schwermut, und diese Liebe ist nur leere Freude.«

Es wird erzählt, der Baalschem sei einmal an der Schwelle eines Bethauses stehen geblieben, habe nicht eintreten wollen und habe im Widerwillen gesprochen: »Da kann ich nicht hinein. Das Haus ist ja randvoll von Lehre und Gebet.« Und als sich die Begleiter verwunderten, weil ihnen schien, es könne kein größeres Lob geben als dieses, deutete er es ihnen: »Die Worte, die hier von den Leuten tagsüber ohne die wahre Andacht, ohne Liebe und Barmherzigkeit gesprochen werden, haben keine Flügel. Sie bleiben zwischen den Mauern, sie hocken am Boden, sie breiten sich Schicht auf Schicht wie moderndes Laub, bis der Mulm das Haus vollgepfropft hat und für mich darin kein Platz mehr ist.«

Zweierlei vermag die Gebete festzuhalten: wenn sie ohne die Intention gesprochen werden, und wenn die früheren Taten des Betenden zwischen ihm und dem Himmel wie eine schwere Wolke lagern. Die Hinderung kann nur bezwungen werden, wenn der Mensch in die Sphäre der Inbrunst emporwächst und sich in ihren Gnaden reinigt, oder wenn eine andere Seele, die in der Inbrunst ist, die gefesselten Worte freimacht und mit dem ihren nach oben trägt. So wird von einem Zaddik erzählt, er sei beim Beten der Gemeinde eine lange Zeit stumm und ohne Bewegung dagestanden und habe dann erst selbst zu beten begonnen, »gleichwie der Stamm Dan am Ende des Lagers zog und alles Verlorene sammelte«; sein Wort sei ein Gewand gewesen, in dessen Falten hätten sich die niedergehaltenen Gebete geschmiegt und seien emporgetragen worden. Dieser Zaddik pflegte vor dem Beten zu sagen: »Ich verbinde mich mit ganz Israel, mit denen, die größer sind

als ich, daß durch sie mein Gedanke aufsteige, und mit denen, die
kleiner sind als ich, daß sie durch mich gehoben werden.«

Aber dies ist das Geheimnis der Gemeinschaft, daß nicht bloß
der Niedere des Höheren bedarf, sondern auch der Hohe des
Niedern. Hier ruht ein weiterer Unterschied zwischen dem Zustand der Ekstase und dem Zustand des Dienstes. Hithlahawuth
ist des Einzelnen Weg und Ziel; ein Seil ist über den Abgrund
gespannt, an zwei schlanke Bäume gebunden, die der Sturm bewegt; in Einsamkeit und Grauen betritt es der Fuß des Wagenden. Hier gibt es keine Menschengemeinschaft, nicht im Zweifel
und nicht im Besitz. Der Dienst aber ist vielen Seelen in ihrer
Vereinigung erschlossen. Er gewährt die letzten Schauer nicht,
aber er ist frei von den dunkelsten Ängsten. Er ist nicht ein Seil,
sondern eine Brücke. Den auf dem Seil Kommenden umfängt
drüben der Arm des Geliebten; den Wanderern der Brücke öffnet
sich die Halle des Königs. Die Ekstase will nichts als ihre Vollendung in Gott, sie gibt sich dahin. Im Dienste lebt eine Absicht.
Die Wollenden binden sich aneinander zu größerer Einheit und
Macht. Es gibt einen Dienst, den nur die Gemeinde vollbringen
kann.

Der Baalschem sagte ein Gleichnis: Menschen standen unter einem
sehr hohen Baum. Und einer von den Menschen hatte Augen zu
sehen. Er sah: im Wipfel des Baums stand ein Vogel, herrlich
in wesenhafter Schönheit. Die andern sahen den Vogel nicht.
Über jenen Mann aber fiel ein großes Bangen, zu dem Vogel
zu kommen und ihn zu nehmen; er konnte nicht von dannen
ohne den Vogel. Wegen der Höhe des Baums war es jedoch nicht
in seinem Vermögen, und auch eine Leiter war nicht da. Weil
aber sein Bangen so übermächtig war, fand seine Seele sich den
Rat. Er nahm die Menschen, die umherstanden, und stellte sie
aufeinander, jeden auf die Schultern eines Gefährten. Er aber
stieg zu oberst, so daß er zum Vogel kam, und nahm ihn. Die
Menschen, wiewohl sie dem einen geholfen hatten, wußten nichts
von dem Vogel und sahen ihn nicht. Er aber, der von ihm wußte
und ihn sah, hätte ohne sie nicht zu ihm kommen können. Würde
jedoch der unterste von ihnen seinen Ort verlassen, dann müßte
der oben zur Erde niederfallen. »Und der Tempel des Messias
wird im Buche Sohar das Vogelnest genannt.«

Es ist aber nicht etwa so, als werde nur des Zaddiks Gebet von Gott empfangen und als sei nur dieses lieblich in seinen Augen. Kein Beten ist gnadenstärker und dringt in geraderem Flug durch alle Himmelswelten, als das des Einfältigen, der nichts zu sagen und nur das ungebrochene Müssen seines Herzens Gott darzubringen weiß. Gott nimmt es an, wie ein König das Singen der Nachtigall in der Dämmerung seines Gartens, das ihm süßer klingt als die Huldigung der Fürsten im Thronsaal. Die chassidische Legende weiß sich nicht genug der Beispiele für die Gunst, die dem Ungeschiedenen leuchtet, und für die Macht seines Dienstes. Eines sei hier mitgeteilt.

Ein Dorfmann, der Jahr für Jahr an den »furchtbaren Tagen« im Bethaus des Baalschem war, hatte einen Knaben. Der war stumpfen Verstandes und konnte nicht einmal die Gestalt der Buchstaben empfangen, geschweige denn den Sinn der heiligen Worte erkennen. Der Vater nahm ihn an den furchtbaren Tagen nicht mit sich in die Stadt, weil er nichts wußte. Doch als er dreizehn Jahre war und mündig vor Gottes Gesetzen, nahm ihn der Vater am Versöhnungstag mit, damit er nicht etwa esse am Tag der Kasteiung aus Mangel an Wissen. Der Knabe aber hatte ein Pfeifchen, darauf pfiff er immer in der Zeit, da er auf dem Felde saß, die Schafe und Kälber zu weiden. Das hatte er nun in der Tasche seines Kleides mitgenommen, ohne daß sein Vater es merkte. Der Knabe saß Stunde um Stunde im Bethaus und wußte kein Wort zu sprechen. Als man aber das Mußafgebet anhob, sagte er zu seinem Vater: »Vater, ich habe mein Pfeifchen bei mir, und ich will darauf singen.« Bestürzt fuhr der Vater ihn an, und der Knabe bezwang's. Aber als das Minchagebet begann, sagte er wieder: »Vater, erlaube mir doch, mein Pfeifchen zu nehmen.« Der Vater wurde zornig und fragte ihn: »Wo hast du es?«, und da er ihm den Ort zeigte, legte er die Hand auf die Tasche und hielt sie fortan darauf, um das Pfeifchen zu hüten. Aber das Neïlagebet begann. Da riß der Knabe das Pfeifchen aus der Tasche und pfiff einen gewaltigen Pfiff. Der Baalschem jedoch sprach das Gebet weiter, nur schneller, leichter als gewöhnlich. Hernach sagte er: »Der Knabe hat's mir leicht gemacht.«

So ist jeder Dienst, der aus einer – schlichten oder geschlichteten – zwiespaltlosen Seele kommt, zureichend und vollkommen. Noch

aber ist ein höherer. Denn wer von Awoda zu Hithlahawuth aufgestiegen ist, seinen Willen in sie getaucht hat und seine Tat einzig
aus ihr empfängt, der hat jeden besonderen Dienst überstiegen.
»Jeder Zaddik hat seine besondere Art des Dienstes. Wenn aber
die Zaddikim ihre Wurzel betrachten und zum Nichts gelangen,
dann können sie Gott auf allen Stufen dienen.« So sprach einer
von ihnen: »Ich stehe vor Gott wie ein Botenknabe.« Denn er
war zur Vollendung und zum Nichts gekommen, bis er keine
besondere Art mehr hatte, »sondern er stand bereit für alle Arten, die Gott ihm weisen würde, wie ein Botenknabe dasteht,
bereit für alles, was ihm sein Herr befehlen wird«. Wer so in
der Vollendung dient, der hat die urgegebene Zweiheit besiegt
und hat Hithlahawuth in das Herz der Awoda eingetan. Er wohnt
in den Reichen des Lebens, und doch sind alle Mauern gefallen,
alle Grenzsteine ausgerissen, alle Scheidung ist vernichtet. Er
ist der Bruder der Geschöpfe und fühlt ihren Blick, als wäre
es sein eigner, ihren Schritt, als gingen ihn seine Füße, ihr Blut,
als flösse es in seinem Leib. Er ist das Kind Gottes und legt bang
und sicher seine Seele in die große Hand zu all den Himmeln
und Erden und ungewußten Welten. »Er macht seinen Körper
zum Thron des Lebens und das Leben zum Thron des Geistes
und den Geist zum Thron der Seele und die Seele zum Thron
des Lichtes der Gottesglorie, und das Licht umströmt ihn ringsum,
und er sitzt inmitten des Lichtes, und zittert, und frohlockt.«

Kawwana ist das Mysterium der auf ein Ziel gerichteten Seele. Kawwana ist nicht der Wille. Sie sinnt nicht darauf, ein Bild in die Welt der wirklichen Dinge zu versetzen; nicht, einen Traum zum Gegenstand festzumachen, daß er bei der Hand sei, beliebig oft empfunden zu werden in satter Wiederholung. Auch darauf nicht, den Stein der Tat in die Wellen des Geschehens zu werfen, daß sie eine Weile unruhig werden und sich verwundern, um sodann zurückzukehren zu den tiefen Befehlen ihres Wesens; einen Funken zu legen an die Zündschnur, die durch die Reihe der Geschlechter geht, daß eine Flamme hüpfe aus Zeit zu Zeit, bis sie in einer ohne Abschied und Zeichen erlischt. Nicht dies ist Kawwanas Meinen, daß die Pferde an dem großen Wagen einen Antrieb mehr verspüren, oder daß ein Bau mehr aufgerichtet werde vor dem übervollen Blick der Sterne. Kawwana meint nicht den Zweck, sondern das Ziel.

Es gibt aber keine Ziele, sondern das Ziel. Nur *ein* Ziel ist, das nicht lügt, das sich in keinen neuen Weg verfängt, in das alle Wege münden, vor dem kein Abweg ewig flüchten kann: die Erlösung.

Kawwana ist ein Strahl der Gottesglorie, der in jedem Menschen wohnt und die Erlösung meint.

Dies aber ist die Erlösung, daß die Schechina aus der Verbannung heimkehre. »Daß alle Schalen von der Schechina weichen und sie sich reinige und sich eine ihrem Eigner in vollkommener Einung.« Des zum Zeichen erscheint der Messias und macht alle Wesen frei. Manchem ist es sein Leben lang, als müsse es hier und heute geschehn. Denn er hört die Stimmen des Werdens in den Schluchten brausen und fühlt das Keimen der Ewigkeit auf dem Acker der Zeit, wie wenn es in seinem Blute wäre, und so kann er es nimmer anders denken, als dies und dies sei der erwählte Augenblick. Und immer noch heißer zwingt ihn sein Wähnen, weil immer noch gebieterischer die Stimmen reden und noch heischender das Keimen schwillt.

Von einem Zaddik wird erzählt, daß er so sehr der Erlösung harrte: wenn er auf der Gasse ein Getümmel hörte, sogleich wurde er erregt zu fragen, was dies wolle und ob nicht der Bote

gekommen sei; und jedesmal, wenn er schlafen ging, befahl er
seinem Diener, wenn der Bote käme, solle er ihn im gleichen
Augenblick wecken. »Denn so sehr war in seinem Herzen das
Kommen des Erlösers eingefaßt, wie wenn ein Vater den einzigen Sohn aus dem fremden Lande erwartet und steht auf der
Turmwarte und lugt durch alle Fenster aus, und wenn man die
Tür öffnet, eilt er hinaus, um zu sehen, ob sein Sohn nicht gekommen ist.« Andere aber sind des Schreitens kundig in seinem Maß,
sehen Ort und Stunde der Bahn und wissen die Ferne des Kommenden. In allem stellt sich ihnen das Unvollendete dar, die Gebrechen der Wesen reden zu ihnen. Wie eine unreife Frucht ist
die Welt vor ihren Augen. In sich sind sie der Glorie teilhaftig –
da schauen sie hinaus: alles liegt im Kampf.

Als der große Zaddik Rabbi Menachem in Jerusalem war, ereignete es sich, daß ein törichter Mann den Ölberg bestieg und
in die Schofarposaune stieß. Keiner hatte ihn gesehn. Da hieß es
im Volk, dies sei das Schofarblasen, das die Erlösung verkündigt. Als das Gerücht an die Ohren des Rabbis kam, öffnete er
sein Fenster und sah in die Luft der Welt hinaus. Und sogleich
sprach er: »Da ist keine Erneuerung.«

Dies aber ist der Weg der Erlösung: daß alle Seelen und Seelenfunken, die der Urseele entsprossen und in der Urtrübung der
Welt oder durch die Schuld der Zeiten gesunken und hinaus-
gestreut sind in alle Geschöpfe, die Wanderschaft beschließen und
geläutert heimkehren. Die Chassidim reden davon im Gleichnis
des Fürsten, der das Mahl erst anheben läßt, wenn der letzte
der Gäste eingezogen ist.

Alle Menschen sind die Stätten wandernder Seelen. In vielen
Wesen wohnen sie und streben von Gestalt zu Gestalt nach der
Vollendung. Die sich aber nicht zu läutern vermögen, werden
von der »Welt des Wirrsals« befangen und hausen in Wasser-
lachen, in Steinen, in Gewächsen, in Tieren, der erlösenden Stunde
entgegenharrend.

Doch nicht bloß Seelen sind überall eingeschlossen: auch Seelenfunken. Dieser ist kein Ding leer. Sie leben in allem, was ist.
Jede Form ist ihr Kerker.

Und dies ist der Sinn und die Bestimmung der Kawwana: daß
es dem Menschen gegeben ist, die Gefallenen zu heben und die

Gefangenen zu befreien. Nicht bloß warten, nicht bloß aus-
schauen: wirken kann der Mensch an der Erlösung der Welt.

Das eben ist Kawwana: das Mysterium der Seele, die darauf gerichtet ist, die Welt zu erlösen.

Es wird von Heiligen berichtet, die es im Sturm und in der
Gewalt zu vollbringen vermeinten. In dieser Welt; wenn sie von
der Gnade der Inbrunst so durchglüht waren, daß ihnen nichts
mehr unerreichbar schien, die sie doch Gott umfangen hatten.
Oder in der kommenden Welt; ein Zaddik sprach im Sterben:
»Die Freunde sind hingegangen und wollten den Messias bringen, und haben es in der Wonne vergessen. Aber ich werde nicht
vergessen.«

In Wahrheit jedoch kann jeder nur in seinem Bereiche wirken.
Jeder hat eine in Raum und Zeit ausgesparte Sphäre des Seins,
die ihm zugeteilt ist, durch ihn erlöst zu werden. Orte, die von
Ungehobenem beschwert sind, warten auf den Menschen, der mit
dem Wort der Freiheit zu ihnen kommen wird. Wenn ein Chassid
an einem Ort nicht beten kann und an einen anderen geht, dann
fordert der erste Ort von ihm: »Warum wolltest du nicht auf
mir die heiligen Worte sprechen? Und wenn Böses an mir ist,
so ist es an dir, mich zu erlösen.« Aber auch alle Reisen haben
heimliche Bestimmung, die der Reisende nicht ahnt.

Von einigen Zaddikim wird gesagt, sie hätten die helfende Macht
über die wandernden Seelen gehabt. In allen Zeiten, sonderlich
aber, wenn sie im Gebete standen, seien die Irrfahrer der Ewigkeit bittend vor ihnen erschienen und hätten das Heil aus ihren
Händen empfangen. Doch auch aus eigenem Antrieb hätten sie die
Stummen unter den Gebannten im Exil eines müden Leibes oder
im Dunkel des Elements zu finden und sie emporzuretten gewußt.

Diese Hilfe ist als ein ungeheures Wagen inmitten von andringen-
den Gefahren dargestellt, zu dem nur der Heilige sich spannen
kann, ohne niedergeworfen zu werden. »Wer eine Seele hat, der
mag sich in die Schlucht hinablassen, festgebunden durch seinen
Gedanken wie durch ein starkes Seil am oberen Rand, und wird
zurückkehren. Aber wer nur Leben hat, oder nur Leben und
Geist, der hat die Artung des Gedankens noch nicht, das Band
wird nicht standhalten, und er wird in die Tiefe fallen.«

Kann also nur der Begnadete gelassenen Muts in die Finsternis tauchen, um einer Seele beizustehn, die den Wirbeln der Wanderschaft überliefert ist, so ist auch dem Geringsten nicht versagt, die verlorenen Funken aus ihrem Gewahrsam zu heben und heimzusenden.

Überall sind die Funken eingetan. Sie hängen in den Dingen wie in versiegelten Brunnen, sie ducken sich in den Wesen wie in zugemauerten Höhlen, sie warten; und die im Raume wohnen, schwirren wie lichttolle Falter um die Bewegungen der Welt umher, ausschauend, in welche sie einkehren könnten, durch sie gelöst zu werden. Alle harren sie der Freiheit.

»Der Funke in einem Gestein oder Gewächs oder einer andern Kreatur ist wie eine völlige Gestalt, die in der Mitte des Dinges wie in einem Block sitzt, daß Hände und Füße sich nicht strecken können und der Kopf auf den Knien liegt. Wer aber den heiligen Funken zu heben vermag, der führt ihn in die Freiheit, und keine Lösung Gefangener ist größer als diese. Wie wer einen Königssohn aus der Gefangenschaft errettet und zu seinem Vater bringt.« Aber nicht durch Beschwörungsformeln und nicht durch irgendein vorgeschriebenes sonderliches Tun geschieht die Befreiung. All dies wächst auf dem Grunde der Anderheit, der nicht der Grund der Kawwana ist. Es bedarf keines Sprungs aus dem Gewohnten ins Wunder. »Mit jeder Handlung kann der Mensch an der Gestalt der Schechina arbeiten, daß sie aus dem Verborgenen trete.« Nicht die Materie der Handlung, nur ihre Weihung entscheidet. Eben dies, was du im Gleichmaß der Wiederkehr oder in der Fügung der Ereignisse tust, eben diese aus Übung erworbene oder aus Eingebung gewonnene Antwort des Handelnden auf das vielfältige Begehren der Stunden wird, in der Weihe vollzogen, zum Erlösen. Wer in Heiligkeit betet und singt, in Heiligkeit ißt und redet, in Heiligkeit des gebotenen Tauchbads und in Heiligkeit der Geschäfte bedacht ist, durch den werden die gefallenen Funken erhoben und die gefallenen Welten erlöst und erneuert.

Um jeden Menschen ist – in die weite Sphäre seines Wirkens eingebaut – ein natürlicher Bezirk von Dingen gelegt, die vor allem zu befreien er bestimmt ist. Es sind die Wesen und Gegenstände, die der Besitz des Einzelnen genannt werden: seine

Tiere und seine Wände, sein Garten und sein Anger, sein Gerät und seine Speise. Indem er sie in Heiligkeit hegt und genießt, macht er ihre Seelen los. »Darum soll der Mensch sich immerdar seiner Geräte und all seines Besitzes erbarmen.«
Aber auch in der Seele selbst erscheinen die der Lösung Bedürftigen. Die meisten sind die Funken, die durch die Schuld dieser Seele in einem ihrer früheren Leben in die Niederung geraten sind. Diese sind die fremden, störenden Gedanken, die oft den Betenden befallen. »Wenn der Mensch im Gebet steht und begehrt, sich an das Ewige zu schließen, und die fremden Gedanken kommen und fallen: heilige Funken sind es, die gesunken sind und von ihm erhoben und erlöst werden wollen; und die Funken sind ihm zugehörig, der Wurzel seiner Seele verschwistert: seine Kräfte sind es, die er erlösen soll.« Er erlöst sie, wenn er jeden trüben Gedanken seiner reinen Quelle wiedergibt, jeden auf Sonderheit sinnenden Trieb in den göttlichen Alltrieb ergießt, alles Fremde in der Eigenheit untergehen läßt.
Dies ist die Kawwana des Empfangens: daß man die Funken in den umgebenden Dingen und die Funken, die aus dem Unsichtbaren nahen, erlöse. Aber es gibt noch eine andere Kawwana, das ist die Kawwana des Gebens. Sie trägt keine verirrten Seelenstrahlen in hilfreichen Händen; sie bindet Welten aneinander und herrscht in den Geheimnissen, sie schüttet sich in die durstige Ferne. Auch sie bedarf der Wunderhandlung nicht. Ihre Bahn ist das Schaffen, und das Wort vor aller anderen Gestalt des Schaffens.
Die Sprache war für die jüdische Mystik von je ein geheimnisvoller und schauererweckender Gegenstand. Eine eigentümliche Theorie der Buchstaben als der Weltelemente liegt vor, die von ihren Vermischungen als von dem Innern der Wirklichkeit handelt. Das Wort ist ein Abgrund, durch den der Redende schreitet. »Man soll die Worte sprechen, als seien die Himmel geöffnet in ihnen. Und als wäre es nicht so, daß du das Wort in deinen Mund nimmst, sondern als gingest du in das Wort ein.« Wer des heimlichen Liedes kundig ist, das das Innen ins Außen trägt, des heiligen Reigens, der einsame spröde Worte zum Gesang der Fernen verschmilzt, der wird der Gottesmacht voll, »und es ist, als schüfe er Himmel und Erde und alle Welten von neuem«. Er findet sein

Reich nicht vor wie der Seelenbefreier, er spannt es aus vom Firmament zu den schweigenden Tiefen. Aber auch er wirkt an der Erlösung. »Denn in jedem Zeichen sind die Drei: Welt, Seele und Gottheit. Sie steigen auf und verbinden sich und vereinen sich mit einander, und danach vereinen sich die Zeichen und es wird das Wort, und die Worte einen sich in Gott in wahrhafter Einung, da ein Mensch seine Seele in sie eingefaßt hat, und alle Welten einen sich und steigen auf, und die große Wonne wird geboren.« So bereitet der Wirkende die letzte All-Einung vor.

Und wie uns Awoda in Hithlahawuth, das Urprinzip des chassidischen Lebens, mündete, so mündet hier Kawwana in Hithlahawuth. Denn Schaffen ist Geschaffenwerden: das Göttliche bewegt und bewältigt uns. Und Geschaffenwerden ist Ekstase: nur wer sich in das Nichts des Unbedingten einsenkt, empfängt die formende Hand des Geistes. Dies wird im Gleichnis dargestellt. Es ist keinem Ding der Welt gegeben, in sich umgeschaffen zu werden und in neue Gestalt zu kommen, es komme denn vordem zum Nichts, das ist zur »Gestalt des Dazwischen«. Kein Wesen kann auf ihr bestehen, sie ist die Kraft vor der Schöpfung und heißt das Chaos. So ist das Vergehen des Eis zum Küchlein, und so der Same, der nicht keimt, ehe er in der Erde aufgegangen und verwest ist. »Und dies wird Weisheit genannt, das heißt: ein Gedanke, der keine Offenbarung hat. Und so ist es: wenn der Mensch will, daß eine neue Schöpfung aus ihm komme, dann muß er mit aller seiner Möglichkeit zur Eigenschaft des Nichts kommen, und dann schafft Gott in ihm eine neue Schöpfung, und er ist wie ein Quell, der nicht trocknet, und wie ein Strom, der nicht versiegt.«

So ist zwiefach der Wille der chassidischen Lehre von der Kawwana: daß der Genuß, die Verinnerung des Außen, in Heiligkeit geschehe und daß das Schaffen, die Veräußerung des Innen, in Heiligkeit geschehe. Durch heiliges Schaffen und heiligen Genuß vollzieht sich die Erlösung der Welt.

Gott tut nicht zweimal das gleiche Ding, sagt Rabbi Nachman von Bratzlaw.

Einzig und einmalig ist das Seiende. Neu und ungewesen taucht es aus der Flut der Wiederkünfte auf, geschehen und unwiederholbar taucht es in sie zurück. Jegliches erscheint zum andern Mal, aber jegliches gewandelt. Und die Würfe und Stürze, die über den großen Weltgebilden walten, und die Wasser und Feuer, die die Gestalt der Erde bauen, und die Mischungen und Entmischungen, die das Leben der Lebendigen kochen, und der Geist des Menschen mit all seinem Versuchen und Vergreifen an der weichen Fülle des Möglichen, sie alle können nicht ein Gleiches schaffen und nicht wiederbringen eins der Dinge, das da besiegelt ist, gewesen zu sein. Die Einmaligkeit ist eine Ewigkeit des Einzelnen. Denn mit seiner Einzigkeit ist er unverlöschbar in das Herz der Allheit eingegraben und liegt im Schoß des Zeitlosen immerdar als der so und nicht anders Beschaffene.

So ist die Einzigkeit das wesentliche Gut des Menschen, das ihm gegeben ist, es zu entfalten. Und dies eben ist der Sinn der Wiederkehr, daß sich die Einzigkeit in ihr immer mehr reinige und vollkommen werde; und daß in jedem neuen Leben der Wiederkehrende in ungetrübterer und ungestörterer Unvergleichbarkeit stehe. Denn reine Einzigkeit und reine Vollkommenheit sind eins, und wer so ganz und gar einzig geworden ist, daß keine Anderheit mehr Macht über ihn und Ort in ihm hat, der hat die Reise vollbracht und ist erlöst und kehrt in Gott ein.

» Jedermann soll wissen und bedenken, daß er in der Welt einzig ist in seiner Beschaffenheit, und kein ihm Gleicher war je im Leben, denn wäre je ein ihm Gleicher gewesen, dann brauchte er nicht zu sein. Aber in Wahrheit ist jeglicher ein neues Ding in der Welt, und er soll seine Eigenschaft vollkommen machen, denn weil sie nicht vollkommen ist, zögert das Kommen des Messias.«

Nur aus seiner eigenen Art, aus keiner fremden kann sich der Strebende vollenden. »Wer die Stufe des Gefährten erfaßt und seine Stufe fahren läßt, diese und jene wird durch ihn nicht verwirklicht werden. Viele taten wie Rabbi Simon ben Jochai, und es geriet nicht in ihrer Hand, weil sie nicht in dieser Beschaffenheit waren, sondern nur wie er taten, da sie ihn in dieser Beschaffenheit sahen.«

Aber wie der Mensch in einsamer Inbrunst Gott sucht und es doch einen hohen Dienst gibt, den nur die Gemeinde vollziehen kann, und wie der Mensch mit dem Tun seines Alltags Ungeheures wirkt, aber nicht allein, sondern der Welt und der Dinge bedarf er zu solchem Tun, so bewährt sich die Einzigkeit des Menschen in seinem Leben mit den andern. Denn je einziger einer in Wahrheit ist, desto mehr kann er den andern geben, und desto mehr will er ihnen geben. Und dies eine ist seine Not, daß sein Geben eingeschränkt ist durch den Nehmenden. Denn »der Schenkende ist von seiten der Gnade und der Empfangende ist von seiten des Gerichts. Und so ist es mit jedem Ding. Wie wenn man aus einem großen Gefäß in einen Becher gießt: das Gefäß schüttet sich in Fülle aus, aber der Becher setzt seiner Gabe die Grenze.«

Der Einzige schaut Gott und umschlingt ihn. Der Einzige erlöst die gefallenen Welten. Und doch ist der Einzige kein Ganzes, sondern ein Teil. Und je reiner und vollkommener er ist, desto inniger weiß er es, daß er ein Teil ist, und desto wacher regt sich in ihm die Gemeinschaft der Wesen. Dies ist das Mysterium der Demut.

»Der Mensch hat ein Licht über sich, und wenn zwei Menschen einander mit den Seelen begegnen, gesellen sich ihre Lichter zu einander, und aus ihnen geht *ein* Licht hervor. Und dies wird Zeugung genannt.« Allzeugung fühlen wie ein Meer und sich darin wie eine Welle, dies ist das Mysterium der Demut.

Nicht das ist Demut, wenn einer »sich übersehr erniedrigt und vergißt, daß der Mensch durch sein Wort und seine Gebärde über alle Welten den überfließenden Segen herabzubringen vermag«. Dies wird unreine Demut genannt. »Das größte Böse ist, wenn du vergissest, daß du ein Königssohn bist.« In Wahrheit demütig aber ist, wer die andern wie sich fühlt und sich in den andern.

Hochmut heißt: sich an anderen messen. Nicht, wer sich weiß, nur wer sich mit andern vergleicht, ist der Hochmütige. Kein Mensch kann sich überheben, wenn er auf sich ruht: sind ihm doch alle Himmel offen und alle Welten ergeben; der überhebt sich, der sich dem andern überlegen dünkt, sich höher sieht als das allergeringste der Dinge, der mit Elle und Gewichten schaltet und Urteil fällt.

Ein Zaddik sprach: »Wenn heute Messias kommt und sagt: ›Du bist besser als die andern‹, dann sage ich ihm: ›Du bist nicht Messias‹.«

Ohne Werk und Wesen lebt die Seele des Hochmütigen, flattert und müht sich und wird nicht gesegnet. Die Gedanken, die nicht das Gedachte, sondern sich und ihren Glanz meinen, sind Schatten. Die Tat, die nicht auf das Ziel, sondern auf die Geltung sinnt, hat nicht Körper, nur Fläche, nicht Bestand, nur Erscheinung. Wer mißt und wägt, wird leer und unwirklich wie Maß und Gewicht. »Wer seiner voll ist, in dem hat Gott keinen Raum.«

Von einem Jüngling wird erzählt, der die Abgeschiedenheit auf sich nahm und sich von den Dingen der Welt löste, um allein der Lehre und dem Dienst anzuhangen, und saß in der Einsamkeit, fastend von Sabbat zu Sabbat und lernend und betend. Aber in seinem Sinn hatte er über aller Absicht den Stolz seines Tuns; das strahlte vor seinen Augen. Und so fiel all sein Werk der »anderen Seite« anheim, und das Heilige hatte kein Teil daran. Aber immer stärker trieb sich sein Herz auf und fühlte das Sinken nicht, indes die Dämonen mit seinen Taten spielten, und dünkte sich ganz von Gott besessen. Da kam es einst, daß er sich aus sich hinauslehnte und die Dinge ringsum stumm und abgewandt gewahrte: da ergriff ihn das Erkennen, und er schaute sein Tun, aufgeschichtet zu Füßen eines riesenhaften Götzen, und sich selbst schaute er in schwindelnder Leere, preisgegeben dem Namenlosen. Dies wird erzählt und nichts weiter.

Der Demütige aber hat die »ziehende Kraft«. Alle Zeit, die der Mensch sich über andern und vor andern sieht, hat er eine Grenze, »und Gott kann seine Heiligkeit nicht in ihn gießen, da Gott ohne Grenze ist«. Aber wenn der Mensch in sich ruht wie im Nichts, ist er durch kein Andres begrenzt und ist grenzenlos, und Gott gießt seine Glorie in ihn.

Die Demut, die hier gemeint ist, ist keine gewollte und geübte Tugend. Sie ist nichts als innerliches Sein, Fühlen und Aussagen. Nirgends ist ein Zwang an ihr, nirgends ein Sichbeugen, Sichbe-

herrschen, Sichbestimmen. Sie ist zwiespaltbar wie eines Kindes Blick und schlicht wie eines Kindes Rede.
Der Demütige lebt in jedem Wesen und weiß jedes Wesens Art und Tugend. Weil keiner ihm »der Andere« ist, weiß er aus dem inneren Grunde, daß keiner des verhüllten Wertes ermangelt; weiß, daß da, wie schon in der Frühzeit des Talmuds gelehrt worden ist, »kein Mensch ist, der nicht seine Stunde hätte«. Nicht fließen ihm die Farben der Welt ineinander, sondern jede Seele steht in der Herrlichkeit ihres Eigendaseins vor ihm. »In jedem Menschen ist Köstliches, das in keinem anderen ist. Daher soll man jeden ehren nach seinem Verborgenen, das nur er hat und keiner der Gefährten.«
»Gott blickt nicht auf den bösen Teil«, sagte ein Zaddik, »wie dürfte ich es tun?«
Wer in den Wesen lebt nach dem Mysterium der Demut, kann keines verdammen. »Wer über einen Menschen das Urteil spricht, hat es über sich gesprochen.«
Wer sich vom Sünder sondert, geht in der Schuld von dannen. Der Heilige aber vermag an der Sünde eines Menschen als an seiner eigenen zu leiden. Mitleben allein ist Gerechtigkeit.
Mitleben als Erkennen ist Gerechtigkeit. Mitleben als Sein ist Liebe. Denn jenes Gefühl der Nähe und jenes Wollen der Nähe zu wenigen, das unter den Menschen Liebe heißt, ist nichts als Erinnerung aus einem Himmelsleben: »Die im Paradies beieinander saßen und Nachbarn und Verwandte waren, die sind einander nah auch in dieser Welt.« In Wahrheit aber ist Liebe ein Urweites und Tragendes und ohne alle Wahl und Scheidung hingebreitet zu den Lebendigen. Ein Zaddik sprach: »Wie könnt ihr von mir sagen, ich sei ein Führer des Zeitalters, da ich noch in mir die Liebe zu den Nahen und zu meinem Samen stärker fühle als zu allen Menschensöhnen?« Daß sich dieses Meinen auch auf die Tiere erstreckt, sagen die Erzählungen von Rabbi Wolf, der nie ein Pferd anzuschrein vermochte, von Rabbi Mosche Löb, der die vernachlässigten Kälber auf den Märkten tränkte, von Rabbi Sussja, der keinen Käfig sehen konnte »und die Unseligkeit der Vögel und ihr Bangen nach dem Fluge in der Luft der Welt, gemäß ihrer Natur, freie Wanderer zu sein«, ohne den Käfig zu öffnen. Aber nicht nur die Wesen, denen der kurze Blick der

Menge den Namen der Lebendigen zuspricht, gehören der Liebe
des Liebenden zu: »Dir ist kein Ding in der Welt, in dem nicht
Leben wäre, und von seinem Leben hat jedes die Gestalt, in der
es vor deinen Augen steht. Und sieh, dieses Leben ist das Leben
Gottes.«

So ist es gemeint: die Liebe zu den Lebendigen ist die Liebe zu
Gott, und sie ist höher als irgendein Dienst. Ein Meister fragte
einen Schüler: »Du weißt, daß nicht zwei Kräfte zur gleichen
Zeit im Menschensinn Fassung haben. Wenn du dich nun am
Morgen von deinem Lager erhebst und zwei Wege sind vor dir:
Liebe zu Gott und Liebe zu den Menschen, welcher ist der erste?«
Jener antwortete: »Ich weiß es nicht.« Da sprach der Meister:
»Es steht geschrieben in dem Gebetbuch, das in den Händen des
Volks ist: ›Ehe du betest, sage das Wort: Sei liebend zu deinem
Genossen, dir gleich.‹ Meinst du, das hätten die Ehrwürdigen
ohne Absicht befohlen? Wenn einer dir sagt, er trage Liebe zu
Gott und trage nicht Liebe zu den Lebendigen, Falsches redet er
und Unmögliches gibt er vor zu besitzen.«

Darum ist, wo einer sich von Gott entfernt, die Liebe eines Menschen das einzige Heil. Als ein Vater dem Baalschem klagte:
»Mein Sohn ist von Gott gewichen – was soll ich tun?«, erwiderte
er: »Ihn mehr lieben.«

Eines der chassidischen Grundworte ist dieses: mehr lieben. Seine
Wurzeln graben sich tief ein und strecken sich weit hin. Der mag
die Kategorie Judentum neu verstehen lernen, der es verstanden
hat. Es ist eine große Bewegung darin.

Eine große Bewegung, und doch wieder nur ein verlorener Klang.
Es ist ein verlorener Klang, wenn irgendwo – in jener dunkeln,
fensterlosen Stube – und irgendwann – in jenen Tagen ohne Kraft
der Botschaft – die Lippen eines namenlosen, dauerlosen Menschen, des Zaddiks Rabbi Rafael, diese Worte bilden: »Wenn ein
Mensch sieht, daß sein Gefährte ihn haßt, soll er ihn mehr lieben.
Denn die Gemeinschaft der Lebendigen ist der Wagen der Gottes-
herrlichkeit, und wo ein Riß im Wagen ist, muß man ihn füllen,
und wo der Liebe wenig ist, daß die Fügung sich löst, muß man
Liebe mehren auf *seiner* Seite, den Mangel zu zwingen.«

Dieser Rabbi Rafael rief einst vor einer Fahrt einem Schüler zu,
er solle sich zu ihm in den Wagen setzen. Darauf jener: »Ich

fürchte, ich könnte es Euch eng machen.« Und er mit erhobener Stimme: »So wollen wir einander mehr lieben: dann wird uns weit sein.«

Sie sollen hier stehen als Zeugen, das Sinnbild und die Wirklichkeit, verschieden und eines, untrennbar, der Wagen der Schechina und der Wagen der Freunde.

Es ist die Liebe ein Wesen, das in einem Reich lebt, größer als das Reich des Einzelnen, und aus einem Wissen redet, tiefer als das Wissen des Einzelnen. Sie ist in Wahrheit *zwischen* den Kreaturen, das heißt: sie ist in Gott. Leben durch Leben gedeckt und gebürgt, Leben sich gießend in Leben, so erst erkennt ihr die Seele der Welt. Wessen das eine ermangelt, des wird das andre ihm entgegenschwellen. Wenn eines zu wenig liebt, wird das andre mehr lieben.

Die Dinge helfen einander. Helfen aber ist: selbst in einem gesammelten Willen das Seine von sich selbst aus tun. Wie der, der mehr liebt, dem andern nicht Liebe predigt, sondern selbst liebt und sich also gewissermaßen nicht um ihn kümmert, so kümmert sich der Helfende gewissermaßen nicht um den andern, sondern tut das Seine von sich selbst aus im Gedanken der Hilfe. Das bedeutet: das Eigentliche, was zwischen den Wesen geschieht, geschieht nicht durch ihren Verkehr, sondern durch eines jeden scheinbar einsames, scheinbar unbekümmertes, scheinbar brückenloses Tun von sich selbst aus. Dies wird im Gleichnis gesagt: »Wenn ein Mensch singt und kann die Stimme nicht erheben, und einer kommt ihm zu helfen und hebt an zu singen, dann kann auch jener wieder die Stimme erheben. Und das ist das Geheimnis der Verbindung.«

Das Einanderhelfen ist keine Aufgabe, sondern das Selbstverständliche und die Wirklichkeit, auf die das Zusammenleben der Chassidim gegründet ist. Die Hilfe ist keine Tugend, sondern eine Ader des Daseins. Das ist der neue Sinn des alten jüdischen Wortes, das Wohltun rette vom Tode. Geboten wird, daß der Helfende sich nicht auf die anderen besinne, die mithelfen können, auf Gott und die Menschen, und nicht vermeine, eine Teilkraft zu sein, die nur beizutragen habe, sondern daß jeder als Ganzheit antworte und einstehe. Und noch eins, und dies ist wieder nichts als ein Ausdruck des Mysteriums der Schifluth: helfen nicht aus Mitleid, das heißt aus einem scharfen, raschen Schmerz, den man bannen will, sondern aus Liebe, das heißt: aus Mitleben. Der Mitleidige lebt nicht das Leid des Leidenden mit, er trägt es nicht im Herzen, wie man das Leben eines Baums trägt mit allem Saugen und Treiben und mit dem Traum der Wurzeln und dem Begehren des Stammes und den tausend Fahrten der Zweige, oder wie man das Leben eines Tieres trägt, mit allem Gleiten und Strecken und Greifen und allem Glück der Sehnen und Gelenke und der dumpfen Spannung des Gehirns; er trägt dieses sonderliche Wesen, das Leid des andern, nicht im Herzen, sondern er empfängt von dieses Leides äußerlichster Gebärde einen scharfen, raschen Schmerz, dem Urschmerz des Leidenden abgrundweit unähnlich, und so wird er bewegt. Es soll aber der Helfende wahrhaft mitleben, und nur Hilfe aus solchem Mitleben besteht vor den Augen Gottes. So wird von einem Zaddik erzählt, der, wenn ein Armer sein Mitleid erregte, erst ihn mit aller Notdurft versorgte, dann aber, da er in sich verspürte, daß die Wunde des Mitleids geheilt war, sich mit großer, ruhevoll hingegebener Liebe in das Leben und Bedürfen des andern versenkte, es in sich als sein eigenes Leben und Bedürfen faßte und nun in Wahrheit zu helfen begann.

Wer solcherweise mitlebt, der verwirklicht mit seinem Tun die Wahrheit, daß alle Seelen eine sind, denn jede ist ein Funken aus der Urseele, und sie ist ganz in ihnen allen.

So lebt der Demütige, der der Gerechte und der Liebende und der Helfer ist: vermischt mit allen und allen unberührbar, der Vielheit ergeben und gesammelt in seiner Einzigkeit, auf den Felskuppen der Einsamkeit den Bund mit dem Unendlichen und im Tal des Lebens den Bund mit den Irdischen vollziehend. Er weiß, daß alles in Gott ist, und grüßt die Boten wie vertraute Freunde. Ihn schreckt nicht das Vorher und Nachher, nicht das Oben und Unten, nicht das Diesseits und Jenseits. Er ist daheim und kann nie verstoßen werden.

DES RABBI ISRAEL BEN ELIESER
GENANNT BAAL-SCHEM-TOW DAS IST MEISTER
VOM GUTEN NAMEN UNTERWEISUNG IM UMGANG
MIT GOTT AUS DEN BRUCHSTÜCKEN GEFÜGT

Diese Schrift besteht in einer Auswahl von Bruchstücken, uns als
Zitate in Büchern von Schülern und Schülersschülern überliefert,
aus Reden eines Menschen, der selber kein Buch geschrieben hat.
Dieser Mensch ist eine führende Gestalt in der Geistesgeschichte
des Judentums, der Führer jener seiner mächtigen Bewegung, die
»Chassiduth« genannt wird – ein Wort, das man noch weit weniger als das ihm entsprechende pietas in die deutsche Sprache übertragen kann; am ehesten möchte dessen Sinn durch eine verbale
Umschreibung wiedergegeben sein: die Welt in Gott lieben. Des
weitern ist dieser Mensch eine der zentralen Gestalten in der Religionsgeschichte des achtzehnten Jahrhunderts, der größere Gegenspieler Zinzendorfs (mit dem er wohl im gleichen Jahr geboren wurde und im gleichen starb, und von dem er gewiß nichts
wußte). Durch beide vollzog sich die Wiederentdeckung des »Ge-
genüberstehens«, der realen Gegenseitigkeit – der Deutsche entdeckte sie in der Abgelöstheit des Gefühls, der polnische Jude in
der Einbezogenheit des ganzen Weltlebens. (Das deutsche philosophische Nachspiel endet mit dem jungen Schleiermacher, das
jüdische hat mit dem Alterswerk Cohens begonnen.)
In einer Zeit, die gelernt haben wird, den Beitrag des Judentums
zum menschlichen Werk wahrzunehmen, wird man den Baalschem vermutlich als den Begründer einer realistischen und akti-
vistischen Mystik verherrlichen, d. h. einer Mystik, für die die Welt
nicht ein Scheingebilde ist, von dem der Mensch sich abkehren
müsse, um zum wahren Sein zu gelangen, sondern die Wirklichkeit zwischen Gott und ihm, an der sich die Gegenseitigkeit bekundet, der Gegenstand der schöpferischen Botschaft an ihn, der
Gegenstand seines antwortenden Dienstes, bestimmt, durch die
Begegnung göttlicher und menschlicher Tat erlöst zu werden;
einer Mystik also ohne Vermischung der Prinzipien und ohne
Schwächung der gelebten Allvielheit um einer zu erlebenden All-
einheit willen (Jichud, unio, bedeutet hier nicht Einung der Seele
mit Gott, sondern Einung Gottes mit seiner welteinwohnenden
Herrlichkeit). Einer »Mystik«, die noch so zu nennen sein mag,
weil sie die Unmittelbarkeit der Beziehung wahrt, die Konkretheit im Bund mit dem Absoluten hütet und den Einsatz des gan-

zen Wesens verlangt; man kann sie freilich eben darum auch Religion nennen. Ihr wahrer deutscher Name ist wohl: Gegenwärtigkeit.

Wenn man aber die in dieser Schrift zusammengestellten Worte des Baalschem wahrhaft aufnehmen will, tut man gut, alles, was man von der Geschichte weiß, und alles, was man von der Mystik zu wissen meint, zu vergessen und lesend einer Menschenstimme zu horchen, die heute, hier, zu dem heute und hier Lesenden spricht.

DES BAAL-SCHEM-TOW UNTERWEISUNG
IM UMGANG MIT GOTT

Vom Erkennen

»Hätten sie doch mich verlassen, spricht Gott, und meine Lehre bewahrt!«[1]
Das ist so zu deuten:
Der Endsinn des Wissens ist, daß wir nicht wissen können. Aber es gibt zwei Arten des Nichtwissenkönnens. Das eine ist das alsbaldige: da beginnt einer gar nicht erst zu forschen und zu erkennen, weil es ja doch unmöglich ist zu wissen. Ein andrer aber forscht und sucht, bis er erkennt, daß man nicht wissen kann. Und der Unterschied zwischen beiden – wem sind sie wohl zu vergleichen? Zweien, die den König kennen lernen wollen. Der eine betritt alle Gemächer des Königs, er erfreut sich an des Königs Schatzkammern und Prunkhallen, und danach erfährt er, daß er den König nicht kennen lernen kann. Der andre sagt sich: Da es nicht möglich ist, den König kennen zu lernen, wollen wir gar nicht eintreten, sondern uns mit dem Nichtkennen bescheiden.
Daraus ist zu verstehn, was jene Worte Gottes bedeuten: Sie haben mich verlassen – das ist, sie haben aufgegeben, mich zu erkennen, weil es nicht möglich sei; aber hätten sie mich doch verlassen aus Forschen und Erkennen, indem sie meine Lehre bewahrten!

*

Warum sprechen wir: »Unser Gott und Gott unsrer Väter!«? Es gibt zwei Gattungen von Menschen, die an Gott glauben. Der eine glaubt, weil es ihm von seinen Vätern überliefert ist; und sein Glaube ist stark. Der andere ist durch das Forschen zum Glauben gekommen. Und dies ist der Unterschied zwischen ihnen: Des ersten Vorzug ist, daß sein Glaube nicht erschüttert werden kann, wie vielen Widerspruch man auch vorbringen mag, denn sein Glaube ist fest, weil er von den Vätern übernommen ward; aber

---

[1] Midrasch Echa rabbi, Pet. II.

ein Mangel haftet daran: daß sein Glaube nur ein Menschengebot ist, erlernt ohne Sinn und Verstand. Des zweiten Vorzug ist, daß er, weil er Gott durch großes Forschen fand, zum eignen Glauben gelangt ist; aber auch an ihm haftet ein Mangel: daß es ein Leichtes ist, seinen Glauben durch widerstreitenden Beweis zu erschüttern. Wer jedoch beides vereinigt, dem ist keiner überlegen. Darum sprechen wir: »Unser Gott«, unsrer Forschung halber, und »Gott unsrer Väter«, um unsrer Überlieferung willen. Und so auch ist gedeutet worden, daß wir sprechen: »Gott Abrahams, Gott Isaaks und Gott Jakobs«, nicht aber sprechen wir: »Gott Abrahams, Isaaks und Jakobs« – damit ist gesagt: Isaak und Jakob stützten sich nicht auf Abrahams Überlieferung allein, sondern selber suchten sie das Göttliche.

Vom Eifer und vom Werk

Der Mensch ergreife die Eigenschaft des Eifers[2] gar sehr. Er erhebe sich im Eifer von seinem Schlaf, denn er ist geheiligt und ein andrer worden und ist würdig zu zeugen und ist worden nach der Eigenschaft Gottes des Heiligen, da er Welten erzeugte.

*

»Alles, was deine Hand zu tun findet, tu es mit deiner Kraft!«[3] Das heißt: binde die Tat an die Kraft des Gedankens. Wie von Henoch erzählt wird, er sei ein Flickschuster gewesen und habe mit jedem Stich seiner Ahle, der das Oberleder an die Sohle nähte, den Heiligen Gott mit der Einwohnenden Herrlichkeit verbunden[4].

---

[2] Gemeint ist das göttliche Attribut der »Bereitschaft«, der Wirkensmächtigkeit, von der dem im Bilde Gottes erschaffenen Menschen zugeteilt ist. Der Mensch erwacht an jedem Morgen *vor* dem Sündenfall, in reiner Ebenbildlichkeit, und an jedem Morgen ist es wieder wie ureinst an ihm, ob er das ihm Zugeteilte verwirklicht oder vereitelt.
[3] Prediger 9, 10.
[4] Der Mensch, der in sich selber zwischen dem Reich des Gedankens und dem Reich der Tat Einung stiftet, wirkt ein auf die Einung zwischen dem Reich des Gedankens und dem Reich der Tat, das ist, zwischen Gott und seiner Schöpfung, der er seine Schechina (»Einwohnung«), seine Herrlichkeit einwohnen läßt. Bei jeder Gebotserfüllung soll der Mensch sprechen: »Ich tue dies, um den Heiligen, gesegnet sei Er, mit seiner Schechina zu vereinigen.« Es würde aber eine Entstellung der Lehre bedeuten, diese Einung als »in« Gott sich vollziehend zu verstehen. Daß die Schechina sich der Schöp-

Unsere Weisen sagen: »Micha kam und stellte es auf drei Dinge«[5], das ist, er befestigte das Gesetz durch die drei Säulen, auf denen die Welt ruht: ›Recht üben‹, das ist Gerechtigkeit, ›und Holdschaft lieben‹, das ist Guttat, ›und bescheiden gehen mit deinem Gott‹, das ist die Mittelsäule, die Ordnung der Wahrheit: daß dein Mund und dein Herz eins seien, und sei auf keine abseitigen Zwecke gerichtet, auf keine der bösen Gewalten, die ›die Toten‹ heißen. Darum sagen unsre Weisen: »Bescheiden gehen, das ist Totengeleit und Brautempfang«; erst werden die Toten, die bösen Gewalten, hinausgeführt, und dann zieht die Braut ein: denn wer seinen Mund und sein Herz eint, der eint den Bräutigam mit der Braut – den Heiligen Gott mit der Einwohnenden Herrlichkeit.

*

Durch eine verkehrte Demut kann einer sich vom Dienste Gottes entfernen: wenn er vor Selbsterniedrigung nicht glaubt, daß der Mensch durch Gebet und Lehre die Fülle über alle Welten herabbringt und die Engel selber sich von seinem Lernen und Beten nähren. Glaubte er daran, wie würde er da Gott dienen in großer Furcht und Freude, und jeder Bewegung und jedes Wortes achten, nach der rechten Weise zu reden und zu tun!

Der Mensch soll seinen Sinn darauf richten, daß er eine Leiter ist, gestellt auf die Erde und ihr Haupt an den Himmel rührend, und alle seine Gebärden und Geschäfte und Reden ziehen Spuren in der oberen Welt.

---

fung gesellt, darf nicht als eine Scheidung in Gott aufgefaßt werden, keine noch so unbedingte Immanenz kann eine Minderung der Vollkommenheit seiner Transzendenz bedeuten. Die schwebende Paradoxie vom übergreifenden Einfluß der menschlichen Wesenstat hat ihre Wahrheit in der Innerlichkeit des Jetzt und Hier; sie würde zum Widersinn, wenn sich die Vorstellung einer Änderung im Sein Gottes darein mischte.
[5] Der Talmud (Makkoth 23 f.) läßt die sechshundertunddreizehn Gebote und Verbote, die Mose am Sinai empfing, von David auf elf, von Jesaja auf sechs, von Micha (6, 8) auf drei und von Habakuk (2, 4) auf ein einziges zurückführen, das freilich nicht mehr den Klang des Gebots, sondern den der Verheißung hat: »Der Bewährte wird durch sein *Vertrauen* leben.« Das Wort Michas vom »bescheidnen Gehen« deutet die Talmudstelle auf die frommen Übungen des Geleitens der Braut ins Brautgemach und des Toten zum »Haus des Lebens«, aber dem Baalschem werden diese wieder zum Sinnbild der Wesenstat.

Von den heiligen Funken und ihrer Erlösung

Die heiligen Funken, die gefallen sind, als Gott Welten baute und zerstörte[6], soll der Mensch erheben und aufwärts läutern von Gestein zu Gewächs, von Gewächs zu Getier, von Getier zu redendem Wesen, läutern den heiligen Funken, der von der Schalengewalt umschlossen ist. Das ist der Grundsinn des Dienstes jedermanns in Israel.

Es ist bekannt, daß jeder Funke, der in einem Gestein oder Gewächs oder einer andern Kreatur wohnt, eine völlige Gestalt hat mit der Vollzahl der Glieder und Sehnen, und wenn er in dem Gestein oder Gewächs wohnt, ist er im Kerker, kann Hände und Füße nicht strecken und kann nicht sprechen, sondern sein Kopf liegt auf seinen Knien. Und wer mit der guten Kraft seines Geistes den heiligen Funken von Gestein zu Gewächs, von Gewächs zu Getier, von Getier zu redendem Wesen zu heben vermag, der führt ihn in die Freiheit, und keine Lösung Gefangner ist größer als diese. Wie wer einen Königssohn aus der Gefangenschaft errettet und zu seinem Vater bringt.

*

Alles, was der Mensch zu eigen hat, seine Knechte, seine Tiere, seine Geräte, alles birgt Funken, die der Wurzel seiner Seele zugehören und von ihm zu ihrem Ursprung erhoben werden wollen.

*

Alle Dinge dieser Welt, die ihm zugehören, begehren mit aller Macht ihm nahe zu kommen, damit die Funken der Heiligkeit, die in ihnen sind, durch ihn erhoben werden.

*

---

[6] Nach dem Midrasch (Bereschith rabba zu Genesis 1, 5 und 1, 31) hat Gott viele Welten geschaffen und verworfen, ehe er diese erschuf; darauf beziehe sich das Wort »Da sah Gott alles, was er gemacht hatte: ja, es war sehr gut.« Aber erst die Kabbala gibt dieser Vorschöpfung einen größeren Sinn als den einer allmählichen Vervollkommnung. Im »Zerbrechen der Gefäße«, d. i. der wirren Vorwelten, die die göttliche Fülle nicht zu tragen vermochten, sind die »heiligen Funken« in die »Schalungen«, die trennenden, hindernden, dämonischen Umschließungen, die allein »das Böse« sind, gefallen, aber sie fielen, um gehoben zu werden: um des Wirkens des Menschen an der Erlösung willen sind jene Welten gewesen und vergangen.

Man ißt Menschen, man trinkt Menschen, man gebraucht Menschen; das sind die Funken, die in den Dingen wohnen. Darum soll man sich seiner Geräte und all seines Besitzes erbarmen, um der Funken willen, die darin sind; man soll sich der heiligen Funken erbarmen.

*

Achte, daß alles, was du um Gottes willen tust, selber Dienst Gottes sei. So das Essen: sage nicht, es solle die Absicht des Essens sein, daß du Kraft zum Dienste Gottes gewinnst. Wohl ist auch dies eine gute Absicht; aber die wahre Vollendung gibt es nur, wo die Tat selber auf den Himmel zu geschieht, das ist, wo die heiligen Funken gehoben werden.

*

In allem, was in der Welt ist, wohnen heilige Funken, kein Ding ist ihrer ledig. Auch in den Handlungen des Menschen, ja sogar in der Sünde, die ein Mensch tut, wohnen Funken der Herrlichkeit Gottes. Und was sind das für Funken, die in der Sünde wohnen?[7] Es ist die Umkehr. In der Stunde, wo du ob der Sünde Umkehr tust, hebst du die Funken, die in ihr waren, in die obere Welt.

Wie man dienen soll

Der Mensch soll Gott mit seiner ganzen Kraft dienen, denn alles ist not. Denn Gott will, daß man ihm auf alle Arten diene. Und dies ist gemeint:
Wenn einer zuweilen sich ergeht und mit den Leuten sich unterredet, und zu der Zeit vermag er nicht zu lernen, da soll er an Gott haften und mit seiner Seele die Namen Gottes einen[8]; und

---

[7] Der erwählte Schüler des Baalschem, der »große Maggid«, sagt: »Die Umkehr steckt in der Sünde wie das Öl in der Olive.«

[8] Die »Namen« sind seine Erscheinungsmächte, seine »Maße« oder Eigenschaften (Middoth). Von diesen bezeichnet der Name Elohim die Eigenschaft der Gewalt und des Gerichts, der nicht auszusprechende, durch die Konsonanten JHWH dargestellte Name die Eigenschaft der Gnade und des Erbarmens; jener bedeutet die Einschränkung der Gottheit zur »Natur«, des unendlichen Wunders zum Gesetz, des unfaßbaren Lichts zum faßbaren, dieser das der Kreatur Gegenwärtigwerden der Wesenheit selber, die

wenn einer sich auf eine Reise begibt und vermag alsdann nicht
nach seinem Brauch zu beten, da soll er Gott auf andre Arten
dienen. Und er gräme sich darob nicht, denn Gott will, daß man
ihm auf alle Arten diene, zu Zeiten auf diese, zu andern auf jene
Weise, und deswegen hat er ihm bestimmt, auf eine Reise zu
gehen oder mit den Leuten zu reden, damit er auch diesen Dienst
vollziehe.

*

Dies ist das Geheimnis der Einheit Gottes, daß ich, an welchem
Ort ich ein Endchen ihrer erfasse, die ganze fasse. Und da die
Lehre und alle Gebote Strahlungen seines Wesens sind, so hält,
wer *ein* Gebot bis auf den Grund in Liebe erfüllt und in diesem
Gebot ein Endchen der Einheit Gottes erfaßt, die ganze in seiner
Hand, als hätte er alles erfüllt.

*

Wenn wir nicht glauben[9], daß Gott an jedem Tag das Werk der
Schöpfung erneut, dann wird uns unser Beten und Geboteerfüllen
alt und gewohnt und überdrüssig. Wie es im Psalm heißt:»Ver-
wirf mich nicht zur Zeit des Alterns«, das ist, laß mir meine Welt
nicht alt werden. Und im Klaglied heißt es:»Neu an jedem Morgen, groß ist deine Treue« – daß uns die Welt an jedem Morgen
neu wird, das ist deine große Treue.

Von Ferne und Nähe

Zuweilen muß der Mensch erfahren, daß es noch unendlich viele
Firmamente und Sphären gibt, und er steht auf einem Fleckchen
der kleinen Erde, die ganze Allwelt aber ist wie nichts vor Gott,
der der Schrankenlose ist und der die Einschränkung tat und Ort

---

eben nichts als Gnade ist, aber in die Beschränkung eingeht, weil vor der göttlichen
Gnadenfülle alles Erschaffne verginge. Der Mensch, der mit seiner Seele die beiden
Namen eint, bereitet in sich der Einung eine Stätte und wirkt für die Erlösung,
welche die vollbrachte Einung ist: als in der die Einschränkung, kraft derer die Welt
besteht, nicht aufgehoben wird, sondern über der Welt selber, ohne sie zu versehren,
die Gnadenfülle erstrahlt.
[9] Diesen Glauben bekennt das tägliche Gebet des Juden in den Worten:»Der in seiner Güte an jedem Tag, stetig, das Werk des Anfangs erneut«.

in sich selber setzte[10], die Welten darin zu erschaffen. Und wiewohl der Mensch dies mit seiner Einsicht begreift, vermag er nicht zu den obern Welten aufzusteigen; und dies ist, was geschrieben steht[11]: »Fernher gibt sich der Herr mir zu sehn« – er betrachtet Gott aus der Ferne. Dient er aber Gott mit all seiner Macht, dann faßt er große Gewalt in sich ein und erhebt sich in seinem Geist und durchbricht auf einmal alle Firmamente und steigt über Engel und Himmelsräder und Serafim und Throne: und das ist der vollkommene Dienst.

*

Wer in der Inbrunst des Gottanhaftens das Rechte tut oder der Lehre obliegt, der macht seinen Leib zum Thron der Lebensseele und die Lebensseele zum Thron des Gemüts und das Gemüt zum Thron des Geistes und den Geist zum Thron des Lichts der Einwohnenden Herrlichkeit, das über seinem Haupt ist, und das Licht umfließt ihn ringsum, und er sitzt inmitten des Lichtes und zittert und frohlockt. Des zum Zeichen[12] erscheint der Himmel an jedem Ort als eine Halbkugel.

*

»Mit Gott ging Noah.« Noah hing Gott so sehr an, daß ihm jeder Schritt, den er tat, von Gott geleitet schien, als stünde Gott ihm gegenüber und setzte ihm die Füße zurecht und führte ihn, wie ein Vater, der seinem kleinen Sohn das Gehen beibringt. Darum, wenn sich der Vater von ihm entfernte, wußte Noah: »Das ist, damit ich gehen lerne.«

---

[10] Das ist nicht so zu verstehen, als ob Gott »unendlich« wäre und in sich Endlichkeit setzte. Gott ist nicht unendlich, sondern »schrankenlos«. Der »unendliche« Raum und die »unendliche« Zeit sind nur Schranken, mit denen er selber sich schöpferisch einschränkt. Wenn der große Maggid auf die kindliche Frage, warum Gott die Welt nicht »früher« geschaffen habe, antwortet, auch die Zeit sei erschaffen worden, es habe also kein Früher gegeben, so spricht er damit diese Wahrheit aus: Gott schafft nicht »in der Zeit«, er schafft die Zeit; und ebenso schafft er den Raum. Aber wer mit all seiner Macht Gott dient, durchbricht diese »Firmamente« und steht in der raumlosen Nähe, die, ob auch nicht weniger ein Gegenüberstehn als die Ferne, der Schranken überhoben ist.
[11] Jeremia 31, 2.
[12] Wie der Himmel jedes Stück Erde so überwölbt, als sei es allein da und er ihm zugehörig, so scheint das göttliche Licht nicht in einem Jenseits, sondern über jedem vollkommnen Jetzt und Hier.

Von der Heimlichkeit

Der Mensch vermag alles Gute zu genießen und sich mit den Wonnen zu kasteien. Er vermag zu blicken, wohin er will und sich nicht über seinen Vierellenumkreis zu verlieren, denn in allen Dingen gewahrt er den geheimen Namen Gottes. Er vermag unbewegt im Gebet zu stehn, daß keiner seinen Dienst bemerkt, verborgen aber brennt sein Geist, und er schreit in der Stille.

*

Zuweilen ruht ein Mensch auf seinem Lager, und seinen Hausgenossen erscheint es, als schlafe er, er aber weilt zu dieser Stunde in der Einsamkeit mit dem Schöpfer, gesegnet sei Er. Das ist eine hohe Stufe, daß er den Schöpfer allzeit mit dem Auge seiner Einsicht anschaut, wie einen andern Menschen. Und besinne dies: wenn du stets in einem lautern Gedanken verharrst, dann schaut auch der Schöpfer dich wie ein Mensch an.

*

Es gibt zwei Arten der Liebe. Der eine liebt das Tun und Reden seines klugen Sohns und rühmt sich seiner, daß er Kluges tue und rede; der andre liebt seinen Sohn selber, was er auch reden und tun mag. So ist es mit der Liebe Gottes zum Menschen. Wenn ein bewährter Mann Gebote und gute Werke in großer Weisheit erfüllt, da liebt Gott sein Tun und ist all seinem Tun gegenwärtig, und so wird die Äußerlichkeit der Welten an Gott gebunden. Wenn aber der Bewährte selber an Gott hangt, dann liebt Gott ihn selber, ob er auch seine Werke nicht in Weisheit vollbringt, sondern in großer Einfalt wandelt und Gott anhangt; eben darum liebt ihn Gott. Und so wird die Innerlichkeit der Welten zu Gott erhoben.

Ein Gleichnis vom Gebet

Das Gebet ist eine Paarung mit der Einwohnenden Herrlichkeit. Darum soll der Mensch sich im Anbeginn des Gebets auf und nieder bewegen, dann aber kann er auch unbewegt stehen und wird an der Herrlichkeit haften, in einem großen Haften. Und weil er

sich bewegte, kann er zu einem großen Erwachen gelangen, daß
er besinnen muß: Warum bewege ich mich auf und nieder? gewiß,
weil die Herrlichkeit Gottes mir gegenüber steht. Und darüber
wird er in eine große Entzückung gelangen.

*

»In meinem Fleische«[13], spricht Hiob, »werde ich Gott schauen.«
Wie in der leiblichen Paarung nur der zeugen kann, der ein lebendiges Glied mit Verlangen und Freude gebraucht, so in der
geistigen Paarung, das ist, dem Sprechen der Lehre und des Gebets, wer sie mit lebendigem Glied in Freude und Wonne tut,
der zeugt.

*

Wie die Braut zur Hochzeit mit allerlei Gewändern bekleidet
und geschmückt wird, wenn aber die Vermählung selber geschehen soll, werden die Gewänder von ihr genommen, damit die
Leiber einander nahe kommen können, so heißt es auch: »Aus
meinem Fleisch heraus werde ich Gott schauen«, denn das Gebet
ist die Braut, die erst mit vielen Gewändern geschmückt wird,
dann aber, wenn ihr Freund sie umfängt, ist alles Gewand von
ihr genommen.

Von der wahren Ausrichtung

Es ist gesagt[14]: »Man bete nicht anders als aus der Schwere des
Hauptes.« Das ist so zu verstehn: Bete nicht um ein Ding, das
dir fehlt, denn dein Gebet wird nicht angenommen werden. Son-

---

[13] Der Sinn des Hiobwortes (19, 26) ist strittig; es heißt wörtlich »Von meinem
Fleische«, aber das kann entweder bedeuten: »Von meinem Fleische aus, in meinem
Fleisch«, oder: »Aus meinem Fleisch heraus, ohne mein Fleisch«. Hier folgen im
zweiten und dritten Spruch dieses Abschnitts beide Bedeutungen aufeinander, und
hier widerstreiten sie einander nicht mehr; denn »im Fleisch« weist auf die zum wirklichen Leben erforderte Ganzheit des Menschen und »außer dem Fleisch« auf die in
das wirkliche Leben eingehende Innerlichkeit des Wortes hin, und beide gehören zusammen.
[14] Die Mischna-Stelle (Berachoth V) bedeutet, daß dem Gebet die Selbstbeugung des
Menschen vorausgehen muß; darum, so heißt es weiter, verweilten die »frühen Chassidim«, ehe sie beteten, wortlos eine Stunde, um ihr Herz zu ihrem himmlischen Vater
zu richten. Dieses »Richten«, diese Ausrichtung oder Intention (Kawwana) des ge-

dern wenn du beten willst, bete ob der Schwere[15], die in dem Haupte der Welt ist. Denn das Ding, das dir fehlt, dessen Mangel ist in der Einwohnenden Herrlichkeit. Denn der Mensch ist ein Teil Gottes, und der Mangel, der im Teil ist, ist im Ganzen, und das Ganze erleidet den Mangel des Teils. Daher sei dein Gebet auf den Mangel des Ganzen gerichtet.

*

Das Gebet ist ein hohes Bedürfen. Denn der Mensch weiß von seinem Mangel, daß er aus einem obern kommt, und er betet, daß der Mangel der Herrlichkeit gestillt werde. Und da wird in einem der seine gestillt.

*

Der Mensch sinne nicht auf Lösung zugleich für Oben und Unten, daß er nicht sei, wie der die ewige Pflanzung zerhaut[16] und Trennung schafft, sondern alles tue er um des Mangels der Herrlichkeit willen, und aus sich selber wird alles gelöst werden, und auch sein eignes Leid wird gestillt werden aus der Stillung der oberen Wurzel. Denn alles, Oben und Unten, ist Eine Einheit.

*

Bete stets für Gottes Herrlichkeit, daß sie aus der Verbannung erlöst werde[17].

*

---

sammelten Menschenwesens auf Gott ist das praktische Grundmotiv der chassidischen Lehre. Die Kabbala war immer wieder der Gefahr erlegen, die Ausrichtung zu magisieren, sie etwa auf eine mystisch-technische Befassung mit den Geheimnissen des Gottesnamens zu verengen – eine Gefahr, die mit der Technisierung des Opferkults (welche wohl auch mit magischen und primitiv-mystischen Vorstellungen verbunden war) verglichen werden kann; und wie dieser gegenüber die Propheten zur wahren Ausrichtung des ganzen Menschen auf- oder zurückriefen, so nun die Stifter der Chassiduth.

15 Ob des Leidens Gottes an der Welt. Die Schechina, der der Welt einwohnende, ist auch der die Welt erleidende Gott.

16 Ein Ausdruck, der im Talmud (Chagiga 14) von dem großen Ketzer Elischa ben Abuja, genannt Acher (»der Andere«) gebraucht wird und von ihm sagen will, er habe einen Dualismus gelehrt, der das göttliche Insichsein und das Regiment der Welt auseinanderreißt, dieses unter eine selbständige Macht stellt und so das Heilige seines Wirkens und die Wirklichkeit ihrer Heiligung beraubt.

17 Die Schechina erleidet unmittelbar den Abfall der Welt, des Menschen, des Volkes

Der Mensch soll alle Dinge der Welt mit all seinem Denken, Reden, Handeln einen, auf Gott zu, in Wahrheit und Einfalt. Denn kein Ding der Welt ist außerhalb der Einheit Gottes gesetzt. Wer aber ein Ding anders als auf Gott zu tut, trennt es von Ihm.

Von der Macht des Wortes

Wenn du redest, hege das Geheimnis der Stimme und des Wortes im Sinn, rede in Furcht und Liebe und besinne, daß die Welt des Wortes[18] aus deinem Munde spricht. Dann wirst du die Worte erheben.

Besinne, daß du nur ein Gefäß bist, daß dein Gedanke und dein Wort Welten sind, die sich breiten: die Welt des Wortes, das ist die Einwohnende Herrlichkeit, begehrt in dieser Rede von der Welt des Gedankens. Und wenn du das Licht Gottes in deinen Gedanken und dein Wort gezogen hast, dann sei dies deine Bitte, daß die segnende Fülle sich aus der Welt des Gedankens über die Welt des Wortes ergieße. Dann wird auch dir werden, wessen du bedarfst. Darum heißt es: »Laß uns dich finden in unseren Bitten!« In unsern Bitten selber läßt Gott sich finden.

*

Wer in seinem Gebet alle Ausrichtungskünste[19] anwendet, die er kennt, der wirkt eben nur, was er kennt. Wer aber das Wort in großer Verbundenheit spricht, dem geht in jedes Wort die Allheit der Ausrichtung von selber ein. Denn jedes Zeichen ist eine völlige Welt, und wer das Wort in großer Verbundenheit spricht, erweckt jene obern Welten und tut ein großes Werk.

*

Israel, und sie folgt der Kreatur in den dunkeln Bezirk, den die abgefallne betritt, ins Exil.

[18] Die Schechina ist das der Schöpfung eingetane Wort; der seine Schöpfung überwaltende Gott, aus dem das Wort hervorgeht und zu dem es sich heimwendet, ist »der Gedanke«. Dieser göttlichen Zwiegestalt des Einen entspricht die von Gedanke und Wort im Menschen.

[19] Die kabbalistische Technik der »Kawwanoth«, insbesondere der Verschiebungen, Verselbständigungen und Verknüpfungen der Buchstaben der Gottesnamen und der Versenkung in sie.

In jedem Zeichen sind die Drei: Welt, Seele und Gottheit. Sie
verbinden und vereinen sich miteinander. Und danach vereinen
und verbinden sich die Zeichen, und es wird das Wort. Sie einen
sich mit wahrer Einung in der Gottheit. Und der Mensch soll
seine Seele in jedes der Drei einfassen: dann eint sich alles zu
Einem, und es wird große Wonne ohne Grenzen.

Von der Hingabe

Der Mensch besinne vor dem Gebet, daß er bereit ist, in diesem
Gebet zu sterben um der Ausrichtung willen.

*

Wisse, daß jedes Wort eine vollständige Gestalt ist, und es tut
not, mit deiner ganzen Kraft darin zu sein, denn wird dem nicht
Genüge, so ist es wie das Fehlen eines Glieds.
Es ist eine große Gnade von Gott, daß der Mensch nach dem
Gebet lebt. Denn dem Weg der Natur gemäß müßte er sterben,
weil seine Kraft dahin ist, denn er hat seine Kraft um der großen
Ausrichtung willen in das Gebet hingegeben.

Von der Verbundenheit

Wenn ich meinen Gedanken an den Schöpfer hefte, lasse ich
meinen Mund reden, was er will, denn die Worte sind an die
obere Wurzel gebunden.

*

Wenn der Mensch immer neues Feuer auf den Altar seiner Seele
trägt, entflammt sich der Funke der Einwohnenden Herrlichkeit, der in ihm ist, und sie redet die Worte mit seinem Mund,
daß es erscheint, als schweige er und die Worte kämen aus seinem
Mund von selber.

Von den ablenkenden Gedanken

In der Stunde der Lehre und des Gebets ist kein trennender Vorhang zwischen dem Menschen und seinem Gott. Auch wenn viele

fremde Gedanken in dir aufsteigen, Gewänder und Decken sind sie, hinter denen der Heilige, gesegnet sei Er, sich verbirgt, und wenn du darum weißt, ist da keine Verborgenheit mehr.

*

Wenn der Mensch betet und es kommt ihn ein fremder Gedanke an, dann reitet die Schalengewalt[20] auf dem Wort; denn der Gedanke reitet auf dem Wort.

*

In allen Gedanken des Menschen birgt sich die Wirklichkeit Gottes. Und jeder Gedanke ist eine vollständige Gestalt. Und wenn in dem Denken des Menschen zur Zeit seines Gebets ein böser oder fremder Gedanke aufgeht, kommt er zum Menschen, daß der ihn erlöse und emporsteigen lasse. Wer aber daran nicht glaubt, nimmt das Joch des Himmelreichs nicht wahrhaft an.

*

»Jakob erwachte aus seinem Schlaf und sprach: ›So denn, der Herr west an diesem Ort, und ich, ich wußte es nicht.‹ Und er erschauerte und sprach: ›Wie schauerlich ist dieser Ort!‹« »Der Herr west an diesem Ort« – das bedeutet: Wo das Lebendige sich schart, da ist Gottes Name. So wohnen auch in allen fremden und bösen Gedanken, welche Kriegsscharen des Lebens und Räuber und die Schalengewalten des Übels sind, heilige Funken der Herrlichkeit, die in der Urzeit niederfielen, als die Gefäße der Schöpfung zerbrachen.

»Er erschauerte und sprach: ›Wie schauerlich ist dieser Ort!‹« Denn Schauer und Zittern überkamen ihn, weil er den Schmerz der Herrlichkeit und ihren Niedergang zu den Schalengewalten des Übels erlitt. Dadurch geschah eine Einung des Schauers mit dem Schauererregenden, und die Schalen brachen auseinander.

*

---

[20] Die Gewalten des Bösen werden in der Kabbala Klifoth, Schalungen, genannt. Das Böse ist nicht eine dem Guten entgegenstehende Wesenheit, sondern nur dessen Verhüllung und Behinderung. Das Gute ist den Schalen eingebannt; wenn es sich behauptet und bewährt, lösen sich die Schalen und gehen in ihm auf.

Die fremden Gedanken kommen zum Menschen inmitten seines
Gebets aus dem Geheimnis des Zerbrechens der Urgefäße, weil
der Mensch sie an jedem Tag ausläutern soll, und sie kommen zu
ihm als zu ihrer Erlösung. Und der fremde Gedanke von heute
gleicht nicht dem von morgen.

*

Der Mensch binde seine Regung an Gott. Wenn ihn eine böse
Liebe überkommt, richte er seine Liebe auf Gott allein und all
sein Streben gehe auf dieses eine. Und wenn er in Zorn, das ist
in eine böse Furcht, gerät, die sich aus der Eigenschaft der Gewalt herleitet, dann gewaltige er seinen Trieb und mache aus
eben dieser Eigenschaft einen Wagen für Gott.

Von Gut und Böse

Die Einwohnende Herrlichkeit waltet von oben bis unten, bis
zum Rand aller Stufen. Das ist das Geheimnis des Wortes[21] »Und
du belebst sie alle«. Sogar wenn der Mensch eine Sünde tut, auch
dann ist die Herrlichkeit darein gekleidet, denn ohne sie hätte
er nicht die Kraft, ein Glied zu bewegen. Und dies ist das Exil
der Herrlichkeit Gottes.

*

In der Geschichte der Schöpfung heißt es: »Ja, es war sehr gut.«
Aber in der Mahnrede Moses heißt es: »Sieh, gegeben habe ich
heuttags vor dich hin das Leben und das Gute, den Tod und das
Böse.« Woher ist das Böse gekommen?
Auch das Böse ist gut, es ist die unterste Stufe des vollkommen
Guten. Tut man Gutes, dann wird auch das Böse gut; sündigt
man aber, dann wird es zum wirklichen Bösen.

*

Die Einwohnende Herrlichkeit umfaßt alle Welten, alle Kreaturen, Gute und Böse. Und sie ist die wahre Einheit. Wie kann
sie denn die Gegensätze des Guten und des Bösen in sich tragen?

---

[21] Nehemia 9, 6.

Aber in Wahrheit ist da kein Gegensatz, denn das Böse ist der Thronsitz des Guten.

*

Wie die Herrlichkeit alle Welten, Gut und Böse, umfaßt, so waren sie in Mose beschlossen. Als Gott Mose zum erstenmal anrief, antwortete er nicht: »Da bin ich«, weil er im Staunen verging: Wie kann sich da die Einung vollziehn? Denn als Gott sich im Dornbusch, das ist im Bösen, als in der untersten Stufe offenbarte, öffneten sich alle Feuerquellen, von der obersten bis zur Tiefe – aber der Dornbusch verbrannte nicht, das Böse wurde nicht verzehrt: wie konnte das geschehn? Doch Gott rief zum zweitenmal: »Mose!« – da band sich in Mose selber[22] die unterste an die oberste Stufe, und er sprach: »Da bin ich.«

Von Hochmut und Demut

Sprich nicht in deinem Herzen, du seist größer als dein Gefährte, weil du Gott mit Inbrunst dienst. Du bist nicht anders als alle Geschöpfe, die zum Dienst Gottes geschaffen wurden. Und womit wärst du angesehener als ein Wurm? Dient er doch dem Schöpfer mit seiner ganzen Einsicht und Kraft!

*

Die Leute, mit denen du dich unterredest, prüfe nicht, ob ihr Gedanke stetig an Gott hafte. Die prüfende Seele leidet Schaden.

*

Geschieht es dir, daß du eine Sünde siehst oder von einer vernimmst, suche deinen Anteil an dieser Sünde auf und strebe dich zurechtzuschaffen. Dann wird auch jener Böse umkehren. Du mußt ihn nur mit umfassen nach dem Sinn der Einheit, denn alle sind *ein* Mensch.

*

---

[22] Der Mensch, dem Gott sich nicht im Zusammenklang, sondern im ausgespannten Gegensatz der Prinzipien offenbart, ist der Bestürzung anheimgegeben und muß am

»Dies sind die Worte, die Mose redete zu all Israel jenseit des
Jordans in der Wüste.«

Mancher, der Gott zu haben sich bedünkt, weiß nicht von ihm.
Manchem, der aus der Ferne nach ihm zu verlangen meint, ist
er nah. Du aber denke immer, du stündest am Ufer des Jordans
und seist in das Land noch nicht eingegangen. Und hast du schon
allerhand Gebote erfüllt, so wisse, du hast nichts getan.

٭

Es gibt zwei äußerste Arten von Menschen. Der eine ist ein vollkommen Böser, der seinen Herrn kennt und gesonnen ist, sich
wider ihn zu empören. Der andre bedünkt sich in seiner Verblendung, ein vollkommen Gerechter zu sein, aber auch den
Leuten erscheint er als ein vollkommen Gerechter. In Wahrheit
jedoch, ob er auch unablässig lernt und betet und sich kasteit,
müht er sich umsonst, denn er hat die Treue nicht. Und dies ist
der Unterschied zwischen ihnen: Für den vollkommen Bösen
gibt es eine Heilung seines Gebrechens – wenn die Umkehr sich
in ihm erweckt und er mit seinem ganzen Herzen zu Gott umkehrt und ihn bittet, ihm den Weg dahin zu weisen, wo das Licht
wohnt. Der andre aber, der unvermögend ist, den Schöpfer,
seine Größe und seinen Dienst zu schauen, weil er in seinem
eignen Auge gerecht ist – wie kann er umkehren?

٭

Auch die Jünger Abrahams kannten den Hochmut, auch die
Jünger Bileams kannten die Demut. Aber jene hatten den rechten Hochmut, sie erhoben ihr Herz und erdreisteten sich, Großes
auf den Wegen Gottes zu vollbringen, und diese hatten die
schlechte Demut, sie erniedrigten ihr Herz und getrauten sich
nicht, das Gebot[23] zu erfüllen: Weiche vom Bösen, tu Gutes; das
heißt: Mache aus dem Bösen das Gute.

Heil der Welt verzweifeln, solang er untätig in den brennenden Widerspruch starrt.
Erst wenn sich in seiner eignen Seele, die der gleiche Gegensatz durchwaltet, die
Einung vollzieht, kann er auf die göttliche Kundgebung antworten, und antwortend
erfährt er die Einheit des Seienden, das Heil der Welt.

[23] Psalm 34, 15.

Von der zwiefältigen Bewegung

Wenn zuerst in dem *Weibe* die Gewalt der Zeugung sich regt, wird ein männliches Kind geboren. Und das Männliche[24] ist das Sinnbild des Erbarmens.

Wenn zuerst von unten die Bewegung erwacht, waltet die Gotteseigenschaft des Erbarmens.

Davon heißt es auch[25]: »Ermuntern will ich das Morgenrot.« Und wohl steht vom Tag der Versöhnung geschrieben[26]: »An diesem Tag entsühnt man euch« – auch wenn sie nicht von selber zu ihr erwachten, würde die Sühnung von oben erweckt, »euch zu reinigen: von all euren Sünden«. Nun aber folgt das Wort des geziemenden Heils: »Vor dem Herrn werdet ihr rein« – ehe Gott euch anregt, sollt ihr euch regen.

Und so sagt es Rabbi Akiba[27]: »Heil euch Israel! Vor wem reinigt ihr euch und wer ist es, der euch reinigt? Euer Vater im Himmel.«

An euch ist der Anbeginn. Denn wenn zuerst in dem Weibe die Gewalt der Zeugung sich regt, wird ein männliches Kind geboren.

---

[24] Von den beiden »Maßen« oder Grundeigenschaften Gottes, der Eigenschaft des Erbarmens, der Gnadenfülle, und der des Gerichts, der Einschränkung, wird jene als männlich, diese als weiblich gefaßt. Aber auch das Verhältnis zwischen Gott und seiner Welt erscheint im Bild der Ehe. Damit »ein männliches Kind geboren werde«, damit die Gnade ihr Werk der Welterlösung vollbringe, muß von der Welt selber ein Wirken ausgehn. Die Welt kann freilich nur beginnen, nicht mehr; aber dies eben ist an ihr, dazu ist sie erschaffen worden – »im Anfang«, das wird ausgelegt: um ihres Anfangs willen.

[25] Psalm 57, 9.

[26] Leviticus 16, 30.

[27] Mischna Joma VIII, 9.

DIE ERZÄHLUNGEN DER CHASSIDIM

VORWORT

Daß Chassidim sich von ihren »Zaddikim«, von den Führern ihrer Gemeinschaften Geschichten erzählen, das gehört zum innersten Leben der chassidischen Bewegung. Man hat Großes gesehen, man hat es mitgemacht, man muß es berichten, es bezeugen. Das erzählende Wort ist mehr als Rede, es führt das, was geschehen ist, faktisch in die kommenden Geschlechter hinüber, ja das Erzählen ist selber Geschehen, es hat die Weihe einer heiligen Handlung. Der »Seher« von Lublin soll einmal aus einer »Klaus« einen Lichtglanz haben aufsteigen sehn; als er eintrat, saßen Chassidim drin und erzählten sich von ihren Zaddikim. Nach chassidischem Glauben ist das göttliche Urlicht in die Zaddikim eingeströmt, es strömt aus ihnen in ihre Werke ein, und aus diesen strömt es in die Worte der Chassidim, die sie erzählen. Dem Baalschem, dem Stifter des Chassidismus, wird der Spruch zugeschrieben, wenn einer das Lob der Zaddikim erzähle, so sei dies, als befasse er sich mit dem Mysterium des von Ezechiel geschauten Gotteswagens. Und ein Zaddik der vierten Generation, ein Freund des »Sehers«, Rabbi Mendel von Rymanow, fügt erklärend hinzu: »Denn die Zaddikim sind der Gotteswagen.«[1] Aber die Erzählung ist mehr als eine Spiegelung: die heilige Essenz, die in ihr bezeugt wird, lebt in ihr fort. Wunder, das man erzählt, wird von neuem mächtig. Kraft, die einst wirkte, pflanzt im lebendigen Worte sich fort und wirkt noch nach Generationen. Man bat einen Rabbi, dessen Großvater ein Schüler des Baalschem gewesen war, eine Geschichte zu erzählen. »Eine Geschichte«, sagte er, »soll man so erzählen, daß sie selber Hilfe sei.« Und er erzählte: »Mein Großvater war lahm. Einmal bat man ihn, eine Geschichte von seinem Lehrer zu erzählen. Da erzählte er, wie der heilige Baalschem beim Beten zu hüpfen und zu tanzen pflegte. Mein Großvater stand und erzählte, und die Erzählung riß ihn so hin, daß er hüpfend und tanzend zeigen mußte, wie der Meister es gemacht hatte. Von der Stunde an war er geheilt. So soll man Geschichten erzählen.«
Neben der mündlichen Überlieferung hat es schon früh Ansätze zu einer schriftlichen gegeben, von der sich aber, jedenfalls aus

[1] Zitat aus Midrasch Bereschith rabba LXXX 117, vgl. Raschi zu Genesis 17, 22.

den ersten Generationen, nichts mehr rein erhalten hat. Etliche
von den Zaddikim sind in ihrer Jugend darauf bedacht gewesen,
die Taten und Äußerungen ihrer Lehrer niederzuschreiben, und
zwar im wesentlichen, wie es scheint, nur für ihren eigenen Gebrauch, nicht zur Übergabe an die Öffentlichkeit. So hören wir
über den volkstümlichsten von allen, den Berditschewer Rabbi,
aus zuverlässiger Quelle, er habe, was sein Lehrer, der »große
Maggid«, Rabbi Dow Bär von Mesritsch, tat und sagte, auch alle
weltliche Rede, in ein Schreibbuch eingetragen, in dem er immer
wieder mit Anspannung der Seele las und immer von neuem den
Sinn jedes Spruchs zu erfassen trachtete. Von seinen Aufzeichnungen hat sich nichts, von denen anderer sehr wenig erhalten.
Die Legende, diese Spätform der Sage, ist in den Weltliteraturen
zumeist in einem Zeitalter entstanden, in dem die Ausbildung
der literarischen Erzählungsform sich neben ihr vollzieht oder
gar sich entscheidend bereits vollzogen hat. Im ersten Fall wird
sie von jener beeinflußt, im zweiten von ihr bestimmt. Die buddhistische Legende und das indische Kunstmärchen, die franziskanische Legende und die früh-italienische Novelle gehören zusammen.
Mit der chassidischen Legende verhält es sich ganz anders. Eine
literarische Erzählungsform hat sich im Judentum der Diaspora,
das in der volkstümlichen verharrt, erst in unserem Zeitalter auszubilden begonnen. Was sich die Chassidim zum Preis ihrer Meister erzählten, konnte sich an keine schon ausgebildete oder in
der Bildung begriffene Form anschließen, aber auch den Anschluß
an die Volksdichtung konnte die Legende hier nur teilweise vollziehen. Zumeist war ihr inneres Tempo zu überstürzt für die gelassene Form der Volkserzählung; sie wollte zu viel sagen, als
daß sie an ihr hätte Genüge finden mögen. So ist sie formlos geblieben.
Wir können am Beispiel der Baalschem-Legende verfolgen, wie
die legendäre Überlieferung im Chassidismus sich entwickelt. Familienlegende und Schülerlegende umfließen als Andeutungen
geheimnisvoller Vorgänge schon den Lebenden und verfestigen
sich nach seinem Tode zu Erzählungen, von denen manche in
Handschrift und im Druck kursieren, bis ein Vierteljahrhundert
danach bestimmte Gruppen davon gesammelt in Büchern erschei-

nen: die Familienlegende in den Geschichten, die der vom Baalschem selber erzogene Enkel, Rabbi Mosche Chajim Efraim, in
sein Werk »Die Lagerfahne Efraims« eingestreut hat, die Schülerlegende in den Geschichten, die etwa gleichzeitig in die erste Auswahl von Sprüchen des Baalschem, die »Krone des guten Namens«, Aufnahme gefunden haben. Aber ein weiteres Vierteljahrhundert vergeht, bis die große legendäre Biographie, die
»Lobpreisungen des Baalschemtow« veröffentlicht wird, worin
jedes Stück auf einen Erzähler aus dem nächsten Umkreis der
Freunde und Anhänger zurückgeführt wird. Daneben laufen noch
besondere Traditionen, wie die in der Familie des großen Maggid, die in der Familie des Rabbi Meïr Margalioth oder die in der
Schule von Korez erhaltene, die sich mit den frühen Sammlungen
kaum berühren und mündlich, wie die beiden erstgenannten, oder
schriftlich, wie die letzte, ihr Sonderleben bewahren. In der zweiten Hälfte des neunzehnten Jahrhunderts beginnt dann die literarische Korruption, die überlieferte Motive geschwätzig verar-
beitet und mit erdichteten zu einer niedrigen Art volkstümlicher
Belletristik zusammenflickt. Erst in unseren Tagen (etwa seit
1900) hat die kritische Sichtung und Gliederung begonnen. Solche
und ähnliche Entwicklungsprozesse haben sich in der chassidischen erzählenden Überlieferung jeweils vollzogen.
Wenn man die Erzeugnisse der literarischen Korruption ausschei-
det, aus denen die ursprünglichen Motive oft gar nicht mehr her-
auszuretten sind, bleibt uns in den Händen eine ungefüge Masse
größtenteils fast ungeformten Materials: entweder (das ist der
günstigere Fall) knappe Notizen ohne gestaltende Bewältigung
des Vorgangs oder, weit häufiger, unbeholfene und verworrene
Versuche ihn zu erzählen, entweder zu wenig oder zu viel. Echte
epische Erfassung ist eine seltene Ausnahme.
Wer wie ich es sich zum Ziel gesetzt hat, aus dem vorgefundenen
schriftlichen Material (nebst einigem mündlichen) Bildnisse der
Zaddikim und ein Bild ihres Lebens zu formen, legendär und
wahr zugleich, muß seine Hauptaufgabe darin sehen, die feh-
lende reine erzählerische Linie herzustellen. Ich habe im Lauf
einer langen Arbeit keinen besseren Weg dazu gefunden als die
mir vorliegende Scheinform mit ihrer Dürftigkeit oder Umständ-
lichkeit, ihren Dunkelheiten und ihren Abschweifungen zunächst

aufzugeben und den gemeinten Vorgang (wo immer es angeht,
unter Verwendung von Varianten und anderem verwandten Stoff)
so genau wie möglich zu rekonstruieren und ihn in der ihm seiner
Art nach angemessenen Form so klar wie möglich zu erzählen,
dann aber auch die überlieferten Aufzeichnungen wieder heran-
zuziehen und was sich darin an geglücktem Ausdruck findet,
in die endgültige Fassung aufzunehmen. Eine Ausgestaltung ins
Breitere und Vielfältigere, wie sie zum Beispiel die Brüder Grimm
an den von ihnen aus dem Volksmund niedergeschriebenen Märchen vorgenommen haben, habe ich im allgemeinen weder als mir
erlaubt noch auch als hier erwünscht empfunden. Nur in einzelnen Fällen, wo lediglich Fragmentarisches vorlag, habe ich durch
Verschmelzung mit anderen Fragmenten und durch Ausfüllung
der verbleibenden Lücken aus verwandtem Element ein zusam-
menhängendes Ganzes zu bilden unternommen.

Es gibt zwei Gattungen der Legende, die man nach zwei Gattungen der erzählenden Literatur bezeichnen kann, an die sie sich in
ihrer Form lehnen: die legendäre Novelle und die legendäre
Anekdote. Man vergleiche etwa die Legenda aurea mit den Fio-
retti di San Francesco oder die klassische Buddhalegende mit den
Mönchsgeschichten der ostasiatischen Zen-Sekte. Auch das form-
lose chassidische Material tendiert zu diesen Formen. Zum größten Teil besteht es aus – angelegten – legendären Anekdoten.
Novellen sind hier selten, es gibt auch eine trübe Zwischengat-
tung. Das Überwiegen der Anekdote geht zunächst auf die allgemeine Tendenz des jüdischen Diaspora-Geistes zurück, Vorgänge
der Geschichte und der Gegenwart »pointiert« zu fassen: die Vorgänge werden so berichtet, ja bereits so erlebt, daß sie etwas
»sagen«, aber nicht dies allein, sondern der Vorgang wird so her-
ausgeschält und angeordnet, daß er in etwas wirklich Gesagtem
kulminiert. Das wird nun freilich im Chassidismus durch die Tatsachen selber begünstigt: der Zaddik äußert die Lehre, unbewußt
oder bewußt, in Handlungen, die als sinnbildlich wirken, und sie
gehen oft in einen Spruch über, der sie ergänzt oder zu ihrer
Deutung beiträgt.

Novelle nenne ich die Erzählung eines Schicksals, das sich als eine
einzige Begebenheit darstellt, Anekdote die Erzählung eines einzelnen Vorgangs, der ein ganzes Leben erleuchtet. Die legendäre

Anekdote geht darüber hinaus: in dem einen Vorgang spricht sich der Sinn des Daseins aus. Ich kenne in der Weltliteratur keine andere Gruppe legendärer Anekdoten, in der dies in solchem Grade mannigfaltig und einheitlich zugleich geschähe wie in der chassidischen.

Wie die Novelle so ist auch die Anekdote eine Gattung der »verdichteten«, das heißt leibhaft umrissenen Erzählung. Das gilt in gesteigertem Maße von der auf das Sagen intendierten Anekdote. Wie alles Psychologische, so ist ihr auch alles Ornamentale fernzuhalten; je nackter sie ist, um so mehr erfüllt sie ihre Aufgabe. Dadurch war auch mir vorgezeichnet, wie ich mich dem überkommenen Material gegenüber zu verhalten hatte.

Aber der Zaddik soll nicht bloß in Handlungen gezeigt werden, die dazu neigen, in Sprüche überzugehen, sondern auch in seinem lehrenden Sprechen selber, das wesentlich zu seinem Handeln gehört. Darum tritt in diesem Buch, wenn auch nur in beschränktem Maße, zu der legendären Anekdote eine andere Gattung, die ich als »Antwortsprüche« bezeichnen möchte. Der Lehrer, der Zaddik wird gefragt, nach der Bedeutung eines Schriftverses, nach dem Sinn eines Brauchs, er gibt Auskunft, und indem er sie gibt, lehrt er mehr, als der Fragende zu lernen hoffte. Diese Gattung liegt in den Texten, die ich bearbeitet habe, oft nicht in der Form des Gesprächs vor, sondern die Frage ist der Antwort einverleibt; ich habe zumeist – überall da, wo sie unverkennbar war – die Urgestalt wiederhergestellt; nur etlichen Stücken, in denen der Fragecharakter nicht in die Erscheinung tritt, die mir aber doch hierhergehörig schienen, habe ich die reine Vortragsform gelassen. Dazu kommen mehrere Lehrreden und Predigten, die ich um ihrer Wichtigkeit willen wiedergegeben habe. Doch ist kein Stück der reichen theoretischen Literatur des Chassidismus entnommen, alle entstammen den Volksbüchern, wo sie das aus dem Leben der Zaddikim Erzählte ergänzen; alles hat hier also einen mündlichen Charakter.

Bei all diesen unmittelbar der Lehre dienenden Stücken habe ich den überlieferten Wortlaut stets so weit zu bewahren gesucht, als es die Pflicht des klaren Äußerungsstils gestattete. Manches ist auch hier so undeutlich tradiert, so mit fremden Elementen verquickt, daß man zuweilen eine ganze Schicht von offenkundigen

Zutaten abtragen muß, um zu dem echten Spruch des Meisters zu gelangen. Aus dem von mir gesammelten Material ist in dieses Buch weniger als der zehnte Teil aufgenommen worden. Die erste Voraussetzung für die Aufnahme eines Stückes war selbstverständlich seine Bedeutsamkeit sowohl an sich wie besonders für die Erkenntnis chassidischer Existenz. Aber vieles, was so betrachtet als geeignet erschien, mußte ausgesondert werden, denn entscheidend war naturgemäß, wie ein Stück sich der Darstellung eines der Zaddikim einfügte, deren Person und Leben zu zeigen dem Buch aufgegeben war.

Es galt also, aus den zahlreichen Legenden, die fast von jedem überliefert sind, diejenigen zur Erzählung zu wählen, in denen sich der Weg und die Art dieses Zaddiks charakteristisch aussprechen; und sodann, die erzählten je zum Bild eines persönlichen Lebens zusammenzufügen. Manchmal hat sich mir das Legendenmaterial so geboten, daß sich der essentielle Aufbau dieses Lebens in den gewählten Geschichten und Sprüchen fast restlos darstellen konnte; andere Male sind Lücken geblieben, zu deren Ausfüllung ich durch das, was ich in der Einleitung des Buches von diesen Zaddikim aus anderem Material berichte, beizutragen versucht habe; in einigen Fällen mußte ich mich, von der Kargheit des Stoffes genötigt, statt des »dynamischen« Bildes eines Menschenlebens mit dem »statischen« Bild eines Menschen begnügen. Innerhalb der einzelnen Abschnitte habe ich die Stücke in einer zwar biographischen, aber nicht chronologischen Reihenfolge angeordnet, da die chronologische das Erscheinen des Bildes, um das es mir zu tun ist, eher gestört als gefördert hätte. Das Bild eines Menschen und seines Wegs kann aus dem Material, wie es ist, eher komponiert werden, wenn man die verschiedenen Prinzipien seines Wesens und Werks, jedes für sich, womöglich jedes in seiner besondern Entwicklung, sichtbar macht, so daß all dies sich zu einer Art innerer Biographie zusammenschließt. So folgen hier zum Beispiel in dem Abschnitt über den Baalschem diese Gegenstände aufeinander: 1. Die Seele des Baalschem, 2. Bereitung und Offenbarung, 3. Ekstatik und Frömmigkeit, 4. Die Gemeinschaft, 5. Mit den Schülern, 6. Mit allerhand Menschen,

7. Kraft des Schauens, 8. Heiligkeit und Wunder, 9. Das Heilige Land und die Erlösung, 10. Vor dem Tode und nach dem Tode. Jedes Stück steht an seinem bestimmten Platz, mitunter notwendigerweise außerhalb der chronologischen Folge, und die Lehrsprüche ergänzen die Geschichten, wo dies erwünscht ist. Innerhalb des Ganzen werden sich beim flüchtigen Lesen (dem das Nichtlesen weitaus vorzuziehen ist) einige Wiederholungen zu ergeben scheinen; in Wahrheit sind es keine, und wo man das gleiche Motiv wiederkehren zu sehen meint, steht es in gewandeltem Sinn und Zusammenhang. Man wird zum Beispiel der Vorstellung der »Chassidim des Satans«, das heißt der falschen Chassidim, die sich den echten anschließen und die Gemeinschaft zu verderben drohen, mehrfach begegnen; aber wer aufmerksam liest, merkt jedesmal die veränderte Situation und den veränderten Ausdruck.

Meine Arbeit an der Neugestaltung der chassidischen Legende hat etwa 1904 begonnen. Ihre ersten Früchte waren die Bücher »Die Geschichten des Rabbi Nachman« (1906) und »Die Legende des Baalschem« (1907), deren Bearbeitungsmethode dem überlieferten Material gegenüber ich später, als allzu frei, verworfen habe. Die neugewonnene Anschauung von Aufgabe und Mitteln ist in den Büchern »Der große Maggid und seine Nachfolge« (1921) und »Das verborgene Licht« (1924) angewandt worden. Deren Inhalt habe ich fast gänzlich in dieses Buch (vorher in den Sammelband »Die chassidischen Bücher«, 1928) übernommen, dessen weit größerer Teil aber erst in meinen Jerusalemer Jahren, seit 1938, entstanden ist.

Auch den Antrieb zu der neuen umfassenden Komposition verdanke ich der Luft dieses Landes. Die talmudischen Weisen sagen, sie mache weise; ich habe von ihr etwas anderes empfangen, – die Kraft zum Neubeginn. Auch dieses Buch ist, nachdem ich meine Arbeit an der chassidischen Legende für abgeschlossen gehalten hatte, aus einem Neubeginn hervorgegangen.

Die Wiedergabe der biblischen Namen ist die übliche, die nachbiblischen Eigennamen sind nach der sephardischen Aussprache transkribiert. Die slavischen Ortsnamen stehen überwiegend in der der jüdischen Bevölkerung geläufigen Form; die slavische ist zumeist beibehalten worden, wo die Differenz zwischen beiden unerheblich ist. Anmerkungen wurden auf das Wichtigste beschränkt.

Dieses Buch will seinen Leser in eine legendäre Wirklichkeit einführen. Ich muß sie legendär nennen, denn die Überlieferungen, denen es
die ihnen angemessene Form zu geben unternommen hat, sind
nicht chronistisch zuverlässig. Sie gehen auf begeisterte Menschen
zurück, die in Erinnerungen und in Aufzeichnungen festgehalten
haben, was ihre Begeisterung wahrnahm oder wahrzunehmen
glaubte, also sowohl manches, was sich zwar begeben hat, aber
nur von dem Blick des Begeisterten zu erfassen war, wie auch
manches, was sich so, wie es erzählt worden ist, nicht begeben hat
und nicht begeben haben kann, was die begeisterte Seele aber als
etwas, was sich sinnfällig so begeben hat, empfand und daher
als solches berichtete. Darum muß ich es eine Wirklichkeit nennen:
die Wirklichkeit der Erfahrung begeisterter Seelen, eine in aller
Unschuld entstandene Wirklichkeit, ohne Raum für Erfindung
und Willkür. Die Seelen berichteten aber eben nicht von sich,
sondern von dem, was auf sie gewirkt hat. Was wir ihrem Bericht
zu entnehmen vermögen, ist somit nicht eine Tatsache der Psychologie allein, sondern eine des Lebens. Begeisterndes geschah,
und es wirkte, wie es wirkte: indem die Überlieferung die Wirkung mitteilt, bekundet sie doch auch, was so gewirkt hat – sie
bekundet Begegnungen zwischen begeisternden und begeisterten
Menschen, den Umgang zwischen jenen und diesen. Das ist echte
Legende, und das ist ihre Wirklichkeit.
Die Menschen, von denen hier erzählt wird, die Begeisternden,
sind die »Zaddikim«, was gewöhnlich mit »die Gerechten« übersetzt wird, aber die in ihrem Rechtsein Erwiesenen, die Bewährten bedeutet; es sind die Führer der chassidischen Gemeinden. Die
Menschen, die hier erzählen[1], aus deren Erzählungen sich die le-
gendäre Überlieferung zusammensetzt, die Begeisterten, sind die
»Chassidim«, die Frommen, richtiger die Bundestreuen, die jene
Gemeinden bilden. Dieses Buch will somit als Ausdruck und Do-

---

[1] Die sogenannten Wundergeschichten, die Geschichten also, in denen der Anteil des
»Irrealen« an dieser Wirklichkeit besonders evident ist, habe ich dadurch gekennzeichnet, daß ich jeder den Vermerk »Es wird erzählt« vorangeschickt habe.

kumentation des Umgangs zwischen Zaddikim und Chassidim, als Ausdruck und Dokumentation des Lebens der Zaddikim mit ihren Chassidim verstanden sein.

2

Die chassidische Lehre ist wesentlich ein Hinweis auf ein Leben in Begeisterung, in begeisterter Freude. Aber diese Lehre ist nicht eine Theorie, die unabhängig davon besteht, ob sie verwirklicht wird. Vielmehr ist sie nur die theoretische Ergänzung eines Lebens, das wirklich von Zaddikim und Chassidim gelebt worden ist, insbesondre in den ersten sechs oder sieben Generationen der Bewegung, von denen dieses Buch erzählt.

Im Grunde gehen alle großen Religionen und religiösen Bewegungen darauf aus, ein Leben in Begeisterung zu erzeugen, und zwar in einer Begeisterung, die durch kein Erlebnis zu ersticken ist, die somit ihre Quelle in einer allen einzelnen Erlebnissen schlechthin überlegenen Beziehung zum Unbedingten haben muß. Da aber die Erfahrungen, die der Mensch mit der Welt und mit sich selbst macht, vielfach nicht geeignet sind, Begeisterung in ihm zu erzeugen, verweisen die religiösen Konzeptionen ihn auf ein anderes Sein, das Sein einer vollkommenen Welt, in der auch seine Seele vollkommen ist. Diesem Sein der Vollkommenheit gegenüber wird das irdische Leben entweder nur als ein Vorhof oder gar nur als Schein angesehen, und dem Ausblick von diesem auf jenes wird die Aufgabe übertragen, über alle Enttäuschungen der äußeren und inneren Erfahrungen hinweg die Begeisterung hervorzubringen, daß jenes besteht und der Menschenseele unter bestimmten Voraussetzungen jenseits des irdischen Lebens zugänglich ist oder doch allmählich zugänglich werden kann. Im Judentum war, unbeschadet des Glaubens an ein ewiges Leben, stets die Tendenz mächtig, der Vollkommenheit eine irdische Stätte zu schaffen. Die große messianische Konzeption einer kommenden Vollendung auf Erden, an deren Bereitung jedermann tätigen Anteil nehmen kann, vermochte trotz ihrer Macht über die Seelen doch dem persönlichen Leben nicht jene stete und unüberwindliche begeisterte Freude am Dasein zu schenken, die eben nur aus einer in sich erfüllten Gegenwart, nicht aus der

Hoffnung auf eine künftige Erfüllung, quellen kann. Das änderte
sich auch dann nicht, als die kabbalistische Lehre von der Seelenwanderung jedem ermöglichte, sich der Seele nach mit einem
Menschen der messianischen Generation zu identifizieren und so
auch das persönliche Gefühl vorwegnehmend an ihr zu beteiligen.
Nur in den messianischen Bewegungen selber, die jeweils auf dem
Glauben gründeten, die Vollendung beginne eben jetzt, brach die
Begeisterung aus und durchdrang das ganze Leben. Als die letzte
dieser Bewegungen, der sabbatianische Taumel samt seinen Nachwirkungen[2], in Abfall und Verzweiflung endete, war für die lebendige Kraft der Religion die Probe gekommen; denn hier
konnte nicht eine bloße Sänftigung des Leidens, sondern nur ein
Leben in begeisterter Freude Abhilfe schaffen. Die Entstehung
des Chassidismus bedeutet das Bestehen dieser Probe.

Ohne die messianische Hoffnung abzuschwächen, erregte die chassidische Bewegung sowohl in den geistigen wie in den »einfachen«
Menschen, die ihr anhingen, eine Freude an der Welt wie sie ist,
am Leben wie es ist, an jeder Stunde des Lebens in der Welt, wie
diese Stunde ist. Ohne den Stachel des Gewissens abzustumpfen
und das Gefühl des Abstands zwischen der Menschengestalt, als
die dieser Einzelne in der Schöpfung gemeint ist, und seiner gegenwärtigen Tatsächlichkeit zu betäuben, zeigte sie dem Einzelnen von jeder Versuchung, ja auch noch von jeder Sünde aus
den Weg zu dem Gott, »der mit ihnen inmitten ihrer Makel
wohnt[3]«. Ohne die verpflichtende Macht der Thora zu mindern,
ließ sie nicht bloß in allen überlieferten Geboten einen unmittelbar beglückenden Sinn aufleuchten, sondern sie beseitigte faktisch die Trennungsmauer zwischen dem Heiligen und dem Profanen, indem sie auch jede profane Handlung heilig vollziehen
lehrte. Ohne in einen Pantheismus abzugleiten, der den Wert der
Werte, die Gegenseitigkeit der Beziehung zwischen Menschlichem
und Göttlichem, die auch am Rand der Ewigkeit nicht innehal-

---

2 Die zentrale Gestalt dieser messianistischen Bewegung, die weite Kreise der jüdischen
Diaspora ergriff, war Sabbatai Zwi (gest. 1676). Bald nachdem er sich als Messias
proklamiert hatte, brach die Bewegung zusammen, und Sabbatai trat zum Islam
über. Eine eigenartige Theologie hielt auch dann noch an dem Glauben an ihn als In-
karnation einer göttlichen Hypostase fest. Vgl. G. Scholem, Die jüdische Mystik
(1957).
3 Leviticus 16, 16.

tende Realität von Ich und Du vernichtet oder verkümmert, machte sie göttliche Strahlungen, glimmende göttliche Funken in allen Wesen und Dingen erkennbar, und unterwies, wie man ihnen nahen, mit ihnen umgehen, ja sie »heben«, sie erlösen, sie mit ihrer Urwurzel wiederverbinden könne. Die talmudische, von der Kabbala ausgebaute Lehre von der Schechina, der »einwohnenden« Gegenwart Gottes in der Welt, bekam einen neuen, intim-praktischen Gehalt: wenn du die unverkürzte Kraft deiner Leidenschaft auf Gottes Weltschicksal richtest, wenn du das, was du in diesem Augenblick zu tun hast, was es auch sei, zugleich mit deiner ganzen Kraft und mit solcher heiligen Intention, Kawwana, tust, einst du Gott und Schechina, Ewigkeit und Zeit. Dazu brauchst du kein Lehrkundiger, kein Weiser zu sein: nichts ist not als eine in sich einige, ungeteilt auf ihr göttliches Ziel gerichtete Menschenseele. Die Welt, in der du lebst, so wie sie ist, und nichts anderes, gewährt dir den Umgang mit Gott, ihn, der dich und das in der Welt weilende Göttliche, soweit es dir anvertraut ist, zugleich erlöst. Und deine eigene Beschaffenheit, dies eben wie du bist, ist dein besonderer Zugang zu Gott, deine besondere Möglichkeit für ihn. Laß dich deiner Lust an Wesen und Dingen nicht verdrießen, laß sie sich nur in den Wesen und Dingen nicht verkapseln, sondern durch sie zu Gott vordringen; empöre dich nicht wider deine Begierden, sondern fasse sie und binde sie an Gott; nicht ertöten sollst du deine Leidenschaft, sondern sie heilig wirken und heilig ruhen lassen in Gott. Aller Widersinn, mit dem die Welt dich kränkt, tritt dich an, damit du den Sinn in ihm entdeckst, und aller Widerspruch, der in dir selbst dich peinigt, wartet auf deinen Spruch, ihn zu bannen. Alles Urleid will Eingang in deine begeisterte Freude.

Diese deine Freude aber ist es nicht, wonach du strebst. Sie wird dir zuteil, wenn du danach strebst, »Gott zu erfreuen«. Deine Freude erhebt sich, wenn du nichts mehr willst als die göttliche Freude – nichts mehr als die Freude selber.

3

Wie nun aber sollte der Mensch, wie insbesondre der »einfache
Mensch«, um den es doch vor allem der chassidischen Bewegung
zu tun war, dazu gelangen, sein Leben in begeisterter Freude zu
leben? Wie sollte er im Feuer der Versuchungen den »bösen Trieb«
zum guten umschmieden? Wie in der gewohnten Erfüllung der
Gebote die beglückende Bindung an die oberen Welten erschließen? Wie in seinen Begegnungen mit Wesen und Dingen der göttlichen Funken innewerden, die sich in ihnen bergen? Wie durch
heilige Intention das Leben des Alltags verklären? Wohl, nichts
ist not als eine in sich einige, ungeteilt auf ihr göttliches Ziel gerichtete Menschenseele; aber wie in diesem Irrbau unseres Daseins auf Erden das Ziel im Auge bewahren? Wie inmitten der
tausenderlei Fährlichkeiten und Bedrängnisse, Täuschungen und
Blendungen die Einheit nicht verlieren? Und wenn man sie verloren hat, wie findet man sie wieder? Der Mensch bedarf des
Rats, des Beistands, der Aufrichtung, der Rettung. Aber all dessen bedarf er ja nicht in den Belangen der Seele allein; sie sind ja
alle in irgendeiner Weise mit den kleinen und großen Sorgen, den
Trübsalen und Verzweiflungen des Lebens selber verknüpft, und
wenn man diesen nicht beikommt, wie soll man jene bewältigen?
Es bedarf eines Helfers für Leib und Seele zugleich, für Irdisches
und Himmlisches in einem. Dieser Helfer wird Zaddik genannt.
Er ist ein Heiler auf körperlichem und geistigem Gebiet in einem,
denn er eben kennt beider Verbindung und vermag von da aus
auf beide einzuwirken; er lehrt dich deine Geschäfte so verwalten, daß dein Gemüt frei wird, und er lehrt dich dein Gemüt so
in sich festigen, daß du den Geschicken standhalten kannst. Und
immer wieder weiß er dich so weit an der Hand zu führen, bis
du dich allein weiterzuwagen vermagst; er tut nichts statt deiner,
was du schon selber zu tun erstarkt bist; er nimmt deiner Seele
keinen Kampf ab, den sie selber bestehen muß, um ihr besonderes
Werk in der Welt zu vollbringen. Dies gilt aber auch für den
Umgang der Seele mit Gott. Der Zaddik (so ist es nach der Lehre
des Baalschem[4] und so haben es die großen Zaddikim gehalten,

---

[4] Über ihn vgl. das 4. Kapitel dieser Einleitung und den ersten Abschnitt der Erzählungen.

alles Andersartige ist Entartung, wenn sich deren Zeichen auch schon früh zeigen) hat seinen Chassidim den unmittelbaren Umgang mit Gott zu erleichtern, nicht zu ersetzen. Wie er den Chassid in Stunden des Zweifels stärkt, aber ihm die Wahrheit nicht einflößt, sondern ihm nur hilft, sie zu gewinnen und wiederzugewinnen, so entbindet er in ihm die Kraft des rechten Betens; er leitet ihn an, dem betenden Wort die rechte Richtung zu geben, und er verbindet ermunternd, steigernd, beflügelnd das eigne Gebet mit dem seinen; in Stunden der Not betet er für ihn und setzt sich ein. Aber nie erlaubt er der Seele des Chassids, sich so durch die seine vertreten zu lassen, daß sie sich der selbständigen Sammlung und Spannung begäbe, eben jenes Auf-Gott-Zugehens der Seele, ohne das ihr irdisches Dasein unerfüllt bleiben muß. Wie in den Dingen der menschlichen Leidenschaften immer wieder auf die Grenze des Rats und der Hilfe hingewiesen wird, so in den Dingen des Umgangs mit Gott immer wieder auf die Grenze der Mittlung. Nur bis an die Schwelle des Innersten darf der Mensch den Menschen vertreten.

Mehrfach hören wir, wie in der chassidischen Lehre, so auch in der Erzählung, von stellvertretendem Leiden, ja vom sühnenden Opfertod der Zaddikim. Wenn aber ganz selten einmal (so von Rabbi Nachman von Bratzlaw[5]) gesagt wird, der wahre Zaddik vollziehe auch den Akt der Umkehr für die ihm Nahen, so wird doch gleich hinzugefügt, mit dieser stellvertretenden Handlung erleichtere er ihnen, selber die Umkehr zu vollziehen. Er hilft allen, aber er nimmt keinem das ihm Obliegende ab; sein Helfen ist ein Entbinden. So hilft er auch noch mit seinem Sterben: die ihm nah waren und in dieser Stunde bei ihm verweilen, empfangen »eine große Erleuchtung«.

In diesen Grenzen entfaltet sich der tiefe Einfluß des Zaddiks, wie auf den Glauben und den Geist, so auch auf das werktätige Leben des Chassids, ja sogar auf dessen Schlaf, den er klar und lauter werden läßt. Alle Sinne des Chassids werden durch den Zaddik zur Vollendung gebracht, und zwar nicht durch dessen bewußtes Einwirken, sondern durch seine leibliche Nähe: dadurch, daß man ihn betrachtet, vollendet sich der Sinn des Ge-

---

5 Über ihn siehe weiter unten S. 895 ff.

sichts, und dadurch, daß man ihm lauscht, der Sinn des Gehörs.
Nicht die Lehre des Zaddiks, sondern sein Dasein übt die entscheidende Wirkung, und nicht einmal so sehr sein Dasein in
außerordentlichen Zeiten wie das unbetonte, ungewollte, unbewußte Dasein im Gang der Tage, und nicht eigentlich sein Dasein
als Mann des Geistes, sondern sein Dasein als der vollständige
Mensch, sein ganzes leibliches Dasein, in dem sich die Vollständigkeit des Menschen bewährt. »Ich habe«, sagte ein Zaddik,
»von allen Gliedern meines Lehrers Thora, Gottesweisung, gelernt.«
So ist die Wirkung des Zaddiks auf die echten Schüler. Für seine
Wirkung auf die vielen, auf das Volk, die Wirkung, von der die
chassidische Bewegung als Volksbewegung getragen wird, genügt
freilich sein Dasein nicht; er muß sich mit dem Volk so abgeben,
daß es ihn aufnehmen kann, muß die Lehre so gestalten, daß sie
dem Volk zu eigen wird; er muß »an der Volksmenge teilnehmen«. Um sie zu ihrer Vollendung zu bringen, muß er somit »von
seiner Stufe fallen«. »Wenn einer in den Sumpf geraten ist«,
sagt der Baalschem, »und sein Gefährte will ihn herausholen,
muß der sich ein wenig schmutzig machen.«
Es ist ein großer Grundsatz des Chassidismus, daß der Zaddik
und die Menge aufeinander angewiesen sind. Ihr gegenseitiges
Verhältnis wird immer wieder mit dem zwischen Stoff und Form
im Leben der menschlichen Person, zwischen Leib und Seele verglichen. Die Seele darf sich nicht großtun, daß sie heiliger sei als
der Leib: sie kann ja nur dadurch, daß sie in ihn niedergestiegen
ist und mit seinen Gliedern wirkt, zu ihrer Vollendung gelangen;
freilich darf auch der Leib sich nicht großtun, daß er die Seele erhalte: verläßt sie ihn, muß er verwesen. So bedürfen die Zaddikim der Volksmenge, und die Volksmenge bedarf der Zaddikim; auf ihrer Wechselbeziehung steht die chassidische Wirklichkeit. Und so ist denn jenes »Fallen von der Stufe« kein wirkliches
Fallen. Im Gegenteil: »Wenn der Zaddik«, sagt Rabbi Nachman
von Bratzlaw, »Gott dient, aber auf die Volksmenge nicht achtet,
sie zu belehren, fällt er von seiner Stufe.«
Rabbi Nachman selber, unter allen Zaddikim ganz besonders ein
»Mann des Geistes«, hat sich in einer tiefen und geheimnisvollen
Weise mit den »einfachen Menschen« verbunden gefühlt. Von da

aus sind die merkwürdigen Äußerungen zu verstehen, die er etwa zwei Monate vor seinem Tode getan hat. Er fand sich zuerst in einem Zustand geistiger Ermattung, in dem er nur noch ein »einfacher Mensch« zu sein erklärte; als aber dieser Zustand unmittelbar in die höchste Entflammung des Geistes überging, sagte er, in solchen Zeiten des Niederstiegs empfange der Zaddik eine Lebenskraft, die sich sodann von ihm auf alle »einfachen Menschen« in der Welt ergieße, nicht auf die von Israel allein, sondern von allen Völkern. Die Lebenskraft aber, die er empfangen hat, stamme aus dem noch von vorisraelitischer Urzeit her in Kanaan aufgespeicherten »Schatz der unentgeltlichen Gabe«, das heißt, eben jener geheimnisvollen Substanz, die auch in die Seelen der »einfachen Menschen« ausgestreut ist und sie zum einfachen Glauben befähigt.

Hier rühren wir an jenen vitalen Grund des Chassidismus, aus dem das Leben zwischen Begeisternden und Begeisterten gewachsen ist. Das Verhältnis zwischen dem Zaddik und seinen Schülern ist nur dessen stärkste Konzentration. In diesem Verhältnis entfaltet sich die Wechselseitigkeit zur größten Klarheit. Der Lehrer hilft den Schülern, sich zu finden, und in Stunden des Niedergangs helfen die Schüler dem Lehrer, sich wiederzufinden. Der Lehrer entzündet die Seelen der Schüler; nun umgeben sie ihn und leuchten ihm. Der Schüler fragt, und durch die Art seiner Frage erweckt er, ohne es zu wissen, im Geist des Lehrers eine Antwort, die ohne diese Frage nicht entstanden wäre.

Zwei »Wundergeschichten« mögen die hohe Funktion der Schülerschaft sinnbildlich vergegenwärtigen.

Der Baalschem ist einmal am Ausgang des Versöhnungstags schwer bekümmert, weil der Mond sich nicht sehen läßt und er daher die »Heiligung des Mondes« nicht sprechen kann, die gerade in dieser Stunde, einer Stunde großer drohender Gefahren für Israel, eine besondere Heilswirkung tun würde. Umsonst strengt er seine Seele an, eine Änderung am Himmel herbeizuführen. Da beginnen seine Chassidim, die davon nichts wissen, wie alljährlich um diese Zeit zu tanzen, in hoher Freude um den nun beendeten Festdienst ihres Meisters, der wie der Dienst des Hohenpriesters im Heiligtum war. Sie tanzen im Haus des Baalschem erst im Außenraum, vor Begeisterung dringen sie in seine

Stube und umtanzen ihn, endlich, zutiefst entflammt, bitten sie
ihn, selber mitzutanzen, und ziehen ihn in den Reigen. Da zersprengt der Mond das dichte Gewölk und erscheint in wunderbarer Reinheit. Die Chassidim haben mit ihrer Freude bewirkt,
was der Seele des Zaddiks in der äußersten Anspannung nicht
gelungen war.

Rabbi Elimelech, unter den Schülern des »großen Maggids«, des
bedeutendsten Schülers des Baalschem, der Mann, der die zen-
tralisierte Überlieferung fortführt und die Schule als solche erhält, erfährt bei einem Himmelsaufstieg der Seele, daß er mit
seiner Heiligkeit den zerstörten Altar im Heiligtum des oberen
Jerusalem wiedererbaue, das dem Heiligtum des unteren Jerusa-
lem entspricht. Zugleich erfährt er, daß seine Schüler ihm am
Werk der Wiederherstellung helfen. In einem Jahr fehlen am
Fest der Freude an der Lehre[6] zwei von ihnen, Rabbi Jaakob
Jizchak, der spätere Rabbi von Lublin (der »Seher«), und Rabbi
Abraham Jehoschua Heschel, der spätere Rabbi von Apta. Über
den ersten ist ihm im Himmel kundgetan worden, daß er die
Lade, über den zweiten, daß er die Tafeln ins Heiligtum bringe.
Jetzt fehlen sie beide. »Nun mag ich«, sagt der Zaddik zu seinem
Sohn, »achtzehnmal hintereinander rufen (wie man im alten
Israel auf die Bundeslade zu rief, wenn sie in den Kampf voran-
ziehen sollte): ›Erhebe dich, Herr!‹, es frommt nicht.«

In dieser Geschichte sind es die Schüler als Einzelne, in der vorigen sind sie als »heilige Gemeinschaft« es, die am Wirken des
Zaddiks teilnehmen. Diese kollektive Erscheinungsform ist unzweifelhaft die wichtigere, so reich und bunt auch das anekdoti-
sche Material ist, das von der individualen erzählt. Die Gemeinschaft der einem Zaddik zugehörenden Chassidim, besonders der
feste Kreis der ihn stetig Umgebenden oder doch regelmäßig zu
ihm »Fahrenden«, wird als eine mächtige dynamische Einheit
empfunden. Der Zaddik verbindet sich mit ihr im Gebet und in
der Lehre. Er betet von ihr aus, nicht bloß als ihr Sprecher, sondern als ihr Kraftzentrum, in dem sich die Glut der gemeindlichen Seele einsammelt und von dem sie, mit der Glut der eigenen
Seele verschmolzen, emporgetragen wird. Er lehrt auf sie zu,

---

[6] Der auf das Laubhüttenfest folgende Tag, an dem die Schriftrollen aus der Lade
gehoben und in feierlichem Umzug durchs Bethaus getragen werden.

wenn er am Sabbat beim »dritten Mahl« die Schrift auslegt und das Geheimnis erschließt; sie ist das Kraftfeld seines Wortes, darin es in ausschwingenden Wellen den Geist manifestiert. Und dieses Mahl selber – man kann seine Spannung und seine Seligkeit nur verstehen, wenn man erkennt, daß alle, jeder sich ungeteilt hergebend, sich zu einer begeisterten Einheit vereinen, wie sie nur um eine begeisternde Mitte möglich wird, die mit ihrem Sein auf die göttliche Mitte alles Seins hindeutet. Da ist ein lebendiger Zusammenhang, der manch wunderlichen, ja grotesken Ausdruck findet; aber auch noch das Groteske in seiner Echtheit zeugt für die Echtheit der Antriebe. Der Chassidismus ist eben nicht von einer esoterischen Lehre aus zu erfassen, sondern nur von seiner volkstümlichen Vitalität aus, die sich zuweilen, wie jede volkstümliche Vitalität, recht derb äußert. Diese selbe Vitalität ist es auch, die den Beziehungen zwischen den Chassidim die ihnen eigentümliche Intensität verliehen hat. Die gemeinsame Bindung an den Zaddik und an das göttliche Leben, das er vertritt, bindet sie aneinander, nicht bloß in den Feierstunden des gemeinsamen Gebets und des gemeinsamen Mahls, sondern auch mitten im Alltag. In begeisterter Freude trinken sie einander zu, singen und tanzen miteinander, erzählen sich abstruse und tröstliche Wundergeschichten; aber sie helfen auch einander und setzen sich füreinander ein, und ihre Bereitschaft füreinander kommt aus derselben tiefen Quelle wie ihre Begeisterung. Mit allem Tun und Lassen bekundet der echte Chassid, daß trotz all des unsäglichen Leidens der Kreatur doch der Herzpuls des Daseins göttliche Freude ist und daß man stets und überall zu ihr durchdringen kann, – wenn man sich drangibt.

Es gibt im Chassidismus der Entartung nicht wenig, und wie gesagt nicht erst von seiner Spätzeit an. Neben jener begeisterten Liebe zum Zaddik finden wir schon früh eine vergröberte Verehrung, für die er der große Zauberkünstler und der mit dem Himmel vertraute Alleswiedergutmacher ist, der seinen Chassidim die Anstrengung der Seele abnimmt und ihnen einen angenehmen Platz im Jenseits sichert. Auch wo zwischen den Chassidim eines Zaddiks wahrhafte Brüderlichkeit waltete, wurde sie nicht selten durch eine Fremdheit, ja in einzelnen Fällen Feindseligkeit den Anhängern anderer Zaddikim gegenüber wettgemacht, wie die

Freiheit des Glaubenslebens für die chassidische Gemeinschaft nicht selten mit einem gesinnungslosen Opportunismus den Staatsgewalten gegenüber bezahlt worden ist. Dicht neben der unschuldigen Phantasie des Begeisterten hat sich zuweilen der sture Aberglaube angesiedelt, der das Werk der Phantasie verflachte, und der krasse Trug, der es mißbrauchte. Das meiste davon kennen wir auch aus der Geschichte andrer volkstümlich-vitaler religiöser Bewegungen, anderes ist aus den besonderen pathologischen Voraussetzungen des Exillebens zu erklären. Ich habe es nicht für meine Aufgabe angesehen, mich über all das auszulassen, sondern zu zeigen, was den Chassidismus zu einem der größten Phänomene lebendiger und fruchtbarer Gläubigkeit macht, die wir kennen, und zu der bisher letzten großen Blüte des jüdischen Willens, Gott in der Welt zu dienen und den Alltag ihm zu heiligen.

Die chassidische Bewegung ist schon früh in Gemeinden zerfallen, die untereinander nur geringen Lebenszusammenhang bewahrten, und schon früh sind bei einzelnen Zaddikim problematische Züge zu finden. Aber jede chassidische Gemeinde trägt noch einen Keim des Reiches Gottes in sich, einen Keim, nicht mehr als das, aber auch nicht weniger, oft noch aus faulenden Stoffen treibend einen Keim; und auch noch der aus dem Erbgut seiner Ahnen gesunkene Zaddik hat Stunden, in denen seine Stirn aufstrahlt, als habe das Urlicht sie berührt.

4

Wie nicht selten da, wo in einer Krisis des Glaubens der Glaube sich erneuert, so ist auch hier der den Neubeginn erregende und anführende Mensch nicht eigentlich ein Mann des Geistes im üblichen Sinn, sondern er zieht seine Kraft aus einem ungewöhnlichen Bund zwischen spiritualen und tellurischen Mächten, Himmelslicht und Erdfeuer, nur daß das Obere es ist, das die von unten her gespeiste persönliche Gestalt bestimmt: das Leben dieses Menschen ist eine stete Aufnahme und Einwandlung des Feuers ins Licht. Und daraus, was so in ihm selber ist und geschieht, kommt seine Doppelwirkung auf die Welt; die vom Gedanken Entrückten holt er zum Element zurück, die irdisch Beschwerten hebt er zum Äther.

Der Stifter des Chassidismus, Israel ben Elieser von Mesbiž (Miedzybož), der »Baal-schem-tow« genannt (1700–1760), scheint zunächst in einer Reihe von »Baale-schem«, von »Herren des Namens«, zu stehen, die eines zaubermächtigen Gottesnamens kundig sind, sich seiner zu bedienen wissen und mit diesen ihren Künsten den zu ihnen kommenden Menschen Heilung und Hilfe leisten, Erscheinungen einer Magie, die von der Religion absorbiert worden ist. Die natürliche Grundlage ihres Wirkens sind ihre Fähigkeit, Zusammenhänge zwischen den Dingen außerhalb von deren raumzeitlichen Verknüpfungen wahrzunehmen, also was man Intuition zu nennen pflegt, und der ihnen eigene stärkende und konsolidierende Einfluß auf das Seelenzentrum ihrer Mitmenschen, wodurch dieses in den Stand gesetzt wird, Leib und Leben zu regenerieren, ein Einfluß, von dem der bekannte »suggestive« nur ein Zerrbild ist. Israel ben Elieser setzt mit manchen Seiten seiner Tätigkeit diese Reihe fort, aber mit einer entscheidenden Wandlung, die sich auch in der Änderung des Beinamens »Baalschem« in »Baalschemtow« äußert. In der legendären Überlieferung [7] kommt diese Wandlung und ihre Bedeutung zu einem unzweideutigen Ausdruck.

In verschiedenen Fassungen wird erzählt, wie, sei es der Schwager des Baalschem, Rabbi Gerschon, der ihn zuerst als einen Unwissenden verächtlich behandelte, später aber sich ihm anschloß und ihm treulich anhing, sei es einer der Nachkommen des Baalschem, zu einem großen Rabbi in der Ferne, sei es in Palästina, sei es in Deutschland, kommt und zu ihm von »Rabbi Israel Baalschem« spricht. »Baalschem?« erwidert der Rabbi, »den kenne ich nicht«, oder noch abweisender, zu Rabbi Gerschon, der von dem Baalschem als seinem Lehrer berichtet hat: »Baalschem, nein, das ist kein Lehrer.« Als nun jedoch der Gast die volle Bezeichnung »Baalschemtow« nachholt, ändert sich die Haltung des Rabbi von Grund aus. »Oh«, ruft er, »der Baalschemtow, das ist freilich ein großer Lehrer! Ich sehe ihn allmorgendlich im Tempel des Paradieses.« Von den geläufigen Wundertätern will der Weise nichts wissen, aber »Baal-schem-tow«, das ist etwas ganz anderes, etwas Neues. In der Tat hat sich durch die Anfügung eines Wor-

---

[7] Die neuerdings geäußerten Zweifel an ihrer geschichtlichen Zuverlässigkeit tun ihrer Bedeutsamkeit keinen Abbruch.

tes Sinn und Charakter der Bezeichnung gewandelt. »Schem tow«
ist der »gute Name«; »Baal schem tow«, der Inhaber des guten
Namens, ist einer, der, weil er ist, wie er ist, das Vertrauen der
Menschen besitzt; »Baal schem tow« als allgemeine Bezeichnung
bedeutet einen Mann, dem das Volk vertraut, einen »Vertrauens-
mann« des Volkes. Damit ist aus der Bezeichnung eines proble-
matischen Standes die Bezeichnung einer zuverlässigen Person,
zugleich aber aus einer immerhin magischen Kategorie eine im
genausten Sinn religiöse geworden: ein Mensch ist gemeint, der
von seinen Beziehungen zum Göttlichen aus mit seinen Mitmenschen und für sie lebt.

Von Rabbi Jizchak von Drohobycz, einem der vom Baalschem
vorgefundenen und sich ihm zunächst widersetzenden asketischen
»Chassidim«, wird erzählt, daß er den Neuerer heftig befeindete,
weil er von ihm hörte, in den von ihm den Leuten gegebenen
Amuletten bärgen sich Zettel mit geheimen Gottesnamen. Als sie
einander einmal begegneten, fragte er den Baalschem danach. Der
öffnete eines der Amulette und zeigte, daß auf dem Zettel darin
kein anderer als sein eigener Name mit dem seiner Mutter, »Israel ben Sara«, stand. In Wahrheit hat das Amulett hier seinen
magischen Charakter völlig verloren; es ist nichts mehr als Zeichen und Unterpfand der persönlichen Verbindung zwischen dem
Helfer und dem Heilsempfänger, die sich auf das Vertrauen
gründet. Der Baalschemtow hilft denen, die ihm vertrauen; er
kann ihnen helfen, weil sie ihm vertrauen; die unmittelbare Einwirkung, die jeweils von ihm ausgeht, hat ihr dauerndes Sinnbild am Amulett, das, seinen Namen einschließend, ihn selber
vertritt. Und eben durch die so verbürgte persönliche Verbindung
wird die Seele des Empfängers »erhoben«. Was hier am Werk ist,
ist der Bund des Tellurischen und des Spiritualen im Baalschem,
und von diesem Bund aus die in beiden Bereichen zugleich wirkende Beziehung zwischen ihm und seinen Chassidim.

Von hier aus ist auch seine Haltung zu den Männern des Geistes
zu verstehen, die er der chassidischen Bewegung gewinnen will,
und ebenso die Tatsache, daß die meisten von ihnen sich ihm willig unterwerfen. Wenn etwa der Mann, der der größte seiner
Schüler und der eigentliche Begründer der chassidischen Lehr-
schule geworden ist, Rabbi Dow Bär, der »Maggid« (Wander-

prediger) von Mesritsch (Miedzyrzecze), nach einer der Fassungen der Legende zu ihm kommt, um Heilung seines Siechtums zu erbitten, und nun dieses nur gelindert, er dagegen von seinem übersteigerten Spiritualismus, einer »Lehre ohne Seele«, geheilt wird, sehen wir deutlich, wie in der Person des Helfers hier die Natur am Werk ist, den Geist, der sich allzusehr von ihr entfernt hat, in ihren Atemraum zurückzuholen, wo allein, an beider unablässiger Fühlung, die Seele gedeihen kann. Und der »große Maggid«, denkerisch dem Baalschem weitaus überlegen, beugt sich der urseltenen und entscheidenden Erscheinung, der menschlichen Einheit von Licht und Feuer. So auch, wenn der andere Hauptträger der chassidischen Lehre in der zweiten Generation, Rabbi Jaakob Jossef von Polnoe (Polonnoje), kein selbständiger Denker wie der Maggid, aber ein Meister in der überlieferten Lehre und daher befähigt, die Lehre des Baalschem rein aufzunehmen und darzulegen, von ihm aus asketischer Abgeschiedenheit zu einem schlichten Leben mit den Menschen gebracht wird. In mehrfachen Varianten erzählt die Legende, wie der Baalschem ihn gewann; aber allen gemeinsam sind zwei Züge: er gibt sich ihm nicht unmittelbar in seinem Wesen zu erkennen, sondern manifestiert sich durch die Art seiner Verborgenheit, und er erzählt ihm (wie er es überhaupt gern tut) Geschichten, die gerade vermöge ihrer Primitivität und anscheinenden Ungeistigkeit den Hörer aufrühren, bis er sie als Hinweis auf seine eigenen heimlichsten Nöte erfaßt und annimmt. Auch hier wieder, in diesem Erzählen schlichter, aber das Persönlichste aufrufender Geschichten und Gleichnisse, bekundet sich der Bund von Geist und Natur, durch den es eben möglich wird, daß Bilder als Sinnbilder, das heißt als in der Natur selber sich ausprägender Geist, wirken. Charakteristisch im gleichen Sinn ist, was beide Schüler von der Lehre des Baalschem und dem Umgang mit ihm melden. Der Maggid hat unter anderem von ihm gelernt zu verstehen, was Vögel und Bäume sagen, und ganz ähnlich hören wir den Rabbi von Polnoe seinem Schwiegersohn erzählen, es sei der »heilige Brauch« des Baalschem gewesen, sich mit den Tieren zu unterreden.

Der große Widersacher des Chassidismus und Urheber des über ihn verhängten Banns, der Mann, der mit den Chassidim zu verfahren wünschte, »wie Elia mit den Baalspropheten verfuhr«, Rabbi Elia von Wilna, hat den Baalschem beschuldigt, er habe den Maggid von Mesritsch »durch seine Zauberkünste irregeleitet«. Was so erschien, war die persönliche Vereinigung von Himmelslicht und Erdfeuer, von Geist und Natur. Wann immer diese Vereinigung in Menschengestalt auftritt, zeugt sie, mit dem Zeugnis des Lebens, für die göttliche Einheit von Geist und Natur; sie tut die Menschenwelt, die sich immer wieder dieser Einheit entfremdet, ihr von neuem auf und erregt begeisterte Freude. Denn die echte Begeisterung stammt weder vom Geist noch von der Natur, sondern von ihrer Vereinigung.

5

Unter den unmittelbaren Schülern des Baalschem stehen nicht viele im Mittelpunkt einer legendären Überlieferung. Es ist, als hätte sich die begeisterte Schau, die sich in einer solchen Fülle ihm zuwandte, zunächst zusammengezogen und auf wenige besonders teure Gestalten gesammelt, so daß von den andern nur einzelne, wenn auch mitunter recht charakteristische Geschichten erzählt werden; erst in der dritten Generation sehen wir, um das zentrale Lehrhaus, das des großen Maggids, geschart, eine große Reihe von Zaddikim, jeder von eigner Art, deren Gedächtnis die Legende mit bildnerischer Liebe pflegt. Dazu kommt aber, daß uns, wenn wir von den Erzählungen, die den Baalschem zum Gegenstand haben, zu denen übergehen, die von seinen Schülern handeln, sogleich eine Änderung des Grundcharakters überall da auffällt, wo die Geschichten nicht mit dem Baalschem selber verknüpft sind. Die drei Männer, um die sich die Überlieferung im wesentlichen kristallisiert hat, der Maggid von Mesritsch, Pinchas von Korez und Jechiel Michal von Zloczow, sind im spezifischen Sinn lehrende Menschen, der erste als Oberhaupt der chassidischen Mutterschule, der zweite in einem kleinen, in sich geschlossenen Kreis, der in einer selbständigen Weise die chassidische Lebensweisheit ausbildet, der dritte in nur flüchtigen, wenn auch starken Einfluß übenden Berührungen mit einer weiten Peripherie ohne nachfolgende erzieherische Arbeit. Auch die Legende baut sich hier im wesentlichen um die Lehre auf, ganz anders als beim Baalschem, wo von seinem Lehren als von einer Teilfunktion seines Lebens erzählt wird. Auch darin vollzieht sich in der dritten Generation eine bemerkenswerte Änderung: die Anekdote wird wieder vielfältiger, vitaler, sie nähert sich wieder dem Charakter der Baalschem-Legende, das Leben spricht sich wieder in seiner Fülle aus, – nur daß freilich das Geheimnis des Anfangs, das Geheimnis der elementaren Größe, nicht wiederkehrt.

Rabbi Dow Bär, der Maggid von Mesritsch (gest. 1772), war ein lehrender Denker, genauer: er wurde durch den Baalschem, der ihn aus seiner Einsamkeit befreite, zum lehrenden Denker. Die Aufgabe des Lehrens bestimmte fortan sein Denken im innersten Grunde. Es ist von Bedeutung, daß sein Lieblingsgleichnis die Selbstanpassung des Vaters an den lernbedürftigen kleinen Sohn ist: er sieht die Welt als eine Selbstanpassung Gottes an seinen kleinen Sohn, den Menschen, den er zart und behutsam erzieht, daß er zu ihm heranwachse, – so hat sich hier der kabbalistische Gedanke der Selbsteinschränkung Gottes um der Entstehung der Welt willen aus einem kosmogonischen zu einem anthropologischen gewandelt, unter dem Einfluß der pädagogischen Grunderfahrung. Sie ist es, die den Maggid dazu bringt, die Welt selber von Gottes erzieherischer Methodik aus verstehen zu wollen. Die grundlegende Voraussetzung dafür aber ist die Innigkeit des Verhältnisses zwischen dem Erzieher und dem Zögling; nur wer sie wie Rabbi Bär erfuhr, kann, wie er – so berichtet uns der umfassendste unter seinen Schülern, Rabbi Schnëur Salman – es tat, die Gnade Gottes mit der Gottesliebe des Menschen und die Strenge Gottes mit der Gottesfurcht des Menschen in eins bringen, mit anderen Worten: die Gegenseitigkeit der Beziehung zum Grundprinzip machen.

Man muß den ungeheuren Ernst des pädagogischen Grunderlebnisses in der Seele des Maggids verstehen, um zu würdigen, was wir von der Intensität seines Eingehens auf die innere Art und das innere Schicksal jedes einzelnen Schülers hören, aber auch, was von seinem Lehrvortrag erzählt wird: daß dieser von den Schülern verschieden aufgefaßt wurde, der Maggid aber sich weigerte, zwischen ihren Auffassungen zu entscheiden, weil man, welches immer von den siebzig Antlitzen der Thora man wahr-

haft ansieht, die Wahrheit sehe. Von hier aus führt ein weiterer
Schritt in die Didaktik des Maggids hinein: er trägt jeweils keine
systematischen Zusammenhänge, sondern einen einzelnen Hinweis, ja ein einzelnes Gleichnis vor, ohne Fäden seitwärts zu ziehen, und die Schüler haben die sie völlig beanspruchende Aufgabe
vor sich, es, jeder für sich oder sich zusammentuend, zu verarbeiten und in die rechten Zusammenhänge einzufügen; »wir haben
uns jeweils«, schreibt einer von ihnen in einem Brief, »lange Zeit
mit einem einzigen Dinge begnügt und haben es in Reinheit bewahrt, bis die Zeit kam, ein zweites Wort zu hören«. Es geht dem
Maggid darum, die im Geist der Schüler angelegte Wahrheit zu
erwecken, »die Kerzen zu entzünden«.

Aber all dies wird uns erst dann in seiner ganzen Bedeutung er-
kennbar, wenn wir beachten, daß der Maggid offenbar von je ein
Ekstatiker war, nur daß seine Ekstatik durch die Einwirkung des
Baalschem von dem Bereich der asketischen Einsamkeit in den
des lehrenden Lebens mit den Schülern übergeführt worden ist:
seine Ekstase nimmt von da an die Gestalt der Lehrtätigkeit an.
Eine Reihe von Schüleräußerungen zeugt für den ekstatischen
Charakter seines Lehrvortrags; sie berichten, wie er, sowie er den
Mund auftat, allen erschien, als sei er nicht in dieser Welt und die
Schechina rede aus seiner Kehle. Und wieder wird man dieser
Erscheinung nur gerecht, wenn man auf das Letzte zurückgeht,
das uns zugänglich ist: der Maggid hatte sich offenbar mit der
ganzen Leidenschaft seiner Seele in den Dienst jenes Willens Gottes gestellt, den »kleinen Sohn« zu sich emporzuziehen; er hatte,
um diesen Dienst zu erfüllen, wie in seinem Denken, so in seinem
Lehren sich nur noch als Gefäß der göttlichen Wahrheit verstanden, hatte – um es mit seinen eigenen Worten zu sagen – »das
Etwas ins Nichts zurückgewandelt«. Von da aus ist jene Wirkung
seines Wesens auf die Schüler zu verstehen, die der jüngste unter
ihnen, der nachmalige »Seher« von Lublin, von seinem ersten Besuch beim Maggid redend, so beschreibt: »Als ich vor den Meister,
den Maggid, kam, sah ich ihn auf seinem Lager: da lag etwas, das
war der schlichte Wille allein, der Wille des Höchsten.« Darum
haben die Schüler von seinem Sein noch mehr und Größeres als
von seinem Wort gelernt.
Der Stifter, der Baalschem, war nicht im spezifischen Sinn ein

Lehrer gewesen; der Maggid stellt ihm gegenüber die lehrerische Konzentration dar; damit hängt seine besondere Wirkung zusammen. Der Baalschem hatte gelebt, gepredigt, gelehrt; alles war eins, alles organisch in *einer* großen Unwillkürlichkeit des Daseins eingebunden, das Lehren nur eine unter den natürlichen Äußerungen des wirkenden Lebens. Anders der Maggid. Auch er freilich ist kein Lehrer im Verstand einer spezialisierten Funktion, eines »Berufs«. Nur in Zeiten des Niedergangs einer geistigen Welt ist Lehren auch auf seiner höchsten Stufe ein Beruf in diesem Sinn; in Zeiten der Blüte leben, wie die Gesellen eines Handwerks mit ihrem Meister, so die Jünger mit dem ihren und »lernen« in seinem Atemkreis, durch seinen Willen und ohne ihn, allerhand, Werkhaftes und Lebenhaftes. So auch die Jünger des Maggids; sie sagen es immer wieder, wie seine ganze Menschlichkeit sie erzog; er selber wirkte auf sie wie eine Thora, wie eine Gottesweisung. Für ihn aber war eben doch der Lehrwille der innerste. Die Kraft seines in der Berührung des Baalschem wiedergeborenen Lebens hat er in die Schülerschaft eingetan. Auch sein Gedankenwerk dient seinem Lehren. Wenn er, der ebenso wie der Baalschem kein Buch schrieb, dennoch, ihm ungleich, seine Reden aufzeichnen ließ, tat er es, um sie den Geschlechtern der Schule als dauernden Halt zu übermitteln.

Eine schulhafte Institution hat der große Maggid nicht geschaffen. Nur Schüler hat sein Geist gezeugt, eine Geschlechterreihe von Schülern und Schülerschülern, derengleichen an reicher Mannigfaltigkeit selbständiger Personen in so knappem Zeitraum wir in keiner andern religiösen Bewegung der neuen Zeit kennen. Von dem Sohn des großen Maggids, Rabbi Abraham »dem Engel«, der nur wenige Jahre nach ihm (1776) gestorben ist, hat Rabbi Pinchas von Korez gesagt, wenn er länger gelebt hätte, würden sich alle Zaddikim des Geschlechts ihm unterworfen haben, und in der Autobiographie eines Zeitgenossen, der ihn am neunten Ab, dem Jahrestag der Zerstörung des Jerusalemer Tempels, eine Nacht und einen Tag um den Untergang des Heiligtums klagen sah, lesen wir: »Da merkte ich, daß er nicht umsonst von aller Mund ein Engel genannt wird, denn dieses ist nicht die Kraft eines vom Weibe Geborenen.« Er kann aber in einem grundwichtigen Belange nicht als Schüler seines Vaters gelten, ja er entfernt

sich darin auch von der Lehre des Baalschem: er will die Wandlung des »Etwas ins Nichts« dadurch vollziehen, daß er auf den
Weg der asketischen Abgeschiedenheit zurückkehrt. Dementsprechend hat er weder, wie der Baalschem, Umgang mit dem Volke
noch, wie dieser und der Maggid, mit Schülern; nur einen, seinen
Altersgenossen Schnëur Salman, hat er in der Kabbala unterrichtet. In der Vorrede zu seinem hinterlassenen Werk weist er darauf hin, die wahre Lehre des Baalschem und des Maggids habe
»vor unsern Augen sich verfinstert und sehr verstofflicht«, und
stellt diesem beginnenden Niedergang das Bild eines Zaddiks
gegenüber, der »es nicht vermag, zur untern Stufe hinabzusteigen,
um die Generation zu erheben«. Hier wie in anderen Beispielen
bricht bei den leiblichen Nachkommen eines führenden Zaddiks
die Übergabe der Lehre an eine Schülerschaft ab. Die Problematik
der chassidischen Entwicklung erscheint hier schon in der zweiten
Generation, wiewohl in ihrer sublimsten Gestalt.

Der zweite unter den Männern aus dem Kreis des Baalschem, die
zu Mittelpunkten einer Überlieferung geworden sind, ist Rabbi
Pinchas von Korez (Korzec, gest. 1791). Man mag ihn im buch-
stäblichen Sinn nicht zu den Schülern zählen, da er der Überlieferung nach nur zweimal beim Baalschem war, das zweitemal in
dessen Sterbenstagen; auch hat offenbar diese Berührung keine
Wendung in seiner Grundanschauung herbeigeführt, sondern hat
sie ihm nur bestätigt und bestärkt; dennoch ist er zweifellos hier-
herzuzählen. Wiewohl er den Baalschem, wo er ihn nennt, nicht
als seinen Lehrer bezeichnet, so führen doch er und seine Schule
wichtige Äußerungen des Baalschem an und bringen wichtige Mitteilungen über ihn, für die wir keine andere Quelle haben,
die also wohl auf einer selbständigen mündlichen Überlieferung
beruhen. Insbesondere beruft man sich hier für eine Hauptlehre von
Rabbi Pinchas – die, daß man den Hasser und den Bösen »mehr
lieben« solle, um den durch ihn verursachten Ausfall an Liebeskraft an seinem Ort in der Welt, den »Riß«, auszugleichen – nachdrücklich auf einen (ebenfalls nur hier überlieferten) Ausspruch
des Baalschem, und auch andere Hauptlehren werden durch Worte
von ihm gestützt. Um das Verhältnis genau zu verstehen, muß
man sich vergegenwärtigen, daß der Baalschem, wie wir aus verschiedenen Andeutungen entnehmen können, verwandte Tenden-

zen vorgefunden hat, aber durch seinen Einfluß ihnen eine gesteigerte Vitalität, zumeist auch eine tiefere Verwurzelung verlieh. Unter ihnen kam anscheinend die Anschauung des (beim Tod des Baalschem etwa zweiunddreißigjährigen) Rabbi Pinchas der seinen am meisten entgegen, und er nahm ihn mehr als Gefährten denn als Schüler auf.

Von dem zu geheimnisvollen Zwecken über die Erde wandernden Zaddik Rabbi Löb, Sohn der Sara, wird erzählt, er habe Rabbi Pinchas das Gehirn der Welt genannt. Ein echter und ursprünglicher Weiser ist er jedenfalls gewesen. Man kann ihm in der Zeit zwischen dem Baalschem und dessen Urenkel, Nachman von Bratzlaw, niemand an die Seite stellen, dessen Gedanken diese Frische und Direktheit, diese freie Bildkraft des Ausdrucks hätten. Was er sagt, ist nicht selten aus tiefer Seelenkunde erwachsen, immer aber ist es unbefangen und herzhaft. Die Ekstatik tritt hier zurück (zum Unterschied vom Baalschem und vom Maggid sind von Rabbi Pinchas keine Ekstasen berichtet), und die mystische Lehre reduziert sich auf eine Lebenslehre der steten Erneuerung durch Eingehen in das Nichts, eine Lehre des »Stirb und werde«, die aber auch ein kräftiges, allem Irdischen aufgeschlossenes Leben und eine gebende und nehmende Gemeinschaft mit dem Mitmenschen bejaht. Der Kreis um Rabbi Pinchas hat keinen großen Einfluß nach außen geübt, aber so, wie er ist, mit dieser seiner unumwundenen Aufrichtigkeit des persönlichen Bekennens, diesem ganz unpathetischen, von einem verhaltenen Humor durchsetzten Vortrag der Lehre, diesem treuen Einstehen des Lebens für die Forderung, stellt er einen köstlichen Sonderbezirk dar.

Man kann Rabbi Pinchas nicht von seinem bedeutendsten Schüler, Rafael von Berschad, trennen. Wir kennen in der an fruchtbaren Beziehungen zwischen Lehrer und Schüler reichen Geschichte des Chassidismus kein anderes Beispiel eines so reinen Zusammenklingens, einer so adäquaten Fortführung des Werkes. In den Aufzeichnungen können wir zuweilen kaum unterscheiden, was Pinchas, was Rafael zuzuschreiben ist, und doch liegen uns vom letzteren mehrere Äußerungen von unzweifelhaft selbständigem Gepräge vor. Aber wichtiger noch ist die wie selbstverständlich auftretende Hingabe, mit der der Schüler in seinem

Leben die Lehre verwirklicht, der Überlieferung nach bis ins Sterben, das die Verkündigung des Gebotes der Wahrheit, um die der Lehrer so viele Jahre gerungen hatte, auf eine große und stille Weise besiegelt.

Wieder eine Erscheinung für sich, in ihrem Wesen noch nicht hinreichend erkannt und auch schwer zu erkennen, ist Rabbi Jechiel Michal, der Maggid von Zloczow (gest. wohl 1786[8]), der sich zuerst dem Baalschem, nach dessen Tode dem großen Maggid anschloß. Er stammte aus einer Familie jener asketisch-mystischen »Chassidim«, die die neue Bewegung vorfand und die sie zu gewinnen suchte, weil sie des Ernstes ihrer gläubigen Lebenshaltung wegen eine für die Aufgabe der religiösen Erneuerung besonders wichtige Gruppe darstellten. Michals Vater war jener Rabbi Jizchak von Drohobycz, der an den Amuletten des Baalschem Kritik übte; von ihm erzählte man sich allerhand unheimliche Dinge, wie daß er einmal dem »Fürsten des Waldes« eine Wohltat erwies, oder daß er von seinen neugeborenen Kindern diejenigen, die ihm nicht gefielen, »der oberen Welt zurückschickte« (Michal sei nur am Leben geblieben, weil seine Mutter erst auf das Versprechen hin, ihn zu schonen, sein Gesicht enthüllte); und Rabbi Jizchaks Mutter, die »Jente die Prophetin« genannt wurde, pflegte den Serafim, deren Chorgesang sie hörte, das dreimalige »Heilig« nachzusprechen. Von dieser Atmosphäre aus ist Michal zu verstehen. Er schließt sich, wiewohl sein Vater der Bewegung nun schon nahestand, nur zögernd dem Baalschem an; die Überlieferung zeigt deutlich, wie das ursprüngliche Mißtrauen in ihm fortlebt und nur allmählich überwunden wird. Aber der asketische Grundzug wird nicht völlig überwunden. Michal wird schon in jungen Jahren ein großer Mahnredner, wie es auch sein Vater war, und zieht predigend von Stadt zu Stadt, gefürchtet und faszinierend, und er betont, daß er mit seiner Predigt auch sich selber züchtigen wolle. Der Baalschem verweist ihm die schweren Bußen, die er den Sündern auferlegt, und bewegt ihn offenbar zu einer milderen Haltung. Aber noch nach seinem Tode erzählt man sich von den Seelen, die zu einem jüngeren Zaddik kommen, um sich über Rabbi Michal zu beklagen, der als

---

[8] Die Angaben über sein Todesjahr schwanken zwischen 1781 und 1792.

Oberhaupt eines himmlischen Gerichtshofs die unwillkürlichen irdischen Verfehlungen mit aller Strenge ahndet, weil er, der selber rein geblieben ist, nicht versteht, was dem Menschen widerfährt. Er selber hat sich, wie gesagt, so stark er auch die chassidische Lehre aufnahm und verarbeitete und in seinen Lehren vom bösen Trieb als Helfer und von der Erhebung der Geschlechtlichkeit die Linie des Baalschem fortsetzte, nie ganz vom Asketismus freigemacht, dessen extremen Formen er nachdrücklich entgegentrat. Charakteristisch ist der an der Grenze zwischen dem Erhabenen und dem Lächerlichen beheimatete Bericht, er habe sich nie am Ofen gewärmt, denn darin walte die Faulheit, nie sich zur Speise gebückt, denn darin walte die Gier, und nie sich gekratzt, denn darin walte die Wollust. Aber die besonderen Voraussetzungen Rabbi Michals haben sich in ihm auf eine bedeutsame Weise echt chassidisch ausgewirkt. Das stärkste Beispiel dafür ist, daß er die Überlieferung jener »ersten Chassidim« wieder aufnimmt, von denen der Talmud erzählt, daß sie mit dem Beten warteten, bis sie die Kawwana in sich bereitet hatten; aber das Motiv weitet sich bei ihm ins umfassend Gemeinschaftliche; damit sein Gebet ein Gebet der ganzen Gemeinschaft sei, will er sich mit den Größeren und den Geringeren zu einer gewaltigen Gebetskette verbinden, und er will, an eine Überlieferung seines Vaters und einen Spruch des Baalschem anknüpfend, die lahmen Gebete, die am Boden liegengeblieben sind, emportragen. Diese Haltung, um derentwillen er heftig befehdet worden ist, hat einen folgenreichen Einfluß auf spätere Generationen ausgeübt, bei denen er in hoher Achtung stand. Aber schon ein zeitgenössischer Zaddik hat von ihm gesagt, er sei »eine Seele der Seele« gewesen und für sein Geschlecht das, was Rabbi Schimeon ben Jochai, der Urmeister der Geheimlehre, für das seine war.
Wie von Rabbi Michal selber, so werden von zweien seiner fünf Söhne seltsame Himmelfahrten der Seele erzählt. Ein dritter hingegen, Rabbi Seew Wolf von Zbaraž [9], offenbart nach einer wilden Kindheit eine ganz andere Beschaffenheit. Er wird einer der großen Menschen- und Weltfreunde, darin besonders seinem (der vierten Generation angehörenden) Zeitgenossen Rabbi Mosche

---

[9] Sein Todesjahr steht nicht fest; die Angaben schwanken zwischen 1800 und 1820.

Löb von Sasow verwandt. Im Gegensatz zu seinem Vater – doch darf nicht vergessen werden, daß Rabbi Michal den Söhnen geboten hatte, für ihre Feinde zu beten – weigert er sich beharrlich, die Bösen anders als die Guten zu behandeln. Wolfs Liebe ist allen Menschen, denen er begegnet, zugewandt, und sie umfaßt auch die Tiere. Es kommt dem Menschen zu, alles Lebendige zu lieben, und es geziemt seiner Liebe nicht, sich danach zu richten, wie man sich zu ihm verhält.

Von den Schülern Rabbi Michals ist hier Rabbi Mordechai von Neshiž (Niesuchojce, gest. 1800) zu nennen, den sein Lehrer zum großen Maggid mitgenommen hat. Von ihm erzählt man sich zahlreiche Wundergeschichten, und es heißt, die Dämonen selber hätten seine Macht anerkannt. Dergleichen hat seinen Ursprung eben in einer wirklichen Macht über die Seelen der Menschen, und diese stammte bei Rabbi Mordechai ausgesprochenerweise aus der Einheit seiner eigenen Seele, welche Einheit aber wieder nicht in der Macht, sondern in der Einheit seines Lebens den zureichenden Ausdruck fand; dies meinte offenbar der »Seher« von Lublin, als er von ihm sagte, bei ihm seien alle Tätigkeiten eine einzige.

6

Die chassidische Tradition gibt dem großen Maggid dreihundert Schüler; etwa vierzig sind uns personhaft, zumeist auch durch ihre Schriften bekannt. Von diesen sind zehn in dieses Buch aufgenommen worden – wie im Fall der Schüler des Baalschem, so auch hier von den menschlich bedeutendsten nicht alle, weil bei einigen der volkstümlich überlieferte Stoff nicht hinreichte, daraus ein erzählerisches Bild ihres Lebens zu formen. Die zehn sind: Menachem Mendel von Witebsk (gest. 1788), den der Maggid als Knabe zum Baalschem brachte; Ahron von Karlin (gest. 1772); Schmelke von Nikolsburg (gest. 1778); Meschullam Sussja (jiddisch Sische) von Hanipol (Annopol, gest. 1800); dessen jüngerer Bruder Elimelech von Lisensk (Ležajsk, gest. 1786); Levi Jizchak von Berditschew (gest. 1809); Schnëur Salman von Ljadi (gest. 1813); Schlomo von Karlin (gest. 1792); Israel von Kosnitz (Kozienice, gest. 1814); Jaakob Jizchak von Lublin (gest. 1815).

Rabbi Menachem Mendel ist in der Geschichte der chassidischen Bewegung insbesondere dadurch von Wichtigkeit, daß er sie nach Palästina verpflanzte, wohin freilich schon vor ihm Zaddikim übersiedelt waren. »Das Land« stand von den Tagen des Baalschem an, der der Legende nach an dessen Schwelle umkehren mußte, im Mittelpunkt der chassidischen Erlösungssehnsucht, wie es in dem der vorchassidischen gestanden hatte. Rabbi Mendel fand ihr den aktiven Ausdruck, als er – nachdem er an den Kämpfen mit den Bannfluchschleuderern führend teilgenommen hatte – mit dreihundert seiner Chassidim nach Palästina wanderte (1777) und sich bei der alten Kabbalistenstadt Safed, sodann in Tiberias niederließ. Er schuf damit der Bewegung eine der geographischen Lage nach exzentrische, dem Geist nach zentrale Stätte; er gab ihr die organische Wiederanknüpfung. Und dem Land brachte er ein Element neuen Lebens zu. Ein Enkel seines Gefährten Schnëur Salman (dieser hatte nicht mit Mendel nach Palästina kommen können) sagte davon: als einst das Land Israel auf der höchsten Stufe war, habe es den Menschen erheben können, jetzt aber, da es im Stand der Gesunkenheit sei und auf sonderbare Weise weiter sinke, vermöge es den Menschen nicht zu erheben, sondern der Mensch müsse es erheben; dazu sei nur ein Mensch so hoher Stufe wie Rabbi Mendel befähigt gewesen. Dieser selber betrachtete sich, wie es in einem seiner Briefe aus Palästina heißt, als einen Sendling der Provinzstatthalter in das Schloß des Königs; ihm muß alles, was das Wohl der Provinzen, das leibliche und das seelische, angeht, stets gegenwärtig sein. Zumal mit seinen im Exil zurückgelassenen Chassidim fühlte er sich dauernd so eng verbunden, daß ihm, wie einer seiner Begleiter schreibt, bei dem Gebet, das man vor dem Einschlafen spricht, alles, was sich mit ihnen und in ihren Herzen begab, offenbar wurde.

Ahron von Karlin war vom Maggid unter allen Schülern zum Sendboten erlesen, denn er wußte wie kein anderer die Seelen zu gewinnen, wiewohl er seine Werbung um sie mit strengen Forderungen für die ganze Lebenshaltung verband. (Nach seinem frühen Tode sagte sein Nachfolger Rabbi Schlomo von Karlin in seiner Trauerpredigt, Gott habe ihn vorzeitig entrückt, weil seine bekehrende Wirkung auf die Menschen so heftig war, daß

sie ihnen die freie Wahl benahm, auf die alles ankommt.) »Er ist
unsere Kriegswaffe gewesen«, sagte der Maggid auf die Nachricht von seinem Tod, »was sollen wir nun tun?« Um was es
Rabbi Ahron ging, war offenbar – ohne daß er damit dem volkstümlichen Charakter der Bewegung entgegentreten wollte, der
auch in der Karliner Schule fortlebte und eine eigenartige Entfaltung erfuhr –, eine ganz dem gläubigen Leben hingegebene
Elite zu schaffen, besonders durch die Vorschrift eines allwöchent-
lichen Tages der Abgeschiedenheit und Selbstbesinnung mit Tauchbad und Fasten, das jedoch keinen asketischen Zug annehmen
durfte, denn die Asketik sah Rabbi Ahron als einen Köder an,
den der Satan auswirft. Was er forderte, wuchs aus eigenster Erfahrung. Sein »Testament« spricht seine innerste Absicht für sich
selbst aus: für die Stunde, da die Seele vom Leibe scheiden wird,
die rechte Kawwana zu bereiten. Sein Freund Schnëur Salman
sagt von ihm, er sei ein Quell der Gottesliebe gewesen, und wer
ihn beten hörte, sei von Liebe zu Gott ergriffen worden. Man
muß aber dazunehmen, was nach Rabbi Ahrons Tode derselbe
Zaddik über seine große Gottesfurcht äußerte[10]. Die Liebe war
nur deren Blüte; denn erst durch die große Furcht kann man
– das war Rabbi Ahrons Grundgefühl und Lebenswahrheit – zur
großen Liebe kommen: ohne jene liebt man nicht den großen,
furchtbaren Gott selber, sondern einen bequemen kleinen Götzen. »Furcht ohne Liebe«, heißt es folgerichtig in den Sprüchen
seines Urenkels, »ist Unvollkommenheit; Liebe ohne Furcht ist
gar nichts.« Und diese Welt, in der wir leben, ist eben die, in der
man durch Furcht zu Liebe kommen und Furcht mit Liebe verschmelzen kann; darum heißt es in einem andern der Sprüche:
»Diese Welt ist die niederste von allen, und dennoch ist sie die
höchste von allen.«
Rabbi Schmelke von Nikolsburg ist der eigentliche Prediger unter den Schülern des großen Maggids, und zwar nicht ein Mahnredner, wie Rabbi Michal es in seiner Jugend war, sondern wirklich Prediger. Die Predigt war sein Element, weil er mit besonderer Inbrunst an die verwandelnde Kraft des echten, vom Geist
eingegebenen Wortes glaubte und trotz aller Enttäuschungen zu

---

[10] Siehe S. 318 die Geschichte »Die kleine und die große Furcht«.

glauben nicht aufhörte. In der Predigt sah er die Handlung, durch die das Gebet der Gemeinde zur höchsten Reinheit gebracht wird. Darum forderte er darin immer wieder zwei Dinge von den Betern: zum ersten, daß sie alles Trennende mit Strömen der Liebe hinwegspülen und sich zur wahren Gemeinde einen, um der Einung der Gottheit die Stätte zu bereiten, und zum zweiten, daß sie ihr Gebet von allen Sonderwünschen ablösen und die ganze Macht ihres Selbst in das eine Begehren einsammeln, daß die Einung Gottes und seiner Schechina geschehe. So auch betete er selbst und wurde von seiner Intention verzückt: mitten im Gebet kam er aus allen Bahnen des Gedächtnisses und der Gewohnheit und sang neue, nie gehörte Melodien. Ein Mann dieser Art mußte, als er aus einer polnischen Gemeinde nach dem der Welt des Chassidismus ganz fernen Nikolsburg in Mähren kam, vieles Ärgernis erregen. Auf manches unverkrustete Gemüt übte er tiefe Wirkung; aber die Mehrheit der aus ihrer Ruhe Aufgestörten wandte alles auf, um ihm das Leben in ihrer Gemeinde zu verleiden. Die Legende hat in verschiedenen Lesarten die Begebenheit erhalten, wie Rabbi Elimelech, sein jüngerer Gefährte aus dem Lehrhaus des Maggids, ihn besuchte und den Bürgern in einer derben Witzpredigt erklärte, sie seien für einen so edlen Arzt kein geziemender Gegenstand, da müsse zuvor er, der Bader Elimelech, sie in seine Roßkur nehmen; und schon schleuderte er ihnen, einen nach dem andern ins Auge fassend, die Namen all ihrer heimlichen Laster und Verkehrtheiten zu. Rabbi Schmelke hätte dergleichen nicht vermocht, schon weil ihm die Schwächen des einzelnen Menschen nicht wichtig genug waren. Seine Grundhaltung zu den Menschen, auch zu seinen Feinden, war eben jene strömende Liebe, die er predigte. Er hat auf Schüler und Freunde (sein Lehrhaus war auch in Nikolsburg eines der Hauptzentren der Bewegung) und durch sie auf viele einen großen Einfluß ausgeübt.

Rabbi Meschullam Sussja, im Volke als »der Rebbe Reb Sische« bekannt, war im Gegensatz zu Schmelke eine großartig volkstümliche Gestalt. Hier ist in einem späten Jahrhundert, in der Enge des östlichen Ghettos, die wundersame Figur wiedererstanden, die wir aus Legenden von chinesischen Buddhisten, von Sufis, von Jüngern des Franziskus von Assisi kennen, der »Gottes-

narr«; wir können in ihm aber auch eine Sublimierung des ost-
jüdischen Typus des Badchan, des besonders auf Hochzeiten sein
Wesen treibenden Possenreißers, ins Heilige erkennen. Vor uns
steht ein Mensch, der um der unverstörten Unmittelbarkeits-
beziehung zu Gott aus den Regeln und Ordnungen der Gesellschaft getreten ist, ohne jedoch aus dem Leben der Mitmenschen
zu treten. Er ist nur abgelöst, nicht abgeschieden. Er steht einsam
dem ewigen Du gegenüber, aber nicht in der Einsamkeit des Abgesonderten, sondern in jener welttreuen und gelassenen, die alle
Verbundenheit mit den Wesen einschließt. Abgelöst-verbunden
lebt er inmitten der Menschen, ihre Mängel nur als die eigenen
wahrnehmend, sich ihrer und aller Kreatur in der Gottesfreiheit
erfreuend. Und da die Menschen so beschaffen sind, daß sie sich
diese Haltung, die ihre Ausflüchte vor dem Unendlichen vereitelt,
nicht gefallen lassen können, begnügen sie sich nicht damit, den
»Narren« mit ihrer Verachtung zu strafen: er wird der Mann
der Leiden, nicht des jähen Martyriums, sondern des lebenslan-
gen; und er freut sich seiner Leiden. Aber auch so ist es mit den
Menschen bestellt, daß sich an solch einem Schicksal ihre schönste
Liebe entzündet. So ist auch Rabbi Sussja vom Volk geliebt worden.
Rabbi Elimelech, Sussjas Bruder, »der Rebbe Reb Melech« genannt, hat in der Jugend dessen Wanderschaft geteilt; ohne Ziel,
die Irrfahrten der verbannten Schechina nachlebend, nach er-
wachenden oder zu erweckenden Seelen Ausschau haltend, waren
sie Jahr um Jahr umhergezogen. Dann aber teilte sich ihr Weg.
Sussja wurde zwar seßhaft, aber es trieb ihn immer wieder von
neuem zum Wandern, und er blieb bis ins hohe Alter der Knabe,
der Gott sein Liedlein vorpfeift. Elimelech war zum Menschen-
führer berufen. Auch er kannte die zeitlose Welt der Verzückung,
aber sein sicherer und überlegener Verstand lehrte ihn sich vor
ihren Gefahren schützen und befähigte ihn, das Leben im Geist
und die organisierende Tätigkeit miteinander zu verbinden.
Wieder war einer in Wahrheit zugleich Oberhaupt der chassidischen Schule und Oberhaupt der chassidischen Gemeinde, und so
darf Rabbi Elemelech als der eigentliche Nachfolger des großen
Maggids angesehen werden, dem er an Selbständigkeit und Lehr-
gewalt erheblich nachstand, aber an aufbauender Kraft nahekam,

und den er an intuitiver Kenntnis der mannigfaltigen Menschen, ihrer Gebrechen und Nöte samt den zugehörigen Heilmitteln wohl übertraf. So ist er als der Arzt der Seelen, der Bannherr der Dämonen, der wundermächtige Führer und Ratgeber im legendenbildenden Gedächtnis des Volkes verblieben.

Von ganz anderer Art, Sussja wesensnah, aber breiter, erdhafter, nationaler, der urwüchsigste und volkstümlichste unter den Schülern des Maggids, ist Levi Jizchak, der Raw[11] von Berditschew. Bei ihm durchdringt die Verzückung all sein festes, kräftiges Leben. Die Ekstatik Rabbi Schmelkes, dem er treu anhing, geht auf ihn über, nur daß sie in ihm gleichsam massiver wird. An Stelle jener seltsamen, schöpferisch hervorbrechenden Gesänge tritt eine unzügelbare Bewegtheit des ganzen Körpers im Gebet. Er liebt das Gespräch mit unwissenden und ungehobelten Leuten; aber auch das weltlichste seiner Worte ist geweiht und intendiert Jichudim, Einungen der oberen Welten. Er packt hart zu, wo immer ihm etwas an einem mißfällt; aber er läßt sich belehren und beugt sich der Einfalt. Und in derber Vertraulichkeit redet er auch zu Gott. Er tritt ihm nicht allein als leidenschaftlicher Fürsprech Israels gegenüber, er rechtet mit ihm, heischt von ihm, ja er versteigt sich zu Drohungen von einer bitteren und erhabenen Spaßhaftigkeit, die im Mund des einzigartigen Mannes unanfechtbar, in einen andern übergehend zur peinlichen Lästerung würden. Aber er lobt ihn auch auf seine Weise, die vorgeschriebenen Gebetsworte mit zärtlichen Koserufen unterbrechend.

Rabbi Schnëur Salman von Ljadi, der Raw von Reußen, auch schlechthin »der Raw« genannt, hatte im Sinn, mit Rabbi Mendel von Witebsk ins Heilige Land zu ziehen, kehrte aber auf dessen Wunsch, nach der Sage auf das Geheiß eines Traumgesichts, um und begründete später den litauischen Sonderbau des Chassidismus, die »Chabad«-Schule, so genannt nach den Anfangsbuchstaben von drei oberen der zehn nach der Lehre der Kabbala von Gott emanierten Hypostasen oder »Sefiroth«: Chochma, Weis-

---

[11] Raw (Meister) wird das religiöse Oberhaupt der allgemeinen jüdischen Ortsgemeinde genannt, während der Führer der chassidischen lokalen Gruppe als Rabbi (mein Meister), jiddisch Rebbe, bezeichnet wird (manchmal war dieser zugleich Raw). Der Raw lehrt das Religionsgesetz und beaufsichtigt dessen Erfüllung; er präsidiert den religiösen Gerichtshof.

heit; Bina, Vernunft; Daath, Wissen oder Erkenntnis. Schon aus
diesem Namen, der aus der geschlossenen Fügung der Sefiroth
die spezifisch »geistigen« heraushebt, wird die Grundrichtung der
Schule deutlich; die Vernunfterkenntnis als Weg zu Gott soll wieder in ihr Recht eingesetzt werden. Die Chabadschule stellt den
Versuch dar, den Rabbinismus mit dem Chassidismus zu versöhnen, indem sie beide miteinander in ein Gedankensystem eingliedert, wobei aber wesentliche Konzeptionen der neuen Bewegung eine spürbare Abschwächung erleiden. Von der Verselbständigung der Teilsphäre aus droht dem Chassidismus seine stärkste
Basis entzogen zu werden: die Lehre von den in allen Dingen
und Wesen, in allen Vorstellungen und Antrieben uns antretenden und von uns Erlösung verlangenden Gottesfunken und die
damit verbundene Bejahung des ganzen leibseelischen Menschen,
sofern er nur allem, was sich in ihm regt, die Richtung auf Gott
zu verleihen vermag. Statt der Umwandlung der »fremden Gedanken« wird nun vom »mittleren Menschen« die Abkehr von
ihnen gefordert und damit für ihn auf die Erlangung der allum-
fassenden Einheit Verzicht geleistet; nur dem höheren Menschen
wird die Berührung mit den versuchenden Gewalten nicht verwehrt (hier knüpft die Chabad-Lehre freilich an Warnungen an,
die wir schon bei Rabbi Efraim von Sadylkow, dem Enkel des
Baalschem, finden). Anderseits aber wird, um der Vernunft des
Einzelnen ihr Recht zu geben, dem Zaddik selbst das Wesentliche
genommen, das die Lehre des Baalschem und besonders die des
Maggids ihm geschenkt hatte: die große Funktion des kosmischen
Helfers und Mittlers; mit dem Mißbrauch wird auch das Mißbrauchte ausgeschieden. Doch darf dieser Sonderstellung der
»Chabad« trotz allem kein schismaähnlicher Charakter beige-
messen werden. War doch der Raw den Anfeindungen der Mithnagdim, der »Gegner«, nicht weniger, eher noch mehr, ausgesetzt
als die anderen Zaddikim seiner Zeit; er wurde auf die Machen-
schaften antichassidischer Rabbiner hin wiederholt verhaftet,
mußte in Petersburg Festungshaft und langwierige Verhöre über
sich ergehen lassen, und es waren entstellte Hauptlehren des Baalschem, die ihm zur Last gelegt wurden und zu derem echtem Sinn
er sich auch bekannte. Wohl konnte nicht ganz mit Unrecht ein
Zaddik von der »Chabad« sagen, sie gleiche einer geladenen Flinte

in der Hand eines, der zielen kann und das Ziel kennt, nur der
Zünder fehle. Doch ist auch in dieser Zweigbewegung mit ihren
– durch die rationale Veranlagung des litauischen Juden geför-
derten – rationalisierten Mystik der alte Seelenaufschwung nicht
erstorben; das warme Leben des Zaddiks mit seinen Chassidim
erweist sich stärker als die erkaltete Doktrin; und überdies gibt
es unter den Schülern des Raw bedeutende Männer, die auch die
Lehre wieder der ursprünglichen annähern. Der Raw selbst hatte
die chassidische »Flamme« sicherlich. Aus seinem Leben werden
manche Züge einer elementaren persönlichen Religiosität berichtet; und als eine Urkunde seines eigenen »Anhaftens« sind uns
seine Melodien geblieben, besonders jene, die, schlechthin »die
Melodie des Raw« genannt, zuweilen einem kabbalistischen Lied,
zuweilen nur dem Gottesruf »Tatenju« (Väterchen) verbunden,
den Chabad-Chassidim immer wieder, beim Festmahl und in
der Einsamkeit, inbrunstweckend auf die Lippen tritt.

Rabbi Schlomo von Karlin, der auch von Ahron von Karlin lernte
und nach dessen Tod sein Nachfolger wurde, ist unter den Schülern des Maggids in einem noch genaueren Sinn als Levi Jizchak
der Beter: dieser war im Gebet vornehmlich Sachwalter des Volkes, Schlomo ist darin nichts anderes als eben Beter. Die Lehre
des Baalschem, der Mensch solle vor dem Gebet sich bereitmachen
zu sterben, denn er müsse sich in der Intention des Betens ganz
drangeben, hat in Rabbi Schlomo wie in keinem andern Wurzel
geschlagen. Das Gebet ist ihm ein großes Wagnis, dem man sich
so ausliefern muß, daß man gar nicht darüber hinaus denken, gar
nicht sich vornehmen kann, was man danach tun will. Diese Kraft
der Hingabe gab seinem Gebet von Jugend auf eine Mächtigkeit
ohnegleichen; ehe Rabbi Ahron ihn zum großen Maggid brachte,
berichtete er diesem von dem Jüngling, der beim Psalmensagen
am Vorabend des Versöhnungstags die Worte »Wie herrlich ist
dein Name in allem Erdland!« so spricht, daß nicht ein einziger der verirrten Funken ringsumher ungehoben bleibt. Besonderer Beachtung wert ist die Erzählung, wie einige Chassidim des
Raw ihn besuchen und von seinem Sprechen eines Psalms vor
dem Tischgebet in eine langwährende Verzückung geraten. Der
Raw hat ihm zwar den Lobspruch gespendet, er sei um eine
Handbreit höher als die Welt, aber es wird auch erzählt, er habe,

als nach Rabbi Mendels von Witebsk Abreise nach Palästina mehrere Chassidim daran dachten, sich Rabbi Schlomo anzuschließen,
sie davon mit ebendem Spruch abgehalten: »Wie könnt ihr zu
ihm fahren? Er ist doch um eine Handbreit höher als die Welt!«,
womit Schlomos Ekstatik zugleich gepriesen und als unzuträglich
bezeichnet war. Daraus ist zu verstehen, was sich später zwischen
ihnen begab. In einer großenteils eben durch wachsende Anzie-
hungskraft des Raw bewirkten Krisis des Karliner Chassidismus
trug sich Rabbi Schlomo mit der Absicht, sich in dem Bezirk von
Witebsk niederzulassen, der Rabbi Mendels Zentrum gewesen
war und jetzt im Einflußgebiet des Raw lag, und wendete sich an
diesen mit der Bitte, ihm seine Einwilligung zu erteilen. Der Raw
stellte drei für beide Männer charakteristische Bedingungen: Rabbi
Schlomo solle die Gelehrten nicht geringschätzig behandeln; er
solle die »natürliche Frömmigkeit« (womit die unekstatische gemeint ist) nicht geringschätzig behandeln, und er solle nicht mehr
erklären, der Zaddik habe die Schafe zu tragen (womit die mit-
telnde Funktion des Zaddiks gemeint ist). Schlomo nahm die zwei
ersten Bedingungen an und lehnte die dritte ab, womit sein Plan
aufgegeben war. Später suchte er den Raw auf und hatte mit ihm
eine lange Unterredung, die, wie die Chabad-Chassidim sagen,
ihres »bestürzenden« Charakters wegen »nicht zu Papier gebracht
werden kann«. In der Zeit der polnischen Verzweiflungskämpfe
von 1792, während deren Schlomo den Tod fand, betete er für
Polen, der Raw (wie zwanzig Jahre später beim Feldzug Napoleons) für Rußland. Die Überlieferung, die in Schlomo von Karlin eine Erscheinungsform des ersten, leidenden Messias sah, der
»von Geschlecht zu Geschlecht erscheint«, läßt ihn mitten im Gebet von einer Kosakenkugel getroffen werden, aber sein Werk
des großen Betens auch noch nach dem Tode fortsetzen.
Die Beterkraft Rabbi Schlomos finden wir in milderer, gelassener
Gestalt in einem der jüngsten Schüler des großen Maggids, Rabbi
Israel, dem Maggid von Kosnitz, wieder. Die Sage erzählt, der
Baalschem habe ihn seinen Eltern, einem Buchbinder und dessen
Weibe, in ihrem Alter verheißen, weil sie ihm durch ihre fröhliche
Sabbatfeier das Herz erfreut hatten. Er siechte sein Leben lang
und war oft dem Tode nah, aber er betete so mächtig, daß die
Reihen der Beter auf die schmächtige Gestalt wie auf einen hel-

denhaften Feldherrn blickten. Nach dem Tode des großen Maggids schloß er sich Rabbi Schmelke, nach dessen Tode Rabbi Elimelech und nach dessen Tode Rabbi Levi Jizchak an; in der Reife des Lebens und des Werks wollte er noch Schüler heißen. Wenn er den Spruch eines der talmudischen und späteren Meister anführte, sprach er dessen Namen stets mit Furcht und Zittern aus. Am Vorabend des Versöhnungstages pflegte die ganze Gemeinde, Männer, Frauen und Kinder, vor seine Schwelle zu kommen und mit lautem Weinen um die Sühnung zu flehen; er trat weinend heraus, warf sich in den Staub und rief: »Ich bin sündiger als ihr alle«; so weinten sie mitsammen und zogen dann mitsammen ins Bethaus, das Kolnidre-Gebet [12] zu sprechen. Die Macht des lebenden Gebets, von dem er einmal sagt, es liege ihm ob, die toten Gebete zu wecken und emporzutragen, ging unablässig von seinem Krankenlager aus. Überallher kamen Juden, Bauern und Edelleute zu ihm, seinen Segen zu empfangen, seine Fürsprache zu erbitten oder auch nur sein Antlitz zu betrachten. Von keinem andern Zaddik seit den Tagen des Baalschem werden so viele Heilungen »Besessener« berichtet wie von ihm. Aber die Legende stellt ihn auch der Geschichte seiner Zeit gegenüber. Er soll Napoleons Triumph, danach dessen Sturz geweissagt haben, ja, der Beginn dieses Sturzes – der Ausgang des russischen Feldzugs – wird auf die Kraft seines Betens zurückgeführt.
Führenden Anteil an dem kosmischen Kampf, den Rabbi Israel intendierte, nahm auch sein Freund und Mitschüler – sowohl in der Schule des großen Maggids als hernach in denen Rabbi Schmelkes und Rabbi Elimelechs –, Rabbi Jaakob Jizchak von Lublin, »der Seher« genannt, weil er die seinem Lehrer Elimelech eigene intuitive Gewalt in noch gesteigertem Maße besaß; »des Lubliners Augen hat, mit Verlaub, auch der Rebbe Reb Melech nicht gehabt«, sagte einer seiner Schüler. Er ist der einzige Zaddik, der vom Volk diesen Beinamen empfing, der freilich in einem ganz anderen Sinn als bei den biblischen Propheten gemeint war. Durch den Propheten redet der *Wille* Gottes; er sieht und sagt nicht etwa eine zukünftige Wirklichkeit voraus; das Zukünftige geht ihn vielmehr nur insofern an, als es noch durchaus nicht als eine

---

[12] »Kol nidre« (d. i. »alle Gelübde«) ist der Anfang einer Formel, die zur Lösung von unerfüllten und unerfüllbaren Gelübden gesprochen wird.

Wirklichkeit zu fassen und zu »schauen« ist; es geht ihn nämlich
insofern an, als es noch im Willen Gottes und in der freien Beziehung des Menschen zu diesem Willen ruht, also von der inneren Entscheidung des Menschen mit abhängt. Der Seher im chassidischen Sinn hingegen sieht die vorhandene Wirklichkeit und
nur sie, in Raum und Zeit, nur daß sein Sehen weiter reicht als
die Wahrnehmung der Sinne und die Arbeit des erkennenden Verstandes, auch hinaus ins Werdende, auch tief zurück ins Vergangene, dessen er eben auch am Gegenwärtigen und in ihm inne-
wird. So soll der Lubliner Rabbi von der Stirn eines Besuchers
oder von dessen überreichtem Bittzettel nicht bloß sein Wesen
und Tun, sondern auch die Herkunft seiner Seele – nach dem
Stammbaum der Seelen, die ihre eigene Fortpflanzung haben –
und ihre Wanderungen abgelesen haben. Unzählige kamen zu ihm
gezogen, um ihre Seele von dem Licht seiner Augen durchstrahlen
und erleuchten zu lassen. Und die Schüler fühlten sich in seiner
Helle so geborgen, daß sie, solange sie darin verweilten, das Exil
vergessen und sich im Heiligtum zu Jerusalem wähnen konnten.
Er aber vergaß das Exil nicht. Unablässig der erlösenden Stunde
entgegenharrend, wurde er endlich Urheber und Mitte jener geheimnisvollen Handlung, zu der er sich mit etlichen anderen
Zaddikim, darunter dem Napoleongegner Israel von Kosnitz
und dem Napoleonanhänger Mendel von Rymanow, verband,
um die napoleonischen Kriege in den vormessianischen Endkampf
der Gog und Magog zu verwandeln, und in deren Folge die drei
Führer im Verlauf eines einzigen Jahres starben[13]. Sie hatten »das
Ende bedrängt«; sie vergingen in seinem Anhauch. Die einst vom
Baalschem gefesselte Magie tat, losgemacht, ihr Werk der Vernichtung.
Abseits von den Schülern des großen Maggids steht, wiewohl unter seiner Obhut aufgewachsen, ein wunderlicher, oft befremd-
licher Eigenbrötler: Baruch von Mesbiž (gest. 1811), der jüngere
der zwei Söhne Odels, der Tochter des Baalschem. Der ältere, Efraim, den noch der Großvater selber erziehen konnte, ein stiller,
kränklicher Mann, ist uns durch wenig mehr als durch ein Buch
bekannt, in dem er Lehren des Baalschem anführt und ausarbei-

---

[13] Diese Vorgänge habe ich in meinem Buch »Gog und Magog« erzählt. Seite 999.

tet, legendäre Anekdoten von ihm erzählt, um die (zusammen mit ähnlichen Aufzeichnungen des Rabbi Jaakob Jossef von Polnoe) sich bald die legendäre Biographie zu kristallisieren begann, und Träume beschreibt, in denen häufig der tote Baalschem ihm erscheint. Ein ganz anderes, widerspruchsvolles und doch in sich gefügtes Bild bietet uns Baruch. Man hat vielfach, und mit Recht, auf sein Interesse an Besitz und Macht, seine Prunksucht und seinen Hochmut hingewiesen, und was wir davon wissen, würde genügen, uns die Händel zwischen ihm und bedeutenden Zaddikim seiner Zeit zu erklären, auch wenn er dabei nicht zumeist der angreifende Teil wäre. Dennoch ist es verfehlt, ihn mit einem späten, degenerierten Zaddiktypus zusammenzuwerfen. Vieles, was wir aus seinem Munde und über ihn hören, zeugt für ein echtes unbändiges mystisches Leben, freilich von einer Art, die nicht eine Harmonie mit der Menschenwelt bewirkt, sondern dazu führt, diese als einen Fremdbereich zu empfinden, in den man verbannt ist, ja sie herauszufordern und sie zu bestreiten. Es ist ein für das Verständnis seiner Seele grundwichtiger Zug, daß es das Hohelied ist, das er mit so hinreißender Inbrunst spricht, und ein nicht minder wichtiger, daß er einmal Gott und sich selbst als zwei in ein unbekanntes Land verschlagene Fremdlinge bezeichnet, die miteinander vertraut werden. Es kompliziert die dadurch gekennzeichnete Seelenlage freilich, daß Baruch Vorgänge und Aktionen seines eignen Lebens, darunter recht trivial anmutende, nicht bloß selber gern als Symbolisierung himmlischer Vorgänge versteht, sondern anscheinend auch von andern so verstanden sehen mag. Doch braucht man nur aufzumerken, um zu erkennen, daß es ihm letztlich um ganz anderes als um Geltung zu tun war; er wollte offenbar wirklich, wie er einmal sagte, lieber stumm werden als »schön reden«, das heißt als so reden, daß die Rede dem Hörer gefällt, statt ihm die Wahrheit aufzuriegeln. Alles in allem muß es uns einleuchten, was Rabbi Israel von Rižin, der Urenkel des großen Maggids, einmal sagte: »Beim Rebben Reb Baruch konnte ein Kluger Gottesfurcht mit dem Löffel schöpfen, aber ein Narr ist eben ein noch größerer Narr geworden.« Und das trifft ja nicht für diesen Zaddik allein zu.

7

Man pflegt die auf die ersten drei Generationen folgende Epoche
des Chassidismus als eine des beginnenden Niedergangs zu behandeln. Das ist eine Vereinfachung des Sachverhalts. Es ist solchen Entwicklungen gegenüber immer nur danach zu fragen, in
welchen Teilen der Bewegung, an welchen ihrer Elemente sich ein
Abstieg zeigt, mit dem recht wohl eine Bereicherung, Vervielfälti-
gung, ja Verstärkung in anderen Belangen zusammengehen kann.
Es ist zweifellos, daß in der zweiten Epoche des Chassidismus
– die im wesentlichen die erste Hälfte des 19. Jahrhunderts umfaßt, wiewohl einzelne Gestalten über diese Zeit hinausragen –
die schlichte Kraft des Anfangs abnimmt. Die großen Linien der
ersten Verkündigungen und Kämpfe verwischen sich, die heilige
Leidenschaft, Himmel und Erde einander näherzubringen, macht
nicht selten einem Religionsbetrieb Platz, wie wir ihn in jeder
großen Glaubensbewegung sehen, die die Generationen der Erweckung und des Aufruhrs überdauert. Aber zusammen damit
geht eine vielverzweigte Fülle des neuen Geisteslebens, die zwar die
Grundkonzeptionen der chassidischen Bewegung nicht mehr wesentlich weiterbildet, aber den Realisierungsbereich dieser Konzeptionen ausbaut und sie noch stärker als bisher an den Fragen des
täglichen Lebens sich auswirken läßt. Auch der Ausdruck, der an
elementarer Gewalt nachläßt, gewinnt nicht selten einen größeren Reichtum; der Aphorismus, das Gleichnis, das symbolische
Märchen, die bisher nur als naiv-geniale, aber unausgeformte Im-
provisationen auftraten, gelangen erst jetzt zu ihrer literarischen
Vollendung.
Die eigentliche Problematik der zweiten Epoche aber zeigt sich
nicht in der Sphäre des Geistes und der Lehre, sondern in der des
inneren Aufbaus, und zwar in dreifacher Hinsicht: in der Beziehung zwischen dem Zaddik und der Gemeinde, in der der Zaddikim nebst ihren Gemeinden untereinander und in der zwischen
dem Zaddik und seinen Schülern. In allen dreien haben sich in
dieser Zeit stellenweise bemerkenswerte und bedenkliche Änderungen vollzogen.
Gemeinsam beiden Epochen ist dies, daß der Zaddik im allgemeinen damit beginnt, »verborgen« zu sein, und sich dann »offen-

bart«, das heißt zuläßt, daß seine himmlische Berufung wahr-
nehmbar und bekannt wird. Dazu kommt gewöhnlich, daß sein
Lehrer ihn betraut und beglaubigt. Mit anderen Worten: Die Gemeinde empfängt ihren Führer von »oben«, unmittelbar durch
die offenkundige Gnade des Himmels, die auf ihm ruht, mittelbar durch Erwählung und Auftrag des Lehrers, die eben wieder
in dessen himmlischer Berufung begründet ist. Nur wo es nach
dem Tode eines der Oberhäupter der Lehre darum geht, wer
unter den Zaddikim, die seine Schüler waren, seine Nachfolge
antritt, entscheiden, wenn weder Übereinkommen noch Spaltung
erfolgt, die Chassidim selber, und zwar nicht in einer bestimmten
festgelegten Form, sondern jeweils auf die Weise, die eben von
dieser Situation eingegeben und bestimmt wird. Diese Entscheidung pflegt, wenn wir der Legende vertrauen dürfen (und was
sie erzählt, entspricht durchaus dem, was von ähnlichen Begebenheiten in der Religionsgeschichte bekannt ist), als etwas Geheimnisvolles getroffen und empfunden zu werden: die Gemeinde
verschmilzt zu einer sonst ungekannten Einheit, und diese Einheit als solche verspürt gleichsam in ihrem Innern den Willen des
Himmels und erkühnt sich daher auch, ihn zu vollziehen. Die
Gemeinde ist zu einem Leib geworden, der in einer geradezu magisch anmutenden Art von Vollmacht handelt. In der zweiten
Epoche mehren sich aber die Fälle, wo dieser Vorgang auch da
eintritt, wo irgendein Zaddik stirbt, sowohl wenn ein Sohn da
ist, der für die Nachfolge in Betracht kommt, als auch wenn ein
solcher fehlt. Charakteristisch für diese geänderte Lage ist ein
überliefertes Gespräch zwischen einer großen und tragischen Gestalt, die man genau genommen der vierten, besser aber der fünften Generation zuzurechnen hat, Rabbi Mendel von Kozk, und
dem jungen Mendel von Worki, dem Sohn seines Freundes Rabbi
Jizchak von Worki, dreiviertel Jahr nach dessen Tode. Er will
von ihm etwas über die Nachfolge des Vaters erfahren, der Mendel bisher eher ausgewichen ist, als daß er sich um sie bemüht
hätte. Der Kozker Rabbi fragt: »Wo hält die ›Welt‹ (das heißt,
die Gemeinde)?« Darauf der Schüler: »Die Welt steht« (das
heißt, die Frage der Nachfolge ist nicht vorwärts gekommen).
Und der Rabbi wieder: »Man sagt doch, du wirst die Welt übernehmen.« Darauf der junge Mendel: »Davon müßte ich doch

etwas im Gefühl haben.« Schließlich sagt der Zaddik:»Man sagt
doch, Chassidim machen einen Rabbi.« Worauf Mendel von Worki
ihm entgegnet:»Aufs Almosenempfangen habe ich mich nie verlegt.« Das bedeutet: er will die Gabe des Himmels nicht aus den
Händen der Gemeinde empfangen; er erkennt dieser die Vollmacht nicht zu, sondern bleibt auf dem Boden der großen chassidischen Tradition. Und was das im Grunde ist, wogegen er sich
solchermaßen stellt, wird aus einem bitteren Scherzwort eines
Zaddiks aus der Zeit des Übergangs von der ersten zur zweiten
Epoche, des Rabbi Mendel von Rymanow, überdeutlich.»Wenn
sich tausend gläubige Chassidim«, sagte er,»um einen Holzklum-
pen versammeln, wird auch er Wunder tun.« Es ist klar, daß mit
dem Wort»Glauben« hier der Aberglaube gemeint ist: die Chassidim glauben nicht, daß der Himmel einen Zaddik erwählt und
ihnen gesandt hat, sondern daß die Gemeinde einen Anspruch
auf einen richtigen Zaddik hat und ihn demgemäß auch bekommt,
ja ihn»machen« kann. Die natürliche Folge dieser Anschauung ist,
daß Zaddikim von fragwürdiger Eignung sich mehren.»Man
setzt sich nicht auf den Stuhl, bis Elia[14] einen ruft« – in diesem
Spruch äußert sich die Stellungnahme der echten Zaddikim; die
fraglichen denken anders.
Die zweite Problematik hat sich aus der Vielheit der Zaddikim
ohne übergeordnete Instanz ergeben, einer Vielheit, die als eine
wesentliche Grundlage der chassidischen Bewegung begriffen werden muß. Die chassidische Bewegung ist historisch als Entgegnung
auf die Krisis des Messianismus entstanden. Die extrem antino-
mistische Entwicklung der sabbatianischen Bewegung, die wähnte,
dem Gott Israels seinen Charakter als Lehrer und Gebieter des
rechten Wegs nehmen und doch noch einen Gott Israels besitzen
zu können, hatte dem Chassidismus, als dem konzentrierten Versuch der Bewahrung der Wirklichkeit Gottes für den jüdischen
Menschen, den Boden bereitet; die frankistische Unternehmung[15],
die in grotesker Verwilderung nun auch noch den letzten Sprung
tat, mit beiden Füßen in einen mythologisch ausstaffierten Nihi-

---

[14] Der zum Himmel entrückte Elias wird der Überlieferung nach als Gottes Bote zur
Erde gesandt, um zu lehren und zu helfen. Wem er erscheint, ist berufen.
[15] Über diesen Ausläufer des Sabbatianismus im 18. Jahrhundert vgl. den Abschnitt
»Die Anfänge« in meinem Buch»Die chassidische Botschaft«. Siehe unten S. 758.

lismus hinein, hatte den wachen Seelen gezeigt, daß nicht Teile der Gemeinschaft Israels, sondern die ganze am Abgrund steht, und dadurch waren die besten Kräfte dem Chassidismus zugeführt worden. Die grausame Erfahrung wies darauf hin, daß es galt, die Wiederkehr des Glaubens an *einen* Menschen zu verhüten. Das tat der Chassidismus einerseits, indem er den Ausläufern der sabbatianischen Theologie entgegen das klassische Bild der biblischen Eschatologie, das Bild des ganz menschlichen Vollstreckers des göttlichen Erlösungswillens erneuerte, anderseits indem er alles fernhielt, was irgend dazu führen konnte, einem Menschen göttliche Attribute beizulegen, wie es in jenen letzten messianischen Bewegungen geschehen war. An die Gestalt des Baalschem selber hat sich weder in der Lehre noch in der Legende ein Stäubchen inkarnationistischer Vorstellungen zu heften vermocht. Aber nicht genug daran: als fundamentale Struktur der chassidischen Gemeinschaft wurde – gleichviel, ob aus einem mehr bewußten oder mehr unbewußten Gefühl der Gefahr – eine Vielheit festgesetzt, die sich in keiner Einheit zusammenschließen konnte. Die Gemeinden hatten alle ihr autonomes Wesen ohne irgendeine ihnen übergeordnete Instanz. Über den Führern, den Zaddikim, stand kein oberster Führer. Auch der große Maggid, der schon einer in Gemeinden aufgebauten chassidischen Gemeinschaft gegenüberstand, wollte nichts anderes als ein Lehrer sein. In der Generation nach ihm beginnen zwar Rivalitäten unter den Zaddikim um den höheren Rang, und Hader zwischen den Zaddikim überträgt sich auf die Gemeinden, aber die Forderung nach exklusiver Geltung wird nirgends ernstlich erhoben. Erst in der zweiten Epoche entartet die Rivalität zur gegenseitigen Ausschließung, am deutlichsten im Streit zwischen »Zans« (Rabbi Chajim von Zans) und »Sadagora« (Rabbi Abraham Jaakob von Sadagora und seine Brüder), in dem die Kampfformen wiederkehren, die einst in der Auseinandersetzung zwischen Mithnagdim und Chassidim walteten, bis zu Bann und Gegenbann; was dahinterstand, geht unmißverständlich aus Äußerungen des Zanser Rabbis hervor, der die Sage von der Rivalität zwischen Sonne und Mond heranzog, wo gesagt wird, zwei Könige könnten sich nicht *einer* Krone bedienen. Solchen Abirrungen vom chassidischen Weg sind die Zaddikim, die die Gefahr erkannten, nachdrücklich

entgegengetreten. So ist zum Beispiel das Wort eines bedeutenden
Schülers des »Sehers« von Lublin, des Rabbi Hirsch von Žyda-
czow, zu verstehen, es sei Götzendienst, wenn Chassidim ihren
Rabbi für den einzigen wahren halten. Aber wir begegnen auch
Äußerungen, in denen die Pluralität zu einer ans Absurde gren-
zenden Absolutheit erhoben wird, wie wenn der Enkel eines be-
deutenden chassidischen Denkers sagt, jeder Zaddik solle seinen
Chassidim der Messias sein.

Und zum dritten: In den Anfängen des Chassidismus ist eine Rivalität zwischen Lehrer und Schüler undenkbar, wie von der
einen, so von der anderen Seite. Einerseits gilt die Ergebenheit
des Schülers an den Lehrer in solch einem Grade für das ganze
Leben, daß der Gedanke an ein Handeln gegen den Willen des
Lehrers gar nicht aufkommen kann; anderseits setzt der Lehrer,
weit entfernt, die Schüler als potentielle Rivalen zu empfinden,
vielmehr, wo er kann, geeignete Schüler als Häupter von Gemeinden ein, wo sie gleichsam in seiner Vertretung der Bewegung
dienen. Man lese etwa, wie der große Maggid in geradezu biblischer Weise Rabbi Menachem Mendel mit Gürtel und Stab begabt und zum Rabbi von Witebsk bestallt. Das ändert sich schon
in der nächstfolgenden Generation, gegen Ende der ersten Epoche. Der Mann, der die eigentliche Nachfolge des großen Maggids
als Oberhaupt der Lehre angetreten hat, Rabbi Elimelech von
Lisensk, will es nicht dulden, daß seine Schüler bei seinen Lebzeiten eigene Gemeinden führen. Als einer von ihnen, der nachmalige »Seher« von Lublin, es dennoch tut, entsteht eine tiefe
und nachhaltige Spannung, ja die Sage läßt den Fluch Rabbi Elimelechs sich an solchen, die sich dem Schüler angeschlossen haben,
verhängnisvoll auswirken. Aber das gleiche Verhältnis, nur noch
gesteigerter und komplizierter, wiederholt sich zwischen dem
Seher von Lublin und einzelnen seiner Schüler und erhebt sich
zu einer unheimlichen Tragik, als der Lubliner den edelsten dieser
Schüler, den »Jehudi«, zu Unrecht der Rivalität verdächtigt und
ihn damit zuletzt, wenn wir der Überlieferung vertrauen dürfen,
in den Tod treibt; dazu läßt eine mündliche Überlieferung den
Seher wiederholt sagen, der »Jehudi« stehe über ihm (»er geht
höher als wir«), aber er, der Seher, sei eben an diesen Platz durch
Rabbi Elimelech gewiesen worden – eine im Zusammenhang all

dieser Begebenheiten recht seltsame und doch sicherlich das Bewußtsein des Sprechers spiegelnde Äußerung. Immerhin wird hier die Führung von Gemeinden zwar mißbilligt, aber an sich noch geduldet. In der nächsten Generation jedoch gilt es schon fast durchweg als Gesetz, daß ein Schüler bei Lebzeiten des Lehrers keine eigene Gemeinde begründet. Damit ist ein Grundprinzip der chassidischen Bewegung aufgegeben, das man als das innere Apostolat bezeichnen möchte. Statt daß der Lehrer die bewährten Schüler aussendet, damit sie seine lehrende und aufbauende Arbeit durch die ihre, jeder in einem selbständigen Bereich, ergänzen, hält er sie nun an sich und sein Haus gekettet; dadurch wird die Aktivität der Bewegung beeinträchtigt.

Von solchen und ähnlichen Erscheinungen aus ist die strenge Kritik zu verstehen, die bedeutende Zaddikim der zweiten Epoche an dem Zaddiktum ihrer Zeit üben. »Darüber seufze ich«, sagt der »Jehudi«, nachdem er die Führertypen früherer Geschlechter genannt hat, nach denen »die Zaddikim aufstanden«, »daß ich sehe, auch dies wird verdorben werden. Was wird Israel tun?« Ein anderer Zaddik will nicht »Thora sagen«[16], weil er sieht, daß bei manchen Zaddikim die Lehrreden nicht mehr die völlig ursprüngliche Reinheit der chassidischen Lehre bewahren und die lauernden Dämonen sich daher darauf stürzen und sie in ihr Reich schleppen können. Besonders charakteristisch ist, daß Nachkommen großer Zaddikim – so zum Beispiel ein Sohn und ein Enkel Rabbi Elimelechs – keine Rabbis sein wollten. Am heftigsten bricht der Unwille über den schon offenkundigen Niedergang in einem Zaddik der sechsten Generation, dem Enkel eines Enkels des großen Maggids, aus; es ist Rabbi Dow Bär von Lewa (ein Sohn des berühmten Rabbi Israel von Rižin), der für eine Zeit das chassidische Lager verläßt und zu den »Aufgeklärten« flieht (dies ist der Vorgang, der den Anstoß zum Kampf der Zanser gegen die Sadagorer gegeben hat). Rabbi Dow Bär pflegte von seinem Ahnen, dem großen Maggid, eine Geschichte zu erzählen, die aber nur zu ihm und seiner eigenen Situation und nicht zu der des Maggids paßt. »Zum Maggid von Mesritsch«, erzählte er, »kam einst ein Pächter mit einem Anliegen seiner Geschäfte we-

---

[16] So wird die homiletische Lehrrede bezeichnet, insbesondre die, die der Zaddik an seinem Tisch beim Sabbatmahl spricht.

gen. ›Bittest du mich?‹ fragte der Maggid, ›meinst du mich?‹ ›Ich
bitte den Rabbi‹, antwortete der Mann, ›daß er für mich in dieser
Sache bete.‹ ›Wäre es nicht besser‹, sagte der Maggid, ›du bätest
mich, dich zu lehren, wie man zu Gott betet? Dann brauchtest du
nicht mehr zu mir zu kommen.‹« In diesem im Munde des großen
Maggids noch unvorstellbaren Ausspruch, dem ähnliche wir aber
aus dem Mund etlicher Zaddikim der zweiten Epoche hören, ist
die Verzweiflung am Niedergang des Zaddiktums zum Zweifel
an dessen Grundlagen geworden. Zwar will auch schon im frühen
Chassidismus der Zaddik seine Chassidim zur unmittelbaren Beziehung zu Gott anleiten, aber er glaubt nicht, daß durch ein Lehren, wie man zu beten habe, der Mensch, der zwischen Himmel
und Erde mittelt, entbehrlich gemacht werden könnte. Es kommt
ja nach chassidischer Auffassung nicht auf die äußere Hilfe als
solche an, sondern diese ist nur die Hülle einer inneren und deren
Ermöglichung. Am stärksten hat dies wohl der Enkel des großen
Maggids und Großvater des Rabbis von Lewa ausgesprochen,
Rabbi Schalom Schachna, wenn er erzählte, wie vor Sabbatan-
fang ein Pächter zu ihm kam und ihm sein Leid klagte, daß ihm
ein Kalb erkrankt sei, »und aus seinen Worten höre ich hervor,
daß er zu mir spricht: ›Du bist eine hohe Seele, und ich bin eine
niedre Seele, erhebe mich zu dir!‹« Die äußere Hilfe darf also gar
nicht aufgegeben werden, denn das Lehren, wie man zu beten
habe, kann noch nicht die wahre »Erhebung« sein, ja diese Erhebung kann kein einmaliger Vorgang sein – sie ist ihrem Wesen
nach ein Prozeß, den nur der Tod abbricht, und einer Ansicht
nach, der wir zuweilen begegnen, sogar er nicht mit Notwendigkeit. Der eigentliche Niedergang des Chassidismus geschieht dann,
wenn Zaddikim ihren Chassidim nicht mehr mit und in der äußeren Hilfe auch die innere reichen. Denn hier steht alles auf dem
alle Bereiche umfassenden und zum Innersten vordringenden Leben zwischen Zaddikim und Chassidim, und fehlt dies, dann
muß in der Tat »auch dies verdorben werden«.

8

Die Reihe der Zaddikim dieser Epoche, von denen hier erzählt
wird, muß mit den Nachkommen des Maggids von Mesritsch beginnen, mit der »Sadagorer Dynastie«. Es ist dies eine Abfolge,

die von der der Schüler und Schülerschüler des Maggids wesentlich verschieden ist. Schon sein Sohn Abraham stand, wie gesagt, in einem deutlichen Gegensatz zu ihm und seiner Lehre durch den Weg der radikalen Askese, den er sich erwählt hatte. Sein Sohn Schalom Schachna (gest. 1802) biegt wieder stark von seinem Wege ab, ohne aber zu dem des Großvaters zurückzukehren. Von einem der besten Schüler des Baalschem und des Maggids, Rabbi Nachum von Tschernobil, erzogen, der ihn auch seiner Enkelin vermählt, bringt er in seiner ganzen Lebensweise sein Streben nach Neuerung zum Ausdruck. Er hebt sich durch reiche Kleidung und prächtiges Gebaren von der Umgebung ab, offenbar mit einer bestimmten Tendenz, für die all dies nur Sinnbild ist, und damit hängt offenbar zusammen, daß man sich von ihm erzählte, seine Seele sei ein »Funke« von der König Davids. Auf Vorhaltungen, die der Schwiegervater ihm macht, antwortet er mit dem Gleichnis von der Henne, die Enteneier ausgebrütet hat und nun bestürzt den davonschwimmenden Entlein nachsieht. Gegen Nachums Praxis der Wunderheilungen lehnt er sich nachdrücklich auf; wohl will er den Leidenden helfen, aber nicht durch magieähnliche Prozeduren, sondern mit der Macht der Seele und wie es jeweils die Stunde ergibt, und jede äußere Hilfe ist ihm nur Ausgangspunkt und Umhüllung einer inneren. Er umgibt sich mit einer Schar von Jünglingen, die leidenschaftlich zu ihm halten; immer wieder entbrennt Streit zwischen ihnen und der Generation seines Vaters, und so muß es ihrer Anschauung nach sein, denn, so läßt eine Überlieferung Rabbi Schalom sagen, »was von der Seite des Guten hervorgeht, kann nicht ohne Gegnerschaft geschehen«. Ja es wird in einer wunderlichen Geschichte, die ich auch in einer von der schriftlich erhaltenen verschiedenen, noch wunderlicheren Fassung gehört habe, erzählt, wie er öffentlich den Schein der Sünde auf sich nahm, um den Satan, dessen Herrschaft das sündige Israel im Exil überantwortet, dem aber auch das Geheimnis der Erlösung anvertraut ist, zu überlisten, sein Vertrauen zu gewinnen und ihm das Geheimnis zu entlocken. Man möchte hier an Nachwirkungen der sabbatianischen Lehre von der heiligen Sünde denken. Daß Schalom Größeres als das Zaddiktum erstrebt, geht aus manchem hervor; so soll er Rabbi Baruch, dem Enkel des Baalschem, dem stolzen und machtwilli-

gen Mann, als dieser dem ihn besuchenden Schalom vorschlug:
»Wir beide wollen die Welt (hier soviel wie die chassidische Gemeinschaft als Zentrum Israels) führen«, geantwortet haben:»Ich
kann allein die Welt führen«. Aber es geht hier letztlich nicht,
wie man gemeint hat, um die Wiederherstellung der Exilarchen-
würde, sondern um den Glauben an die Potentialität des Messias-
tums in einer Familie, in der es in jeder Generation Aktualität
gewinnen kann. Ein tiefes Verständnis dieses Glaubens ergibt sich
aus einer Vision, die Schalom vor seinem Tode (er starb jung wie
sein Vater) seinem Sohn Israel erzählte: der Vision einer himmlischen Halle, in der ein Zaddik sitzt, vor ihm auf dem Tisch eine
herrliche Krone, aus seiner Lehre und Heiligkeit entstanden, die
er sich aber nicht aufsetzen darf. »Ich habe es dir erzählt«, so
fügte Rabbi Schalom hinzu, »weil du es einmal wirst brauchen
können.«
Sein Sohn, Rabbi Israel von Rižin (Ružyn, gest. 1850), baute die
Lebenshaltung seines Vaters so aus, daß Zeremoniell und Hofstaat an die eines Priesterkönigs gemahnten. Dem dynastischen
Zug darin gab er selber Ausdruck, indem er den alten Apter
Raw, Rabbi Abraham Jehoschua Heschel, der allgemein als »Führer des Geschlechts« angesehen wurde, mit Mose, dem Lehrer, sich
aber mit Salomo, dem König, verglich, und der Apter selber
nannte ihn einen König Israels. Als einen solchen verehrte ihn
die Menge, die seiner Residenz zuströmte. So wurde es aber auch
der zarischen Regierung zugetragen; sie ließ ihn als Aufrührer,
der den Juden als ihr König gelte, einkerkern; nach fast zweijäh-
riger Gefangenschaft (größtenteils in Kiew) wurde er freigelassen
und flüchtete bald danach nach Galizien, von wo aus er sich nach
mancher Irrfahrt und Mühsal in Sadagora in der Bukowina niederließ, das nun zum Ziel der Massenwallfahrt wurde. Aber auch
viele Zaddikim, zumal jüngere, kamen, um ihm zu huldigen und
der Unterredung mit ihm zu genießen; kaum einer unter ihnen
ward ihm zum Jünger, keinen band er an sich; er wollte nur
auflauschende Gäste, nicht Schüler zu dauernder Wechselwirkung.
Rabbi Israel war wie der große Maggid ein bedeutender »Thora-
Sager«; aber seine Lehrreden sind nicht Stücke einer denkerischen
Lebenseinheit, sondern blitzende Einfälle, nicht eines Fragmen-
tisten, sondern eines Aphoristen Werk; jene haben den tiefen

Glanz des schlicht geschliffenen Steins, diese den üppigen des fazettierten. In der Welt der modernen abendländischen Kultur würde man den Rižiner einen genialen Improvisator genannt haben; gewiß war er ein Genie im Sinn dieser Kultur; Leib und Stimme des religiösen Genius ist er nicht mehr gewesen. Seine sechs Söhne waren glänzende Epigonen. Auch in ihnen lebte noch etwas von der Geisteswelt des großen Maggids fort, aber es gedieh nicht mehr zur vollen persönlichen Gestalt. Fast jeder von ihnen hatte Anhang, Zulauf, Hofstaat, Gemeinde, Volk; keiner von ihnen hatte Schüler. Dem edelsten unter ihnen, Rabbi David Mosche von Czortkow (gest. 1903), einem Mann von weicher, den Kreaturen zugewandter Menschlichkeit, bin ich in meiner Jugend einige Sommer räumlich nah gewesen, ohne ihn kennenzulernen. Der eine der Söhne, von dem ich schon erzählt hatte, Rabbi Dow Bär mit Namen wie der Urahn, der zuerst als der bedeutendste unter den sechsen galt und den größten Zulauf hatte, dann zu den »Aufklärern« überging, manifestartige Briefe gegen den Aberglauben erließ, es aber nicht lange aushielt, sondern nach Sadagora zurückkehrte, wo er seither in einer Art von halbfreiwilliger Gefangenschaft verblieb, hat durch sein Leben nur der Situation Ausdruck gegeben: der Königsweg hatte in einer Sackgasse geendet.

Unter den Schülern des Maggids gebührt hier, da Rabbi Mendel von Witebsk in Palästina nicht schulbildend gewirkt hat, der erste Platz Rabbi Schmelke von Nikolsburg, dem großen Prediger, Liedersänger und Menschenfreund. Seine Gabe der Predigt ist auf keinen seiner Schüler übergegangen, aber seine Sangesfülle hat Rabbi Jizchak Eisik von Kalew, seine Menschenliebe Mosche Löb von Sasow geerbt. Jizchak Eisik von Kalew, das ist Nagy-Kalló in Nordungarn (gest. 1828), stammt aus der Atmosphäre des ungarischen Dorfes und hat in seiner Kindheit dessen volkstümliche Vitalität in seine Seele aufgenommen. Von den Hirtenliedern, die er damals, der Überlieferung nach selber ein Gänsehirt, hörte, hat er nicht bloß die Melodien bewahrt und sakralen Hymnen oder Psalmen unterlegt, so dem Psalm »An den Wassern von Babel«, er hat auch einzelne Texte, ohne starke Eingriffe vornehmen zu müssen, ins Jüdisch-mystische umgewandelt. Die Wehmut der Hirtenlieder wird zum Leiden am Exil, ihr Liebesverlangen zur Sehnsucht nach der Schechina. Auf diese umbildende Tätigkeit haben die »unbekannten Melodien« des Rabbi Schmelke einen bestimmenden Einfluß gehabt; aber die Lieder des Kalewers sollen, offenbar infolge des volkstümlichen Elements, das in sie eingegangen ist, noch sinnlich-stärker, bezaubernder gewirkt haben. Wie sehr er an jenem Element hing, geht daraus hervor, daß er die Passah-Haggada[17] seltsamerweise in ungarischer Sprache vorzutragen pflegte; es wird erzählt, daß Rabbi Schmelke am Ssederabend all seine Schüler in ihren von Nikolsburg weit entfernten Wohnsitzen die Haggada vortragen hörte, nicht aber den Kalewer Rabbi, weil er sie auf ungarisch sprach. Für dessen Liebe zum volkstümlichen Element ist auch die Geschichte kennzeichnend, er habe die Melodie zum Hymnus »Herrlicher im Königtum« von dem großen Maggid geerbt, der sie von einem Hirten empfangen hatte; aber, so wird weiter berichtet, die Weise war bei dem Hirten im Exil gewesen, denn einst hatten sie die Leviten im Tempel gesungen. Diese Melodie ist übrigens, wenn die Überlieferung recht hat, auf dem Weg über den Kalewer zur Familie des Maggids zurückgelangt, denn Rabbi David Mosche von Czortkow hat sie häufig gesungen. Auch sonst haben die Lieder des Kalewers unter den Chassidim starke Verbreitung gefunden; so pflegte Rabbi Chajim von Zans am Freitagabend, nachdem er in der Synagoge die Estrade siebenmal umschritten hatte, des Kalewers Sehnsuchtslied nach der Wiedervereinigung mit der »Braut«, der Schechina, zu singen, »bis ihm vor Begeisterung alle Leibeskräfte vergingen«.

Von Mosche Löb von Sasow (gest. 1807), der seinen Lehrer von einem polnischen Ort nach dem andern und von da nach Nikolsburg begleitete und den die Sage auch in Wundergeschichten mit Rabbi Schmelke verknüpft, braucht in diesen einführenden Bemerkungen kaum gesprochen zu werden, da sein Bild aus den Erzählungen selber in hinreichender Deutlichkeit aufsteigt. Die

---

[17] Der vom Hausvater beim Festmahl des ersten und zweiten Passahabends (»Sseder«, d. i. Ordnung genannt) vorgetragene, von Schriftauslegungen, Sprüchen und Hymnen durchsetzte »Bericht« über die Befreiung Israels aus Ägypten.

Gabe der helfenden Liebe, die Rabbi Schmelke in ihm erweckte, hat sich in seiner Seele zu einer sogar in dem an Liebenden reichen Chassidismus außergewöhnlichen Vollkommenheit entfaltet. In seinem Liebeseifer zu Menschen und Tieren lebt eine strömende Spontaneität; die Paradoxie jenes Imperativs der Nächstenliebe – man soll lieben: kann man denn sollend lieben? – scheint hier ausgelöscht. Und doch gibt es Widerstände; auch dem Sasower widerfährt es, daß er einen boshaften, einen selbstsicheren, einen weltverstörenden Menschen nicht von selber liebt. Aber eben davon pflegte ja sein Lehrer zu sprechen: daß man jede Seele lieben soll, weil sie ein Teil Gottes ist; vielmehr, daß man gar nicht mehr umhin kann, eine Seele zu lieben, wenn man erst wahrhaft inneward, daß sie ein Teil Gottes ist. Und so liebt der Sasower die Wesen immer vollkommener: weil er mit der Liebe zu Gott Ernst macht. Gerade an seinen Widerständen und Überwindungen erschließt sich uns der rechtmäßige Sinn jenes Imperativs.

Um die Wirkung des Rabbis von Sasow auf seinen nächsten Kreis zu kennzeichnen, folgt in diesem Buch auf ihn sein Schüler Mendel von Kosow (gest. 1825), dessen Leben und Lehre die Linie der Menschenliebe fortführten. Von ihm sind besonders radikale Formulierungen jener Einsicht überliefert, daß die Nächstenliebe nur eine der Seiten der Liebe zu Gott ist. So deutet er das Wort der Schrift: »Sei liebend zu deinem Genossen, dir gleich, ich bin der Herr«, einmal so: Wenn der Mensch seinen Genossen liebt, ruht die Schechina zwischen ihnen, und ein andermal: Die Einung der liebenden Genossen wirkt Einung in der Überwelt. Von seinem Sohn Chajim wissen wir, wie unablässig er darüber wachte, daß seine Chassidim wie gute Genossen miteinander leben, einander kennen, miteinander umgehn, einander helfen, einander lieben.

Von den Schülern Rabbi Elimelechs sind zwei, der Maggid von Kosnitz und der »Seher« von Lublin, im Zusammenhang der ersten Epoche behandelt worden, weil sie vordem Schüler des großen Maggids waren und in dieser Hinsicht der dritten Generation zugerechnet werden dürfen. Zwei andere, Abraham Jehoschua Heschel von Apta (Opatow, gest. 1825) und Menachem Mendel von Rymanow (gest. 1815), gehören hierher. Dem ersten soll Rabbi Elimelech vor dem Sterben die richtende Kraft seines

Mundes, dem zweiten die lenkende Kraft seines Geistes zugeteilt
haben. Der Rabbi von Apta war ein richterlicher Mensch; er waltete unter den Chassidim und auch unter den Zaddikim seiner Zeit als
Entscheider und Schlichter. Seine tiefe Erfassung der wahren Gerechtigkeit hat er sich durch Irren und Arbeit erworben. Er begann damit, was wir Gerechtigkeit zu nennen pflegen, das heißt
mit dem Gerechtseinwollen, und erfuhr Schritt für Schritt, daß
die menschliche Gerechtigkeit ihrem Wesen nach versagt, wo sie
mehr als gerechte Ordnung, wo sie gerechte Beziehung sein will.
Er erfuhr, daß Gottes Gerechtigkeit nicht wie seine Liebe die
Vollkommenheit einer Eigenschaft ist, der wir nacheifern können,
sondern ein Rätselhaftes, dem alles, was Menschen Recht und
Gesetz nennen, unvergleichbar bleiben muß: der Mensch soll gerecht sein, in den Grenzen seiner Ordnung; wenn er sich aber
damit über sie hinaus auf die hohe See der menschlichen Beziehung wagt, muß er Schiffbruch leiden, und es bleibt ihm nichts
übrig, als sich zur Liebe zu retten. Die Wende im Leben des Apter
Rabbis ist wohl jene hier erzählte Begebenheit: wie eine leicht-
fertige Frau von ihm öffentlich verwiesen wird und nun seine
Haltung mit der Gottes vergleicht; da fühlt er sich »bezwungen«
und wandelt sich. Aber sein Weg zur Liebe erscheint ihm nun
nicht als der eines einzelnen irdischen Lebens: er sieht ihn im Zusammenhang der Wanderungen seiner Seele, in deren Gange die
Liebe zu vollenden ihm aufgegeben ist.
Rabbi Mendel von Rymanow ist nach Art und Leben grundver-
schieden. Er hat in der Tat die organisierende Fähigkeit seines
Lehrers geerbt, nur daß er sie eingeschränkter übt. Von den drei
Kreisen, die den Zaddik umgeben – die Schüler, die Gemeinde
und die »Fahrenden« –, ist es der mittlere, der ihn zumeist angeht. Er gibt seiner Gemeinde Gesetze, als wäre sie ein Staat, und
sie ist ihm wirklicher als der Staat. Er maßt sich nicht an, gerecht
zu sein; er wacht nur über der gerechten Ordnung in seiner Gemeinde. Wenn er rügen muß, greift sein Wort unmittelbar wie
eine Gewalt der Natur in das Geschehen ein. Und so kann er, der
wie kein andrer nüchtern ist, wo es gilt, Maß und Sitte zu wahren, sich zu urzeitlicher Majestät erheben, wenn er die Gemeinde,
um sie, die stets zu erstarren droht, zutiefst aufzurühren und zu

schmelzen, als Gottes eingesetzter Vertreter von dem Zwang der Thora entbindet und neu vor die Wahl stellt. Solchermaßen die Rede verwaltend, wird er auch seinen Schülern zum Vorbild des mit jedem Wort Verantwortung übenden Menschen. Derjenige unter seinen Schülern, der seine Nachfolge antrat, Rabbi Zwi Hirsch von Rymanow (gest. 1846), war der eigentliche Selfmademan unter den Zaddikim der zweiten Epoche. Er war Schneiderlehrling, kam dann als Diener in Rabbi Mendels Haus, und nun übte er die Weisheit und Kunst des Dienens in solchem Grade, daß der Zaddik bald merkte, hier war ein seltenes menschliches Gefäß für die Lehre, und den jungen Hirsch zum Schüler annahm, ohne daß er deshalb aufgehört hätte, seine Dienste zu tun. Als er, zwölf Jahre nach dem Tod des Meisters, während deren er weiter lernte, zur allgemeinen Überraschung dessen Nachfolge antrat, gewann er bald die Anerkennung der anderen Zaddikim und eine Machtstellung besonderer Art. Sein oft stolz erscheinendes Gebaren barg einen innersten Kern der Demut; von seinen zugleich schlichten und tiefsinnigen Lehrreden pflegte er zu sagen, er spreche nur aus, was ihm eingegeben werde, ja er konnte sich zuweilen nach einer Rede ihrer nicht mehr entsinnen. Bemerkenswert ist noch, daß er von den Bittstellern, die zu ihm kamen, oft hohe und genau – anscheinend mit Zahlen mystischer Bedeutung – bezifferte Geldbeträge verlangte, anderseits aber jeweils alles Geld, das im Haus war, unter die Bedürftigen verteilte; es war eine Art Neuverteilung, die er unter den Chassidim übte, offenbar mit dem Gefühl des Auftrags, den überschüssigen Besitz seiner Bestimmung zuzuführen.

Der große Beter Rabbi Schlomo von Karlin hat eine Schule ekstatischer Beter begründet.
Sein namhaftester Schüler, der seine Lehre von der Hingabe des Lebens im Gebet fortbildete, war Uri von Strelisk (gest. 1826), »der Seraf« genannt. Das ekstatische Gebet ist hier nicht eine persönliche Handlung, es umfaßt den Zaddik und seine Chassidim miteinander. Rabbi Uris Chassidim waren fast alle arme Leute; aber keiner von ihnen wandte sich an ihn, um Wohlstand zu erlangen; sie wollten nur mit ihm beten können, so beten können wie er, so im Gebet das Leben hingeben können wie er. Der

Eindruck seines wundersamen Betens überträgt sich auf ihr ganzes Verhältnis zu ihm, macht es zu einem visionär glorifizierenden: sie sehen ihn wirklich wie einen Seraf; ein Chassid erzählt, wie er am Rabbi verschiedene Antlitze wahrnahm, ein anderer, wie der Rabbi vor seinen Augen größer und größer wurde, bis er an den Himmel reichte. Die Chassidim erzählen, er habe einmal in einer durch das unheilige Beten der Sabbatianer verunreinigten Synagoge durch sein gewaltiges Gebet bewirkt, daß sie am Abend darauf verbrannte. Sie erzählen aber auch, erst wenn er am Sabbatausgang Hawdala[18] sprach, hätte die Werkwoche wieder begonnen; bis dahin hielt er die Schlüssel der Hölle in der Hand, und so lange durften die über Sabbat freigelassenen Seelen in der Luft der Welt verweilen.

Unter seinen Schülern hat Rabbi Uri vor seinem Tod Jehuda Zwi von Stretyn (gest. 1844) durch Handauflegung und unter Berufung darauf, wie Mose den Josua weihte, zu seinem Nachfolger geweiht. Die Legende legt auch in seine Hände über Sabbat die Schlüssel der Hölle, aber das Motiv ist weiter ausgestaltet: ein Chassid sieht ihn die ganze Nacht nach Sabbatende am offenen Fenster stehen, noch in den Sabbatkleidern, einen großen Schlüssel in der Hand, den wegzutun er nicht übers Herz bringt, dieweil Scharen böser Engel rings um ihn darauf warten, bis an den Morgen, da seine Kraft erlahmt. Er pflegte das Tauchbad nachts in einem Fluß außerhalb der Stadt zu nehmen und soll, während er im Wasser stand, jedesmal das ganze Buch der Psalmen rezitiert haben. In Rabbi Jehuda Zwis Lehre ist das Wichtigste der Nachdruck, mit dem hier die Einheit zwischen den göttlichen Attributen, die Einheit von Gericht und Erbarmen ausgesprochen wird. Von seinem Sohn, Abraham von Stretyn (gest. 1865), ist eine bedeutsame Lehre von der *menschlichen* Einheit überliefert: der Mensch vermöge eine solche Einheit zwischen seinen Kräften zu stiften, daß jeder seiner Sinne die Funktionen der anderen stellvertretend übernehmen kann.

Neben Uri von Strelisk ragt unter den Schülern Rabbi Schlomos von Karlin ein zweiter hervor: Mordechai von Lechowitz (gest. 1811). Die Lehre von der Hingabe des Lebens im Gebet erhält

---

[18] Der am Ausgang des Sabbats und der Feste über Wein, Gewürzen und Licht gesprochene Segen der »Scheidung« zwischen dem Heiligen und dem Profanen.

bei ihm neue konkrete Züge: in jedem einzelnen Wort soll sich der Beter ganz seinem Herrn darreichen. Zum Gleichnis dafür dient der sagenhafte Vogel, dessen Loblied ihm den Leib zersprengt. Das ganze leibliche Wesen des Menschen soll in sein Beterwort eingehen, damit das Wort »aus der Ferse springe«. Von Rabbi Mordechai wird erzählt, daß von der Inbrunst des Betens seine Lunge einen Riß bekam. Dabei ist auch hier aber die ganze Lebenshaltung eine freudige. Nur in der Freude kann man die Seele wahrhaft zu Gott erheben, und »wer Gott mit Hingabe und Gotteslicht und Freude und Willigkeit dienen will, dessen Gemüt muß hell, lauter und klar und sein Leib lebendig sein«. – Zu Rabbi Mordechai gehört sein Sohn Noach von Lechowitz (gest. 1834), der in veränderter Haltung, weltlicher gerichtet als sein Vater, doch dessen Linie fortsetzt. Aber auch noch bei dem Enkel Rabbi Noachs, Schlomo Chajim von Kajdanow (gest. 1862), finden wir Sprüche, in denen die echte Schwungkraft der Karliner Gebetslehre fortlebt.

Zu einer späten Gipfelung erhebt sich die Schule Rabbi Schlomos von Karlin in dem Mann, der zuerst Rabbi Mordechais, dann Rabbi Noachs Schüler war: Mosche von Kobryn (gest. 1858). Ich stehe nicht an, diesen wenig bekannten Mann zu den spätgeborenen Großen zu rechnen, von denen die chassidische Bewegung auch mitten im Niedergang einige hervorgebracht hat. Er hat die Lehre nicht bereichert; aber er hat ihr wieder einmal, in Leben und Wort, in der Einheit von Leben und Wort, einen ganz persönlichen, erfrischend vitalen Ausdruck verliehen. Man kann, was er lehrt, auf drei seiner Sprüche zurückführen: »Ihr sollt ein Altar vor Gott werden«, »Es gibt kein Ding in der Welt, in dem kein Gebot wäre«, und »Wie Gott unendlich ist, so ist sein Dienst unendlich«; aber rings um sie breitet sich eine erstaunliche, zuweilen an frühe chassidische Meister gemahnende Fülle von Bild und Beispiel, von gelebtem Leben. Im übrigen bedarf, was in diesem Buch von ihm erzählt wird, keiner Ergänzung oder Erklärung.

Unter den Nachkommen jenes heiligen Leidensmannes, der aus seinen Leiden weissagte, des Maggids von Kosnitz, ist sein Tochtersohn, Chajim Meïr Jechiel von Mogielnica (gest. 1849), beson-

ders bemerkenswert. Er hat außer beim Großvater bei manchen
andern Zaddikim, namentlich dem Apter Rabbi und dem Seher
von Lublin, gelernt, hat aber auch dem viel angefeindeten Schüler des Sehers, dem »Jehudi« von Pžysha, nahegestanden. Er hat
Lehren gesammelt, ohne Eklektiker zu werden, weil er zwar kein
selbständiges Denken, aber eine selbständige kräftige Seele besaß,
die alles Empfangene in eigner Anschauung und eignem Gefühl
einschmolz. »Ich mag keine Geistesstufen ohne leibliches Gewand« und »Ich wollte nichts ohne eigne Arbeit gewinnen« –
diese Aussprüche sind für ihn kennzeichnend. Er hatte einen starken Einblick in die eigene Seele und pflegte auch seinen Chassidim von seinen inneren Erfahrungen zu erzählen, wie er überhaupt gern und unbefangen erzählte. Das Verhältnis zwischen
ihm und seinen Chassidim war von einer großen Innigkeit; jede
seiner Bewegungen wirkte tief auf sie ein, und sie dienten ihm
in Liebe. Sein Einfluß hat sich unter seinen Schülern am frucht-
barsten in Jissachar Dow Bär von Wolborz (gest. 1876) ausgewirkt.

Hier beginnt die Geschichte der Schule von Lublin und ihrer
Tochterschulen, zu der alles gehört, was noch in diesem Buche erzählt wird, darunter die Schulen von Pžysha (Przysucha) und
Kozk, die sich in einem Gegensatz zu Lublin und doch unter dessen Einfluß entwickelt haben. Dieser Einfluß geht auf die mächtige Gestalt des »Sehers« zurück. Aus dem großen Rund der
Schüler des »Sehers« von Lublin werden hier neun behandelt. Es
sind dies David von Lelow (gest. 1813), Mosche Teitelbaum von
Ohel, das ist Ujhely in Ungarn (gest. 1841), Jissachar Dow Bär
von Radoschitz (gest. 1843), Schlomo Löb von Lentschno (gest.
1843), Naftali von Ropschitz (gest. 1827), Schalom von Belz
(gest. 1855), Zwi Hirsch von Žydaczow (gest. 1831), Jaakob Jizchak von Pžysha, der »Jehudi«, das ist »Jude« (gest. 1813), und
Ssimcha Bunam von Pžysha (gest. 1827). (Ich habe diese Reihenfolge, unabhängig von allen chronologischen, nach kompositio-
nellen Gesichtspunkten gewählt. Menachem Mendel von Kozk
habe ich, obgleich er eine Zeitlang Schüler des Sehers war, nicht
hierher, sondern zu Pžysha gestellt, weil er selber stets nachdrücklich betont hat, er gehöre zu Pžysha und nicht zu Lublin.)

David von Lelow ist eine der liebenswertesten Gestalten des Chassidismus. Weise und kindlich zugleich, allen Wesen aufgeschlossen und doch ein Geheimnis im Herzen hegend, der Sünde fremd, aber den Sünder vor den Verfolgern schützend, ist er das Beispiel des Zaddiks, dem erst die chassidische Wahrheit, die ihn von der Asketik befreite, ermöglicht hat, zu werden, was er ist. Die Befreiung hatte er Rabbi Elimelech zu danken[19]. Nach ihm schloß er sich dem Seher von Lublin an. Ihm ist er, obgleich er ihm in grundwichtigen Belangen sachlich und persönlich entgegen war und sein mußte und in den Händeln zwischen Lublin und Pżysha mit dem ganzen Herzen auf der Seite seines Freundes, des »Jehudi«, stand, zeitlebens treu geblieben. Er selber wollte lange Zeit nicht als Zaddik gelten, wiewohl ihm viele verehrend anhingen und den schlichten Mann sogar – wohl mit größerem Recht, als es anderen Zaddikim geschah – mit König David verglichen. Lange Zeit stand er in einem kleinen Laden, aus dem er überdies nicht selten Käufer zu anderen, ärmeren Händlern schickte. Er fuhr gern über Land, besuchte in den Dörfern unbekannte Juden und machte ihnen mit seiner brüderlichen Rede das Herz warm, sammelte in den Städtchen die Kinder um sich, fuhr sie spazieren, leitete ihre Spiele an und musizierte mit ihnen, fütterte und tränkte (wie vor ihm der Sasower) auf den Märkten die allein gelassenen Tiere; besonders zugetan war er den Pferden, von denen er nachdrücklich bewies, wie unsinnig es sei, sie zu schlagen. Er erklärte sich nicht würdig, ein Zaddik zu heißen, weil er die Seinen mehr als die anderen Menschen liebe. Frieden zwischen Menschen zu stiften war ihm eine höchste Aufgabe, und darum wurde ihm – so erzählt die Überlieferung – gewährt, durch sein bloßes Gebet an einem Ort des Haders Frieden zu stiften. Er lehrte, man solle die Menschen, die man zur Umkehr bewegen wolle, nicht schelten und ermahnen, sondern als guter Freund mit ihnen umgehn, den Sturm ihres Herzens besänftigen und sie durch die Liebe zur Erkenntnis Gottes bringen. Er hat denn auch selber viele, die sich weithin verirrt hatten, auf den rechten Weg geführt. (Eine besondere Stellung unter diesen nimmt ein berühmter Arzt, Dr. Bernhard, ein, der, vom Lelower zum »Seher« nach

---

[19] Vgl. im Abschnitt »Elimelech von Lisensk« S. 376 die Erzählung »Der Büßer«.

Lublin gebracht, sich zu einem Chassid hohen Ranges entwik-
kelte.) Entscheidend war das Beispiel seines eigenen Lebens. »Alles, was er tat, an jedem Tag und in jeder Stunde«, sagte Jizchak
von Worki, der eine Zeitlang sein Schüler war, »war Satzung und
Wort der Thora.«

Wie der Lelower durch Rabbi Elimelech aus dem Bann der Askese befreit wurde, so Mosche Teitelbaum durch Elimelechs Schüler, den »Seher« von Lublin, aus dem gegen die Welt abgesperr-
ten Gelehrtentum. Der Seher erkannte in ihm den echten »Brand«
der Seele, der nur noch der rechten Nahrung entbehrt: wer ihn
hat, ist im Herzen schon ein Chassid, wie sehr er auch dem chassidischen Weg entgegen ist. Für diesen Weg hatten Rabbi Mosche
besonders auch seine eigentümlichen Träume vorbereitet, über die
wir mehrere Aufzeichnungen (darunter über Begegnungen mit
Meistern der Esoterik aus früheren Zeiten, die er bei ihren geheimnisvollen Werken beobachtet) besitzen; sie lehrten ihn erkennen, wie wenig die guten Werke gelten, wenn der Mensch,
der sie tut, nicht mit seiner ganzen Seele Gott ergeben ist, und
daß Paradies und Hölle im Innersten der Seele ihre Stätte haben.
Hier setzte nun der Seher ein und lehrte ihn die rechte chassidische Freude. Es war für Rabbi Mosche nicht leicht, die Freude zu
erlernen. Es heißt von ihm, er sei ein »Funke« der Seele des Propheten Jeremia gewesen; und zeitlebens litt er zutiefst unter der
Zerstörung des Heiligtums und Israels. Daß er nun doch die
Freude lernte, ließ die messianische Hoffnung in ihm über das
Leid triumphieren, indem dieser Hoffnung eine außergewöhnliche sinnliche Kraft verliehen wurde. Von keinem andern der
Zaddikim wird solch eine Schwungkraft und Konkretheit des
messianischen Glaubens in jedem Lebensaugenblick berichtet.

Jissachar Dow Bär von Radoschitz ist weithin als Wundertäter
berühmt gewesen, besonders seiner wunderbaren Heilungen wegen, unter denen wieder die Heilungen von »Dibbukim«, von
Besessenen, hervorragten, und man hat ihn deshalb sogar den
kleinen Baalschem genannt. Die Neigung zum Wunder scheint
ihm schon in der Jugend angehaftet zu haben, obgleich er lange
Zeit sich keineswegs vorwagte, sondern als ein stiller und scheuer
Mensch bekannt war. Charakteristisch ist, was von seiner Jugend
erzählt wird, wie er, Rabbi Mosche Löb von Sasow auf seiner

Fahrt begleitend, ihm seine eigene, ihm selber noch unbewußte magische Methode suggerierte. Noch merkwürdiger aber ist, daß er, der von einem Zaddik zum anderen fuhr, schließlich, als er den »Seher« verließ, um sich dem »Jehudi« anzuschließen, auch in der dem Wunder abholden Atmosphäre des neuen Lehrers die Wunderverehrung im Herzen bewahrte. Die Überlieferung erklärt dies, indem sie den »Jehudi« selber, als sein Sohn erkrankt, sich an Jissachar Bär wenden läßt, dessen schlummernde Heilungskräfte er also ahnt und nun auch aktualisiert: ohne sich die Gabe zuzutrauen, im Zwang der Stunde, nimmt Jissachar das Kind in die Arme, legt es in die Wiege, wiegt es, betet und heilt es. Nach vielen Jahren, als aus der Schule von Pżysha die letzte große chassidische Schule, die mit Tragik geladene Schule von Kozk, hervorgegangen war und die Chassidim der beiden Lager, Kozk und Radoschitz, gegeneinander standen, soll Rabbi Jissachar als das Prinzip von Kozk das Aufgeben des eigenen Willens vor dem himmlischen, als das von Radoschitz das des Standhaltens im eigenen Willen, der doch eben auch ein Ausfluß des himmlischen ist, bezeichnet haben in dem paradoxen Spruch: »Kann man nicht drüber weg, muß man eben doch drüber weg« – was eigentümlich an den überlieferten Spruch des Sasower Rabbis »Man soll sich nicht drein fügen« erinnert. Auf der Kozker Seite erklärte man hingegen, in Kozk wolle man das Herz unserem Vater im Himmel nähern, in Radoschitz wolle man unseren Vater im Himmel dem Herzen der Juden nähern – womit gemeint war, man wolle, statt zu dem in all seiner Größe und Strenge empfundenen Gott emporzustreben, ihn auf dem Weg des Wunders dem Menschen vertraut machen. Das aber läßt uns wieder an ein Wort Jissachar Bärs selber denken. Als ein namhafter Schüler ihn frug, wozu er denn Wunder tue, und ob es nicht richtiger für ihn wäre, die Seele zu läutern, antwortete er, er sei gesandt worden, »um die Gottheit in der Welt bekanntzumachen«.
Eine Gestalt von ganz andersartiger Eigentümlichkeit ist Schlomo Löb von Lentschno. Seine bis zum äußersten gehende Reinlichkeit wurde ihm nachgerühmt, weil sich seine ganze Lebenshaltung darin sinnbildlich aussprach. Man berichtet von ihm, er habe nie eine Münze angesehen und nie eine in der Hand behalten; er habe nie die Hand ausgestreckt, um etwas in Empfang zu nehmen, so-

gar wenn einer von den Zaddikim, die seine Lehrer waren (das waren Rabbi Mendel von Rymanow, der »Seher« von Lublin und zuletzt der »Jehudi«), ihm, wie es die Zaddikim mit ihren Vertrauten zu tun pflegten, beim Mahle etwas vom eigenen Teller reichte; er habe nie Eitles geredet und nie Eitlem zugehört. Charakteristisch ist, was er schon in seiner Jugend zum Psalmvers vom gebrochenen Herzen, das von Gott nicht verschmäht wird, zu sagen pflegte: es müsse aber zugleich auch ganz sein. Und auch dies ist charakteristisch, daß er, wenn er vom Kommen des Messias sprach, die große Scham schilderte, die dann allerorten herrschen würde. Ihn selbst in seiner abgeschlossenen und doch allem mitfühlenden Heiligkeit hat man als eine der Erscheinungsformen des leidenden Messias angesehen. Er aber sagte einmal von diesem, dem Messias Sohn Josefs, der nach der Überlieferung getötet werden soll: »Nun nicht mehr, sondern an den Nöten Israels wird er sterben.«

Auch er ist von anderen Zaddikim angefeindet worden. Führer im Kampf gegen ihn, dafür, daß er der Schule von Pžysha die Treue hielt, war ein von Grund aus anders gearteter Mann, Rabbi Naftali von Ropschitz, der noch in Lisensk bei Rabbi Elimelech gewesen war und hernach bei seinen vier großen Schülern, dem Rabbi von Apta, dem Maggid von Kosnitz, Rabbi Mendel von Rymanow und besonders beim Seher von Lublin gelernt hatte. Wir wissen kaum von einem anderen Zaddik, dessen Seele für eine solche Fülle von Widersprüchen Raum hatte, Widersprüche, die aber mitsammen kein formloses Durcheinander, sondern eine echte menschliche Figur ergeben. Ein unter bedeutenden intellektuellen Erscheinungen der neueren Zeit nicht seltener Typus, aus Ironie und Sehnsucht, Skepsis und Gläubigkeit, Herrschsucht und Demut gemischt, ist hier in die chassidische Welt hineingeraten. Von Jugend auf von Scherzen, darunter bitteren, überströmend, stets zu allerhand schlimmen Streichen, darunter wirklich bösartigen, aufgelegt, empfindet er seinen eigenen großen Geistesgaben gegenüber, die sich in alledem mehr auspuffen als äußern, einen fast unüberbietbaren Stolz und einen an Verzweiflung grenzenden Zweifel zugleich, von denen der erste mehr seiner Jugend, der zweite mehr dem späteren Alter innewohnt. Von seinem Lehrer Rabbi Mendel von Rymanow sagt er einmal, er sei heilig und

wisse nicht, was Klugheit sei: »Wie kann er sich da auf mich verstehen!« Und als der Seher von Lublin, über seine ewigen Scherze
ungeduldig, ihn ermahnt, es heiße doch in der Schrift: »Ein
Schlichter sollst du mit dem Herrn, deinem Gotte, sein« und nicht:
»Ein Kluger sollst du mit dem Herrn, deinem Gotte, sein«, gibt
er die dreiste und den Grundanschauungen des ursprünglichen
Chassidismus widersprechende Antwort: »Um ein Schlichter mit
dem Herrn zu sein, bedarf es einer großen Klugheit.« Aber nachdem er selber Rabbi geworden ist, hören wir mehr und mehr ganz
anderes von ihm. Geschichten, wie die in diesem Buch erzählten
»Der Wächter«, »Das Frühgebet«, »Führer und Geschlecht« und
gar »Ein Wunsch«, die Geschichte von seinem Begehren, als eine
milchspendende Kuh wiedergeboren zu werden, zeugen von dem,
was in seiner Seele vorgegangen ist und vorgeht. Und es ist nur
eine – freilich verallgemeinernde – Folgerung aus seiner Lebens-
erfahrung, wenn er bei einer Begegnung mit einem früheren Lubliner Mitschüler, der inzwischen in einem gewissen Umfange die
Nachfolge des Sehers angetreten hat, Meïr von Stabnitz, zu diesem sagt, nunmehr sollten die Chassidim lieber zu Haus bleiben
und lernen, als zu den Zaddikim zu fahren, worauf ihm Meïr
antwortet: »Sorgt Euch nicht um Gott! Sind wir nicht befähigt,
die Gemeinschaft zu führen, so werden andere, bessere, kommen
und die Führer sein« – eine Antwort, die von der Geschichte nicht
bestätigt worden ist.
Zu Rabbi Naftali von Ropschitz ist sein Schüler Chajim von
Zans (gest. 1876) zu stellen, unter den bedeutenden Talmudleh-
rern des Chassidismus wohl derjenige, der am energischsten die
alte Linie des Lernens fortzuführen oder, um mit einem ihm zugeschriebenen kuriosen Gleichnis zu sprechen, das einst gewendete
Kleid wieder umzuwenden unternahm. Man darf hier aber nicht
von dem Versuch einer Synthese reden, die vielmehr der älteren
Epoche der Bewegung immer wieder vorschwebte; hier ist auf
eine Synthese offenbar schon Verzicht geleistet; denn Rabbi Chajim
betont zwar, daß Lehre und »Dienst« im letzten dasselbe meinen,
bekennt aber auch, daß es für ihn beim Lernen nichts anderes auf
der Welt gibt als die Thora und beim Beten nichts anderes als den
Dienst. Ein Meister der Disputation und ein Meister der Ekstase,
aber nicht weniger bedeutend durch die weitherzige Art seines

Wohltuns und seine tiefe Menschenkenntnis, bleibt er doch in den
entscheidenden Punkten entscheidend hinter den großen Zaddikim zurück: die Einheit der Seele, die Einheit der von der Seele
geformten Gestalt fehlt. Eben dies, daß alles da ist, nur nicht die
Grundeinheit von allem, ist das Kennzeichen mancher Großen
des späten Geschlechts. Und wie ein lebender Protest steht daneben die Person eines Sohns des Zanser Rabbis, Rabbi Jecheskel
von Sieniawa, von dem erzählt wird, wie er die Thora nur noch
vorlesen, aber nicht mehr über sie predigen will; er pflegte vom
Vater zu sagen, er habe die Seele Abels, von sich aber, das gute
Seelenelement Kains sei in ihn eingegangen; auch ist von ihm das
Wort überliefert, bei jedem Zaddik seien unter denen, die zu ihm
gefahren kommen, Gottesfürchtigere als er, ohne daß sie selber
es wissen.

Von dem berühmten Zaddik und Dynastiegründer Schalom von
Belz hat mir das reichhaltige legendäre Material nicht das zu lie-
fern vermocht, was ich ein Bild nenne. Doch ist einiges von ihm
Erzählte so denkwürdig, daß ich ihn nicht übergehen konnte.
Zwei Motive wirken besonders eigentümlich. Das eine ist das der
Beichte: Rabbi Schalom läßt sich von Chassidim alle sie anwan-
delnden »fremden Gedanken« berichten, alle Versuchungen der
Phantasie also, die sie am konzentrierten Beten verhindern; er
nimmt die Berichte mit einer gespannten Aktivität der eigenen
Seele entgegen, und dadurch allein, durch diese gegenseitige Handlung vollzieht sich die völlige Befreiung. Das andere Motiv betrifft die Ehe. In Kreisen der jüdischen Frommen ist nicht bloß
die weibliche Gegenwart im allgemeinen, sondern oft auch die der
eigenen Frau als etwas »Ablenkendes« angesehen worden. Diese
Wirkung gilt aber nicht als eine ursprüngliche, im geschöpflichen
Wesen der Frau begründete, sondern als aus der Ursünde, aus
dem bestimmten Anteil des weiblichen Elements daran stammend. Beim Rabbi von Belz erscheint sie endgültig überwunden:
man sieht ihn mit seiner Frau sitzen wie Adam und Eva im Paradies vor der Sünde, als die Frau noch ihrem ganzen Wesen nach
der »Helfer« für den Mann war, – der schöpfungsmäßige Urstand
ist wieder hergestellt.

Hirsch von Żydaczow, der außer beim Seher auch beim Sasower
und beim Kosnitzer gelernt hat, stellt mit seinen Brüdern und

Neffen das einzigartige Bild einer Familie dar, die zugleich eine Schule ist, die er führt. Ein schönes Sinnbild für den inneren Zusammenhang dieses Kreises ist die Geschichte von einem der fünf Brüder, der, als der älteste, eben Rabbi Hirsch, schwer erkrankt, sich dem Himmel an seiner Stelle anbietet, »weil die Welt ihn mehr braucht«, worauf das Opfer angenommen wird. Unter den Schülern von Lublin ist Rabbi Hirsch der eigentliche Kabbalist. Das bekundet sich nicht bloß in seiner Arbeit, sondern auch darin, daß er im Alltag nichts tut, nicht einmal ein Glas Wasser zum Munde führt, ohne eine besondere Kawwana zu vollziehen. Aber alle Selbstsicherheit ist ihm fern. Noch mit vierzig Jahren hegt er einen Zweifel, ob er nicht noch in der Macht des Venussterns sei, unter dem sich Gut und Böse mischen. Auch die Menge der zu ihm gefahren kommenden Chassidim ist ihm verdächtig – sollte da nicht der Satan seine Hand im Spiel haben? Er nimmt eben, wie alles andere, so auch das Verhältnis zugleich äußerer und innerer Hilfe ernst, zu dem er sich jedem seiner Chassidim gegenüber in Pflicht genommen fühlt; wie soll man in solch einer Menge jeden einzelnen wahrhaft als Person behandeln können? Damit ist auch eng verknüpft, daß er alle Vorherrschaft, allen exklusiven Anspruch für sich selber ablehnt und ebenso auch für jeden andern Zaddik; ein Chassid, der seinen Rabbi für den einzigen wahren hält, ist ein Götzendiener – es kommt darauf allein an, daß jeder den Rabbi finde, der seiner Art und seinem Bedürfnis entspricht und geeignet ist, ihm, und gerade ihm, zu helfen. Das von Rabbi Hirsch neu gestellte Problem des Zaddiks hat in Verbindung mit dem persönlichen Selbstzweifel einer seiner Neffen, Jehuda Zwi von Rozdol (gest. 1847), weiter ausgebaut. Er findet in sich die weltverändernde Macht der großen Zaddikim nicht mehr vor, wohl aber kennt er als das bestimmende Prinzip seiner Seele ein nachgiebiges und gleichsam raumschaffendes Element, das er das Nichts nennt und dessen die Welt zu ihrem Bestande ebenfalls bedarf. Ein anderer Neffe Rabbi Hirschs, Jizchak Eisik von Żydaczow (gest. 1873), hat demgegenüber, ohne für den Zaddik als solchen mehr zu beanspruchen, doch das Positive in seiner Beziehung zu den Chassidim stärker hervorgehoben, einerseits, indem er alle menschlichen Beziehungen, also auch diese, als auf gegenseitigem Geben und Nehmen begründet ansah, und

anderseits, indem er die häufig mißkannte sittliche Wirkung des
Zaddiks auf den Chassid nicht als selbständige Aktion, sondern
als in der religiösen Wirkung eingeschlossene und durch sie bedingte verstand. Im ganzen, so darf man sagen, hat die Schule
von Żydaczow wichtige Beiträge dazu geleistet, den ganzen Umkreis des Verhältnisses zwischen Zaddik und Chassidim kritisch
zu erfassen und aufs neue mit größerer Exaktheit zu determinieren.

Als ein großes selbständiges Gemeinschaftsgebilde steht die aus
der Schule von Lublin hervorgegangene Schule von Pżysha mit
ihrer Tochterschule Kozk vor uns. Man kann ihre Eigenart nur
erfassen, wenn man die ihres Urhebers, des »Jehudi«, erfaßt
hat[20].
Jaakob Jizchak hieß der Jehudi wie sein Lehrer; eben deshalb
soll er, weil nicht geziemend ist, im Umkreis seines Meisters dessen Namen zu gebrauchen, mit dem Beinamen »der Jude« bezeichnet worden sein; der bürgerte sich so ein, daß später andere
Zaddikim den Rabbi von Pżysha nur »heiliger Jude« anredeten.
Aber es liegt in dem Namen etwas anderes, etwas Sinnbildliches,
wodurch er den besondern Charakter des Mannes kennzeichnet.
Als Knabe schon wollte der Jehudi an dem Beten der anderen
nicht regelmäßig teilnehmen, Schelten und Schlagen war vergeblich; da merkte sein Vater, daß er, nachdem das Bethaus geschlossen wurde, übers Dach und durchs Fenster hineingeklettert
kam und sein Gebet sprach, und so Tag um Tag. In seiner Jugend
pflegte er, von niemand gesehen, in einem Speicher zu beten. Er
galt damals schon als ein großer Gelehrter im Talmud, der aber
nichts vom Herzensdienst wisse. Alle meinten von ihm, er gehe
nicht ins Tauchbad; man sah ihn nämlich nie in einer der Gruppen, die, weil das Bad neunzig Stufen tief lag und eisig war, stets
in einem, zehn Männer oder mehr, hinzogen, um erst einen
Scheiterhaufen zu errichten und das Wasser zu erwärmen, auch
um einander die Unheimlichkeit der langen, glatten Treppe zu
mildern; er ging aber allein um Mitternacht hin, tauchte, ohne
Feuer anzumachen, kehrte heim und lernte in der Kabbala; zu-

---

[20] Ich muß auch hier wieder auf mein Buch »Gog und Magog« hinweisen, in dessen
Mittelpunkt die ambivalente Beziehung zwischen dem Seher und dem Jehudi steht.

weilen fand ihn in der Frühe seine junge Frau ohnmächtig vor
dem Buche liegen. Es war die Stadt Apta, in der seine Schwiegereltern wohnten. Rabbi Mosche Löb von Sasow, der große Liebende, der damals in Apta weilte, wurde ihm gewogen und nahm
sich seiner an, woraus sich ein tiefer Einfluß auf die spröde Seele
ergab; und auch Rabbi Abraham Jehoschua Heschel von Apta
entdeckte seine Größe. Nach langen Wanderungen, auf denen er
in den Dörfern als Kinderlehrer tätig war, suchte er, von einem
Verlangen nach dem Tod als der Vollkommenheit heimgesucht,
von dem er nicht wußte, war es Wahrheit des Himmels oder eine
Selbsttäuschung, nach Halt und Führung, und Rabbi David von
Lelow soll es gewesen sein, der ihn damals zum »Seher« nach
Lublin brachte, wo er, wie es heißt, schon erwartet wurde. Hier
wurde ihm zunächst eine tiefe Beruhigung zuteil; wenn man von
seiner Jugend weiß, versteht man, was er einmal sagte: er habe
in Lublin einschlafen gelernt. Aber der Seher stand nicht, wie sein
Lehrer, der Maggid von Mesritsch, in der großen Klarheit des erzieherischen Vertrauens, in dessen Obhut sich die Lebenssubstan-
zen der Schüler, eine jede aus ihren Elementen, auferbauen; er
stand in der Welt seiner geistigen Triebe, deren oberster sein
Schauen war, und ob auch seine – ebenfalls leidenschaftliche –
Demut immer wieder den Ausgleich zwischen dieser seiner Welt
und der Welt ihm auferlegte, er vermochte einen Menschen wie
den Jehudi nicht wahrhaft aus dessen Voraussetzungen zu fassen;
denn ihm fehlte, was diesem Menschen gegenüber ein und alles
war: das Vertrauen von Seele zu Seele. Der Jehudi aber konnte
eben dieses Fehlen in der Persönlichkeit des Sehers nicht begreifen. So entstand jene aus Nähe und Ferne gewobene Beziehung,
in deren Verlauf schließlich der Jehudi, auf Veranlassung des
Lehrers zwar und dennoch dessen Mißtrauen dadurch nur wieder
nährend, eine eigene Gemeinde begründete, aus der, mit der Hilfe
des Mitschülers und Schülers, Rabbi Bunam, die Schule von Pžysha
erwuchs. Doch blieb die Beziehung zum Rabbi von Lublin
in all ihrer Unruhe und Pein für den Jehudi zentral; er mußte
sich immer wieder an der Überbrückung des Unüberbrückbaren
versuchen. Unter dieser Verfinsterung hatte er unterdessen seinen
Weg begonnen, und nach manchen Jahren des Kampfes flogen die Scharen ihm zu. »Kehret um«, rief er, »kehret schnell

um, denn die Zeit ist kurz, keine Frist mehr verbleibt für neue
Wanderung der Seelen, die Erlösung ist nah!«Damit ist gemeint,
die Erlösung sei so nah herbeigekommen, daß den Menschen
keine Zeit mehr übrigbleibe, die Vollkommenheit in neuen Wanderungen ihrer Seelen zu finden, sie müßten vielmehr das Entscheidende in einem ungeheuren Anlauf, in der großen Umkehr
vollziehn. Der Jehudi blieb jenseits des magischen Bereichs, in das
der Lubliner und dessen Freunde damals eintraten, um vom Zeit-
geschehen aus an die messianische Sphäre zu rühren; er wollte
nicht das Ende bedrängen, sondern den Menschen dem Ende zu-
bereiten. »Er wollte«, so hat Rabbi Uri von Strelisk, der »Seraf«, von ihm gesagt, »einen neuen Weg herabbringen: Lehre
und Gebet zu *einem* Dienst zu verschmelzen.« Er sagt weiter,
das habe es noch nicht gegeben; richtiger scheint mir zu sein: das
hatte es im Anfang der chassidischen Erneuerung gegeben und
gab es nun nicht mehr. Und Rabbi Uri fügt noch hinzu: »Aber
er starb in der Mitte seiner Arbeit und vollbrachte sie nicht.«
Was dem Jehudi von seinen Gegnern am schwersten angerechnet
wurde, daß er die Gebetszeiten nicht einhielt, sondern wartete,
bis die Fülle kam, war nur eine notwendige erste Folge seines
Willens zur Konzentration. Zu manchen anderen Folgen gelangte
er nicht mehr. Er starb im Anstieg seiner Kraft, weniger als fünfzig Jahre alt, etwa zwei Jahre vor seinem Lehrer. Über die Ursache seines Sterbens weiß eine Sage zu melden, sein Lehrer habe
es ihm anbefohlen, um durch ihn aus der oberen Welt zu erfahren, was nunmehr in der großen Unternehmung zu tun sei; aber
eine andere erzählt, man habe ihm von oben zur Wahl gestellt,
ob sein Lehrer oder er sterben solle, und er habe gewählt. Und
noch einen Bericht gibt es, aus dem klingt hervor, daß das Geheimnis seiner Jugend, das in jenem Todesverlangen ausbrach,
sich ihm damals auf höherem Plan erneuerte, und daß die höchste
»Einung«, wenn sie ohne Verwurzelung vollzogen wird – und
wahrhaft verwurzelt war diese Spätblüte des Chassidismus eben
nicht mehr –, mit dem leiblichen Tode verbunden ist. Keines andern Zaddiks Tod ist in der Überlieferung so geheimnisumwit-
tert wie dieser.
Die Lehre, die in seinem Leben Gestalt gewonnen hat, hat er selber einmal in den knappen Worten ausgesprochen, die sich an

den Spruch der Schrift »Gerechtigkeit, Gerechtigkeit jage nach«
anschließen: »Das Jagen nach Gerechtigkeit soll mit Gerechtigkeit geschehen und nicht mit Lüge.« Was dieses Buch vom »Jehudi« erzählt, wird durch einige – einer Fülle verwandten Materials entnommene – Geschichten von seinen Söhnen und Enkeln
ergänzt, die zeigen sollen, wie hier ein eigentümliches Wesen sich
durch die Geschlechter hin erhält.

Der größte unter den Schülern des Jehudi und sein Nachfolger,
Rabbi Ssimcha Bunam von Pžysha, hatte sich als Schreiber, als
Holzhändler, als Apotheker in der Welt umgetan; er war wohl
zum Talmudstudium nach Ungarn, aber auch mehrfach zum Handel nach Danzig gereist, mit offenen Augen und unbefangen mit-
lebender Seele. »Ich weiß, wie es mit dem Sündigen zugeht«,
sagte er einmal, »seither weiß ich auch, wie man einen jungen
Baum, der krumm wächst, zurechtbiegen kann.« Nachdem ihm
die chassidische Wahrheit entgegentrat, pflegte Bunam erst zum
Kosnitzer Maggid zu fahren, dann kam er nach Lublin, wo der
Seher den »deutsch« aussehenden Mann dennoch sogleich lieb-
gewann, endlich lernte er den Jehudi kennen; bald war er sein
vertrautester Schüler. Nach seinem Tod wurde er von der großen
Mehrheit der Pžyshaer Chassidim zum Rabbi ausersehen; doch
folgte er dem Ruf nur widerstrebend und ließ viele, die zu ihm
kamen, tagelang warten, so schwer war es ihm, den neuen Beruf
auszuüben. Zur Menge hatte er keine Beziehung, auch nicht die
des Jehudi in seiner letzten Lebenszeit, ein Gegenstand ihrer Begeisterung zu sein; aber mit dem Lehren war es ihm, als er damit
erst wahrhaft begonnen hatte, lebendigster, verantwortungsstärk-
ster Ernst; und seine Wirkung auf die jungen Menschen, die überallher kamen und baten, in seiner Nähe verweilen zu dürfen, war
eine rüttelnde und umwälzende. Da die Jünglinge um seinetwillen Haus und Erwerb verließen, wurde er wie kein anderer von
den Familien im weiten Land befehdet. Aus sachlichen Gründen
waren ihm viele Zaddikim seiner Zeit entgegen. Rabbi Naftali
von Ropschitz, der schon den Jehudi aufs heftigste bekämpft
hatte, sagte einmal zu einem jungen Menschen seiner Stadt, der
seinen Segen zu einer Heirat mit einem Mädchen aus der Gegend
von Pžysha erbat: »Gegen den Rabbi selber spreche ich nicht,
denn er ist ein Zaddik, aber der Weg ist gefährlich für die Schü-

ler, die ihm folgen. Wir dienen so viele Jahre, um zu der Macht und Inbrunst zu kommen, die sie dort in einer kurzen Weile erlangen; da kann sich, Gott behüte, die ›andere Seite‹ mit der Dämonie des Venussterns einschleichen.« Schließlich kam es sogar, auf der großen Zaddikim-Hochzeit zu Ostila, zu einer Art Gerichtsverhandlung, bei der der Apter Rabbi den Vorsitz führte und die Anklage abwies. Aber der kam eine tiefere Berechtigung zu, als die Ankläger wohl ahnten. Bunam versuchte, auf dem Weg weiterzuführen, den der Jehudi betreten hatte, aber da er nicht, wie sein Lehrer, daran glaubte, daß für die nahe Erlösung die Bereitschaft des Menschen jetzt und hier zu schaffen sei, konnte er die Richtung nicht wahren. Der Jehudi hatte gleichsam erstrebt, Wurzel im *Ziel* zu schlagen; Bunam vermochte nicht mehr, wie er, es als das unmittelbare Ziel des eigenen Handelns zu sehen; so blieb das Erbe des Meisters in der Luft hängen. Vorüber ist es nun mit dem Ausblick in eine neue Verschmelzung von Lehre und Gebet, die einen Moment lang am Horizont erschienen war; vorüber, da es mit der alten Verwurzelung vorüber ist und eine neue sich als unmöglich erweist. In der Atmosphäre der Verlassenheit, die nun auch Ziel-Verlassenheit geworden ist, in der Atmosphäre des Individualismus kann noch Weisheit gedeihen, aber keine Heiligkeit mehr reifen. »Der Geheimniskundige« wird der weise Bunam genannt, aber geheimnis*nah*, wie noch der Jehudi war, ist er nicht mehr. In seinen tiefsinnigen Tischreden und kristallklaren Gleichnissen legt er ein starkes Zeugnis für die religiöse Wahrheit ab; aber als Leib und Stimme des religiösen Genius kann auch er nicht mehr empfunden werden. Das Gebet, das um der Konzentration willen vom Jehudi »verzögert«, das heißt subjektiviert worden war, tritt nun – eine natürliche Folge der Suprematie der Schule über die Gemeinde – zurück gegen die Lehre; diese aber verwandelt sich unter dem Einfluß der Wurzellosigkeit immer mehr aus der Übergabe des Unaussagbaren wieder in das Studium von Inhalten.

Die Unheimlichkeit der Spätzeit, des Zerfalls, die von der klaren Weisheit Rabbi Bunams nur verdeckt war, zeigt sich uns unverhüllt, wenn wir die Legende seines Sohns lesen, der bald nach ihm, noch nicht dreißigjährig, starb. Alles ist hier Bewußtsein des Todes und Begehren nach dem Tod. Sein Vater sagte von ihm, er

habe die Seele des Königs Jerobeam I., der Israel von Juda los-
trennte; nun könne sein Weg zum völligen Bösen oder zu einer
Vollendung des Guten mit frühem Tode führen – zu diesem entscheidet es sich. Wie der junge Rabbi die Opferung Isaaks auslegt: daß die Liebe Abrahams zum Sohn sich gerade in der Bereitschaft, ihn zu opfern, äußere, denn Isaak verweile »nur als
Sohn« bei ihm, in Wahrheit aber sei er das Opferlamm Gottes,
hat einen dunkel persönlichen Klang. Wunderlich hört es sich an,
wie ihn vor seiner Hochzeit – er heiratet eine Enkelin des »Jehudi« – Rabbi Bunam auf den Friedhof schickt, einen Toten ein-
zuladen, und er irrt sich und lädt den Falschen ein. Nach der
Hochzeit bleibt er nicht daheim, sondern zieht mit einer Schar
der »ihm Anhangenden« (wir kennen diese junge Schar von
Rabbi Schalom Schachna her und werden sie bei Rabbi Mendel
von Worki wiederfinden) in den Wald und »lernt mit ihnen Chassiduth[21]«; es ist derselbe Wald, von dem einst der Seher von Lublin, durch ihn fahrend, sagte, es werde einmal »die ganze offenbare und geheime Lehre mitsamt der Niederlassung der Schechina hier sein«; sein Vater muß ihn erst zu seiner jungen Frau
heimschicken – »wie aus dem Schlaf erwachend, sagte er: ›Ich
habe vergessen.‹« Wie er in das Sterben des Vaters – der »sein
Lebtag sterben lernte« – verwickelt wird, lese man in der Geschichte »Geheimnisse des Sterbens« nach. Nach dem Tod des Vaters zögert er, die Nachfolge anzutreten; er weiß, daß er, wenn
er sie wählt, sich das Leben abschneidet; dennoch entscheidet er
sich zuletzt für sie. Aber schon nach zwei Jahren »gelüstet es
ihn« zu sterben, und er stirbt. Im Tod ist seine Schönheit wie die
des Lebendigen; ein Zaddik, der herzutritt, als man ihn zu Grabe
trägt, und den Leichnam betrachtet, ruft: »Weh um diese Schönheit, daß sie in der Erde modern muß!« und ist mit Stummheit
geschlagen bis zum nächsten Tag. Man erzählt sich von Abraham Mosche, er sei ein großer Musiker gewesen. Wir hören nicht,
daß Rabbi Bunam ein Kind außer ihm gehabt hätte.
Wenn man die Schüler Rabbi Bunams, wie es einer von ihnen,
Rabbi Chanoch, getan hat, als Kommentare zu ihm bezeichnen
kann, ist Menachem Mendel von Kozk (gest. 1859) als derjenige

---

[21] Das ist Chassidismus, als Gesinnung der Lebensfrömmigkeit verstanden.

anzusehn, der selber eines Kommentars bedarf und keinen gefunden hat; denn seine Schüler sind im allgemeinen nicht als
solche zu verstehn. Sicherlich ist er Rabbi Bunams eigentlicher
Nachfolger; aber auf dessen milde Sonnenuntergangs-Weisheit
folgt hier ein wetterleuchtendes Nachtdunkel. Rabbi Mendel ist
von Kindheit auf ein Rebell, der um die Wahrung des eignen un-
abhängigen Weges eifert. Es wird erzählt, als der Seher von
Lublin den Jüngling holen ließ und ihm, wie es seine Art war,
Fragen vorlegte, darin sich sein »Schauen« kundgab, habe er mit
einem Protest geantwortet, und als ihm später einmal der Seher
seinen Weg verwies, weil er zur Schwermut führe, verließ er
Lublin und ging nach Pżysha. Hier freilich, unter der Führung
des Jehudi, ordnet er sich unter, aber schon bald nach dessen Tode
bricht die unbändige rebellische Natur wieder durch, in Mut-
willen gegen die träge Menge der Besucher, aber auch in Auflehn-
ungen des Geistes. Als er dann selber Rabbi wird, wird es deutlich, daß es ihm in aller Strenge um eine völlige Erneuerung der
Bewegung geht. Sie soll sich wieder darauf besinnen, wozu der
Mensch erschaffen worden ist: »um den Himmel emporzuheben«.
»Aus der heiligen Offenbarung ist eine Gewöhnung geworden« –
man muß alle Kraft sammeln, um wieder zur Offenbarung vorzudringen, dahin, von wo aus »der Himmel erhoben« werden
soll. Das kann nicht mehr die Aufgabe der Gemeinde sein, sondern nur die der Schülerschaft. Das Band zwischen Gemeinde und
Schule erscheint hier endgültig zerrissen; wohl bleibt der Gemeinde das Gebet, und dem Gebet kommt auch in Kozk eine
hohe Bedeutung zu; dem Rabbi selbst wird nachgerühmt, er habe
ohne Mühe und Aufwand gebetet, »wie einer sich mit seinen Gefährten bespricht«. Aber für die Augen der Welt, vor denen man
sich überhaupt zu verstellen liebt, »betet man schnell ab«, und
für das Gemeindegebet als solches gibt es hier kein wirkliches Gefühl mehr, wie denn auch Gebet und Lehre nun endgültig zwei
Welten sind, die nur im Wissen um das Ziel, nicht in der Wärme
des Herzens und der Begeisterung der Praxis miteinander zu
schaffen haben. Der »Tempel der Liebe«, in dem einst die große
Liebe zwischen den Chassidim wohnte, ist des Mißbrauchs des
heiligen Feuers wegen geschlossen worden und kann nicht wieder
geöffnet werden. Alles steht jetzt auf der Schülerschaft als auf der

Elite, die zur Offenbarung vordringen soll. Was Rabbi Mendel damit ursprünglich im Sinn hatte, deutet er an, wenn er gegen sein Lebensende sagt, er habe zuerst nur vierhundert Chassidim sammeln, mit ihnen »in den Wald« gehen und ihnen »Manna geben« wollen, damit sie die Königsmacht Gottes erkennen: das Traumbild einer Wüstenwanderung zum Empfang der neuen Offenbarung (den Spruch[22] »die Thora ist nur den Manna-Essenden gegeben worden« versteht er: denen, die nicht für den morgigen Tag sorgen), wobei von Bedeutung ist, daß er schon als Kind versicherte, er erinnere sich daran, wie er mit am Sinai stand, und als Rabbi forderte, jeder solle sich in seinem Herzen das Stehen am Sinai vorstellen. Aber es sind auch Äußerungen überliefert, er habe gehofft, in der auserlesenen Schar würde jeder »unmittelbar in den Himmel schauen« und ein Mensch wie der Baalschem sein, – folgerichtigerweise, denn er sah sich als den Sabbat an, in dem das Werk der großen Woche, die mit dem Baalschem begann, seine Vollendung zeigt. Die Traumbilder werden schon früh verweht; die große Enttäuschung der ersten Zeit führt zur Beschränkung auf ein Lernen von rasender Intensität. Das Gefühl der Schülerschaft (deren großer Teil sich mit körperlicher Arbeit sein Brot verdienen muß), über der ganzen übrigen Welt zu stehen, führt zu mancherlei Auswüchsen, die über die unter Rabbi Bunam üblichen drastischen Kundgebungen den Uneingeweihten gegenüber noch weit hinausgehen. Rabbi Mendel selber achtet auf diese Dinge nicht. Ihm ist es jetzt, da ihm die erste verwegene Hoffnung zerstört ist, darum zu tun, seine Wahrheit nach außen und innen zu hüten. Was er Wahrheit nennt, ist nicht ein Inhalt, sondern eine persönliche Beschaffenheit; sie ist das, »was man nicht nachmachen kann«; er deutet das Psalmwort, Gott sei allen nahe, die ihn mit der Wahrheit anrufen: mit der Beschaffenheit der Wahrheit; und er lehnt den Frieden, sogar mit der Schule eines Freundes, ab, wenn man ihn durch einen Verzicht auf die Selbstbehauptung der »Wahrheit« erkaufen muß. Nicht minder streng aber, ja womöglich noch strenger, hütet er den Standort der Wahrheit nach innen: auch aus einem Gottesgebot, lehrt er, darf man sich kein Götzenbild machen, das einem die Wahrheit

---

[22] Im Midrasch (Mechilta zu Exodus 16, 4).

verdeckt, und mit »Gott« muß man Gott selber meinen und nicht
ein »Gußbild« der Phantasie. Daß nur wenige der Schüler–Schüler und frühere Gefährten wie der Gerer Rabbi, der hier »ein
wahres Stück Feuer« sah und sich daher »darunter legte« – die
strenge Lehre von der persönlichen Wahrheit (»Wahrheit ist
nicht, bis der ganze Mensch eins und einig wird in Seinem Dienst
und eine Wahrheit von Beginn bis Ende der Lettern der Schrift«,
hat sie später ein Schüler umschrieben) in ihr Leben aufgenommen und zu Leben gemacht haben, ist verständlich genug. Die
meisten mögen Aussprüche wie das Lob Pharaos, weil er »ein
Mann gewesen« sei und den Plagen standgehalten habe, mit
Vergnügen angehört haben, ohne zu ermessen, worauf sie abziel-
ten. Die Enttäuschungen an den Chassidim haben gewiß wesentlich dazu beigetragen, die Verdüsterung und Abgeschlossenheit zu
erzeugen, in der Rabbi Mendels zwanzig letzte Lebensjahre verlaufen. Aber es hieße diese tragische Erscheinung der chassidischen Agonie zu leicht nehmen, wollte man sich zur Erklärung
der Vorgänge an die Erfahrungen allein halten, die der Kozker
Zaddik mit den Menschen gemacht hat; man muß den Glaubens-
prozeß selber betrachten. Der Niedergang einer großen Bewegung, zumal einer großen religiösen Bewegung, scheint mir die
härteste Probe zu sein, auf die der Glaube eines wahrhaft gläubigen Menschen – und das ist Rabbi Mendel, der einmal von sich
sagte: »Ich habe Glauben, Glaube ist klarer als Schau«, sicherlich gewesen – gestellt werden kann, eine viel härtere Probe als
alles persönliche Schicksal; es scheint mir die größte aller Hiobs-
fragen zu sein, wie es geschehen kann, daß aus solcher Gottesnähe solche Gottesferne wird. In der Geschichte der chassidischen
Bewegung ist die Schule von Pżysha der eigentliche Träger dieser
Frage. Schon der »Jehudi« ist von ihr angewandelt worden, wie
jenes Wort »Auch dies wird verderben« beweist, und er ist ihr
mit seinem gewaltigen Ruf zur Umkehr entgegengetreten; Rabbi
Bunam war von der Frage überschattet, was zum Beispiel in seiner radikalen Ausarbeitung des Motivs der »Chassidim des Satans« zum Ausdruck kommt, und er hat darauf geantwortet, der
Hirt sei da, auch wenn die Schafe ihn nicht sehen. Zu Rabbi Mendels Zeit war der Niedergang so fortgeschritten und seine Emp-
findlichkeit dafür war so groß, daß die Frage ihn mit ihrer grau-

samsten Kraft überfiel und er ihren Schlägen erlag. Das Offenbarwerden der Krisis vollzog sich an einem Freitagabend, an dem der Rabbi bis Mitternacht nicht Kiddusch[23] machte und erst dann aus seinem Zimmer zum Sabbattisch trat. Was nun geschah, darüber gehen die fast nur mündlich erhaltenen Berichte stark auseinander, aber fast allen ist ein mehr oder minder ausgesprochener antinomistischer Zug gemeinsam, ein Überspringen jenes Rebellentums auf das Verhältnis zur Thora, ob nun Rabbi Mendel wirklich, wie die »Aufgeklärten« behaupten, davon gesprochen hat, der Mensch mitsamt seinen Trieben und Lüsten sei ein Teil Gottes, und zuletzt ausgerufen hat: »Es gibt kein Gericht und keinen Richter!« oder ob er nur den Leuchter berührte und sich damit ostentativ gegen das Sabbatgesetz verging. Etwas zutiefst Bestürzendes muß es wohl gewesen sein; denn nur so ist zu erklären (was ziemlich übereinstimmend berichtet wird), daß Mordechai Jossef, einst Mitschüler Rabbi Mendels bei Rabbi Bunam, später sein Schüler und stets sein heimlicher Rivale, den Chassidim zurufen konnte: »Tafeln und Tafelsplitter lagen beisammen in der Lade, aber wo Gottes Name entweiht wird, ist nicht Raum für Rücksicht auf die Ehre des Rabbi – bindet ihn!« Ihm tritt der treue Rabbi von Ger, der Schwager des Kozkers, entgegen, und es gelingt ihm, einen großen Teil der Chassidim zu beruhigen; der Rest verläßt nach Sabbat Kozk, Rabbi Mordechai Jossef an ihrer Spitze, der seinen Sitz in der Stadt Izbica nimmt. (Er hat später erklärt, die Trennung sei ihm »vom Himmel befohlen worden«.) Von da an bis zum Tode, an zwanzig Jahre, bleibt Rabbi Mendel in seiner Stube hinter zwei fast immer geschlossenen Türen; in die eine sind zwei große Löcher gebohrt, durch die hört er den Gottesdienst im anliegenden Betraum und sieht wohl auch hinüber, wogegen die andere Tür mitunter von ihm selber geöffnet wird, wenn draußen die Chassidim versammelt sind – da tritt er dann an die Schwelle, im Unterkleid, furchtbaren Angesichts, und verschilt alle in abgehackten, geschleuderten Worten, so gewaltig, daß der Schrecken sie befällt und sie durch Türen und Fenster flüchten; doch geschieht es zuweilen auch, daß er am Freitagabend in der weißen Pekesche heraustritt und die Besucher

---

[23] »Weihe«; hier: die Einweihung des Sabbats durch den über den Wein gesprochenen Segen.

begrüßt, denen er sonst nur durch ein Türloch die spitzen Finger
entgegenstreckt. Zum Sabbattisch setzt er sich aber nie, wie er
denn überhaupt außer einem Teller Suppe an jedem Abend fast
keine Nahrung zu sich nimmt. Wird er an einem Sabbat zur
Thora gerufen[24], so geht er, den Gebetmantel übers Gesicht gezogen, zur Estrade und nach der Verlesung des Schriftabschnitts
wieder zurück. In seiner Stube haben die Mäuse freies Spiel, die
Chassidim aber, wenn man sie poltern hört, flüstern den Neuangekommenen zu, das seien die Seelen, die beim Rabbi Erlösung
suchen. Und fragst du noch heute einen Kozker Chassid, wie
der Rabbi es denn mit dem Tauchbad gehalten habe, so antwortet
er dir, der Brunnen Miriams, der einst, im Stein eingeschlossen,
mit den Juden durch die Wüste zog, habe sich in der Kammer des
Rabbi aufgetan.

Ich habe die Geschichte von Kozk hier so ausführlich erzählt, weil
sie wie der überdeutlich in die Erscheinung tretende Abschluß
eines Prozesses, ja wie der Schlußakt eines Dramas wirkt. Man
würde aber fehlgehen, wenn man sie auch rein zeitlich betrachtet
als das Ende ansehen wollte. Vielmehr geht gerade rings um
Kozk das Leben und die Arbeit weiter, als ob man nicht am
Ende, sondern mitten drin stünde. Drei Rabbi Mendel besonders
nahestehende Zaddikim, Jizchak von Worki, der ein Jahrzehnt
vor ihm (1848) starb – und zu dem hier sein Sohn, ebenfalls Mendel mit Namen (gest. 1868) zu stellen ist –, Jizchak Meïr von
Ger (gest. 1866) und Chanoch von Alexander (gest. 1870), die
ihn ungefähr um ebensoviel überlebten, sind ein schönes Beispiel
dafür. Wenn man freilich genau hinhorcht, hört man auch hier
überall, wenn auch eben sehr viel leiser, Mitternacht schlagen.
Unter den dreien beginne ich, der Zeitfolge entgegen, mit dem
letzten, Rabbi Chanoch, weil er unter ihnen im eigentlichsten
Sinn ein Schüler des Kozkers war. Alle drei hatten sie mit diesem
zusammen bei Rabbi Bunam gelernt; aber nach dessen Tode hatte
der Gerer, der, achtundzwanzigjährig, bereits seine eigene geistige Position und seine eigne Wirkungssphäre hatte, sich – der
Überlieferung nach nach einem die ganze Nacht währenden Gespräch im Wald – bewußt dem Kozker untergeordnet, weil er

---

[24] Die Verlesung des jeweiligen Schriftabschnitts in der Synagoge findet unter besonderer Assistenz der zu dieser heiligen Handlung »Aufgerufenen« statt.

»das Licht aus Tomaschow [dem ersten Wohnsitz Rabbi Mendels] strahlen sah«; der Worker, der, um zwanzig Jahre früher als die beiden andern geboren, als Knabe den Seher in Lublin besucht hatte, dann Davids von Lelow und danach Bunams Schüler gewesen war, hatte sich nach dessen Tode Abraham Mosche für die kurze Zeit seines Rabbitums angeschlossen und sodann eine eigene Gemeinde, vorübergehend sogar in Pżysha, gegründet, ist aber Rabbi Mendel zeitlebens ein treuer Freund geblieben; dagegen hat sich Rabbi Chanoch wirklich und mit ganzem Herzen als Schüler des Kozker Rabbis gefühlt, dessen Genosse im Lehrhause Rabbi Bunams er vordem gewesen war. Erst von ihm, pflegte er zu erzählen, habe er gelernt, ein Chassid sei ein Mensch, der nach dem *Sinn* fragt. Doch auch in Kozk noch pflegte er seine tiefe und brennende Natur unter allerhand Spaßmacherei zu verbergen. Er hat aber in Wahrheit das – und nur das – von der Lehre Rabbi Mendels fortgebildet, was daran altchassidisch, urchassidisch war. So hat bei ihm insbesondre jene Idee der Aufgabe, die »Emporhebung des Himmels«, eine konkretere und vollständigere Form gewonnen. Was man die zwei Welten nennt, Himmel und Erde, sind im Grunde nur eine einzige Welt, die nur in sich aufgebrochen ist; sie wird wieder eins werden, wenn der Mensch die ihm anvertraute Erde dem Himmel ähnlich macht. (Hier ist scheinbar das Gegenteil der »Emporhebung des Himmels« gefordert, und doch ist es dasselbe, denn ein nicht mehr von der Erde getrennter, nicht mehr ihrer beraubter, nicht mehr unvollständiger Himmel ist eben »emporgehoben«.) Und dies, die Erde dem Himmel ähnlicher machen, steht im Vermögen des Menschen; denn etwas von der Himmelssubstanz und Himmelskraft ist im Innersten jedes Menschenherzens verblieben und kann von da aus wirken. Israel ist im Exil, der Mensch ist im Exil, aber im Exil seiner eigenen Gemeinheit, der er Macht über sein Himmelsherz verleiht; von hier aus ist der menschliche Anteil an der Erlösung zu fassen. Das ist klassische chassidische Lehre in neuer Gestalt und rührt doch schon zeitlich an die Epoche, in der wir leben. Und das Gleichnis des Maggidschülers Rabbi Ahron von Karlin von der Aufhebung des Ich erscheint praktisch erneuert, wenn wir von Rabbi Chanoch hören, daß er nie von sich »ich« sagte, weil das Ich nur Gottes allein ist. Aber

wehmütige und doch nicht verzweifelnde Äußerungen, wie was
er vom Altern der Melodien sagt, zeugen von seinem tiefen Einblick in den Niedergang des Chassidismus und seinem Bedürfnis
nach Wiedergeburt.

Zum Unterschied von Chanoch können wir aus den geistvollen
Aussprüchen Jizchak Meïrs von Ger keine einheitliche und in
einem gewissen Maße selbständige Lehre zusammenfügen. Er ist
ein Aphorist wie etwa Rabbi Israel von Rižin, dem er auch sonst
in manchem ähnelt. Auch er ist ein repräsentativer, weithin wirkender Zaddik, nur daß er sich weit mehr als der Rižiner mit
den sozialen und kulturellen Anliegen der polnisch-jüdischen
Gemeinschaft befaßt und sie vertritt, und daß er mit einer demütigen Selbstkritik von seiner eigenen Person redet, derengleichen
wir aus dem Munde Rabbi Israels nicht vernehmen. Seine kritische und doch nicht hoffnungslose Erkenntnis vom Niedergang
der Bewegung äußert sich am klarsten in der Schilderung, die er
in seinem Alter – sicherlich nicht ohne Bezugnahme auf eigene
Erfahrungen – von einer Gemeinde entwirft, in der alles da ist,
Führer und Leute und das Lehrhaus mit dem ganzen Apparat,
und da reißt der Satan das innerste Pünktlein heraus, »aber alles
andre bleibt wie zuvor, und das Rad dreht sich weiter, nur das
innerste Pünktlein fehlt«. Er redet vertraut zu seinem Enkel;
aber die Schilderung reißt ihn zu einem Aufschrei hin: »Gott
helfe uns: man darf's nicht geschehen lassen!«

Diese kritische Entschlossenheit dem Stand der Bewegung gegenüber findet man noch nicht bei dem dritten der drei um Kozk,
Jizchak von Worki, so schöne Äußerungen der Selbstkritik wir
bei ihm auch finden. Dieser edlen Gestalt, an geklärter Weisheit
wohl unter allen Schülern Rabbi Bunams ihm am nächsten kommend, scheint die Problematik der späten Stunde ferngeblieben
zu sein. Und doch scheint mir, was er von der wie aussichtslosen
und doch nicht aussichtslosen Umkehr des großen Sünders sagt,
über den persönlichen Bereich hinauszugehen. Einen unmittelbaren und machtvollen Ausdruck findet die Krisis dagegen in
seinem Sohn, Mendel von Worki, und zwar nicht in dem oder
jenem seiner Aussprüche, sondern in seinem Schweigen. Variatio-
nen auf das Thema »Schweigen«, die von ihm erzählt werden,
schließen sich zu einem eigentümlichen Bilde zusammen. Das

Schweigen ist bei ihm kein Ritus, wie etwa bei den Quäkern, aber auch keine asketische Übung, wie etwa bei indischen Sekten, und doch ist es eine »Kunst«, wie der Rabbi von Kozk es versteht. Das Schweigen ist sein Weg. Das Prinzip dieses Schweigens ist kein negatives, es ist keine bloße Abwesenheit der Rede, es ist durchaus positiv und wirkt als solches. Mendels Schweigen ist eine Schale, die mit einer unsichtbaren Essenz gefüllt ist, und wer mit ihm ist, atmet diese ein. Er trifft mit einem andern Zaddik zum erstenmal zusammen, sie sitzen einander schweigend eine Stunde gegenüber, ähnlich, wie es von dem Franziskusjünger Ägidius und König Ludwig dem Heiligen erzählt wird, und haben einander genug getan. Er verbringt eine schweigsame Nacht mit seinen Chassidim, und sie empfangen eine große Erhebung zu dem Einen hin. Es ist zweifellos, daß das Schweigen seine besondere Art von Frömmigkeit, von Chassiduth, ist. Aber das nicht allein. Wenn er selber sich über das Schweigen, wenn auch nicht über sein eigenes (was er nie in direkter Weise tut), äußert, so meint er damit nicht ein lautloses Gebet, sondern ein lautloses Weinen oder einen »lautlosen Schrei«. Der lautlose Schrei ist die Reaktion auf das große Leid. Er ist ganz im allgemeinen die Reaktion des Juden auf sein großes Leid, er »geziemt uns«. Aber er ist im besonderen, das wird zwischen den Zeilen deutlich, seine, Mendels von Worki, Reaktion auf die Stunde, in der »auch dies verdirbt«. Die Zeit der Reden ist vorüber. Es ist spät geworden.

ISRAEL BEN ELIESER
DER BAAL-SCHEM-TOW

Am Baum der Erkenntnis

Es heißt, die Seele des Baalschemtow sei einst, als alle Seelen in der Adams versammelt waren[1], in der Stunde, da er am Baum der Erkenntnis stand, geflohen und habe nicht von der Frucht des Baums gegessen.

Die sechzig Helden

Es heißt, die Seele des Israel ben Elieser habe sich geweigert, in diese niedre Welt hinabzufahren; denn sie scheute sich vor den Brandschlangen, die in jedem Geschlecht einherzüngeln, und fürchtete, sie könnten ihr den Mut schwächen und sie zunichte machen. Da gab man ihr sechzig Helden mit, den sechzig gleich, die[2] das Lager des Königs Salomo umstanden »gegen den Schrecken in den Nächten« – sechzig Seelen von Zaddikim, sie zu hüten. Das sind die Schüler des Baalschem.

Probe

Es wird erzählt: Elieser, der Vater des Baalschem, wohnte in einem Dorfe. Er war ein so gastfreier Mann, daß er am Dorfrand Wächter aufstellte, die mußten die armen Wanderer auffangen und zu ihm bringen, daß er sie verpflege und versorge. Im Himmel freute man sich seines Tuns, und einmal kam man überein, ihn zu prüfen. Der Satan machte sich dazu erbötig; aber der Prophet Elia bat, man möge lieber ihn gehen lassen. In der Gestalt eines armen Wanderers mit Ranzen und Stab trat er an einem Sabbatnachmittag an Eliesers Haus und sprach den Gruß. Elieser achtete der Sabbatverletzung nicht, denn er wollte den Mann nicht beschämen; er lud ihn sogleich zum Mahl und behielt ihn bei sich. Auch am nächsten Morgen, als der Gast Ab-

---

[1] Nach der Kabbala waren alle Menschenseelen in der Adams enthalten und haben von da aus ihre Wanderschaft angetreten.
[2] Hohelied 3, 8.

schied nahm, sprach Elieser keine Rüge aus. Da offenbarte sich
ihm der Prophet und verhieß ihm einen Sohn, der die Augen
Israels erleuchten werde.

Der Spruch des Vaters

Israel wurde seinen Eltern in ihrem Alter geboren, und sie starben weg, als er ein Kind war.
Da sein Vater den Tod nahen fühlte, nahm er den Knaben auf
den Arm und sprach zu ihm:»Ich sehe, daß du mein Licht zum
Leuchten bringen wirst, und mir ist nicht beschieden, dich groß-
zuziehn. Aber, geliebter Sohn, gedenke wohl all deine Tage, daß
Gott mit dir ist und du daher kein Ding der Welt zu fürchten
hast.«
Der Spruch blieb im Herzen Israels.

Das vergebliche Bemühen

Nach dem Tod des Vaters nahmen sich um seines ihnen teuren
Gedächtnisses willen die Leute der Stadt des Knaben an und gaben ihn zu einem Melammed[3] in die Lehre.
Israel lernte zwar eifrig, aber immer nur etliche Tage hintereinander. Dann entwich er stets aus der Schule, und man fand ihn
im Walde allein. Man schrieb das dem Umstand zu, daß er eine
Waise sei und der rechten Aufsicht entbehre, und brachte ihn immer wieder zum Melammed zurück, und immer wieder floh er in
den Wald und erging sich darin, bis schließlich die Leute der Stadt
daran verzweifelten, einen Menschen aus ihm zu machen.

Der erste Kampf

Es wird von Israel ben Elieser erzählt: Als der Knabe heran-
wuchs, verdingte er sich als Schulhelfer. Er holte am Frühmorgen die Kinder aus den Häusern und brachte sie in die Schule und
ins Bethaus. Er sprach ihnen die Worte des Gebets, die im Chor
gesprochen werden, wie »Amen, es sei Sein Großer Name geseg-

---

[3] Kinderlehrer.

net in Ewigkeit«, mit einer lieblichen Stimme vor. Im Gehen
sang er ihnen vor und lehrte sie, zusammen mit ihm zu singen.
Zuletzt führte er sie über Wiese und Wald nach Haus.
Die Chassidim erzählen, im Himmel habe man sich allmorgendlich dieser Lieder erfreut wie einst des Gesangs der Leviten im
Heiligtum zu Jerusalem. Es waren Stunden der Gnade, in denen
die himmlischen Scharen sich versammelten, um den Stimmen
der Sterblichen zu lauschen. Darunter aber war auch der Satan. Er
verstand wohl, daß was sich da bereitete seine Macht auf Erden
bedrohte. So ging er in den Leib eines Zauberers ein, der sich in
einen Werwolf zu verwandeln wußte. Als einmal Israel mit seiner Schar singend durch den Wald zog, überfiel sie der Unhold,
und die Kinder stoben schreiend auseinander. Etliche unter ihnen
erkrankten vom Schreck her, und die Väter beschlossen, dem
Treiben des jungen Schulhelfers Einhalt zu tun. Er aber gedachte
der Sterbensworte seines Vaters, ging von Haus zu Haus, versprach den Leuten, ihre Kinder zu schützen, und es gelang ihm,
sie zu bewegen, daß sie ihm die kleine Schar noch einmal anvertrauten. Mit einem kräftigen Stecken versehen, führte er sie das
nächste Mal an, und als der Werwolf wieder hervorbrach, schlug
er ihm den Stecken an die Stirn, daß er auf der Stelle verreckte.
Tags darauf fand man den Zauberer tot auf seinem Bett.

Die Beschwörungen

Es wird weiter erzählt, daß Israel danach zum Diener am Lehrhaus bestellt wurde. Da er nun Tag und Nacht dort zu verbringen gehalten war, aber das Gebot des Himmels empfand, seine
Andacht und Versenkung geheimzuhalten, pflegte er, wenn die
Insassen des Lehrhauses wachten, zu schlafen, und wenn sie schliefen, betend und lernend zu wachen. Sie aber meinten, er schlafe
die Nacht über und noch in den Tag hinein.
Die Chassidim erzählen von wunderbaren Dingen, die sich damals begaben.
Vor der Zeit des Baalschemtow, so wird erzählt, lebte, man weiß
nicht mehr wo, aber es heißt, daß es die Kaiserstadt Wien war,
ein wundertätiger Mann, Adam mit Namen, der wurde, wie eine

Reihe wundertätiger Männer vor ihm, Baal-schem, das ist Meister des Namens, genannt, weil er den geheimen vollen Gottesnamen kannte und so auszuprechen verstand, daß er mit seiner Hilfe die seltsamsten Dinge wirkte, insbesondere aber Menschen an Leib und Seele heilte. Als Adam sich dem Tode nah fühlte, wußte er nicht, wem er die uralten, vom Erzvater Abraham her überkommenen Schriften lassen solle, aus denen er die Geheimnisse gelernt hatte. Denn sein einziger Sohn war zwar ein gelehrter und frommer Mann, aber solches Erbes nicht würdig. So tat er denn die Traumfrage an den Himmel und erhielt zur Antwort, die Schriften seien Rabbi Israel ben Elieser in der Stadt Okup zu übergeben, der zurzeit vierzehn Jahre alt sei. Vor dem Sterben erteilte er seinem Sohn den Auftrag.

In Okup angekommen, vermochte der Sohn erst nicht zu glauben, daß der Lehrhausdiener, der allgemein als ein unwissender und ungeschliffener Junge bezeichnet wurde, der Gesuchte sei. Er beobachtete ihn insgeheim, indem er im Lehrhaus saß und sich von ihm bedienen ließ, und merkte bald, wie Israel sein wahres Wesen und Tun der Welt verbarg. Nun eröffnete er sich ihm, übergab ihm die Schriften und erbat sich nur, an deren Erforschung unter seiner Anleitung beteiligt zu werden. Israel willigte ein, bedingte aber, daß das Einvernehmen geheim bleibe und er den Fremden weiter bediene wie bisher. Dieser mietete ein kleines, abgeschiedenes Haus außerhalb der Stadt. Mit Freuden überließen die Leute der Gemeinde ihm Israel zu seiner Bedienung und schrieben es dem Verdienst seines Vaters zu, daß der fromme und gelehrte Mann sich seiner annahm.

Einmal forderte Rabbi Adams Sohn den Knaben auf, mit Hilfe der Anweisungen, die in den Schriften gegeben wurden, den Fürsten der Thora herabzurufen, um ihn über Schwierigkeiten der Lehre zu befragen. Lange wehrte Israel das Wagnis ab, endlich aber gab er dem Drängenden nach. Sie fasteten von Sabbat zu Sabbat, tauchten, und nach Sabbatausgang taten sie das Vorgeschriebene. Es schlich sich jedoch, weil der Sinn des Fremden nicht rein genug auf die Lehre selber gerichtet war, ein Irrtum ein: statt des Fürsten der Thora erschien der Fürst des Feuers und wollte die Stadt verbrennen, die es nur mit großer Anstrengung zu retten gelang.

Wieder bedrängte Rabbi Adams Sohn den Knaben lange Zeit, den Versuch zu erneuern. Er weigerte sich beharrlich, das offenbar dem Himmel Ungefällige noch einmal zu versuchen. Erst als der Fremde ihn bei der Erinnerung an den Vater, der ihm die Wunderschriften übermacht hatte, beschwor, stimmte er zu. Wieder fasteten sie von Sabbat zu Sabbat, wieder tauchten sie, wieder taten sie nach Sabbatausgang das Vorgeschriebene. Da schrie der Knabe auf, der Tod sei über sie verhängt, es sei denn, sie durchwachten die Nacht in einer unablässigen Ausrichtung der Seele. Sie standen die Nacht durch. In der Morgendämmerung konnte Rabbi Adams Sohn der Müdigkeit nicht länger standhalten und schlief stehend ein. Umsonst versuchte Israel, ihn zu wecken. Man begrub ihn mit großen Ehren.

Die Heirat

In seiner Jugend war Israel ben Elieser Hilfslehrer in einer kleinen Gemeinde unweit der Stadt Brody. Die Leute wußten nichts von ihm; weil aber die Kinder mit einem so fröhlichen Eifer bei ihm lernten, wurden auch die Väter ihm wohlgesinnt. Bald verbreitete sich der Ruf, daß er weise sei; man kam zu ihm sich Rats erholen; wo es einen Streit gab, wurde der junge Lehrer angegangen, ihn zu schlichten. Er tat es so, daß der Mann, gegen den er entschied, den Spruch mit nicht geringerer Zufriedenheit vernahm als sein Gegner, zu dessen Gunsten entschieden worden war, und beide guten Muts von dannen zogen.
In Brody lebte zu jener Zeit ein großer Gelehrter, Rabbi Gerschon Kitower. Dessen Vater, Rabbi Efraim, hatte einen Rechtshandel mit einem Mitglied der kleinen Gemeinde, deren Kinder der Baalschem lehrte. Er suchte seinen Gegner auf und schlug ihm vor, sie wollten beide nach Brody fahren und das Urteil des geistlichen Gerichtshofs anrufen. Jener aber erzählte ihm von der Weisheit und Gerechtigkeit des jungen Lehrers, bis er willens wurde, ihn zu befragen. Als er dessen Stube betrat und ihn ansah, erschrak er; denn von der Stirn Israels leuchtete ihm ein geschwungenes Zeichen entgegen, vollkommen gleich dem unvergeßlichen, das er einen Blick lang auf der schmalen Stirn der eigenen Tochter gesehen hatte, als ihm einst die Wehmutter die neugeborene wies.

Mit schwerer Zunge brachte er sein Anliegen vor; doch wie er die
gesenkten Augen wieder erhob, war das Zeichen verschwunden.
Israel hörte zu, fragte, hörte wieder, dann sprach er das Urteil;
und alsbald zog in die Herzen beider Männer, die es vernahmen,
der Friede ein, denn ihnen war, als sei das lichte Recht selber aus
der Nebelwand der Meinungen hervorgetreten.
Hernach kam Rabbi Efraim zum Baalschem und bat ihn, er möge
seine Tochter zum Weibe nehmen. Israel stimmte ihm zu, bestand
aber auf einer zwiefachen Bedingung: daß die Vereinbarung zunächst geheim bleibe und daß in der Urkunde, die aufgesetzt
werden sollte, nicht – wie es üblich war – seine Gelehrsamkeit
gerühmt, vielmehr seine Person darin mit keiner anderen Bezeichnung als dem Namen Israel ben Elieser erwähnt werde; »denn«,
so fügte er hinzu, »Ihr wollt mich und nicht mein Wissen Eurer
Tochter zum Gemahl«. Es geschah nach seinem Wunsch.
Als Rabbi Efraim von einer Reise heimkehrte, erkrankte er
plötzlich und starb nach wenigen Stunden. Sein Sohn, Rabbi
Gerschon Kitower, kam, ihn zu bestatten. Unter den Schriften
des Vaters fand er die Heiratsurkunde und las, daß seine Schwester einem Mann ohne gelehrten Titel und ohne Geschlechtsruhm
zugesprochen sei; nicht einmal die Heimat des Fremden war genannt. Sogleich teilte er der Schwester mit heftigen Worten das
Unerhörte mit; sie aber erwiderte nur, wenn dies des Vaters Wille
gewesen sei, könne nichts andres auf der Welt das Rechte für
sie sein.
Israel wartete indes, bis das Jahr seines Lehramts um war; die
Väter wollten ihn nicht ziehen lassen, aber er ließ sich nicht halten. Er legte sein Gewand ab, kleidete sich in einen kurzen Schafspelz mit breitem Ledergurt, wie ihn die bäurischen Männer tragen, und nahm deren Art auch in Rede und Gebärde an. So kam
er nach Brody und in Rabbi Gerschons Haus. Da blieb er an der
innern Schwelle stehn. Der Gelehrte, der gerade die Deutungen
einer schwierigen Talmudstelle verglich, hieß dem dürftig aussehenden Mann eine Münze hinausreichen; jener aber sagte, er
habe ihm etwas zu eröffnen. Sie traten selbander in die anliegende
Stube, und Israel tat dem Rabbi zu wissen, er sei gekommen, sich
sein Weib zu holen. Bestürzt rief Rabbi Gerschon die Schwester
herbei, daß sie den Mann betrachte, auf den die Wahl des Vaters

gefallen sei. Sie sagte nichts als: »Wenn er es so bestimmt hat, ist
es von Gott bestimmt« und hieß die Hochzeit rüsten.

Ehe sie zum Baldachin gingen, unterredete sich der Baalschem mit
seinem Weibe und offenbarte ihr sein Geheimnis. Doch mußte sie
ihm geloben, es unverbrüchlich zu bewahren, was immer über sie
kommen möge; er verschwieg ihr nicht, daß großes Elend und
vielfältige Bedrängnis ihrer harre. Sie sagte nur, es sei recht so.
Nach der Hochzeit versuchte Rabbi Gerschon Tag um Tag, seinen
unwissenden Schwager die Thora zu lehren; aber es war unmöglich, ihm auch nur ein Wort der Lehre beizubringen. Endlich
sprach er zu seiner Schwester: »Ich schäme mich deines Mannes.
Willst du dich von ihm trennen, so ist es gut; willst du es nicht,
so kaufe ich dir Pferde und Wagen, und du kannst mit ihm fahren, wohin du magst.« Das war sie zufrieden.

So fuhren sie von dannen, bis sie in ein karpatisches Städtchen
kamen, wo die Frau Wohnung nahm. Israel ging in die nahen
Berge, baute sich eine Hütte und grub Lehm. Sie aber kam zwei-
oder dreimal in jeder Woche zu ihm, half den Lehm auf den Wagen laden, brachte ihn in die Stadt und verkaufte ihn um weniges
Geld. Wenn Israel Hunger spürte, tat er Mehl und Wasser in
eine kleine Grube, knetete den Teig und buk ihn an der Sonne.

Der hilfreiche Berg

Es wird erzählt: »Steil und abschüssig sind die Gipfel jenes Ge-
birges, an dessen sanftem Hange Israel ben Elieser wohnte. In
den Stunden der Abgeschiedenheit pflegte er zu ihnen aufzusteigen und hier zu verweilen. Einmal war seine Verzückung so tief,
daß er nicht merkte, als er am jähen Abgrund stand, und gelassen
den Fuß zum Weitergehen hob. Da sprang der Nachbarsberg herbei, drückte sich eng an den andern, und der Baalschem ging
weiter.«

Mit den Räubern

Es wird erzählt: »Eine kleine Bande von Räubern, die in den östlichen Karpatenbergen hauste und Zeuge der wunderbaren Begebenheiten um den Baalschem gewesen war, kam zu ihm und
bot sich ihm an, ihn auf einen ganz besonderen Weg, durch Höh-

len und Löcher unter der Erde, nach dem Lande Israel zu führen; denn es war ihr, wir wissen nicht wie, bekannt geworden, daß er dahin wolle. Der Baalschem war bereit, mit ihr zu gehen. Unterwegs kamen sie durch eine Schlucht, die ganz von Schlamm erfüllt war – nur am Rand war ein schmaler Steg, darauf setzten sie Fuß vor Fuß, sich an Pflöcken haltend, die sie eingerammt hatten. Die Räuber gingen voran. Als ihnen der Baalschem aber folgen wollte, erblickte er die Flamme des kreisenden Schwertes [4], die ihm den nächsten Schritt verwehrte, und kehrte um.«

Segen und Hindernis

Der Baalschem fragte einst seinen Schüler, den Rabbi Meïr Margalioth:»Meïrl, entsinnst du dich noch des Sabbats, als du die Fünfbücher zu lernen begannst – die große Stube deines Vaterhauses war voller Gäste, man hatte dich auf den Tisch gestellt, und du trugst deine Rede vor?«

Rabbi Meïr sprach:»Wohl entsinne ich mich. Plötzlich kam meine Mutter herein und riß mich mitten in der Rede vom Tisch. Mein Vater wurde unwillig, sie aber zeigte nur auf einen Mann im kurzen Bauernpelz, der an der Tür stand und mich ansah; da verstanden alle, daß sie das böse Auge fürchtete. Während sie noch nach der Tür zeigte, war der Mann verschwunden.«

»Ich war es«, sagte der Baalschem.»In solchen Stunden kann ein Blick großes Licht in eine Seele schütten. Aber die Furcht der Menschen baut Wände vor das Licht.«

Die Ersten

Als Rabbi Israel ben Elieser in dem Dorf Koschilowitz als Schächter amtete, hielt er sich noch verborgen, und niemand konnte ihn von einem gewöhnlichen Schächter unterscheiden. Der Raw des benachbarten Städtchens Jaslowitz, Rabbi Zwi Hirsch Margalioth, hatte zwei Söhne, Jizchak Dow Bär und Meïr. Der erste war damals siebzehn, der zweite elf Jahre alt. Plötzlich kam über jeden von den beiden ein brennendes Verlangen, den Schächter in Ko-

---

4 Vgl. Genesis 3, 24.

schilowitz aufzusuchen. Sie wußten ihrem Verlangen keinen Sinn, und auch als sie sich einander eröffneten, verstanden sie's nicht, und sie empfanden beide, daß sie weder mit ihrem Vater noch mit sonst jemand darüber reden konnten. Eines Tages stahlen sie sich aus dem Haus und kamen zum Baalschem. Was da gesprochen wurde, hat weder er noch sie je bekanntgetan. Sie blieben beim Baalschem. Daheim vermißte man sie; man suchte sie in der ganzen Umgebung, man ging auch in Koschilowitz von Haus zu Haus, bis man sie fand und heimbrachte. In seiner Freude unterließ der Vater tagelang, sie auszuforschen. Endlich fragte er sie gelassen, was sie denn so Großes an dem Schächter in Koschilowitz gefunden hätten. »Auszumalen ist das nicht«, antworteten sie, »aber du magst uns glauben, daß er weiser als die ganze Welt und frömmer als die ganze Welt ist.« Später, als der Baalschem bekannt wurde, schlossen sie sich ihm an und fuhren alljährlich zu ihm.

Schaul und Iwan

Es wird erzählt: »Als Rabbi Meïr Margalioth, der Verfasser des Buches ›Erleuchter der Pfade‹, einst mit seinem siebenjährigen Sohn den Baalschem besuchte, sagte ihm dieser, er möge ihm den Knaben für eine Zeit überlassen. Der kleine Schaul blieb im Haus. Bald danach nahm ihm der Baalschem nebst seinen Schülern auf eine Fahrt mit. Er ließ den Wagen vor einer Dorfschenke halten und ging mit den Schülern und dem Knaben hinein. Drin spielte die Fiedel auf, und Bauern tanzten mit Bäuerinnen. ›Euer Fiedler taugt nichts‹, sagte der Baalschem zu den Bauern, ›laßt meinen Knaben euch ein Tanzliedchen vorsingen, da werdet ihr ganz anders tanzen können.‹ Das war den Bauern recht; der Knabe wurde auf einen Tisch gestellt und sang mit seiner Silberstimme ein chassidisches Tanzlied ohne Worte, das den Dorfleuten in die Füße fuhr. In einer wilden Freude umtanzten sie den Tisch. Dann sprang aus ihrer Mitte ein junger Kerl hervor und fragte den Knaben: ›Wie heißest du?‹ ›Schaul‹, sagte er. ›Sing weiter!‹, rief der Bauer. Der Knabe stimmte ein neues Liedlein an, der Bauer stellte sich ihm gegenüber und tanzte zu dessen Takt einen überwilden Hopser, zugleich aber wiederholte er Mal um Mal in ver-

zücktem Ton: ›Du Schaul und ich Iwan, du Schaul und ich Iwan!‹
Nach dem Tanzen ließen die Bauern Schnaps für den Baalschem
und seine Leute auffahren, und man trank miteinander.
Etwa dreißig Jahre danach fuhr Rabbi Schaul, der ein wohlhabender Kaufmann, aber auch ein Talmudgelehrter von Rang
geworden war, in Geschäften über Land. Da überfielen ihn Räuber, nahmen ihm sein Geld ab und wollten ihn erschlagen. Als
er sie um Erbarmen bat, brachten sie ihn vor ihren Hauptmann.
Der sah ihn lang und durchdringend an und fragte endlich: ›Wie
heißest du?‹ ›Schaul‹, antwortete er. ›Du Schaul und ich Iwan‹,
sagte der Räuberhauptmann. Er hieß seine Leute Rabbi Schaul
sein Geld zurückgeben und ihn heimbringen.«

Der Bauer am Bach

Es wird erzählt: »Als Rabbi Israel ben Elieser im Dorfe Koschilowitz lebte, pflegte er in dem Bach zu tauchen. Wenn er eisbe-
deckt war, schlug er sich eine Stelle frei und tauchte darin. Ein
Bauer, der seine Hütte nahe dem Bach hatte, sah ihn einmal den
im Eis steckengebliebenen Fuß herausreißen, bis die Haut sich
abschälte und Blut aufspritzte. Seither achtete er auf die Zeiten
und legte stets Stroh zurecht, daß der Baalschem darauf treten
könne. Der fragte ihn einmal: ›Was möchtest du am liebsten, reich
werden, alt werden oder Schultheiß werden?‹ ›Herr Rabbiner‹,
sagte der Bauer, ›alles ist gut.‹ Der Baalschem hieß ihn am Bach
ein Badhaus bauen. Bald wurde bekannt, die kranke Frau des
Bauern habe in dem Bach gebadet und sei genesen; der Ruf des
heilkräftigen Wassers verbreitete sich immer mehr, bis die Dok-
toren davon erfuhren und bei der Regierung durchsetzten, daß
das Badhaus geschlossen wurde; inzwischen war aber der Bauer
am Bach schon wohlhabend geworden, und man hatte ihn zum
Schulzen gewählt. Er badete täglich im Bach und wurde sehr alt.«

Das Fasten

Als Rabbi Elimelech von Lisensk einmal sagte, Fasten sei jetzt
kein Dienst mehr, fragte man ihn: »Hat denn der Baalschemtow
nicht sehr gefastet?« »Der heilige Baalschemtow«, antwortete er,

»pflegte in jungen Jahren, wenn er um Sabbatausgang für die
ganze Woche nach dem Ort seiner Abgeschiedenheit ging, sechs
Brotlaibe und einen Krug Wasser mitzunehmen. An einem Freitag, als er seinen Sack zur Heimkehr vom Boden nehmen wollte,
merkte er, daß er schwer war, öffnete ihn und fand die Brote
noch alle darin. Da verwunderte er sich. Auf diese Weise zu
fasten ist erlaubt.«

Das Pochen am Fenster

Einmal in jungen Jahren hatte der Baalschem an einem Freitag
noch nichts in seinem Haus, den Sabbat zu rüsten, keinen Brok-
ken und keinen Heller. Da pochte er am frühen Morgen leis ans
Fenster eines wohlhabenden Mannes, sprach: »Es gibt einen, der
hat nichts für den Sabbat«, und ging sogleich seines Wegs. Der
Mann, der den Baalschem nicht kannte, lief ihm nach und fragte:
»Wenn Ihr einer Hilfe benötigt, warum rennt Ihr davon?« »Wir
wissen aus der Gemara⁵«, antwortete der Baalschem lachend,
»daß mit jedem Menschen sein Unterhalt zur Welt kommt. Nun
muß man freilich, je mehr man seine Sündenlast spürt, so viel
mehr sich darum mühn, daß der Unterhalt, der für einen da ist,
auch zu einem komme. An diesem Morgen aber habe ich es nur
noch leicht meinen Schultern aufliegen gefühlt. Immerhin, so viel
bleibt ja immer übrig, daß man doch noch ein weniges tun muß.
Und das habe ich eben getan.«

Der Ruf

Als dem Baalschem vom Himmel her kundgetan wurde, daß er
der Führer Israels sein solle, ging er zu seinem Weibe und sprach
zu ihr: »Wisse, es ist über mich verhängt worden, daß ich der
Führer Israels sein soll.« Sie sprach zu ihm: »Was sollen wir tun?«
Er sprach: »Wir sollen fasten.« Sie fasteten drei Nächte und Tage
ohne Unterbrechung, und einen Tag und eine Nacht lagen sie auf
der Erde mit ausgestreckten Händen und Füßen. Am dritten Tag

⁵ Gemara, d. i. Abschluß (der Lehre), heißt der spätere und weitaus größere Teil des
Talmuds, der den früheren, die Mischna (d. i. Wiederholung), erläutert und erörtert.
Es gibt eine Gemara des babylonischen und eine des palästinensischen (»jerusalemi-
schen«) Talmuds. Wenn nicht anders vermerkt, beziehen sich die Zitate auf den ersteren.

gegen Abend hörte der Baalschem einen Ruf von oben: »Mein
Sohn, geh und führe das Volk!« Er stand auf und sprach: »Ist es
der Wille Gottes, daß ich Führer sei, so muß ich es auf mich
nehmen.«

Der Baalschem offenbart sich

Es wird erzählt: »Nachdem Israel ben Elieser hintereinander die
Ämter eines Schulhelfers, eines Lehrhausdieners, eines Kinder-
lehrers, eines Schächters und zeitweilig bei seinem Schwager das
eines Fuhrmanns bekleidet hatte, pachtete der für ihn in
einem Dorf am Flusse Prut ein Stück Land mit einem Wirtshaus,
in dem Gäste auch beherbergt wurden. Unweit davon über der
Furt war in den Berg eine Höhle gehauen, da weilte der Baalschem die Woche über, in seine Andachten versenkt. Kam von
einer Zeit zur andern ein Reisender ins Wirtshaus, so trat die
Frau an die Tür und rief hinüber, und stets hörte Israel den Ruf
und erschien ohne Verzug, den Gast zu bedienen. Am Sabbat jedoch blieb er zu Haus und trug den weißen Sabbatrock.

Eines Tags, es war ein Dienstag, reiste ein Schüler Rabbi Gerschons, des Schwagers des Baalschem, in die Stadt Brody zu seinem Lehrer. Sein Weg führte ihn durch das Dorf am Prut, er
stieg aus und trat ins Wirtshaus. Alsbald rief die Frau ihren Ruf,
der Baalschem kam und bediente den Gast beim Essen. Nachher
sagte der: ›Israel, spann mir die Pferde wieder an, ich muß weiter.‹ Der Baalschem spannte die Pferde an, kam es zu melden
und fügte hinzu: ›Wie wär's aber, wenn Ihr über Sabbat hier
bliebt?‹ Den Gast lächerte es des törichten Geredes. Kaum aber
war er eine halbe Meile gefahren, brach ihm ein Wagenrad; es
war nicht gleich wieder herzustellen, und er mußte umkehren
und in dem Wirtshaus über Nacht bleiben. Am nächsten, am
übernächsten Tag und auch am Freitagmorgen stellten sich immer neue Hindernisse ein, und zuletzt war nichts übrig, als über
Sabbat zu bleiben. Vergrämt ging er am Freitagmorgen umher.
Da sah er, daß die Frau zwölf Sabbatbrote buk. Erstaunt fragte
er, wozu sie die brauche. ›Nun freilich‹, sagte sie, ›mein Mann ist
ein ungelehrter Mensch, aber rechtschaffen ist er doch, und wie
ich's bei meinem Bruder gesehen habe, so mache ich's auch bei
meinem Mann.‹ ›Gibt es etwa bei euch ein Bad?‹ fragte er wei-

ter. ›Gewiß‹, antwortete sie, ›gibt es hier ein Tauchbad.‹ ›Wozu braucht ihr denn‹, fuhr er fort, ›ein Tauchbad?‹ ›Nun freilich‹, sagte sie, ›mein Mann ist ein ungelehrter Mensch, aber rechtschaffen ist er doch, und so geht er eben jeden Tag ins Tauchbad.‹ Am Nachmittag, als Betenszeit war, fragte er die Frau, wo ihr Mann sei. ›Im Feld, bei den Schafen und Rindern‹, sagte sie. So mußte der Gast Nachmittags- und Abendgebet und Sabbatempfang allein sprechen, und noch immer kam der Wirt nicht heim. Er betete nämlich in seiner Höhle. Als er endlich ins Haus trat, nahm er wieder die bäurische Gebärde und Redeweise an und begrüßte so seinen Gast. ›Seht‹, sagte er, ›es ist doch so gekommen, daß Ihr über Sabbat hier bleibt.‹ Er stellte sich an die Wand, wie um zu beten, dann bat er, um sich nicht durch seine unverstellbare Inbrunst zu verraten, den Gast, den Segen über den Wein zu sprechen. Sie saßen und aßen mitsammen. Danach bat der Baalschem den Gast, eine Lehrrede vorzutragen. Um der Fassungsgabe eines Wirts nicht allzuviel zuzumuten, erzählte der Schüler Rabbi Gerschons schlecht und recht, wovon der Wochenabschnitt handelte, das ist, von der Verknechtung der Kinder Israels in Ägypten.

In jener Nacht, der letzten vor dem Tag, da dem Baalschem das sechsunddreißigste Jahr seines Lebens sich runden sollte, kam ihm vom Himmel die Botschaft, die Zeit der Verborgenheit sei um. Mitten in der Nacht erwachte der Gast auf seinem Bett in der Wirtsstube und sah ein großes Feuer auf dem Herde brennen. Er lief hinzu; denn er meinte, die Holzscheiter hätten Feuer gefangen. Da sah er: was er für Feuer gehalten hatte, war ein großes Licht. Ein großes weißes Licht ging vom Herde aus und füllte das Haus. Der Mann zuckte zurück und fiel in Ohnmacht. Nachdem der Baalschem ihn daraus erweckt hatte, sagte er zu ihm: ›Man guckt nicht auf was einem nicht gewährt ist.‹

Am Morgen ging der Baalschem im weißen Sabbatrock in seine Höhle, kam erhobenen Haupts und strahlenden Angesichts heim, ging im Haus einher und sang das mystische Lied: ›Richten will ich zum Mahl.‹ Sodann sprach er die ›große Weihe‹, wie es seine Art war, mit einer wunderbaren Kraft der Hingabe. Beim Mahl bat er wieder den Gast, eine Lehrrede zu sprechen, der aber war so verwirrt, daß er nur eine knappe Schriftdeutung vorzubringen vermochte. ›Darüber habe ich eine andere Deutung gehört‹, sagte der Baalschem.

Sie beteten zusammen das Nachmittagsgebet, und dann sprach der Baalschem und offenbarte Geheimnisse der Lehre, die noch nie vernommen worden waren. Danach beteten sie das Abendgebet mitsammen und vollzogen die Scheidung zwischen Sabbat und Werkwoche.

Als Rabbi Gerschons Schüler nach Brody kam, ging er, ehe er noch seinen Lehrer aufsuchte, zu der Gemeinschaft der ›großen Chassidim‹[6] in dieser Stadt, berichtete, was ihm widerfahren war, und fügte hinzu: ›Ein großes Licht weilt in eurer Nähe. Es wäre angemessen, daß ihr hingingt, es in die Stadt zu bringen.‹ Sie gingen hin und begegneten dem Baalschem vor dem Dorf am Waldrand. Sie machten aus Zweigen einen Hochsitz und setzten ihn darauf, und er sprach zu ihnen Worte der Lehre.«

Selber

Der Baalschem sprach: »Wir sagen: ›Gott Abrahams, Gott Isaaks und Gott Jakobs‹, und sagen nicht: ›Gott Abrahams, Isaaks und Jakobs‹; denn Isaak und Jakob stützten sich nicht auf Forschung und Dienst Abrahams, sondern selber forschten sie nach der Einheit des Schöpfers und seinem Dienst.«

Die Thora ist ganz

Zum Psalmvers »Die Lehre des Herrn ist ganz« sprach der Baalschem: »Sie ist noch völlig ganz. Noch hat sie niemand angerührt, nicht ein Jota-Häklein an ihr. Bis zur Stunde ist sie noch völlig ganz.«

Die Gestalt

Die Chassidim erzählen: »Rabbi Dow Bär von Mesritsch bat einst, man möchte ihm vom Himmel einen Menschen zeigen, an dem alle Glieder und Fasern heilig sind. Da zeigte man ihm die Gestalt des Baalschemtow aus lauter Feuer. Es war kein Stoff mehr daran, sie war nichts mehr als Flamme.«

---

[6] Siehe Einleitung, Seite 90.

Das Zittern

I

Einst betete an einem Neumondtage der Baalschem das Morgengebet an seinem Platz mit; denn erst von den Lobgesängen an pflegte er vor das Pult zu treten. Da zitterte er und verfiel in ein großes Zittern. Wohl kannte man dergleichen an ihm beim Beten; aber stets war es nur wie ein leichtes Schüttern des Leibes, jetzt aber brach es übergewaltig aus.

Als der Vorbeter geendet hatte und der Baalschem an seine Stelle treten sollte, sah man ihn stehenbleiben und übergewaltig zittern. Ein Schüler näherte sich ihm und blickte ihm ins Gesicht: es brannte wie eine Fackel, die Augen waren weit offen und starr wie bei einem Sterbenden. Der Schüler trat mit einem andern zu ihm; sie faßten ihn an den Händen und führten ihn zum Pult. Davor stand er und zitterte und sprach zitternd die Lobgesänge, und nachdem er das Heiligungsgebet gesprochen hatte, blieb er stehen und zitterte noch eine Weile, und man mußte mit der Lesung der Schrift warten, bis es von ihm gewichen war.

2

Der Maggid von Mesritsch erzählte: »Einmal an einem Festtag betete der Baalschem vor dem Pult mit großer Leidenschaft und großen Schreien. Meines Siechtums wegen konnte ich es nicht ertragen und mußte hinaus in den kleinen Saal und dort allein beten. Vor der Festliturgie kam der Baalschem in den kleinen Saal, um den Kittel anzuziehen. Als ich ihn ansah, merkte ich, daß er nicht auf dieser Welt war. Wie er nun den Kittel anzog, schlug der Falten an seinen Schultern. Ich faßte den Kittel, um ihn glattzustreichen. Kaum aber hatte ich ihn berührt, da begann ich zu zittern. Der Baalschem war schon wieder in den großen Saal gegangen, ich aber stand da und bat Gott, daß er es von mir nehme.«

3

Rabbi Jaakob Jossef von Polnoe erzählte: »Einmal stand ein großer Wassertrog in dem Raum, in dem der Baalschem betete. Ich sah das Wasser im Trog zittern und wogen, bis er geendet hatte.«

Ein anderer Schüler erzählte:»Einmal betete der Baalschem auf
einer Reise an der Ostwand eines Hauses, an dessen Westrand
offene Fässer mit Getreide standen. Da sah ich, daß das Getreide
in den Fässern zitterte.«

Wenn der Sabbat nahte

Die Schüler eines Zaddiks, der ein Schüler des Baalschem gewesen
war, saßen mittags vor Sabbat beisammen und erzählten sich
Wundertaten des Baalschem. Der Zaddik, der daneben in seiner
Stube saß, hörte sie. Er öffnete die Tür und sprach:»Was habt ihr
euch Wundergeschichten zu erzählen. Erzählt euch von seiner
Gottesfurcht! An jedem Sabbatvortag begann ihm das Herz so
gewaltig zu pochen, daß wir alle, die bei ihm waren, es hörten.«

Die Schaufäden

Ein Zaddik erzählte:»Die Schaufäden am Gebetmantel[7] des
heiligen Baalschemtow haben in sich Leben und Seele gehabt. Sie
konnten sich bewegen, ohne daß der Leib sich bewegte. Denn
durch die Heiligkeit seines Tuns hatte der heilige Baalschemtow
Leben und Seele in sie gezogen.«

Zum Leib

Der Baalschem sprach zu seinem Leibe:»Ich wundere mich, Leib,
daß du noch nicht zerbröckelt bist aus Furcht vor deinem Schöpfer.«

Für dich

Der Baalschem sprach einmal mitten im Gebet die Worte des
Hohenlieds:»Das Neue und das Alte, Freund, hab’ ich für dich
verwahrt«, und fügte hinzu:»Was in mir ist, alles, das Neue und
das Alte, für dich allein.«
Jemand sagte:»Aber der Rabbi spricht doch auch Lehrreden zu
uns.« Er antwortete:»Wie wenn das Faß überläuft.«

---

[7] An den Gebetmantel (Tallith), ein rechteckiges Umschlagtuch, in das sich die Beter
hüllen, sind die sogenannten Schaufäden (Zizith) geheftet (nach Numeri 15, 38).

Was der Mund will

Der Baalschem sprach: »Wenn ich meinen Sinn an Gott hefte, lasse ich meinen Mund reden, was er will; denn alle Worte sind dann an ihre obere Wurzel gebunden.«

Wie Ahia ihn lehrte

Der Raw von Polnoe erzählte: »Erst konnte der Baalschemtow gar nicht mit den Leuten reden, so hing und haftete er an Gott, und er redete vor sich hin. Dann kam sein himmlischer Lehrer, Ahia, der Prophet[8], zu ihm und lehrte ihn, welche Verse der Psalmen er täglich sprechen sollte, um dazu zu gelangen, mit den Leuten zu reden, ohne daß sein Hangen an Gott gestört würde.«

Über die Tauchbäder

Der Baalschem sprach: »Alles verdanke ich den Tauchbädern. Tauchen ist besser als kasteien. Die Kasteiung schwächt dir die Kraft, die du zu Andacht und Lehre brauchst, das Tauchbad steigert sie.«

Gegen die Kasteiung

Rabbi Baruch, der Enkel des Baalschem, erzählte: »Man hat einmal meinen Großvater, den Baalschemtow, gefragt: ›Was ist das Wesen des Dienstes? Wir wissen ja, daß in früheren Tagen ›Männer der Tat‹ gelebt haben, die von einem Sabbat bis zum anderen fasteten. Ihr aber habt dies aufgehoben, indem Ihr sagtet, wer sich kasteit, habe Rechenschaft abzulegen als ein Sünder, weil er seine Seele gepeinigt hat. So erklärt uns doch, was ist das Wesen des Dienstes?‹ Der Baalschemtow antwortete: ›Ich bin auf diese Welt gekommen, um einen andern Weg zu zeigen, daß nämlich der Mensch sehe, diese drei Dinge sich zu erwerben: Liebe zu Gott, Liebe zu Israel und Liebe zur Lehre – und man braucht sich nicht zu kasteien.‹ «

---

[8] Vgl. 1 Könige 11, 14.

Das zurückgebliebene Geld

Nie blieb im Haus des Baalschem Geld über Nacht. Kam er von einer Fahrt zurück, so beglich er die aufgelaufenen Schulden, und den Rest teilte er unter die Bedürftigen aus. Einmal brachte er von einer Fahrt viel Geld mit, bezahlte die Schulden und teilte aus. Dazwischen aber hatte seine Frau ein weniges an sich genommen, damit sie einige Tage nicht auf Borg kaufen müßte. Am Abend verspürte der Baalschem beim Beten eine Hemmung. Er kam nach Hause und fragte: »Wer hat von dem Geld genommen?« Die Frau bekannte sich dazu. Er nahm ihr das Geld wieder ab und ließ es noch am selben Abend austeilen.

Wissen

Der Baalschem sprach: »Wenn ich im hohen Stand des Wissens bin, weiß ich, daß nicht ein einziger Buchstab der Lehre in mir ist und daß ich nicht einen einzigen Schritt in den Dienst Gottes getan habe.«

Dieses Wort des Baalschem berichtete Rabbi Mosche von Kobryn einem andern Zaddik. Der fragte ihn: »Es heißt doch im Midrasch[9]: ›Wissen erwarbst du, was fehlt dir?‹« Der Kobryner antwortete: »So ist es in Wahrheit. Hast du Wissen erworben, dann weißt du erst, was dir fehlt.«

Ohne kommende Welt

Einmal war der Sinn des Baalschem so gesunken, daß ihm schien, er könne keinen Anteil an der kommenden Welt haben. Da sprach er zu sich: »Wenn ich Gott liebe, was brauche ich da eine kommende Welt?«

Der Tanz der Chassidim

Am Fest der Freude an der Lehre vergnügten sich die Jünger im Haus des Baalschem; sie tanzten und tranken und ließen immer

---

[9] Eine der homiletischen Schriftauslegung gewidmete, an Legenden, Parabeln, Gleichnissen und Weisheitssprüchen reiche Literaturgattung aus talmudischer und nachtalmudischer Zeit. Die angeführte Stelle steht in Wajikra ratba I.

neuen Wein aus dem Keller holen. Nach etlichen Stunden kam
die Frau des Baalschem in seine Kammer und sagte:»Wenn sie
nicht aufhören zu trinken, wird bald für die Sabbatweihe kein
Wein mehr übrig sein.« Er antwortete lachend:»Recht redest du.
Geh also zu ihnen und heiße sie aufhören.« Als sie die Tür der
großen Stube öffnete, sah sie: die Jünger tanzten im Kreis, und
um den tanzenden Kreis schlang sich lodernd ein Ring blauen
Feuers. Da nahm sie selber eine Kanne in die rechte und eine
Kanne in die linke Hand und eilte, die Magd hinwegweisend, in
den Keller, um alsbald mit den gefüllten Gefäßen zurückzukehren.

Der Meister tanzt mit

An einem Abend des Festes der Freude an der Lehre tanzte der
Baalschem selber mit seiner Gemeinde. Er nahm eine Schriftrolle
in seine Hand und tanzte mit ihr. Dann gab er die Rolle aus der
Hand und tanzte ohne sie. In diesem Augenblick sagte einer der
Schüler, der mit den Bewegungen des Baalschem sonderlich vertraut war, zu den Gefährten:»Jetzt hat unser Meister die leibliche Lehre aus der Hand getan und hat die geistige Lehre an sich
genommen.«

Der Taube

Der Enkel des Baalschem, Rabbi Mosche Chajim, erzählt:»Ich
habe von meinem Großvater gehört: Ein Fiedler spielte einst auf
mit solcher Süßigkeit, daß alle, die es hörten, zu tanzen begannen, und wer nur in den Hörbereich der Fiedel gelangte, geriet
mit in den Reigen. Da kam ein Tauber des Wegs, der nichts von
Musik wußte, dem erschien, was er sah, als das Treiben Verrück-
ter, ohne Sinn und Geschmack.«

Die Kraft der Gemeinschaft

Es wird erzählt:»Einst blieb am Abend nach dem Versöhnungstag der Mond von Wolken verdeckt, und der Baalschem konnte
nicht hinausgehen, den Mondsegen zu sprechen. Das bedrückte
ihn sehr; denn, wie manches Mal, fühlte er auch jetzt unwägbares
Schicksal dem Werk seiner Lippen anheimgegeben. Vergebens

richtete er seine tiefe Kraft auf das Licht des Wandelsterns, ihm zur Hilfe, daß er die schweren Hüllen abwerfe; sooft er aussandte, immer hieß es, die Wolken hätten sich noch verdichtet. Endlich verließ ihn die Hoffnung.

Indessen hatten die Chassidim, die von der Kümmernis des Baalschem nicht wußten, sich im äußern Haus versammelt und zu tanzen begonnen: denn so pflegten sie an diesem Abend die durch den hohepriesterlichen Dienst des Zaddiks vollzogene Sühnung des Jahrs in festlicher Freude zu begehen. Als die heilige Lust höher stieg, drangen sie tanzend in die Kammer des Baalschem ein. Bald übermächtigte sie die Begeisterung, sie faßten den verdüstert Sitzenden an den Händen und zogen ihn in den Reigen. In diesem Augenblick erscholl ein Ruf von draußen. Unversehens hatte sich die Nacht erhellt; in nie zuvor gesehenem Glanze schwang der Mond am makellosen Himmel.«

Das Vogelnest

Einst stand im Bethaus der Baalschem sehr lang im Gebet. Die Seinen alle hatten schon das Beten beendet, er aber verharrte noch darin, ohne ihrer zu achten. Sie warteten eine gute Weile auf ihn, dann gingen sie heim. Als sie nach Stunden ihre mannigfachen Geschäfte besorgt hatten und wieder ins Bethaus kamen, stand er noch im Gebet. Hernach sagte er zu ihnen: »Daß ihr fortgegangen seid und mich allein gelassen habt, dadurch habt ihr mir eine schlimme Trennung zugefügt. Ich will es euch im Gleichnis sagen. Ihr kennt die Zugvögel, die im Herbst nach den warmen Ländern fliegen. Nun wohl, die Bewohner solch eines Landes sahen einst in der Schar der Gäste in der Luft einen herrlich bunten Vogel, dessengleichen an Schönheit nie dem Menschenauge erschienen war. Der Vogel ließ sich im Wipfel des höchsten Baumes nieder und nistete darin. Als der König des Landes davon erfuhr, befahl er, den Vogel im Nest herunterzuholen, und hieß mehrere Männer sich am Baum als Leiter aufstellen, so daß immer einer auf die Schultern des andern trat, bis der zuoberst Stehende hoch genug langen konnte, um das Nest zu nehmen. Es dauerte lang, die lebende Leiter zu bilden. Die Untersten verloren die Geduld und schüttelten sich, und alles stürzte zusammen.«

Die Rede

An jedem Abend nach dem Gebet ging der Baalschem in seine Stube, zwei Kerzen wurden vor ihn gestellt und das geheimnisvolle Buch der Schöpfung[10] mit andern Büchern auf den Tisch gelegt. Dann wurden in einem alle vorgelassen, die seines Rats bedurften, und er redete zu ihnen bis an die elfte Stunde.

Als an einem Abend die Leute hinweggingen, sagte einer von ihnen zu seinem Gefährten, die Worte, die der Baalschem an ihn richtete, hätten ihm recht wohlgetan. Der andere verwies ihm solches Geschwätz: sie hätten doch die Stube zusammen betreten, und all die Zeit seither habe der Meister zu keinem andern als zu ihm selber geredet.

Ein dritter, der dies hörte, mischte sich lächelnd ein: wie wunderlich sie sich beide irrten, habe doch der Rabbi den ganzen Abend mit ihm ein vertrautes Gespräch geführt. Gleicherweise ließ sich ein vierter, ein fünfter vernehmen, endlich bekannten alle durcheinander, was ihnen widerfahren war. Doch schon im nächsten Augenblick verstummte die Schar.

Glaube

Rabbi David Leikes, der Schüler des Baalschem, fragte einmal einige Chassidim seines Schwiegersohns, des Rabbi Motel von Tschernobil, die ihm aus der Stadt Tschernobil ein Stück Wegs entgegengekommen waren: »Wer seid ihr?« Sie sagten: »Wir sind Chassidim des Rabbi Motel von Tschernobil.« Er aber fragte weiter: »Habt ihr vollkommenen Glauben an euren Lehrer?« Da schwiegen sie; denn wer kann sich erdreisten zu sagen, er habe vollkommenen Glauben? »So will ich euch erzählen«, fuhr er fort, »was Glaube ist. An einem Sabbat zog sich die dritte Mahlzeit[11], wie so oft, in die Nacht hin. Dann sprachen wir den Tischsegen und blieben stehen und sprachen das Abendgebet und machten die ›Scheidung‹ und setzten uns sogleich zum ›königlichen Ge-

---

10 Ssefer Jezira, eine wohl zwischen dem 4. und dem 6. Jahrhundert entstandene mystische Schrift, die von den Zahlen als kosmogonischen Prinzipien handelt.
11 Das nach dem Nachmittagsgebet eingenommene Hauptmahl des Sabbats, bei dem die Tischgemeinde singt und der Zaddik eine Lehrrede spricht.

leitmahl[12]‹. Nun waren wir aber allesamt arme Leute und nannten keinen Heller unser eigen, zumal am Sabbat. Dennoch, als
nach dem Geleitmahl der heilige Baalschemtow zu mir sagte:
›David, gib auf Met!‹, steckte ich, wiewohl ich genau wußte, daß
ich nichts hatte, die Hand in die Tasche, und ich zog einen Gulden
heraus. Den gab ich auf Met.«

Der Geschichtenerzähler

Auf mannigfache Weise wird davon berichtet, wie der Baalschem
Rabbi Jaakob Jossef, den nachmaligen Raw von Polnoe, sich zum
Schüler gewann. Wundergeschichten sind darunter, die bis zu Er-
weckungen von Toten gehen. Ich erzähle hier aus einigen andern
Überlieferungen, die einander ergänzen.

Als Rabbi Jaakob Jossef noch Raw in Szarygrod und dem chassidischen Weg sehr abhold war, kam einst in seine Stadt an einem
Sommermorgen, um die Zeit, da man das Vieh auf die Weide
trieb, ein Mann, den niemand kannte, und stellte sich mit seinem
Wagen auf den Marktplatz. Den ersten, den er eine Kuh führen
sah, rief er an und begann, ihm eine Geschichte zu erzählen, und
sie gefiel ihrem Hörer so gut, daß er sich nicht losmachen konnte.
Ein zweiter griff im Vorbeigehen ein paar Worte auf, wollte weiter und vermochte es nicht, blieb stehen und lauschte. Bald war
eine Schar um den Erzähler versammelt, und die wuchs noch stetig. Mitten drin stand der Bethausdiener, der auf dem Wege gewesen war, das Bethaus zu öffnen; denn um acht Uhr pflegte darin im Sommer der Raw zu beten, und rechtzeitig vorher, gegen
sieben Uhr, mußte es geöffnet werden. Um acht Uhr kam der
Raw ans Bethaus und fand es geschlossen; und da er von genau-
nehmerischem und aufbrausendem Gemüt war, zog er im Zorn
aus, den Diener zu suchen. Schon aber stand der vor ihm; denn
der Baalschem – er war der Erzähler – hatte ihm einen Wink gegeben, von dannen zu gehen, und er war gelaufen, das Bethaus
zu öffnen. Der Raw fuhr ihn böse an und fragte, warum er seine
Pflicht versäumt habe und warum die Männer fehlten, die sonst
um diese Zeit schon da seien. Der Diener erzählte, wie er, so seien

---

[12] Das nach Ausgang des Sabbats eingenommene, der Königin Sabbat gleichsam das
Abschiedsgeleit gebende Mahl, auch »König Davids Mahl« genannt.

auch alle, die auf dem Weg zum Bethaus waren, von der großen Geschichte des Erzählers unwiderstehlich angezogen worden. Der zornige Raw war genötigt, das Morgengebet allein zu sprechen, dann aber befahl er dem Diener, sich auf den Markt zu begeben und den fremden Mann zu holen. »Den werd' ich verprügeln lassen!« schrie er. Indessen hatte der Baalschem seine Erzählung beendet und war in die Herberge gegangen. Dort fand ihn der Bethausdiener und richtete seinen Auftrag aus. Der Baalschem kam sogleich, seine Pfeife rauchend, und trat so vor den Raw. »Was fällt dir ein«, schrie der ihm entgegen, »die Leute vom Beten abzuhalten!« »Rabbi«, antwortete der Baalschem gelassen, »es frommt Euch nicht, aufzubrausen. Laßt mich Euch lieber eine Geschichte erzählen.« »Was fällt dir ein!« wollte der Raw ihn anschreien, dabei aber sah er ihn zum erstenmal richtig an. Er sah zwar gleich wieder weg; aber das Wort war ihm in der Kehle steckengeblieben. Schon hatte der Baalschem zu erzählen begonnen, und der Raw mußte nun lauschen wie alle. »Ich bin einmal mit drei Pferden über Land gefahren«, erzählte der Baalschem, »einem Roten, einem Scheck und einem Schimmel. Und alle drei haben sie nicht wiehern können. Da ist mir ein Bauer entgegengekommen, der hat mir zugerufen: ›Halt die Zügel locker!‹ So habe ich die Zügel gelockert. Und da haben sie alle drei zu wiehern angefangen.« Der Raw schwieg betroffen. »Drei«, wiederholte der Baalschem, »Roter, Scheck, Schimmel, wiehern nicht, Bauer weiß Bescheid, Zügel lockern, wiehern auf!« Der Raw schwieg gesenkten Hauptes. »Bauer gibt guten Rat«, sagte der Baalschem, »versteht Ihr?« »Ich verstehe, Rabbi«, antwortete der Raw und brach in Tränen aus. Er weinte und weinte und merkte, er hatte bis heute nicht verstanden, was das heißt: ein Mensch kann weinen. »Man muß dich erheben«, sagte der Baalschem. Der Raw sah zu ihm auf und sah ihn nicht mehr.

Rabbi Jaakob Jossef pflegte in jedem Monat eine Woche, von Sabbat zu Sabbat, zu fasten. Da er die Mahlzeiten stets in seiner Stube einnahm, wußte niemand darum außer seiner Nichte, die ihm die Speisen brachte. In dem Monat nach der Begegnung mit dem Baalschem fastete er wie stets, denn es kam ihm nicht in den Sinn, daß man ohne Kasteiung zu der verheißenen Erhebung gelangen könne. Der Baalschem war wieder auf einer seiner Rei-

sen, als er verspürte: wenn der Raw von Szarygrod sein Werk
fortsetzt, wird er von Sinnen kommen. Er hieß die Pferde so
antreiben, daß eines stürzte und ein Bein brach. Als er in die
Stube des Raw trat, erzählte er: »Weil ich schnell herkommen
wollte, ist mir mein Schimmel gestürzt. So kann es nicht weitergehen. Laßt Euch Essen bringen.« Der Raw ließ sich Essen bringen und aß. »Das ist nur ein Werk der Trübsal«, sagte der Baalschem, »die Schechina webt nicht über der Trübsal, sondern über
der Freude am Gebet.«
Im Monat danach saß der Raw in Mesbiž in der »Klaus[13]« des
Baalschem über einem Buch, als ein Mann eintrat und sogleich ein
Gespräch mit ihm anspann. »Woher seid Ihr?« fragte er. »Aus
Szarygrod«, antwortete der Raw. »Und was ist Euer Erwerb?«
fuhr der Mann fort zu fragen. »Ich bin der Raw der Stadt«,
sagte Rabbi Jaakob Jossef. »Und wie ist das Auskommen?«
fragte jener weiter, »reichlich oder knapp?« Der Raw ertrug das
leere Gerede nicht weiter. »Ihr haltet mich vom Lernen ab«, sagte
er in ungeduldigem Ton. »Wenn Ihr so aufbraust«, erwiderte
jener, »verkürzt Ihr doch Gott seinen Erwerb.« »Ich verstehe
Euch nicht«, sagte der Raw. »Nun«, antwortete der Mann, »jedermann hat ja seinen Erwerb von dem Ort, den Gott ihm bestimmt hat. Was aber ist Gottes Erwerb? Es heißt im Psalm[14]:
›Heiliger du, der auf Israels Preisungen Sitz hat!‹ Das ist Gottes
Erwerb. Kommen zwei Juden zusammen und einer fragt den andern nach seinem Erwerb, dann gibt er Bescheid: ›Gepriesen sei
Gott, dies und dies ist mein Erwerb‹, und seine Preisung ist Gottes
Erwerb. Ihr aber, da Ihr mit keinem Menschen reden, sondern
nur lernen mögt, verkürzt Gottes Erwerb.« Betroffen wollte der
Raw etwas vorbringen; aber der Mann war verschwunden. Er
nahm sein Buch wieder vor, vermochte aber nicht zu lernen. Er
schloß das Buch und trat in die Stube des Baalschem: »Nun,
Szarygroder Raw«, sagte der lächelnd, »Elia hat Euch doch un-
tergekriegt, nicht wahr?«
Als der Raw heimkam, lud er nach chassidischem Brauch die
Leute der Gemeinde zum dritten Sabbatmahl. Etliche kamen, die
meisten aber verdroß es, daß er sich dem chassidischen Gaukler

---

[13] Betraum einer geschlossenen lokalen Gruppe.
[14] Psalm 22, 4.

angeschlossen hatte. Sie befeindeten ihn immer schärfer, bis es
ihnen endlich gelang, ihn aus der Stadt zu vertreiben, ja sie dul-
deten nicht, daß er einen Tag länger in seinem Hause blieb, und
da es ein Freitag war, mußte er den Sabbat in einem nahen Dorfe
verleben. Der Baalschem war mit mehreren seiner Vertrauten auf
einer Reise und an jenem Freitag in der Nähe des Dorfes. »Laßt
uns«, sagte er, »mit dem Szarygroder Raw Sabbat halten und
ihm das Herz erfreuen.« Und so geschah es.
Bald danach wurde Rabbi Jaakob Jossef Raw der Stadt Rosz-
kow. Er ließ weit und breit verkünden, er erstatte alle Straf-
zahlungen zurück, die er je erhalten hatte, und das waren nicht
wenige gewesen. Er ruhte nicht, bis er all sein Geld ausgeteilt
hatte.
Seither pflegte er zu sagen: »Sorge und Trübsal sind die Wurzeln aller bösen Mächte.«

Die siebzig Sprachen

Rabbi Löb, Sohn der Sara, der wandernde Zaddik, erzählte:
»Einmal war ich bei dem Baalschemtow über Sabbat. Gegen
Abend vor der dritten Mahlzeit saßen schon die großen Schüler
um den Tisch und warteten auf sein Kommen. Dabei unterredeten sie sich über einen Spruch des Talmuds, um dessen Bedeutung
sie ihn befragen wollten. Es war der Spruch: »Gabriel kam und
lehrte Josef siebzig Sprachen.« Sie fanden ihn unverständlich;
denn besteht nicht jede Sprache aus zahllosen Wörtern? Wie soll
es da dem Verstand eines Menschen möglich sein, sie alle in einer
einzigen Nacht, wie erzählt wird, zu erfassen? Die Schüler kamen überein, daß Rabbi Gerschon von Kitow, der Schwager des
Baalschem, ihn darum befragen sollte. Als der Meister kam und
sich zu Häupten des Tisches setzte, brachte Rabbi Gerschon die
Frage vor. Der Baalschem begann eine Lehrrede; aber sie hatte
anscheinend mit dem Gegenstand der Frage nichts gemein, und
die Schüler vermochten daraus keine Antwort zu entnehmen.
Plötzlich jedoch geschah etwas Unerhörtes und Unbegreifliches.
Mitten in der Lehrrede klopfte Rabbi Jaakob Jossef von Polnoe
auf den Tisch und rief mitten in die Lehrrede hinein: »Türkisch!«
Und nach einer Weile: »Tatarisch!«, und wieder nach einer Weile:

»Griechisch!«, und so Sprache um Sprache. Allmählich verstanden ihn die Gefährten: er hatte aus der Lehrrede des Meisters, die scheinbar von ganz andern Dingen handelte, Quell und Wesen jeder einzelnen Sprache erkennen gelernt – und wer dich Quell und Wesen einer Sprache erkennen gelehrt hat, hat dich die Sprache gelehrt.

Die Schlacht gegen Amalek

Einst fand Rabbi Pinchas von Korez sich in seinem Gottesglauben verwirrt und wußte sich keinen Rat, als zum Baalschem zu fahren. Da hörte er, daß der eben in seinen Wohnort gekommen sei. In großer Freude lief er in die Herberge. Dort waren etliche Chassidim um den Meister versammelt, und der sprach eine Lehrrede über den Schriftvers, wo von den ausgestreckten Händen Mose in der Stunde des Kampfes gegen Amalek gesagt wird, sie seien *emuna*, das heißt Vertrauen, Glauben, gewesen. »Es geschieht einem zuweilen«, sagte der Baalschem, »daß man in seinem Gottesglauben verwirrt wird. Die Abhilfe dafür ist, Gott zu bitten, daß er einem den Glauben stärke. Denn das eigentliche Übel, das Amalek Israel zufügte, war, daß er durch seinen geglückten Überfall sie in ihrem Glauben an Gott erkalten ließ. Darum lehrte sie Mose durch seine zum Himmel ausgestreckten Hände, die wie das Vertrauen und der Glaube selber waren, Gott um die Stärkung des Glaubens bitten, und dies allein ist es, worauf es in der Stunde des Kampfes gegen die böse Macht ankommt.« Rabbi Pinchas hörte es, sein Hören selber war ein Gebet, und schon im Gebet fühlte er seinen Glauben erstarken.

Die Strafrede

Als Rabbi Nachum von Tschernobil in seiner Jugend einmal beim Baalschem war – es war der Sabbat, an dem man die große Fluchrede aus der Schrift[15] liest, und den man daher, um das schlimme Wort zu umschreiben, den Sabbat der Segnungen nennt –, wurde er im Bethaus zur Thora gerufen, und zwar sollte

---

[15] Deuteronomium 28, 15–68.

er eben der Vorlesung der Fluchrede assistieren. Es verdroß ihn,
daß ihm gerade dieser Abschnitt zugefallen war. Der Baalschem
selber las vor. Es war aber Rabbi Nachum ein kränklicher Mann,
mit allerhand leiblichen Schmerzen geplagt. Als nun der Baalschem
zu lesen begann, empfand Rabbi Nachum, daß mit jedem Teil
der Fluchrede von einem seiner Glieder die Schmerzen wichen,
und am Ende der Vorlesung fühlte er sich heil und aller Beschwer-
den ledig.

Die Irrfahrt

Als Rabbi Jechiel Michal, der nachmalige Maggid von Zloczow,
in jungen Jahren zwar schon den Baalschem aufsuchte, aber noch
nicht wußte, ob er sich ihm anschließen solle, nahm ihn der
Zaddik auf die Fahrt nach einem bestimmten Ort mit. Nachdem
sie eine Weile gefahren waren, zeigte es sich, daß es nicht der richtige Weg war. »Nun, Rabbi«, sagte Michal, »Ihr wißt den Weg
nicht?« »Er wird sich mir schon zu wissen geben«, erwiderte der
Baalschem, und sie schlugen einen andern ein; aber wieder führte
er sie nicht zu ihrem Ziel. »Nun, Rabbi«, sagte Michal, »Ihr habt
Euch im Weg geirrt?« »Es steht geschrieben[16]«, antwortete der
Baalschem gelassen, »daß Gott den Willen derer tut, die ihn
fürchten. So hat er dir deinen Willen getan, mich auslachen zu
können.« Das Wort schlug dem jungen Michal ans Herz, und
ohne mehr zu prüfen und zu klügeln, schloß er sich dem Meister
mit ganzer Seele an.

Der Kantor des Baalschemtow

Einer der Schüler fragte einst den Baalschem: »Was soll mein Geschäft in der Welt sein?« »Kantor«, sagte er. »Aber«, wandte
jener ein, »ich kann doch nicht singen!« »Ich will dich«, antwortete der Zaddik, »an die Welt der Musik binden.« Aus diesem
Mann ist ein Sänger ohnegleichen geworden, und man nannte ihn
weit und breit den Kantor des Baalschemtow.
Nach vielen Jahren kam er mit seinem Baßsänger, der ihn nie
verließ, nach Lisensk, zu Rabbi Elimelech, dem Schülersschüler

---

[16] Psalm 145, 19.

des Baalschem. Der Rabbi und sein Sohn Eleasar konnten lange
nicht übereinkommen, ob man die beiden am Sabbat im Bethaus mit dem Chor vorsingen lassen solle, denn Rabbi Elimelech fürchtete, durch den kunstvollen Gesang in seiner Andacht gestört zu werden; aber Eleasar machte geltend, um der
Heiligkeit des Baalschemtow willen dürfe man dem Mann die
Ehrung nicht vorenthalten, und es blieb dabei, daß er zum Sabbatempfang singen sollte. Als er jedoch begann, merkte Rabbi
Elimelech, daß die große Andacht dieses Gesanges in die seine
einströmte und ihn von Sinnen zu bringen drohte, und er mußte
die Einladung rückgängig machen. Doch behielt er den Kantor
den Sabbat über bei sich und erwies ihm viele Ehren.

Nach Sabbatausgang lud ihn der Rabbi aufs neue zu sich und
forderte ihn auf, von der Leuchte Israels, dem heiligen Baalschemtow, zu erzählen. Der Mann begann zu reden, und es war
offenbar, daß alle Inbrunst seines Herzens, die sonst in sein
Singen einzugehen pflegte, nun, da er nicht hatte singen dürfen,
in sein Reden einging. Er erzählte, wie der Meister in der großen
Folge der Lobgesänge keinen Vers sprach, ehe er den besondern
Engel dieses Verses gesehen und dessen besondere Melodie gehört
hatte. Er erzählte von den Stunden, in denen sich die Seele des
Meisters zum Himmel erhob, und der Leib blieb wie tot zurück,
und dort unterredete sich die Seele mit wem sie sich unterredete,
mit Mose dem Getreuen Hirten und mit dem Messias, und fragte
und bekam Antwort. Er erzählte, wie der Meister mit jedem Geschöpf der Erde in dessen Sprache zu reden wußte und mit jedem
Himmelswesen in dessen Sprache.

Er erzählte, wie der Meister, wenn er irgendein Gerät sah, sogleich die Beschaffenheit des Mannes kannte, der es gemacht
hatte, und seine Gedanken, während er es machte. Und dann
stand der Kantor auf und bezeugte, er und seine Gefährten hätten die Thora durch den Mund des Meisters empfangen wie Israel
am Sinai durch Donner und Posaunenschall, und noch sei die
göttliche Stimme auf Erden nicht erstorben, sondern währe fort
und lasse sich hören.

Einige Zeit nach dem Besuch in Lisensk legte sich der Kantor hin
und starb. Dreißig Tage danach, es war wieder ein Freitag, kam
der Baßsänger vom Tauchbad und sagte zu seiner Frau: »Ruf

schnell die Brüderschaft[17] zusammen, daß sie für meine Bestattung
Sorge tragen; denn man hat im Paradies meinen Kantor betraut,
zum Sabbatempfang zu singen, und er will es nicht ohne mich
tun.« Er legte sich hin und starb.

Die falsche Antwort

Es wird erzählt:»Als Rabbi Wolf Kizes, ehe er ins Heilige Land
fuhr, von seinem Lehrer Abschied nahm, berührte ihm der Baalschem mit ausgestrecktem Zeigefinger den Mund und sprach:
›Achte auf deine Worte und daß du zu antworten wissest!‹ Mehr
zu sagen verweigerte er.
Das Schiff, auf dem der Schüler des Baalschem war, wurde von
einem Sturm verschlagen und mußte an einer unbekannten und
dem Anschein nach wüsten Insel landen. Bald legte sich das Un-
wetter; doch das Fahrzeug konnte eines erlittenen Schadens wegen noch nicht wieder in See stoßen. Einige Reisende, unter ihnen
Rabbi Wolf, gingen ans Land, um sich die wunderlich fremde
Gegend zu besehen. Die andern kehrten nach einer Weile um; er
aber war in solch eine Versunkenheit geraten, daß er nicht innehielt, sondern weiter und weiter des Wegs zog, bis er an ein großes, altertümlich gebautes und doch wie unberührt stehendes
Haus kam. Da erst besann er sich, daß das Schiff auf ihn nicht
warte. Ehe er jedoch einen Entschluß fassen konnte, trat ein den
Zügen und dem weißen Haupt nach uralter, aber noch ungebeug-
ter Mann im Linnenkleid aus der Tür und begrüßte ihn mit den
Worten: ›Seid getrost, Rabbi Wolf, und verbringt den Sabbat mit
uns; am Morgen danach werdet Ihr Eure Reise wieder aufnehmen können.‹ Wie im Traum ließ sich der Rabbi von dem Greis
ins Tauchbad führen, betete inmitten von zehn hohen alten Männern und aß in ihrer Mitte; traumhaft verging ihm der Sabbat.
Am nächsten Morgen begleitete ihn der Uralte zum Strand, wo
sein Schiff vor Anker lag, und segnete ihn zum Abschied, sodann
aber – Wolf wollte eben eiligen Schrittes die Landungsbrücke betreten – fragte er ihn: ›Sagt doch, Rabbi Wolf, wie ergeht es den
Juden in Eurem Land?‹ ›Der Herr der Welt verläßt sie nicht‹,

---

[17] Die »heilige Gemeinschaft«, die sich mit der Bestattung der Toten befaßt.

antwortete der Rabbi schnell und ging weiter. Erst als er auf hoher See war, klärte sich sein Sinn, er gedachte der Worte seines Lehrers, und die Reue überfiel ihn mit solcher Schwere, daß er die Reise ins Heilige Land nicht fortzusetzen, sondern alsbald heimzukehren beschloß. Er befragte einen der Schiffsleute; aus seiner Entgegnung erfuhr er, daß er sich schon auf der Heimfahrt befand.

Als Rabbi Wolf vor den Baalschem trat, sah ihn der traurig, aber mild an und sprach: ›Schlecht hast du unserm Vater Abraham geantwortet. Tag um Tag fragt er Gott: ›Wie ergeht es meinen Kindern?‹, und Gott erwidert: ›Ich verlasse sie nicht.‹ Hättest du ihm doch von dem Leid der Verbannung berichtet!«

Das Beil

Der Baalschem hieß einmal seinen Schüler Rabbi Wolf Kizes, die Kawwana[18] des Schofarblasens[19] erlernen, damit er am Fest des Neuen Jahres vor ihm die Blasungen anleite. Rabbi Wolf lernte die Kawwana, verzeichnete sie auch, um sicherzugehen, auf einem Blatt, das er in den Busen steckte, doch entfiel es ihm bald danach unbemerkt; es heißt, der Baalschem habe das bewirkt. Als nun die Zeit des Blasens kam, suchte Rabbi Wolf erst vergebens nach dem Zettel, dann besann er sich auf die Kawwana, konnte sich aber an keine erinnern. Die Tränen brachen aus ihm hervor, und weinend ordnete er ganz schlicht, ohne alle Kawwana, die Blasungen an. Später sagte der Baalschem zu ihm: »Im Palast des Königs sind viele Gäste, und kunstvolle Schlüssel öffnen die Türen; aber das Beil ist stärker als sie alle, kein Riegel kann ihm widerstehn. Was sind alle Kawwanoth gegen einen rechten Herzensgram!«

---

[18] Die auf Gott gerichtete Intention bei der Ausführung einer (insbesondre kultischen) Handlung. In der Kabbala liegen diesen Intentionen bestimmte Variationsakte an den Lauten der im Gebet vorkommenden Gottesnamen zugrunde; sie zielen auf die Einung der getrennten göttlichen Wesenheiten ab.
[19] Schofar: das in der Synagoge, vornehmlich am Fest des Neuen Jahres, geblasene Widderhorn. Der Überlieferung nach wird dessen Ruf das Kommen des Messias ankündigen.

Das Wort des Schülers

Am Freitag, um die Zeit, da der Zaddik seine Seele prüft, verfinsterte sich einst dem Baalschem all seine Welt, und fast erstarb in ihm der Geist des Lebens. So fand ihn einer seiner großen Schüler. »Mein Herr und Lehrer!« sagte er zitternd und brachte kein Wort hervor. Aber schon hatte er eine neue Kraft ins Herz des Baalschem eingehen lassen, und der Geist des Lebens erstarkte in ihm.

Nähe und Ferne

Ein Schüler fragte den Baalschem: »Wie geht das zu, daß einer, der an Gott hangt und sich ihm nah weiß, zuweilen eine Unterbrechung und Entfernung erfährt?«
Der Baalschem erklärte: »Wenn ein Vater seinen kleinen Sohn will gehen lehren, stellt er ihn erst vor sich hin und hält die eignen Hände zu beiden Seiten ihm nah, daß er nicht falle, und so geht der Knabe zwischen den Vaterhänden auf den Vater zu. Sowie er aber zum Vater herankommt, rückt der um ein weniges ab und hält die Hände weiter auseinander, und so fort, daß das Kind gehen lerne.«

Das Beten im Felde

Ein Chassid, der nach Mesbiž fuhr, um den Versöhnungstag in der Nähe des Baalschem zu verbringen, fand sich einer Störung halber, als die Sterne aufgingen, noch eine gute Strecke vor der Stadt und mußte zu seinem großen Gram allein auf dem Felde beten. Als er nach dem Fest nach Mesbiž kam, empfing ihn der Baalschem mit besondrer Freude und Freundlichkeit. »Dein Beten«, sagte er, »hat alle Gebete, die auf dem Felde lagerten, emporgehoben.«

Die Lehrbeflissenen

Mosche Chajim Efraim, der Enkel des Baalschem, ergab sich in seiner Jugend dem Lernen und wurde ein großer Lehrbeflissener, bis er um ein weniges vom chassidischen Wege abbog. Sein Großvater, der Baalschem, legte es darauf an, des öfteren sich mit ihm außerhalb der Stadt zu ergehen, und er folgte ihm, wenn auch

mit einigem Widerstreben, da es ihm um die Zeit leid war, die
er zum Lernen hätte verwenden können. Einmal kam ihnen ein
Wanderer aus einer andern Stadt entgegen. Der Baalschem fragte
ihn nach einem seiner Mitbürger. »Das ist ein großer Lehrbeflissener«, antwortete er. »Ich beneide ihn um seine Lehrbeflissen-
heit«, sagte der Baalschem. »Was soll ich tun? ich habe keine Zeit
zum Lernen, weil ich dem Schöpfer dienen muß.« Von Stund an
wandte sich Efraim wieder mit aller Kraft dem chassidischen
Wege zu.

Grenze des Rats

Die Schüler des Baalschem hörten von einem Mann als von einem
Weisen reden. Einige unter ihnen verlangte es, ihn aufzusuchen
und seine Lehre zu erfahren. Der Meister gab ihnen die Erlaubnis; sie aber fragten weiter: »Und woran sollen wir erkennen,
ob er ein wahrer Zaddik ist?« »Erbittet von ihm«, antwortete
der Baalschem, »einen Rat, wie ihr es anzufangen habt, damit
die unheiligen Gedanken euch nicht mehr beim Beten und Lernen stören. Gibt er euch einen Rat, so wißt ihr, daß er der Nich-
tigen einer ist. Denn das ist der Dienst des Menschen in der Welt
bis zur Todesstunde, Mal um Mal mit dem Fremden zu ringen
und es Mal um Mal einzuheben in die Eigenheit des göttlichen
Namens.«

Die Nachschrift

Es wird erzählt: »Ein Schüler schrieb insgeheim die Lehrreden
nach, die er vom Baalschem gehört hatte. Einmal sah der Baalschem einen Dämon durchs Haus gehen, der trug ein Buch in der
Hand. Er fragte ihn: ›Was ist das für ein Buch in deiner Hand?‹
›Das ist‹, antwortete der Dämon, ›das Buch, das du verfaßt hast.‹
Da verstand der Baalschem, daß es einen gab, der insgeheim
seine Lehrreden nachschrieb. Er versammelte alle seine Leute
und fragte: ›Wer unter euch schreibt meine Lehre nach?‹ Der
Schreiber meldete sich und brachte ihm, was er aufgezeichnet
hatte. Der Baalschem sah lange hinein, Blatt um Blatt. Dann
sagte er: ›Da ist nicht ein Wort, das ich gesprochen habe. Du hast
nicht um des Himmels willen zugehört, und da hat sich die böse Gewalt in dich gekleidet, und du hast gehört, was ich nicht sprach.‹«

Am Baum des Lebens

Der Baalschem erzählte: »Einmal bin ich ins Paradies gegangen, und viel Volk ging mit mir, und je näher ich dem Garten kam, so schwanden sie hinweg, und wie ich durchs Paradies ging, waren noch etliche bei mir; aber als ich am Baum des Lebens stand und mich umsah, war ich fast allein.«

Die Predigt

Man bat einst den Baalschem, nach dem Gemeindegebet zu predigen. Er begann die Predigt, inmitten aber erfaßte ihn ein Beben, wie es ihm zuweilen inmitten des Gebets widerfuhr; er brach ab und sprach: »Ach, Herr der Welt, dir ist es offenbar, nicht zu meiner Ehre spreche ich...«, und wieder brach er ab, und dann stürzten die Worte aus seinem Mund: »Vieles hab' ich erkannt, vieles hab' ich vermocht, und da ist keiner, dem ich's eröffnen könnte.« Und sprach nicht weiter.

Wie der Heuschreck

Rabbi Jechiel von Zloczow erzählte: »Einst sind wir mit unserem Lehrer, dem Licht der Sieben Tage[20], Rabbi Israel Baalschemtow, unterwegs gewesen. Da ging er in den Wald, Mincha[21] zu beten. Plötzlich sahen wir, wie er den Kopf an einen Baum schlug und aufschrie. Später befragten wir ihn darum. Er sagte: ›Ich habe im heiligen Geist geschaut, daß in den Geschlechtern, die dem Kommen des Messias vorangehen, die Rabbis der Chassidim wie der Heuschreck sich mehren werden, und sie werden es sein, die die Erlösung verzögern; denn sie werden Trennung der Herzen und grundlosen Haß bewirken.‹«

Heil dem Volk

Zum Psalmvers[22] »Heil dem Volk, die den Schmetterruf kennen! Herr, im Licht deines Antlitzes gehn sie«, sagte der Baalschem:

---

[20] Der große Zaddik wird dem Urlicht gleichgesetzt, das in ihn eingegangen ist.
[21] »Darbringung«, ursprünglich das für den Nachmittag vorgeschriebene Opfer, später zu dessen Ersatz das Nachmittagsgebet.   [22] Psalm 89, 16.

»Wenn das Volk sich nicht auf den Helden verläßt, sondern selber sind sie des Kampfschmetterns kundig, dann werden sie im Licht deines Antlitzes gehn.«

Einfalt

Der Baalschem sprach einmal zu seinen Schülern: »Nach allen Stufen, die ich im Dienst Gottes erreicht habe, lasse ich sie alle fahren und halte mich an den schlichten Glauben im Empfangen der Gottheit. Und wohl steht geschrieben: ›Der Einfältige glaubt an alles‹, aber es steht auch geschrieben: ›Die Einfältigen hütet der Herr.‹«

Der Strumpfwirker

Der Baalschem hielt sich einst auf einer Reise in einer kleinen Stadt auf, deren Name nicht überliefert ist. An einem Morgen vor dem Beten rauchte er wie gewöhnlich seine Pfeife und sah zum Fenster hinaus. Da ging ein Mann vorbei, der Gebetmantel und Gebetriemen in der Hand trug und seine Schritte so schlicht-feierlich setzte, als führe sein Weg an die Himmelspforte. Der Baalschem fragte den Getreuen, in dessen Haus er wohnte, wer das sei. Jener antwortete ihm, es sei ein Strumpfwirker, der sommers und winters gleicherweise Tag um Tag ins Bethaus gehe und da sein Gebet spreche, auch wenn die gebotene Zehnzahl der Frommen nicht voll wurde. Der Baalschem hieß ihn holen, aber der Hausherr sagte: »Der Narr wird seinen Weg nicht unterbrechen, und wenn ihn der Kaiser selber ruft.« Nach dem Beten schickte der Baalschem zu dem Mann und ließ ihm bestellen, er solle ihm vier Paar Strümpfe bringen. Bald stand jener vor ihm und breitete seine redlich gearbeitete Ware aus guter Schafwolle aus. »Was willst du für ein Paar?« fragte Rabbi Israel. »Anderthalb Gulden.« »Du wirst wohl mit einem Gulden zufrieden sein.« »Dann hätte ich diesen Preis genannt.« Sogleich bezahlte ihm der Baalschem, was er verlangt hatte; dann fragte er ihn weiter: »Womit gibst du dich ab?« »Ich betreibe mein Handwerk«, antwortete der Mann. »Und wie betreibst du es?« »Ich arbeite, bis ich vierzig oder fünfzig Paar Strümpfe beisammen habe. Dann lege ich sie in eine Mulde mit heißem Wasser und dann presse ich

sie, bis sie sind, wie sie sein sollen.«»Und wie verkaufst du sie?«
»Ich gehe nicht aus meinem Haus, sondern die Krämer kommen
zu mir und kaufen sie. Auch bringen sie mir gute Wolle, die sie
für mich eingehandelt haben, und ich gebe ihnen einen Lohn für
ihre Mühe. Nur dem Rabbi zu Ehren bin ich dies eine Mal aus
dem Haus gegangen.«»Wenn du aber frühmorgens aufstehst,
was tust du da, ehe du beten gehst?«»Da mache ich auch
Strümpfe.«»Und wie hältst du es mit dem Psalmensagen?«
»Welche Psalmen ich auswendig weiß«, antwortete der Mann,
»die sage ich mir bei der Arbeit vor.«
Als der Strumpfwirker heimgegangen war, sagte der Baalschem
zu den Schülern, die ihn umgaben:»Heute habt ihr den Grundstein gesehn, der den Tempel trägt, bis der Erlöser gekommen ist.«

Das Gebet des Gehetzten

Der Baalschem sprach:»Seht euch einen Mann an, der tagsüber
von seinen Geschäften durch Markt und Gassen gehetzt wird –
fast vergißt er, daß es einen Schöpfer der Welt gibt. Nur wenn's
Zeit ist, Mincha zu beten, geht's ihm auf: Ich muß beten!–und da
seufzt er vom Grund seines Herzens, daß er den Tag mit Eitlem
verbracht hat, und läuft in eine Seitengasse und stellt sich hin und
betet: teuer, sehr teuer ist er vor Gott geachtet, und sein Gebet
durchbohrt die Firmamente.«

Das Pfeifchen

Ein Dorfmann, der Jahr für Jahr an den »Furchtbaren Tagen[23]«
im Bethaus des Baalschem betete, hatte einen Knaben, der war
stumpfen Verstandes und konnte nicht einmal die Gestalt der
Buchstaben erfassen, geschweige denn den Sinn der heiligen
Worte erkennen. Der Vater nahm ihn an den Furchtbaren Tagen
nicht mit in die Stadt, weil er nichts wußte. Doch als er dreizehn
war und mündig vor Gottes Gesetzen, nahm ihn der Vater am
Versöhnungstag mit, damit er nicht etwa esse am Tage der Kasteiung aus Mangel an Wissen. Der Knabe aber hatte ein Pfeif-

---

[23] So werden Neujahr und Versöhnungstag genannt.

chen, darauf pfiff er immer, wenn er auf dem Felde saß, die
Schafe und Kälber zu weiden. Das hatte er nun in der Tasche
seines Kleides mitgenommen, ohne daß der Vater es merkte.
Der Knabe saß Stunde um Stunde im Bethaus und wußte kein
Wort zu sprechen. Als man aber das Mussafgebet anhob, sagte er:
»Vater, ich habe mein Pfeifchen bei mir und ich will darauf singen.« Bestürzt fuhr der Vater ihn an, und der Knabe bezwang's.
Aber als das Minchagebet begann, sagte er wieder: »Vater, erlaube mir doch, mein Pfeifchen zu nehmen.« Der Vater wurde
zornig und fragte: »Wo hast du's?« legte alsbald die Hand auf
die Tasche und hielt sie darauf. Nun aber erscholl das Endgebet.
Der Knabe riß dem Vater die Tasche aus der Hand, riß das Pfeifchen aus der Tasche und pfiff einen gewaltigen Pfiff. Alle standen erschreckt und verwirrt. Der Baalschem jedoch sprach das
Gebet weiter, nur schneller, leichter als gewöhnlich: Hernach
sagte er: »Der Knabe hat's mir leicht gemacht.«

Der Hofreiniger

Der Baalschem kam einst kurz vor dem Neuen Jahr in eine
Stadt und fragte die Leute, wer hier an den »Furchtbaren Tagen«
vorbete. Sie antworteten, es sei der Raw der Stadt selber. »Und
wie ist sein Brauch beim Beten?« fragte der Baalschem weiter.
»Am Versöhnungstag«, sagten sie, »trägt er alle Sündenbekennt-
nisse mit den fröhlichsten Weisen vor.« Der Baalschem schickte
um den Raw und befragte ihn nach dem Grund seines seltsamen
Verhaltens. »Der geringste unter den Knechten des Königs«, erwiderte der Raw, »der den Außenhof vom Schmutz zu säubern
hat, singt zur Arbeit seine fröhlichen Liedlein; denn er tut sein
Werk, um den König zu erfreuen.« »So möge mir«, sagte der
Baalschem, »ein Los neben dem Euern zufallen.«

In der Stunde des Zweifels

Es wird erzählt: »In der Stadt Satanow war ein gelehrter Mann,
den führte sein Denken und Grübeln immer tiefer in die Frage
hinein, warum, was ist, ist, und warum überhaupt etwas ist. Eines
Freitags blieb er nach dem Gebet im Lehrhaus, um weiterzuden-

ken, so versponnen war er in seinen Gedanken. Er versuchte sie
zu entwirren und vermochte es nicht. Das merkte der heilige
Baalschemtow in der Ferne, setzte sich in seinen Wagen und kam
mit seiner wundersamen Macht, die den Weg ihm entgegenspringen
machte, im Nu nach Satanow und ins Lehrhaus. Da saß der
gelehrte Mann in seiner Pein. Der Baalschem sprach zu ihm: ›Ihr
grübelt, ob da ein Gott sei. Ich bin ein Narr und glaube.‹ Daß ein
Mensch um sein Geheimnis wußte, rührte dem Zweifler das Herz
auf, und es öffnete sich dem Geheimnis.«

Das berühmte Wunder

Ein Erforscher der Natur kam aus der Ferne zum Baalschem
und sagte: »Meine Forschungen haben ergeben, daß von der Natur
aus in jenen Stunden, als die Kinder Israels durchs Schilfmeer
zogen, es sich spalten mußte. Was bleibt da von dem berühmten
Wunder?«
Der Baalschem antwortete ihm: »Weißt du nicht, daß Gott die
Natur erschaffen hat? Er hat sie so erschaffen, daß in jener Stunde,
als die Kinder Israels durchs Schilfmeer zogen, es sich spalten
mußte. Das ist das große und berühmte Wunder.«

Die Wahrheit

Der Baalschem sprach: »Was bedeutet das, was die Leute sagen:
›Die Wahrheit geht über die ganze Welt?‹ Es bedeutet, daß sie
von Ort zu Ort verstoßen wird und weiterwandern muß.«

Zu einem Mahnredner

Zu einem Zaddik, der Mahnpredigten zu halten pflegte, sagte der
Baalschem: »Wie kannst du dich denn auf das Mahnen verstehen?
Du selber hast ja all deine Tage die Sünde nicht gekannt,
und mit den Leuten hast du keinen Umgang, daß du wüßtest,
was Sündigen ist!«

Bei den Sündern

Der Baalschem sprach:»Ich lasse die Sünder mir nahe kommen, wenn sie nicht hochmütig sind; ich halte mir die Lehrkundigen und Sündenfreien fern, wenn sie hochmütig sind. Denn der Sünder, der weiß, daß er es ist, und sich daher in seinem Sinn niedrig hält, Gott ist bei ihm, der ja ›mit ihnen inmitten ihrer Makel wohnt‹[24]. Wer sich aber etwas darauf zugute tut, daß er keine Sündenlast zu tragen habe, von ihm spricht Gott, wie es in der Gemara heißt: ›Ich und er haben nicht Raum in der Welt.‹«

Liebe

Der Baalschem sprach zu einem seiner Schüler:»Den Geringsten der Geringen, die dir in den Sinn kommen können, liebe ich mehr, als du deinen einzigen Sohn liebst.«

Die falsche Gastfreundschaft

Es wird erzählt:»In den Tagen des Baalschem lebte in einer unfernen Stadt ein reicher und gastfreier Mann, der gab jedem armen Wanderer zu essen und zu trinken und ein Geldgeschenk obendrein. Es war ihm aber ein unabweisliches Bedürfnis, von jedem, den er so aufnahm, sein Lob zu hören, und wenn es nicht von selber kam, warf er ein geschicktes Wörtlein als Köder aus, daran denn immer ein großer oder kleiner Lobesfisch sich festbiß. Einst sandte der Baalschem seinen Schüler Rabbi Wolf Kizes über Land und hieß ihn auf seiner Fahrt auch jenen reichen Mann besuchen. Er wurde reich bewirtet und beschenkt, ließ aber nichts als ein knappes Dankwort vernehmen. ›Wie dünkt es Euch‹, sagte schließlich der Wirt, ›ist das nicht die rechte Weise, Gastfreundschaft zu üben?‹ ›Wir wollen weiter sehen‹, antwortete Rabbi Wolf. Mehr vermochte der Reiche ihm nicht zu entlocken. Am Abend legte der Gastgeber sich inmitten der Gäste hin, wie es sein Brauch war, damit er noch vor dem Einschlafen mit ihnen lieblich plaudre und Angenehmes zu hören bekomme. Als er am Einschlafen war, rührte Rabbi Wolf mit dem kleinen Finger an

---

[24] Leviticus 16, 16.

seine Schulter. Im Traum war es dem Mann, er werde zum König
gerufen, und der König trinke Tee mit ihm, und plötzlich fiel der
König hin und war tot, und ihn beschuldigte man der Giftmi-
scherei und kerkte ihn ein, und im Kerker brach ein Brand aus,
da entfloh er in die Ferne und wurde ein Wasserträger, das war
ein schweres Gewerbe und ernährte seinen Mann schlecht, darum
zog er in eine andere Gegend, wo Wasser selten ist, dort aber galt
das Gesetz, wenn der Eimer nicht voll war, wurde er nicht bezahlt, und mit dem vollen Eimer zu gehen, ohne einen Tropfen
zu verschütten, war ein mißliches Geschäft; wie er da so einmal
Fuß vor Fuß setzte, fiel er hin und brach beide Beine, da lag er
nun da und dachte an sein früheres Leben zurück und wunderte
sich und weinte. Da rührte Rabbi Wolf noch einmal mit dem
kleinen Finger an seine Schulter, und er erwachte. ›Nehmt mich
zu Eurem Meister mit‹, sagte er.
Der Baalschem empfing den reichen Mann lächelnden Angesichts.
›Willst du wissen‹, sprach er zu ihm, ›wohin all deine Gastfreundschaft gekommen ist? Ins Maul eines Hundes ist sie gekommen.‹
Das Herz des Mannes erwachte zur Umkehr, und der Baalschem
wies ihn an, wie er seiner Seele aufzuhelfen habe.«

Das volle Bethaus

Der Baalschem blieb einst an der Schwelle eines Bethauses stehen
und weigerte sich, es zu betreten. »Ich kann nicht hinein«, sagte
er, »es ist ja von Wand zu Wand und vom Boden zur Decke über-
voll der Lehre und des Gebets, wo wäre da noch Raum für mich?«
Und als er merkte, daß die Umstehenden ihn anstarrten, ohne
ihn zu verstehen, fügte er hinzu: »Die Worte, die über die Lippen der Lehrer und Beter gehen und kamen nicht aus einem auf
den Himmel ausgerichteten Herzen, steigen nicht zur Höhe auf,
sondern füllen das Haus von Wand zu Wand und vom Boden zur
Decke.«

Der Krug

Der Baalschem sprach einmal zu seinen Schülern: »Wie im Blatt
die Kraft der Wurzel, so ist in jedem Gerät die Kraft des Men-

schen, der es gemacht hat, und dessen Beschaffenheit und Gebaren
sind daraus zu erkennen.« Da fiel sein Blick auf einen schönen
Bierkrug, der vor ihm stand; er deutete darauf und sprach weiter: »Ist es diesem Krug nicht anzusehn, daß ihn ein Mann ohne
Füße gemacht hat?« Als der Baalschem geendet hatte, nahm einer der Schüler von ungefähr den Krug, um ihn auf die Bank zu stellen. Aber sowie er
darauf stand, zerfiel er in kleine Brocken.

In der Welt der Wandlungen

In den Tagen des Baalschem lebte ein Mann, der sich grausam
kasteite, um den heiligen Geist zu erlangen. Von ihm sprach einmal der Baalschem: »In der Welt der Wandlungen lacht man über
ihn. Man übergibt ihm höhere und höhere Stufen und narrt ihn
damit. Hätte er nicht Hilfe an mir, er ginge verloren.«

Die kleine Hand

Durch Rabbi Nachman von Bratzlaw ist uns dieser Spruch seines
Urgroßvaters, des Baalschemtow, überliefert: »Wehe, die Welt
ist voll gewaltiger Lichter und Geheimnisse, und der Mensch verstellt sie sich mit seiner kleinen Hand.«

Über den Dnjestr

Ein Zaddik erzählte: »Schon als der Meister ein Knabe war, kam
Ahia von Silo, der Prophet, zu ihm und lehrte ihn die Weisheit
der göttlichen Namen. Und weil er noch so klein war, begehrte
es ihn, zu erfahren, was zu wirken in seinem Vermögen stünde.
Eines Tages warf er seinen Gurt in den Fluß Dnjestr, der reißend
ging, sprach einen Namen und ging über das Wasser. Um diese
Handlung hat er dann all seine Tage Buße getan, daß er den Makel wieder zurechtschaffe, und es geriet. Denn einmal mußte er
den auch diesmal reißend gehenden Fluß überqueren, weil etliche
Hasser der Juden ihm nachsetzten und ihm ans Leben wollten,
so warf er seinen Gurt ins Wasser und ging darüber, ohne einen
Namen zu sprechen, mit nichts gerüstet als mit dem großen Glauben an den Gott Israels.«

Der Eiszapfen

Ein Zaddik erzählte:»Ich bin mit dem Meister in den Winter-
tagen ins Tauchbad gegangen. Der Frost machte das Eis von den
Dächern in Zapfen niederhangen. Wie wir eintraten und er die
Einungshandlung tat, erwärmte das Bad sich sogleich. Sehr lange
stand er im Wasser, bis die Kerze zu tropfen und auszugehen begann. ›Rabbi‹, sagte ich, ›die Kerze tropft und will ausgehn.‹
›Narr‹, sagte er, ›nimm einen Zapfen vom Dach und zünde ihn
an! Wer zum Öl sprach, und es entzündete sich[25], wird auch zu
dem da sprechen, und es wird sich entzünden.‹ Der Zapfen
brannte in heller Flamme, bis ich nach einer guten Weile heimging, und als ich nach Hause kam, hatte ich ein wenig Wasser in
der Hand.«

Die Tiere

Es wird erzählt:»Einst war der Baalschem genötigt, den Sabbat
auf freiem Felde einzuweihen. Es weidete aber unfern eine Schaf-
herde. Als er den Segen sprach, der die nahende Braut Sabbat begrüßt, erhoben sich die Schafe auf ihre Hinterfüße und blieben
so, dem Meister zugewandt, bis er das Gebet vollendet hatte.
Denn solange es die Andacht des Baalschem vernahm, war jedes
Geschöpf in seiner Urhaltung, wie es am Throne Gottes steht.«

Der Besuch

Die Schüler des Baalschem sahen es immer seinem Antlitz an,
wenn die Sieben Hirten[26] bei ihm waren oder einer von ihnen.
Einmal beim Neumondsmahl merkten sie an seinem Aussehen,
daß einer der Hirten gegenwärtig war. Später fragten sie ihn,
welcher der sieben es gewesen sei. Er sagte:»Beim Segensspruch
über das Brot hatte ich ein Geheimnis des Essens im Sinn und
versenkte mich darein. Da kam Mose, unser Lehrer, der Friede
sei über ihm, zu mir und sprach: ›Heil dir, daß du eben dies Ge-

---

[25] Dieser Spruch ist einer talmudischen Geschichte (Thaanith 25) verwandten Inhalts
entnommen.
[26] Unter den in der Prophetie Michas (5, 4) erwähnten Sieben Hirten versteht die
Tradition: Adam, Seth, Methusela, Abraham, Jakob, Moses und David.

heimnis im Sinn hast, in das ich mich versenkte, als ich beim Mahl meines Schwähers Jethro die Tafel bediente.‹«

Das Streitgespräch

Es wird erzählt:»Einst saß der Baalschemtow an seinem Tisch und um ihn seine Schüler, unter ihnen Rabbi Nachman von Horodenka, dessen Sohn sich später mit einer Enkelin des Baalschemtow vermählte und mit ihr den anderen Nachman, Rabbi Nachman von Bratzlaw, zeugte.

Der Baalschem sprach: ›Die Zeit ist gekommen, euch etwas von den verborgenen Intentionen des Tauchbads zu eröffnen.‹ Eine Weile hielt er inne, dann baute er vor ihnen in mächtigen Worten den Grundstock der Intentionen auf. Nun lehnte er schweigend den Kopf weit zurück, und auf seinem Gesicht erschien jenes Strahlen, das den Schülern anzeigte, seine Seele erhebe sich zu den oberen Weiten. Nichts regte sich mehr an ihm. Die Schüler standen auf, bebenden Herzens, und sahen auf ihn, denn dies war eine der Zeiten, wo es ihnen gegeben war, ihren Meister wahrhaft zu sehen. Auch Rabbi Nachman wollte mit den andern aufstehn, aber er vermochte es nicht; der Schlaf überfiel ihn, schamergriffen wehrte er ihm und erlag. Im Traum fuhr er in eine Stadt ein, durch deren Straßen hohe Männer einem großen Haus zustrebten. Er trat mit ihnen ans Tor. Weiter konnte er nicht; denn die Scharen der Männer füllten das Haus. Nun aber vernahm er von drinnen die Stimme eines Lehrredners, der nicht zu sehen war, aber die Rede war klar zu vernehmen. Sie handelte vom Tauchbad und legte all seine geheimen Intentionen dar. Das Eigentliche daran, wie es gegen Ende der Rede immer deutlicher aufstieg, war eine andere Lehre als die überlieferte des Ari, des heiligen ›Löwen‹, Rabbi Jizchak Lurja[27], und in der Tat, am Ende wurde dies unmittelbar ausgesprochen. Jetzt aber rückten die Scharen auseinander. Vom Tor auf die Kanzel zu, Rabbi Nachman fast streifend, kam der Ari geschritten. Von der Bewegung der sich schließenden Menge ihm nach wurde Rabbi Nachman mitgezogen und kam urplötzlich vor die Kanzel

---

[27] Der Hauptmeister der späten Kabbala (1534–1572). Die Bezeichnung Ari, d. i. Löwe, ist aus Anfangsbuchstaben zusammengesetzt.

zu stehen, sah auf, erkannte das Gesicht seines Meisters, dessen
Stimme er nicht erkannt hatte. Dicht vor ihm vollzog sich nun
das Streitgespräch. Der ›Löwe‹ und der Baalschemtow hielten
einander verschiedene Stellen des heiligen ›Buches des Glanzes²⁸‹,
verschiedene Deutungen der Stellen entgegen. Widersprüche zwischen Stelle und Stelle taten sich auf und schlossen sich wieder,
zuletzt loderten die beiden Flammen wie ein einziges Feuer zum
Herzen des Himmels auf. Nirgends öffnete sich der Blick in eine
Entscheidung. Da kamen die beiden überein, die Entscheidung
des Himmels anzurufen. Sie vollzogen mitsammen die Handlung
der Erhebung. Zeitlos geschah, was geschah, und schon sprach der
Ari: ›Entschieden ist den Worten des Baalschemtow gemäß.‹
Darüber erwachte Rabbi Nachman. Vor seinen Augen neigte der
Meister den zurückgelehnten Kopf wieder vor und sprach zu
ihm: ›Und dich habe ich mir zum Zeugen genommen.‹«

Das Ebenbild

Der Baalschem berief einst Sammael, den Herrn der Dämonen,
um eines notwendigen Dinges willen. Der heischte ihn an: »Wie
wagst du es, mich zu berufen! Dreimal bisher nur ist mir's geschehn, in der Stunde am Baum, in der Stunde am Kalb, in der
Stunde der Zerstörung des Heiligtums.« Der Baalschem hieß die
Schüler die Stirnen entblößen. Da sah Sammael auf jeder Stirn
das Zeichen des Bildes, in dem Gott den Menschen schafft. Er tat,
was von ihm verlangt war. Ehe er aber ging, sprach er: »Söhne
des lebendigen Gottes, erlaubt mir noch, eine Weile dazustehn
und eure Stirnen zu betrachten.«

Das wunderbare Tauchbad

Es wird erzählt: »Einmal befahl der Baalschem Rabbi Zwi dem
Schreiber, Thefillin²⁹ zu schreiben, und lehrte ihn die besondere
Intention der Seele dafür. Dann sagte er zu ihm: ›Nun will ich

---

²⁸ Das Buch Sohar, d. i. Glanz, ist das aus dem Ende des 13. Jahrhunderts stammende
Hauptwerk der frühen Kabbala.
²⁹ Phylakterien, Lederkästchen, die Schrifttexte auf Pergament enthalten und beim
wochentäglichen Morgen-Gottesdienst zum Zeichen des Bundes mit Gott (vgl. Deuteronomium 11, 18) mit Riemen an die Stirn und den linken Arm gebunden werden.

dir die Thefillin des Herrn der Welt zeigen.‹ Er ging mit ihm in
einen einsamen Wald. Ein anderer Schüler aber, Rabbi Wolf Kizes, hatte gemerkt, wohin sie wollten, und sich im Walde versteckt. Er hörte den Baalschem rufen: ›Tauchbad Israels ist der
Herr³⁰‹, und urplötzlich sah er ein Tauchbad an einer Stelle, wo
keins gewesen war. Im gleichen Augenblick sagte der Baalschem
zu Rabbi Zwi: ›Hier ist ein Mensch versteckt.‹ Er fand Rabbi
Wolf im Nu und wies ihn hinaus. Was dann im Walde geschehen
ist, hat niemand erfahren.«

Die Versuchung

Es wird erzählt: »Sabbatai Zwi, der längst verstorbene ›falsche
Messias‹, kam zum Baalschem und bat, daß er ihm Lösung schaffe.
Das Werk der Lösung geschieht, wie bekannt ist, indem man
Lebenssubstanz an Lebenssubstanz, Geist an Geist und Seele an
Seele bindet. So begann denn der Baalschem, sich jenem zu ver-
binden, jedoch gelassen; denn er fürchtete seine bösen Anschläge.
Einmal, als der Baalschem schlief, kam Sabbatai Zwi und bemühte
sich, ihn zu verleiten, daß er seinesgleichen werde. Da schleuderte
der Baalschem ihn von sich, mit einem so großen Wurf, daß er
bis zum Boden der Unterwelt fiel.
Wenn der Baalschem von ihm sprach, sagte er: ›Ein heiliger
Funke ist in ihm gewesen, aber der Satan hat ihn im Netz des
Hochmuts gefangen.‹«

Der Einhalt

I

Es wird erzählt: »Der Baalschem fuhr mit seiner Tochter Odel
und Rabbi Zwi dem Schreiber nach Erez Israel, um die Erlösung
zu bereiten. Aber vom Himmel her behinderte man seine Reise.
Auf dem Weg von Stambul nach Erez Israel hielt das Schiff an
einer unbekannten Insel. Sie gingen an Land; aber als sie zum
Schiff zurück wollten, verirrten sie sich und fielen in die Hände
von Räubern. Rabbi Zwi sprach zum Baalschem: ›Warum schweigt

---

³⁰ So wird talmudisch (Mischna Joma VIII, 9) eine Jeremiasstelle (17, 13) gedeutet.

Ihr? Tut doch, wie Ihr gewohnt seid zu tun, damit wir frei werden.‹ Aber der Baalschem antwortete ihm: ›Ich weiß jetzt gar
nichts mehr, alles ist von mir genommen. Besinne dich doch auf
etwas von alledem, was du von mir gelernt hast, und erinnere
mich daran.‹ Rabbi Zwi sprach: ›Auch ich weiß gar nichts mehr.
Das einzige, das mir noch im Gedächtnis haftet, ist das Alphabet.‹
›Was zögerst du‹, rief der Baalschem, ›sag es mir vor!‹ Da sagte
ihm der Schreiber die Buchstaben vor, und der Baalschem sagte
sie ihm mit jener mächtigen Begeisterung nach, mit der er zu
beten pflegte. Eine Glocke ertönte, ein alter Kapitän kam mit
einer Schar Soldaten und befreite sie, ohne ein Wort zu reden. Er
nahm sie auf sein Schiff und brachte sie nach Stambul zurück,
ohne daß er oder einer seiner Leute ein Wort redeten. Als sie – es
war der siebente Tag des Passahfestes – an Land gingen, war das
Schiff und seine Mannschaft verschwunden. Da verstand der
Baalschem, daß es Elia war, der sie gerettet hatte, aber er verstand auch, daß es für ihn keine Weiterreise gab, und sie traten
die Heimfahrt an.«

2

Es wird aber auch erzählt:»Als der Baalschem mit den Seinen
während des Passahfestes in Stambul zu Schiffe ging, wurde ihm
vom Himmel her gesagt, er solle wieder an Land gehen und
heimfahren. Aber er weigerte sich in seiner Seele, und das Schiff
fuhr mit ihm ab. Da wurden ihm alle geistigen Stufen genommen, die er erreicht hatte, und seine Lehre und sein Gebet wurden ihm genommen, ja, wenn er in ein Buch sah, verstand er die
Zeichen nicht mehr. Er aber sprach in seiner Seele: ›Was liegt daran, so will ich als ein Tölpel und Unwissender ins Heilige Land
kommen.‹ Da brach ein Sturm los; eine ungeheure Welle stürzte
auf das Schiff und riß Odel, die Tochter des Baalschem, ins Meer.
In diesem Augenblick kam der Satan zu ihm und sagte ihm, was
er ihm sagte. Er aber rief:›Höre, Israel!‹ Er kehrte dem Satan den
Rücken zu und sprach: ›Herr der Welt, ich kehre heim.‹ Sogleich
kam sein Lehrer, Ahia von Silo, der Prophet, durch die Luft zu
ihm und hob Odel aus dem Meer und trug sie alle durch die Luft
nach Stambul zurück.«

Blase in die große Posaune

Ein Zaddik erzählte:»Die heilige Gemeinschaft hatte ein kleines Haus außerhalb der Stadt, da pflegten sie nach jeder Lehrrede des Baalschemtow zusammenzukommen und sich darüber zu unterreden. Ich wußte den Ort, erkühnte mich aber nicht, hinzugehen, weder mit ihnen noch hernach; denn ich war damals noch sehr jung.

In jenem Jahr, da ich im Haus des Meisters war, am ersten Tag des Neuen Jahres nach dem Tischsegen, sprach der heilige Baalschemtow eine Lehrrede über das Gebetswort ›Blase in die große Posaune zu unsrer Befreiung‹. Nach der Lehrrede ging er sogleich in eine Stube und verschloß sie, die Gemeinschaft aber ging mitsammen in das Haus außerhalb der Stadt, und ich blieb allein zurück. Da erschien es mir in meinen Gedanken, heute werde der Messias kommen, und in jedem Augenblick verfestigte sich die Vorstellung in mir, jetzt gehe er die Straße entlang und werde sogleich in die Stadt kommen, und da ist keiner da, ihn zu empfangen. Und so groß war die Wahrheit der Vorstellung in meinem Geist, daß ich mir keinen Rat wußte, als zur Gemeinschaft hinauszulaufen und es ihnen zu berichten. So lief ich durch die Stadt, und die Leute der Stadt wollten mich anhalten und fragen, aber ich blieb nicht stehn, bis ich am Haus der Gemeinschaft war. Da sah ich sie alle um den großen Tisch sitzen, und keiner redete ein Wort, und es war zu sehn, daß keiner von ihnen die Kraft hatte, ein Wort zu reden. Es verhielt sich aber, wie ich später erfuhr, so, daß es jedem von ihnen in Gedanken erschien, sogleich werde der Messias kommen. Und ich selber wußte mir nichts anderes mehr, als mich zu ihnen zu setzen. So saßen wir um den großen Tisch, bis die Sterne der zweiten Nacht am Himmel standen. Da erst brach bei allen der Gedanke ab, und wir kehrten in die Stadt zurück.«

Das dritte Mißlingen

Es wird erzählt:»Als die abtrünnige Schar des Lügenmessias Jakob Frank[31] an Macht immer mehr zunahm, wurde dem Baalschem vom Himmel offenbart, sie sei an unreiner Kraft stärker

---

[31] Über Frank (gest. 1791) und das Verhältnis des Chassidismus zu ihm vgl. außer

noch als er an heiliger, und er müsse daher, wolle er sie überwinden, die Hilfe eines anderen gewinnen, der Rabbi Mosche Pastuch, das heißt Rabbi Moses der Hirt, heiße. Ohne Verzug machte der Baalschem sich auf den Weg nach der Stadt, die man ihm gewiesen hatte. Als er da nach dem Gesuchten forschte, ergab es sich, daß der Träger des Namens in den Bergen vor der Stadt das Geschäft eines Schafhirten betrieb. Dort fand er ihn: die Schafe waren über die Berghänge verstreut, der Hirt aber, an den, ohne daß er es merkte, der Baalschem nah herankam, stand über einem Graben und sprach vor sich hin: ›Geliebter Gott, womit kann ich dir dienen? Hättest du Schafherden, ich weidete sie dir ohne Entgelt! Aber was kann ich nun tun?‹ Plötzlich sprang er inbrünstig über den Graben und zurück, sprang und sprang und rief: ›Ich springe Gott zu Liebe, ich springe Gott zu Liebe.‹ Da verstand der Baalschem, daß der Dienst dieses Hirten größer sei als sein eigener. Als jener vom Springen ruhte, trat er zu ihm und sagte: ›Ich habe mit dir zu reden.‹ ›Ich bin ein Mietling‹, antwortete der Hirt, ›und darf keine Zeit verlieren.‹ ›Du bist doch eben‹, hielt der Baalschem ihm vor, ›über den Graben hin und her gesprungen!‹ ›Wohl‹, sagte der Mann, ›Gott zu Liebe darf ich's.‹ ›Auch was ich mit dir vorhabe‹, sprach der Zaddik, ›ist Gott zu Liebe.‹ So ließ jener sich erzählen und lauschte, entflammter Seele, wie er gesprungen war. Alles mußte der Baalschem ihm erzählen, von der Zeit an, da das Heiligtum zerstört ward: wie zweimal schon in Stunden des Verhängnisses, da Tausende mit ihrem Tode den Namen Gottes heiligten, das große Werk versucht ward, der Satan aber dazwischenfuhr und es hinderte, und nun sei die dritte Stunde da. ›Ja‹, rief der Hirt, ›wir wollen die Schechina aus dem Exil befreien.‹ ›Gibt es hier‹, fragte der Baalschem, ›einen Ort, wo wir tauchen können?‹ ›Am Fuß des Berges‹, antwortete jener, ›ist ein lebender Quell.‹ Und schon rollte er den Hang hinab. Der Zaddik folgte ihm, so gut er konnte. Unten tauchten sie beide im Quell, und der Baalschem bereitete sich, ihm das Geheimnis des Werkes anzuvertrauen. Indes hatte sich im Himmel die Kunde verbreitet, man wolle auf Erden die Erlösung beschleunigen, Himmelsmächte erhoben sich dagegen, der Satan er-

---

Scholems »Die jüdische Mystik«, 347 ff., den Abschnitt »Die Anfänge« in meinem Buch »Die chassidische Botschaft«. Siehe unten S. 758 ff.

starkte und ging an sein Werk. Feuer fiel in die Stadt, bald dröhnten die Sturmglocken zu den Bergen herüber. Der Hirt lief zu seinen Schafen. ›Wohin läufst du, und warum?‹ fragte der Baalschem. ›Gewiß‹, antwortete er, ›haben die Herdenbesitzer erfahren, daß die Schafe sich zerstreut haben, und nun werden sie kommen und nach ihnen fragen.‹ Es gelang dem Baalschem nicht, ihn zurückzuhalten, und er verstand, wessen Hand im Spiel war.«

Vor dem Kommen des Messias

Der Baalschem sprach: »Vor dem Kommen des Messias wird eine gewaltige Fülle in der Welt sein. Die Juden werden reich werden. Sie werden sich gewöhnen, ihr Haus mit großem Aufwand zu führen, und werden die Genügsamkeit von sich werfen. Dann werden böse Jahre kommen, Mangel und karger Erwerb; es wird die Armut über die Welt kommen. Die Juden werden ihr unmäßig gewachsenes Bedürfen nicht stillen können. So werden die Wehen des Messias beginnen.«

Nach dem Tod der Frau

Ein Zaddik erzählte: »Der Baalschemtow erwartete, er werde einst im Sturm wie Elia zum Himmel auffahren. Als sein Weib starb, sprach er: ›Ich habe erwartet, ich würde im Sturm wie Elia auffahren zum Himmel. Jetzt aber, da ich nur noch der Halbscheid eines Leibes bin, kann es nicht mehr sein.‹«

Die Unterlassung

Es wird erzählt: »Zu Passah war Rabbi Pinchas von Korez beim Baalschem und sah, daß er ermattet war.
Am Tage vor dem letzten Festtag war es wie eine Auseinandersetzung in Rabbi Pinchas’ Seele, ob er ins Tauchbad gehen solle. Er ging nicht.
Am letzten Festtag im Gebet sah er, es sei verhängt, daß der Baalschem bald abscheiden solle, wegen seiner großen Anstrengung gegen die Rotte der Abtrünnigen. Er sammelte alle seine

Kraft ins Gebet und setzte sich ein; aber er merkte, daß er nichts ausrichtete. Da betrübte er sich sehr darüber, daß er nicht ins Tauchbad gegangen war. Nach dem Gebet fragte ihn der Baalschem: ›Seid Ihr gestern ins Tauchbad gegangen?‹ Er antwortete: ›Nein.‹ Der Baalschem sagte: ›Schon ist das Geschehen geschehn, und nach dem Geschehen ist nichts mehr.‹«

Vom Tod des Baalschem

Nach dem Passahfest erkrankte der Baalschem. Doch fuhr er fort, im Bethaus vor dem Pult zu beten, soweit seine Kräfte es zuließen.

Den Schülern, die fähig waren, sich im Gebet einzusetzen, jetzt aber an anderen Orten weilten, ließ er keine Nachricht zukommen, und die unter ihnen, die in Mesbiž weilten, schickte er in andere Orte. Nur Rabbi Pinchas von Korez weigerte sich, heimzufahren.

Am Vorabend des Wochenfestes[32] versammelte sich die Gemeinschaft, um, wie alljährlich um diese Zeit, die Nacht im Werk der Lehre zu verbringen. Der Baalschem sprach zu ihnen über die Offenbarung am Sinai.

Am Morgen ließ er seine Vertrauten holen. Zunächst rief er zwei von ihnen zu sich und wies sie an, daß sie sich mit seinem Leichnam und der Bestattung befassen sollten. Er zeigte ihnen an seinem Leibe, Glied um Glied, wie die Seele daraus abzuscheiden begehrte, und lehrte sie das Wahrgenommene bei andern Kranken anwenden; denn diese zwei gehörten der Bruderschaft an, die sich mit dem Tod und der Bestattung befaßt.

Dann ließ er eine Zehnerschaft sich mit ihm zum Beten zusammentun. Er ließ sich das Gebetbuch geben und sagte: ›Ich will mich noch ein wenig mit Gott abgeben.‹

Nach dem Gebet ging Rabbi Nachman von Horodenka ins Lehrhaus, um für ihn zu beten. Der Baalschem sprach: ›Umsonst erschüttert er den Himmel. Er kann nicht zur Pforte hinein, durch die ich einzutreten pflegte.‹

---

[32] Ein sieben Wochen nach Passah stattfindendes zweitägiges Fest, daher »Wochen« (Schawuoth) genannt; es ist zugleich Fest der Erstlingsfrüchte und dem Gedächtnis der Offenbarung am Sinai geweiht.

Als später der Diener einmal in die Stube kam, hörte er den Baalschem sprechen: ›Ich gebe dir die zwei Stunden‹, und verstand,
er sage zum Todesengel, er brauche ihn die zwei letzten Stunden
nicht zu peinigen; aber Rabbi Pinchas verstand besser, was er
meinte. ›Er hatte‹, sagte er, ›noch zwei Stunden zu leben, und
von denen sprach er zu Gott, er gebe sie ihm als Geschenk. Dies
ist ein rechtes Seelenopfer.‹

Dann kamen, wie alljährlich an diesem Tag, die Leute aus der
Stadt, und er sprach Worte der Lehre zu ihnen.

Später sagte er zu den Schülern, die ihn umstanden: ›Nicht um
mich trage ich Sorge. Ich weiß ja in aller Klarheit: zur einen Tür
geh' ich hinaus, zur andern Tür geh' ich ein.‹ Und wieder sagte
er: ›Jetzt weiß ich, wozu ich erschaffen worden bin.‹

Er saß im Bett auf und sprach eine kurze Lehrrede über den
›Pfeiler‹, auf dem die Seelen nach dem Tode vom untern Paradies
zum obern Paradies, zum ›Baum des Lebens‹, aufsteigen, und
legte den Vers aus dem Buche Esther aus: ›Und damit kam das
Mädchen zu dem König.‹ Auch sprach er: ›Ich komme gewiß
noch wieder, aber nicht, wie ich jetzt bin.‹

Danach hieß er das Gebet ›Und es sei Huld‹ sprechen und streckte
sich im Bette aus, setzte sich aber wieder etliche Male auf und
flüsterte, wie man es an ihm kannte, wenn er seine Seele in der
Andacht ausrichtete. Eine Weile hörte man nichts mehr, und er
lag still.

Dann befahl er, ihn mit dem Laken zu bedecken. Noch hörte
man ihn aber flüstern: ›Mein Gott, Herr aller Welten!‹ und danach den Psalmvers: ›Nicht komme mich der Fuß des Hochmuts
an.‹

Die er angewiesen hatte, sich mit seinem Leichnam und der Bestattung zu befassen, sagten hernach, sie hätten die Seele des
Baalschem wie eine blaue Flamme aufsteigen sehn.«

Der Fluß und das Licht

Es wird erzählt: »Eine Frau aus einem Dorf unweit von Mesbiž
kam oft hingefahren und brachte allerhand Gaben, Fische und
Geflügel, Butter und Mehl, ins Haus des Baalschem. Unterwegs
mußte sie durch einen kleinen Fluß. Einmal war der Fluß über

die Ufer getreten, und als die Frau dennoch hinüberzukommen versuchte, ertrank sie. Der Baalschem grämte sich um die gute Frau. Im Gram verwünschte er den Fluß, und er versiegte. Aber der Fürst des Flusses erhob im Himmel Klage, und es wurde entschieden, es solle irgendeinmal wenige Stunden lang wieder Wasser im Fluß sein, und der Fluß solle über die Ufer treten, und jemand von den Nachkommen des Baalschem solle hindurch wollen, und keiner dürfe ihm helfen, es sei denn der Baalschem selber. Mehrere Jahre nach seinem Tode kam sein Sohn nachts des Weges, verirrte sich und fand sich vor dem Fluß, den er des hochgehenden Wassers wegen nicht wiedererkannte. Er wollte ihn durchqueren, wurde aber bald von den Fluten erfaßt und mitgerissen. Da sah er über dem Ufer ein brennendes Licht, das erleuchtete Ufer und Fluß. Er holte seine Kraft zusammen, entrann der Flut und erreichte das Ufer. Das brennende Licht ist der Baalschem selber gewesen.«

Der Feuerberg

Rabbi Zwi, der Sohn des Baalschem, erzählte: »Nach dem Abscheiden meines Vaters sah ich ihn einmal in der Gestalt eines Feuerbergs, der sich in unzählige Funken teilte. Ich fragte ihn: ›Warum erscheinst du in solcher Gestalt?‹ Er antwortete mir: ›So habe ich Gott gedient.‹«

Auf den Mauern

Ein Zaddik erzählte: »Im Traume widerfuhr es mir einmal, daß man mich zum obersten Paradiese führte. Da zeigte man mir die Mauern des obern Jerusalem[33] in Trümmern. In diesem rundum gestreckten Trümmerhaufen, von Mauer zu Mauer, erging sich, ohne innezuhalten, ein Mann. Ich fragte: ›Wer ist dies?‹ Man antwortete mir: ›Dies ist Rabbi Israel Baalschemtow, der geschworen hat, daß er nicht von hinnen geht, bis das Heiligtum wiedererbaut ist.‹«

---

[33] Das himmlische Jerusalem, das dem irdischen entspricht, ebenso das Heiligtum darin dem Jerusalemer Tempel.

»Wird er sein«

Rabbi Nachum von Tschernobil, der in seiner Jugend noch den
Baalschem sehen durfte, sprach: »Es steht geschrieben[34] ›Ein Geschlecht geht, ein Geschlecht kommt.‹ Aber der Baalschemtow,
dessen Andenken uns beschütze, vor ihm war keiner und nach
ihm wird keiner sein bis zum Kommen des Erlösers, und wenn
der Erlöser kommt, wird er sein.«
Und dreimal wiederholte er: »wird er sein«.

Wenn

Rabbi Löb, Sohn der Sara, der verborgene Zaddik, sprach einmal zu Leuten, die vom Baalschem erzählten: »Nach dem heiligen Baalschemtow fragt ihr? Ich sage euch, hätte Rabbi Israel
ben Elieser im Zeitalter der Propheten gelebt, er wäre ein Prophet geworden, und hätte er im Zeitalter der Erzväter gelebt, er
wäre ein bestimmter Mann geworden, so daß man, wie man sagt:
›Gott Abrahams, Isaaks und Jakobs‹, auch sagen würde: ›Gott
Israels‹.«

---

[34] Prediger 1, 5.

Die drei Männer

Ein alter Mann fragte einst den Baalschemtow:»Zu der Stelle
der Schrift, wo erzählt wird, wie Abraham sah, daß drei Männer
vor ihm standen, bemerkt das heilige Buch Sohar, das seien Abraham, Isaak und Jakob gewesen. Wie kann denn das sein, daß
Abraham vor Abraham steht?« Baruch, der Enkel des Baalschem, der damals drei Jahre alt war,
hörte zu. Dann sagte er:»Großvater, was fragt der närrische
Alte? Abraham, Isaak und Jakob, das sind eben die Eigenschaften, die die Eigenschaften der Väter geworden sind[1]: die Gnade,
die Gewalt und die Herrlichkeit.«

Die kleine Schwester

Nach dem Tode seines Großvaters, des Baalschemtow, wurde der
Knabe Baruch ins Haus des Rabbi Pinchas von Korez aufge-
nommen. Er war aber verschwiegen und in sich gezogen, und
auch als er schon herangewachsen war, sprach er keine Worte der
Lehre.
Einmal ging Rabbi Pinchas am Vortag des Sabbats mit ihm ins
Bad. Heimgekommen, trank er Met mit ihm. Als er sah, daß der
Junge fröhlich geworden war, forderte er ihn auf, ein Wort der
Lehre zu sprechen. Baruch sagte:»Im Hohenlied steht geschrieben:›Wir haben eine kleine Schwester.‹ Das geht auf die Weisheit, wie es in den Sprüchen Salomos heißt:›Sprich zur Weisheit:
Du bist meine Schwester.‹ Ich habe eine kleine Weisheit. Und
weiter steht im Hohenlied geschrieben:›Und sie hat keine Brüste.‹ Meine kleine Schwester hat keine Brüste, an denen sie saugen könnte; sie hat keinen Lehrer mehr, von ihm Lehre zu empfangen. Und weiter steht geschrieben: ›Was tun wir unsrer
Schwester am Tag, da um sie geredet wird?‹ Was soll ich mit
meiner kleinen Weisheit anfangen, wenn ich alles geredet habe?«

---

[1] Jeder der drei Patriarchen gilt der Tradition als Sinnbild eines der göttlichen Attribute.

Im Haus des Schwiegervaters

Nach seiner Heirat lebte Rabbi Baruch im Haus seines Schwiegervaters. Dessen beide andern Schwiegersöhne, die gelehrte Männer waren, beklagten sich, daß Baruch sich anders benehme als
sie und alle Welt: wenn sie über den Büchern saßen, schlief er,
und wenn er wach war, trieb er allerhand törichte Spiele. Endlich
entschloß sich der Schwiegervater, mit allen dreien zum Maggid
von Mesritsch zu fahren und die Sache ihm vorzulegen. Auf der
Fahrt setzten sie Baruch neben den Kutscher. Als sie in Mesritsch
aber ins Haus des Maggids treten wollten, wurde nur Baruch
eingelassen, die andern mußten draußen warten, bis man sie vor
das Angesicht des Zaddiks lud. Er sprach zu ihnen:»Baruchel
führt sich gut, und was euch eitles Spiel dünkt, ist auf hohe Dinge
gerichtet und wirkt hohes Werk.« Als sie heimfuhren, gaben sie
Baruch den besten Sitz.

Bereitung

Nachdem Rabbi Baruch am Vorabend des Passahfestes das Gesäuerte verbrannt und die Asche verstreut hatte[2], sprach er den
Spruch und deutete ihn aus:»»Aller Sauerteig, der in meinem
Bereich ist‹ – alles Gärende in mir; ›was ich erblickt und was ich
nicht erblickt habe‹ – wenn mich auch dünkt, ich hätte mich in
mir gut umgesehen, so habe ich mich gewiß noch gar nicht recht
umgesehen; ›was ich verbrannt und was ich nicht verbrannt habe‹ – der böse Trieb redet mir zu, ich hätte alles verbrannt, aber
nun merke ich erst, ihn habe ich nicht verbrannt; darum bitte ich
dich, Gott, ›es sei vertilgt und vertan wie Staub der Erde.‹«

Die Stätte

Wenn Rabbi Baruch im Psalm an die Worte kam»»Gebe je ich
Schlaf meinen Augen, meinen Wimpern Schlummer, bis ich dem
Herrn eine Stätte finde«, hielt er inne und sprach zu sich:»bis
ich mich finde und errichte zu einer Stätte, bereit für die Niederlassung der Schechina.«

---

[2] Da zu Passah als dem Fest der ungesäuerten Brote (Mazzoth) kein Sauerteig im
Hause bleiben darf. [3] Psalm 132, 4.

Nähe und Ferne

Rabbi Baruch sprach den Vers im dreißigsten Psalm: »Du mein Gott, zu dir habe ich gestöhnt« und unterbrach ihn: »Ich habe nur ›Zu dir!‹ gestöhnt, nicht daß du mich heilst, nur daß ich zu dir komme«, und fuhr fort: »Und du hast mich geheilt – du aber hast mich heilen wollen.« Und wieder sprach er den Vers: »Dich rufe ich an«, und unterbrach ihn: »Bin ich Gott nah, und er steht mir gegenüber, dann rufe ich ihn nur an, und er antwortet mir«, und fuhr fort: »Und zu meinem Herrn flehe ich‹ – bin ich aber Gott fern, und er bleibt mir verborgen, dann muß ich zu ihm flehen.«

Die beiden Fremdlinge

Im hundertneunzehnten Psalm spricht der Psalmensänger zu Gott: »Ein Fremdling bin ich auf Erden, verhehle mir nicht deine Gebote!«

Zu diesem Vers sagte Rabbi Baruch: »Wer in die Ferne verschlagen wird und in unbekanntes Land gerät, der hat mit keinem Menschen Gemeinschaft und weiß sich mit keinem zu unterreden. Wenn da aber ein zweiter Fremdling erscheint, mag auch dessen Heimat eine andere sein, die zwei können miteinander vertraut werden und verweilen fortan mitsammen und sind einander zugetan. Und wären sie nicht beide Fremdlinge, sie wären einander nicht nahegekommen. Das meint der Psalmist: ›Du bist wie ich ein Fremdling auf Erden und hast deiner Einwohnung keine Ruhestatt: so entziehe dich mir nicht, sondern enthülle mir deine Gebote, daß ich dein Freund werden kann.‹«

Gesegnet, der sprach

Man fragte Rabbi Baruch: »Warum sprechen wir: ›Gesegnet, der sprach und die Welt ward‹, und nicht: ›Gesegnet, der die Welt schuf‹?«

Er antwortete: »Wir preisen Gott, daß er unsere Welt mit dem Wort und nicht, wie andere Welten, mit dem Gedanken erschaffen hat. Denn die Zaddikim richtet Gott für einen bösen Gedanken, den sie in sich tragen; wie könnte aber die Menge der Welt-

bewohner bestehn, wenn er sie solcherweise richten wollte, und
nicht bloß, wie er es tut, für den bösen Gedanken, den sie auch
geäußert und bestätigt haben!«

Vor dir selber

Den Satz in den Vätersprüchen[4] »Sei nicht böse vor dir selber
(das heißt, wähne dich nie unerlösbar)« legte Rabbi Baruch so
aus: »Jeder Mensch ist berufen, etwas in der Welt zur Vollendung
zu bringen. Eines jeden bedarf die Welt. Aber es gibt Menschen,
die sitzen beständig in ihren Kammern eingeschlossen und lernen
und treten nicht aus dem Haus, sich mit andern zu unterreden;
deswegen werden sie böse genannt. Denn wenn sie sich mit den
andern unterredeten, würden sie etwas von dem ihnen Zugewiesenen zur Vollendung bringen. Dies bedeutet es: sei nicht böse
›vor dir selber‹; gemeint ist: damit, daß du vor dir selber verweilst und nicht zu den Menschen ausgehst; sei nicht böse durch
Einsamkeit.«

Die Gaben

Als Rabbi Baruch im Tischgebet an die Stelle kam: »Laß uns
nicht der Geschenke von Fleisch und Blut bedürfen und nicht ihrer
Leihgaben, sondern allein deiner vollen, offnen, heiligen Hand«,
wiederholte er die Worte dreimal mit großem Gefühl. Als er
vollendet hatte, fragte ihn seine Tochter: »Vater, weshalb hast
du so sehr darum gebetet, daß du nicht menschlicher Gaben bedürfen mögest? Du hast doch keinen andern Erwerb, nur eben
dies, daß die Leute, die zu dir kommen, dir freiwillig und dank-
bar steuern!« »Wisse, meine Tochter«, antwortete er, »daß es drei
Arten gibt, dem Zaddik Geld zu bringen. Die einen sagen sich:
›Ich will ihm etwas schenken. Ich bin einer, der dem Zaddik Geschenke macht.‹ Das sind die, von denen es heißt: ›Laßt uns nicht
ihrer Geschenke bedürfen.‹ Andere denken: ›Was ich dem frommen Manne spende, wird mir Gutes eintragen.‹ Die möchten
den Himmel sich zinsbar machen; das ist die ›Leihgabe‹. Es gibt
aber auch welche, die wissen: ›Dieses Geld hat mir Gott für den

---

[4] Aboth, ein Traktat der Mischna, aus sittlichen Lehren zusammengesetzt.

Zaddik übergeben, und ich bin sein Bote.‹ Sie dienen der vollen
und offenen Hand.«

Die Süßigkeiten

Am Vorabend des Versöhnungstags, bei der »trennenden Mahlzeit«, die dem Fasten vorausgeht, teilte Rabbi Baruch unter die
Chassidim, die an seinem Tisch aßen, Süßigkeiten aus. Dabei
sprach er: »Ich liebe euch sehr, und was irgend ich in der Welt
Gutes weiß, möchte ich euch geben. Haltet euch nur daran, was
im Psalm gesagt ist: ›Kostet und merket, daß der Herr gut ist.‹
Kostet recht, und ihr werdet merken: Wo etwas Gutes ist, ist der
Herr.« Und er stimmte das Lied an: »Wie gut ist unser Gott, wie
lieblich unser Los!«

Der rechte Dienst

Die Schüler fragten Rabbi Baruch: »Da Gott Aaron durch Mose
geboten hat, wie die sieben Lichte in Leuchter zu setzen seien,
heißt es in der Schrift: Aaron tat so. Raschi[5] meint, dies sei zu
seinem Lob gesagt, weil er nichts geändert habe. Wie ist das zu
verstehn? Sollen wir an Ahron, dem Heiligen des Herrn, rüh-
menswert finden, daß er an Gottes Gebot nichts geändert habe?«
Rabbi Baruch erwiderte: »Damit der Gerechte seinen Dienst
rechtmäßig tue, ist vonnöten, daß er ein Mann sei und, wie er
auch entbrennt, die Glut nicht aus der Schale springen lasse, sondern jede körperliche Handlung nach ihrer Ordnung verrichte. Es
erzählen aber unsere Weisen von einem heiligen Gottesdiener,
der, wenn er im Bethaus die Lampen füllen sollte, vor Inbrunst
das Öl vergoß. Darum ist zum Lobe Aarons gesagt, er habe, wiewohl er im Dienst mit der ganzen Gewalt der Seele dem Schöpfer anhaftete, im rechten Maß die Leuchter versehen und die
Lichter entzündet.«

Wie man lernen soll

Die Schüler fragten Rabbi Baruch: »Wie kann wohl ein Mensch
zulänglich im Talmud lernen? Da heißt es: Abaji sagte dies, Raba
sagte jenes[6]! Es ist, als wäre Abaji aus einer Welt und Raba aus

---

5 Abkürzung für Rabbi Schlomo Jizchaki, den klassischen Exegeten (gest. 1105).
6 Abaji und Raba: Meister des Talmuds aus der ersten Hälfte des 4. Jahrhunderts.

einer andern. Wie soll man beide zusammen aufnehmen und lernen?« Der Zaddik gab zur Antwort: »Wer Abajis Worte aufnehmen will, muß erst seine Seele an Abajis Seele binden, dann wird er die Worte in ihrer Wahrheit lernen, wie Abaji selber sie spricht. Und will er dann Rabas Worte aufnehmen, muß er seine Seele an Rabas Seele binden. Das ist gemeint, wenn es im Talmud heißt: ›Wer ein Wort im Namen seines Sprechers spricht, dessen Lippen regen sich im Grabe.‹ Wie die Lippen des toten Meisters regen sich seine Lippen.«

Die fünfzigste Pforte

Ein Schüler Rabbi Baruchs hatte, ohne seinem Lehrer davon zu sagen, der Wesenheit Gottes nachgeforscht und war im Gedanken immer weiter vorgedrungen, bis er in ein Wirrsal von Zweifeln geriet und das bisher Gewisseste ihm unsicher wurde. Als Rabbi Baruch merkte, daß der Jüngling nicht mehr wie gewohnt zu ihm kam, fuhr er nach dessen Stadt, trat unversehens in seine Stube und sprach ihn an: »Ich weiß, was in deinem Herzen verborgen ist. Du bist durch die fünfzig Pforten der Vernunft gegangen. Man beginnt mit einer Frage, man grübelt, ergrübelt ihr die Antwort, die erste Pforte öffnet sich: in eine neue Frage. Und wieder ergründest du sie, findest ihre Lösung, stößest die zweite Pforte auf – und schaust in eine neue Frage. So fort und fort, so tiefer und tiefer hinein. Bis du die fünfzigste Pforte aufgesprengt hast. Da starrst du die Frage an, die kein Mensch erreicht; denn kennte sie einer, dann gäbe es nicht mehr die Wahl. Vermissest du dich aber, weiter vorzudringen, stürzest du in den Abgrund.« »So müßte ich also den Weg zurück an den Anfang?« rief der Schüler. »Nicht zurück kehrst du«, sprach Rabbi Baruch, »wenn du umkehrst; jenseits der letzten Pforte stehst du dann, und stehst im Glauben.«

Im voraus danken

An einem Sabbatvorabend ging Rabbi Baruch im Hause auf und nieder und sprach wie allemal erst den Friedensgruß an die Engel des Friedens und dann das Gebet: »Ich bekenne meinen Dank vor dir, Herr mein Gott und Gott meiner Väter, für alle Gnade, die du an mir getan hast und die du an mir künftig tun wirst.« Da hielt er inne und schwieg eine Weile und redete: »Warum soll ich dir für künftige Gnaden danken? Jeweils, wenn eine Gnade kommt, will ich den Dank dafür sagen.« Sogleich aber entgegnete er sich selber: »Vielleicht wirst du mir einmal Gnade erweisen, und ich werde nicht imstande sein, dir gebührend zu danken – darum muß ich es jetzt tun.« Und er brach in Tränen aus.

Sein Schüler, Rabbi Mosche von Sawran, hatte unbemerkt in einer Ecke gestanden und die Rede gehört. Als er nun das Weinen wahrnahm, trat er hervor und sagte: »Warum weint Ihr? Eure Frage war ja gut, und Eure Antwort war gut.« Rabbi Baruch sprach: »Ich habe geweint, weil ich denken mußte: Womit werde ich es wohl verschulden, daß ich nicht imstande sein werde, zu danken?«

Das große Werk

Rabbi Baruch sprach: »Nicht das war das große Werk Elias, daß er Wunder tat, sondern daß, als das Feuer vom Himmel fiel, das Volk nicht vom Wunder redete, sondern alle riefen: ›Der Herr ist Gott!‹«

Alles ist Wunder

Man fragte Rabbi Baruch: »Warum wird Gott in der Hymne ›Schöpfer der Arzneien, Furchtbarer der Preisungen, Herr der Wundertaten‹ genannt? Kommt es denn den Arzneien zu, neben den Wundertaten und gar vor ihnen zu stehen?«
Er antwortete: »Gott will nicht als der Herr übernatürlicher Wundertaten gepriesen werden. Darum ist hier durch die Arzneien die Natur eingeführt und vorangestellt. Aber in Wahrheit ist alles Wunder.«

Arznei

Einst brachte Rabbi Baruch für seine kranke Tochter Arzneien aus der Kreisstadt mit. Der Diener hatte sie im Fenster der Herberge aufgestellt. Rabbi Baruch ging in der Stube auf und nieder, sah die Fläschlein an und sprach: »Wenn es Gottes Wille ist, daß meine Tochter Reisel genese, bedürfte es keiner Arznei. Aber

wenn Gott seine Wundermacht allen Augen offenbarte, hätte
kein Mensch mehr die Wahl; denn alle würden wissen. Damit
den Menschen die Wahl verbleibe, kleidet Gott sein Tun in den
Wandel der Natur. So hat er die Heilpflanzen erschaffen.«
Dann ging er wieder die Stube ab und fragte: »Aber warum sind
es Gifte, die man dem Kranken eingibt?« Und antwortete: »Die
Funken [7], die von der Urschöpfung her in die Hüllschalen gefallen waren und sich in Steine, Gewächse und Tiere einwandelten,
sie alle steigen durch die Weihe des Frommen, der in Heiligkeit
an ihnen arbeitet, in Heiligkeit sich ihrer bedient, in Heiligkeit
sie verzehrt, zu ihrem Quell empor. Wie sollen aber die Funken
erlöst werden, die in die bittern Gifte und Giftkräuter fielen?
Daß sie nicht verstoßen bleiben, hat Gott sie den Kranken bestimmt, jedem die Träger der Funken, die der Wurzel seiner
Seele zugehören. So ist der Kranke selber ein Arzt, der die Gifte
heilt.«

Die Erscheinung des Baalschem

Als Rabbi Schlomo von Karlin, dessen Sohn mit Rabbi Baruchs
Tochter vermählt war, ihn einst besuchen wollte und schon im
Eintreten war, fuhr er zurück und schloß die Tür. Das wiederholte sich nach einer Weile. Befragt, sagte Rabbi Schlomo: »Er
steht am Fenster und sieht hinaus, neben ihm aber steht der heilige Baalschemtow und streichelt ihm die Haare.«

Der Streit

Rabbi Mosche von Ladmir, der Sohn Rabbi Schlomos von Karlin, kam einst mit seinem jungen Sohn in Rabbi Baruchs Haus.
Als sie in die Stube traten, sahen und hörten sie, wie der Zaddik
mit seiner Frau stritt, und er achtete der Gäste nicht. Es verdroß
den Knaben, daß seinem Vater nicht die ihm gebührende Ehre erwiesen wurde. Als Rabbi Mosche das merkte, sagte er: »Wisse,
mein Sohn, was du gehört hast, ist ein Streitgespräch zwischen
Gott und seiner Schechina um das Los der Welt.«

---

[7] Nach einer spätkabbalistischen Lehre, die vom Chassidismus ethisch ausgestaltet
worden ist, sind in einer Katastrophe der Urschöpfung Funken der göttlichen Licht-
substanz in die unteren Welten gesunken und haben die »Schalen« der Dinge und
Wesen gefüllt.

Schön reden

Ein gelehrter Mann, der einst Sabbatsgast an Rabbi Baruchs
Tisch war, sagte zu ihm:»Laßt uns nun Worte der Lehre hören,
Rabbi, Ihr redet so schön!«»Ehe daß ich schön rede«, antwortete
der Enkel des Baalschem,»möge ich stumm werden!«

Zu einem Bräutigam

Rabbi Baruch sprach zu einem Bräutigam, ehe er unter den
hochzeitlichen Baldachin trat:»Es steht geschrieben[8]: ›Und wie
der Bräutigam an der Braut sich entzückt, entzückt dein Gott sich
an dir.‹ In dir, Bräutigam, entzücke sich Gott, dein göttliches Teil
entzücke sich an der Braut.«

Sabbatfreude

Einst war bei Rabbi Baruch ein angesehener Mann aus dem Lande
Israel zu Gast. Er war von denen, die beständig um Zion und
Jerusalem trauern und ihres Grams nicht einen Augenblick vergessen. In der Sabbatvornacht sang der Rabbi»Wer den Siebenten heiligt« in seiner gewohnten Weise. Bei den Worten:»Freunde Gottes, die ihr harrt der Erbauung Ariels[9]« blickte er auf und
sah den Gast wie an allen Tagen verdüstert und seufzend sitzen.
Da unterbrach er den Gesang und rief mit zorniger Freude dem
Zusammenschreckenden die Versworte ins Gesicht:»Freunde Gottes, die ihr harrt der Erbauung Ariels, am Tag des heiligen Sabbats jubelt und frohlocket!« Dann sang er das Lied zu Ende.

Das Vergessen

Ein auf sein Wissen eingebildeter Gelehrter aus Litauen pflegte
in Berditschew Rabbi Levi Jizchak in seiner Predigt mit allerhand spitzfindigen Einwänden zu unterbrechen. Der Zaddik forderte ihn mehrfach auf, ihn zu solchen Erörterungen in seinem

---

[8] Jesaja 62, 5.
[9] Ariel (wahrscheinlich: Gottesherd, d. i. Opferstätte) ist eine poetische Bezeichnung
Jerusalems (Jesaja 29, 1).

Haus zu besuchen; aber der Litauer kam nicht, dagegen erschien er immer wieder im Bethaus und unterbrach von neuem. Man erzählte Rabbi Baruch davon. »Wenn er zu mir kommt«, sprach er, »wird er überhaupt nichts zu sagen wissen.« Die Worte wurden dem Litauer hinterbracht. »Worin ist denn dieser Rabbi besonders bewandert?« fragte er. »Im Buche Sohar«, war die Antwort. So suchte er sich eine schwierige Stelle im Buche Sohar aus und fuhr nach Mesbiž, um Rabbi Baruch darüber zu befragen. Als er aber in dessen Stube trat, sah er auf dem Pult das Buch Sohar auf ebenderselben Seite aufgeschlagen liegen. Welch wunderlicher Zufall! dachte er und überlegte sogleich, welche andere schwierige Stelle geeignet wäre, den Rabbi in Verlegenheit zu bringen. Aber schon hatte dieser zu sprechen begonnen. »Wißt Ihr Bescheid im Talmud?« fragte er. »Freilich weiß ich Bescheid darin!« erwiderte der Litauer lachend. »Es heißt im Talmud«, sprach Rabbi Baruch, »wann das Kind im Leibe der Frau ist, brenne ihm ein Licht auf dem Kopf und es lerne die ganze Thora, wann ihm aber bestimmt ist, hinaus in die Luft der Welt zu gehn, komme ein Engel und schlage es auf den Mund, und da vergesse es alles. Wie ist das zu verstehn? Wozu braucht man es erst alles lernen zu lassen, damit es dann alles vergesse?« Der Litauer schwieg. Nun sprach Rabbi Baruch: »Ich will die Frage beantworten. Anscheinend ist es überhaupt unklar, wozu Gott das Vergessen geschaffen hat. Aber der Sinn davon ist: wäre das Vergessen nicht, so müßte der Mensch unaufhörlich an seinen Tod denken und würde kein Haus bauen und würde nichts unternehmen. Darum hat Gott in die Menschen das Vergessen gepflanzt. So ist ein Engel bestellt, das Kind so zu lehren, daß es nichts vergesse, und der andere Engel ist bestellt, es auf den Mund zu schlagen und ihm das Vergessen beizubringen. Hat er aber einmal vergessen, es zu tun, so kann ich ihn ersetzen. Und nun tragt mir Euerseits die ganze Stelle vor!« Der Litauer setzte an, aber er stammelte nur und brachte kein Wort hervor. Er ging aus dem Hause des Rabbi und hatte alles vergessen und war ein Unwissender geworden. Er war hernach Bethausdiener in Berditschew.

Der Mondsegen

In einem Wintermonat folgte eine tief bewölkte Nacht auf die andere, der Mond war nicht zu sehen, und Rabbi Baruch konnte den Mondsegen nicht sprechen. In der letzten Nacht, die dafür zu Gebote stand, schickte er Mal um Mal hinaus, nach dem Himmel zu schauen; aber immer wieder wurde ihm berichtet, es sei stockfinster und dichter Schnee gehe nieder. Schließlich sprach er: »Wenn es um mich gut stünde, würde mir der Mond gewiß zu Gefallen sein. So müßte ich denn Buße tun. Da ich dazu aber nicht mehr die Kraft habe, muß ich zumindest meine Sünden bereuen.« Und das Reuebekenntnis kam mit solcher Macht über seine Lippen, daß alle um ihn von einem großen Schauer ergriffen wurden und miteinander in ihren Herzen die Umkehr vollzogen. Da kam einer ins Haus und meldete: »Es schneit nicht mehr, und man sieht ein weniges Licht.« Der Rabbi zog den Mantel an und ging hinaus. Die Wolken zerstreuten sich, inmitten der leuchtenden Sterne leuchtete der Mond, und Rabbi Baruch heiligte ihn.

Das Versteckspiel

Rabbi Baruchs Enkel, der Knabe Jechiel, spielte einst mit einem andern Knaben Verstecken. Er verbarg sich gut und wartete, daß ihn sein Gefährte suche. Als er lange gewartet hatte, kam er aus dem Versteck; aber der andere war nirgends zu sehen. Nun merkte Jechiel, daß jener ihn von Anfang an nicht gesucht hatte. Darüber mußte er weinen, kam weinend in die Stube seines Großvaters gelaufen und beklagte sich über den bösen Spielgenossen. Da flossen Rabbi Baruch die Augen über, und er sagte: »So spricht Gott auch: ›Ich verberge mich, aber keiner will mich suchen.‹«

Die zwei Dochte

Rabbi Baruchs anderer Enkel, der junge Israel, pflegte beim Beten aufzuschreien. Einst sprach er zu ihm: »Mein Sohn, besinne dich auf den Unterschied zwischen einem Docht aus Baumwolle und einem Docht aus Flachs. Der eine brennt still dahin, der andre knistert. Glaub mir: Eine einzige wahre Bewegung, und sei es der kleinen Zehe, ist genug.«

Die zwiefältige Welt

Rabbi Baruch sprach einmal: »Was für eine gute und lichte Welt ist das doch, wenn man sich nicht an sie verliert, und was für eine finstere Welt ist das doch, wenn man sich an sie verliert!«

Der Stammbaum

Als Rabbi Bär fünf Jahre alt war, brach im Haus seines Vaters ein Brand aus. Wie er nun seine Mutter jammern hörte, fragte er sie:»Mutter, müssen wir uns denn so grämen, weil wir ein Haus verlieren?«»Nicht ums Haus klage ich«, sagte sie,»sondern um unsern Stammbaum, der verbrannt ist. Er fängt mit Rabbi Jochanan dem Sandalenmacher, dem Meister des Talmuds, an.«»Nun, was macht das aus!« rief der Knabe,»ich will dir einen neuen Stammbaum verschaffen, der mit mir anfängt.«

Die Aufnahme

Rabbi Bär war ein Gelehrter von hohem Scharfsinn, aller gewundnen Gänge der Gemara kundig und auch in den Tiefen der Kabbala erfahren. Als er immer wieder vom Baalschem hörte, beschloß er, ihn aufzusuchen, um die Weisheit des vielgerühmten Mannes zu erproben. Im Haus des Meisters angelangt und ihm gegenübertretend, wartete er nach der Begrüßung, ohne ihn auch nur recht anzuschauen, auf die Lehrworte aus seinem Mund, um sie zu prüfen und zu wägen. Der Baalschem aber erzählte ihm, er sei einst tagelang durch eine Wildnis gefahren und hätte nicht Brot gehabt, um seinen Kutscher zu speisen; da sei ein Bauer des Weges gekommen und habe ihm Brot verkauft. Sodann entließ er den Gast. Am nächsten Abend kam der Maggid wieder zum Baalschem und dachte, nun würde er doch wohl endlich ein Wort der Lehre vernehmen. Rabbi Israel aber erzählte ihm nur, er habe einmal unterwegs kein Heu für seine Pferde gehabt; da sei ein Bauer dahergekommen und habe die Tiere gefüttert. Der Maggid verstand nicht, was die Geschichten ihm sollten. Er war nun gewiß, es sei vergeblich, von diesem Mann Weisheit zu erwarten. In seine Herberge zurückgekehrt, befahl er seinem Diener, die Heimfahrt zu rüsten, die sie antreten wollten, sobald der Mond die Wolken zerstreut hätte. Um Mitternacht wurde es hell; da kam ein Bote des Baalschem, Rabbi Bär möchte in dieser

Stunde vor ihm erscheinen. Er ging sogleich hinüber. Der Baalschem empfing ihn in seiner Kammer. »Hast du Wissen in der
Kabbala?« fragte er. Der Maggid bejahte. »Nimm hier das Buch
›Der Baum des Lebens¹‹, schlag auf und lies.« Der Maggid las.
»Besinne dich.« Er tat es. »Deute.« Er deutete die Stelle, die von
der Wesenheit der Engel handelte. »Du hast kein Wissen«, sagte
der Baalschem. »Steh auf!« Er stand auf. Der Baalschem stand
ihm gegenüber und sprach die Stelle. Da verging vor den Augen
des Rabbi Bär die Stube im Feuer, und er hörte die Engel durch
das Feuer rauschen, bis ihn die Sinne verließen. Als er erwachte,
war die Kammer, wie er sie betreten hatte. Der Baalschem stand
ihm gegenüber und sprach: »Die Deutung, die du sagtest, ist richtig. Aber du hast kein Wissen; denn dein Wissen hat keine
Seele.«
Rabbi Bär ging in die Herberge, hieß den Diener heimfahren und
blieb in Mesbiž, der Stadt des Baalschem.

Der Fluch

In jungen Jahren lebte der Maggid mit seinem Weib in großer
Armut. Sie wohnten in einem verfallenen Haus außerhalb der
Stadt, für das kein Mietzins zu entrichten war, und da brachte
die Frau ihren Sohn zur Welt. Bis dahin hatte sie nicht geklagt;
als aber die Hebamme etwas Geld verlangte, um für das Kind
Kamillentee zu kaufen, und kein Heller da war, stöhnte sie auf:
»So ernährt er uns mit seinem Dienst!« Der Maggid hörte diese
Worte und sprach zu ihr: »Nun will ich hinausgehn und Israel
verfluchen, weil sie uns dem Elend überlassen.« Er ging vor die
Haustür, hob die Augen zum Himmel und rief: »Ach, ihr Kinder
Israel, die Fülle des Segens komme über euch!« Als er die Frau
zum zweitenmal aufstöhnen hörte, sagte er zu ihr: »Nun will ich
ihnen aber in Wahrheit fluchen.« Wieder ging er hinaus, hob das
Haupt und rief: »Den Kindern Israel werde alles Glück zuteil, –
aber ihr Geld sollen sie den Dornsträuchern und den Steinen geben!«

---

¹ Darstellung des kabbalistischen Systems Jizchak Lurjas durch seinen Hauptschüler,
Chajim Vital Calabrese.

Der Seufzer

Die Frau hielt schweigend das hungernde, verstummte Kind. Da seufzte der Maggid zum ersten Male auf. Ungesäumt kam die Antwort; eine Stimme redete zu ihm: »Du hast deinen Anteil an der kommenden Welt verloren.« »Wohlan«, sprach er, »der Lohn ist abgeschafft, jetzt kann ich wahrhaft zu dienen beginnen.«

Strafe

Als der Maggid wahrnahm, daß er der Welt bekannt geworden war, bat er Gott, ihm kundzutun, durch welche Sünde er sich schuldig gemacht habe.

Das Zeichen

Einst gab der Baalschem beim Abschied seinem Schüler den Segen. Dann beugte er das eigne Haupt, von ihm den Segen zu empfangen. Rabbi Bär weigerte sich. Aber der Baalschem ergriff seine Hand und legte sie sich aufs Haupt.

Die Nachfolge

Vor dem Tode des Baalschem fragten ihn die Schüler, wer an seiner Stelle ihr Meister werden solle. Er sagte: »Wer euch Auskunft gibt, wie man die Eigenschaft des Stolzes bricht, soll euer Haupt sein.« Nach dem Tode des Baalschem fragten sie Rabbi Bär von Mesritsch als ersten: »Wie ist der Stolz zu brechen?« Er antwortete: »Die Eigenschaft des Stolzes gehört Gott an, wie geschrieben steht: ›Der Herr ist König, in Stolz hat er sich gekleidet!‹ Darum gibt es keinen Rat, diese Eigenschaft zu brechen. Alle Tage des Lebens müssen wir mit ihr ringen.« Da wußten die Gefährten, daß er der Nachfolger war.

Der Besuch

Als Rabbi Jaakob Jossef von Polnoe, der andere der beiden obersten Jünger und Werkerben des Baalschem und der Aufzeichner seiner Lehre, eine Zeit nach dessen Tod in Mesritsch weilte, bat

ihn der Maggid, über Sabbat sein Gast zu sein. Der Polnoer sagte: »Ich führe mich Sabbats wie irgendein Hausvater; nach dem
Essen muß ich mich schlafen legen und kann nicht die Tischzeit
dehnen wie Ihr, der Ihr eine große Schülerschaft habt und an
Eurem Tische Lehre vortragt.« »Ich will«, erwiderte der Maggid,
»mit den Meinen über den Sabbat in zwei Zimmern, die hinter
dem Hof liegen, Wohnung nehmen und das Haus Euch überlassen,
daß Ihr Euch darin ganz unbehelligt wie in Eurem eignen führen
könnt.« So blieb der Polnoer mit seinem Schüler Rabbi Mosche,
der ihn auf der Reise begleitete, im Haus. Am Sabbatvorabend
nahmen diese beiden zu zweien das Mahl ein, und danach ging
Rabbi Jaakob Jossef zur Ruhe. Seinen Schüler verlangte sehr,
an dem Tisch des Maggids zu sitzen, denn er kannte ihn als den
Führer des Geschlechts; aber er fürchtete, sein Lehrer könnte erwachen und seine Abwesenheit bemerken. Nach dem Sabbat-
abendmahl, der heiligen »dritten Mahlzeit«, sagte der Polnoer zu
seinem Schüler: »Wir wollen zum Tisch des Maggids gehen, ein
weniges von seiner Rede zu hören.« Wie sie über den Hof gingen, drang die lehrende Stimme des Maggids zu ihnen; als sie
aber an seine Tür kamen, verstummte sie. Rabbi Jaakob Jossef
kehrte in den Hof zurück; da hörte er den Maggid wieder vortragen; wieder wandte er den Schritt, wieder stand er an der
Schwelle, wieder schwieg es drinnen. Als dies sich noch einmal
wiederholt hatte, ging der Polnoer, beide Hände ans Herz gepreßt, im Hof auf und nieder und sprach: »Was wollen wir tun?
Am Tag, da unser Meister verschied, hat die Schechina ihren Ranzen gepackt und ist nach Mesritsch gewandert.« Er versuchte
nicht mehr, an den Tisch des Maggids zu gelangen; nach Sabbat
nahm er freundlichen Abschied von ihm und fuhr mit seinem
Schüler heim.

Palme und Zeder

Zum Psalmvers[2] »Der Bewährte (Zaddik) sproßt wie die Palme,
er schießt wie die Zeder auf dem Libanon auf« sprach der
Maggid von Mesritsch: »Es gibt zwei Arten von Zaddikim. Die
einen geben sich mit den Menschen ab, ermahnen und belehren

---

[2] 92, 13.

sie, die andern liegen nur selber der Lehre ob. Die ersten tragen
nährende Frucht wie die Dattelpalme, die zweiten sind wie die
Zeder, erhaben und unfruchtbar.«

Nähe

Ein Schüler erzählte:»Wenn wir zu unserem Lehrer fuhren: sobald wir innerhalb der Stadtgrenze waren, hatte sich uns alles
Begehren erfüllt. Wem sich aber doch noch ein Wunsch regte, der
war befriedigt, sowie er in das Haus des Maggids trat. Und fand
sich einer, dem auch dann noch der Spiegel der Seele aufgerührt
war – wenn er das Angesicht des Maggids schaute, hatte er die
Ruhe.«

Wirkung

Einige Schüler fuhren einst zum Maggid.»Wir wollen nicht verweilen«, sprachen sie zueinander,»laßt uns nur sein Angesicht
schauen.« Sie hießen den Fuhrmann vorm Haus warten. Der
Maggid empfing sie und erzählte ihnen sogleich eine Geschichte,
die aus vierundzwanzig Worten bestand. Sie hörten zu, sie nahmen Abschied, sie sagten zum Fuhrmann:»Fahr nur langsam
voraus, wir kommen nach.« Sie gingen hinter dem Wagen her
und unterredeten sich von der Geschichte; sie gingen den Rest des
Tags und die Nacht hinter dem Wagen her. Als der Morgen anbrach, hielt der Fuhrmann, drehte sich um und zankte:»Ist es
euch nicht genug, daß ihr gestern Nachmittag- und Abendgebet
vergessen habt, wollt ihr auch noch das Frühgebet versäumen?«
Er mußte es viermal rufen, ehe sie ihn vernahmen.

Im Haus des Maggids

Rabbi Schnëur Salman pflegte zu sagen:»Was Weissagungen, was
Wundertaten! Im Haus meines Lehrers, des heiligen Maggids,
schöpfte man den heiligen Geist eimerweise, und die Wunder lagen unter den Bänken, ohne daß wer Muße hatte, sie aufzuheben.«

2222

22222

2222

2222

2

Lehre

Am Vorabend des Festes der Offenbarung saß der Rižiner Rabbi einst an seinem Tisch und sprach nicht wie sonst in dieser Stunde zu seinen Schülern Worte der Lehre, sondern schwieg und weinte. Und so auch am zweiten Abend des Festes; nach dem Tischsegen aber sprach er:

»Manches Mal, wenn mein Ahn, der heilige Maggid, an seinem Tisch gelehrt hatte und die Schüler heimgingen, unterredeten sie sich über die Worte ihres Lehrers, und jeder führte sie anders an, und jeder meinte, sie so und nicht anders gehört zu haben, und Rede stand der Rede gegenüber. Auch gab es keine Entscheidung; denn kamen sie zum Maggid und befragten ihn, so pflegte er nur den überlieferten Spruch[3] zu wiederholen: ›Diese und diese sind Worte des lebendigen Gottes.‹ Aber wenn die Schüler sich besannen, verstanden sie den Sinn des Widerspiels. Denn an ihrem Quell ist die Thora eine; in den Welten hat sie siebzigfältiges Antlitz. Schaut einer aber eins ihrer Antlitze wahrhaft an, da bedarf es keiner Worte und keiner Lehre mehr; denn die Züge des ewigen Angesichts reden zu ihm.«

Im Elend

Der Maggid von Mesritsch sprach: »Jetzt, im Exil, kommt leichter der heilige Geist über einen als in der Zeit, da das Heiligtum stand.

Ein König wurde aus seinem Reich vertrieben und mußte umherirren. Kam er da in ein armes Haus, wo er zwar schlecht bewirtet und schlecht beherbergt, aber doch als König empfangen wurde, war seinem Herzen wohl, und er redete mit den Hausleuten so vertraut, wie er es am Hof nur mit denen getan hatte, die ihm zunächst standen.

So tut auch Gott, da er im Elend ist.«

---

[3] Nach einer talmudischen Erzählung (Erubin 13 b) spricht eine Himmelsstimme so von den einander entgegenstehenden Meinungen der milden Schule Hillels und der strengen Schammais.

Gottes Vaterschaft

Der Maggid von Mesritsch sprach zu dem Schriftvers[4]: »Dann
werdet ihr von dort verlangen nach dem Herrn eurem Gott, dann
wirst du ihn finden«: »Der Mensch muß zu Gott schreien und ihn
Vater nennen, bis er sein Vater wird.«

Dazwischen

Der Maggid von Mesritsch sprach: »Kein Ding der Welt vermag
aus einer Wirklichkeit in eine andere Wirklichkeit zu kommen,
wenn es nicht vorher zum Nichts, das ist zur Wirklichkeit des
Dazwischen, kam. Da ist es Nichts, und niemand kann es begreifen; denn es ist zur Stufe des Nichts gelangt wie vor der Schöpfung. Und da wird es zu einem neuen Geschöpf erschaffen, vom
Ei zum Küchlein. In dem Augenblick, nachdem die Vernichtung
des Eis vollendet ist, und ehe das Werden des Küchleins begonnen hat, ist das Nichts. Und das wird in der Philosophie der Urstand genannt, den niemand begreifen kann; denn er ist eine
Kraft vor der Schöpfung und heißt Chaos. So auch der sprie-
ßende Same: es beginnt nicht zu sprießen, ehe jener Same im Boden zerfällt und aus seinem Wesen vernichtet wird, damit er zum
Nichts kommt, das die Stufe vor der Schöpfung ist. Und die wird
Weisheit genannt, das heißt ein Gedanke, der keine Offenbarung
hat. Sodann wird daraus geschaffen, wie geschrieben steht: ›Sie
alle hast du mit Weisheit gemacht.‹«

Das letzte Wunder

Der Maggid von Mesritsch sprach: »Die Schöpfung des Himmels
und der Erde ist die Entfaltung des Etwas aus dem Nichts, das
Hinabsteigen des Oberen in das Untere. Aber die Zaddikim in
ihrem Werk, da sie sich von der Körperlichkeit lösen und stets
Gott nachsinnen und in Wahrheit sehen und verstehen und vorstellen, als wäre das Nichts wie vor der Schöpfung, die wandeln
das Etwas ins Nichts zurück. Und dies ist das Wunderbarere:
vom Unteren emporheben. Wie es in der Gemara heißt: ›Größer
ist das letzte Wunder als das erste.‹«

---

[4] Deuteronomium 4, 29.

Der starke Dieb

Der Maggid von Mesritsch sprach: »Jedes Schloß hat seinen Schlüssel, der ihm eingepaßt ist und es öffnet. Aber es gibt starke Diebe, die wissen ohne Schlüssel zu öffnen: sie erbrechen das Schloß. So läßt sich jedes Geheimnis der Welt durch die besondere Versenkung, die ihm eingepaßt ist, erschließen. Gott aber liebt den Dieb, der das Schloß erbricht: das ist der Mensch, der sich das Herz bricht um Gott.«

Die zehn Grundsätze

Der Maggid sprach zu seinem Schüler Rabbi Sussja: »Die zehn Grundsätze des Dienstes kann ich dich nicht lehren. Aber du magst zu einem kleinen Kind und zu einem Dieb in die Lehre gehen.

Drei Dinge wirst du von dem Kinde lernen:
es ist fröhlich, ohne eines Antriebs zu bedürfen;
keinen Augenblick verweilt es müßig;
und woran es Mangel hat, weiß es kräftig zu begehren.

In sieben Dingen wird dich der Dieb unterweisen:
er tut seinen Dienst in den Nächten;
erlangt er's nicht in einer Nacht, so wendet er die kommende dran;
er und seine Werkgenossen lieben einander;
er wagt sein Leben um ein Geringes;
was er erbeutet hat, gilt ihm so wenig, daß er es um die schlechteste Münze hingibt;
er läßt Schläge und Plagen über sich ergehen, und es ficht ihn nicht an;
sein Handwerk gefällt ihm wohl, und er tauscht es für kein andres ein.«

Der Rabbi und der Engel

Rabbi Schmelke, der Raw von Nikolsburg, und sein Bruder Rabbi Pinchas, der Raw von Frankfurt am Main, wurden schwer enttäuscht, als sie an einem Freitag das erste Mal in das Haus des großen Maggids kamen. Sie hatten eine lange und wohlgeschmückte Begrüßung erwartet; er entließ sie nach kurzem Gruß, den Vorkehrungen zum Empfang eines höheren Gastes, des Sabbats, hingegeben. Sie hatten erwartet, an den drei Sabbatmahlen gelehrte und geschärfte Vorträge zu vernehmen; der Maggid sprach bei jedem ein paar besinnliche Worte ohne Aufwand des Verstandes, und zumal beim dritten redete er nicht wie ein Lehrer zu lernbegierigen Schülern, sondern wie ein guter Vater einmal reden mag, wenn die Tischgemeinschaft ein wenig feierlicher als sonst ihn mit den Söhnen vereint hat. Darum nahmen sie schon am nächsten Tag Abschied von Rabbi Bär und gingen sodann ins Lehrhaus, sich auch von seinen Schülern zu verabschieden. Im Lehrhaus fanden sie einen von ihnen, den sie noch nicht kannten; es war Rabbi Sussja. Der sah die Eintretenden lange an, erst den einen, dann den andern; zuletzt sah er zu Boden und sagte ohne Gruß und Übergang: »Maleachi spricht: ›Priesters Lippen bewahren Erkenntnis, Weisung sucht man aus seinem Mund, denn er ist ein Engel des Herrn der Scharen.‹ Das deuteten unsre Weisen also: ›Wenn der Rabbi einem Engel gleicht, soll man Weisung aus seinem Munde suchen.‹ Wie ist dies zu verstehen? Hat denn einer von uns schon einen Engel gesehen, daß er den Rabbi mit ihm vergleichen könnte? Aber eben so ist es gemeint: Wie du nie einen Engel gesehen hast, und doch, wenn er vor dir stünde, würdest du ihn nicht fragen und nicht prüfen und kein Zeichen von ihm fordern, sondern glauben und wissen würdest du, daß dies ein Engel ist, so ist es auch mit dem wahren Zaddik. Von wem du solches erfährst, aus dessen Munde suche Weisung.« Als Rabbi Sussja seine Rede geschlossen hatte, waren die Brüder in ihrem Herzen schon in die Schülerschaft aufgenommen.

Die Kugel

Ehe der Maggid die beiden Brüder, Schmelke und Pinchas, zu lehren begann, sagte er ihnen, wie man sich den ganzen Tag über, vom Erwachen bis zum Einschlafen, führen solle, wobei er ihre bisherigen Gepflogenheiten so, zugleich bestätigend und überwindend, einbezog, als sei ihm all ihr Leben vertraut. Am Schluß sagte er: »Und ehe man sich am Abend hinlegt, macht man eine

Rechnung über den ganzen Tag. Und wenn der Mensch sich da
vorrechnet, wie er nicht einen einzigen Augenblick vertan habe,
und sein Herz sich erhebt, nehmen sie im Himmel all die guten
Werke, ballen sie zu einer Kugel zusammen und schleudern die in
den Abgrund.«

Leib und Seele

Als Rabbi Schmelke von seiner ersten Reise zum Maggid heimkehrte und man ihn fragte, was er erfahren habe, antwortete er:
»Bis nun hatte ich meinen Leib kasteit, daß er die Seele ertragen
könne. Jetzt aber habe ich gesehen und gelernt, daß die Seele den
Leib ertragen kann und sich von ihm nicht abzuscheiden braucht.
Das ist es, was uns in der heiligen Thora zugesprochen ist[5]: ›Ich
gebe meine Wohnung in eure Mitte, meine Seele verschmäht euch
nicht.‹ Denn nicht soll die Seele ihren Leib verschmähen.«

Die Ordnung

Rabbi Michal von Zloczow kam einmal mit seinem Sohn, dem
jungen Jizchak, den großen Maggid zu besuchen. Als der für eine
Weile aus der Stube ging, nahm der Knabe eine Tabakdose, die
auf einem Tischchen lag, zur Hand, betrachtete sie von allen Seiten und legte sie zurück. Sowie der Maggid wieder zur Tür eintrat, sah er Jizchak an und sprach zu ihm: »Jedes Ding hat seinen Ort, jeder Ortswandel hat seinen Sinn. Wenn man nicht
weiß, soll man nicht tun.«

Lehre sagen und Lehre sein

Rabbi Löb, Sohn der Sara, der verborgene Zaddik, der, dem Lauf
der Gewässer folgend, über die Erde wanderte, um die Seelen
Lebender und Toter zu erlösen, erzählte: »Daß ich zum Maggid
fuhr, war nicht, um Lehre von ihm zu hören: nur um zu sehen,
wie er die Filzschuhe aufschnürt und wie er sie schnürt.«

---

[5] Leviticus 26, 11.

Wie man Lehre sprechen soll

Der Maggid sprach einmal zu seinen Schülern: »Ich will euch die beste Art weisen, Lehre zu sprechen. Man soll sich selber gar nicht mehr fühlen, nichts mehr sein als ein Ohr, das hört, was die Welt des Wortes in einem redet. Sowie man aber die eigene Rede zu hören beginnt, breche man ab.«

Das Gespräch der Ofenheizer

Der große Maggid nahm nur erlesene Männer zu Schülern an; von diesen sagte er, sie seien edle Wachskerzen, die nur entzündet zu werden brauchten, um in reiner Flamme zu brennen. Manche Gelehrten hieß er mit dem Bescheid von dannen ziehen, sein Weg stehe ihnen nicht an. Mehrere Jünglinge aber, die der Schülerschaft noch nicht gewürdigt worden waren, blieben in seiner Nähe, um ihn und die Schüler zu bedienen; man pflegte sie die Ofenheizer zu nennen, weil diese Tätigkeit zu ihrem freigewählten Dienst gehörte.

Eines Nachts hörte einer der Schüler, Schnëur Salman, der nachmalige Raw von Reußen, vor dem Einschlafen, wie im anliegenden Zimmer drei dieser Jünglinge sich am Ofen zu schaffen machten. Dabei unterredeten sie sich von der Opferung Isaaks. Der eine sagte: »Was wird da von Abraham so viel Aufhebens gemacht? Wer täte nicht, was er tat, wenn Gott selber es ihm beföhle? Denkt nur an die vielen, die ohne einen solchen Befehl ihr Leben zur Heiligung des Namens hinwarfen! Was haltet ihr davon?« Der andere sagte: »Ich verstehe es so, daß die Hingabe des Teuersten bei den Kindern Israel kein sonderliches Verdienst mehr ist, eben weil sie das Erbteil der heiligen Väter in sich tragen, Abraham aber war der Sohn eines Götzendieners.« Der erste der drei Ofenheizer erwiderte: »Was wog das in dem Augenblick, da Gott, Gott selber, ihn anredet?« Der zweite brachte nun vor: »Du mußt nicht vergessen, daß er am frühen Morgen aufstand und unverweilt die Fahrt rüstete, ohne auch nur eine Stunde mit seinem Kind im Hause zu säumen.« Der erste nahm auch diesen Beweisgrund nicht an. »Wenn Gott mich jetzt anredete«, sagte er, »ich wartete nicht bis zum Morgen, sondern mitten in

der Nacht machte ich mich auf, sein Geheiß zu erfüllen.« Da
sprach der dritte der Jünglinge, der bisher geschwiegen hatte: »Es
heißt in der Schrift: ›Denn jetzt habe ich erkannt‹, und sodann: ›Du
hast deines einzigen Sohns nicht geschont um meinetwillen.‹ Man
möchte meinen, das Wort ›um meinetwillen‹ täte nicht not. Aber
an eben diesem Wort erfahren wir etwas: daß Abraham, als der
Engel seine Hand einhielt, nicht die Freude empfand, daß Isaak
am Leben bleiben sollte, sondern immer noch und auch in diesem
Augenblick noch und mehr noch als zuvor die eine Freude, daß
Gottes Wille durch ihn erfüllt war. Darum heißt es auch: ›Denn
jetzt habe ich erkannt‹ – jetzt, als der Engel schon Abrahams Hand
eingehalten hatte.« Der erste der drei Ofenheizer antwortete darauf nicht mehr, und auch die andern beiden waren verstummt;
Rabbi Schnëur Salman hörte nur noch das Knistern und Prasseln
der Scheite.

Wie man ein Geistiger wird

Zur Zeit des großen Maggids lebte in Mesritsch ein wohlhabender Kaufmann, der vom chassidischen Weg nichts wissen wollte.
Seine Frau versorgte den Laden; er aber verweilte an jedem Tag
nur zwei Stunden darin, alle übrige Zeit saß er im Lehrhaus über
den Büchern. Einmal kam er am Freitagmorgen hin und sah zwei
junge Leute, die er nicht kannte. Er fragte sie nach ihrer Heimat
und ihrem Vorhaben und erfuhr von ihnen, daß sie aus der Ferne
gekommen waren, um den großen Maggid zu sehen und zu hören. Da entschloß er sich, auch einmal in dessen Haus zu gehen.
Von der Lernzeit zwar wollte er zu diesem Zweck nichts opfern;
aber er verzichtete an dem Tag auf den Besuch des Ladens. Das
leuchtende Antlitz des Maggids wirkte so stark auf ihn ein, daß
er nun öfter und öfter kam und endlich völlig sich ihm anschloß.
Von da an aber hatte er im Handel ein Mißgeschick ums andere,
bis er verarmt war. Er klagte dem Maggid, daß ihm dies eben
in der Zeit widerfahren war, seit er ihm anhing. »Du weißt
doch«, antwortete ihm der Maggid, »was unsre Weisen sagen: Wer
weise werden will, ziehe nach Süden, wer reich werden will, ziehe
nach Norden. Was soll nun der tun, der beides werden will?«
Der Mann wußte nicht, was er erwidern sollte. Der Maggid fuhr

fort:»Wer sich für nichts achtet und sich zunichte macht, wird geistig, und ein Geistiger nimmt keinen Raum ein, der kann in Norden und Süden zugleich sein.« Das Wort traf den Kaufmann ins Herz, und er rief:»So ist denn mein Schicksal besiegelt!« »Nicht doch«, beschied ihn der Maggid,»du hast ja schon begonnen.«

Das Sündenregister

Der Raw von Kolbischow weilte einst in Mesritsch und sah, wie ein alter Mann zum Maggid kam und ihn bat, ihm eine Sündenbuße aufzuerlegen.»Geh heim«, sagte der Maggid,»schreib alle deine Sünden auf ein Blatt und bringe es mir.« Als der Mann es ihm brachte, warf er nur einen Blick darauf, dann sagte er:»Geh nun wieder heim, es ist gut.« Später aber sah der Raw, wie Rabbi Bär das Blatt las und bei jeder Zeile laut auflachte. Das verdroß ihn: Wie kann man über Sünden lachen! Jahrelang konnte er die Erinnerung nicht überwinden, bis er einmal diesen Spruch des Baalschemtow anführen hörte:»Es ist bekannt, daß niemand eine Sünde begeht, es sei denn der Geist der Narrheit in ihn gefahren. Was tut aber der Weise, wenn ein Narr zu ihm kommt? Er lacht über all seine Narrheiten, und wie er lacht, kommt der Hauch der Mildigkeit über die Welt, die Strenge schmilzt, und was lastete, wird leicht.« Der Raw besann sich.»Nun verstehe ich das Lachen des heiligen Maggids«, sprach er in seiner Seele.

Woher

Es wird erzählt:»Einem Schüler des Gaon von Wilna[6] widerfuhr es, daß allnächtlich sein verstorbener Vater ihm im Traum erschien und von ihm verlangte, er solle seinen Glauben aufgeben und den der Christen annehmen. Da Wilna fern, Mesritsch aber in der Nähe seines Wohnorts lag, entschloß er sich trotz des großen Streites, der zwischen beiden Lagern entbrannt war, den Maggid um Rat und Hilfe anzugehen. ›Öffne das Grab deines Vaters‹, sagte ihm der Maggid, ›du wirst darin zwei Hölzer

---

[6] »Gaon« (d. i. Hoheit) ist die Bezeichnung eines großen rabbinischen Gelehrten. So wurde auch Rabbi Elia von Wilna (gest. 1797) genannt, der zu seiner Zeit die gegen den Chassidismus gerichtete Bewegung anführte.

kreuzweise liegend finden, die nimm heraus, und du wirst alsbald die Ruhe wiedererlangen.‹ So geschah es auch. Als nach Jahren der Mann nach Wilna kam, erzählte er den Vorgang seinem Lehrer. Der Gaon sprach: ›Der Gegenstand ist ja im Jerusalemischen Talmud angedeutet. Es ist nur wunderlich, daß der Maggid von Mesritsch die Stelle verstanden hat.‹ Als, wieder nach einiger Zeit, der Schüler Rabbi Bär besuchte, berichtete er ihm die Worte des Gaon. ›Dein Lehrer‹, sagte der Maggid, ›weiß es aus dem Jerusalemischen Talmud, und ich weiß es, woher der es weiß.‹«

Das Versagen

Einst setzte der Maggid die gesammelte Kraft seines Wesens ein, daß die Erlösung komme. Da fragte es vom Himmel: »Wer ist es, der das Ende bedrängt, und was bedünkt er sich?« Der Maggid antwortete: »Ich bin der Führer des Geschlechts, und es liegt mir ob, mich einzusetzen.« Wieder fragte es: »Wie weisest du dich aus?« »Meine heilige Gemeinde«, antwortete der Maggid, »wird aufstehn, für mich zu zeugen.« »Sie stehe auf«, rief die Stimme. Da ging Rabbi Bär und sprach zur Schar der Schüler: »Ist es wahr, daß ich der Führer des Geschlechts bin?« Aber alle schwiegen. Er wiederholte seine Frage, und noch einmal, und keiner sagte: Es ist wahr. Erst als er sie verlassen hatte, lösten sich ihnen Zungen und Sinn in einem, und sie erschraken über sich.

Die Beschwörung

In der letzten Lebenszeit des Maggids gedieh die Feindschaft der Mithnagdim zu solcher Erbitterung, daß sie die Chassidim, als das wiedergeborene Geschlecht des Turmbaus, in Bann taten und verboten, mit ihnen Gemeinschaft zu halten, mit ihnen sich zu verschwägern, von ihrem Brot zu essen und von ihrem Wein zu trinken. Deswegen erhoben die Schüler des Maggids an den drei Sabbatmahlen Klage vor ihm. Er aber schwieg dreimal, als höre er nicht. Da schlossen sie sich nach Sabbatausgang, zehn an der Zahl, zur Gemeinde zusammen und öffneten das Bethaus. Dort wandten sie in heimlicher Beschwörung den Bann gegen die Bannenden. In der dritten Stunde nach Mitternacht war das Werk ge-

tan, und sie gingen in den Schlafsaal. Um die vierte Stunde hörten sie die Krücken, an denen der Maggid seit etlichen Jahren
seiner kranken Füße halber ging, über den Boden des Saals schleifen. Sie erhoben sich, wuschen die Hände und standen vor ihrem
Lehrer. Er sprach: »Kinder, was habt ihr getan?« »Wir brachten«, antworteten sie, »nicht mehr die Kraft auf, es zu dulden.«
Er sprach: »Törichtes habt ihr getan, und euer Haupt habt ihr
verwirkt.« In demselben Jahr starb der große Maggid.

Am Teich

Nach dem Tod des großen Maggids saßen die Schüler beisammen
und erzählten sich von seinen Taten. Als die Reihe an Rabbi
Schnëur Salman kam, fragte er: »Wißt ihr, warum unser Lehrer
an jedem Morgen um Sonnenaufgang zum Teich hinausging und
ein weniges daran verweilte, ehe er heimkehrte?« Sie wußten es
nicht. »Er lernte«, sagte er, »das Lied, mit dem die Frösche Gott
lobpreisen. Es dauert sehr lang, bis man dieses Lied erlernt.«

Der linke Fuß

Der große Maggid ist bekanntlich auf Krücken gegangen. Viele
Jahre nach seinem Verscheiden kam einmal sein großer Schüler,
Rabbi Schnëur Salman, dazu, wie seine eignen Schüler miteinan-
der stritten, wer »der Zaddik des Geschlechts« zu nennen sei.
»Was redet ihr!« rief er. »Der Zaddik des Geschlechts ist mein
Lehrer, der heilige Maggid von Mesritsch, und kein anderer. Von
ihm steht geschrieben: ›Machen wir einen Menschen in unserem
Bilde‹; denn er war der vollkommene Mensch. Und werdet ihr
einwenden: ›Wie kann das sein, er ist doch an den Füßen verkrüppelt gewesen!‹, so sage ich euch: Er war der vollkommene
Mensch, und vom vollkommenen Menschen ist uns bekannt, daß
er mit jedem Glied alle Welten bewegt, wie es im Buche Sohar
heißt: ›Gnade, das ist der rechte Arm, Gewalt, das ist der linke
Arm.‹ Darum hat er den linken Fuß nachgezogen: er hatte ihn
preisgegeben, damit er nicht die Gewalt in der Welt erwecke.«

Aus der Himmelsschau

In einer Zeit großer Nöte für Israel versenkte sich Rabbi Elimelech immer tiefer in seinen Gram. Da erschien ihm sein toter Lehrer, der große Maggid von Mesritsch. Rabbi Elimelech rief ihn an: »Warum schweigt Ihr zu solchen Nöten?« Er antwortete: »Im Himmel sehen wir: alles, was euch ein Übel dünkt, ist ein Werk der Gnade.«

Die Mütter

Es wird erzählt: »Als der große Maggid noch arm und unerkannt war, geschah es an einem Winterabend, daß seine Ehefrau zu ihrer monatlichen Reinigung ins Tauchbad gehen wollte. Da geriet sie in einen rasenden Schneesturm, kam vom Wege ab und irrte lang umher, bis sie sich endlich, da es schon Nacht war, zum Badhaus fand. Als sie ans Tor klopfte, schrie der Badmeister sie von innen heraus an, schalt sie, daß sie ihn im Schlaf störe, und weigerte sich, ihr zu öffnen. Die Frau stand weinend in der eisigen Nacht, aber sie wich nicht. Um Mitternacht vernahm sie das Geklingel von Schellen und das Schnauben von Pferden. Ein großer Wagen kam vor das Badhaus gefahren, vier Frauen stiegen aus, pochten ans Tor und riefen. Der Badmeister kam mit seinem Licht, sah die Frauen erschrocken an und führte sie herein. Ehe sie aber eintraten, nahmen sie das Weib des Maggids in ihre Mitte. Sie badeten mitsammen. Als sie fertig waren, nahmen die Frauen sie in den Wagen und brachten sie heim. Wie sie ausstieg und sich umsah, war der Wagen verschwunden. Leise betrat sie die Stube. ›So hast du mit den Müttern gebadet?‹ sagte der Maggid. In jener Nacht empfing sie ihren Sohn Abraham.«

Herkunft

Es heißt, der große Maggid habe sich an Leib und Seele so vollkommen geläutert und geeint, daß Leib wie Seele war und Seele wie Leib. Daher sei in der Stunde, da er seinen Sohn zeugte, ein reiner Geist aus der Engelwelt in den Schoß seines Weibes eingegangen, um aus ihm für eine kurze Weile in die Menschenwelt geboren zu werden.

Das Antlitz

Die Erscheinung Rabbi Abrahams war zuweilen so furchtbar erhaben, daß die Menschen sie nicht ertragen konnten. Einem Zaddik widerfuhr es bei einer heiligen Handlung, daß er über seinem Anblick vergaß, ob er den Segen gesprochen hatte, und heimgekehrt nicht Speise und Trank annehmen konnte. Ein andrer festigte seinen Mut vier Wochen lang; als er aber über die Schwelle trat und sah, wie Rabbi Abraham die Thefillin anlegte, kehrte er zitternd um und wagte sich nicht mehr in seine Nähe. Die Enkel des Baalschem, die Jünglinge Baruch und Efraim, redeten einst miteinander: »Warum wohl die Leute den Sohn des Maggids einen Engel nennen? Wir wollen ihn uns ansehn.« Kaum aber hatten sie von der Straße aus das Antlitz Rabbi Abrahams im Fenster erblickt, flohen sie in solcher Hast, daß Efraim das Psalmenbuch entfiel.

Ehe

In der Hochzeitsnacht, als der Engel in die Kammer trat, war sein Antlitz furchtbarer als je, und eine dumpfe Klage kam von seinen Lippen. Vor dem Bild und der Stimme erschrak die Braut bis in ihr geheimes Leben und fiel bewußtlos nieder. Sie fieberte bis zum Morgen.

Als er in der nächsten Nacht in die Kammer trat, war das Herz der Frau heldisch gestärkt, daß es den Furchtbaren ertrug.

Rabbi Abraham zeugte zwei Söhne. Danach lebte er abgeschieden wie zuvor.

Der Traum der Frau

Die Frau träumte. Sie sah eine weite Halle, darin ein Halbrund von Thronen, auf jedem Thron ein Gewaltiger. Einer sprach: »Laßt uns ihn heimrufen.« Die andern nickten im Chor. Die Frau trat vor die Thronenden. Sie redete, kämpfte redend um das Erdenleben des Mannes, entbrannte in der Rede. Stumm lauschten die Gewaltigen. Endlich sprach einer: »Laßt uns ihn für zwölf Erdenjahre ihr schenken.« Die andern nickten im Chor. Der Traum zerfloß. Beim Morgengruß legte der Maggid die Hände auf das Haupt der Sohnesgattin.

Gedenktag

Am Vorabend des neunten Ab, des Tempelbrandtags, im unerleuchteten Betraum, saßen die Männer am Boden, um das tote Heiligtum trauernd, und der Chasan[1] hob an:»Wie weilt einsam die einst volkreiche Stadt!« Rabbi Abraham der Engel, inmitten der Männer, schrie auf:»Wie!« und verstummte, den Kopf zwischen den Knien. Der Chasan schloß die Klage, die Leute gingen heim, Rabbi Abraham verblieb, den Kopf zwischen den Knien. So fand man ihn tags darauf, und er erhob sich nicht, ehe er die Zerstörung bis zum Ende erfahren hatte.

Der strategische Rückzug

Rabbi Abraham sprach:»Ich habe aus den Kriegen Friedrichs, des Königs von Preußen, eine neue Weise des Dienstes gelernt. Um den Feind anzugreifen, ist es nicht not, sich ihm zu nähern: man kann, vor ihm fliehend, den Vorrückenden umgehen und im Rükken fassen, bis er sich ergeben muß. Es gilt nicht, auf das Böse loszuschlagen, sondern sich auf die göttliche Urkraft zurückzuziehen und von da aus es zu umkreisen und zu beugen und in sein Gegenteil zu verkehren.«

Das Erbe

Nach dem Tod erschien der Maggid seinem Sohn und befahl ihm unter dem Gebot der Elternehrung, von seinem Weg der reinen Abgeschiedenheit zu lassen; denn wer ihn gehe, sei in Gefahr. Abraham antwortete:»Ich kenne keinen Vater nach dem Fleisch, nur den einen erbarmenden Vater alles Lebendigen.«»Daß du mein Erbe annahmst«, sprach der Maggid,»damit hast du mich auch nach meinem Abscheiden als Vater anerkannt.«»Ich entsage dem Vatererbe«, rief der Engel. Im gleichen Augenblick brach im Hause ein Brand aus, der die geringe Hinterlassenschaft des Maggids an seinen Sohn, und sie allein, verzehrte.

---

[1] Vorsänger, Vorbeter.

Die weiße Pekesche

Einige Zeit nach der Feuersbrunst, in der die vom Maggid seinem
Sohn hinterlassenen Gewänder und Geräte verbrannten, brachte
Rabbi Abrahams Schwager ihm das weißseidene Oberkleid, das
der Maggid an den hohen Festtagen getragen hatte, die berühmte »weiße Pekesche«, zum Geschenk. Am Vorabend des
Versöhnungstags zog sie Abraham an, um seinen Vater zu ehren.
Die Lichte im Bethaus waren schon entzündet. In einer inbrünstigen Bewegung beugte sich der Zaddik über eines, die Pekesche
fing Feuer, man riß sie ihm vom Leib. Mit einem großen Blick
sah er zu, wie sie zu Asche zusammensank.

Der Berg

Rabbi Abraham kam einst in das Haus seines Schwiegervaters
nach Kremnitz. Die vornehmsten Männer der Gemeinde versammelten sich, den Heiligen zu begrüßen. Er aber wandte sich ihnen
nicht zu, sondern sah zum Fenster hinaus auf den Berg, zu dessen
Füßen die Stadt lag. Einer der Wartenden, der eignen Gelehrsamkeit bewußt und auf seine Würde bedacht, sprach ungeduldig: »Was starrt Ihr so den Berg an? Habt Ihr seinesgleichen
noch nicht gesehn?« Der Rabbi antwortete: »Ich schaue und
staune, wie solch ein Erdklumpen sich großtat, bis er ein hoher
Berg wurde.«

Ohne Gott

Rabbi Abraham sprach: »Herr der Welt, wäre ein Nu vorstell-
bar ohne deinen Einfluß und deine Vorsehung, was taugte uns da
noch diese Welt, und was taugte uns da noch jene Welt, was
taugte uns da noch das Kommen des Messias, und was taugte uns
da noch die Auferstehung der Toten, was wäre da noch an alledem zu genießen, und wozu wäre es da!«

Jeder Hochwuchs

Rabbi Abraham sprach: »Wir beten: ›Jeder Hochwuchs, vor dir
neige er sich.‹ Wenn der Mensch zur höchsten Stufe gelangt, zur

Beschaffenheit des vollkommnen Hochwuchses, dann erst wird er wahrhaft niedrig in seinen Augen und erfährt, was das ist, sich neigen vor dir.«

Der andre Traum

Nach dem Tod Rabbi Abrahams, in der Nacht nach den sieben Tagen der Trauer, träumte seine Frau. Sie sah eine weite Halle, darin ein Halbrund von Thronen, auf jedem Thron ein Gewaltiger. Ein Tor öffnete sich, einer trat ein, den andern ähnlich, ihr Mann Abraham. Er sprach:»Ihr Gefährten, mein Weib ist mir gram, weil ich auf der Erde abgeschieden war. Das Recht ist bei ihr. Es tut mir not, daß ich ihre Vergebung erlange.« Die Frau rief:»Mit dem ganzen Herzen ist dir vergeben« und erwachte getröstet.

Die Geweihte

Rabbi Israel von Rižin erzählte:»Etliche Jahre nach dem Tode des Engels wurde seine Witwe, meine heilige Großmutter, von dem großen Zaddik Rabbi Nachum von Tschernobil, zur Ehe begehrt. Aber der Engel erschien ihm im Traum und sah ihn drohend an. Da ließ er von ihr.
Meine heilige Großmutter lebte in Not. Als der Rabbi von Tschernobil ihren Sohn, meinen Vater, in sein Haus aufgenommen hatte, fuhr sie nach dem Lande Israel. Dort tat sie keinem kund, wer sie war. Sie wusch den Leuten die Kleider und ernährte sich davon. Dann starb sie im Lande Israel. Wer mir doch sagte, wo sie begraben liegt!«

Der schwarze Melammed

In seinen jungen Jahren lebte Rabbi Pinchas als Melammed, das ist: Kinderlehrer, in Korez, und man nannte ihn allgemein den schwarzen Melammed. Er verbarg sein wahres Wesen vor allen, nur einer, der Raw von Korez, wußte um ihn. Der Raw von Korez hatte einen besonderen Raum im Badhaus mit einem eignen Tauchbad. Rabbi Pinchas erbat von ihm die Erlaubnis, zu jeder Zeit, die er wollte, tags und nachts, dort zu tauchen, und der Raw wies den Badmeister an, ihn jederzeit einzulassen. Einmal kam Rabbi Pinchas nach Mitternacht und weckte den Badmeister. Der aber wollte ihm nicht öffnen, weil er tags zuvor einige Gänse gekauft und sie über Nacht in jenem Raum eingeschlossen hatte. Der schwarze Melammed ließ sich jedoch nicht heimschicken. Er schlug etliche Dachschindeln ein, kletterte hindurch, tauchte und war schon im Begriff, auf dem gleichen Weg zurückzukehren, als ein Mauerstück abbrach und ihm jäh auf den Kopf fiel, daß er den Halt verlor und zu Boden stürzte. Da lag er einige Stunden bewußtlos und wurde von den Leuten, die am Frühmorgen des Wegs kamen, für tot gehalten. Als der Raw davon hörte, befahl er, ihn nicht anzurühren, ging aber selber nicht dahin, sondern ins Bethaus und betete:»Herr der Welt, erhalte ihn am Leben! Herr der Welt, erhalte dir diesen Zaddik am Leben!« Dann erst begab er sich an den Ort, wo Pinchas immer noch unbeweglich lag, rüttelte ihn und sprach dazu:»Pinchasel, steh auf und geh deine Schüler unterrichten, du hast doch eine Arbeit auf den Tag!« Da stand Rabbi Pinchas auf und ging in die Schule.

Der Aderlaß

Als Rabbi Pinchas zum erstenmal den Baalschem besuchte, ließ dieser, nachdem er ihn lange angesehen hatte, einen Feldscher kommen, daß er den Gast zur Ader schlage. Ehe er aber ans Werk ging, ermahnte ihn der Baalschem, darauf zu achten, daß er es recht mache;»denn«, so sagte er,»das ist heiliges Blut, verwahrt von den sechs Schöpfungstagen her. Bist du aber deiner Hand nicht ganz sicher«, fügte er scherzend hinzu,»dann schlag lieber mich zur Ader«.

Als der Ethrog[2] kam

Als der Baalschem im Sterben lag, trat sein Schüler Rabbi David von Ostrog zu ihm und sprach:»Rabbi, was laßt Ihr uns allein zurück!« Der Zaddik flüsterte ihm zu:»Im Wald ist der Bär, und Pinchas ist ein Weiser.« Der Schüler verstand, daß der Spruch auf Rabbi Bär vom Mesritsch und Rabbi Pinchas von Korez ging, wiewohl dieser nicht zum Schülerkreis gehörte: er war zweimal zum Baalschem gekommen, das zweitemal kurz vor dessen Tode, aber der Baalschem auch zweimal zu ihm.
Nach dem Tode des Meisters trat Rabbi Bär die Herrschaft an, Rabbi Pinchas aber blieb in seiner Verborgenheit. Im Lehrhaus betete er hinter dem Ofen, und niemand beachtete ihn.
Es pflegte aber Rabbi David von Ostrog, der ein wohlhabender Mann war, alljährlich vor dem Hüttenfest zwei auserlesene Ethrogim zu kaufen, einen für den Baalschem und einen für sich selber. Als im Jahr nach dem Tode des Meisters das Hüttenfest nahte, kaufte er drei auserlesene Früchte statt zweier, eine für sich, eine für Rabbi Bär und eine für Rabbi Pinchas.
In jenem Jahre waren die Ethrogim überaus rar, und nach Korez war nicht ein einziger gekommen. Am ersten Festtag wartete die Gemeinde mit dem Beten, ob nicht doch noch von einer der benachbarten Städte, an die man sich darum gewandt hatte, einer gebracht würde. Schließlich ordneten die Vorsteher an, es solle mit dem täglichen Morgengebet begonnen werden, unterdes würde doch wohl noch ein Bote kommen. Aber das Morgengebet wurde beendet, und noch war niemand zu sehen. Man wies nun den Vorbeter an, mit der Festliturgie zu beginnen. Zögernd ging er zum Pult. Aber noch hatte er den Segen nicht gesprochen, als

---

[2] Die »Frucht des Prangenden Baums« (Leviticus 23, 40), d. i. citrus medica, über der sowie über einem Strauß aus Palmzweigen, Myrten und Weiden der Segen am Laubhüttenfest gesprochen wird.

der schwarze Melammed hinterm Ofen hervortrat, auf den Vorbeter zuging und ihn ansprach:»Du sollst noch nicht beginnen.«
Dann begab er sich an seinen Platz hinterm Ofen zurück. Die
Leute hatten nichts gemerkt; erst als der Vorbeter, befragt, warum er nicht endlich beginne, auf Rabbi Pinchas hinwies, stellten sie
diesen unwirsch zu Rede. »Zur rechten Zeit«, gab er Bescheid,
»wird der Ethrog kommen.« »Was heißt das«, fuhren sie ihn an,
»zur rechten Zeit?« – »In einer Stunde.« – »Und wenn er bis
dahin nicht kommt, kriegst du eine mit dem Stiefelrand, ja?«
»Das soll mir recht sein«, sagte er. Noch war die Stunde nicht
vergangen, da meldete man, ein berittener Bauer stehe draußen,
der habe etwas für Rabbi Pinchas gebracht. Es war der Ethrog mit
einem Brief. Alle drängten sich heran, ihn zu lesen. In der Über-
schrift wurde der Empfänger als »Haupt aller Söhne der Diaspora« angesprochen. Der Schreiber des Briefs war manchem als
ein heiliger Mann bekannt.
Rabbi Pinchas nahm den Ethrog, ließ sich den Palmstrauß reichen
und sprach den Segen. Man bat ihn, beides nun dem Vorbeter zu
übergeben, damit er die Preisgesänge spreche. »Ich werde sie
sprechen«, sagte er. Er trat vor das Pult und betete der Gemeinde
vor.

Ohne Gast

Es wird erzählt: »Als Rabbi Pinchas bekannt geworden war und
immer mehr und mehr Chassidim mit ihren Anliegen zu ihm gefahren kamen, erschrak er darüber, wie sehr er durch sie von dem
Dienste Gottes und der Erforschung seiner Lehre abgezogen
werde. Er sah sich keinen andern Ausweg, als daß die Leute auf-
hörten, ihn zu bedrängen. Darum betete er zu Gott, er möge ihn
allen verhaßt machen, und es wurde ihm gewährt. Fortan hielt
er mit den Menschen keine Gemeinschaft mehr, es sei denn beim
Gebet der Gemeinde, sondern lebte abgeschieden, einzig zum
Umgang mit seinem Herrn bereit. Als das Hüttenfest nahte,
mußte er sich die Laubhütte[3] von einem Nichtjuden machen lassen; denn die Juden wollten ihm nicht helfen. Da es ihm an
Werkzeug fehlte, sandte er sein Weib zu den Nachbarn, sie dar-

---

[3] Es ist geboten, an diesem achttägigen Fest in laubgedeckten Hütten zu wohnen.

um zu bitten; aber nur mit großer Mühe gelang es ihr, etwelches geliehen zu bekommen. Am Festabend nach dem Gebet im Lehrhaus forderte er wie alljährlich einige der Wanderleute auf, bei ihm zu speisen; aber da war keiner, der mitkommen wollte, so verhaßt war er allen weit und breit, und er mußte allein heimgehn. Als er nun den Spruch gesprochen hatte, die heiligen Gäste dieses Abends, die Erzväter, in die Hütte zu laden, sah er unsern Vater Abraham draußen stehn wie einer, der an ein Haus gekommen ist, das er zu besuchen pflegte und auch jetzt besuchen wollte, nun aber merkt er: es ist gar nicht das Haus, das er meinte, und befremdet hält er den Fuß ein. ›Wodurch habe ich mich vergangen?‹ rief Rabbi Pinchas. ›Es ist nicht meine Sitte‹, antwortete Abraham, ›ein Haus zu betreten, in dem kein Wanderer zu Gast ist.‹

Von da an betete Rabbi Pinchas, er möge wieder Gunst in den Augen der Leute finden. Und er wurde abermals erhört.«

Das Zerbrechen der Gefäße

Rabbi Pinchas sprach: »Es ist bekannt, daß ureinst, als Gott Welten baute und niederriß, die Gefäße zerbrachen, weil sie die sich in sie ergießende Fülle nicht ertragen konnten. Dadurch aber ist das Licht in die untern Welten gelangt, und sie sind nicht in der Finsternis geblieben. So ist es auch mit dem Zerbrechen der Gefäße in der Seele des Zaddiks.«

Die Lehre der Seele

Rabbi Pinchas führte oftmals das Wort [4] an: »Die Seele des Menschen wird ihn belehren«, und bekräftigte es: »Es gibt keinen Menschen, den die Seele nicht unablässig belehrte.« Einst fragten die Schüler: »Wenn dem so ist, warum hört der Mensch nicht auf sie?«

»Unablässig lehrt die Seele«, beschied sie Rabbi Pinchas; »aber sie wiederholt nicht.«

---

[4] Es wird dem großen Tannaiten Rabbi Meïr zugeschrieben.

Die Pupille

Rabbi Pinchas sprach: »Seit ich dem Schöpfer wahrhaft zu dienen begann, habe ich kein Ding mehr zu erlangen gesucht, nur genommen, was Gott mir gibt. Weil die Pupille dunkel ist, nimmt sie alles Licht in sich auf.«

Die Sefiroth [5]

Rabbi Pinchas sprach: »In jedem Wort und in jeder Handlung sind die zehn Sefiroth beisammen; denn sie füllen die ganze Welt. Und es ist nicht so, wie die Leute meinen, daß Gnade ein Prinzip für sich sei und Gewalt ein Prinzip für sich, sondern in jeglichem sind die zehn Gottesmächte beisammen.

Wer seine Hand senkt, das geschieht im Geheimnis des ausstrahlenden Lichtes; wer seine Hand hebt, das geschieht im Geheimnis des rückstrahlenden Lichtes. Die ganze Bewegung, Senken und Heben, da ist das Geheimnis von Gnade und Gewalt.

Es gibt keine Worte, die in sich eitel sind, und es gibt keine Handlungen, die in sich eitel sind. Aber man kann Worte und Handlungen zu eitlen machen, indem man sie eitel redet und eitel tut.«

Das Verbergen

Rabbi Rafael von Berschad, Rabbi Pinchas' Lieblingsschüler, erzählte: »Am ersten Tag des Chanukkafestes [6] klagte ich meinem Lehrer, daß es einem, wenn es ihm schlecht geht, schwerfällt, den Glauben an die göttliche Vorsehung für jeden Einzelnen unversehrt zu bewahren. Es erscheine einem ja wahrhaftig, als verberge Gott sein Antlitz vor ihm. Was solle man tun, um im Glauben zu erstarken?

›Weiß man‹, antwortete der Rabbi, ›daß es ein Verbergen ist, dann ist es ja kein Verbergen mehr.‹«

---

[5] Die nach kabbalistischer Lehre emanierten zehn Gottesmächte.
[6] Lichtweihfest zum Gedächtnis der Wiedereinweihung des entweihten Tempels nach dem Sieg der Makkabäer. In jedem Haus werden an jedem der acht Festabende Lichte entzündet, am ersten eins, am zweiten zwei und so fort.

Der Zweifler

Einen Schüler des Rabbi Pinchas quälte der Zweifel, wie es möglich sei, daß Gott alle seine Gedanken, auch die flüchtigsten und unbestimmbarsten, kenne. Vor großer Qual fuhr er zu seinem Lehrer, um ihn zu bitten, er möge die Verwirrung seines Herzens lösen. Rabbi Pinchas stand im Fenster und blickte dem Kommenden entgegen. Als er eingetreten war und nach der Begrüßung sogleich seine Klage anheben wollte, sprach der Zaddik: »Ich weiß es, Freund, und wie sollte Gott es nicht wissen?«

Auf dem Thron

Rabbi Pinchas sprach: »Am Tag des Neuen Jahrs ist Gott in jener Verborgenheit, die ›das Sitzen auf dem Thron‹ genannt wird, und jeder kann ihn sehen, jeder nach seiner eignen Beschaffenheit, einer im Weinen, einer im Beten und einer im Lobgesang.«

Vor dem Schofarblasen

Einst sprach Rabbi Pinchas am Tag des Neuen Jahres vor dem Blasen der Schofarposaune: »Alle Kreatur erneut sich im Schlaf, auch Steine und Gewässer. Und der Mensch, wenn sein Leben sich stetig erneuern soll, muß er, ehe er einschläft, seine Gestalt abstreifen und die ledige Seele Gott anbefehlen: da steigt sie auf und empfängt ein neues Leben. Heute aber ist der Tag der großen Erneuung. Da fällt der tiefe Schlaf auf alles geistige Wesen, Engel und heilige Namen und die Zeichen der Schrift. Das ist der Sinn des Allgerichts, darin der Geist erneut wird. Daher soll der Mensch heute zunichte werden in den tiefen Schlaf, und die erneuende Hand Gottes wird ihn anrühren.«
Nach diesen Worten hob er den Schofar an die Lippen.

Am Tag der Zerstörung

Man fragte Rabbi Pinchas: »Warum soll, wie uns überliefert ist, der Messias am Jahrestag der Zerstörung des Tempels geboren werden?«

»Das Korn«, sprach er, »das in die Erde gesät ist, muß zerfallen, damit die neue Ähre sprieße. Die Kraft kann nicht auferstehen, wenn sie nicht in die große Verborgenheit eingeht. Gestalt ausziehn, Gestalt antun, das geschieht im Augenblick des reinen Nichts. In der Schale des Vergessens wächst die Macht des Gedächtnisses. Das ist die Macht der Erlösung. Am Tag der Zerstörung, da liegt die Macht auf dem Grunde und wächst. Darum sitzen wir an diesem Tag am Boden, darum gehen wir an diesem Tag auf die Gräber, darum wird an diesem Tag der Messias geboren.«

Um der Erneuung willen

Rabbi Pinchas sprach:»Daß der Prediger Salomo sagt[7]: ›Dunst der Dünste, alles ist Dunst‹, das ist, weil er die Welt zunichte machen will, daß sie ein neues Leben empfange.«

Ein Mensch auf Erden

Man fragte Rabbi Pinchas:»Warum steht geschrieben[8]: ›Am Tag, da Gott einen Menschen schuf‹, und nicht: ›Am Tag, da Gott den Menschen schuf‹?«
Er erklärte:»Du sollst deinem Schöpfer dienen, als gäbe es auf der Welt nur den einen Menschen, dich allein!«

Der Ort des Menschen

Man fragte Rabbi Pinchas:»Warum wird Gott Ort genannt[9]? Freilich ist er der Ort der Welt; aber dann müßte man ihn eben so nennen, und nicht Ort schlechthin.«
Er antwortete:»Der Mensch soll in Gott hineingehn, daß Gott ihn umgebe und sein Ort werde.«

Der leichte Tod

Man fragte einst Rabbi Pinchas, warum, wenn er bete, kein Laut zu hören und keine Bewegung zu sehen sei, als hätte er der In-

---

[7] 1, 2.   [8] Genesis 5, 1.
[9] Makom, Ort, ist eine nachbiblische Bezeichnung Gottes als des Weltumfangenden.

brunst nicht, die den andern Zaddikim den ganzen Leib erschüttre. »Brüder«, antwortete er, »beten heißt an Gott haften, und an Gott haften heißt sich von der Stofflichkeit lösen, recht als ginge die Seele aus dem Leib. Unsre Weisen sagen[10], es gebe einen Tod, der sei schwer wie das Ziehen des Taus durch den Ring des Mastbaums, und es gebe einen Tod, der sei leicht wie das Ziehen eines Haars aus der Milch, und der sei der Tod im Kuß genannt. Meinem Gebet ist dieser zuteil geworden.«

Er ist dein Psalm

Rabbi Pinchas sprach zum Wort der Schrift »Er ist dein Psalm[11] und er dein Gott«: »Er ist dein Psalm, und er, derselbe, ist dein Gott. Das Gebet, das der Mensch betet, das Gebet selber ist Gottheit. Nicht wie wenn du etwas von deinem Gefährten erbittest: ein ander Ding ist er, ein andres dein Wort. Nicht so ist's im Gebet, das die Wesenheiten eint. Der Beter, der wähnt, das Gebet sei ein ander Ding als Gott, ist wie der Bittsteller, dem der König das Verlangte reichen läßt. Wer aber weiß, daß das Gebet selber Gottheit ist, gleicht dem Königssohn, der sich aus den Schätzen seines Vaters holt, was er begehrt.«

Das Gebetbuch

Als in den Tagen des Rabbi Pinchas von Korez das ganz auf Buchstaben-Kawwanoth aufgebaute Gebetbuch, das den Namen des großen Kabbalisten Rabbi Jizchak Lurja trägt, zur Veröffentlichung gelangte, erbaten sich die Schüler des Zaddiks von ihm die Erlaubnis, daraus zu beten. Nach einiger Zeit aber kamen sie wieder zu ihm und klagten, sie hätten, seit sie aus dem Buch beteten, von der Empfindung kräftigen Lebens in ihrem Gebet viel eingebüßt. Rabbi Pinchas antwortete ihnen: »Ihr habt all eure Kraft und alle Zielstrebigkeit eures Gedankens in die Kawwanoth der heiligen Namen und Letternverschlingungen ein-

---

[10] Berachoth 8 a.
[11] Das sonst »dein Ruhm« übersetzte Wort (Deuteronomium 10, 21) wird hier seiner weiteren Bedeutung nach (deine Preisung, dein Psalm) verstanden.

getan und seid von dem Wesentlichen abgewichen: das Herz ganz zu machen und es Gott zu weihen. Darum habt ihr das Leben der Heiligkeit und ihr Gefühl verloren.«

Lob des Gesangs

Rabbi Pinchas pflegte die Musik und den Gesang hoch zu rühmen. Einmal sprach er:»Herr der Welt, könnte ich singen, ich würde dich nicht in den Höhen bleiben lassen, ich würde dir mit meinem Gesang zusetzen, bis du dich hier bei uns niederließest.«

Das Eine

Man redete einmal vor Rabbi Pinchas von dem großen Elend der Bedürftigen. In Gram versunken, hörte er zu. Dann hob er den Kopf.»Laßt uns«, rief er,»Gott in die Welt ziehn, und alles wird gestillt sein.«

Gültiges Gebet

Rabbi Pinchas sprach:»Ein Gebet, das nicht im Namen ganz Israels gesprochen wird, ist kein Gebet.«

Singen zu zweien

Rabbi Pinchas sprach:»Wenn ein Mensch singt und kann die Stimme nicht erheben, und es kommt ein andrer mit ihm singen und erhebt die Stimme, dann kann auch er die Stimme erheben. Das ist das Geheimnis des Haftens von Geist an Geist.«

Das Ohr, das kein Ohr ist

Rabbi Pinchas sprach:»Es heißt im Buch ›Die Pflicht der Herzen‹[12], wer sich in der rechten Weise führe, der sehe mit einem Auge, das kein Auge ist, und höre mit einem Ohr, das kein Ohr ist. Und so ist es in der Tat. Denn oft, wenn einer zu mir kommt,

---

[12] Bedeutendes religions- und moralphilosophisches Werk aus dem letzten Viertel des 11. Jahrhunderts (in arabischer Sprache verfaßt).

Rat von mir zu erfragen, vernehme ich, wie er selber die Antwort spricht.«

Die Belebung

Man fragte Rabbi Pinchas:»Warum spricht, wer seinen Genossen nach mehr als zwölf Monaten wiedersieht, den Segen: ›Der die Toten belebt‹?«
Er sagte:»Jeder Mensch hat im Himmel ein Licht. Wenn zwei Menschen einander begegnen, gesellen sich die Lichter zueinander, und ein neues Licht geht aus ihnen hervor. Das wird Zeugung genannt, und das Licht ist ein Engel. Dieser Engel aber bleibt nicht länger als zwölf Monate am Leben, es sei denn, daß die zwei Menschen einander vorher auf Erden wiederbegegnen. Begegnen sie aber einander erst nach dieser Frist wieder, dann können sie den Engel für eine Weile wiederbeleben. Darum wird der Segen gesprochen.«

Die Verschiedenheit

Rabbi Rafael fragte seinen Lehrer:»Warum gleicht kein Menschenantlitz dem andern?«
Rabbi Pinchas erwiderte:»Weil der Mensch im Bilde Gottes erschaffen ist. Jeder saugt die göttliche Lebenskraft von einem andern Ort, und alle zusammen sind sie der Mensch. Darum sind ihre Antlitze verschieden.«

Die Landhäuser

Rabbi Pinchas sprach:»Gottes Verhältnis zu den Bösen ist dem eines Fürsten zu vergleichen, der außer seinen herrlichen Palästen auch allerhand kleine versteckte Landhäuser in Wäldern und Dörfern besitzt, die er zuweilen aufsucht, um zu jagen oder sich zu erholen. Die Würde der Paläste ist nicht größer als die solch einer gelegentlichen Behausung; denn der Aspekt dieser ist nicht wie der Aspekt jener, und was dieses Geringe wirkt, kann jenes Wichtige nicht wirken. So auch der Gerechte: wie groß auch sein Wert und sein Dienst ist, er kann nicht wirken, was der Böse in einer Stunde wirkt, da er betet und etwas zu Ehren Gottes tut und Gott, der die Welten des Wirrsals beobachtet, sich an ihm erfreut. Darum erhebe der Gerechte sich nicht über den Bösen.«

Vom Zorn

Rabbi Pinchas sprach einmal zu einem Chassid:»Wenn einer
seine Hausgenossen auf dem rechten Wege anleiten will, darf er
nicht in Zorn über sie geraten. Denn durch den Zorn macht man
nicht bloß sich selber unrein, man trägt auch Unreinheit in derer
Seele, denen man zürnt.«
Ein andermal sagte er:»Seit ich den Zorn gebrochen habe, halte
ich ihn in der Tasche. Wenn ich ihn brauche, hole ich ihn hervor.«

Gog

In den Zwischentagen des Hüttenfestes sprach Rabbi Pinchas
über den in jener Woche verlesenen Abschnitt des Buches Ezechiel,
der von dem Kommen Gogs und Magogs handelt. Er sagte:»Es ist
überliefert, daß die Hauptschlacht der Kriege Gogs[13] in den Tagen des Hüttenfestes geschlagen werden soll. Die Leute pflegen
von der und jener Person, von dem und jenem Volk zu sagen:
›Der ist groß wie Gog, das ist groß wie Gog.‹ Weshalb doch?
Weil Gog groß an Hoffart ist. Und das ist der Kampf, der am
Hüttenfest entbrennen soll: unser Kampf gegen unsern Hochmut.«

Der endlose Kampf

Rabbi Rafael, der alle seine Tage demütig war und jeder Ehrung
aus dem Wege ging, bat seinen Lehrer immer wieder, ihm zu sagen, wie er sich des Stolzes gänzlich erwehren könne, erhielt aber
keinen Bescheid. Einmal bedrängte er den Meister wieder:»Ach,
Rabbi, der Stolz!«»Was willst du«, sagte Rabbi Pinchas,»dies
ist das Werk, an dem der Mensch all seine Zeit sich mühen muß
und das er nicht vollendet. Denn der Stolz ist Gottes Gewand,
wie geschrieben steht[14]: ›Der Herr trat die Königschaft an, in
Stolz hat er sich gekleidet.‹ Gott aber ist der Schrankenlose, und
wer stolz ist, verletzt das Gewand des Schrankenlosen. So ist
auch dem Werk der Überwindung keine Schranke gesetzt.«

---

[13] Die Weissagung Ezechiels (Kap. 32) wird auf einen dem Kommen des Messias vor-
ausgehenden großen Völkerkrieg gedeutet.
[14] Psalm 93 b.

Aus dem Netz

Zum Psalmvers[15] »Meine Augen stets zu dem Herrn hin, denn er holt aus dem Netz meine Füße«, sprach Rabbi Pinchas:
»Wie wenn der Vogelsteller Speise ins Netz auslegt, und sobald der Vogel kommt, dran zu picken, zieht er den Strick an und fängt ihm den Fuß, so legt der Böse Trieb vor den Menschen all das Gute hin, das er vollbracht hat, Lernen, Wohltun und allerhand fromme Handlungen, um ihn im Netz des Hochmuts zu fangen. Ist dies aber geglückt, dann vermag der Mensch so wenig sich zu befreien wie der gefangene Vogel. Nun kann ihn nichts mehr retten als die Hilfe Gottes.«

Die Bienen

Rabbi Rafael von Berschad sprach: »Es heißt, die Hochmütigen werden als Bienen wiedergeboren. Denn der Hochmütige spricht in seinem Herzen: ›Ich bin ein Schreiber, ich bin ein Singer, ich bin ein Lerner.‹ Und weil von diesen gilt, was gesagt ist, daß sie noch an der Schwelle der Hölle nicht umkehren, werden sie nach dem Tode als Bienen wiedergeboren. Die summen und surren: ›Ich bin, ich bin, ich bin!‹«

Wonach man jagt

Rabbi Pinchas pflegte zu sagen: »Wonach man jagt, das bekommt man nicht; aber was man werden läßt, das fliegt einem zu. Schneide einem großen Fisch den Bauch auf, da liegen die kleinen Fische mit dem Kopf nach unten.«

Die größere Kraft

Auch pflegte er zu sagen: »Größer ist die Kraft dessen, der die Rüge annimmt, als die des Rügenden. Denn hat sich einer erniedrigt, die Rüge in Wahrheit zu empfangen, gilt Gottes Wort[16] von ihm: ›Hoch und heilig wohne ich – und bei den Zermalmten und Geisterniederten.‹«

---

[15] 25, 15.
[16] Jesaja 57, 15.

Mehr lieben

Rabbi Pinchas und seine Schüler pflegten, wenn von bösen und feindlich gesinnten Menschen die Rede war, sich auf den Rat zu berufen, den der Baalschem einst dem Vater eines Abgefallenen gegeben hatte: er solle seinen Sohn mehr lieben. »Wenn du siehst«, sagten sie, »daß einer dich haßt und dir Leid zufügt, sollst du dich stark machen und ihn mehr lieben als zuvor. Dadurch allein kannst du ihn zur Umkehr bringen. Denn die Gesamtheit Israels ist ein Wagen für die Heiligkeit. Ist Liebe und Einheit zwischen ihnen, dann ruht die Schechina und alle Heiligkeit über ihnen. Ist aber, was Gott verhüte, eine Spaltung, dann wird ein Riß und eine offene Stelle, und die Heiligkeit fällt in die ›Schalen‹ hinab. So mußt du, wenn dein Genosse sich in seiner Seele von dir entfernt, ihm näher kommen als zuvor, um den Riß auszufüllen.«

Rabbi Schmuel erzählte von Rabbi Rafael von Berschad: »Auf einer Reise im Sommer rief er mich, ich solle mich in seinen Wagen setzen. Ich sagte: ›Ich fürchte, ich könnte es Euch eng machen.‹ Da sagte er zu mir in einer Weise besonderer Zuneigung: ›Laßt uns einander mehr lieben, dann wird uns weit sein.‹ Und nachdem wir gebetet hatten, sagte er zu mir: ›Gott ist ein großer Freund.‹«

Rabbi Rafael sprach: »Ein ungemeines Übel ist die Haltung der Abgemessenheit, wo einer in seinem Umgang mit den Mitmenschen beständig Maße und Gewichte handhabt.«

Als Rabbi Rafael einst erkrankte und sich dem Tode nah wähnte, sprach er: »Man muß nun alle Verdienste beiseite legen, damit keine Herzenstrennung von irgendeinem Juden mehr sei.«

Rabbi Pinchas sprach: »Auch für die Bösen unter den Völkern der Welt sollen wir beten, auch sie sollen wir lieben. Solang wir nicht so beten, solang wir nicht so lieben, wird Messias nicht kommen.«

Auch pflegte er zu sagen: »Mein Rafael versteht es, große Bösewichter zu lieben!«

Frieden

Zu den Worten des Gebets[17] »Der Frieden stiftet in seinen Höhen, der wird Frieden stiften über uns«, sprach Rabbi Pinchas: »Der Himmel (schamajim) ward bekanntlich daraus, daß Gott Frieden stiftete zwischen Feuer (esch) und Wasser (majim). Und wer so die äußersten Gegensätze miteinander befriedete, der wird gewiß auch uns alle miteinander befrieden.«

Rabbi Rafael von Berschad war sehr beflissen, Frieden zu stiften. Oft ging er in die Häuser der Chassidim und redete zum Herzen der Frauen, damit in ihrem Herzen die Bereitschaft wachse, mit ihren Männern Frieden zu halten.

Einst weilte er am neunten Ab, dem Jahrestag der Zerstörung des Heiligtums, in einer Gemeinde, deren Mitglieder seit langem in einem sich immer unentwirrbarer entwickelnden Streit lagen. Die eine Partei ging ihn an, den Frieden wiederherzustellen. »Aber es wird dem Rabbi«, sagten sie, »wohl nicht genehm sein, sich heute, in der Zeit der Trauer, mit unserer Sache zu befassen.« »An keinem Tag wie heute«, erwiderte er. »Um eitlen Haders willen ist ja die Stadt Gottes zerstört worden[18].«

An dem Sabbat, an dem der erste Abschnitt der Schrift, die Geschichte der Schöpfung, verlesen wird, singen tagüber die Berschader Chassidim im Kreis, immer wieder anhebend: »Sabbat der Schöpfung, alle in einem! Sabbat der Schöpfung, alle in einem!«

Die führende Eigenschaft

Rabbi Pinchas pflegte zu sagen: »Ich fürchte stets, ich könnte mehr klug als fromm sein.« Und dann fügte er hinzu: »Fromm sein ist mir lieber als klug sein; aber lieber als fromm und klug sein ist mir gut sein.«

---

[17] Das Ende des Tischgebets.
[18] Nach einer talmudischen Tradition (Gitrin 55 b) hat ein geringfügiger Streit zwischen zwei jüdischen Familien in seinen Folgen den Vernichtungskrieg der Römer entfesselt.

Um die Wahrheit

Rabbi Pinchas erzählte seinen Schülern: »Nichts ist mir so schwer geworden zu überwinden wie die Lüge. Vierzehn Jahre hat's gedauert, all mein Gebein hab' ich zerschlagen, endlich bin ich ausgebrochen.« Auch erzählte er: »Einundzwanzig Jahre habe ich um die Wahrheit gedient. Sieben, zu erfahren, was Wahrheit ist. Sieben, die Falschheit auszutreiben. Sieben, die Wahrheit aufzunehmen.«

Als Rabbi Pinchas einmal das Abendgebet vor dem Pult sprach und an die Worte kam »Der sein Volk Israel hütet«, schrie er aus dem innersten Grund der Seele auf. Die Gräfin, der die Umgebung von Korez gehörte, ging eben an dem Bethaus vorüber. Sie beugte sich über eins der niederen Fenster und lauschte. Dann sagte sie zu den Umstehenden: »Wie wahr ist doch dieser Schrei, ohne jede Beimischung von Lüge!« Als man es Rabbi Pinchas erzählte, sprach er lächelnd: »Auch die Völker der Welt wissen, was Wahrheit ist.«

Einmal, am Vorabend des Versöhnungstags, vor dem Gebet »Alle Gelübde«, sprachen die versammelten Beter die Psalmen in wirrem Geschrei. Rabbi Pinchas wandte sich zur Gemeinde um und sagte: »Was strengt ihr euch so an? Wohl, ihr merkt, daß eure Worte nicht nach oben gelangen. Aber warum ist dem so? Wer das ganze Jahr lang Lüge redet, bekommt einen Lügenmund. Und wie sollen aus einem Lügenmund wahre Worte kommen, die nach oben gelangen? Ich, der ich zu euch spreche, weiß, um was es geht; denn ich habe mich selber damit viel abgeben müssen. So glaubt es mir: ihr müßt es auf euch nehmen, nicht Lüge zu reden, dann werdet ihr einen Wahrheitsmund bekommen, dessen wahre Worte zum Himmel aufsteigen.«

Mit dem Bösen Trieb

Rabbi Pinchas kam einmal ins Lehrhaus und sah die in eifrigem Gespräch begriffenen Schüler bei seinem Eintritt zusammenfahren. Er fragte sie: »Wovon redet ihr?« »Rabbi«, sagten sie, »wir reden von unsrer Sorge, daß der Böse Trieb uns nachjagen wird.« »Seid unbesorgt«, erwiderte er, »so hoch hin seid ihr noch nicht gelangt, daß er euch nachjagte, – vorerst jagt ihr ihm nach.«

Das Strafwürdige

Ein verstorbener Zaddik erschien bald nach seinem Tode Rabbi Pinchas von Korez, mit dem er befreundet gewesen war, im Traum. Rabbi Pinchas fragte: »Wie hält man's dort mit der Jugendsünde?« »Die nimmt man leicht«, sagte der Tote, »wenn einer Buße getan hat. Aber falsche Frömmigkeit, die wird streng bestraft.«

Das Betpult

Einmal kam Rabbi Pinchas ins Lehrhaus, und sein Blick fiel auf ein Betpult. »Auch über dieses Pult«, sagte er, »richtet man am Tag des Neuen Jahres, ob es erhalten bleiben oder zerbrechen soll.«

Die Schranke

Rabbi Pinchas sprach: »Die Leute kommen am Sabbat, Worte der Lehre zu hören, sie begeistern sich, und schon am ersten Wochentag ist alles zu seinem früheren Stande zurückgekehrt. Denn wie die Sinne, so stößt auch das Gedächtnis auf eine Schranke. Sowie die Heiligkeit des Sabbats von dannen ist, sind sie schon tausend Meilen von ihr entfernt, und keiner hat sie mehr inne. Es ist, wie wenn ein Wahnsinniger genest: er kann sich nicht mehr erinnern, was in der Zeit seines Wahnsinns sich begeben hat.«

Die Nadel im Hemd

Einmal kamen einige Frauen aus einer unfernen Stadt zu Rabbi Pinchas gefahren und bedrängten ihn mit ihren kindischen Anliegen. Als sie am Morgen vor dem Gebet wieder vor der Tür standen, entlief er ins Haus seines Sohns und rief: »Ach, möchte doch endlich der Messias kommen, daß man die Zaddikim, die ›guten Juden‹, los werde!« Nach einer Weile sagte er: »Ihr meint, die Bösen verzögern das Kommen des Messias – nicht so, die

›guten Juden‹ verzögern es. Ein Nagel irgendwo in der Wand –
was geht mich der an! Aber die Nadel, die mir im Hemd steckt,
die sticht mich.«

Der Ruhm

Der »Spoler Großvater«[19] erzählte: »Es ist nicht gut, berühmt zu
sein.
Ich bin einst mit andern armen Wanderern von Stadt zu Stadt
gezogen. So kamen wir auch in eine Stadt, wo damals Rabbi Pinchas von Korez wohnte. In seinem Hause gab es gerade eine Festlichkeit, und auf einer großen Tafel war ein Armenmahl gerichtet. Ich trat mit den andern ein und setzte mich. Rabbi Pinchas
selber ging von Mann zu Mann und gab jedem einen Kuchen.
Als er zu mir kam, hob er mich von der Bank zu sich heran und
küßte mich auf die Stirn.
Als ich berühmt zu werden begann, fuhr ich über einen Sabbat
zu ihm. In einem stattlichen Oberkleide nach Sitte der Berühmten trat ich auf ihn zu und begrüßte ihn. Er warf mir einen Blick
zu und fragte: ›Woher seid Ihr?‹
Es ist nicht gut, berühmt zu sein.«

Der Gottesleugner

Rabbi Pinchas sprach: »Wer sagt, die Worte der Lehre seien eine
Sache für sich und die Worte der Welt seien eine Sache für sich,
wird Gottesleugner genannt.«

Träume

Rabbi Pinchas sprach: »Träume sind eine Ausscheidung des Verstandes, und der Verstand läutert sich durch sie. Alle Weisheiten
der Welt aber sind Ausscheidungen der Lehre, und die Lehre läutert sich durch sie. Darum heißt es im Psalm[20]: ›Wann der Herr
kehren läßt die Heimkehrerschaft Zions, werden wir wie Träu-
mende sein.‹ Denn dann wird sich offenbaren, daß alle Weisheiten

---

19 Vgl. über ihn die von ihm handelnden Erzählungen in dem Abschnitt »Aus dem
Kreis des Baal-schem-tow«.
20 126, 1.

nur dazu gewesen sind, daß die Lehre sich läutere, und all das
Exil nur dazu, daß der Verstand Israels sich läutere, und alles war
wie ein Traum.«

Die Sprache und die Sprachen

Man fragte Rabbi Pinchas:»Wie ist es zu verstehen, daß die
Menschen vor dem Turmbau eine einzige Sprache hatten und daß
dann, als Gott sie ihnen verwirrte, jede Menschenschar ihre eigne
Sprache bekam? Wie wäre es möglich, daß jedes Volk plötzlich
statt der gemeinsamen eine besondere Sprache besäße und sich in
ihr verständigte?« Rabbi Pinchas erklärte:»Vor dem Turmbau
war allen Völkern die heilige Sprache gemeinsam, außer ihr aber
hatte jedes seine eigne. Darum heißt es: ›Alles Erdland hatte
eine Sprache‹, die heilige nämlich, ›und einige Reden‹, das sind
die zusätzlichen besonderen Völkersprachen. In diesen verständigte sich jedes Volk in sich, in jener verständigten sich die Völker untereinander. Was Gott tat, als er sie strafte, war, daß er
ihnen die heilige Sprache nahm.«

Der wiederkehrende Engel

Der Maggid von Ostrog fragte Rabbi Pinchas:»Es spricht in der
Schrift der Engel, der die Geburt Isaaks verkündigt, zu Abraham: ›Zur Frist kehre ich zu dir, wann die lebenspendende
Zeit ist, da, ein Sohn Sara deinem Weibe.‹ Was ist dies, daß der
Engel sagt, er werde wiederkehren? Wird doch in der Schrift
nichts davon erzählt!«
Rabbi Pinchas antwortete:»Du weißt, daß die drei Väter aus
drei Engelswelten genommen sind. Das ist es, was der Engel
spricht: ›Als Saras deines Weibes Sohn will ich zu dir wiederkehren.‹«

Das Eigentümliche

Rabbi Pinchas sprach:»Wenn ein Mensch etwas Großes in Wahrheit zu tun beginnt, braucht er nicht zu fürchten, daß ein andrer
es ihm nachtun könnte. Wenn er es aber nicht in Wahrheit tut,
sondern darauf sinnt, es so zu tun, daß keiner es ihm nachtun

könnte, dann bringt er das Große auf die niederste Stufe herab,
und alle können dasselbe tun.«

Alle Freuden

Rabbi Pinchas sprach:»Alle Freuden stammen aus dem Paradies,
auch der Scherz, wenn er in wahrer Freude gesprochen wird.«

Die Hüter

Es wird erzählt:»In Rabbi Pinchas' Haus wurde einst eine Hochzeit gefeiert. Tage währte der Schmaus, und der Schwarm der
Gäste nahm nicht ab; aber all die Zeit entstand kein Schaden,
nicht das kleinste Fläschlein zerbrach. Als die Leute sich darüber
verwunderten, sagte der Rabbi:›Was wundert's euch? Die Toten
passen gut auf.‹ Jetzt verstand man, warum er während des
Tanzens gerufen hatte:›Tote, ihr habt nichts zu tun, hütet, daß
es keinen Schaden gebe!‹«

Der Abschied

Rabbi Löb, Sohn der Sara, der wandernde Zaddik, pflegte mehrfach im Jahr Rabbi Pinchas zu besuchen. Ihre Meinungen über
die irdischen Dinge stimmten nicht zusammen; denn Rabbi Löb
war in der weiten Welt in einer geheimnisvollen Weise tätig,
Rabbi Pinchas aber glaubte, keiner könne anderswo wahrhaft
wirken als an seinem angewiesenen Ort. Doch pflegte er beim
Abschied zum Freunde zu sagen:»Zu einem Ausgleich werden
wir nicht gelangen, aber Eure Absicht ist auf den Himmel gerichtet, und meine Absicht ist auf den Himmel gerichtet, so sind
wir denn vereinigt, und alles ist eins.«
Einmal kam Rabbi Löb über den Versöhnungstag in die Stadt.
Nach dem Festausgang ging er zu Rabbi Pinchas, um mit ihm die
Wünsche für das kommende Jahr zu tauschen. Die Tür wurde
verschlossen, und die beiden sprachen eine Weile miteinander. Als
Rabbi Pinchas herauskam, waren ihm die Wangen naß, und noch
immer strömten die Tränen. Die Chassidim hörten ihn sagen,
während er Rabbi Löb hinausgeleitete:»Was kann ich tun, da es

Euer Wille ist, vorauszugehn!« In jenem Jahr starb Rabbi Löb ums Winterende, im Monat Adar, und Rabbi Pinchas ums Sommerende, im Monat Elul.

Die Trauer

Man hat sich später erzählt: »An der letzten Biegung des Wegs, der zur Westmauer des Tempels, zur ›Klagemauer‹, führt, sah am Abend ein Zaddik eine hochgewachsne Frau im Schleiergewand, das vom Kopf bis zu den Füßen fiel, vor sich hinwandeln und weinen. Da füllten sich ihm selber die Augen mit Tränen, daß er einen Nu lang nichts sehen konnte. Als er wieder aufblickte, war die Frau verschwunden. ›Um wen kann die Schechina trauern als um Rabbi Pinchas!‹ sagte er zu seiner Seele, riß sein Kleid ein und sprach den Totensegen.«

Das Zeugnis

Rabbi Rafael von Berschad war um seiner Wahrhaftigkeit willen weithin bekannt.

Einst sollte seine Aussage entscheiden über das Leben eines Juden, den man eines Verbrechens bezichtigte. Rabbi Rafael wußte, daß der Mann schuldig war. In der Nacht vor der Gerichtsverhandlung ging er nicht zur Ruhe, sondern rang im Gebet, bis der Morgen dämmerte. Dann legte er sich auf den Boden, schloß die Augen und war im Nu verschieden.

Das Bedürfen

Anfangs lebte Rabbi Jechiel Michal in großer Armut; doch verließ ihn die Freude nicht für eine Stunde.
Einst fragte ihn jemand:»Rabbi, wie betet Ihr nur jeden Tag: ›Gesegnet, der mir alles, dessen ich bedarf, gewährt‹? Es geht Euch doch alles ab, was ein Mensch braucht!« Er antwortete:»Sicherlich ist, wessen ich bedarf, eben die Armut, und die ist mir ja gewährt.«

Auf zwei Stufen

In der Zeit, da Rabbi Michal als armer Kinderlehrer in der Stadt Brusilow lebte, trug ein Spaßmacher ihm am Freitag gegen Abend folgende Frage vor:»Ein Armer, wieviel Müh' und Trübsal erduldet er doch, bis es ihm gelingt, das für den Sabbat Nötige zusammenzubringen! Der wohlhabende Bürger hingegen, dem bereitet's keinerlei Beschwer. Kommt aber der Sabbat heran und beginnt der Arme im Traktat Sabbat zu lernen, dann liest er zuallererst von den Umständen, unter denen der nehmende Arme sich einer Entweihung des Sabbats schuldig macht, der gebende Bürger aber frei ausgeht. Warum steht doch die Schuld des Armen am Anfang?« Der Spaßmacher hatte nichts andres als einen Scherz im Sinn; aber Rabbi Michal faßte die Frage in ihrem Ernst auf.»Komm zur Abendmahlzeit zu mir«, sagte er,»bis dahin will ich's überdenken.« Nach dem Mahl wiederholte er die Frage und gab diese Antwort:»Die Schuld des Armen steht am Anfang, weil er die Hand heischend ausgestreckt hat.«

Viele Jahre danach weilte einmal Rabbi Mordechai von Neshiž bei seinem Lehrer, Rabbi Michal, dem Maggid von Zloczow, als ein gelehrter und frommer Mann eintrat und um eine Gabe ansuchte. Der Maggid hieß Rabbi Mordechai ihm einen Geldbetrag reichen. Später kam ein Landstreicher von gemeinem Aussehen und begehrte ebenfalls ein Almosen. Rabbi Michal gab es ihm selber. Befragt, warum er sich in den beiden Fällen verschieden verhalten habe, sagte er:»Durch jede Wohltat kann eine heilige Einung entstehen, wenn die Finger des Nehmenden und die Hand des Gebenden einander berühren. Aber ist der Empfänger ein Mensch geringen Wertes, dann ist sie schwerer zu bewerkstelligen.«

Die Kuh

Es wird erzählt:»Zu jener Zeit, als der heilige Maggid von Zloczow noch in der Verborgenheit lebte, war er so arm, daß seine Frau keine Schuhe hatte und in selbstgemachten Pantoffeln ging. Er pflegte damals oft von Sabbat zu Sabbat zu fasten und kam dann unter der Woche nicht aus dem Lehrhaus heim. Die Frau verkaufte allmorgendlich die Milch der einen Kuh, die sie besaßen, und ernährte vom Erlös sich und die Kinder. An einem Freitagmorgen gab die Kuh keine Milch, legte sich hin und rührte sich nicht mehr. Nach etlichen Stunden, als alle Versuche, sie wieder zu beleben, mißglückt waren, gab es die Frau verzweifelt auf und dang einen Bauern, dem Tier das Fell abzuziehen. Ehe er noch aber ans Werk ging, kam Rabbi Michal nach Haus. Als er die Kuh im Hofe liegen sah, stieß er sie sacht mit dem Stock an und sagte:›Hoho, steh nur auf, du hast für uns zu sorgen!‹ Und die Kuh stand auf.«

Der Bote des Baalschem

Vor seinem Offenbarwerden lebte Rabbi Jechiel Michal in der Stadt Jampol, unweit von Mesbiž, der Stadt des Baalschem. Unter den Chassidim des Baalschem war damals ein Viehhändler, der pflegte vor jeder seiner Handelsreisen zum Meister zu kommen und über den Sabbat in seiner Nähe zu verweilen. Als er wieder einmal dagewesen war und Abschied nahm, sagte der Baalschem zu ihm:»Wenn du nach Jampol kommst, richte dem Rabbi Mechele einen Gruß von mir aus.« Umsonst fragte der Händler in Jampol nach einem Rabbi dieses Namens herum. Schließlich ging er ins Lehrhaus und erkundigte sich.»Nein«, gab man ihm Bescheid,»so einen Rabbi kennen wir nicht.«»Wohl«, warf einer ein,»einen Mechele gäb's hier schon, aber Rabbi wird er nun eben nicht genannt, vielmehr heißt er bei den Kindern

nicht anders als der Verrückte, und außer den Kindern befaßt
sich niemand mit ihm. Was soll man auch mit einem anfangen,
der beim Beten mit dem Kopf an die Wand schlägt, daß das Blut
hervorspritzt!»Ich will mit ihm reden«, sagte der Mann. »Das
wird nicht leicht sein«, antworteten sie ihm. »Während er daheim
über den Büchern sitzt, läßt er sich nicht unterbrechen. Nur wenn
einer kommt und ihm zuflüstert: ›Ich möchte etwas essen‹, rennt
er hinaus und holt Speise für den Gast, und dann kann man mit
ihm reden.« Der Händler ließ sich den Weg zur Wohnung des
»Verrückten« zeigen. Es war ein verfallenes Häuschen, vor dessen Tür Kinder in zerlumpten Kleidern kauerten. Rabbi Michal
saß am Tisch, ein Buch der Kabbala vor sich aufgeschlagen. Er
sah nicht auf, als der Besucher hereinkam. Der trat zu ihm und
sagte leise: »Ich möchte etwas essen.« Sogleich stand Rabbi Michal auf, sah sich um und stöberte in den Laden; aber alles war
leer. Schnell nahm er das Buch und lief damit hinaus, brachte es
zum Krämer als Pfand und holte Brot und Honig. Beim Essen
sprach der Mann zu ihm: »Der Baalschemtow hat mir einen
Gruß für Euch aufgetragen.« Schweigend neigte Rabbi Michal
den Kopf.
Später sagte der Viehhändler: »Rabbi Mechele, ich sehe, daß Ihr
ein heiliger Mann seid, da braucht Ihr doch nur um Reichtum zu
beten, und Ihr habt ihn, warum lebt Ihr in solchem Elend?« »Ein
König«, erwiderte Rabbi Michal, »hatte für seine geliebte Tochter die Hochzeit gerüstet und das Volk der Residenz zu Gaste
geladen, und auf der Einladung, die jeder Bürger bekam, war die
Speisenfolge aufgezeichnet. Da erkrankte plötzlich die Prinzes-
sin, kein Arzt wußte zu helfen; sie starb nach wenigen Stunden.
Wortlos verlief sich das zur Feier versammelte Volk, alle trauer-
ten um die Schöne, Gute. Nur einer blieb. Die Einladung in der
Hand, begehrte er die ganze Speisenfolge abzuessen und bekam's, saß da und schmatzte schamlos. Soll ich's machen wie er,
da die Schechina im Exil hausen muß?«

Die Versuchung

Der Baalschemtow wurde von den Leuten einer Stadt sehr gebeten, seinen Schüler Rabbi Jechiel Michal zu bewegen, daß er das

von ihnen angebotene Rabbinat annehme. Der Baalschem redete ihm zu; aber er weigerte sich beharrlich. »Wenn du nicht auf mich hörst«, sagte der Meister, »wirst du diese Welt und die kommende zugleich verlieren.« »Wenn ich drum auch beide Welten verliere«, antwortete er, »werde ich nicht annehmen, was mir nicht zukommt.« »So sei gesegnet, mein Sohn«, sprach der Baalschem, »daß du der Versuchung widerstanden hast.«

Das offenbarte Geheimnis

Rabbi Chajim, das vielberühmte Oberhaupt der Talmudschule von Brody, hörte von der großen Wirkung, die des jungen Rabbi Michal Mahnreden auf seine Hörer taten. Und da sich in Brody die Ausartenden mehrten, lud er ihn ein, am nächsten Sabbat im großen Bethaus zu predigen, und hieß alle Mitglieder der Gemeinde sich dort versammeln. Rabbi Michal trat auf die Kanzel und legte den Kopf aufs Pult. So stand er eine gute Weile. In der Versammlung regte sich Ungeduld, und die schlimmsten jener Übeltäter empörten sich am meisten darüber, daß solch ein Knäblein sich erdreistete, sie warten zu lassen. Einige von ihnen gingen, ihn vom Pult zu reißen; aber sie wagten es nicht, als sie sahen, daß der Leiter der Talmudschule selber an einem Pfeiler der Kanzel lehnte und diesen umfaßt hielt. Endlich hob Rabbi Michal den Kopf. »Es heißt im Psalm[1]«, sprach er, »›des Herrn Geheimnis ist derer, die ihn fürchten.‹ Geheime Übertretung, er offenbart sie denen, die ihn fürchten, damit ihre Mahnung die Übertretenden mitten ins Herz treffe.« Jeder im Bethaus hörte die leise gesprochenen Worte, und nicht ein einziger war, der die ausbrechenden Tränen hätte bändigen können.

Durch den Hut

Einst reiste Rabbi Michal in eine Stadt, in der er noch nicht gewesen war. Bald kamen einige von den angesehenen Bürgern der Gemeinde, ihn zu besuchen. Jedem, der zu ihm kam, sah er lang auf die Stirn, dann sagte er ihm die Schäden seiner Seele an und

---

[1] 25, 14.

was er tun müsse, sie zu heilen. Es sprach sich herum, ein Zaddik sei hier, der habe die Wissenschaft der Antlitze inne und lese jedem seine Beschaffenheit von der Stirn ab. Die nächsten Besucher rückten den Hut bis auf die Nase. »Ihr irrt euch«, sagte Rabbi Michal zu ihnen. »Ein Auge, das durchs Fleisch dringt, dringt auch durch den Hut.«

Wie Rabbi Elimelech erschrak

Rabbi Elimelech von Lisensk begegnete in spätern Jahren auf einer Fahrt einem jungen Menschen, der seinen Ranzen auf dem Rücken trug. »Wohin des Wegs?« fragte er ihn. »Zu dem heiligen Maggid von Zloczow«, war die Antwort. »In den Tagen meiner Jugend«, sagte Rabbi Elimelech, »hörte ich einmal, daß Rabbi Jechiel Michal in einer Stadt nicht weit von Lisensk weilte. Sogleich machte ich mich auf den Weg dahin. Dort angelangt, wollte ich mir eine Herberge suchen; aber alle Häuser waren leer. Schließlich fand ich in einem eine uralte Frau am Kochherd. Sie erzählte mir: ›Alle sind ins Bethaus gelaufen. Da hat ein Rabbi den Tag zum Versöhnungstag gemacht. Er steht da und sagt jedem seine Sünden an und betet für jeden um Vergebung.‹ Als ich das hörte, erschrak ich und ging nach Lisensk zurück.«

Die schwere Buße

Einem, der den Sabbat unwissentlich entweiht hatte, weil sein Wagen gestürzt war und er, wiewohl in gewaltsamem Laufschritt, die Stadt nicht vor dem Anbruch der heiligen Frist erreichte, erlegte der junge Rabbi Michal eine harte und lange Kasteiung als Buße auf. Der Mann hielt sich mit aller Kraft dazu, das Vorgeschriebene zu erfüllen, merkte aber bald, daß sein Leib nicht standhielt, sondern zu kränkeln und nun auch das Gemüt zu schwächen begann. Da erfuhr er, daß der Baalschem durch die Gegend reise und sich in einem nahen Ort aufhalte; er ging hin, faßte sich ein Herz und bat den Meister, ihm für die Sünde, die er begangen habe, eine Lösung aufzuerlegen. »Trag ein Pfund Kerzen ins Bethaus«, sagte der Baalschem, »und laß sie zum Sabbat anzünden. Das ist deine Lösung.« Jener meinte, sein Bericht habe nur halbes Gehör gefunden, und wiederholte sein Anliegen auf das eindringlichste. Als der Baalschem aber auf dem unbegreiflich milden Urteil beharrte, erzählte ihm der Mann, welch schwere Buße über ihn verhängt worden war. »Tu nur, was ich dir sage«, antwortete der Meister, »dem Rabbi Michal aber überbringe, er möge in die Stadt Chwostow kommen, wo ich den nächsten Sabbat halten will.« Aufgehellten Angesichts nahm der Bittsteller Abschied. Dem nach Chwostow fahrenden Rabbi Michal brach unterwegs ein Wagenrad, und er mußte zu Fuß weiter. So sehr er sich beeilte, es dunkelte schon, als er die Stadt betrat, und als er die Schwelle des Baalschem überschritt, sah er ihn schon erhoben, die Hand am Becher, um den Segen über den Wein zum Eingeleit des Ruhetags zu sprechen. Der Meister unterbrach die Handlung und redete den erstarrt Dastehenden an: »Gut Sabbat, Sündloser! Hattest das Leid des Sünders nicht geschmeckt, trugst niemals sein verzagtes Herz in dir, – so war deine Hand leicht, Buße auszuteilen. Gut Sabbat, Sündiger!«

Zu sich selber

In einer Predigt, die Rabbi Michal einst vor einer großen Versammlung sprach, sagte er: »Man soll auf meine Worte hören«, und fügte sogleich hinzu: »Ich sage nicht: ›Höret auf meine Worte‹, ich sage: ›Man soll auf meine Worte hören‹, ich meine mich mit: auch ich soll auf meine Worte hören.«

In der letzten Stunde

Dem Maggid von Zloczow erschien einst in einer Neujahrsnacht ein Mann, der in seiner Stadt Vorbeter gewesen und vor kurzem gestorben war. »Was machst du hier?« fragte er. »Es ist dem Rabbi bekannt«, antwortete der Tote, »daß in dieser Nacht die Seelen neu geschaffen werden. Ich bin solch eine Seele.« »Und warum haben sie dich wieder ausgeschickt?« fragte der Maggid weiter. »Ich habe hier auf Erden«, berichtete der Tote, »ein untadeliges Leben geführt.« »Und dennoch«, fuhr der Maggid fort zu fragen, »mußt du noch einmal in die Welt eingehn?« »Vor

meinem Tode«, sagte der Tote, »habe ich meine Handlungen
durchforscht und habe befunden, daß ich stets recht gehandelt
habe. Darüber schwoll mir das Herz, und in dieser Stunde starb
ich. Nun aber haben sie mich wieder auf die Welt geschickt, den
Hochmut gutzumachen.«

Demut kein Gebot

Man fragte den Zloczower Maggid:»Alle Gebote stehen doch in
der Thora geschrieben. Aber die Demut, die alle Tugenden aufwiegt, ist nicht darin geboten. Nur nachgerühmt wird Mose[2], er
sei demütiger gewesen als alle Menschen. Was bedeutet dieses
Verschweigen?«
»Wollte einer«, antwortete der Rabbi, »Demut üben, um ein
Gebot zu erfüllen, er würde nie zur wahren Demut gelangen.
Zu meinen, Demut sei ein Gebot, das ist nur Eingebung des Satans. Der bläst das Herz eines Menschen auf: er sei gelehrt und
gerecht und gottesfürchtig und aller guten Werke Meister, und
er wäre würdig, sich über dem Volk zu erheben, aber das hieße
hochmütig sein und unfromm handeln, es sei geboten, Demut zu
üben und sich mit den Leuten gemein zu machen; und der Mensch
vollzieht das vermeintliche Gebot und füttert auch noch damit
seinen Hochmut.«

Der Beistand

Den Zloczower Maggid fragte ein Schüler: »Der Talmud[3] berichtet: das Kind im Mutterleib schaue von einem Ende der Welt
zum andern und erkenne die ganze Lehre; sowie es aber an die
Luft der Erde trete, schlage ein Engel es auf den Mund, und es
vergesse alles. Ich begreife nicht, warum dies ist: erst alles wissen
und es dann vergessen.«
»Es bleibt«, sagte der Rabbi, »eine Spur im Menschen, vermöge
derer er wieder ein Wissen der Welt und der Lehre gewinnen
und seinen Dienst damit tun kann.«
»Aber weshalb muß der Schlag des Engels sein?« fragte der Schüler weiter, »wäre er nicht, so wäre nicht das Böse!«

---

[2] Numeri 12, 3.
[3] Nidda 30.

»Wohl«, gab der Rabbi zur Antwort, »aber wäre das Böse nicht, so wäre auch nicht das Gute; denn das Böse ist die Gegenseite des Guten. Unablässige Wonne ist keine Wonne. So ist zu verstehen, was uns gelehrt ist: daß die Schöpfung der Welt geschah, um den Geschöpfen wohlzutun; das Sichverbergen Gottes ist Wohltun. Und darum auch steht geschrieben[4]: ›Nicht gut ist, daß der Mensch – das ist: der Urmensch Gottes[5] – allein sei‹: ohne die Gegenwirkung und Hinderung des Bösen Triebs, wie vor der Schöpfung der Welt; denn das Gute ist nicht, wenn seine Gegenseite nicht ist. Und weiter: ›Ich will ihm eine Hilfe machen, ihm Gegenpart‹ – daß das Gute dem Bösen gegenübersteht, gewährt dem Menschen seinen Sieg, die Verwerfung des Bösen und die Erwählung des Guten; und da erst gibt es in vollkommener Wahrheit das Gute.«

Der Böse Trieb und der Mensch

Zum Schriftvers[6] »Laß uns ziehen und gehn, daß ich gehe, dir gegenüber« sprach Rabbi Michal: »So redet der Böse Trieb heimlich zum Menschen. Denn er, der Trieb, soll und will ja gut werden, indem er den Menschen reizt, ihn zu überwinden und zu einem guten zu machen. Und das ist seine heimliche Bitte an den Menschen, an dessen Verführung er arbeitet: Laß uns doch aus dieser Schmählichkeit ziehen und im Dienst des Schöpfers gehn, daß auch ich gehe und aufsteige von Stufe zu Stufe mit dir, wenngleich ich dir gegenüber zu stehn und dich zu stören und zu hindern scheine.«

Mehret euch!

Ein Schüler erzählt: »Mein Lehrer, Rabbi Jechiel Michal, hörte einmal in seinem Betstübchen zu Brody, wie ein Mann die sechshundertunddreizehn Gebote hersagte. Er sprach scherzend: ›Was sagt Ihr nur die Gebote her! Die sind zum Erfüllen gegeben und

---

[4] Gemeint ist der kabbalistische Adam Kadmon, die alle kosmogonischen Gewalten umfassende erste Gestaltung der göttlichen Ausstrahlung.
[5] Genesis 2, 18.
[6] Genesis 33, 12.

nicht zum Hersagen.‹ Ich fragte ihn, was er damit meine; man müsse doch die Gebote auch lernen und lernen. ›Man soll‹, antwortete er, ›bei jedem Gebot zu ergründen suchen, wie es erfüllt werden will. Laßt uns mit dem ersten aller Gebote[7] beginnen: ‚Seid fruchtbar und mehret euch!‘ Warum werden hier wohl zwei Zeitwörter statt eines verwandt?‹ Ich schwieg, weil ich mich schämte zu reden; als er aber seine Frage wiederholte, sagte ich: ›Raschi deutet es so: wenn es nur hieße: ‚Seid fruchtbar!‘, könnte man meinen, einer solle stets einen zeugen.‹ ›Dann brauchte ja‹, wandte er ein, ›nur ‚Mehret euch!‘ dazustehn.‹ Der Sohn des Rabbi Sussja von Hanipol, der dort betete, wies darauf hin, es heiße anderswo[8]: ›Fruchten mache ich euch, ich mehre euch‹, auch hier stünden beide Zeitwörter nebeneinander. ›Auch dies ist schwierig‹, sagte Rabbi Michal und fragte mich wieder. Ich erwähnte, daß Raschi das Wort ›und will euch mehren‹ auf den aufrechten Wuchs deutet, der den Menschen von den Tieren unterscheide. ›Aber was hat das mit dem aufrechten Wuchs zu tun?‹ fragte der Rabbi. Ich wußte nichts zu antworten. Er sprach: ›Den Satz der Mischna[9], ‚Wer auf dem Esel ritt, steige ab und bete‘, ist so ausgelegt worden: ‚Wer das Tierische in sich meistert, kann davon Abstand nehmen, es zu unterdrücken, da er, in einem ewigen Gebet, mit allem, was er tut, Gott hingegeben und geweiht, vom Leibe frei geworden ist.‘ So kann der Mensch in der Welt das Körperliche tun, er kann die Begattung vollziehen, und mag er auch, von außen gesehen, die Bewegungen des Tiers ausführen, in seinem Innern ist er ein abgelöster Engel; denn er ist mit dem, was er tut, Gott hingegeben und geweiht. Dies ist es, was das Gebot meint: ‚Seid fruchtbar, aber nicht wie die Tiere, sondern mehret euch‘, seid mehr als sie, geht nicht gebückt wie sie, sondern aufrechten Wuchses und haftet an Gott, wie der Zweig an der Wurzel haftet, und eure Begattung sei ihm geweiht. Dies ist Gottes Wille: er will uns nicht allein fruchtbar machen, sondern auch mehren.‹«

---

[7] Genesis 1, 22.
[8] Leviticus 26, 9.
[9] Berachoth IV, 5.

Von allen lernen

Man fragte Rabbi Michal: »Es heißt in den Vätersprüchen: ›Wer
ist ein Weiser? Der von allen Menschen lernt, wie geschrieben
steht[10]: Von all meinen Lehrern habe ich Einsicht erlangt.‹ Warum
heißt es dann nicht: Der von jedem Lehrer lernt?« Rabbi Michal
erklärte: »Es ist dem Meister, der diesen Spruch gesprochen hat,
darum zu tun, daß deutlich werde: nicht von denen allein ist zu
lernen, die als Lehrer wirken, sondern von jedem Menschen. Auch
von dem Unwissenden, ja auch von dem Bösen kannst du eine
Einsicht erlangen, wie du dein Leben zu führen hast.«

Die Einheit der Eigenschaften

Rabbi Jechiel Michal sprach: »Das Wort der Schrift: ›Und ihr,
die ihr an dem Herrn haftet, lebet heute alle‹ deutet man: ›Hafte an seinen Eigenschaften.‹ Man muß die Deutung nur recht verstehen. Gott hat zehn Eigenschaften emaniert, von denen je zwei
wie zwei Farben einander gegenüber sind, eine scheinbar das Ge-
genspiel der andern, in der innern Wahrheit aber sind sie alle
eine völlige, schlichte Einheit. Dem Menschen nun liegt es ob, sie
auch in der äußern Wahrheit zur Einheit zu machen. Wohl, dem
einen Menschen fällt es schwer, Gnade zu üben, weil sein Weg
der Weg der Gewalt ist, und dem andern fällt es schwer, Gewalt
zu üben, weil sein Weg der Weg der Gnade ist. Wer aber die Gewalt, die in ihm ist, an ihre Wurzel, an die Gewalt Gottes, heftet, und so in allem, in dem einen sich die zehn Eigenschaften, und
er wird selber zu ihrer Einheit; denn er haftet am Herrn der
Welt. Dieser Mensch ist zum Wachs geworden, darin sich so Gericht wie Erbarmen einsiegeln kann.«

Den Vätern nachtun

Ein Schüler fragte den Zloczower Maggid: »Es heißt in dem
Elia-Buch[11]: ›Jeder in Israel ist verpflichtet, zu sprechen: Wann
wird mein Werk an die Werke meiner Väter Abraham, Isaak und

---

[10] Die richtige Übersetzung der Stelle (Psalm 119, 99) ist: »Mehr als all meine Lehrer…«; aber der Text läßt auch die obige Deutung zu.
[11] So genannt, weil die Lehren, aus denen es zusammengesetzt ist, dem auf Erden
wandernden Propheten Elia in den Mund gelegt sind.

Jakob reichen?‹ Wie ist das zu verstehen? Wie dürften wir uns erkühnen zu denken, daß wir es den Vätern gleichzutun vermöchten?«

Der Rabbi erklärte: »Wie die Väter neuen Dienst stifteten, jeder
einen neuen Dienst nach seiner Eigenschaft, der eine den der
Liebe, der andre den der Stärke, der dritte den der Pracht, so sollen wir, ein jeder von uns nach seiner eignen Art, im Licht der
Lehre und des Dienstes Erneuung stiften und nicht Getanes tun,
sondern das noch zu Tuende.«

Nicht um Lohn

Man fragte den Zloczower Maggid: »Es steht geschrieben[12]: ›Werdet ihr in meinen Satzungen gehn, meine Gebote wahren und sie
tun, gebe ich eure Regen zu ihrer Frist, geben soll die Erde
ihr Gewächs, der Baum des Feldes gibt seine Frucht.‹ Wie ist dies,
daß uns Gott Lohn verheißt, wenn wir ihm dienen wollten? Ist
uns doch von unsern Weisen gesagt[13], wir sollten nicht wie Knechte
sein, die ihrem Herrn dienen unter der Bedingung, daß sie Lohn
empfangen!«

Der Zaddik gab diese Antwort: »Wohl, wer ein Gebot um irgendeines Gewinns willen erfüllt, sei es auch der der kommenden Welt, dem wird nichts zuteil; denn er hat nur sich selber dienen wollen. Wer es aber in echter Furcht und Liebe erfüllt, dessen Tun strahlt in die Welt und zieht die Fülle des Segens herbei.
So ist die Gunst des Himmels und der Erde ein Zeichen der rechten Erfüllung, die nicht um des Lohns, sondern um Gottes selber
willen geschah. Darum auch steht geschrieben[14]: ›Das Leben und
den Tod habe ich vor dich hin gegeben, die Segnung und die Verwünschung, wähle das Leben, damit du lebst, du und dein Same!‹
Wähle die Tat des Lebens, die die Fülle des Lebens über die Welt
bringt!«

Mit

Zum Psalmvers[15] »Gut bist du mit deinem Knechte verfahren«
sprach Rabbi Michal: »Dein Verfahren heißt Mit. Wenn dein

---

[12] Leviticus 26, 3.   [13] Aboth I, 3.   [14] Deuteronomium 23, 19.   [15] 119, 65.

Knecht dein Gebot erfüllt, handelst du zusammen mit ihm. Aber du rechnest ihm die Erfüllung an, als hätte er allein, ohne deine Hilfe, gehandelt.«

Wesen der Lehre

In welchem Buch Rabbi Michal auch las, sei es von den Büchern der offenbaren Lehre, sei es von denen der verborgenen, alles, was er las, war ihm ein Hinweis auf den Dienst Gottes. Als ein Schüler ihn fragte, wie dies möglich sei, erwiderte er:»Gibt es denn in der Lehre etwas, das nicht ein Hinweis ist, wie wir Gott dienen können?«

Unsere Schande

Rabbi Michal sprach:»Das ist unsre Schande, daß wir uns vor irgendwem außer Gott fürchten. Dies ist gemeint, wenn von Jakob gesagt ist[16]: ›Jakob fürchtete sich sehr, ihm wurde bang.‹ Wegen unsrer Furcht vor Esau muß uns bange sein.«

Erfüllung des Gesetzes

Die Schüler fragten den Zloczower Maggid:»Es heißt im Talmud[17], unser Vater Abraham habe das ganze Gesetz erfüllt. Wie ist dies möglich, da es ihm noch nicht gegeben war?«
»Es tut nichts not«, sprach er,»als Gott zu lieben. Willst du etwas tun und merkst, es möchte deine Liebe mindern, wisse, es ist Sünde; willst du etwas tun und merkst, daraus wird sich deine Liebe mehren, wisse, dein Wille ist in Gottes Willen geschickt. So hielt es Abraham.«

Die Scheidewand

Zu dem Wort der Schrift[18] »Ich stehe zwischen dem Herrn und euch« sprach Rabbi Michal:»Das Ich steht zwischen Gott und uns. Wenn der Mensch Ich sagt und sich das Wort seines Schöpfers anmaßt, scheidet er sich von ihm. Wer aber sein Ich darreicht, vor dem besteht keine Scheidewand mehr. Denn von ihm ist geschrieben[19]: ›Ich bin meines Freundes, nach mir ist sein Begehren‹ –

---

[16] Genesis 32, 8.
[17] Kidduschin 82 (unter Berufung auf Genesis 26, 59).
[18] Deuteronomium 5, 5. [19] Hohelied 7, 11.

wenn mein Ich meines Freundes geworden ist, ist sein Begehren nach mir.«

Heiligung Gottes

Den Zloczower Maggid fragten seine Schüler:»Zum Wort der Schrift[20]: ›Werdet heilig, denn heilig bin ich‹, bemerkt der Midrasch[21]: ›Meine Heiligkeit ist oberhalb von eurer Heiligkeit.‹ Wer wüßte dies nicht? Was wird uns damit gelehrt?« Er erklärte:»So ist es zu verstehn: Meine Heiligkeit, die oberhalb der Welt ist, hat ihren Bestand von eurer Heiligkeit. Wie ihr unten meinen Namen heiligt, so heiligt er sich in den Höhen des Himmels. Denn es steht geschrieben[22]: ›Gebt Gott Macht!‹«

Der Beter

Man fragte Rabbi Jechiel Michal, warum er den Beginn des Betens verzögere. Er antwortete:»Wir hören[23] vom Stamme Dan, daß er am Ende aller Lager zog und alles von ihnen Verlorene aufsammelte. Er hob alle Gebete auf, die von den Söhnen Israels ohne die rechte Andacht gesprochen worden waren und darum am Boden lagen. So tue ich auch.«

Den Satz des Talmuds[24], daß die »ersten Chassidim« eine Zeit vor dem Gebet verweilten, um ihr Herz auf Gott auszurichten, erklärte er:»In der Zeit, die sie verweilten, beteten sie, daß Gott ihnen helfe, ihr Herz auf ihn auszurichten.«

Er pflegte vor dem Beten zu sprechen:»Ich verknüpfe mich mit ganz Israel, mit denen, die größer sind als ich, daß durch sie mein Gedanke aufsteige, und mit denen, die kleiner sind als ich, daß sie durch mich erhoben werden.«

Zur Psalm-Überschrift[25] »Gebet eines Gebeugten, wenn er verzagt« sprach er:»Binde dich an das Gebet des Gebeugten, und du wirst an Gott haften.«

---

[20] Leviticus 19, 2. [21] Midrasch rabba zu Exodus 34, 27. [22] Psalm 68, 35.
[23] Numeri 10, 25. [24] Mischna Berachoth V, 1. [25] Psalm 102, 1.

Der Böse Trieb kam einmal zu ihm, während er betete. »Geh
weg«, sagte er zu ihm, »und komm wieder, wenn ich esse. Beim
Beten darf es keine Auseinandersetzungen geben.«

Rabbi Michal sagte einmal zu einem seiner fünf Söhne, Rabbi
Wolf von Zbaraž: »Als ich im Gebet aufgestiegen war und in der
Halle der Wahrheit stand, habe ich Gott gebeten, er möge mir
helfen, daß ich nie mit meinem Verstand gegen seine Wahrheit
gehe.«

Mit einem Reichen

Als Rabbi Michal einst längere Zeit in der Stadt Brody weilte,
pflegte er in der »Klaus« zu beten, die man »Chassidim-Stüb-
chen« nannte, wiewohl viele Gegner des chassidischen Wegs dort
am täglichen Gottesdienst teilnahmen. Es war aber Rabbi Michals Brauch, täglich erst gegen die Mittagsstunde ins Bethaus zu
kommen und dann noch, den Tallith über die Schulter gelegt, lange
dazustehen, bis er ihn endlich umtat, die Thefillin anlegte und zu
beten begann. Die gelehrten Gegner ärgerten sich sehr über ihn,
wagten es aber nicht, ihn zur Rede zu stellen, und schickten nach
manchen Erwägungen und Erörterungen einen reichen Mann vor,
Salman Perles mit Namen. Der trat zum Zaddik heran und
sprach in respektvollem Ton: »Daß Ihr erst gegen die Mittag-
stunde ins Bethaus kommt, dem fahnden wir nicht nach; denn
gewiß seid Ihr vorher noch nicht bereit. Was uns aber staunen
macht, ist, daß Ihr dann noch lange dasteht, ehe Ihr endlich zu
beten beginnt. Warum tut Ihr das, und was hat es zu bedeuten?«
»Gibt es hier«, versetzte Rabbi Michal, »keinen gelehrteren Mann
als Euch, um mich zu fragen?« »Freilich«, sagte Perles, »gibt es
hier gelehrte Männer, denen ich nicht an die Fußknöchel reiche.«
»Und warum«, fuhr der Zaddik fort, »fragen die mich nicht?«
»Nun«, sagte jener, »sie sind eben arm und haben, wie eben
Arme, ein gebrochenes Herz, ich aber bin reich, und mein Herz
ist stark.« »Wohl denn«, sprach der Rabbi, »Ihr selber bekennt,
daß die Lehre mich nicht danach fragt, warum ich mein Gebet
verzögere, nur sechzigtausend Rubel fragen mich. Das werden
sechzigtausend Rubel nicht erleben, daß ich ihnen offenbare, warum ich mein Gebet verzögere.«

Im großen Chor

Rabbi Mordechai von Kremnitz, Rabbi Jechiel Michals Sohn, erzählte:»Den Psalmvers[26] ›Des Herrn Preisung soll mein Mund
reden‹ pflegte mein Vater als einen Fragesatz zu sprechen. ›Wir
fragen uns‹, erklärte er mir, ›wie kann mein Mund die Preisung
Gottes reden? Beben und vergehn doch die Serafen und die Him-
melsheere vor der Ehre seines Namens!‹ Darauf erwidert uns die
Schrift: ›Segnen soll alles Fleisch den Namen seiner Heiligung‹.
Alles Fleisch, alles Lebendige, eben als Fleisch ist es berufen, ihn
zu preisen. Wie wir im ›Kapitel des Gesangs[27]‹ sehen, daß noch
der kleinste Regenwurm ein Lied zu ihm spricht. So erst recht der
Mensch, dem die Kraft gegeben ist, immer neue Weisen zum
Preise des Schöpfers zu ersinnen.«

Teilnahme

Zum Spruch Hillels[28] »Wenn ich nicht für mich bin, wer ist für
mich, und wenn ich für mich selber bin, was bin ich?« sagte Rabbi
Michal:»›Wenn ich nicht für mich bin‹ – wenn ich nicht für mich
allein wirke, sondern beständig an der Gemeinschaft teilnehme,
›wer ist für mich‹ –, dann gilt auch, was ›wer‹, das heißt: irgend-
wer aus der Gemeinschaft, an meiner Stelle tut, so, als hätte ich's
getan. Aber ›wenn ich für mich allein bin‹ – wenn ich nicht an den
andern teilhabe, mich mit ihnen zu einem Bund zusammenzuschließen, ›was bin ich‹ –, dann ist alles, was ich allein an gutem Werk
wirke, vor Gott, dem Quell alles Guten, für nichts geachtet.«

Namengebung

Man fragte den Zloczower Maggid:»Warum heißt es in der
Schrift[29], wo erzählt wird, wie Gott die Tiere zu Adam brachte,
daß er ihnen Namen gebe: ›Und wie alles der Mensch einem rufe,

---

[26] 145, 21.
[27] Zusammenstellung von Schriftversen, von denen jeder von einer anderen Art von
Lebewesen zum Lobe Gottes gesprochen wird.
[28] Ein großer Lehrer des ersten vorchristlichen Jahrhunderts, dessen Grundkonzeption
ein allmenschliches Brudertum war.
[29] Genesis 2, 19.

als einer lebenden Seele, das sei sein Name‹? Was ist das: lebende Seele?«
Er antwortete:»Ihr wißt, daß jedes Wesen die Wurzel seiner Seele, daraus ihm das Leben kommt, in den obern Welten hat. Adam aber kannte die Seelenwurzeln aller Geschöpfe und gab jedem den rechten Namen, jedem nach seiner lebenden Seele.«

Vom ziehenden Glauben

Ein Schüler fragte den Zloczower Maggid:»Die Worte der Schrift[30], Noah sei ›vor den Wassern der Flut‹ in die Arche gegangen, deutet Raschi dahin, auch Noah sei von den Kleingläubigen gewesen, er habe geglaubt und nicht geglaubt, bis ihn die Wasser bedrängten, da erst sei er in die Arche gegangen. Sollen wir wirklich Noah, den gerechten Mann, zu den Kleingläubigen zählen?«
»Es gibt«, sagte der Zaddik,»zweierlei Glauben. Es gibt den einfachen Glauben, der das Wort aufnimmt und seiner Erfüllung harrt, und den ziehenden Glauben, der mit seiner Kraft dazu beiträgt, das, was geschehen soll, zu seiner Vollendung geraten zu lassen. Darum fürchtete Noah, mit seinem ganzen Herzen an das Kommen der Flut zu glauben, daß sein Glaube nicht zu ihrem Kommen helfe. Und so glaubte er und glaubte nicht, bis ihn die Wasser bedrängten.«

Die Bergfahrt

Rabbi Michal sprach:»Es heißt im Psalm[31]: ›Wer darf des Herrn Berg ersteigen und wer stehn an seinem Heiligtumsort?‹ Das ist einem Mann zu vergleichen, der in seinem Wagen einen Berg hinanfährt und ist zu dessen Mitte gelangt, und die Pferde sind ermattet – so muß er halten und sie verschnaufen lassen. Wer keine Einsicht hat, wird da abstürzen. Wer aber einsichtig ist, nimmt einen Stein und legt ihn unter den Wagen, solange der steht; so kann er dann zur Höhe des Berges kommen. Wer nicht stürzt, wenn er den Dienst unterbrechen muß, sondern stehenzubleiben weiß, der wird des Herrn Berg ersteigen.«

---

[30] Genesis 7, 7.   [31] 24, 3.

Verführungen

Rabbi Michal sprach: »Wie der Böse Trieb den Menschen zur
Sünde zu verführen sucht, so sucht er ihn zu verführen, daß er
allzu gerecht werde.«

Das härene Hemd

Zu einem seiner Gottesfurcht und seiner strengen Bußübungen
wegen bekannten Mann, Rabbi Judel, sagte einst der Maggid
von Zloczow, als jener ihn besuchte: »Judel, du trägst ein häre-
nes Hemd am Leibe. Wenn du kein Jähzorniger wärst, brauchtest du's nicht. Und da du ein Jähzorniger bist, nützt es dir
nichts.«

Vor seinem Schlaf

Der Apter Rabbi erzählte: »Wenn mein Lehrer, Rabbi Jechiel
Michal, schlief, hatte er entweder eines oder ein anderes von den
Antlitzen der Engelswesen vom Gotteswagen, das der geistigen
Tierwesen oder das der heiligen Radwesen: eins, wenn er willens
war, zum Firmament aufzusteigen, und eins, wenn vom Firma-
ment der Ruf zu ihm kam.«

Sabbatruhe

Ein Chassid fragte den Zloczower Maggid: »Unser Lehrer Raschi
sagt: ›Was fehlte der erschaffenen Welt? Die Ruhe allein. Der
Sabbat kam, es kam die Ruhe.‹ Warum heißt es nicht einfach:
›Der Welt fehlte die Ruhe, bis der Sabbat kam‹? Die Worte Sabbat
und Ruhe meinen doch ein und dasselbe!«
»Sabbat«, erwiderte der Rabbi, »bedeutet Heimkehr[32]; denn an
diesem Tage kehren alle Sphären an ihren wahren Ort zurück.
Darauf weist Raschi hin: Ruhelos sind in der Woche die Sphären,
weil sie von ihrem Ort herabgesenkt worden sind; Ruhe finden
sie am Sabbat, weil sie heimkehren durften.«

---

[32] Kombination der Wortwurzel schawat, innehalten, feiern, von der das Wort schab-
bat, Sabbat, stammt, mit schuw, wiederkehren, heimkehren.

Die Chassidim des Satans

In seinem spätern Alter fastete einst Rabbi Michal mehrere Male. Endlich wagte sich einer aus der Mitte der Schüler hervor und fragte nach dem Grund der Kasteiung. Der Rabbi antwortete: »Wisset, der Satan hat sich vorgesetzt, die Chassidim aus der Welt zu schaffen. Erst versuchte er es mit Bedrängnis: er stiftete Verfolgungen an, hetzte Verleumder und Angeber, schürte Feindschaft in Häusern und auf Gassen und meinte, uns so zur Verzweiflung, zur Erschöpfung und zum Abfall zu bringen. Als er aber merkte, daß dieser Plan ganz und gar mißlang und die Reihen, die er hatte schwächen wollen, gestärkt worden waren, sann er auf einen andern Rat. Er beschloß, selber Chassidim zu machen. Zu Tausenden breiteten sich die Chassidim des Satans im Land, gesellten sich zu den rechten, und die Lüge war mit der Wahrheit vermischt. Darum habe ich gefastet; ich meinte, auch diesen Plan vereiteln zu können. Aber nun will ich nicht mehr fasten; denn ich sehe, daß ich den Satan nicht hindern kann, weiter eigene Chassidim zu machen. Wer sich heiligt und in Wahrheit zum Dienste Gottes bereitet, den wird Gott absondern von den Falschen und wird seine Augen erleuchten mit dem Lichte seines Angesichts, daß ihm Wahrheit und Lüge nicht vermischt seien.«

Die Sonnen und die Erde

Rabbi Michal sprach: »In jedem Geschlecht gibt es große Zaddikim, die sich dem Werk der Erlösung entziehen, dadurch allein, daß sie der Lehre anhangen und sie erfüllen, jeder darauf sinnend, von welchem heiligen Ort seine Seele gekommen ist, und daß sie nach vollbrachter Erdenfahrt dahin zurückkehre und das Licht der himmlischen Weisheit genieße. Darum gelten solch einem alle Dinge dieser Welt für nichts. Und ob er sich auch über die Not des Menschen und das bittre Exil Israels grämt, das bewegt sein Herz nicht, im Gebet zu wagen, was gewagt werden muß, sondern sein großes Verlangen geht nun darauf, heimzukehren. Wie geschrieben steht[33]: ›Ein Geschlecht geht, ein Ge-

---

[33] Prediger 1, 4.

schlecht kommt, und die Erde steht in Weltzeit. Strahlt die
Sonne auf, kommt die Sonne hinab, sie strebt zu ihrem Ort, dort
verstrahlt sie.‹ Die Sonnen gehen auf und unter und lassen das
Elend der Erde bestehn.«

Verbannung und Erlösung

Ein Schüler fragte den Maggid von Zloczow:»Gott spricht zu
Mose[34]:›Jetzt wirst du sehn, was ich an Pharao tue; ja, mit starker Hand schickt er sie frei, mit starker Hand jagt er sie aus seinem
Lande.‹ Braucht man den Knecht, der aus schwerer Fron befreit
wird, in die Freiheit zu treiben? Wird er nicht enteilen wie der
Vogel aus der Schlinge?«
»Wenn Israel verbannt ist«, sagte der Maggid,»ist es immer im
eignen Bann, und nur wenn es selber den löst, kommt ihm die
Erlösung zu. Besiegt es die böse Macht in sich selbst, dann wird
die Dämonsmacht des Bösen gebrochen, und sogleich schwindet
auch die fesselnde Kraft der irdischen Machthaber. Weil Israel
in Ägypten nicht willens war, aus dem Exil der Seele zu ziehen,
spricht[35] Mose zu Gott:›Gerettet hast du dein Volk nicht‹; das
heißt: Nicht an dir ist die Rettung. Gott aber spricht:›Jetzt
wirst du sehn.‹ Und er, der allen Mächten Übermächtige, wahrt
den beschworenen Bund. Sein großes Licht stürzt er der Dämonsgewalt Ägyptens entgegen, daß sie geblendet wird. Die heiligen
Funken aber, die in sie verbannt sind, erwachen, Art findet sich
zu Art, die Funken schauen das Urlicht und glühen ihm zu, bis
die Dämonsgewalt sie nicht länger tragen kann und sie austrei-
ben muß. Und sowie dies oben geschieht, geschieht es auch unten
an Israel und an Pharao. Das ist der Sinn der Plagen.«

Die Segnung

Rabbi Michal sagte einmal zu seinen Söhnen:»Mein Leben war
damit gesegnet, daß ich nie eines Dings bedurfte, ehe ich es besaß.«

---

[34] Exodus 6, 1.   [35] Exodus 5, 23.

Feindesliebe

Rabbi Michal befahl seinen Söhnen: »Betet für eure Feinde, daß es ihnen wohlergehe. Und meinet ihr, dies sei kein Dienst Gottes: mehr als alles Gebet ist dies ein Dienst Gottes.«

Willig

In den letzten zwei Jahren vor seinem Tode verfiel Rabbi Michal immer wieder in eine tiefe Verzückung. Er ging dann flammenden Angesichts in seiner Stube auf und nieder, und man sah ihm an, daß er einem höheren Leben mehr als diesem verhaftet war und seine Seele nur einen leichten Schritt zu machen brauchte, um hinüberzukommen. Darum achteten seine Kinder eifrig darauf, ihn stets zur rechten Zeit aus der Verzückung zu wecken. Einst ging er wie gewöhnlich nach dem dritten Sabbatmahl, das er stets nur noch mit einem seiner Söhne einnahm, ins Lehrhaus und sang Lobgesänge, dann kehrte er in seine Stube zurück und ging auf und nieder. Zu jener Zeit war niemand bei ihm. Da hörte seine Tochter, die an der Tür vorbeikam, ihn im Gebet Mal um Mal wiederholen: »Willig schied Mose ab.« Bestürzt rief sie einen ihrer Brüder herbei. Als er eintrat, sah er den Vater auf dem Rücken am Boden liegen und hörte ihn das letzte Wort des Bekenntnisses »Einer« mit versagenden Lippen flüstern.

Von Welt zu Welt

Viele Jahre nach Rabbi Michals Tode sah ihn der junge Rabbi Zwi Hirsch von Żydaczow im Traum. Der Tote sprach zu ihm: »Wisse, von der Stunde meines Abscheidens an gehe ich von Welt zu Welt. Und die Welt, die gestern als Himmel über meinem Haupte ausgespannt war, die ist heute die Erde unter meinem Fuß, und der Himmel von heute ist die Erde von morgen.«

Wie er zu Batseba gekommen war

Bei Rabbi Ahron Löb von Primischlan, dem Schüler des Zloczower Maggids, erschien einer, auf dessen Gesicht er die Zeichen des Ehebruchs las. So sprach er zum Besucher, nachdem er sich eine Weile mit ihm unterredet hatte:»Es steht geschrieben[36]: ›Ein Gesang Davids, als Natan der Prophet zu ihm kam, wie er zu Batseba gekommen war.‹ Was bedeutet dies wohl? Es bedeutet, daß Natan den rechten Weg erwählt hatte, David zur Umkehr zu bewegen. Wäre er ihm öffentlich und als sein Richter entgegengetreten, er hätte ihm das Herz nur verhärtet. Aber er kam mit seiner Mahnung in Heimlichkeit und in Liebe zu David, ebenso wie der zu Batseba gekommen war. Da ergriff die Mahnung das Herz des Königs und schmolz es um, daß der Gesang des Umkehrenden daraus aufstieg.« Als Rabbi Ahron Löb dies gesagt hatte, bekannte der Mann seine Sünde und tat die vollkommene Umkehr.

---

[36] Psalm 51, 2.

Die Tränen

In seiner Kindheit war Rabbi Seew Wolf, der jüngste von Rabbi Jechiel Michals fünf Söhnen, ein wilder und mutwilliger Knabe, den sein Vater vergebens zu zügeln suchte. Als er fast dreizehn war und nun bald ein »Sohn des Gebots« werden sollte[1], eigner Bindung und Verantwortung dem Gotteswillen gegenüber, hieß der Zaddik die Schriftverse für die Thefillin schreiben, die von jetzt an der Knabe anzulegen haben würde. Sodann befahl er dem Schreiber, ihm die beiden noch leeren Gehäuse samt den Schriftversen zu bringen. Der Schreiber brachte sie ihm. Rabbi Michal nahm die Gehäuse in die Hand und betrachtete sie lange geneigten Hauptes, und seine Tränen ergossen sich darüber. Dann trocknete er die Gehäuse und legte die Schriftverse hinein. Von der Stunde an, da der Knabe Wolf die Thefillin zum erstenmal anlegte, wurde er still und liebreich.

Die Magd

Rabbi Wolfs Ehefrau hatte einst einen Streit mit ihrer Dienstmagd. Sie beschuldigte die Magd, ein Gerät zerbrochen zu haben, und forderte Ersatz des Schadens; jene leugnete die Tat und weigerte die Buße. Der Streit erhitzte sich, bis die Frau das geistliche Gericht anzurufen beschloß und sich eilig ankleidete, um den Raw der Stadt aufzusuchen. Als Rabbi Wolf dies sah, zog auch er sein Sabbatgewand an. Von der Frau befragt, warum er das tue, erklärte er, mitgehen zu wollen. Sie widersprach; es schicke sich nicht für ihn, auch wisse sie selbst, was sie dem Gericht vorzutragen habe. »Du weißt es wohl«, antwortete der Zaddik, »aber die arme Waise, deine Magd, als deren Fürsprech ich gehe, weiß es nicht, und wer sonst als ich sollte sich ihrer Sache annehmen?«

---

[1] Bar-mizwa, Sohn des Gebotes, wird der das 13. Jahr vollendende Knabe genannt, weil er an diesem Tage die Verantwortung für die Erfüllung des Religionsgesetzes auf sich nimmt.

Der Rettichesser

Bei der dritten Sabbatmahlzeit, dem traulichen und heiligen Gemeinschaftsmahl, saßen die Chassidim an Rabbi Wolfs Tisch, ihr Gespräch nur leise und mit verhaltenen Gebärden fortspinnend, um den in Sinnen versunkenen Zaddik nicht zu stören. Es war aber der Wille Rabbi Wolfs und der Brauch im Haus, daß jedermann jederzeit eintreten und sich an seinem Tisch niederlassen durfte. So kam auch jetzt ein Mann und setzte sich zu den andern, die ihm Platz machten, wiewohl ihnen seine derben Sitten bekannt waren. Nach einer Weile zog er einen großen Rettich aus der Tasche, schnitzelte sich einen Haufen mundgerechter Stücke zusammen und begann sie schmatzend zu verzehren. Nun konnten seine Nachbarn ihre Erbosung nicht länger niederhalten. »Du gefräßiger Kerl«, fuhren sie ihn an, »wie wagst du's, mit deinen Schankhausmanieren die erhabene Tafel zu beleidigen?« Obgleich sie sich mühten, ihre Stimmen zu dämpfen, merkte der Zaddik, was vorging. »Ich habe ein Verlangen«, sagte er, »nach einem guten Rettich. Könnte wohl jemand von euch mir einen verschaffen?« Jäh ergriffen von einer Freude, die seine Beschämung überströmte und begrub, reichte der Rettichesser eine Handvoll Schnitzel Rabbi Wolf hinüber.

Der Fuhrmann

An einem harten Frosttag kam Rabbi Wolf zu einer Beschneidungsfeier gefahren. Als er eine Weile im Saal verbracht hatte, erbarmte es ihn des wartenden Fuhrmanns; er ging unbemerkt zu ihm hinaus und sagte: »Komm doch herein und wärme dich!« »Ich darf meine Pferde nicht allein lassen«, antwortete der Mann, warf die Arme und trat von einem Fuß auf den andern. »Die will ich dir hüten, bis du warm hast und mich wieder ablösen kannst«, sagte Rabbi Wolf. Davon wollte der Fuhrmann zuerst nichts wissen, ließ sich aber nach langem Zureden bestimmen und ging ins Haus. Da gab es für jeden, der kam, gleichviel welchen Standes und ob er dem Gastgeber bekannt war, vollauf zu essen und zu trinken. Nach dem zehnten Gläschen hatte der Fuhrmann vergessen, wer ihn bei den Pferden vertrat, und ließ

Stunde um Stunde vergehn. Indessen hatten die Leute den Zaddik vermißt, aber sich beruhigt, daß er einen wichtigen Gang hätte machen müssen und danach wiederkehren würde. Nach geraumer Zeit kamen einige der Gäste auf die schon abendliche Straße und sahen Rabbi Wolf am Wagen stehen, die Arme werfen und von einem Fuß auf den andern treten.

Die Pferde

Wenn Rabbi Wolf zu Wagen fuhr, erlaubte er nicht, die Pferde zu schlagen. »Nicht einmal zu schelten brauchst du sie«, belehrte er den Fuhrmann, »wenn du sie nur anzureden verstehst.«

Die Streitenden

Rabbi Wolf sah an keinem ein Böses und hieß jeden Menschen gerecht. Als zwei einst miteinander stritten und man Rabbi Wolf gegen den Schuldigen aufzureden versuchte, antwortete er: »Bei mir gelten sie beide gleich – und wer kann sich erdreisten, zwischen zwei Gerechte zu treten?«

Die Spieler

Ein Chassid verklagte einst vor Rabbi Wolf einige Leute, daß sie ihre Nächte beim Kartenspiel zu Tagen machten. »Das ist gut«, sagte der Zaddik. »Wie alle Menschen, wollen auch sie Gott dienen und wissen nicht wie. Aber nun lernen sie sich wach halten und bei einem Werk ausharren. Wenn sie darin die Vollendung erlangen, brauchen sie nur noch umzukehren – und was für Gottesdiener werden sie dann geben!«

Die Diebe

Diebe schlichen sich eines Nachts in Rabbi Wolfs Haus und steckten ein, was ihnen unter die Hand kam. Der Rabbi sah ihnen von seiner Kammer aus zu und störte sie nicht. Als sie fertig waren, nahmen sie mit anderen Geräten einen Krug mit, in dem vorhin einem Kranken der Abendtrunk gereicht worden war.

Rabbi Wolf lief ihnen nach. »Ihr guten Leute«, rief er, »was ihr bei mir gefunden habt, das seht als mein Geschenk an. Aber mit diesem Krug, darum bitte ich euch, geht vorsichtig um; es haftet Krankenatem dran, der euch anstecken könnte.« Seither sagte er jeden Abend vor dem Schlafengehen: »Ich gebe allen meinen Besitz frei.« So wollte er, wenn wieder Diebe kämen, die Schuld von ihnen wenden.

Die Abtrünnigen

In Lemberg kamen mehrere Zaddikim zusammen und berieten sich über die Verderbtheit des Geschlechts. So viele schwüren die heiligen Sitten ab, zögen kurze Gewänder an, schören Bart und Schläfenlocken und fielen auch bald der inneren Abtrünnigkeit anheim. Man müsse dem bröckelnden Gestein Halt gebieten oder gewärtig sein, daß an einem unfernen Tag der ganze hohe Bau einstürze. Daher beschlossen die Versammelten, einen festen Grenzdamm zu errichten, und beginnen wollten sie damit, daß den Ungetreuen fortan verwehrt sein sollte, das geistliche Gericht anzurufen. Doch kamen sie überein, die Gültigkeit des Beschlusses auszusetzen, bis auch Rabbi Wolf von Zbaraž ihm zustimmte. Etliche Zaddikim überbrachten ihm Bericht und Ansuchen. »Liebe ich euch denn mehr als sie?« sagte er. Der Beschluß blieb unausgeführt.

Die Hilfe

Als Rabbi Wolf auf einer Reise war, kam ein armer junger Chassid und erbat eine Geldhilfe von ihm. Der Zaddik suchte in seinem Beutel, tat eine große Münze, die ihm in die Finger geriet, wieder zurück, holte eine kleine hervor und reichte sie dem Bedürftigen. »Ein junger Mensch«, sagte er, »soll sich nicht schämen, und er soll sich nicht wunder was erwarten.« Der Chassid ging mit gesenktem Kopf von dannen. Da rief Rabbi Wolf ihn zurück und fragte: »Junger Mann, was hast du jetzt eben gedacht?« »Ich habe«, antwortete jener, »einen neuen Weg zum Dienste Gottes gelernt. Man soll sich nicht schämen, und man soll sich nicht wunder was erwarten.« »Das habe ich gemeint«, sagte der Zaddik und nahm ihn hilfreich auf.

MORDECHAI VON NESHIŻ

Was macht es aus?

Ehe Rabbi Mordechai von Neshiż seine Berufung erkannte, betrieb er einen kleinen Handel. Nach jeder Reise, die er unternahm, um seine Waren zu verkaufen, pflegte er ein wenig Geld zurückzulegen, um sich für das Hüttenfest eine Ethrogfrucht zu erstehen. Als er mehrere Rubel beisammen hatte, fuhr er in die Kreisstadt und dachte unterwegs unablässig daran, ob es ihm wohl vergönnt sein würde, unter den dort feilgebotenen Paradiesäpfeln den schönsten zu erwerben. Da sah er mitten auf der Straße einen Wasserverkäufer stehen, der um sein gefallenes Pferd jammerte. Er stieg ab und gab dem Mann all sein Geld, daß er sich ein andres kaufe. »Was macht es aus?« sagte er lachend zu sich, als er sich auf den Heimweg machte, »alle werden den Segen über dem Ethrog sprechen, und ich spreche meinen Segen über diesem Pferd.« Zu Haus fand er einen herrlichen Ethrog vor, den ihm Freunde indessen gespendet hatten.

Mit dem Fürsten der Thora

Rabbi Mordechai sprach nur selten an seinem Tisch knappe Worte der Lehre zu denen, die zu ihm gefahren kamen und am Sabbat mit ihm aßen. Einmal unterwand sich einer seiner Söhne, ihn nach dem Grund seiner Zurückhaltung zu fragen. »Man muß«, antwortete er, »sich mit dem Engelfürsten der Thora verknüpfen. Nur dann geht, was man sagt, so ins Herz der Hörer ein, daß jeder empfängt, was er für sein eignes besondres Anliegen braucht.«

Die Zusicherung

Rabbi Mordechai pflegte zu sagen: »Wer von meinem Sabbatmahl gekostet hat, wird nicht aus der Welt gehn, ohne die Umkehr vollzogen zu haben.«

Bei Tagesanbruch

Einst saß Rabbi Mordechai zu Nacht mit seinen Schülern bis zum Morgengrauen. Als er das Tageslicht aufdämmern sah, sagte er: »Wir sind nicht in die Grenzen des Tags eingeschritten, sondern der Tag ist in unsre Grenzen eingeschritten, und wir brauchen vor ihm nicht zu weichen.«

Der Maßstab

Rabbi Mordechai von Neshiž sprach zu seinem Sohn, dem Rabbi von Kowel:»Mein Sohn, mein Sohn! Wer nicht fünfzig Meilen in der Runde die Schmerzen jeder Gebärenden verspürt, daß er mit ihr leide und für sie bete und ihr Linderung erwirke, verdient nicht, ein Zaddik genannt zu werden.«
Sein jüngerer Sohn, Jizchak, der später sein Nachfolger wurde, damals ein zehnjähriger Knabe, stand dabei, als er dies sprach. Wenn er es in seinem Alter erzählte, fügte er hinzu:»Ich habe gut zugehört. Aber es hat sehr lange gedauert, bis ich verstanden habe, warum er es in meiner Gegenwart sagte.«

Warum man zum Zaddik fährt

Rabbi Mordechai sprach:»Das Fahren zu den Zaddikim hat viele Gesichter. Einer fährt zum Zaddik, um zu erfahren, wie man mit Furcht und Liebe betet, und einer, um sich anzueignen, wie man die Thora um ihrer selbst willen lernt, und einer, um höhere Stufen des geistigen Lebens zu ersteigen, und so fort. Aber all dies darf nicht die wesentliche Absicht sein. Jedes von diesen Dingen kann erlangt werden, und dann braucht man sich nicht mehr darum zu bemühen. Sondern die einzige wesentliche Absicht ist, Gottes Wirklichkeit zu suchen. Dies hat kein Maß und kein Ende.«

Fische im Ozean

Rabbi Jizchak von Neshiž erzählte:»Mein Vater sagte einmal im Monat Elul[1] zu einem seiner Freunde: ›Weißt du, was heute

---

[1] Der den »Furchtbaren Tagen« vorausgehende Monat, der der inneren Bereitung und Selbsterforschung gewidmet ist.

für ein Tag ist? Das ist einer der Tage, da die Fische im Ozean zittern.‹«
Einer von denen, die Rabbi Jizchak umstanden, bemerkte:»Die Leute pflegen zu sagen: ›Da die Fische im Wasser zittern.‹«
»So wie mein Vater es sagte«, sprach Rabbi Jizchak,»so allein spricht es das Geheimnis dessen aus, was zwischen Gott und den Seelen geschieht.«

Das Opfer

Die Worte der Schrift[2] »Und an euren Neumonden sollt ihr dem Herrn ein Ganzopfer darbringen« legte Rabbi Mordechai von Neshiž so aus:»Wenn ihr euer Tun erneuern wollt, dann bringet Gott den ersten Gedanken dar, den ihr nach dem Erwachen denkt. Wer das vollzieht, dem wird Gott helfen, daß er den ganzen Tag mit ihm verbunden bleibe und jegliches Ding an den ersten Gedanken binde.«

Das Käppchen

Es wird erzählt:»Zu Rabbi Mordechai von Neshiž kam eine Frau und bat ihn weinend, er möge ihren Mann ausfindig machen, der sie vor langer Zeit verlassen habe und in die Fremde gezogen sei. ›Ist er denn hier‹, sagte der Zaddik, ›daß ich dir helfen könnte? Ist er etwa in dem Wasserschaff da?‹ Weil aber ihr Glaube groß war, ging die Frau ans Wasserschaff und blickte hinein. ›Da ist er!‹ schrie sie, ›da sitzt er im Wasser!‹ ›Hat er einen Hut auf?‹ fragte der Rabbi. – ›Nur ein Käppchen.‹ – ›So hol es.‹ Die Frau griff danach und zog es hervor. Zu gleicher Zeit geschah, daß ihr Mann, der in fernem Land sein Schneidergewerbe weiterbetrieb, am Hof eines Herrn, für den er grade nähte, am Fenster saß, als sich plötzlich ein Sturmwind erhob und ihm das Käppchen vom Kopf entführte. Dem Mann fuhr es durch alle Glieder und durchs innerste Herz, und er machte sich auf den Weg nach Haus.«

---

[2] Numeri 28, 11.

Die Lilith

Es wird erzählt:»Ein Mann, dessen sich die Lilith³ bemächtigt hatte, fuhr nach Neshiž, wo er Rabbi Mordechai anflehen wollte, ihn zu befreien. Der Rabbi merkte in seinem Herzen, daß jener unterwegs zu ihm war, und gab in der ganzen Stadt den Befehl aus, am Abend alle Haustüren zu schließen und niemand einzulassen. Als der Mann nachts in die Stadt kam, fand er nirgends Einlaß und mußte sich auf einen Heuschober legen. Schon war die Lilith da und sprach: ›Komm herunter zu mir.‹ Er fragte sie: ›Weshalb verlangst du das? Sonst pflegst du doch immer zu mir zu kommen.‹ ›Im Heu, auf dem du liegst‹, sagte sie, ›ist ein Kraut, das hindert mich, dir zu nahn.‹ ›Welches ist es?‹ fragte er, ›ich will es hinweg werfen, und dann wirst du zu mir kommen können.‹ Er zeigte ihr Kraut um Kraut, bis sie sagte: ›Das ist es.‹ Da band er es sich an die Brust und war von ihr befreit.«

Das Besondere

Der Lubliner Rabbi fragte einst den Apter Rabbi, der bei ihm zu Gast war:»Kennt Ihr den Alten von Neshiž?«»Ich kenne ihn nicht«, antwortete er,»aber sagt mir doch, was ist so Besondres an ihm, daß Ihr mich nach ihm fragt?«»Lerntet Ihr ihn kennen«, sprach der Lubliner,»so würdet Ihr es sogleich wissen. Alles, Lehre und Gebet und Essen und Schlafen, ist eins bei ihm, und er kann die Seele zu ihrer Wurzel erheben.« Sogleich beschloß der Apter, sich nach Neshiž zu begeben. Schon stand der Wagen bereit, als er von einer Verleumdung erfuhr, die bei den Behörden gegen ihn vorgebracht war, und sich genötigt sah, zum Kreisamt zu fahren. Als er zurückkehrte, war es zwei Wochen vor Passah, und er schob die Reise noch einmal auf. Nach dem Fest wurde ihm berichtet, daß der Rabbi von Neshiž in der Woche vor Passah gestorben war.

---

³ Eine Dämonin, die die Männer zu verführen sucht; die Sage erzählt von ihr als von Adams erstem Weibe.

Zwei Leuchter

Rabbi Mosche Chajim Efraim, der Enkel des Baalschem, lebte lange Zeit mit seinem Weibe in großer Armut. Am Sabbatabend steckte die Frau die Kerzen in einen Leuchter aus Lehm, den sie selber geknetet hatte. Später wurden sie reich. An einem Sabbatabend sah der Rabbi, als er, vom Bethaus heimkehrend, die Stube betrat, wie sein Weib mit einer stolzen Freude den breitarmigen Silberleuchter betrachtete. »Dir ist jetzt hell«, sagte er, »mir ist damals hell gewesen.«

Nach Sabbatausgang

Rabbi Baruch, der Enkel des Baalschem, erzählte: »Dem Raw von Polnoe pflegte ein ›Maggid‹, ein kündender Geist, zu erscheinen und ihn zu lehren. Als er sich aber meinem Großvater, dem Baalschemtow, näherte, nahm der jenen Maggid von ihm und gab ihm einen andern, einen von den Maggidim der Wahrheit.

Einst war ich mit Rabbi Pinchas von Korez bei dem Polnoer Raw über Sabbat. Nach Sabbatausgang kam ein Bote, der meldete, Rabbi Pinchas müsse sogleich einer dringenden Sache wegen heimkehren. Der Raw hatte sich in eine Stube zurückgezogen, in der er zu weilen pflegte, wenn er sich der Betrachtung ergab. Dennoch brachte es Rabbi Pinchas nicht übers Herz, ohne Abschiednahme das Haus zu verlassen. So bat er mich, dem Raw die Nachricht zu bringen; aber auch ich zögerte. Schließlich gingen wir beide an die Tür und horchten. Unwillkürlich rührte ich an die schadhafte Klinke, und die Tür ging auf. Erschreckt floh Rabbi Pinchas, ich aber blieb stehen und sah.«

Sei's so

Rabbi Jaakob Jossef, der Raw von Polnoe, wurde einmal eingeladen, als Gevatter an einer Beschneidung in einem nahen Dorf teilzunehmen. Als er hinkam, fehlte ein Mann zur erforderlichen

Zehnerschaft. Der Zaddik wurde sehr unwillig, daß er warten mußte; es verdroß ihn stets, wenn er genötigt war zu warten. Da seit dem Frühmorgen ein heftiger Regen niederging, gelang es lange nicht, eines Wanderers habhaft zu werden. Endlich sah man einen Bettler des Wegs kommen. Aufgefordert, als Zehnter bei der Zeremonie zugegen zu sein, erwiderte er:»Sei's so« und kam herein. Als man ihm warmen Tee anbot, sagte er:»Sei's so.« Nach der Beschneidung lud man ihn zum Mahl und bekam die gleiche Antwort. Zuletzt fragte ihn der Hausherr:»Warum wiederholt Ihr denn immerzu dasselbe?«»Heißt's doch im Psalm[1]«, sprach der Mann,»Heil dem Volke, dem's so ergeht!« Schon aber war er allen Augen entschwunden.

In der Nacht darauf konnte der Rabbi keinen Schlaf finden. Immer wieder hörte er den Bettler jenes»Sei's so« sprechen, bis ihm offenbar wurde, das könne kein andrer gewesen sein als Elija, der kam, um ihm seinen Hang zum Unwilligwerden zu verweisen.»Heil dem Volke, dem's so ergeht!« flüsterte er und schlief sogleich ein.

Das Buch

Der Sohn des Rabbis von Ostrog erzählte:»Als das Buch des Polnoer Raw ›Geschichte Jaakob Jossefs‹ im Druck erschien und in die Hände meines Vaters gelangte, las und las der darin. Insbesondere die Stellen, an denen es heißt: ›Dies habe ich von meinem Lehrer gehört‹, las er immer wieder, bis er sie ganz innehatte. Das dauerte ein Jahr und länger. Einmal kam er bei erneutem Lesen an eine dieser Stellen und merkte, daß er sie doch noch nicht völlig verstand. Sogleich hieß er anspannen und fuhr nach Polnoe. Mich, der ich damals ein Knabe war, nahm er auf die Fahrt mit. Er fand Rabbi Jaakob Jossef krank und elend auf seinem Bette liegen, das bald danach sein Sterbebett wurde. Der Raw fragte meinen Vater nach dem Anlaß seines Kommens. Als er ihn erfuhr, ließ er das Buch bringen und begann die Stelle zu erklären. Er hielt das Buch mit den Armen umfaßt und sprach mit starker Stimme, und sein Gesicht war wie eine geistige Flamme. Vor meinen Augen hob sich sein Bett von der Erde.«

---

[1] 144, 15.

Auf dem Markt

Es wird erzählt:»Rabbi Löb, Sohn der Sara, zog all seine Tage
umher und verweilte nie lange an einem Ort. Oft hielt er sich in
Wäldern und in Höhlen auf, doch dazwischen kam er auch in die
Städte und hatte geheimnisvollen Umgang mit einzelnen Vertrauten. Auch gab es keinen großen Markt, den er nicht aufge-
sucht hätte. Da mietete er stets eine Bude und stand darin vom
Beginn des Marktes bis zu seinem Ende. Seine Schüler baten ihn
immer wieder, ihnen zu eröffnen, was die Absicht der seltsamen
Einrichtung sei. Endlich gab er ihrem Bedrängen nach. Es kam
eben ein Mann vorbei, der schleppte eine schwere Bürde auf den
Schultern. Rabbi Löb rief ihn herbei und flüsterte ihm eine Weile
ins Ohr. Dann hieß er die Schüler dem Manne nachgehen und
ihn beobachten. Sie sahen ihn zu einem der Händler treten und
die Last zu Boden tun und hörten ihn sagen, er wolle nicht länger Knecht sein. Jener fuhr ihn an und weigerte sich, ihm seinen
Lohn zu bezahlen; er aber ging schweigend hinweg. Da sahen die
Schüler, die ihm folgten, daß er nun in Sterbekleidern ging. Sie
liefen auf ihn zu und beschworen ihn, sich ihnen zu eröffnen.
›Unstet und flüchtig‹, sprach er zu ihnen, ›bin ich in der Welt des
Wirrsals gewesen und habe nicht gewußt, daß ich schon lange tot
bin. Nun hat es mir der Rabbi gesagt und hat mir die Lösung
gegeben.‹«

Lehre sagen und Lehre sein

Rabbi Löb, Sohn der Sara, pflegte von den Rabbis, die »Thora sagen«, so zu sprechen:»Was ist das, daß sie Thora sagen? Der
Mensch soll darauf achten, daß all seine Handlungen eine Thora
seien, und er selber sei eine Thora, bis man von seinen Gepflogenheiten und seinen Bewegungen und seinem reglosen ›Anhaften‹
lernt und er wie die Himmel geworden ist, von denen es heißt[2]:
›Kein Sprechen ists, keine Rede, unhörbar bleibt ihre Stimme,
über alles Erdreich fährt aus ihr Schwall, an das Ende der
Welt ihr Geraun.‹«

---

[2] Psalm 19, 4.

Der Vater und die kleinen Kinder

Als Rabbi Arje Löb von Spola, »der Spoler Großvater« genannt, der in seiner Jugend den Baalschem gekannt hatte, sich einst am Passahabend vor dem Sseder[3] von seinem kleinen Sohn den Merkvers vorsprechen ließ, in dem die vorgeschriebenen Handlungen aufgezählt werden, und der Knabe zu erklären hatte, was das Wort »kaddesch«, »heilige«, bedeutet, sagte er, wie es Brauch ist: »Wenn der Vater vom Bethaus heimkommt, soll er gleich Kiddusch machen, das heißt, den Segen über den Wein sprechen«, und fügte nichts hinzu. Der Vater fragte: »Warum fügst du nicht hinzu, warum er gleich Kiddusch machen soll?« »Mehr«, antwortete der Knabe, »hat mir der Lehrer nicht gesagt.« Nun lehrte ihn der Vater die Worte hinzufügen: »damit die kleinen Kinder nicht einschlafen, sondern, wie ihnen aufgegeben ist, die Frage fragen können: ›Wodurch ist dieser Abend verschieden von allen Abenden?‹«

Als tags darauf der Kinderlehrer mit am Festtisch saß, fragte ihn der Rabbi, warum er die Kinder nicht auch lehre, wie es üblich ist, auf das »kaddesch« die Begründung folgen zu lassen. Der Lehrer erwiderte, er habe dies für überflüssig gehalten, da die Vorschrift doch nicht für jene Hausväter allein gelte, die kleine Kinder im Haus haben. »Damit«, sagte der Rabbi, »begeht Ihr einen schweren Irrtum. Ihr ändert eine alte Sitte und ermeßt nicht ihren Sinn. Dies aber ist der Sinn: ›Wenn der Vater vom Bethaus heimkommt‹, wenn unser Vater gesehen und gehört hat, wie jeder von Israel, ob er auch ermüdet ist von den Vorbereitungen für das Passahfest, begeistert das Abendgebet sprach, und wenn er nun in seinen Himmel zurückkehrt, ›soll er gleich Kiddusch machen‹, möge er gleich den heiligen Ehebund erneuern, wie er zu der Gemeinschaft Israels sprach[4]: ›Ich verlobe dich mir auf Weltzeit‹, und möge noch in dieser Nacht, der ›Nacht der Wache‹, uns erlösen, ›damit die kleinen Kinder nicht einschlafen‹,

---

[3] Sseder, Ordnung, wird die Tafelfeier des ersten und zweiten Passahabends mit ihren sinnbildlichen Speisen, ihren memorialen Weintrünken und dem großen, aus Chronik und Legende, Sprüchen und Hymnen gewobenen Vortrag vom Auszug aus Ägypten genannt.

[4] Hosea 2, 21.

damit die kleinen Kinder, das Volk Israel, nicht dem Tiefschlaf der Verzweiflung verfallen, sondern Grund bekommen, ihren Vater im Himmel zu fragen: ›Wodurch ist die Nacht dieses Exils verschieden von allen früheren?‹« Als der Rabbi diese Worte gesprochen hatte, brach er in Tränen aus, hob die Hände zum Himmel und rief: »Vater, Vater, hol uns doch aus dem Exil, solang noch von uns gilt, was geschrieben steht [5]: ›Ich schlafe, und mein Herz wacht!‹ Laß uns nicht völlig entschlafen!« Alle weinten mit ihm. Nach einer Weile jedoch ermunterte er sich und rief: »Nun wollen wir aber den Vater erfreuen, wir wollen ihm zeigen, daß das Kind auch im Finstern tanzen kann.« Er hieß eine fröhliche Weise spielen und begann seinen Tanz.

Der Tanz des »Großvaters«

Wenn der »Spoler Großvater« an Sabbaten und Festtagen tanzte, war sein Fuß leicht wie der eines vierjährigen Kindes. Und unter allen, die den heiligen Tanz sahen, war nicht einer, der nicht alsbald mit seiner ganzen Seele die Umkehr vollzog; denn er wirkte im Herzen aller, die es sahen, beides, Weinen und Wonne, zugleich.

Einst war Rabbi Schalom Schachna, der Sohn Abraham des »Engels«, am Freitagabend sein Gast, nachdem sie eine Zeit im Streit miteinander gelegen und dann Frieden geschlossen hatten. Rabbi Schalom saß, wie stets in der Sabbatnacht, ganz an sein »Anhaften« hingegeben, der »Großvater« aber blickte fröhlich um sich wie immer, und keiner sprach ein Wort. Als sie aber zu Ende gegessen hatten, sagte Rabbi Arje Löb: »Sohn des Engels, könnt Ihr tanzen?« »Ich kann nicht tanzen«, antwortete Rabbi Schalom. Rabbi Arje Löb stand auf. »So seht«, sagte er, »wie der Spoler Großvater tanzt.« Sogleich erhob sein Herz seine Füße, und er tanzte um den Tisch. Als er sich einmal hin und einmal her bewegt hatte, sprang Rabbi Schalom auf. »Habt ihr gesehn«, rief er den Chassidim zu, die mit ihm gekommen waren, »wie der Alte tanzt?« Er stand und sah unverwandt auf die Füße des Tanzenden. Später sprach er zu seinen Chassidim: »Glaubt mir,

---

[5] Hohelied 5, 2.

so sehr hat er all seine Glieder geläutert und geheiligt, daß seine
Füße mit jedem Schritt heilige Einungen einen.«

Die Purimspiele[6]

Zum Purimfest pflegte der »Spoler Großvater« eine besondere
Art von Spielen zu veranstalten. Er hieß mehrere Chassidim, die
er sorgsam auswählte und anleitete, sich verkleiden, einen von
ihnen als »Purimkönig«, die andern als dessen Fürsten und Räte.
Die saßen dann feierlich mitsammen und hielten Rat oder Ge-
richt, redeten, beschlossen und entschieden. Zuweilen nahm der
»Großvater« selber am Mummenschanz teil.
Die Chassidim erzählen, mit diesen Spielen sei Gewaltiges in die
Ferne gewirkt worden, Vereitlungen von über Israel Verhängtem
oder ihm Drohendem.

Lea und Rahel

In der Zeit, da der junge Nachum, der nachmalige Rabbi von
Tschernobil, in der Nähe des Baalschem weilen durfte, begab es
sich, daß dieser eine seiner gewohnten Fahrten unternahm. Nachum, den es sehr danach verlangte, mitgenommen zu werden,
umkreiste immerzu den wartenden Wagen. Im Einsteigen sprach
der Baalschem zu ihm: »Wenn du mir zu sagen weißt, was der
Unterschied zwischen der Gebetsfolge in der Mitternachtsklage
ist, die den Namen Leas trägt, und der, die den Namen Rahels
trägt, darfst du mit mir fahren.« Im Nu antwortete Nachum:
»Was Lea mit ihrem Weinen wirkt, wirkt Rahel mit ihrer
Freude.« Sogleich nahm ihn der Baalschem in den Wagen.

Der Zaddik und seine Chassidim

Rabbi Jizchak von Skwira, ein Enkel Rabbi Nachums, erzählte:
»In einem Städtchen unweit von Tschernobil saßen einmal um
Sabbatausgang etliche Chassidim meines Großvaters, lauter
fromme redliche Männer, beim ›Geleitmahl der Königin‹ und besprachen sich von der Rechenschaft der Seele. Vor Gottesfurcht

---

[6] Purim, »Lose« (Esther 9, 25), heißt die heitere Gedenkfeier der Überwindung des
bösen Haman durch Mordechai und Esther, an der allerhand Mummenschanz getrieben wird.

und Demut schien es ihnen, sie hätten sehr gesündigt, und sie kamen überein, es gebe an sich für sie keine Hoffnung mehr, nur den einen Trost hätten sie, daß sie sich dem großen Zaddik Rabbi Nachum angeschlossen hatten: er würde sie erheben und erretten. Daher kamen sie weiter überein, sie müßten unverweilt zu ihrem Lehrer gehn. Sogleich nach dem Mahl machten sie sich auf und zogen mitsammen nach Tschernobil. An jenem Sabbatausgang aber saß mein Großvater in seinem Haus und legte die Rechenschaft der Seele ab. Da schien es auch ihm in seiner großen Furcht und Demut, er habe sehr gesündigt und es gebe für ihn keine Hoffnung mehr außer dieser einen, daß jene gotteseifrigen Chassidim sich ihm angeschlossen hätten und ihm nun eine Wohltat erweisen würden. Er trat in die Tür und sah nach dem Wohnort der Schüler hinüber, und als er eine Weile gestanden hatte, sah er sie kommen.

In diesem Augenblick« – so schloß Rabbi Jizchak seine Erzählung – »fügten sich zwei Bogen zum Ring zusammen.«

Die Tröstung

Etliche Schüler kamen zu Rabbi Nachum von Tschernobil und klagten ihm unter Tränen, sie seien in Finsternis und Schwermut gefallen und könnten weder in der Lehre noch im Gebet das Haupt erheben. Der Zaddik sah die Beschaffenheit ihres Herzens und wie es sie in Wahrheit nach der Nähe des lebendigen Gottes verlangte. Er sprach zu ihnen:»Grämt euch nicht, meine lieben Söhne, um diesen Scheintod, der euch befallen hat! Denn alles, was in der Welt ist, ist auch im Menschen. Und wie am Tag des Neuen Jahrs das Leben aller Sterne abscheidet und sie in einen tiefen Schlaf sinken, darin sie sich stärken und daraus sie mit erneuter Kraft des Leuchtens erwachen, so muß der Mensch, der in Wahrheit sich Gott zu nähern begehrt, durch die Abscheidung des geistigen Lebens gehen. Und ›das Sinken geschieht um des Steigens willen[7]‹. Wie geschrieben steht, daß Gott auf Adam einen Schlummer senkte, und er schlief ein, und daraus ward, in Mann und Weib, der ganze Mensch.«

---

[7] Talmudisch (Makkoth 7).

Die Eigenschaft Gottes

Zu Rabbi Nachum von Tschernobil kam ein Mann aus Litauen und klagte, ihm fehle das Geld, um seine Tochter zu verheiraten. Der Zaddik hatte grad fünfzig Gulden zu anderem Zweck bereitgelegt, er gab sie dem Armen und seinen Seidenrock dazu, damit er auf der Hochzeit würdig auftreten könne. Jener nahm's, ging stracks in die Branntweinschenke und begann zu trinken. Nach Stunden kamen Chassidim herein und fanden ihn schwerberauscht auf der Bank liegen. Sie nahmen ihm den Rest des Geldes und den Seidenrock ab, brachten's Rabbi Nachum und erzählten ihm, wie schmählich sein Vertrauen mißbraucht sei. Zürnend rief er: »Ich fasse Gottes Eigenschaft beim Zipfel, ›des Guten, der guttut den Bösen und den Guten‹, und ihr wollt sie mir aus den Händen reißen! Tragt sogleich alles zurück!«

Feuer gegen Feuer

Es wird erzählt: »Als der Baalschem einmal auf einer Reise bei seinem Schüler Rabbi David Leikes wohnte, kam von der Regierung ein Erlaß, an einem bestimmten Tag um Mittag sei mit der Verbrennung des Talmuds zu beginnen, wo immer er gefunden würde. Am Morgen jenes Tages versteckte Rabbi David seinen Talmud unter dem Waschkessel. Um die zwölfte Stunde wurden die Glocken geläutet. Sterbensbleich trat er in die Stube und sah seinen Lehrer gelassen auf und nieder gehn. ›Du hast‹, sagte der Baalschem, ›mit deinem Feuer ihr Feuer gelöscht.‹ Der Erlaß wurde aufgehoben.«

Der Seiltänzer

Rabbi Chajim von Krosno, ein Schüler des Baalschem, sah einst mit seinen Schülern einem Seiltänzer zu. Er war so tief in den Anblick versunken, daß sie ihn fragten, was es sei, das seine Augen an die törichte Schaustellung banne. »Dieser Mann«, antwortete er, »setzt sein Leben aufs Spiel, ich könnte nicht sagen weswegen. Gewiß aber kann er, während er auf dem Seil geht, nicht daran denken, daß er mit seiner Handlung hundert Gulden verdient; denn sowie er dies dächte, würde er abstürzen.«

MENACHEM MENDEL VON WITEBSK

Kindheit

Von seinem elften Jahr an lernte Menachem im Haus des großen Maggids und war ihm lieb. An einem Sabbat nach dem Mittagmahl sah der Maggid ihn mit übermütiger Miene, das Käppchen schief aufgesetzt, die Stube abschreiten. Er trat an die Schwelle, die Hand an der Türklinke, und fragte:»Wie viele Blätter Gemara hast du heute gelernt?«»Sechs«, sagte der Knabe.»Wenn nach sechs Blättern«, sprach der Maggid,»das Käppchen an den Rand rückt, wie viele sind wohl nötig, um es abzuwerfen[1]?« Dann schloß er die Tür. Menachem klopfte daran und rief weinend:»Öffnet und helft mir, Rabbi.« Der Maggid öffnete.»Ich will«, sagte er,»mit dir zu meinem Lehrer, dem heiligen Baalschem, fahren.« Als sie am Freitag nach Mesbiž kamen, ging der Maggid sogleich in das Haus des Baalschem. Der Knabe Menachem putzte und kämmte sich mit großer Sorgfalt, wie es seine Art war und bis an sein Lebensende blieb. Der Baalschem wartete stehend vor dem Pult, bis der Knabe kam, und begann dann erst zu beten. Aber erst nach Sabbatausgang ließ er Menachem rufen. Der Maggid und der andere große Schüler des Baalschem, Rabbi Jaakob Jossef von Polnoe, standen vor ihrem Meister. Der Baalschem hieß den Knaben vor sich treten, sah ihn lange an und erzählte ihm eine Geschichte von Stieren und einem Pflug. Den Zuhörern ging bald auf, daß in dem Gleichnis Menachems Lebensgeschichte beschlossen war; aber der Knabe verstand nur so viel von ihr, als er bisher durchlebt hatte, der Polnoer verstand die halbe, der Maggid die ganze.
Später sprach der Baalschem zum Maggid:»Dieser übermütige Knabe ist demütig von Grund auf.«

Schau

Der große Maggid blies am Tag des Neuen Jahrs nicht selber den Schofar, sondern das war das Amt seines Schülers Rabbi Mena-

[1] Gemeint ist, Hochmut führe zur Untreue gegen das göttliche Gesetz. Unbedeckten Hauptes gehen gilt als Verletzung der religiösen Ehrfurcht.

chem Mendel, und der Maggid rief ihm die Blasweisen vor; in
der letzten Zeit seines Lebens, als die kranken Füße ihn nicht
mehr tragen konnten, tat er es von seiner Kammer aus.
Einmal war Rabbi Menachem Mendel nicht in Mesritsch, und
Rabbi Levi Jizchak sollte ihn vertreten. Er setzte den Schofar an
den Mund. Als aber der Maggid das erste Blasen ausrief, sah Levi
Jizchak ein großes Licht und fiel in Ohnmacht. »Was ficht ihn
an?« sagte der Maggid, »Mendel sieht mehr und fürchtet sich
nicht.«

Die nachjagende Ehre

Der Maggid von Mesritsch schickte einst seinen Schüler Rabbi
Menachem Mendel auf eine Fahrt durch mehrere Gemeinden, um
durch öffentliche Rede den Sinn für das Lernen der Thora um
ihrer selber willen zu erwecken. In einer der Städte kamen mehrere gelehrte Männer mitsammen in Rabbi Mendels Herberge
und erwiesen ihm besondere Ehren. Im Gespräch mit ihnen warf
er die Frage auf, warum man sage[2], wer vor der Ehrung fliehe,
dem jage sie nach. »Ist es gut und würdig, geehrt zu werden«,
sprach er, »warum wird, wer vor der Ehrung flieht, für seine ungebührliche Flucht damit belohnt, daß sie ihm nachjagt? Ist es
aber tadelig, warum wird er dann für seine rühmliche Flucht damit bestraft? In Wahrheit soll der redliche Mensch der Ehrung
gründlich aus dem Wege gehn; aber er ist nun einmal, wie jedermann, mit der Begierde danach geboren und muß sie bekämpfen.
Erst wenn er lange Zeit und mit aller Hingabe in der Thora um
ihrer selber willen gelernt hat, gelangt er dazu, die üble Begierde zu überwinden und keine Genugtuung mehr zu empfinden, wenn er Rabbi genannt wird und dergleichen mehr. Doch
in seiner Seele lagert noch zuunterst jene Ehrsucht seiner Jugend,
die er überwunden hat; und wiewohl er sich von ihr frei weiß,
verfolgt sie ihn wie eine zähe Erinnerung und verwirrt ihn. Das
ist der Makel der Urschlange, von dem er sich nun auch noch reinigen muß.«

---

[2] Volksspruch (im Anschluß an eine Talmudstelle; Erubin 13).

Der Wurm

Rabbi Menachem Mendel sprach:»Ich weiß nicht, worin ich besser wäre als ein Wurm. Ich weiß nicht, daß ich so gut wäre wie er. Seht doch, er tut den Willen seines Schöpfers und verdirbt nichts.«

Die Berufung

Etliche Chassidim aus Reußen kamen zu dem großen Maggid und klagten ihm, der weite Weg verbiete ihnen, so oft als es ihnen not sei zu ihm nach Mesritsch zu fahren, und in den langen Zwischenzeiten stünden sie ohne Lehrer und Führer. Der Maggid gab ihnen seinen Gürtel und seinen Stab und sprach:»Bringt dies dem Mann Mendel in der Stadt Witebsk.« In Witebsk angelangt, erkundigten sie sich in allen Gassen nach Rabbi Mendel; aber überall wurden sie beschieden, man kenne hierorts keinen solchen. Eine Frau, die sie umherforschen sah, fragte sie, wen sie suchten.»Den Rabbi Mendel«, antworteten sie.»Einen Rabbi solchen Namens«, sagte sie,»haben wir hier nicht; aber Mendeles gibt es bei uns wahrhaftig mehr als genug; mein eigener Schwiegersohn heißt Mendele.« Da verstanden die Chassidim, daß sie zu diesem gesandt waren. Sie folgten der Frau in ihr Haus und übergaben ihrem Schwiegersohn den Gürtel und den Stab. Er legte den Gürtel um seine Mitte und umschloß mit seiner Hand die Krücke des Stabs. Sie sahen ihn an und erkannten ihn nicht wieder. Ein anderer Mann stand vor ihnen, in Gottes Macht gekleidet, und Gottes Furcht erhob ihre Herzen.

Die Urkunde

Die Urkunde, mit der die Gemeinde Minsk Rabbi Mendel das Amt eines Predigers übertrug, begann mit der Anschrift:»An den heiligen Zaddik, die heilige abgesonderte Leuchte« und so fort. Sie trug mehr als hundert Unterschriften namhafter Personen. Als sie in Rabbi Mendels Hand kam und er all die Rühmungen und Ehrentitel las, sagte er:»Das wäre ein gutes Schriftstück, es in die Welt der Wahrheit mitzunehmen. Aber wenn sie mich fragen werden, muß ich doch die Wahrheit bekennen. Und das Geständnis des Angeklagten wiegt hundert Zeugen auf. Was frommt also all das Lob?«

Gezeiten

Einst fiel Rabbi Menachem in eine schwere Krankheit und konnte nicht mehr sprechen. Weinend standen seine Chassidim um das Bett. Da sammelte er seine Kraft und flüsterte: »Ängstigt euch nicht. Aus der Geschichte, die mir der heilige Baalschemtow erzählt hat, weiß ich, daß ich in das Land Israel fahren werde.«
Als Rabbi Menachem vor seiner Fahrt in das Land Israel den Polnoer besuchte, fragte der ihn: »Entsinnt Ihr Euch der Geschichte von den Stieren und dem Pflug?« »Ich entsinne mich«, antwortete er. »Und wißt Ihr«, fuhr der Polnoer fort, »wo Ihr darin haltet?« Mit einem leichten Seufzer sagte Rabbi Menachem: »Die größre Hälfte hab' ich abgesponnen.«

Im Aschenhaufen

Ehe er nach dem Lande Israel fuhr, besuchte Menachem Mendel den großen Schüler des Baalschem, den alten Rabbi Jaakob Jossef in Polnoe. Er kam in einem Dreigespann zur Herberge und erregte schon damit Ärgernis bei den Polnoer Chassidim, die von ihrem Lehrer eine strenge Lebensweise gewohnt waren. Als er gar ohne Hut und Gurt, eine lange Pfeife im Mund, aus der Herberge in das Haus des Zaddiks ging, erwarteten alle, Rabbi Jaakob Jossef, von dessen Jähzorn sie Erstaunliches zu erzählen wußten, würde den Gast um seines breiten und nachlässigen Gebarens willen hinausweisen. Aber der Alte empfing ihn an der Schwelle mit großer Liebe und verbrachte etliche Stunden im Zwiegespräch mit ihm. Als Rabbi Mendel sich verabschiedet hatte, fragten den Polnoer seine Schüler: »Was ist an diesem Mann, daß er sich erdreisten durfte, im bloßen Käppchen, in Schuhen mit Silberschnallen und eine lange Pfeife im Mund Euer Haus zu betreten?« Der Zaddik sprach: »Ein König, der in den Krieg auszog, barg seine Schätze in sichern Verstecken. Seine kostbarste Perle aber, an der sein Herz hing, vergrub er in einem Aschenhaufen, da er wußte, daß man sie dort nicht suchen würde.

So verbirgt Rabbi Mendel seine große Demut, damit die bösen Gewalten nicht an sie rühren können, im Aschenhaufen der Hoffart.«

Ein Vergleich

Rabbi Israel von Rižin sprach:»Die Fahrt Rabbi Mendels ins Heilige Land war von der gleichen Art wie die Fahrt unsres Vaters Abraham. Sie ging darauf aus, Gott und Israel den Weg zu bahnen.«

Für Asasel

Als man Rabbi Israel von Rižin fragte, warum er nicht nach Erez Israel[3] fahre, sagte er:»Was hat ein grober Kerl wie ich mit Erez Israel zu schaffen? Ja, Rabbi Mendel von Witebsk – der hat mit Erez Israel zu schaffen gehabt und Erez Israel mit ihm.« Und er erzählte:»Ehe Rabbi Mendel nach Erez Israel fuhr, lud er die Beamten des Königs in der Kreisstadt Witebsk zum Mahl. Und wie es bei ihnen Sitte ist, brachten sie ihre Frauen mit. Rabbi Mendel hatte etliche von den jungen Chassidim vors Tor gestellt, daß sie, wie es bei den Beamten für schicklich und geboten gilt, die Gäste, Männer und Frauen, aus dem Wagen heben. Und den Jünglingen hatte er versprochen, es werde, wenn sie die schönen Frauen in den Armen halten, kein Schatten einer Begierde ihr Herz streifen. So ist es: wenn man nach Erez Israel will, muß man vorerst die Intention der Seele auf das Geheimnis des Bocks richten, der für Asasel in die Wüste geschickt wird[4]. Das hat Rabbi Mendel mit seinem Mahl gemeint. Er konnte das! Aber ich grober Kerl, wenn ich nach Erez Israel käme, würde man mich fragen:›Warum bist du ohne deine Juden gekommen?‹«

Am Fenster

Zur Zeit, da Rabbi Menachem im Lande Israel wohnte, ereignete es sich, daß ein törichter Mann, ohne bemerkt zu werden, den Ölberg bestieg und vom Gipfel aus in die Schofarposaune stieß. Im aufgeschreckten Volk sprang die Kunde um, dies sei das

---

[3] D. h. dem Lande Israel.
[4] Leviticus 16.

Schofarblasen, das die Erlösung ankündigt. Als das Gerücht zu den Ohren Rabbi Menachems kam, öffnete er das Fenster, sah in die Welt hinaus und sprach: »Da ist keine Erneuerung.«

Die Luft des Landes

Rabbi Menachem pflegte zu sagen: »Wahr ist es, daß die Luft des Landes Israel weise macht. Solang ich außerhalb des Landes war, ging mein Sinnen und Begehren darauf, einmal ein Gebet auf die rechte Art zu sprechen. Seit ich aber im Lande bin, wünsche ich nur noch, einmal auf die rechte Art Amen zu sagen.«

Auch erzählte er: »Dies habe ich im Lande Israel erlangt: Wenn ich auf der Straße ein Strohbündel liegen sehe, ist mir, daß es der Länge und nicht der Breite nach liegt, eine Äußerung göttlicher Gegenwart.«

Die Unterschrift

Seine Briefe aus dem Lande Israel pflegte Rabbi Menachem zu unterzeichnen: »Der in Wahrheit Demütige.«

Man fragte einmal den Rižiner: »Wenn Rabbi Menachem in Wahrheit demütig war, wie durfte er sich so benennen?« »Er war so demütig«, antwortete der Rižiner, »daß er die Demut, weil sie ihm innewohnte, für keine Tugend mehr erachtete.«

Die Fahrt zur Leipziger Messe

Es wird erzählt: »Unter den Chassidim, die mit Rabbi Menachem Mendel nach Erez Israel fuhren, war ein kluger Mann, der ein großer Kaufherr gewesen war und sich so eng dem Zaddik angeschlossen hatte, daß er nun alle Geschäfte aufgab, um ihn auch auf der Fahrt ins Heilige Land zu begleiten. Als es sich nun nach einiger Zeit als nötig erwies, einen zuverlässigen Boten zu den daheim gebliebenen Chassidim zu senden und eine geldliche Beihilfe von ihnen zu erbitten, wurde dieser Mann damit betraut. Aber zu Schiff unterwegs befiel ihn ein jähes Übel, und er starb. In Erez Israel erfuhren sie nichts davon. Ihm aber war es nach seinem Tode, er fahre wie einst in seinem Wagen zur Leipziger Messe und unterrede sich mit seinem alten Faktotum, den er immer auf solche Reisen mitnahm, und auch mit dem Kutscher, der ebenfalls das altbekannte Gesicht hatte. Indessen wandelte ihn eine große Sehnsucht nach seinem Lehrer an. Das Verlangen, ihn wiederzusehn, wurde immer stärker, bis er sich entschloß, sogleich umzukehren und zum Rabbi zu fahren. Seine beiden Begleiter, denen er es mitteilte, widersprachen ihm heftig: es wäre unsinnig, einen so großen Geschäftsabschluß wie den beabsichtigten um eines Hirngespinstes willen aufzugeben. Als er nun all ihren Einwänden gegenüber auf seinem Willen beharrte, eröffneten sie ihm, daß er tot sei und sie böse Engel, denen man ihn anvertraut habe. Er aber forderte sie vors Himmelsgericht, und dem konnten sie sich nicht weigern. Das Gericht entschied, die Engel hätten ihn zu Rabbi Menachem Mendel zu bringen. Als er in der Stadt Tiberias in das Haus des Zaddiks kam, trat der eine Engel, nunmehr in seiner wahren furchtbaren Gestalt, mit ihm ein. Der Rabbi erschrak vor seinem Anblick, dann aber hieß er ihn warten, bis das Werk getan sei. Eine Woche lang mühte er sich um die Seele, bis er sie zurechtgebracht hatte.« Diese Geschichte hat Rabbi Nachman von Bratzlaw seinen Chassidim erzählt.

Alle Kerzen

Bei den Chassidim, die in der »Klaus« des Rabbi von Lubawitsch, des Schwiegersohns von Rabbi Schnëur Salmans Sohn, lernten, war es Brauch, daß am Abend, wenn sie im Lehrhaus über den Büchern saßen, vor jedem eine brennende Kerze stand; wenn sie aber fertig waren und sich Geschichten von Zaddikim zu erzählen begannen, löschten sie die Kerzen bis auf eine. Wie sie einst so beieinander um die eine brennende Kerze waren, trat der Rabbi ein, um ein Buch zu holen. Er fragte sie, von wem sie sich erzählten. »Von Rabbi Mendel von Witebsk«, berichteten sie. »Zu seinen Ehren«, sagte er, »müßt ihr alle Kerzen entzünden. Denn wenn er die Lehre auslegte, war kein Selbstgefühl in seinem Herzen, und die ›Andere Seite[5]‹ hatte keinen Zugriff an ihn. So gebührt es ihm, daß ihr, wenn ihr von ihm erzählt, alle Kerzen ansteckt, wie wenn ihr in der heiligen Thora lernt.«

---

[5] D. h. die Dämonie.

Davids Harfe

Als Rabbi Schmelke und sein Bruder Rabbi Pinchas, der nachmalige Frankfurter Raw, in Mesritsch waren, mieteten sie sich ein Dachstübchen, um darin ungestört lernen zu können. Einmal nach Sabbatausgang, in vorgerückter Abendstunde, saßen sie und lernten, als zu ihnen ein seltsames Weinen drang, in dem merklich ein männlicher und ein weiblicher Ton sich mischten. Sie sahen zum Fenster hinaus; da saßen draußen im Gang auf einer Bank der Hausdiener und eine Magd, die weinten mitsammen. Nach dem Grund befragt, berichteten sie, sie dienten hier schon lange und hätten schon seit Jahren im Sinn, einander zu heiraten; aber der Hausherr sei dem entgegen und wisse es immer wieder zu verhindern. Die Brüder erklärten, es komme nur darauf an, den Baldachin aufzustellen, alles weitere, auch die Zustimmung des Hausherrn, würde sich dann schon finden. Unverzüglich gingen sie den Vorbeter wecken, der sogleich zehn Männer zusammenholen, das Bethaus öffnen und den Baldachin aufstellen mußte. Die Hochzeit wurde gebührend gefeiert; Rabbi Schmelke schlug den Takt mit einem abgebrochenen Zweig, und Rabbi Pinchas stieß zwei Leuchter kunstreich aneinander, daß es einen schönen Klang gab. Da trat der Maggid ein. Er war beim »Mahl des Königs David« in einer Entrückung der Seele dagesessen, wie es ihm zuzeiten widerfuhr; da sprang er plötzlich auf und lief ins Bethaus. »Hört ihr nicht Davids Harfe?« rief er.

Die neuen Melodien

Rabbi Mosche Teitelbaum, der Schüler des »Sehers« von Lublin, erzählte: »Wenn Rabbi Schmelke am Sabbat und an den Festtagen im Gebete stand, besonders aber am Versöhnungstag, wenn er den Opferdienst des Hohenpriesters, wie er an diesem Tag gewesen war, vortrug, wurde das Geheimnis tönend zwischen Wort und Wort, und er sang neue Melodien, Wunder der Wunder, die er nie gehört hatte und die kein Menschenohr je gehört hatte, und er wußte gar nicht, was er singt und welche Weise er singt; denn er haftete an der oberen Welt.«

Ein sehr alter Mann, der als Knabe in Rabbi Schmelkes Chor gesungen hatte, pflegte zu erzählen: »Es war der Brauch, daß man für alle Gesänge die Noten zurechtlegte, damit man sie beim Beten vor dem Pult nicht erst herbeiholen müßte. Aber der Rabbi kehrte sich nicht dran und sang ganz neue, nie gehörte Weisen. Wir Sänger verstummten alle und lauschten ihm. Wir konnten es nie fassen: woher kommt ihm diese Melodie?«

In Nikolsburg

Als Rabbi Schmelke als Raw nach Nikolsburg berufen wurde, bereitete er eine herrliche Predigt vor, die er den Talmudgewaltigen Mährens vortragen wollte. Als er unterwegs in der Stadt Krakau Aufenthalt nahm und die Leute ihn um eine Predigt bedrängten, fragte er seinen Schüler Mosche Löb, den späteren Sasower Rabbi, der ihn begleitete: »Nun, Mosche Löb, was soll ich da predigen?« »Der Rabbi hat doch«, antwortet er, »für Nikolsburg eine herrliche Predigt vorbereitet, warum sollte er die nicht auch hier halten?« Rabbi Schmelke nahm den Rat an. Es waren aber mehrere Männer aus Nikolsburg nach Krakau gekommen, um ihn zu begrüßen; die hörten die Predigt mit an. Wie jetzt der Zaddik nach Nikolsburg kam, sagte er zu seinem Schüler: »Nun, Mosche Löb, was soll ich nun am Sabbat predigen? Ich kann doch den Leuten, die meine Predigt in Krakau gehört hatten, sie nicht zum zweitenmal vorsetzen.« »Wir wollen«, antwortete Mosche Löb, »uns eine Zeit freimachen und eine Gesetzesentscheidung durchsprechen.« Aber bis zum Freitag gab es für sie kein Weilchen Muße, ein Buch aufzuschlagen. Schließlich fragte Rabbi Schmelke: »Nun, Mosche Löb, womit wollen wir predigen?« »Wohl«, sagte Mosche Löb, »am Freitagabend wird man uns doch wohl etwas Muße gönnen.« Sie bereiteten eine sehr große brennende Kerze vor, die ihnen die ganze Nacht durch leuchten sollte, und als die Leute heimgegangen waren, setzten sie sich an das Buch. Da kam ein Huhn durchs Fenster geflogen und löschte das Licht. Fragte Rabbi Schmelke: »Nun, Mosche Löb, womit wollen wir predigen?« »Wohl«, sagte Mosche Löb, »sicherlich

wird hier erst nachmittags gepredigt, so wollen wir morgens nach
dem Beten in die Stube gehn und die Tür hinter uns verschließen
und niemand hereinlassen und wollen eine Entscheidung durchsprechen.« Am Morgen gingen sie beten. Vor der Verlesung des
Wochenabschnitts wurde das Pult vor die Lade gerückt, und der
Vorsteher kam und bat Rabbi Schmelke zu predigen. Das Bethaus war voll der Talmudgewaltigen Mährens. Rabbi Schmelke
hieß einen Band der Gemara bringen, schlug ihn aufs Geratewohl
auf, brachte aus dem aufgeschlagenen Blatt ein Problem vor und
forderte die Gelehrten auf, es zu erörtern, dann wolle er auch
das Seine dazu tun. Nachdem er ihre Erörterungen angehört
hatte, zog er den Gebetmantel übern Kopf und verblieb so etwa
eine Viertelstunde lang. Dann ordnete er vor ihnen die vorge-
brachten Streitfragen, einhundertunddreißig an der Zahl, und
erteilte die Antworten, zweiundsiebzig an der Zahl, und alles
war erwidert, gelöst und gestillt.

Die Eintragung

Als Rabbi Schmelke nach Nikolsburg in Mähren berufen wurde,
bestand dort die Sitte, jeder neue Raw habe in die Chronik der
Gemeinde eine Verordnung einzutragen, die fortan zu befolgen
wäre. Man forderte auch ihn auf, das zu tun; aber er verschob
es von Tag zu Tag. Er besah sich die Leute und verschob die Eintragung, immer genauer besah er sie, und immer wieder verschob er's, bis man ihm zu verstehen gab, er dürfe nun nicht länger säumen. Da ging er hin und trug die Zehn Gebote in die
Chronik ein.

Die sieben Wissenschaften

Als Rabbi Schmelke sein Amt in Nikolsburg antrat, predigte er
an den ersten sieben Sabbaten je über eine der sieben weltlichen
Wissenschaften. Die Gemeinde staunte von Woche zu Woche immer mehr über den befremdlichen Gegenstand; doch wagte niemand, den Zaddik zu befragen. Am achten Sabbat sprach er zu
Beginn:»Lange habe ich das Wort des Predigers Salomo[1] nicht
begriffen: ›Besser ists, anzuhören das Schelten des Weisen, als

---

[1] 7, 5.

wenn jemand zuhört dem Gesange der Toren.‹ Warum heißt es
nicht: ›als den Gesang der Toren‹? Aber der Sinn ist dieser: Es
ist gut, die Ermahnung eines Weisen zu hören, der den Gesang
der Toren, das ist die sieben weltlichen Wissenschaften, die vor
der Gotteslehre ein Torenlied sind, vernommen und erfaßt hat.
Denn einem andern können die närrischen Weltweisen sagen:
›Verschmähe du nur unsre Wissenschaften, der du ihre Süßigkeit
nicht gekostet hast! Kenntest du sie, du kenntest nichts andres
mehr.‹ Wer sich aber der sieben Wissenschaften beflissen hat und
durch ihrer aller Inneres hindurchgeschritten ist, um sich die
Weisheit der Thora zu erwählen, wenn der ›Dunst der Dünste‹
ruft [2], kann keiner ihn Lügen strafen.«

Die Beter und der Messias

Am ersten Tag des Neujahrsfestes kam einst Rabbi Schmelke vor
dem Schofarblasen ins Bethaus und betete weinend: »Wehe, Herr
der Welt, alles Volk schreit zu dir; aber was soll uns all ihr Geschrei, sie haben ja nur ihr Bedürfen im Sinn und nicht das Exil
deiner Schechina.« Am zweiten Tag des Festes kam er wieder vor
dem Schofarblasen und sprach weinend: »Es heißt im ersten
Buch Samuel: ›Warum ist der Sohn Isais weder heute noch gestern zum Brote gekommen?‹ Warum ist der König Messias nicht
gekommen, nicht gestern, am ersten, und nicht heute, am zweiten Tage des neuen Jahrs? Ach, so heute wie gestern meint all
ihr Gebet das leibliche Brot, die leibliche Not allein!«

Die Tränen Esaus

Ein andermal sprach er: »Es heißt [3], ›die Erlösung komme nicht,
ehe die Tränen Esaus versiegt sind‹. Flehen doch die Kinder Israels Tag und Nacht um Erbarmen – sollen ihre Tränen umsonst
geweint sein, solang auch die Kinder Esaus weinen? Aber die
Tränen Esaus, damit sind nicht die Tränen gemeint, die die Völker weinen und ihr nicht weint, sondern das sind die Tränen, die
ihr allesamt, ihr Menschen, weint, wenn ihr etwas für euch be-

---

[2] Prediger 1, 2.   [3] So im Buche Sohar II, 12.

gehrt und darum bittet. Und wahrlich, Messias, Sohn Davids,
kommt nicht, ehe diese Tränen versiegt sind und ihr weinet, weil
die Schechina verbannt ist und daß ihre Erlösung geschehe.«

Eine Bußpredigt

Als Rabbi Schmelke von Nikolsburg am Vorabend des Versöhnungstags, in seinen Gebetmantel gehüllt, das Bethaus betreten
hatte, rief er auf dem Weg vom Eingang zur Lade mit lauter
Stimme die Worte der Schrift[4]: »Denn an diesem Tag sühnt man
euch, euch zu reinigen: von all euren Sünden, vor dem Herrn
werdet ihr rein«, und danach aus der Mischna[5] den Spruch Rabbi
Akibas: »Vor wem reinigt ihr euch, und wer macht euch rein?
Euer Vater im Himmel!« Alles Volk brach in Tränen aus.
Vor der Lade stehend, sprach er: »Wisset, liebe Herzensbrüder,
der Kern der Umkehr ist die Darbietung des Lebens. Sind wir
doch vom Samen Abrahams, der[6] sein Leben darbot zur Heiligung des Namens des Gebenedeiten und sich in den Kalkofen
werfen ließ, vom Samen Isaaks, der sein Leben darbot und
den Hals auf dem Altarstein hinstreckte, – gewiß, sie sprechen
für uns vor unserm Vater im Himmel an diesem heiligen und
furchtbaren Tag des Gerichts. Aber auch wir wollen in ihre Spuren treten und ihren Werken nachtun, unser Leben darbieten zur
Heiligung des Namens des Gebenedeiten. So laßt uns einigen
und heiligen seinen gewaltigen Namen mit großer Liebe, und
laßt uns alle zusammen in dieser Absicht sprechen:›Höre Israel!‹«
Und weinend sprach das Volk, alle zusammen: »Höre Israel, der
Herr ist unser Gott, der Eine Herr!«
Sodann redete er weiter: »Liebe Brüder, nachdem es uns gewährt
wurde, seinen Namen mit großer Liebe zu einigen und zu heiligen, und wir unser Leben dargeboten haben, und unsre Herzen
rein geworden sind zum Dienst und zur Furcht des Gebenedeiten, tut es uns not, nunmehr auch unser aller Seelen zu vereinigen. Alle Seelen sind aus Einer Wurzel, alle gehauen vom Thron-
grund seiner Herrlichkeit, ein Teil der Gottheit von oben. So

---

[4] Leviticus 16, 30.   [5] Joma VIII, 9.
[6] Der Sage nach (Midrasch rabba zu Genesis 11, 28 u. a.) wurde der junge Abraham,
weil er die Götzenbilder seines Vaters zerschlug, von Nimrod in den glühenden Ofen
geworfen, aber von Gott selber errettet.

wollen wir alle auch auf Erden eins werden, und die Zweige
sollen wieder der Wurzel gleichen. Hier stehen wir alle rein und
lauter, unsre Seelen zu vereinigen, und nehmen auf uns das Gebot[7]: ›Sei liebend zu deinem Genossen, dir gleich!‹« Und laut
wiederholte alles Volk: »Sei liebend zu deinem Genossen, dir
gleich!«

Sodann redete er weiter: »Nun, da uns gewährt worden ist, seinen großen Namen zu einigen und auch unsre Seelen, Teil der
Gottheit von oben, zu vereinigen, trete die heilige Thora als Fürsprech vor unsern Vater im Himmel. Allen Völkern und Sprachen hat Gott sie einst[8] angeboten; wir allein aber nahmen sie an
und riefen: ›Wir tun's‹ und dann erst: ›Wir hören's‹. So geziemt
es, daß sie Gnade und Erbarmen für uns erflehe von unserm
Vater im Himmel an diesem heiligen und furchtbaren Tag des
Gerichts!« Und er öffnete die Flügel der Lade.

Sodann sprach er vor der offenen Lade das Sündenbekenntnis,
und in großem Weinen sprach alles Volk Wort um Wort nach.
Dann hob er die Rolle hervor, und sie hoch in den Händen haltend redete er zur Gemeinde von den Sünden des Menschen. Zuletzt aber sprach er: »Wisset, das Weinen, das an diesem Tag geschieht – wenn Trübsal darin ist, hat es keinen Segen; denn die
Schechina wohnt nicht in der Schwermut, einzig in der Freude
am Gebot. Und seht, keine Freude ist größer als die dieses Tags,
da es uns vergönnt wird, alle Ränke des Herzens abzustreifen
durch die Kraft der Umkehr und unserm Vater im Himmel uns
zu nähern, dessen Hand ausgestreckt ist, die Umkehrenden zu
empfangen. So soll alles Weinen dieses Tages ein Freudenweinen
sein – wie geschrieben steht[9]: Werdet dem Herrn dienstbar mit
Furcht und frohlocket mit Zittern!‹«

Der Schlaf

Rabbi Schmelke pflegte, damit sein Lernen nicht allzulange Un-
terbrechung erleide, nicht anders als sitzend zu schlafen, den
Kopf auf dem Arm und zwischen den Fingern ein brennendes
Licht, das ihn wecken sollte, sowie die Flamme seine Hand be-

---

[7] Leviticus 19, 18.
[8] Nach dem Midrasch (Pesikta rabbati XXI).   [9] Psalm 2, 11.

rührte. Als Rabbi Elimelech ihn besuchte und die noch eingesperrte Macht seiner Heiligkeit erkannte, bereitete er ihm sorgsam ein Ruhebett und bewog ihn mit vieler Überredung, sich für
ein Weilchen darauf auszustrecken. Dann schloß und verhüllte er
das Fenster. Rabbi Schmelke erwachte erst am hellen Morgen.
Er merkte, wie lang er geschlafen hatte, aber es reute ihn nicht,
denn er empfand eine ungekannte, sonnenhafte Klarheit. Er ging
ins Bethaus und betete der Gemeinde vor, wie es sein Brauch
war. Der Gemeinde aber erschien es, als hätte sie ihn noch nie gehört, so bezwang und befreite alle die Macht seiner Heiligkeit.
Als er den Gesang vom Schilfmeer sprach, mußten sie den Saum
ihrer Kaftane raffen, daß ihn die rechts und links sich bäumenden
Wellen nicht netzten.
Später sagte Schmelke zu Elimelech: »Jetzt erst habe ich erfahren, daß man Gott auch mit dem Schlafe dienen kann.«

Das Klopfen

In Apta war ein Bethausdiener, der hatte durch die Stadt zu
gehn und mit seinem Hammer an jedes Tor eines Juden zu klopfen, daß die Männer kommen und beten oder lernen oder Psalmen sagen. Der brauchte nur leise zu pochen, sogleich sprangen
die Schlafenden auf, ob's auch Mitternacht war, rüsteten sich
schnell und eilten ins Bethaus, und noch lange widerhallte der
Schlag ihres eifrigen Herzens dem Schlage des Hammers. Diese
Gabe hatte der Mann empfangen, als er in seiner Knabenzeit
Rabbi Schmelke in Nikolsburg mit wachem und hingegebenem
Herzen bedient hatte.

Die saubern Freidenker

Etliche Nikolsburger Freidenker disputierten mit Rabbi Schmelke.
»Aber das müßt Ihr uns doch zugeben«, brachten sie zuletzt vor,
»daß auch wir Tugenden haben, die hinwieder den Polnischen
fehlen. So sind unsre Kleider von untadliger Sauberkeit; nicht
so die der Polnischen, die gegen das Geheiß der Weisen[10] verstoßen: ›Der Lehrbeflissene, es finde sich kein Flecken auf seinem

---

[10] Im Talmud: Schabbath 114.

Gewand.‹« Der Rabbi antwortete ihnen lachend: »Ihr habt recht: eure Kleider sind sauber, und die der Polnischen sind unsauber. Das kommt daher, daß nach dem Wort des Talmuds[11] von der Stufenfolge der Eigenschaften Reinlichkeit zur Reinheit führt, Reinheit zur Abgeschiedenheit und so fort bis zur Stufe des heiligen Geistes. Wenn nun die Polnischen darangehen, mit der Reinlichkeit zu beginnen, bietet der Böse Trieb all seine Überredung auf, sie davon abzubringen; denn es ist ihm angst, sie könnten von Stufe zu Stufe steigen und den heiligen Geist erlangen. Und wenn sie sich auch des Bösen Triebs zu erwehren suchen und ihm beteuern, sie hätten dergleichen nicht vor, so glaubt er ihnen nicht und läßt nicht ab, bis er ihnen die Reinlichkeit ausgeredet hat. Ihr aber, wenn der Böse Trieb an eurer Sauberkeit Anstoß nimmt, braucht ihm nur zu versichern, daß ihr nicht aufzusteigen gedenkt, und er glaubt es euch aufs Wort und läßt euch hinfort so sauber sein, als ihr nur irgend mögt.«

Der Feind

Ein reicher und angesehener Mann in Nikolsburg war dem Rabbi Schmelke feindlich gesinnt und trachtete, wie er ihn beschämen könnte. Am Vorabend des Jomkippur[12] kam er zu ihm und bat ihn, sich an diesem Tag, da alle einander vergeben, mit ihm zu versöhnen. Zugleich brachte er ihm einen Krug sehr alten und starken Weins und nötigte ihn zum Trinken, da er vermeinte, der Zaddik würde, solchen Weins nicht gewohnt, trunken werden und seinen Fall der Gemeinde offenbar machen. Rabbi Schmelke trank um der Versöhnung willen in seiner Gegenwart ein Glas nach dem andern. Der reiche Mann glaubte schon, sein Ziel erreicht zu haben, und ging zufrieden nach Haus. Als aber der Abend anbrach und die Stunde des Gebets nahe war, fiel der Schauer des Gerichtstags auf den Rabbi, und im Nu war jede Spur des Tranks verflogen.

---

[11] Sota 49.
[12] Versöhnungstag: der Tag des Sündenbekenntnisses und der Läuterung, an dem von einem Abend bis zum andern streng gefastet wird. Vor dem Fest sollen alle einander vergeben, da der Tag nur die Sünden gegen Gott, nicht auch die gegen die Mitmenschen sühnt, solange sie von diesen nicht vergeben sind.

Nach dem Abendgebet blieb Rabbi Schmelke mit andern Frommen die Nacht über im Bethaus und sang wie in jedem Jahre die Psalmen vor, und die Gemeinde stimmte ein. Als er im einundvierzigsten Psalm an den Vers kam: »Daran habe ich erkannt, daß du Lust hast an mir: daß mein Feind nicht jubeln darf über mich«, wiederholte er ihn Mal um Mal und übersetzte ihn, aber nicht wie es üblich ist, sondern mit einer unbefangnen Kühnheit übertrug er: »Daran habe ich erkannt, daß du Lust hast an mir: daß meinem Feinde um meinetwillen kein Übel widerfahren wird.« Und er fügte hinzu: »Wenn es auch Menschen gibt, die mir feind sind und mich zu beschämen verlangen, vergib ihnen, Herr der Welt, und sie mögen nicht leiden um meinetwillen.« Das sprach er mit so mächtiger Stimme, daß alle Beter in Tränen ausbrachen und jeder das Wort aus der eignen Herzenstiefe wiederholte. Unter ihnen war auch jener reiche und angesehne Mann. In dieser Stunde kam die Umkehr über ihn, und die Bosheit fiel von ihm ab. Vor allen andern Menschen aber liebte und ehrte er fortan Rabbi Schmelke.

Das Gebot der Liebe

Ein Schüler fragte Rabbi Schmelke: »Es ist uns geboten: Sei liebend zu deinem Genossen, dir gleich. Wie kann ich das erfüllen, wenn mein Genosse mir Böses tut?«
Der Rabbi antwortete: »Du mußt das Wort recht verstehen: Sei liebend zu deinem Genossen als zu etwas, was du selbst bist. Denn alle Seelen sind eine; jede ist ja ein Funken aus der Urseele, und sie ist ganz in ihnen allen, wie deine Seele in allen Gliedern deines Leibes. Es mag sich einmal ereignen, daß deine Hand sich versieht und dich selber schlägt; wirst du da einen Stecken nehmen und deine Hand züchtigen, weil sie keine Einsicht hatte, und deinen Schmerz noch mehren? So ist es, wenn dein Genosse, der Eine Seele mit dir ist, dir aus mangelnder Einsicht Böses erweist; vergiltst du ihm, tust du dir selber weh.«
Der Schüler fragte weiter: »Wenn ich aber einen Menschen sehe, der vor Gott böse ist, wie kann ich den lieben?«
»Weißt du nicht«, sagte Rabbi Schmelke, »daß die Urseele aus Gottes Wesen kam und jede Menschenseele ein Teil Gottes ist?

Und wirst du dich seiner nicht erbarmen, wenn du siehst, wie einer seiner heiligen Funken sich verfangen hat und am Erstikken ist?«

Der Ring

Einem Armen, der an Rabbi Schmelkes Tür kam, als kein Geld im Hause war, gab er einen Ring. Einen Augenblick darauf erfuhr es seine Frau und überstürzte ihn mit heftigen Vorwürfen, daß er ein so kostbares Schmuckstück, das einen so großen und edlen Stein trug, einem unbekannten Bettler hingeworfen habe. Rabbi Schmelke hieß den Armen zurückrufen und sagte ihm: »Ich habe soeben erfahren, daß der Ring, den ich dir gab, einen hohen Wert hat; achte darauf, ihn nicht allzu wohlfeil zu verkaufen.«

Die Boten

Einer beklagte sich bei Rabbi Schmelke, daß er keinen zureichenden Erwerb habe, sondern immer wieder den Beistand hilfreicher Menschen anrufen müsse, und wiederholte seufzend den Spruch des Tischgebets: »Laß uns nicht der Gabe von Fleisch und Blut bedürfen.« Rabbi Schmelke sagte: »Es ist nicht ›Gabe‹ zu lesen, sondern ›Gaben‹; denn Gott ist einer, aber seiner Boten sind viele. Und das meint der Spruch: Laß uns nicht der Gaben bedürfen, die wir nicht anders anzusehen vermögen denn als Gaben der Irdischen, sondern laß uns in der Stunde, da wir nehmen, erkennen, daß die Gebenden deine Boten sind.«

Der Arme und der Reiche

Rabbi Schmelke sprach: »Mehr als der Reiche dem Armen gibt, gibt der Arme dem Reichen. Mehr als der Arme den Reichen braucht, braucht der Reiche den Armen.«

Werdet heilig

Einer fragte einst Rabbi Schmelke: »Es steht geschrieben[13]: ›Ihr sollt heilig werden, denn heilig bin ich, der Herr, euer Gott.

---

[13] Leviticus 19, 2 f.

Jedermann seine Mutter und seinen Vater sollt ihr fürchten.‹ Wie
kann das Lehmgebild, in dem die bösen Lüste wohnen, eine Eigenschaft Gottes zu erwerben streben? Und wie schließt sich das
Gebot, Vater und Mutter zu fürchten, das dem Menschen Menschliches befiehlt, an den Ruf zum Überirdischen?«
Der Rabbi sprach: »Dreie schaffen, dem Wort unsrer Weisen
nach[14], an jedem Menschenkind: Gott, Vater und Mutter. Gottes
Teil ist ganz heilig; die andern können geheiligt und ihm ange-
glichen werden. Das meint das Gebot: Ihr seid heilig und sollt
doch erst heilig werden; so müßt ihr das Vater- und Muttererbe
in euch scheuen, das der Heiligung widerstrebt, und ihm nicht
verfallen, sondern sein Herr und Bildner werden.«

Bereitung

Ein Schüler bat Rabbi Schmelke von Nikolsburg, ihn zu unterweisen, wie er seine Seele zum Dienste Gottes bereiten solle. Der
Zaddik hieß ihn zu einem andern seiner Schüler, Rabbi Abraham Chajim, fahren, der damals noch eine Herberge hielt. Der
Jüngling folgte der Weisung und wohnte da etliche Wochen,
ohne an dem Wirt, der sich vom Morgengebet bis gegen Abend
in der Schankwirtschaft zu schaffen machte, irgendwelche Heiligkeit wahrzunehmen. Endlich fragte er ihn, was er den Tag über
tue. »Mein vornehmstes Geschäft«, sagte Rabbi Abraham, »ist,
die Gefäße recht zu säubern, daß auch nicht der kleinste Speisen-
rest an einem hafte, und auch alle Geräte zu putzen und trocken-
zuwischen, daß sich keines der Rost bemächtige.«
Als der Schüler heimkehrte und, was er gesehen und gehört
hatte, Rabbi Schmelke berichtete, sagte ihm dieser: »Nun weißt
du, was du zu wissen begehrtest.«

In der Versuchung

Man fragte Rabbi Schmelke: »Warum wird die Opferung Isaaks
so verherrlicht? Hatte doch unser Vater Abraham damals schon
eine so hohe Stufe der Heiligkeit erreicht – was Wunder, daß er
sogleich erfüllte, was das Gotteswort von ihm heischte?«

---

[14] Nach dem Talmud (Nidda 31) bauen Vater und Mutter das körperliche Wesen des
Kindes auf, aber Geist und Seele werden ihm von Gott verliehen.

Er antwortete:»Wenn der Mensch versucht werden soll, werden alle Stufen und alle Heiligkeit von ihm genommen. Alles Erreichten entkleidet, tritt er vors Angesicht des Versuchenden.«

Lieber nicht

Rabbi Schmelke sagte einmal:»Wenn ich die Wahl hätte, wollte ich lieber nicht sterben. Denn in der kommenden Welt gibt es die Furchtbaren Tage nicht, und was macht die Menschenseele ohne die Tage des Gerichts!«

Unser Geschlecht

Man fragte einst Rabbi Schmelke:»Manchem fällt es schwer zu glauben, der Messias könnte unversehens in unserem niedern Zeitalter erscheinen. Und wie sollte unser Tun bewirken, was den Tannaim und Amoraim[15], dem Geschlecht des Wissens, und den Geschlechtern nach ihm zu bewirken nicht geglückt ist?« Der Zaddik antwortete:»Das Heer eines Königs belagerte viele Jahre eine wohlbefestigte Stadt. Truppen aller Waffengattungen mußten, von meisterlichen Feldherrn geführt, immer wieder unter Aufgebot aller Kräfte gegen die Festung vorgehn, bis sie bezwungen war. Nun wurde ein Haufe Taglöhner bestellt, den ungeheuren Schutt abzuräumen, ehe man beginnen könnte, in der eroberten Stadt dem König einen neuen Palast zu erbauen. Dies ist unser Geschlecht.«

Das Glück der Diebe

Zu Raschis Deutung »Wessen Ohr auf dem Berge Sinai das ›Stiehl nicht‹ vernahm, und er ist hingegangen und hat gestohlen, sein Ohr werde durchbohrt«, bemerkte Rabbi Schmelke:»Ehe Gott vom Berge herab seine Gebote gab, hatten alle Menschen auf ihren Besitz wohl acht, daß er ihnen nicht gestohlen werde. Und weil die Diebe das wußten, versuchten sie nicht zu stehlen. Nachdem aber Gott gesprochen hatte: ›Stiehl nicht‹ und die Menschen sich gesichert wähnten, blühte das Gewerbe der Diebe auf.«

---

[15] Die Meister der Mischna und die der Gemara.

Die Brüder

Bei Rabbi Schmelke von Nikolsburg weilte einst sein Bruder, Rabbi Pinchas, der Raw von Frankfurt am Main, zu Gast. Nun pflegte Rabbi Schmelke, der stets mit äußerster Mäßigkeit gelebt hatte, im Alter jeweils nur noch einige Bissen zu essen und dazu einen Schluck Wasser zu trinken. Als Rabbi Pinchas, der ihn nach vielen Jahren zum erstenmal wiedersah, dies wahrnahm, sagte er zu ihm: »Es gibt zwei Brüder von einem Vater und einer Mutter. Der eine frißt und säuft wie das liebe Vieh, der andre gleicht einem Engel des Herrn, er braucht nicht zu essen und zu trinken, sondern genießt den Strahlenglanz der Schechina.« Rabbi Schmelke entgegnete: »Es gibt zwei Brüder von einem Vater und einer Mutter. Der eine gleicht einem Hohenpriester und der andre einem Hausbürger. Der Hohepriester ißt, und sein Essen gehört zum Opfer, durch das der Hausbürger entsühnt wird.«

Die Donaufahrt

Es wird erzählt: »In der kaiserlichen Burg wurden schlimme Anschläge gegen die Juden beraten. Da fuhr Rabbi Schmelke mit seinem Schüler Mosche Löb, dem Sasower, nach Wien, um den bösen Plan zu vereiteln. Es war aber Eisgang auf der Donau und der Fluß von treibenden Schollen bedeckt. Die beiden bestiegen ein schmales Boot, das nicht mehr als zwei Männer faßte. Sie standen im Boot, Rabbi Schmelke stimmte das Lied an, das am Schilfmeer gesungen worden war, und der Baß des Sasowers fiel ein. So zog das Schifflein seinen sichern Weg durch das Eis. In Wien liefen die Leute mit aufgesperrten Mäulern am Ufer zusammen, und bald wußte man auch am Hof von den wunderbaren Ankömmlingen. Noch am selben Tag wurde Rabbi Schmelke von der Kaiserin empfangen und fand deren Gehör.«

Das Amen zum Segensspruch

Als er sich dem Sterben nah fühlte, sprach Rabbi Schmelke zu seinen Chassidim: »Ich habe es bisher nicht erzählen wollen; aber jetzt muß ich's erzählen, solang noch Zeit ist. Ihr wißt, daß ich

immer darauf geachtet habe, die Segenssprüche vor und nach
dem Essen und Trinken und ihresgleichen an einem Ort zu sagen,
wo einer anwesend ist, der mit Amen antwortet. Denn durch
den Segen wird ein Engel geschaffen, und dessen Wesen vollendet sich erst mit dem Amen. Einmal aber geschah es mir auf
einem Weg, daß ich in der Einsamkeit einen Segen zu sprechen
hatte, als ich mir nach der Verrichtung der Notdurft die Hände
an einem Quell wusch, und kein Mensch war in der Nähe, mit
Amen zu antworten. Als ich mich darum grämte, standen zwei
Männer dicht vor mir. Kaum hatte ich zu ihnen aufzusehn und
über ihre gewaltige Erscheinung mich zu wundern vermocht, da
sprach ich schon den Segen, und sie antworteten ›Amen‹ mit einer
gewaltigen Süßigkeit. Jetzt wollte ich sie besser betrachten; aber
schon trug sie eine Wolke hinweg.«

Die Seele Samuels

Aufrecht auf seinem hohen Stuhle sitzend, rief Rabbi Schmelke
– sein Antlitz war hell und seine Augen ungetrübt wie an allen
Tagen – die Schüler herbei und sprach zu ihnen:»Wisset, daß
dies mein Todestag ist.« Sie brachen in Tränen aus, er aber verwies es ihnen und sprach weiter:»Wisset, daß in mir die Seele
des Propheten Samuel ist. Dem sind drei äußere Zeichen: ich
heiße Samuel wie er, ich bin vom Levitenstamm wie er, und mein
Leben hat wie das seine zweiundfünfzig Jahre gewährt. Aber
sein Name wurde Samuel und der meine Schmelke gesprochen.
Und so bin ich Schmelke geblieben.« Darauf hieß er die weinenden Schüler hinausgehn, lehnte sich zurück und starb.

Der Augenblick

In seiner Jugend liebte es Rabbi Ahron von Karlin, sich prächtig zu kleiden, und fuhr täglich in einem prächtigen Wagen über Land. Es kam aber ein Augenblick, da geriet es, während er zurückgelehnt in seinem Wagen saß, in heiliger Einsicht über Rabbi Ahron, diesen Weg zu lassen und einen andern einzuschlagen. Er beugte sich vor, sein Geist wallte auf; er setzte einen Fuß auf den Tritt, da umströmte ihn die Gabe; er stieg zur Erde, da waren alle Firmamente in seiner Macht eingefaßt.

Das Flüstern

An einem Freitagabend, nach dem Mahle im Haus des Maggids von Mesritsch, ging Rabbi Ahron in seine Herberge und begann flüsternd das Hohelied zu sprechen. Da kam der Diener des Maggids und pochte an seine Tür: der Maggid könne nicht schlafen, denn das Hohelied dröhne ihm in die Ohren.

Der lange Schlaf

Einmal versank Rabbi Ahron, während er mit andern Schülern im Haus des großen Maggids war, unversehens in eine große Müdigkeit. Ohne zu wissen, was er tat, ging er in die Stube seines Lehrers und legte sich auf dessen Ruhebett. Hier schlief er einen Tag und eine Nacht durch. Die Gefährten wollten ihn wecken; aber der Maggid ließ es nicht zu. Er sagte: »Jetzt legt er die himmlischen Thefillin an.«

Die Wonnen

Ein Zaddik erzählte: »Dem Rabbi Ahron wollten sich die Wonnen aller Welten auftun, er aber schüttelte nur den Kopf. ›Mögen's denn Wonnen sein‹, sagte er endlich, ›aber erst will ich mich um sie abrackern.‹«

Der Brief

Rabbi Ahron zog im ganzen Lande Reußen umher von Judenstadt zu Judenstadt und suchte nach Jünglingen, die es ver-
lohnte, seinem Lehrer, dem großen Maggid, als Schüler zuzuführen, daß durch sie das chassidische Wesen sich über die Welt
verbreite. So kam er einst in die Stadt Amdur, von der er gehört
hatte, daß an ihrem Rande, in einem einsamen Wald, ein frommer und gelehrter Mann, Rabbi Chajke, von der Welt der Menschen abgeschieden, unter den schwersten Kasteiungen lebe. Um
ihn herbeizuziehn, predigte Rabbi Ahron mehrmals im Bethaus,
und die Wirkung seines Wortes war mächtig; aber es währte
lang, bis die Kunde davon den Einsiedler erreichte. Etwas trieb
ihn zur Zeit der nächsten Predigt ins Bethaus. Als Rabbi Ahron
von seiner Gegenwart erfuhr, sprach er statt einer Predigt nichts
weiter als diese Worte:»Wenn einer nicht besser wird, wird er
böser!« Wie ein Gift, das den Grund des Lebens gegen sich selber
erregt, drangen die Worte in den Sinn des Asketen. Er lief zu
Rabbi Ahron und bat, daß er ihm aus dem Irrbau, in den er geraten war, heraushelfe.»Das kann nur mein Lehrer, der Maggid
von Mesritsch«, sagte Rabbi Ahron.»So gib mir«, bat jener,
»einen Brief an ihn, daß er wisse, wer ich bin.« Die Bitte wurde
gewährt. Mit der Zuversicht im Herzen, der Maggid würde, ehe
er sich ihm eröffne, wissen, daß er einen von den Großen des Geschlechts vor sich habe, begab er sich auf die Fahrt zu ihm. Der
Maggid öffnete den Brief und las ihn, offenbar mit Bedacht,
laut. Darin stand, an dem Mann, der ihn überbringe, sei kein
heiles Fleckchen. Rabbi Chajke brach in Tränen aus.»Nun, nun«,
sagte der Maggid,»macht Ihr Euch so viel draus, was der Litauer
schreibt?«»Ist es wahr oder nicht?« fragte jener.»Nun wohl«,
sagte der Maggid,»wenn der Litauer es schreibt, wird es schon
wahr sein.«»So heilet mich, Rabbi«, bat der Asket. Ein ganzes
Jahr gab sich der Maggid mit ihm ab und heilte ihn. Rabbi
Chajke ist später einer von den Großen des Geschlechts geworden.

Der König

Rabbi Ahron sprach einst im Bethaus von Mesritsch das Morgengebet vor. Als er daran war, Gott als »den König« anzurufen, stürzten ihm die Tränen aus den Augen, und er konnte nicht weiterreden. Nach dem Beten fragte man ihn, was ihm zugestoßen sei. Er erklärte: »In jenem Augenblick kam mir in den Sinn, wie Rabbi Jochanan ben Sakkai[1] zu Vespasian spricht: ›Friede mit dir, o König, Friede mit dir, o König‹, und der Römer fährt ihn an: ›Zwiefach bist du des Todes schuldig. Zum ersten, ich bin der König nicht, und du nennst mich so. Zum zweiten aber, gesetzt, ich sei der König, warum bist du bislang nicht zu mir gekommen?‹ Noch ist Gott nicht wahrhaft König über die Welt, und ich bin mit schuld daran; denn warum habe ich noch immer nicht die Umkehr getan, warum bin ich noch nicht zu ihm gekommen?«

Der Hängeleuchter

Rabbi Ahron von Tschernobil, ein Tochtersohn Rabbi Ahrons von Karlin, lange nach dessen Tode geboren und nach ihm benannt, sprach, als er vor der Obrigkeit verleumdet worden war und nachträglich erfuhr, daß die Chassidim ihn gegen seinen Willen durch eine Bestechung losgekauft hatten: »Weh über die klein gewordnen Geschlechter! Stünde ich auf der Stufe meines Großvaters, Rabbi Ahrons des Großen, man hätte den bösen Spruch ohne Bestechung vereiteln können.« Und er erzählte: »Einst verschworen sich in den Ländern Ukraine und Reußen die Haidamaken gegen die Juden, sie zu erschlagen und ihre Habe zu plündern. Als die Kunde davon nach Mesritsch gelangte, kamen die Vertreter der Gemeinde zum heiligen Maggid und fragten ihn, was zu tun sei. Da er sah, daß dem Verderben Macht gegeben war, befahl er, alle, groß und klein, sollten sich in den Wäldern um die Stadt verbergen und von ihrem Besitz mitnehmen, was sich mitnehmen ließe.

---

[1] Nach einer talmudischen Sage ließ sich dieser führende Lehrer des 1. Jahrhunderts in einem Sarg aus dem belagerten Jerusalem tragen, um von Vespasian die Erlaubnis zu erlangen, nach dem Fall der Stadt ein Lehrhaus zu errichten.

Eine Abteilung begab sich ins Bethaus, um die heiligen Geräte zu retten.

Im Bethaus hing ein großer Zinnleuchter mit sechsunddreißig Armen. Den hatte mein Großvater, Rabbi Ahron der Große, mit dem Geld erworben, das er unter den Schülern und den Chassidim des Maggids Kopeke um Kopeke gesammelt hatte. Der heilige Maggid pflegte an jedem Freitag selber an diesem Leuchter alle Lichter zu entzünden.

Man hatte schon sämtliche Geräte bis auf den Hängeleuchter fortgebracht. Mein Großvater stand indessen, ohne zu beachten, was um ihn geschah, an einem Fenster des Bethauses und sah hinaus. Da merkte er, daß man sich an den Leuchter machte. Im Nu war er in der Mitte des Saals. ›Rührt nicht daran!‹ rief er mit starker Stimme. Boten gingen zum Maggid, ihm den Vorfall zu melden, und erwarteten seinen Befehl.

Der Maggid nahm den Bericht entgegen und schwieg eine Weile. Dann sprach er: ›Alle, Männer, Frauen und Kinder, die ganze Gemeinde soll sich im Bethaus versammeln.‹

Als mein Großvater sah, daß die Gemeinde sich im Bethaus versammelte, schickte er zum Maggid und bat ihn zu kommen und sich seiner zu erbarmen. Der Maggid antwortete nicht. Wieder schickte mein Großvater und bat ihn, er möge ihm doch irgendeine Hilfe leihen. Der Maggid antwortete nicht.

Das Bethaus war von den Juden der Gemeinde Mesritsch gefüllt. Alle waren da, Männer, Frauen und Kinder. Nur der Maggid fehlte.

Da kam ein Mann, der auf Wacht gestanden hatte, und meldete meinem Großvater, die Haidamaken seien in der Stadt.

Mein Großvater ging hinaus und trat vor den Eingang des Bethauses.

Als die Haidamaken heranzogen, rief er mit seiner gewaltigen Stimme das Psalmwort[2] ihnen entgegen: ›Warum toben die Völker!‹

Der Hetman der Haidamaken wurde vom Wahnsinn ergriffen und begann, auf seine Leute loszuschlagen. Die Schar stob auseinander.

---

[2] Psalm 2, 1.

Auf der Erde

Zu den Worten der Schrift[3]: »Eine Leiter, gestellt auf die Erde, ihr Haupt an den Himmel rührend«, sprach Rabbi Ahron von Karlin: »Wenn der Mann von Israel sich zusammenhält und fest auf der Erde steht, dann rührt sein Haupt an den Himmel.«

Gar nichts

Man fragte Rabbi Ahron, was er bei seinem Lehrer, dem großen Maggid, gelernt habe. »Gar nichts«, sagte er. Und als man in ihn drang, sich zu erklären, fügte er hinzu: »Das Garnichts habe ich gelernt. Den Sinn des Garnichts habe ich gelernt. Ich habe gelernt, daß ich gar nichts bin und daß ich doch bin.«

Die kleine und die große Furcht

Rabbi Schnëur Salman erzählte von seinem Freunde, Rabbi Ahron von Karlin, nach dessen frühem Tode:
»Seine Furcht Gottes war wie die Furcht eines, der erschossen werden soll und steht an der Wand und sieht das Flintenrohr gegen sein Herz gerichtet und schaut geradeaus ins Flintenrohr, fürchtend und unverzagt. Aber dies war nur seine kleine Gottesfurcht, die von jedem Tag. Wenn die große Furcht Gottes über ihn kam, da reicht kein Bild mehr zu.«

Unwürdigkeit und Erhörung

Man fragte Rabbi Ahron: »Zu Mose Fürbitte[4], Gott möge dem Volk vergeben, ergänzt die Deutung: ›damit sie nicht sagen, ich sei nicht würdig gewesen, das Erbarmen auf sie herabzuflehen‹. Geht dies nicht dem Zeugnis der Schrift zuwider, die Mose den demütigsten aller Menschen nennt?« »Eben weil er so demütig war«, antwortete der Zaddik, »redete er zu Gott: Nimm mein Gebet an, wiewohl ich dessen nicht würdig bin; damit sie nicht sagen, es sei an mir die Unwürdigkeit des Menschen offenbar ge-

---

[3] Genesis 28, 12.
[4] Numeri 14, 19.

worden, und nicht ablassen, aus der Macht der Herzen dich anzusprechen, sondern erkennen, daß du das Beten alles Mundes vernimmst.«

Ich

Ein Schüler des großen Maggids hatte etliche Jahre dessen Unterweisung empfangen und gedachte heimzukehren. Unterwegs besann er sich, er wolle in Karlin Rabbi Ahron aufsuchen, der vordem im Lehrhaus des Maggids sein Gefährte gewesen war. Es ging auf Mitternacht, als er die Stadt betrat; aber sein Verlangen nach dem Anblick des Freundes war so groß, daß er sich sogleich zu dessen Haus wandte und an das erleuchtete Fenster klopfte. »Wer ruft?« hörte er die vertraute Stimme fragen und antwortete, da er gewiß war, daß auch die seine erkannt würde, nichts als:»Ich.« Aber das Fenster blieb verschlossen, und von innen kam kein Laut mehr, ob er auch wieder und wieder pochte. Endlich schrie er bestürzt:»Ahron, warum öffnest du mir nicht?« Da entgegnete ihm die Stimme des Freundes, aber so ernst und groß, daß sie ihn fast fremd dünkte:»Wer ist es, der sich vermißt, sich Ich zu nennen, wie es Gott allein zusteht?« Als der Schüler dies vernahm, sprach er in seinem Herzen:»Meine Lehrzeit ist noch nicht um« und kehrte unverweilt nach Mesritsch zurück.

Die Bekehrung des Knaben

Rabbi Ahron kam einst in die Stadt, in der der kleine Mordechai, der nachmalige Rabbi von Lechowitz, aufwuchs. Dessen Vater brachte ihm den Knaben und klagte, daß der im Lernen keine Ausdauer habe.»Laßt ihn mir eine Weile hier«, sagte Rabbi Ahron. Als er mit dem kleinen Mordechai allein war, legte er sich hin und bettete das Kind an sein Herz. Schweigend hielt er es am Herzen, bis der Vater kam.»Ich habe ihm ins Gewissen geredet«, sagte er, »hinfort wird es ihm an Ausdauer nicht fehlen.« Wenn der Rabbi von Lechowitz diese Begebenheit erzählte, fügte er hinzu:»Damals habe ich gelernt, wie man Menschen bekehrt.«

Der Gruß

Ein Großneffe Rabbi Ahrons erzählte:»Als ich zu Sabbatausgang an seinem Tische saß und man das Elia-Lied sang, sah ich,
in dem Augenblick, da man zum Vers gelangte: ›Heil dem, der
ihn grüßte und den er grüßte‹, daß er und sein Sohn Rabbi
Ascher einander unterm Tisch die Hände reichten. Da habe ich
verstanden: Elia hatte sich in den Vater gekleidet, und der wollte
dem Sohn das Heil des Grußes zuteilen.«

Die Erlaubnis

Es wird erzählt:»Es war vor Passah, und Rabbi Ahron, der in
Mesritsch weilte, wollte zum Fest heimreisen. Er erbat sich vom
Maggid die Erlaubnis und erhielt sie. Kaum aber war er hinausgegangen, als der Maggid einige Schüler zu sich rief. ›Geht sogleich in Ahrons Herberge‹, sagte er, ›und bringt ihn davon ab,
nach Karlin zu fahren.‹ Sie gingen hin und redeten dem Freunde
zu, das Fest mit ihnen zu feiern. Als sie bei ihm nichts ausrich-
teten, verrieten sie ihm, daß der Maggid selber sie geschickt habe.
Sogleich lief er zu diesem und sprach: ›Rabbi, es ist mir nötig,
nach Haus zu fahren, und nun wird mir gesagt, Ihr wünschtet,
daß ich das Fest mit Euch feiere – ist dem so?‹ ›Ich halte dich
nicht zurück‹, antwortete der Maggid; ›wenn dir nötig ist zu
fahren, fahre in Frieden.‹ Wieder aber befahl er sogleich den
Schülern: ›Laßt ihn ja nicht weg!‹ Das wiederholte sich noch einmal; aber Rabbi Ahron wollte, da der Lehrer ihn nicht eines andern beschied, auf das, was er für ein Spiel hielt, nicht eingehn
und fuhr nach Karlin. Sowie er sein Haus betreten hatte, mußte
er sich hinlegen und starb am dritten Tag. Er war sechsunddreißig
Jahre alt geworden. Als der Maggid von seinem Tode erfuhr,
sprach er den Spruch unsrer Weisen [5]: ›Als Ahron starb, schieden
die Wolken der Glorie ab.‹ Und er fügte hinzu: ›Er ist unsre
Kriegswaffe gewesen, was sollen wir jetzt noch auf der Welt
tun!‹
Die Schüler bedrängten den Maggid sehr, daß er ihren Gefähr-

---

[5] Im Talmud: Rosch haschana 3.

ten, den lichten und heiligen Mann, habe in den Tod gehen lassen. ›Warum habt Ihr es ihm nicht kundgetan?‹ fragten sie. ›Was man zu verwalten bekommt‹, erwiderte er, ›muß man getreu verwalten.‹«
Der Maggid starb im Herbst danach.

Die Dummheit

Rabbi Ascher, Rabbi Ahrons Sohn, erzählte: »Als ich Rabbi Pinchas von Korez besuchte, meldete ich ihm nicht, wer ich sei; aber er sagte: ›Dein Vater geht hinter dir her.‹ Nach einer Weile fügte er hinzu: ›Dein Vater hat eine Dummheit begangen.‹ Ich erschrak; denn ich wußte: was Rabbi Pinchas von einem Zaddik sagte, und weilte der schon fünfhundert Jahre in der oberen Welt, kommt vor die Ohren des himmlischen Gerichts. ›Die Dummheit‹, fuhr er fort, ›die dein Vater begangen hat, ist, daß er nicht länger am Leben blieb.‹«

Drei Geschlechter

Als Rabbi Israel von Rižin seinen Sohn Rabbi Abraham Jakob, den nachmaligen Sadagorer Rabbi, einer Tochter Rabbi Ahrons von Karlin, eines Enkels des großen Rabbi Ahron, verlobte und man die Verlobungsurkunde schrieb, sprach er: »Es ist unser Brauch, in dieser Stunde den Stammbaum des Brautvaters vorzutragen. Der große Rabbi Ahron ist die Wahrheit der Welt gewesen. Sein Sohn, Rabbi Ascher, der Großvater der Braut, ist von je der Wahrheit auf der Spur. Und der Brautvater selber, wenn er wüßte, daß unter einer Diele ein Bröcklein Wahrheit steckt, mit seinen Fingern risse er die Diele auf.«

Der Begleiter

In jungen Jahren wurde Levi Jizchak seiner erstaunlichen Gaben wegen von einem reichen Mann, wie es der Brauch ist, zum Schwiegersohn genommen. Im ersten Jahr nach der Hochzeit erwies man ihm am Tag der Freude an der Lehre um des angesehnen Schwiegervaters willen im Bethaus die Ehre, daß er das Gebet »Dir ist zu wissen offenbart[1]« vor der Gemeinde sprechen sollte. Er trat vor das Pult und stand eine Weile reglos. Sein Tallith lag auf dem Pult. Er streckte die Hand aus und nahm ihn, sich dareinzuhüllen; aber dann legte er ihn wieder hin und stand reglos wie zuvor. Die Vorsteher hießen den Diener ihm zuflüstern, er möge die Versammlung nicht ermüden, sondern mit dem Vortrag beginnen. »Wohl«, sagte er und nahm den Tallith in die Hand, und hatte ihn fast umgenommen, da tat er ihn wieder aufs Pult. Der Schwiegervater schämte sich vor der Gemeinde, zumal er sich des vortrefflichen Jünglings, den er seinem Hause geworben habe, vielfach berühmt hatte. Zornig befahl er, ihm zu sagen, er möge sogleich das Gebet anheben oder vom Pult abtreten. Aber ehe der Bote noch bei Levi Jizchak angelangt war, erscholl plötzlich dessen Stimme: »Bist du ein Lehrkundiger und bist du ein Chassid, so sprich du das Gebet.« Zugleich kehrte er an seinen Platz zurück. Der Schwiegervater schwieg. Als sie aber zu Hause waren und Levi Jizchak in großer Freude, wie es sich an diesem Tag geziemt, ihm gegenüber am Festtisch saß, konnte er sich nicht länger bezwingen und rief: »Warum hast du mir diese Schande angetan?« Zur Antwort erzählte der Rabbi: »Wie ich zuerst die Hand ausstreckte, um mir den Tallith über den Kopf zu ziehen, gesellt sich der Böse Trieb zu mir und lispelt mir ins Ohr: ›Ich will mit dir zusammen sagen: Dir ist zu wissen offenbart.‹ Ich frage: ›Wer bist du, daß du dessen würdig wärst?‹ Darauf er: ›Wer bist du, daß du dessen würdig wärst?‹ ›Ich bin lehrkundig‹, sage ich. ›Auch ich bin lehrkundig‹, erwidert er. Ver-

[1] Am Tag der Thorafreude, dem Nachtag des Hüttenfestes, wird das Gebet gesprochen: »Dir ist zu wissen offenbart, daß der Herr Gott ist, keiner außer ihm.«

ächtlich will ich ihn abfertigen: ›Wo hast du denn gelernt?‹ ›Wo hast du denn gelernt?‹ wirft er zurück. Ich gebe ihm Bescheid. ›Da war ich doch mit dir‹, raunt er mir lachend zu, ›da hab' ich doch mit dir gelernt.‹ Ich besinne mich. ›Aber ich bin ein Chassid‹, halte ich ihm siegesgewiß entgegen. Und er unerschüttert: ›Auch ich bin ein Chassid.‹ Ich: ›Zu wem bist du denn gefahren²?‹ Und wieder er als Echo: ›Zu wem bist du denn gefahren?‹ ›Zum heiligen Maggid von Mesritsch‹, antworte ich. Darauf lacht er mich noch höhnischer an: ›Da war ich doch auch mit dir und habe in einem mit dir die Chassiduth empfangen. Und darum will ich mit dir zusammen sagen: Dir ist zu wissen offenbart.‹ Da hatte ich genug. Ich ließ ihn stehn. Und was hätte ich sonst tun sollen?«

Das Erlernte

Als Levi Jizchak von seiner ersten Fahrt zu Rabbi Schmelke von Nikolsburg, die er gegen den Willen seines Schwiegervaters unternommen hatte, zu diesem heimkehrte, herrschte er ihn an: »Nun, was hast du schon bei ihm erlernt?!« »Ich habe erlernt«, antwortete Levi Jizchak, »daß es einen Schöpfer der Welt gibt.« Der Alte rief einen Diener herbei und fragte den: »Ist es dir bekannt, daß es einen Schöpfer der Welt gibt?« »Ja«, sagte der Diener. »Freilich«, rief Levi Jizchak, »alle sagen es, aber erlernen sie es auch?«

In der Gerbergasse

Auf einer Wanderung kam Rabbi Levi Jizchak gegen Nacht in eine kleine Stadt, wo er niemand kannte. Er fand keine Unterkunft, bis ein Gerber ihn mit sich nach Hause nahm. Er wollte das Abendgebet sprechen; aber der Gerbergeruch war so durchdringend, daß er kein Wort über die Lippen brachte. Er machte sich auf und ging in das Lehrhaus, in dem kein Mensch mehr war. Hier betete er nun. Und als er betete, verstand er mit einemmal, wie die Schechina, die der Welt einwohnende Gegenwart Gottes, ins Exil herabgesunken ist und wie sie gesenkten Haup-

---

² D. h. welchem Zaddik hast du dich angeschlossen?

tes in der Gerbergasse steht. Er brach in Tränen aus und weinte
in einem fort, bis sich sein Herz über den Gram der Schechina
ausgeweint hatte und er in Ohnmacht fiel. Da erschien ihm die
Schechina in ihrer Glorie, ein überstarkes Licht in vierundzwanzig farbigen Stufen, und sprach zu ihm: »Sei stark, mein Sohn!
Große Nöte werden über dich kommen, du aber fürchte dich
nicht; denn ich werde bei dir sein.«

Verzückungen

Als Rabbi Levi Jizchak am Morgen des Hüttenfestes in die Lade
langen wollte, in der der Paradiesapfel und der Strauß aus Palme,
Myrte und Bachweide auf den Segen warteten, stieß er die Hand
durch den Glasdeckel und merkte nicht, daß sie wund war.

Als er am Chanukkafest die heiligen Kerzen brennen sah, mußte
er mit der bloßen Hand in die Flamme greifen und spürte es
nicht.

Am Purimfest tanzte er beim Segen vor der Vorlesung des Buches
Esther auf dem Pult und schier auf der Schriftrolle selber.

Als er Wasser zum Backen der Mazzoth schöpfen wollte, verzückte
ihn die heilige Pflicht so sehr, daß er in den Brunnen fiel.

Als er beim Sseder die Worte »Diese Mazza« sprach, warf er sie
vor Begeisterung unter den Tisch und riß ihn mitsamt der Sseder-
schüssel, den Mazzoth und dem Wein um, daß man alles von
neuem herrichten mußte. Er zog den neuen Kittel an, den man
ihm reichte, und sagte, wie jemand, der sich an einer köstlichen
Speise erquickt: »Ah! Ah! Diese Mazza!«

Das Tauchbad

Es wird erzählt: »Als Rabbi Levi Jizchak in Berditschew Raw
geworden war, wurde er von den Gegnern seines Weges heftig
befehdet. Darunter war auch eine Schar, die dem Andenken des
fünfzehn Jahre vordem verstorbenen großen Rabbi Liber, der
ebenfalls in Berditschew gelebt und gelehrt hatte, so unverbrüchlich anhingen, daß sie mit dem Neuerer nichts zu tun haben wollten. Einmal berief sie Rabbi Levi Jizchak zu sich und eröffnete
ihnen, er habe vor, in Rabbi Libers Tauchbad zu gehen. Dieser

hatte aber kein eigentliches Tauchbad gehabt, sondern was man
so nannte, war ein Dach auf vier Säulen gewesen, darunter sich
das Wasserbecken befand. Im Winter pflegte Rabbi Liber mit
einem Beil das Eis zu zerschlagen und dann zu den heiligen Wa-
schungen unterzutauchen. Nach seinem Tode war das Dach ein-
gestürzt und das Becken hatte sich verschlammt. Man gab dem
Zaddik den Bescheid, es sei nicht möglich, dort zu baden. Er aber
verharrte bei seinem Willen und dang vier Arbeiter, die einen
Tag lang gruben. Am Morgen darauf fanden sie das Becken wieder voller Schlamm. So ging es eine Reihe von Tagen. Die Gegner lachten den sonderbaren neuen Raw aus. Man sehe doch deutlich, sagten sie zu ihm, daß Rabbi Liber sein Tauchbad nicht be-
nutzen lassen wolle. Rabbi Levi Jizchak hieß alle jene von seinen
Vertrauten, die Rabbi Liber gekannt hatten, sich am nächsten
Frühmorgen versammeln. Er selber ging mit ihnen nach dem Ort,
und die Arbeiter gruben wieder. Nach zwei Stunden rief einer
von ihnen: ›Man sieht Wasser.‹ Bald meldeten sie, daß sich etwas
Wasser angesammelt habe. ›Man braucht nicht mehr zu graben‹,
sagte der Rabbi. Er legte seine Kleider ab und ging, nur das
Käppchen aufbehaltend, ins Tauchbad. Als er ins Wasser stieg,
sahen alle, daß es nur eben seine Fußgelenke umspülte; aber in
einem Augenblick hob es sich bis an seinen Mund. Da fragte er:
›Gibt es jemand hier, der sich noch an Rabbi Libers Jugend erinnert?‹ Man antwortete, in der Neustadt lebe noch ein Schamasch[3], der sei hundertundsechzehn Jahre alt und habe Rabbi
Liber noch in dessen Jugend bedient. Der Zaddik ließ ihn rufen
und wartete im Wasser, das ihm an den Mund reichte. Anfangs
weigerte sich der Greis zu kommen; erst als ihm berichtet wurde,
was sich begeben hatte, ging er mit dem Boten. ›Gedenkt Ihr
noch‹, fragte ihn der Rabbi, ›des Schamasch, der sich im Bethaus
am Kronleuchter erhängt hat?‹ ›Gewiß gedenke ich sein‹, erwiderte jener erstaunt, ›aber was habt Ihr mit dem? Das sind
schon siebzig Jahre her, da seid Ihr noch nicht auf der Welt gewesen!‹ ›Erzählt, wie es war!‹ sagte der Rabbi. Der Uralte erzählte: ›Es war ein einfältiger Mann, aber gottesfürchtig war er.
Und er hatte seinen besonderen Brauch. In jeder Woche begann

---

[3] Bethausdiener.

er am Mittwoch den großen Hängeleuchter für den Sabbat zu putzen, und dabei sagte er immer: ›Das tue ich um Gottes wille.‹ Einmal aber, als am Freitagnachmittag die Leute ins Bethaus kamen, fanden sie ihn am Kronleuchter mit seinem eigenen Gürtel erhängt.‹ Der Rabbi sprach: ›Wie damals am Vortag des Sabbats alles blankgeputzt und nichts mehr zu tun war, fragte sich der einfältige Schamasch: ›Was kann ich nun noch zur Ehre Gottes tun?‹ Sein armer, schwacher Verstand verwirrte sich, und weil der Kronleuchter für ihn immer von allem Großen in der Welt das Größte gewesen war, erhängte er sich zu Gottes Ehren daran. Und da nun siebzig Jahre seither verstrichen sind, erschien Rabbi Liber mir in der Nacht und forderte, daß ich tun solle, was zu tun ist, um die arme Seele zu erlösen. So habe ich denn das heilige Tauchbad wieder herrichten lassen und bin ins Wasser getaucht. Jetzt aber sagt: ist die Stunde der Lösung für die arme Seele gekommen?‹ ›Ja, ja, ja‹, riefen alle wie aus einem einzigen Mund. ›So sage auch ich: Ja, ja, ja‹, sprach der Rabbi, ›geh in Frieden!‹ Er stieg aus dem Wasser, und das Wasser sank, daß es ihm nur noch die Füße hätte umspülen können.

Rabbi Levi Jizchak ließ an dem Ort ein Badhaus bauen und das Tauchbad darin wiederherstellen, für ihn selber aber ein zweites daneben errichten. Nur wenn es galt, ein schweres Werk vorzubereiten, ging er in das Tauchbad des Rabbi Liber. Noch heute steht in der Altstadt, nah an der ›Klaus‹, das Badhaus mit den beiden Wasserbecken, von denen man noch heute das eine ›Tauchbad des Rabbi Liber‹ und das andre ›Tauchbad des Rabbi Levi Jizchak‹ nennt.«

In der Ssedernacht

Bald nachdem Rabbi Levi Jizchak von der Gemeinde Berditschew zum Raw angenommen worden war, betete er am ersten Abend des Passahfestes mit großer Inbrunst vor dem Pult, und dies zog sich so viele Stunden hin, daß die Leute nicht länger warten mochten, sondern ihr Gebet beendeten, heimgingen und den Sseder herrichteten. Ein einziger Mann blieb zurück, einer der auswärtigen armen Wanderer, die, wie es üblich ist, das Festmahl bei einem der Bürger einnahmen. Man hatte ihm gesagt, er werde bei dem Juden essen, der eben jetzt vorbete, und da er von der

Wanderung sehr müde war, legte er sich auf eine Bank und schlief alsbald ein. Indessen hatte der Rabbi das stille Gebet der Achtzehn Segenssprüche zu Ende gesprochen. Als er sah, daß alle heimgegangen waren, rief er:»So kommt denn ihr, ihr Engel der Höhe, kommt an diesem heiligen Tag hernieder zum Preise des Heiligen, gesegnet sei Er.« Darüber war der Gast aus einem schweren Schlaf halb erwacht. Noch in einer Betäubung befangen, hörte er ein Brausen durchs Haus ziehen und erschrak bis in den Herzensgrund. Der Rabbi aber sprach die Lobgesänge in großer Freude. Danach erblickte er den Fremden und fragte ihn, warum er allein hier geblieben sei. Jener, der nun wieder ganz wach war, erzählte, wie es zugegangen war, und der Rabbi forderte ihn auf, mit ihm zum Sedermahl zu gehen. Aber der Gast konnte vor Angst sich dazu nicht bereitfinden; er befürchtete offenbar, er würde bei Tisch zauberwirkende Geheimworte statt Speisen gereicht bekommen.»Sei ruhig«, sagte der Rabbi,»du bekommst bei mir zu essen wie bei den andern Bürgern.« So entschloß jener sich mitzugehn.

Der ungläubige Schankwirt

Der Inhaber einer Metschenke in Berditschew, der dem chassidischen Weg abhold, aber gern dabei war, wenn Chassidim sich von den Taten ihrer Führer erzählten, hörte einmal vom Gebet Rabbi Levi Jizchaks reden. Wenn der Rabbi – so wurde berichtet – am Sabbat die dreifache Heiligung[4] zu singen beginne, in deren Gesange sich die oberen Scharen mit den unteren vereinen, schwärmten die Engel herbei, um seinem Mund zu lauschen.»Glaubt ihr wirklich, daß dem so ist?« fragte der Metschenker:»Ja, dem ist so«, sagten sie.»Und wohin begeben sich die Engel?« fragte er weiter,»bleiben sie in der Luft schweben?«»Nein«, wurde ihm geantwortet,»sie fliegen herab und umstehen den Rabbi.«»Und wo kommt ihr indessen hin?« – »Wenn der Rabbi gewaltig zu singen anhebt und gewaltig durchs ganze Haus tanzt, vermögen wir nicht drin zu bleiben.«»Nun wohl«, sagte der Wirt,»ich will mir die Sache aus der Nähe besehn,

---

4 Siehe: Jesaja 6, 3.

mich bringt er nicht vom Fleck.« Am Neumondsfest stellte er
sich, als der Rabbi zu entbrennen begann, dicht hinter ihn. In seiner großen Inbrunst drehte sich der Rabbi ihm zu, er faßte ihn
bei den Rockschößen, er schüttelte ihn, er stieß ihn vor sich her,
er schleppte ihn schüttelnd und stoßend von Ende zu Ende des
Hauses und wieder von Ende zu Ende. Der Metschenker wußte
nicht, wie ihm geschah, fast vergingen ihm die Sinne, die Ohren
sausten ihm wie von einem ungeheuren Rauschen. Mit einer letzten Anstrengung riß er sich aus den Händen des Zaddiks und
floh. Seither glaubte auch er, daß da anderes als nur irdische
Mächte im Spiel war.

Um Israel

Ehe er am Fest des Neuen Jahrs das Gebet der Achtzehn Segenssprüche begann, sang der Berditschewer:»Die droben Behausten
mit den drunten Behausten, sie hangen und bangen in der Furcht
deines Namens; die im Abgrund Behausten mit den im Gruftreich Behausten, sie zittern und schüttern in der Furcht deines
Namens. Aber die Gerechten von der Stätte des Paradieses, sie
jubeln und singen deinem Namen zu. Darum bin ich, Levi Jizchak, Sohn der Sara, mit meinem Bitten und meinem Beten vor
dich getreten. Was hast du mit Israel? Zu wem redest du? Zu den
Kindern Israel. Wem gebietest du? Den Kindern Israel. Wem be-
fiehlst du, den Segen zu sprechen? Den Kindern Israel. Darum
frage ich dich: Was hast du mit Israel? Gibt's doch Chaldäer und
Perser und Meder in Fülle! Was hast du mit Israel? Es kann nicht
anders sein: lieb sind sie dir, die Kinder Israel, Kinder Gottes
sind sie genannt – gesegnet seist du, Herr unser Gott, König der
Welt!«

Der wahre König

An einem andern Neujahrstag leitete er die Liturgie der Heiligung Gottes so ein:»Fonje (das ist ein Spitzname des Russen, hier
auf den Zaren gemünzt) sagt, er sei der König«, und so zählte er
die großen Länderherren alle bei ihren Spitznamen auf, dann
aber, aufjauchzend, rief er:»Ich aber sage: Verherrlicht und geheiligt werde sein großer Name!«

Das Tauschgeschäft

Rabbi Levi Jizchak sprach einmal mitten im Gebet: »Herr der ganzen Welt, du bist einst mit deinem Thoralein herumgelaufen und hast es feilgeboten wie faule Äpfelchen und hast es nicht anbringen können – wer hat dich auch nur angucken wollen? Und dann haben wir es dir abgenommen. Darum will ich mit dir ein Tauschgeschäft machen. Wir haben einen Haufen Sünder und Missetäter, und du hast eine Fülle von Vergebung und Sühne. So wollen wir miteinander tauschen. Aber vielleicht meinst du: gleich gegen gleich? Nein! Hätten wir keine Sünden, was fingest du mit deiner Vergebung an? Darum mußt du uns noch Leben, Kinder und Nahrung[5] draufgeben.«

Unterbrechung

Als der Berditschewer an einem Jomkippur-Vormittag im Vortrag des hohenpriesterlichen Dienstes im Heiligtum an die Stelle kam, wo der Priester die sühnenden Blutstropfen sprengt, und die Worte zu sprechen hatte: »Und so zählte er: eins – eins und eins – eins und zwei – eins und drei...«, fiel er nach dem zweiten Wort »eins«, von der Inbrunst überwältigt, zu Boden und lag wie tot. Umsonst versuchten die Umstehenden, ihn zu ermuntern. Sie hoben ihn vom Boden, trugen ihn in seine Kammer und legten ihn aufs Ruhebett. Dann nahmen die Chassidim, die wohl wußten, daß dies eine Begebenheit der Seele und nicht leibliche Erkrankung war, das Gebet wieder auf. Gegen Abend – sie hatten eben Neïla[6] zu sagen angehoben – stürzte der Rabbi herein und vors Pult und schrie: »... und eins.« Dann besann er sich und betete der Ordnung nach weiter.

Im Kampf

Einst betete der Berditschewer am Jomkippur in der Lemberger »Schul« vor. Mitten im Gebet hielt er unversehens inne, und man hörte ihn in polnischer Sprache mit drohender Stimme sagen: »Ich will dich schon lehren!«

---

[5] Die Gaben, die nach talmudischer Lehre (Moed katan 28) Gott dem Menschen außerhalb von allem Verdienste schenkt.
[6] »Verschließung«: die Schlußliturgie des Versöhnungsfestes.

Bei der Abendmahlzeit sprach der Sohn des Rabbiners von Lemberg zum Berditschewer:»Über Eure sonstige Art zu beten erlaube ich mir keine Vorhaltung, aber das eine muß ich fragen: wie konntet Ihr das Gebet unterbrechen, dazu noch mit polnischer Rede?«»Mit den andern Widersachern«, antwortete Rabbi Levi Jizchak,»wurde ich eben leichter fertig als mit dem ›Fürsten [7]‹ von Polen.«

Der Wunsch

Eine Frau pflegte zum Jomkippur nach Berditschew zu kommen, um in Rabbi Levi Jizchaks Gemeinde zu beten. Einmal verzögerte sie sich, und als sie ins Bethaus kam, war die Nacht schon angebrochen. Die Frau grämte sich sehr; denn sie war gewiß, die Abendandacht sei schon vorüber. Aber der Rabbi hatte nicht begonnen, sondern hatte mit der staunenden Gemeinde gewartet, bis die Frau kam. Als sie merkte, daß er noch nicht Kol Nidre gesprochen hatte, geriet sie in große Freude und rief zu Gott:»Herr der Welt, was soll ich dir wünschen für das Gute, das du an mir getan hast? Ich wünsche dir, du sollst so viele Freude an deinen Kindern erleben, wie du mich jetzt hast erleben lassen!« Da ward, während sie noch sprach, eine Stunde der göttlichen Gnade über der Welt.

Wie gewogen wird

Nach dem Versöhnungstag kam einst der Lieblingsschüler des Berditschewers, Schmuel, in dessen Stube, um zu sehen, wie es ihm nach dem Fasten und nach all dem schier übermenschlichen Eifer seines Dienstes an diesem Tage ging. Obgleich die Nacht schon vorgeschritten war, stand die Tasse Kaffee noch unberührt vor dem Zaddik. Als dieser den Schüler erblickte, sagte er:»Gut, daß du kommst, Schmuel, so kann ich es erzählen. Wisse, der Satan hat heute dem himmlischen Gericht vorgehalten: ›Ihr, der Gerichtshof der Gerechtigkeit, saget mir doch den Grund davon: Wenn einer seinem Mitmenschen einen Rubel raubt, wägt ihr, um die Sünde zu messen, die Münze. Wenn aber einer seinem Mitmenschen einen Rubel als Almosen gibt, wägt ihr den Armen sel-

---

[7] Über jedes der siebzig Völker ist nach der mythischen Vorstellung ein Fürstengel gesetzt.

ber und alle Personen seines Hauses, denen die Gabe zugute kam. Warum begnügt ihr euch nicht auch da mit der Münze? Oder warum setzt ihr nicht auch dort den Beraubten mitsamt den sonst durch den Raub Geschädigten auf die Waagschale?‹ Da bin ich vorgetreten und habe erklärt: ›Der Wohltätige will Menschen am Leben erhalten, so muß man Menschen wägen. Der Räuber aber will nichts als das Geld, die Menschen, denen er es nimmt, hat er gar nicht im Sinn, darum ist hier nichts zu wägen als die Münze allein.‹ So brachte ich den Ankläger zum Schweigen.«

Das Lied »Du«

Der Berditschewer pflegte ein Lied zu singen, in dem es heißt:

»Wo ich gehe – du!
Wo ich stehe – du!
Nur du, wieder du, immer du!
Du, du, du!
Ergeht's mir gut – du!
Wenn's weh mir tut – du!
Nur du, wieder du, immer du!
Du, du, du!
Himmel – du, Erde – du,
Oben – du, unten – du,
Wohin ich mich wende, an jedem Ende
Nur du, wieder du, immer du!
Du, du, du!«

Leid und Gebet

Wenn Rabbi Levi Jizchak in der Passah-Haggada an die Stelle von den vier Söhnen[8] und in dieser an den vierten Sohn kam, an den, »der nicht zu fragen weiß«, pflegte er zu sagen: »Der nicht zu fragen weiß, das bin ich, Levi Jizchak von Berditschew. Ich verstehe dich nicht zu fragen, Herr der Welt, und wenn ich's

---

[8] An dem Beispiel von vier Söhnen, des Weisen, des Bösen, des Einfältigen und dessen, der nicht zu fragen weiß, wird die Verschiedenheit der persönlichen Beziehung zur Festordnung dieses Abends dargelegt.

verstünde, ich brächte es doch nicht fertig. Wie könnte ich mich
unterfangen, dich zu fragen, warum alles so geschieht, wie es geschieht, warum wir aus einem Exil ins andre getrieben werden,
warum unsere Widersacher uns so peinigen dürfen! Aber in der
Haggada wird zum Vater des Frageunkundigen gesprochen: ›Eröffne du es ihm!‹ Sie beruft sich auf die Schrift, in der geschrieben
steht[9]: ›Ansagen sollst du es deinem Sohn.‹ Und ich bin ja, Herr
der Welt, dein Kind. Nicht darum bitte ich dich, daß du mir die
Geheimnisse deines Wegs enthüllest – ich könnte sie nicht ertragen. Aber das eröffne du mir, tiefer, klarer, was dies hier, das
jetzt eben geschieht, mir meint, was es von mir fordert, was du,
Herr der Welt, mir damit ansagst. Ach, nicht warum ich leide,
will ich wissen, nur ob ich dir zu Willen leide.«

Das Gebet der Frau

Von Perle, der Frau des Berditschewers, ist ein Gebet überliefert. Wenn sie die Sabbatbrote knetete und buk, pflegte sie zu
beten:»Herr der Welt, ich bitte dich, hilf mir, daß mein Levi
Jizchak, wenn er am Sabbat über diese Brote den Segen spricht,
dasselbe im Sinn habe wie ich in dieser Stunde, da ich sie knete
und backe!«

Zweierlei Beten

Am Vorabend des Sabbats betete Rabbi Levi Jizchak einmal in
einer fremden Stadt, in der er als Gast weilte, der Gemeinde vor.
Wie immer, dehnte er auch diesmal durch seine vielfältigen, in
keiner Liturgie vorgesehenen Rufe und Bewegungen das Gebet
zu außergewöhnlicher Länge aus. Nachdem er geendet hatte,
trat der Raw des Ortes auf ihn zu, bot ihm den Sabbatgruß und
fragte:»Warum achtet der Herr nicht darauf, die Gemeinde
nicht zu ermüden? Haben uns doch unsere Weisen von Rabbi
Akiba[10] überliefert, daß er, wenn er mit der Gemeinde betete,
sich beeilte, wogegen er im einsamen Gebet sich den Verzückungen so überließ, daß er zuweilen in der einen Ecke anfing und am
Schluß in einer andern zu finden war.« Der Berditschewer ant-

---

[9] Exodus 13, 8.
[10] Führender palästinensischer Lehrer des 2. Jahrhunderts.

wortete: »Wie kann man annehmen, Rabbi Akiba mit seinen unzähligen Schülern habe das Beten beschleunigt, um die Gemeinde nicht zu ermüden! Wartete doch gewiß jeder von ihnen übergern Stunde um Stunde seinem Lehrer zu! Der Sinn der talmudischen Erzählung ist vielmehr dieser: Wenn Rabbi Akiba wirklich mit der Gemeinde betete, das heißt, wenn die Gemeinde von der gleichen Andacht des Herzens erfaßt war wie er, durfte sein Gebet knapp sein; denn er brauchte ja nicht für sich zu beten. Wenn er aber einsam betete, das heißt, wenn er zwar inmitten der Gemeinde betete, aber er allein mit der Andacht des Herzens, die andern ohne sie, dann mußte er sein Gebet verlängern, um das ihre mit emporzuheben.«

Mit offenen Augen

Rabbi Levi Jizchak erzählte einst dem Maggid von Kosnitz, bei dem er zu Gast weilte, er habe im Sinn, nach Wilna, dem Hauptsitz der Gegner des chassidischen Wegs, zu fahren und dort mit ihnen zu disputieren. »Ich möchte«, sagte der Maggid, »Euch eine Frage stellen. Weshalb sprecht Ihr das Gebet der Achtzehn Segenssprüche entgegen dem Brauch mit offenen Augen?« »Mein Herz«, sagte der Berditschewer, »sehe ich denn dann etwas?« »Ich weiß wohl«, entgegnete der Maggid, »daß Ihr dann nichts seht; aber was werdet Ihr jenen antworten, wenn sie danach fragen?«

Der heisere Vorbeter

In der Gemeinde Rabbi Levi Jizchaks war ein Vorbeter heiser geworden. Er fragte ihn: »Wie kommt es, daß Ihr heiser seid?« »Das ist«, antwortete er, »weil ich vor dem Pult gebetet habe.« »Ganz recht«, sagte der Rabbi, »wenn man vor dem Pult betet, wird man heiser; aber wenn man vor dem lebendigen Gott betet, wird man nicht heiser.«

Die Abwesenden

Einmal ging der Berditschewer im Bethaus nach dem Gebet der Achtzehn Segenssprüche auf ein paar Leute zu und begrüßte sie mit wiederholtem »Friede sei mit euch«, als wären sie in diesem

Augenblick von einer Reise gekehrt. Als sie ihn befremdet anstarrten, sagte er:»Was wundert ihr euch? Ihr wart doch eben in der Ferne, du auf einem Markt und du auf einem Kornschiff, und als das Sprechen des Gebets aufhörte, seid ihr zurückgekommen; so habe ich euch begrüßt.«

Das Stammeln

Rabbi Levi Jizchak kam einst in eine Herberge, wo viele Kaufleute eingekehrt waren, die zu einem Markt fuhren. Der Ort war fern von Berditschew, so kannte niemand den Zaddik. Am frühen Morgen wollten die Gäste beten; da sich aber im ganzen Haus nur ein einziges Paar Thefillin fand, zog einer nach dem andern sie an, sprach in Eile das Gebet und reichte sie dem Nächsten. Als alle fertig waren, rief der Rabbi zwei junge Leute zu sich heran; er wolle sie etwas fragen. Sie traten näher, er sah ihnen ernsthaft ins Angesicht und sagte:»Ma – ma – ma, wa – wa – wa.«»Was wollt Ihr?« riefen die Jünglinge, erhielten aber nichts zur Antwort als die gleichen wirren Laute. Da hielten sie ihn für einen Narren. Nun aber redete er sie an:»Wie, versteht ihr die Sprache nicht und habt doch soeben zu Gott dem Herrn in ihr gesprochen?«

Einen Augenblick schwiegen die jungen Leute bestürzt, dann aber sagte der eine:»Habt Ihr nicht ein Kind in der Wiege liegen sehen, das die Stimme noch nicht zu gliedern vermag? Habt Ihr nicht gehört, wie es allerlei Geräusch mit seinem Munde macht: Ma – ma – ma, wa – wa – wa? Alle Weisen und Gelehrten können es nicht verstehen. Wenn aber seine Mutter hinzukommt, weiß sie sogleich, was die Laute meinen.«

Als der Berditschewer diese Antwort vernahm, begann er zu tanzen vor Freude. Und wenn er sich in den folgenden Jahren an den»Furchtbaren Tagen« mit Gott mitten im Gebet nach seiner Art unterredete, pflegte er ihm diese Antwort zu erzählen.

Der törichte Beter

Am Ende des Versöhnungstags sagte der Berditschewer zu einem von seinen Chassidim:»Ich weiß, um was du an diesem Tag gebetet hast. Am Vorabend batest du, Gott möge dir die tausend

Rubel, die du im Jahr brauchst und im Lauf des Jahres verdienst, auf einmal zu Anfang des Jahres geben, damit dich die Mühen und Sorgen des Geschäfts nicht vom Lernen und Beten ablenken. Aber am Morgen hast du dich bedacht, du würdest gewiß, wenn du tausend Rubel beisammen hättest, ein neues großes Geschäft damit unternehmen, und wärest nun erst recht davon beansprucht; so batest du, je die Hälfte des Geldes zweimal im Jahr zu bekommen. Und vorm Schlußgebet schien dir auch das bedenklich, und du zogst vierteljährliche Zahlung vor, um nur ja ungestört lernen und beten zu können. Aber warum meinst du, daß man im Himmel dein Lernen und Beten braucht? Vielleicht braucht man grade dein Mühn und Kopfverdrehn!«

Das Ende der Gebete

Es heißt am Schluß des zweiundsiebzigsten Psalms:»Mit seiner Ehre fülle sich alles Erdland! Amen, Amen. Zu Ende sind die Gebete Davids des Sohnes Isais.«

Dazu sagte Rabbi Levi Jizchak:»Alle Gebete und Gesänge flehen um Offenbarung der himmlischen Ehre in der Welt. Geschieht es aber einst, daß die ganze Erde von ihr erfüllt ist, dann tut kein Beten mehr not.«

Weltliche Rede

Als Rabbi Levi Jizchak nach Nikolsburg kam, um Rabbi Schmelke, von dem er in seiner Jugend den Weg der Inbrunst empfangen hatte und mit dem er nun lange nicht zusammengekommen war, zu besuchen, ging er alsbald am Morgen, in den Tallith gehüllt und mit doppelten Thefillin auf der Stirn, in die Küche und erkundigte sich bei Rabbi Schmelkes Weib, welche Speisen für das Mittagsmahl zubereitet würden. Man gab ihm, nicht ohne Verwunderung, Auskunft. Sodann wollte er auch noch wissen, ob die Köchinnen ihre Kunst wohl verstünden, und stellte dergleichen Fragen mehr. Die Schüler, die davon erfuhren, hielten ihn für einen rechten Schlemmer. Er aber ging nun ins Bethaus und hob, während die Gemeinde betete, mit einem geringen und von allen verachteten Mann ein Gespräch an, das, wie die Umstehenden vernahmen, nur belanglose weltliche Gegenstände betraf. Einer der

Schüler konnte diesem Treiben nicht länger zusehn und fuhr den Fremden an: »Schweigt! hier ist Geschwätz verboten!« Der Berditschewer aber hörte nicht auf ihn, sondern setzte seine Unterredung fort. Beim Mittagsmahl begrüßte ihn Rabbi Schmelke mit großer Freude, hieß ihn sich ihm zur Seite setzen und aß mit ihm von der gleichen Schüssel. Erstaunt und verdrossen sahen die Schüler, unter denen sich das Gebaren des Ankömmlings herumgesprochen hatte, diesen Bezeigungen der Ehre und Freundschaft zu. Nach dem Mahl konnte einer von ihnen den Unwillen nicht länger verhalten und fragte seinen Lehrer, wie es zugehe, daß er einen leeren und dreisten Mann wie diesen, der sich so und so benehme, mit Gunst überschütte. Der Zaddik antwortete: »Es heißt in der Gemara: ›Raw [11] hat seine Tage lang kein weltliches Gespräch geführt.‹ Solch ein Lob erscheint sonderbar: haben denn die andern Meister ihre Zeit mit weltlicher Rede verbracht und ist von Raw nichts Würdigeres zu sagen? Aber der Sinn ist: was immer er die Tage über mit den Leuten über ihre weltlichen Anliegen zu sprechen hatte, in Wahrheit hatte jedes seiner Worte geheime Bedeutung und geheime Absicht und wirkte in die oberen Welten hin, und sein Geist vermochte in solchem Dienst den ganzen Tag über standzuhalten. Darum haben ihm unsre Weisen ein Lob gespendet, das keinem andern zuerkannt worden ist: was die andern nur drei Stunden vermochten, nach welcher Zeit sie von dieser Stufe sanken, vermochte er den ganzen Tag. So ist es auch mit Rabbi Levi Jizchak. Was ich nur drei Stunden im Tag vermag, vermag er den ganzen Tag: seinen Geist gesammelt zu halten, daß er auch mit der als eitel geltenden Rede in die Himmelswelt wirkt.«

Einer, der lachte

Rabbi Mosche Löb von Sasow war dem Berditschewer Zaddik sehr zugetan. Sein Schüler Abraham David, der spätere Rabbi von Buczacz, bestürmte ihn, er möchte ihm erlauben hinzufahren; denn es verlangte ihn sehr, den Weg des Berditschewers aus der Nähe zu betrachten. Sein Lehrer wollte es ihm nicht gewähren. »Wir lesen im Buch Daniel [12]«, sagte er, »von den Dienern am

---

[11] So wurde Abba Areka, ein talmudischer Meister des 3. Jahrhunderts, genannt.
[12] I, 3.

Hof, daß sie›Tauglichkeit in sich hatten, in der Königshalle anzutreten‹. Unsere Weisen erklären das so: sie hätten sich des Lachens, des Schlafes und anderer Dinge enthalten müssen. Nun ist es
mit dem Dienst des Rabbi Levi Jizchak so, daß er in unablässiger
Flamme brennt. In alles, was er tut, versenkt er seine feuergleiche
Seele. Darum kann nur der sich in seine Nähe wagen, der gewiß
ist, sich des Lachens zu enthalten, wenn er die seltsamen Gebärden des heiligen Mannes beim Gebet und beim Mahle sieht.« Der
Schüler versprach, ihn werde kein Lachen beschleichen, und so
ließ ihn der Sasower zum Sabbat nach Berditschew fahren. Als
er aber am Tisch die gewaltsamen Gliederbewegungen des Zaddiks und seine absonderlichen Mienen sah, vermochte er sich nicht
zu bezwingen und brach in ein Gelächter aus. Alsbald überfiel
ihn der Wahnsinn, das rasende Lachen setzte immer neu ein, man
mußte ihn vom Tische abführen und nach Sabbatende unter Be-
wachung nach Sasow senden. Als Rabbi Mosche Löb ihn erblickte,
schrieb er an den Berditschewer:»Ich habe Euch ein heiles Gefäß geschickt, und Ihr habt es mir zerschlagen zurückerstattet.«
Die Krankheit dauerte dreißig Tage, dann genas Abraham David mit einem Schlag. Seither pflegte er an diesem Jahrestag ein
Dankesmahl zu veranstalten, dabei die Begebenheit zu erzählen und mit den Psalmworten zu schließen:»Danket dem Herrn,
denn er ist gütig, denn in Weltzeit währt seine Huld.«

Tag um Tag

Der Rabbi von Berditschew prüfte an jedem Abend die Werke
dieses Tags und tat Buße um jeden Mangel, den er fand, und
sprach:»Levi Jizchak wird es nicht mehr tun.« Dann redete er zu
sich:»Levi Jizchak, das hast du doch auch gestern gesagt!« Und
wieder:»Gestern hat Levi Jizchak nicht die Wahrheit gesprochen; aber heute spricht er die Wahrheit.«
Er pflegte zu sagen:»Wie eine Gebärende im übergewaltigen
Schmerz sich verschwört, sie wolle nicht mehr bei ihrem Manne
liegen, und vergißt ihren Schwur, so bekennen wir an jedem
Versöhnungstag unsre Schuld und unsere Umkehr und fahren
fort zu sündigen, und du fährst fort zu vergeben.«

Das ewige Beginnen

Ein Schüler fragte den Berditschewer: »Der Talmud lehrt[13]: ›An dem Ort, wo die Umkehrenden stehen, können die vollkommenen Gerechten nicht stehen.‹ So stünde der von seiner Jugend an Makellose einem nach, der sich vielfach gegen Gott vergangen hat, und würde dessen Stufe nicht erreichen?« »Wem an jedem Tag«, antwortete der Zaddik, »sich neue Lichter offenbaren, die er gestern noch nicht kannte, der muß, wenn er in der Wahrheit dienen will, den gestrigen mangelhaften Dienst verwerfen und um ihn Buße tun und neu beginnen. Der Makellose aber, der den vollkommenen Dienst zu haben wähnt und auf ihm beharrt, der nimmt das Licht nicht an und bleibt hinter dem ewig Umkehrenden zurück.«

Neidisch

Der Berditschewer ging einst auf der Straße auf einen Mann zu, der ein hohes Amt innehatte und ebenso böse wie mächtig war, faßte ihn am Saum seines Rocks und sprach zu ihm: »Herr, ich beneide dich. Wenn du zu Gott umkehrst, wird aus jedem deiner Flecken ein Lichtstrahl werden, und du wirst ganz zu Licht gedeihen. Herr, ich beneide dich um dein großes Leuchten.«

Der Sseder des Unwissenden

Rabbi Levi Jizchak hatte einst den Sseder der ersten Passahnacht mit allen Intentionen gehalten, so daß jeder Spruch und jeder Brauch in der Weihe seines geheimen Sinns am Tisch des Zaddiks aufleuchtete. Nach der Feier, in der Morgendämmerung, saß Rabbi Levi Jizchak in seiner Kammer und war froh und stolz, weil ihm der Dienst dieser Nacht so geglückt war. Da aber redete es zu ihm: »Wessen berühmst du dich? Lieblicher ist mir der Sseder Chajims des Wasserträgers als der deine.« Der Rabbi rief seine Hausleute und Schüler zusammen und fragte nach dem Mann, dessen Name ihm genannt worden war. Niemand kannte ihn. Auf das Geheiß des Zaddiks gingen einige Schüler ihn suchen.

---

[13] Berachoth 34.

Lange mußten sie umherlaufen, ehe ihnen am Rand der Stadt, wo die Armen wohnen, das Haus Chajims des Wasserträgers gezeigt wurde. Sie klopften an die Tür. Eine Frau kam heraus und fragte nach ihrem Begehr. Als sie es erfahren hatte, verwunderte sie sich und sagte:»Wohl ist Chajim der Wasserträger mein Mann. Aber er kann nicht mit euch kommen; denn er hat gestern viel getrunken und schläft sich nun aus, und wenn ihr ihn auch weckt, wird er die Füße nicht zu heben vermögen.« Jene antworteten nur:»Der Rabbi hat es befohlen«, gingen hin und rüttelten ihn auf. Er sah sie aus blinzelnden Augen an, verstand nicht, wozu sie seiner bedurften, und wollte sich wieder zurechtlegen. Sie jedoch hoben ihn vom Lager, nahmen ihn in ihre Mitte und trugen ihn fast auf ihren Schultern zum Zaddik. Der ließ ihm einen Sitz in seiner Nähe geben, und als er stumm und verwirrt dasaß, beugte er sich zu ihm und sprach:»Rabbi Chajim, mein Herz, auf welches Geheimnis ging Euer Sinnen, als Ihr das Gesäuerte zusammensuchtet?« Der Wasserträger sah ihn mit stumpfen Augen an, schüttelte den Kopf und antwortete:»Herr, ich habe mich umgesehen in allen Winkeln und habe es zusammengesucht.« Staunend fragte der Zaddik weiter:»Und welche Weihe hattet Ihr im Sinn, als Ihr das Gesäuerte verbranntet?« Er dachte nach, betrübte sich und sagte zögernd:»Herr, ich habe vergessen, es zu verbrennen. Und nun entsinne ich mich, es liegt noch auf dem Balken.« Als Rabbi Levi Jizchak dies hörte, ward er vollends unsicher; aber er fragte weiter:»Und das sagt mir nun, Rabbi Chajim: wie habt Ihr den Sseder gehalten?« Da war es, als erwache jenem etwas in Aug und Gliedern, und er sprach mit demütiger Stimme:»Rabbi, ich will Euch die Wahrheit sagen. Seht, ich habe von je gehört, daß es verboten ist, Branntwein zu trinken die acht Tage des Festes, und da trank ich gestern am Morgen, daß ich genug habe für acht Tage. Und da wurde ich müde und schlief ein. Dann weckte mich mein Weib, und es war Abend, und sie sagte zu mir:›Warum hältst du nicht den Sseder wie alle Juden?‹ Sagte ich:›Was willst du von mir? Bin ich doch ein Unwissender, und mein Vater war ein Unwissender, und ich weiß nicht, was tun und was lassen. Aber sieh, das weiß ich: unsre Väter und unsre Mütter waren gefangen bei den Zigeunern, und wir haben einen Gott, der hat sie hinausgeführt in die Freiheit. Und sieh,

nun sind wir wieder gefangen, und ich weiß es und sage dir, Gott
wird auch uns in die Freiheit führen.‹ Und da sah ich den Tisch
stehen, und das Tuch strahlte wie die Sonne, und standen darauf Schüsseln mit Mazzoth und Eiern und andern Speisen, und
standen Flaschen mit rotem Wein, und da aß ich von den Mazzoth
mit den Eiern und trank vom Wein und gab meinem Weibe zu
essen und zu trinken. Und dann kam die Freude über mich, und
ich hob den Becher Gott entgegen und sagte: ›Sieh, Gott, diesen
Becher trink ich dir zu! Und du neige dich zu uns und mache uns
frei!‹ So saßen wir und tranken und freuten uns vor Gott. Und
dann war ich müde, legte mich hin und schlief ein.«

Beim Mahl der sieben Hirten

An Rabbi Levi Jizchaks Tisch kam öfters ein redlicher und ungelehrter Mann, der von der Schülerschar mit abweisenden Blicken
betrachtet wurde, weil er gar nicht zu fassen vermöge, was aus
des Rabbis Munde kommt; und was will der Pechsieder unter
den Salbenreibern? Da er aber in seiner guten Einfalt die Haltung der Schüler nicht bemerkte oder auch sich nicht durch sie anfechten ließ, sprachen sie endlich der Ehefrau des Zaddiks zu, sie
möchte den Tölpel hinwegweisen. Sie wollte dies nicht ohne die
Erlaubnis ihres Mannes tun; so legte sie ihm Bedenken und Bitte
der Schüler vor. Der Rabbi antwortete: »Wenn einst in der kommenden Welt die sieben Hirten beim heiligen Gelage sitzen,
Adam, Set, Metuselah zur Rechten, Abraham, Jakob, Mose zur
Linken, David in der Mitte, und ein armer Unwissender, Levi
Jizchak von Berditschew, hinzutritt, ich glaube daran, daß sie
dem Tölpel gar noch zunicken.«

Mose und der Berg Sinai

Der Berditschewer wurde einst gefragt: »Wie ist es zu verstehen,
daß Mose, der in seiner großen Demut Gott gebeten hatte, einen
andern zu Pharao zu entsenden, sich nicht einen Augenblick weigerte, die Thora zu empfangen?«
»Er hatte gesehen[14]«, antwortete der Rabbi, »wie die hohen

---

[14] Midraschische Sage.

Berge vor Gott erschienen und jeder sich die Gunst erflehen
wollte, daß auf ihm die Offenbarung geschehe, wie Gott aber
sich den kleinen Sinaiberg erkor. Darum folgte er, als er auch sich
auserwählt sah, ohne Widerstreben dem Ruf.«

Sein Zuname

Der Zuname Rabbi Levi Jizchaks war »Barmherzig«, und mit
diesem Namen, der aber nicht der seines Vaters gewesen war, bezeichneten ihn die Bücher der Behörden. Das war so gekommen.
Ein königlicher Erlaß hatte befohlen, daß jedermann seinem Namen einen Zunamen beifüge, und da die Juden zögerten, ging der
Büttel in Berditschew von Haus zu Haus, um die Eintragung zu
erzwingen. Als er Rabbi Levi Jizchaks Schwelle betrat und seine
Frage hersagte, sah ihm der Zaddik als einem Menschen ins Angesicht und sprach ihn über die Frage hinweg so an[15]: »Hefte
dich an Gottes Eigenschaft. Wie er barmherzig ist, so sei du barmherzig.« Aber der Büttel zog das Verzeichnis hervor und trug
ein: Vorname Levi Jizchak, Zuname Barmherzig.

Gottes Thefillin

Der Berditschewer sprach einmal mitten im Gebet zu Gott: »Herr
der Welt, du mußt Israel seine Sünden vergeben. Tust du es, so
ist es gut. Tust du es aber nicht, so will ich aller Welt sagen, daß
du in ungültigen Thefillin gehst[16]. Denn wie heißt der Spruch, der
in deine Thefillin eingeschlossen ist? Es ist der Spruch Davids,
deines Gesalbten[17] ›Wer ist wie dein Volk, wie Israel, ein einziger
Stamm auf Erden!‹ Vergibst du aber Israel seine Sünden nicht,
dann ist es ein einziger Stamm nicht mehr, unwahr ist das Wort,
das deine Thefillin tragen, ungültig sind deine Thefillin geworden.«

---

[15] Ein verschiedentlich tradierter talmudischer Spruch; vgl. im vorigen Band den Aufsatz »Nachahmung Gottes«.
[16] Die Vorstellung von Gottes Phylakterien und dem in ihnen eingeschlossenen Schriftwort (2 Samuel 7, 23) ist eine talmudische. Thefillin sind ungültig, wenn der in ihnen
enthaltene Text einen Fehler aufweist. Der Spruch des Berditschewers geht nach einer
Aufzeichnung von ihm auf ein Wort Rabbi Sussjas zurück.
[17] 2 Samuel 7, 23.

Ein andermal sagte er: »Herr der Welt, Israel sind die Thefillin deines Hauptes. Wenn einem schlichten Juden die Thefillin zu Boden fallen, hebt er sie sogleich auf und säubert sie und küßt sie. Gott, deine Thefillin sind zu Boden gefallen.«

Der Fuhrmann

Der Berditschewer sah einst einen Fuhrmann, der, zum Morgengebet mit Tallith und Thefillin angetan, die Räder seines Wagens mit Schmiere bestrich. »Herr der Welt«, rief er begeistert aus, »schau dir diesen Mann an, schau die Frömmigkeit deines Volkes an! Auch noch wenn sie die Wagenräder schmieren, gedenken sie deines Namens.«

Die weinende Frau

Der Berditschewer erzählte: »Einmal, kurz vor Rosch-ha-schana[18], ist zu mir eine Frau gekommen, die weinte und weinte. Frag ich sie: ›Warum weinst du? Warum weinst du?‹ Antwortet sie: ›Wie soll ich nicht weinen! Der Kopf tut mir weh! Der Kopf tut mir weh!‹ Sag ich zu ihr: ›Wein nicht! Wenn du weinst, wird dir der Kopf noch mehr weh tun.‹ Antwortet sie: ›Wie soll ich nicht weinen! Wie soll ich nicht weinen! Ich habe einen einzigen Sohn, und da kommt der heilige und furchtbare Tag, und ich weiß nicht, wird mein Sohn bestehen vor Gottes Gericht?‹ Sag ich zu ihr: ›Wein nicht! Wein nicht! Er wird gewiß bestehen vor Gottes Gericht! Denn sieh, es steht geschrieben[19]: ›Ist mir denn Efraim ein so teurer Sohn oder ein Kind des Ergötzens?! Wie oft ich ja wider ihn rede, muß ich sein noch denken und denken. Drum wallt ihm mein Eingeweid zu – ich muß sein mich erbarmen, erbarmen, spricht der Herr.‹‹«
Diese Begebenheit erzählte der Berditschewer mit einer wundersamen Melodie, und mit dieser selben Melodie wird sie heute noch von Chassidim berichtet.

---

[18] Neujahr.
[19] Jeremia 31, 20.

Am Boden

Einer kam zu Rabbi Levi Jizchak und klagte ihm:»Rabbi, was
soll ich mit der Lüge tun, die sich mir ins Herz mengt?« Er hielt
inne, dann schrie er auf:»Ach, auch noch was ich eben sagte war
nicht aus der Wahrheit gesagt! Ich finde sie nimmer!« Verzwei-
felnd warf er sich zu Boden.»Wie sehr sucht dieser Mann doch
die Wahrheit!« sagte der Rabbi. Er hob ihn mit sanfter Hand
vom Boden und sprach zu ihm:»Es steht geschrieben[20]: ›Die
Wahrheit sprießt aus dem Boden.‹«

Das dicke Gebetbuch

Der Berditschewer wartete einmal am Vorabend des Versöhnungstags eine Weile, ehe er zum Pult träte, um vorzubeten, und
ging im Lehrhaus auf und nieder. Da sah er im Winkel einen
Mann am Boden kauern und weinen. Auf seine Frage gab ihm
der Mann Bescheid:»Wie soll ich nicht weinen! Bis vor kurzem
hatte ich alles Gute, und jetzt bin ich im Elend. Rabbi, ich habe
in einem Dorf gesessen, und kein Hungernder ist ungesättigt aus
meinem Haus gegangen, meine Frau pflegte die armen Wanderer
auf der Straße aufzuklauben und zu versorgen. Und nun kommt
er« – er zeigte mit dem Finger zum Himmel –»und nimmt mir
die Frau, von einem Tag zum andern, und das war ihm noch zu
wenig, jetzt hat er mir das Haus verbrannt, mit unsern sechs
kleinen Kindern bin ich verblieben, ohne Frau und ohne Haus.
Und ein dickes Gebetbuch hab ich gehabt, da haben die Gesänge
so schön drin gestanden, man brauchte gar nicht aufzumischen,
das ist mir mit verbrannt. Nun, sagt selber, Rabbi, kann ich ihm
verzeihn?!« Der Zaddik ließ nach einem Gebetbuch wie das be-
schriebene suchen. Als man es dem Mann brachte, begann er Blatt
um Blatt zu wenden, ob alles in der rechten Ordnung sei, und
der Berditschewer wartete ihm zu. Dann fragte er ihn:»Verzeihst du ihm jetzt?«»Ja«, sagte der Mann. Darauf ging der
Rabbi zum Pult und stimmte das Gebet»Alle Gelübde« an.

---

[20] Psalm 85, 12.

Die Weisheit Salomos

Man fragte Rabbi Levi Jizchak von Berditschew:»Zum Wort
der Schrift[21], der König Salomo sei weiser gewesen als alle Menschen, ist bemerkt worden: ›Weiser sogar als die Narren.‹ Was
für Sinn mag in der unsinnig klingenden Bemerkung liegen?«
Der Berditschewer erklärte:»Es ist dem Narren eigen, daß er
sich weiser als alle dünkt, und keiner kann ihn überzeugen, daß
er ein Narr und sein Tun eine Narretei ist. Die Weisheit Salomos
aber war so groß, daß sie sich in vielerlei Gewänder zu kleiden
verstand, auch in das närrische; so konnte er mit den Narren
wahre Zwiesprache halten und ihr Herz bewegen, daß sie erkannten und bekannten, wes Wesens sie waren.«

Abraham und Lot

Der Berditschewer kam einst nach Lemberg und ging in das Haus
eines reichen und geachteten Mannes. Zum Hausherrn vorgelassen, bat er, ihm Unterkunft für einen Tag zu gewähren, verschwieg aber Namen und Stand. Der Reiche fuhr ihn an:»Ich
brauche hier keine Wandersleute. Geh doch in eine Herberge!«
»Ich bin kein Herbergsgast«, sagte der Rabbi;»gebt mir etwas
Raum in einer Stube, und ich will Euch um nichts anderes behelligen.«»Fort mit dir!« rief jener.»Wenn du kein Herbergsgast bist, wie du sagst, so geh zu dem Schullehrer um die Ecke,
der pflegt solche zugelaufenen Leute mit Ehren zu empfangen
und zu bewirten!«
Rabbi Levi Jizchak ging zum Schullehrer und wurde mit Ehren
empfangen und bewirtet. Aber auf dem Weg hatte ihn jemand
erkannt, und alsbald verbreitete sich in der Stadt die Kunde, der
heilige Rabbi von Berditschew sei da und habe im Hause des
Schullehrers Wohnung genommen. Kaum hatte er ein wenig ge-
ruht, staute sich schon eine Menge Zulaßbegehrender vor der
Tür, und als sie geöffnet wurde, strömten die Scharen herbei, den
Segen des Zaddiks zu empfangen. Darunter war auch jener reiche
Mann; er drängte sich vor den Rabbi und begann:»Möge doch
unser Herr und Meister mir vergeben und mein Haus seines Be-

---

[21] 1 Könige 5, 11.

suches würdigen. Alle Zaddikim, die nach Lemberg kamen, haben bei mir gewohnt.«

Rabbi Levi Jizchak wandte sich zu den Umherstehenden und sprach:»Wißt ihr, welcher Unterschied zwischen unserem Vater Abraham, der Friede über ihm, und Lot besteht? Warum wird mit solchem Wohlgefallen erzählt, wie Abraham Sahne, Milch und ein zartes Kalb den Engeln auftrug? Hat doch auch Lot einen Kuchen gebacken und ein Mahl vorgesetzt. Und warum wird es als Verdienst angesehen, daß Abraham sie in seinem Hause aufnahm? Hat doch auch Lot sie geladen und beherbergt. Aber es verhält sich damit also. Bei Lot heißt es: ›Die zwei Engel kamen nach Sodom.‹ Bei Abraham aber heißt es: ›Er hob seine Augen und sah: da drei Männer, aufrecht vor ihm.‹ Lot sah Engelsgestalten, Abraham arme, bestaubte, der Ruhe und der Labung bedürftige Wandersleute.«

Fronarbeit

Rabbi Levi Jizchak erfuhr, daß die Mädchen, die die Mazzoth walken, vom frühen Morgen bis spät in die Nacht ihre Fronarbeit verrichten mußten. Da rief er im Bethaus vor der versammelten Gemeinde:»Die Hasser Israels bezichtigen uns, wir büken die Mazzoth mit Christenblut – nein, mit Judenblut bakken wir sie!«

Das Armenwesen

Als Levi Jizchak in Berditschew Raw wurde, vereinbarte er mit den Vorstehern der Gemeinde, daß sie ihn zu ihren Versammlungen nicht laden sollten, es sei denn, wenn sie einen neuen Brauch oder eine neue Ordnung einzuführen gedächten. Einmal wurde er zu einer Versammlung geladen. Sogleich nach der Begrüßung fragte er:»Welches ist der neue Brauch, den ihr einsetzen wollt?« Sie antworteten:»Wir wollen, daß die Armen fortan nicht mehr an der Schwelle des Hauses betteln, sondern eine Büchse werde aufgerichtet, und alle Wohlhabenden tuen Geld hinein, jeder nach seinem Vermögen, und daraus sollen die Bedürftigen bedacht werden.« Als der Rabbi dies hörte, sprach er:»Meine Brüder, habe ich denn nicht von euch erbeten, um eines

alten Brauchs und einer alten Ordnung willen solltet ihr mich
nicht der Lehre entziehen und zu eurer Versammlung laden?«
Erstaunt wandten die Vorsteher ein: »Unser Meister, es ist doch
eine neue Einrichtung, die wir heute beraten!« »Ihr irrt«, rief er,
»eine uralte ist es, ein uralter Brauch von Sodom und Gomorra
her. Entsinnt euch [22], was erzählt wird von dem Mädchen, das in
Sodom einem Bettler ein Stück Brot reichte: wie sie das Mädchen
griffen und entkleideten und mit Honig bestrichen und den Bienen zum Fraße aussetzten um des großen Frevels willen, den sie
verübt hatte. Wer weiß, vielleicht hatten auch sie eine Gemeinde-
büchse, darein die Wohlhabenden ihr Almosen taten, um ihren
armen Brüdern nicht ins Auge zu sehen!«

Der Eilige

Der Berditschewer sah einen auf der Straße eilen, ohne rechts
und links zu schauen. »Warum rennst du so?« fragte er ihn. »Ich
gehe meinem Erwerb nach«, antwortete der Mann. »Und woher
weißt du«, fuhr der Rabbi fort zu fragen, »dein Erwerb laufe
vor dir her, daß du ihm nachjagen mußt? Vielleicht ist er dir im
Rücken, und du brauchst nur innezuhalten, um ihm zu begegnen,
du aber fliehst vor ihm.«

Was machst du?

Wieder einmal sah der Berditschewer auf dem Marktplatz einen
Menschen, der in seine Geschäfte so versponnen war, daß er nicht
aufblickte. Er hielt ihn an und fragte: »Was machst du?« Der
erwiderte hastig: »Ich habe jetzt keine Muße, mit Euch zu reden.«
Aber der Zaddik ließ sich nicht abfertigen. Er wiederholte nur
seine Frage: »Was machst du?« Ungeduldig rief der Mann: »Haltet mich nicht auf, meine Geschäfte wollen besorgt sein!« Aber
der Berditschewer ließ ihn nicht los. »Schon recht«, sagte er,
»aber du selber, was machst du? All das, um was du sorgst, ist in
der Hand Gottes, in deiner ist allein, ob du Gott fürchtest.« Der
Mann blickte auf – und verspürte zum erstenmal, was Furcht
Gottes ist.

---

[22] Talmudische Sage.

Die zwei Feldherrn

Rabbi Levi Jizchak sprach:»Wer Gott wirklich liebt, das entscheidet sich an der Liebe zu den Menschen.
Ich will euch ein Gleichnis erzählen. Ein Land war einst von großer Kriegsnot heimgesucht. Der Feldherr, der an der Spitze eines
Heeres gegen den Feind gesandt war, wurde besiegt. Der König setzte ihn ab, betraute einen andern mit der Führung des
Kampfes, und dem neuen Befehlshaber gelang es, die Eindring-
linge zu verjagen. Jenen ersten hatte man im Verdacht, er habe
seine Heimat verraten. Der König erwog, wie wohl zu erfahren
sei, ob er sie in Wahrheit liebe oder hasse. Er erkannte, daß es ein
untrügliches Zeichen gebe, das zu erproben: würde der undeutliche Mann seinem Rivalen Freundschaft und reine Freude über
seinen Erfolg bezeigen, dann dürfe man ihn als redlich ansehn,
beginne er aber gegen jenen zu wühlen, wäre er überführt.
Gott hat den Menschen geschaffen, mit dem Bösen in seiner Seele
zu ringen. Es gibt nun manchen, der Gott zwar wirklich liebt,
aber in dem schweren Kampf nicht besteht. Man erkennt ihn
daran, daß er an dem Glück seines siegreichen Genossen treulich
und ohne Vorbehalt teilnimmt.«

Amalek

Den Spruch der Schrift[23] »Gedenke, was dir Amalek antat« legte
Rabbi Levi Jizchak so aus:»Weil du ein Mensch bist, ist es dir
erlaubt, zunächst dessen zu gedenken, was die Macht des Bösen
dir selber angetan hat. Steigst du aber zur Stufe der Zaddikim auf
und wird deinem Herzen Ruhe betreffs all deiner Feinde ringsum,
dann ›wirst du das Gedenken Amaleks ringsunter dem Himmel
wegwischen‹ und wirst nur noch dessen gedenken, was die Macht
des Bösen dem Himmel angetan hat: wie sie die Scheidewand
zwischen Gott und Israel errichtete und Gottes Schechina ins
Exil trieb.«

---

[23] Deuteronomium 25, 17.

Die Größe Pharaos

Rabbi Levi Jizchak sprach:»Ich beneide Pharao. Welch eine Verherrlichung des Namens Gottes ist aus seiner Verstocktheit erwachsen!«

Die Gefärbten

Rabbi Levi Jizchak sprach:»Es steht geschrieben [24]: ›Ihr möchtet sonst verderben und euch Schnitzwerk machen, Abgestaltung von allerart Form.‹ Das deutet auf die ›Gefärbten‹ hin, die, wenn sie unter Chassidim kommen, sich wie Chassidim zeigen und inmitten von Abtrünnigen sich auch denen anzugleichen wissen, und machen für sich selber Abgestaltungen aller Art.«

Vielleicht

Einer der Aufklärer, ein sehr gelehrter Mann, der vom Berditschewer gehört hatte, suchte ihn auf, um auch mit ihm, wie er's gewohnt war, zu disputieren und seine rückständigen Beweisgründe für die Wahrheit seines Glaubens zuschanden zu machen. Als er die Stube des Zaddiks betrat, sah er ihn mit einem Buch in der Hand in begeistertem Nachdenken auf und nieder gehen. Des Ankömmlings achtete er nicht. Schließlich blieb er stehen, sah ihn flüchtig an und sagte:»Vielleicht ist es aber wahr.« Der Gelehrte nahm vergebens all sein Selbstgefühl zusammen – ihm schlotterten die Knie, so furchtbar war der Zaddik anzusehn, so furchtbar sein schlichter Spruch zu hören. Rabbi Levi Jizchak aber wandte sich ihm nun völlig zu und sprach ihn gelassen an: »Mein Sohn, die Großen der Thora, mit denen du gestritten hast, haben ihre Worte an dich verschwendet, du hast, als du gingst, drüber gelacht. Sie haben dir Gott und sein Reich nicht auf den Tisch legen können, und auch ich kann es nicht. Aber, mein Sohn, bedenke, vielleicht ist es wahr.« Der Aufklärer bot seine innerste Kraft zur Entgegnung auf; aber dieses furchtbare »Vielleicht«, das ihm da Mal um Mal entgegenscholl, brach seinen Widerstand.

---

24 Deuteronomium 4, 16.

Die falschen Messiasse

Ein Ungläubiger hielt einmal dem Berditschewer vor, die großen alten Meister seien auch tief im Irrtum befangen gewesen; so habe Rabbi Akiba an den Empörer Barkochba[25] als den Messias geglaubt und habe ihm gedient. Der Berditschewer antwortete: »Einem Kaiser erkrankte einst sein einziger Sohn. Ein Arzt riet, ein Linnen mit einer scharfen Salbe zu bestreichen und es um den bloßen Leib des Kranken zu legen. Ein anderer widersprach, weil der Knabe zu schwach sei, um die heftigen Schmerzen, die die Salbe verursacht, zu ertragen. Der dritte empfahl nun einen Schlaftrunk; aber der vierte befürchtete, der könnte dem Herzen des Kranken einen Schaden zufügen. Da schlug der fünfte vor, man solle den Trunk löffelweise reichen, von Stunden zu Stunden, sooft der Prinz erwache und die Schmerzen spüre. Und so wurde getan.

Als Gott sah, daß die Seele Israels krank war, hüllte er sie in das ätzende Linnen der Galuth[26] und legte, daß sie es ertrüge, den Schlaf der Dumpfheit auf sie. Damit aber der sie nicht zerstöre, weckt er sie von Stunden zu Stunden mit einer falschen Messiashoffnung und schläfert sie wieder ein, bis die Nacht vergangen ist und der wahre Messias erscheint. Um dieses Werkes willen werden zuweilen die Augen der Weisen verblendet.«

Auf dem Markt

Der Berditschewer war einst auf dem großen Markt und sah das Menschengewimmel, wo jeder von der Sucht seines Erwerbs besessen war. Da bestieg er das Dach eines Hauses und schrie hinunter: »Ihr Leute, ihr vergeßt, Gott zu fürchten!«

Einst und jetzt

Der Berditschewer sprach: »Eine verkehrte Welt sehe ich vor mir. Einst war in Israel die ganze Wahrheit in den Gassen und auf den Märkten, da sprachen alle wahr. Wenn sie aber ins Bet-

[25] Beiname (»Sternensohn«) des Simon bar Kosiba, des Führers in dem großen Aufstand der Juden gegen Rom unter Hadrian (132–135). [26] Exil.

haus kamen, brachten sie auch eine Lüge zustand. Jetzt hingegen
ist es umgekehrt. Auf Straßen und Plätzen reden alle falsch, im
Bethaus aber bekennen sie die Wahrheit. Denn einst war es so
in Israel: Wahrheit und Treue waren die Leuchte vor ihren Schritten, und wenn sie auf den Markt und in die Welt des Handels
kamen, bewährten sie mit ihrer Seele das Wort[27]: ›Dein Ja sei
rechtschaffen, und dein Nein sei rechtschaffen‹, und all ihr Handeln geschah in Treuen. Kamen sie aber ins Bethaus, da schlugen
sie sich auf die Brust und sprachen[28]: ›Wir haben gefehlt, wir haben veruntreut, wir haben geraubt‹, und all das war gelogen; denn
sie waren treu gewesen vor Gott und den Menschen. Heute ist es
umgekehrt. In ihrem Handel üben sie Falschheit und Betrug, im
Gebet bekennen sie die Wahrheit.«

Das Allerheiligste

Rabbi Levi Jizchak sprach:»Es ist uns verboten, üble Gedanken
zu denken. Denn das Gehirn des Menschen ist das Allerheiligste,
darin ist die Bundeslade mit den Tafeln des Gesetzes, und wenn
er üble Gedanken in sich aufkommen läßt, stellt er ein Götzenbild im Tempel auf. Wenn aber der Zaddik mitten im Gebet vor
großer Innigkeit und Entflammung die Hände emporhebt, so ist
es, wie wenn einst im Heiligtum die Cheruben ihre Flügel nach
oben streckten.«

Der böse Anschlag

»Man soll sich nicht kasteien«, pflegte der Berditschewer zu sagen.
»Das ist nichts als eine Verführung des Bösen Triebs, der uns den
Geist schwächen will, um uns am rechten Dienste Gottes zu verhindern.
Einmal rangen zwei starke Männer miteinander, und keiner
konnte dem andern beikommen. Da bedachte sich der eine von
ihnen: ›Ich muß ihn so treffen, daß ich die Kraft seines Gehirns
beeinträchtige, dann habe ich mit einem Schlag auch seinen Körper besiegt.‹ So meint es der Böse Trieb mit uns, wenn er uns verleitet, uns zu kasteien.«

---

[27] Talmudisch (Baba mezia 49).
[28] Das am Versöhnungstag mehrfach wiederholte Schuldbekenntnis.

Rechtes Leid und rechte Freude

Befragt, welches der rechte Weg sei, der des Leidens oder der der Freude, sagte der Berditschewer:»Es gibt zweierlei Leid und zweierlei Freude. Wenn einer sich über das Unglück, das ihn betraf, vergrämt, in seinem Winkel hockt und an der Hilfe verzweifelt, das ist die widrige Trübsal, von der es heißt[29]: ›Die Schechina wohnt nicht an dem Ort der Schwermut.‹ Das andre ist der redliche Kummer des Menschen, der weiß, wessen ihn ermangelt. So auch die Freude. Wem es am Wesen fehlt, und er verspürt es in seiner leeren Lust nicht und sorgt nicht, es zu füllen, der ist ein Tor. Der wahre Freudige aber ist wie einer, dem das Haus verbrannte und der seine Not in der Seele erlitt, dann aber begann er ein neues zu bauen, und über jedem Stein, der gelegt wird, freut sich sein Herz.«

Der Tanz

Als sein Sohn gestorben war, ging Rabbi Levi Jizchak tanzend hinter der Bahre. Einige seiner Chassidim brachten es nicht über sich, ihr Befremden nicht zu äußern.»Eine reine Seele«, sagte er, »hatte man mir übergeben, eine reine Seele erstatte ich zurück.«

Schülertum

Als Rabbi Kalman, der Verfasser des vielberühmten Buches »Licht und Sonne«, noch ein fünfjähriger Knabe war, versteckte er sich nach Kinderart unter dem Tallith des Berditschewers und sah in das überhüllte Antlitz empor. Da senkte sich eine brennende Kraft auf ihn nieder, drang in sein Herz und ergriff Besitz davon.
Nach vielen Jahren führte Rabbi Elimelech dem Berditschewer einige seiner edelsten Schüler vor und unter ihnen den jungen Kalman. Rabbi Levi Jizchak sah ihn an und erkannte ihn.»Der ist mein«, sagte er.

---

[29] Im Talmud (Schabbath 30, Pessachim 117) unter Berufung auf das biblische »Als der Spielmann spielte« (2 Könige 3, 15).

Kennen

Der Berditschewer und sein Schüler Ahron waren auf einer Reise
und gasteten unterwegs in Lisensk bei dem großen Rabbi Elimelech. Als der Berditschewer weiterfuhr, blieb sein Schüler in
Lisensk, setzte sich in die »Klaus«, das Bet- und Lehrhaus Rabbi
Elimelechs, und lernte, ohne ihm etwas davon gesagt zu haben.
Als der Zaddik am Abend hinkam, bemerkte er ihn. »Warum
bist du nicht mit deinem Rabbi abgereist?« fragte er. »Meinen
Rabbi«, antwortete Ahron, »kenne ich schon, und so bin ich hier
geblieben, um auch Euch kennenzulernen.« Rabbi Elimelech trat
dicht auf ihn zu und faßte ihn am Rock. »Deinen Rabbi meinst
du zu kennen?« rief er, »du kennst noch nicht einmal seinen
Rock!«

Rabbi Elimelechs Antwort

Zu der Zeit, als vielerorten die Feinde des chassidischen Wegs
den Rabbi Levi Jizchak von Berditschew um der Art seines Dienstes willen befehdeten und ihm allen erdenklichen Schaden an-
taten, schrieben einige besonnene Leute an den großen Rabbi Elimelech und fragten ihn, wie jene sich wohl solcher Angriffe erdreisten dürften. Er antwortete ihnen: »Was wundert es euch?
Dergleichen hat es in Israel von jeher gegeben. Wehe über unsere
Seelen! Wäre dem nicht so, kein Volk der Welt könnte uns un-
terjochen.«

Das erste Blatt

Man fragte Rabbi Levi Jizchak: »Weshalb fehlt in allen Trak-
taten des babylonischen Talmuds das erste Blatt und jeder fängt
mit dem zweiten an?«
Er antwortete: »Wieviel ein Mensch auch gelernt hat, er soll
sich vor Augen halten, daß er noch nicht ans erste Blatt gelangt
ist.«

Die verborgene Lehre

Rabbi Levi Jizchak sprach: »Es heißt in Jesaja [30]: ›Eine Lehre wird
von mir ausgehn.‹ Wie ist das zu verstehn? Wir glauben doch in

---

[30] 51, 4.

vollkommenem Glauben, daß die Thora, die Mose am Sinai empfing, nicht getauscht und keine andre gegeben wird; unveränderlich ist sie, und es ist uns verwehrt, auch nur eine ihrer Lettern anzutasten. Aber in Wahrheit sind nicht die schwarzen Lettern allein, sondern auch die weißen Lücken Zeichen der Lehre, nur daß wir sie nicht wie jene zu lesen vermögen. In der kommenden Zeit wird Gott die weiße Verborgenheit der Thora offenbaren.«

Das letzte Schofarblasen

Am letzten Neujahrsfest im Leben Rabbi Levi Jizchaks versuchte man vergebens, das Schofarhorn zu blasen – niemand vermochte ihm einen Ton abzugewinnen. Zuletzt setzte es der Zaddik selber an die Lippen; aber auch ihm wollte es nicht geraten. Es war offenbar: der Satan hatte seine Hand im Spiel. Rabbi Levi Jizchak setzte das Horn wieder ab, legte es beiseite und rief:»Herr der Welt! In deiner Thora steht geschrieben, wir, die Juden, sollen am Tag, da du die Welt erschufst, Schofar blasen. So blick nieder und sieh, wir allesamt mit Weib und Kind sind hergekommen, deinen Willen zu tun. Wird es uns aber verwehrt und sind wir dein geliebtes Volk nicht mehr, nun denn, dann mag Iwan dir Schofar blasen!« Alle weinten, und die Umkehr vollzog sich in der Tiefe des Herzens. Nach einer Weile hob der Rabbi von neuem den Schofar an den Mund, und jetzt gab er einen ganz reinen Klang. Nach dem Gebet wandte sich Rabbi Levi Jizchak der Gemeinde zu und sprach:»Ich habe ihn besiegt, aber es kostet mein Leben. Da bin ich als Sühnopfer für Israel[31].« Er verschied wenige Wochen danach.

Die erstreckte Frist

Am Ende des Versöhnungstags sprach Rabbi Levi Jizchak, aus dem Bethaus tretend, zu den Leuten, die ihn umstanden:»Wisset, heute ist die Zeit meines Lebens vollendet, und ich hätte in dieser Stunde von der Welt zu scheiden. Aber es hat mich sehr bekümmert, daß ich die zwei köstlichen Gebote, die uns nun ent-

---

[31] Ähnliche Aussprüche werden von Meistern des Talmuds berichtet.

gegenkommen und in vier Tagen bei uns sein werden, Ssukka und Ethrog, nicht mehr erfüllen soll. Darum habe ich gebetet, daß mir über das Hüttenfest die Frist erstreckt werde, und Gott hat mich erhört.« Und so geschah es: am Tage nach dem der Freude an der Lehre erkrankte der Berditschewer, und am Tag nach diesem starb er.

Die Tore des Gebets

Es wird erzählt, in eben der Stunde, in der Rabbi Levi Jizchak starb, habe in einer fernen Stadt ein Zaddik seinen Lehrvortrag, in dem er die Kraft der Lehre mit der des Gebets zu verschmelzen bestrebt war, plötzlich unterbrochen und habe zu seinen Schülern gesagt: »Ich kann nicht weiter sprechen. Es ist mir vor den Augen dunkel geworden. Die Tore des Gebets verschließen sich. Dem großen Beter, Rabbi Levi Jizchak, muß etwas widerfahren sein.«

Der Freund

In der Stadt Berditschew lebte zur Zeit Rabbi Levi Jizchaks ein heiliger Mann, der wurde der Morchower Rabbi genannt, weil er in Morchow in der Ukraine aufgewachsen war. Zwischen ihm und Rabbi Levi Jizchak bestand ein Verhältnis aus offenkundigen Rügen und verborgener Liebe. Als der Zaddik verschieden war, kam der Morchower, um hinter seiner Bahre zu gehen. Und als man den Leichnam aus dem Hause trug, trat der Morchower heran, bückte sich drüber und flüsterte etwas in die toten Ohren. Man vernahm nur die letzten Worte: »Wie geschrieben steht [32]: ›Sieben Wochen zähle dir.‹« Sieben Wochen vergingen bis zu seinem eignen Tod.

Seither

Seit dem Tod Rabbi Levi Jizchaks gibt es keinen Raw mehr in Berditschew. Die Gemeinde hat niemand finden können, der den leer gewordenen Platz ausfüllte.

---

[32] Deuteronomium 16, 9.

MESCHULLAM SUSSJA VON HANIPOL

Die Segenssprüche

Rabbi Sussja pflegte zu erzählen:»Meine Mutter Mirl, der Friede über ihr, wußte nicht aus dem Gebetbuch zu beten. Nur den Segen wußte sie zu sprechen. Und wo sie am Morgen den Segen sprach, da ruhte tagsüber der Lichtschein der Heiligen Schechina.«

Das Gleichnis vom Holzhacker

In jungen Jahren schloß sich Sussja der Gemeinde des großen Maggids, des Rabbi Bär von Mesritsch, an. Doch saß er nicht bei den andern Schülern, sondern wanderte im Wald, lag in dessen Verstecken und sang Gott seine Loblieder zu, bis die Leute auf ihn das Wort der Sprüche Salomos[1] anwandten:»Du wirst stets umirren in der Liebe zu ihr.« Sein jüngerer Bruder aber, der Knabe Elimelech, war der Gemeinde noch fremd und lernte eifrig in den Büchern. Er verwunderte sich über Sussja und fragte ihn einst:»Bruder, was ist dein Gebaren doch sonderbar, und alle im Lehrhaus sagen, daß es sonderbar ist!« Darauf antwortete ihm Sussja mit einem Lächeln:»Mein Bruder, ich will dir eine Geschichte erzählen.« Und dies ist die Geschichte: Ein armer Holzhacker hatte ein großes Verlangen, das Angesicht seines Königs zu sehen. Darum verließ er sein Dorf und ging Tag für Tag, bis er in die Königsstadt kam. Nach mancherlei vergeblichen Mühen gelang es ihm, Ofenheizer im Palast des Königs zu werden. Da verwandte er nun allen Fleiß und Verstand auf sein Handwerk, holte selber das schönste harzduftende Holz aus dem Wald, spaltete es in ebenmäßige Scheite und füllte mit ihnen in kundigem Aufbau zu wohlbedachten Stunden die Kamine. Den König erfreute die gute lebendige Wärme, derengleichen er vorher nicht verspürt hatte, und er fragte ihr nach. Als man ihm von dem Ofenheizer und seiner Arbeit berichtete, ließ er ihm sagen, er dürfe sich einen Wunsch ausbitten. Der arme

[1] 5, 19.

Mann bat, er möchte zuweilen das Angesicht des Königs sehen. Das wurde ihm gewährt; in einen Gang, der aus dem Holzspeicher führte, wurde ein kleines Fenster gebrochen, durch das man in den königlichen Wohnsaal blicken konnte; da durfte der Ofenheizer stehen und sein Verlangen sättigen. Einmal ereignete es sich, daß der Königssohn an der Tafel seines Vaters ein Wort sprach, das diesem mißfiel, und er wurde zur Strafe für die Dauer eines Jahres aus den Gemächern des Königs verwiesen. Eine Zeit verbrachte er in der bittern Einsamkeit, dann wieder irrte er trübselig in den Gängen des Schlosses umher. Er kam an das Fensterchen des Ofenheizers; da wurde sein Herz noch stärker als zuvor von der Sehnsucht erfaßt, den Vater wiederzusehn, und er bat den Mann, ihn durchblicken zu lassen. So kamen sie ins Gespräch. »Mein Bruder«, sprach Sussja zu Elimelech, als er in seiner Erzählung so weit gediehen war, »dies sagte der Ofenheizer zum Königssohn, als er sich mit ihm unterredete: ›Du bist heimisch in den Gemächern des Herrn und nährst dich an seinem Tisch; dir tut nichts not, als dein Wort in Weisheit zu hüten. Ich aber habe nicht Weisheit noch Lehre, darum muß ich meinen Dienst tun, um das Angesicht des Herrn schauen zu dürfen.‹«

Das Wort

Rabbi Israel von Rižin erzählte: »… Alle Schüler meines Ahnen, des großen Maggids, sprachen die Lehre in seinem Namen, nur Rabbi Sussja nicht. Das kam daher, weil Rabbi Sussja kaum je eine Rede des Meisters zu Ende angehört hat. Denn zu Anfang der Rede, wenn der Maggid den Satz der Heiligen Schrift vortrug, den er auslegen wollte, und mit den Worten der Schrift ›Und Gott sprach‹, ›Und Gott redete‹ begann, ergriff die Verzückung Rabbi Sussja, und er schrie und bewegte sich so wild, daß er die Tafelrunde verstörte und man ihn hinausführen mußte. Da stand er dann im Flur oder in der Holzkammer, schlug an die Wände und schrie: ›Und Gott sprach!‹ Er wurde erst still, wenn mein Ahn auszulegen aufhörte. So ist es gekommen, daß er die Reden des Maggids nicht kannte. Aber die Wahrheit ist, das sage ich euch – aber die Wahrheit ist, das sage ich euch: Wenn einer in Wahrheit redet und einer in Wahrheit aufnimmt, dann

ist es genug an *einem* Worte – mit *einem* Worte kann man die
Welt erheben, mit *einem* Worte kann man die Welt entsühnen.«

Nur das Gute

Der junge Sussja war einst im Hause seines Lehrers, des großen
Rabbi Bär, als ein Mann vor diesen trat und die Bitte vorbrachte,
er möge ihn bei einem Unternehmen beraten und ihm beistehn.
Da aber Sussja sah, daß dieser Mann der Sünde voll und von
keinem Gedanken der Reue berührt war, erzürnte er über ihn
und fuhr ihn an: »Wie kann solch einer wie du, der diesen und
diesen Frevel beging, sich erfrechen, ohne Scham und Verlangen
nach Buße sich vor ein heiliges Angesicht zu stellen!« Der Mann
ging schweigend von dannen, Sussja aber überkam die Reue um
seiner Rede willen, und er wußte nicht, was er beginnen solle.
Da segnete ihn sein Lehrer, er möge fortan nur das Gute an den
Menschen sehen, auch wenn einer sich vor seinen Augen verging.
Da aber die Gabe des Schauens, die Sussja verliehen war, durch
keinen Menschenspruch von ihm genommen werden konnte, geschah, daß er von dieser Stunde an die Übeltaten der Menschen,
denen er begegnete, als seine eigenen erfuhr und sich selber der
Schuld daran zieh.
Wenn der Rižiner dies von Rabbi Sussja erzählte, setzte er jedesmal hinzu: »Und wären wir alle in dieser Beschaffenheit, dann
wäre das Böse schon vernichtet und der Tod verschlungen und
die Vollendung gegenwärtig.«

Das Leiden

Als Rabbi Schmelke und sein Bruder zum Maggid von Mesritsch
gekommen waren, brachten sie dies vor: »Unsere Weisen haben
ein Wort gesprochen[2], das uns keine Ruhe läßt, weil wir es nicht
fassen können. Das ist das Wort, der Mensch solle Gott für das
Übel lobpreisend danken wie für das Gute und solle es in gleicher Freude empfangen. Ratet uns, Rabbi, wie wir es fassen.«

---

2 Berachoth 54 und 60.

Der Maggid antwortete:»Geht in das Lehrhaus, da werdet ihr Sussja finden, wie er seine Pfeife raucht. Er wird euch die Deutung sagen.« Sie gingen ins Lehrhaus und legten Rabbi Sussja ihre Frage vor. Er lachte:»Da habt ihr euch den Rechten ausgesucht! Ihr müßt euch schon an einen andern wenden, und nicht an einen wie ich, dem zeitlebens kein Übel widerfuhr.« Sie aber wußten: es war Rabbi Sussjas Leben vom Tag seiner Geburt an bis zu diesem Tag aus Not und Pein ohne andern Einschlag gewoben. Da verstanden sie, was es heißt, Leid in Liebe empfangen.

Die Gewänder der Gnade

Man fragte Rabbi Sussja:»Wir beten:›Erweise uns gute Gnaden‹ und ›Der gute Gnaden erweist‹. Sind denn nicht alle Gnaden gut?«
Er erklärte:»Freilich sind alle Gnaden gut. Aber die Wahrheit ist, daß alles, was Gott tut, Gnade ist. Nur daß die Welt die nackte Fülle seiner Gnaden nicht zu ertragen vermöchte. Darum hat er sie in Gewänder gekleidet. Und so bitten wir ihn, daß auch das Gewand ein gutes sein möge.«

Der Empfänger

Ein Mann in Sussjas Stadt sah, daß er sehr arm war, und legte ihm jeden Tag im Bethaus einen Zwanziger in den Thefillinbeutel, damit er sein und der Seinen Leben zu fristen vermöchte. Seither wuchs der Wohlstand des Mannes von Mal zu Mal. Je mehr er besaß, um so mehr gab er Sussja, und je mehr er ihm gab, um so mehr besaß er.
Einmal besann er sich aber, daß Sussja ein Jünger des großen Maggids war, und es geriet ihm in den Sinn: wenn schon die Gabe an den Schüler so vielfältig gelohnt werde, welch ein Reichtum würde über ihn kommen, wenn er den Meister selbst beschenkte! So fuhr er nach Mesritsch und erwirkte von Rabbi Bär mit vielen Bitten, daß er eine ansehnliche Gabe von ihm annahm. Von diesem Augenblick an schwand sein Wohlstand mehr und mehr, bis aller Gewinn der gesegneten Zeit dahin war. Da kam er in seiner Betrübnis zu Rabbi Sussja, erzählte ihm alles

und befragte ihn, was dies sei: habe doch er selbst ihm gesagt, daß der Meister unmeßbar größer sei als er.

Sussja antwortete ihm: »Sieh, solang du gabst und nicht hinsahst, wem du gibst, sondern Sussja war dir recht oder ein andrer, so lange gab auch Gott dir und sah nicht hin. Als du aber begannst, dir edle und auserlesne Empfänger zu suchen, tat Gott desgleichen.«

Das Hebeopfer

Man fragte Rabbi Sussja: »Es steht geschrieben[3]: ›Rede zu den Söhnen Israels, daß sie mir eine Hebe nehmen.‹ Sollte es nicht eher heißen: ›daß sie mir eine Hebe geben‹?«
Rabbi Sussja antwortete: »Es ist nicht genug, daß, wer dem Bedürftigen gibt, in heiliger Absicht gibt, es muß auch der Bedürftige in heiliger Absicht nehmen. Es ist nicht genug, daß im Namen Gottes gegeben wird, es muß auch im Namen Gottes genommen werden. Darum heißt es: daß sie mir eine Hebe nehmen.«

Auf der Wanderschaft

Sussja und Elimelech zogen drei Jahre lang über Land, um das Los der umherirrenden Schechina zu teilen und die verirrten Menschen zu ihr zu bekehren. Einmal übernachteten sie in einer Herberge, wo eine Hochzeit gefeiert wurde. Die Festgäste waren rohe Gesellen und hatten zudem über das Maß getrunken. Sie sannen eben auf einen neuen Spaß, und die armen Wanderer kamen ihnen gerade recht. Kaum hatten die beiden sich in einem Winkel niedergelegt, Rabbi Elimelech an der Wand und Rabbi Sussja neben ihm, da kamen schon die Kerle herbei, packten den zunächst liegenden Sussja, schlugen und peinigten ihn: endlich warfen sie ihn wieder hin und begannen zu tanzen. Elimelech hatte es verdrossen, unbehelligt auf seinem Sack und Bündel zu liegen, und er neidete dem Bruder die Schläge. Darum sagte er zu ihm: »Lieber Bruder, laß mich doch an deiner Stelle liegen und lege du dich in die Ecke.« Sie tauschten ihre Plätze. Als die Gesellen den Tanz beendet hatten, wollten sie den früheren Spaß wie-

---

der aufnehmen und legten schon Hand an Rabbi Elimelech, aber
einer von ihnen rief:»Das ist nicht nach Recht und Ordnung,
dem andern muß auch sein Teil an unsern Ehrengaben werden.«
So zogen sie denn Sussja aus der Ecke hervor, versetzten ihm eine
neue Tracht Prügel und schrien:»Auch du sollst ein Andenken
an die Hochzeit bekommen!«
Danach sprach Sussja lachend zu Elimelech:»Sieh, lieber Bruder,
wem Schläge beschert sind, den finden sie, wo immer er sich hin-
tut.«

Die Pferde

Auf ihrer langen Wanderschaft pflegten die Brüder, Rabbi Sussja
und Rabbi Elimelech, sooft sie in die Stadt Ludmir kamen, bei
einem armen und frommen Mann einzukehren. Nach manchen
Jahren, unterdes ihr Ruf überallhin gedrungen war, kamen sie
wieder einmal nach Ludmir, aber nicht mehr wie einst zu Fuß,
sondern im Wagen. Der reichste Mann des Städtchens, der früher
nichts von ihnen hatte wissen wollen, fuhr, als die Kunde von
ihrem Nahen ihn erreichte, sogleich ihnen entgegen und bat sie,
in seinem Haus Wohnung zu nehmen. Sie aber sagten:»An uns
hat sich doch nichts geändert, daß Ihr uns mehr zu achten hättet
als zuvor. Was neu hinzugekommen ist, sind nur der Wagen und
die Pferde. So nehmt die bei Euch auf, uns aber laßt wieder bei
unserm alten Gastgeber Herberge suchen.«

Die Frucht der Wanderschaft

Als Rabbi Noach von Kobryn, der Enkel Rabbi Mosches von
Kobryn, in Sadagora war, hörte er sagen:»So weit, als einst die
Brüder Rabbi Sussja und Rabbi Elimelech auf ihrer langen Wanderschaft gekommen sind, so weit gibt es Chassidim, darüber
hinaus ist kein Chassid zu finden.«

Das Sabbatgefühl

Rabbi Elimelech und Rabbi Sussja verspürten beide, Woche um
Woche, vom Kommen des Sabbats an bis zu seinem Gehn, vornehmlich aber wenn sie inmitten der Chassidim beim Sabbatmahl

saßen und Worte der Lehre sprachen, ein großes Gefühl der Heiligkeit. Als sie einst beisammen waren, sprach Rabbi Elimelech zu Rabbi Sussja:»Bruder, mich wandelt zuweilen die Furcht an, mein Gefühl der Heiligkeit am Sabbat könnte nicht das wahre sein, sondern Einbildung allein, und so wäre auch mein Dienst nicht der wahre.«»Bruder«, sagte Sussja,»auch mich wandelt zuweilen diese Furcht an.«»Was sollen wir tun?« fragte Elimelech.»Wir wollen«, sagte Sussja,»jeder von uns beiden an einem Wochentag ein Mahl ausrichten, in allem wie ein Sabbatmahl beschaffen, und unter den Chassidim sitzen und Worte der Lehre sprechen. Verspüren wir dann das Gefühl der Heiligkeit, so wissen wir, daß unser Weg nicht der wahre ist; verspüren wir es aber nicht, sind wir bestätigt.« So taten sie, richteten an einem Wochentag ein vollständiges Sabbatmahl aus, zogen Sabbatkleider an, setzten die sabbatlichen Pelzmützen auf, aßen inmitten der Chassidim und sprachen Worte der Lehre. Da kam über sie das große Gefühl der Heiligkeit wie an den Sabbaten. Als sie wieder zusammentrafen, fragte Rabbi Elimelech:»Ach, Bruder, was wollen wir tun?«»Laßt uns nach Mesritsch fahren«, sagte Rabbi Sussja. Sie fuhren nach Mesritsch und trugen ihrem Lehrer vor, was ihnen die Herzen bedrückte. Der Maggid sprach:»Habt ihr Sabbatkleider angezogen und Sabbatmützen aufgesetzt, so hat es seine Richtigkeit, daß ihr Sabbatheiligkeit verspürt habt. Denn Sabbatkleider mit Sabbatmützen vermögen das Licht der Sabbatheiligkeit auf die Erde niederzuziehn. So braucht ihr denn keine Furcht zu hegen.«

Sussja und der Sündige

Rabbi Sussja kam einst in eine Herberge und sah auf der Stirn des Wirts die Sünden vieler Jahre. Eine Weile blieb er still und unbewegt. Als er aber allein in der Stube war, die man ihm angewiesen hatte, fiel mitten im Singen der Psalmen der Schauer des Mitlebens auf ihn, und er schrie auf:»Sussja, Sussja, du Arger, was hast du getan! Ist doch keine Lüge, die dich nicht verlockt hätte, und kein Frevel, den du nicht gekostet hättest. Sussja, Törichter, Verwirrter, wohin nun mit dir?« Und er nannte die Sünden des Wirts mit Ort und Zeit einer jeden als seine eigenen und schluchzte. Der Wirt war dem seltsamen Mann nachgeschlichen; er stand vor der Tür und hörte seine Rede. Erst faßte ihn eine dumpfe Bestürzung, dann aber leuchteten Reue und Gnade in ihm auf, und er erwachte zu Gott.

Die gemeinsame Buße

Ein Vorbeter erzählte: »Als ich hörte, wie Rabbi Sussja den Menschen hilft, die Umkehr zu vollziehen, entschloß ich mich, zu ihm zu fahren. Kaum in Hanipol angekommen, ging ich zu seinem Haus, trat in die Küche, legte Stock und Ranzen hin und fragte nach ihm. Die Rabbanith[4] wies mich ins Lehrhaus. In dessen Tür tretend, sah ich den Rabbi. Er war in den Tallith gehüllt, die Thefillin hatte er eben angelegt, und sprach den Psalm[5]: ›Wann ich rufe, antworte mir!‹ Er sprach ihn mit einem mächtigen Weinen, dessengleichen ich nie gesehn und gehört hatte. Und da merkte ich, dicht vor der heiligen Lade lag am Boden ein Mensch, der stöhnte vor sich hin. Plötzlich schrie er: ›Ich bin ein Sünder!‹ Erst nach einer Weile ging mir auf, was es war, das da geschah, und später habe ich auch den ganzen Zusammenhang erfahren. Der Mann, ein Schulgehilfe, war von den Leuten seines Städtchens gedrängt worden, zu Rabbi Sussja zu fahren und von ihm Buße zu empfangen. Als er aber vor dem Rabbi stand, weigerte er sich, Buße zu tun. Und nun – aber was nun kam, hat mir der Rabbi selber erzählt, als ich mit ihm, ihm meine eigene Sache vorlegend, auch davon sprach. ›Was hat Sussja getan?‹ sagte er zu mir. ›Ich bin von allen Stufen hinabgestiegen, bis ich ganz bei ihm war, und habe die Wurzel meiner Seele an die Wurzel seiner Seele gebunden. Da mußte er denn, zusammen mit mir, Buße tun.‹ Und wahrhaftig, es war eine große und furchtbare Buße. Als der Mann aber zu schreien und zu stöhnen aufhörte, sah ich den Rabbi auf ihn zutreten. Er bückte sich zu ihm, er faßte ihn an den Schläfenlocken und zog ihm sachte den Kopf herum, schließlich hob er ihn mit beiden Händen und stellte ihn auf die Füße. ›Deine Verfehlung ist gewichen‹, sprach er, ›gesühnt ist deine Schuld.‹ Ich selber aber« – fügte der Erzähler hinzu – »bin später Vorbeter in Rabbi Sussjas Bethaus geworden.«

---

[4] Ehefrau des Rabbis.   [5] Psalm 4.

Der Dreiste und der Verschämte

Unsere Weisen sagten [6]: »Der Dreiste in die Hölle, der Verschämte in das Paradies.« Rabbi Sussja aber, der Narr Gottes, deutete das Wort also: »Wer sich in der Heiligkeit erdreistet, darf in die Hölle hinabsteigen, um das Niedere emporzuheben; er kann sich auf Märkten und Gassen ergehen und braucht das Böse nicht zu fürchten. Der Verschämte aber, der sich nicht zu erdreisten vermag, der muß sich an die Höhe des Paradieses halten, an Lernen und Beten, und muß sich hüten, daß ihn das Böse nicht berühre.«

Zaddikim und Chassidim

Rabbi Sussja saß einst an einem der Tage der Einkehr, zwischen Neujahr und Versöhnungstag, auf seinem Stuhl, und die Chassidim standen um ihn vom Morgen bis zum Abend. Er hatte Augen und Herz zum Himmel erhoben und sich von allen leiblichen Banden gelöst. Über seinem Anblick erwachte in einem der Chassidim der Antrieb zur Umkehr, und die Tränen überstürzten ihm das Gesicht. Und wie an einer brennenden Kohle die Nachbarinnen erglimmen, so kam über Mann um Mann die Flamme der Umkehr. Da sah der Zaddik um sich und sah sie alle an. Wieder hob er die Augen und sprach zu Gott: »Wahrlich, Herr der Welt, es ist die rechte Frist, zu dir umzukehren; aber du weißt ja, daß ich nicht die Kraft habe, Buße zu tun – so nimm meine Liebe und meine Scham als Buße an!«

Von der Demut

Rabbi Sussja und sein Bruder Rabbi Elimelech unterredeten sich einst von der Demut. Elimelech sagte: »Der Mensch soll erst die Größe des Schöpfers betrachten, dann wird er zu der rechten Demut kommen.« Sussja aber sprach: »Nicht so, sondern damit beginne der Mensch, wahrhaftig demütig zu sein, dann wird die Erkenntnis des Schöpfers über ihn geraten.« Sie fragten ihren Lehrer, den Maggid, bei wem das Recht sei. Er entschied: »Diese und diese sind Worte des lebendigen Gottes. Aber die innere

---

[6] Aboth V 20.

Gnade ist dessen, der mit sich beginnt und nicht mit dem
Schöpfer.«

Von Adam

Sussja fragte einmal seinen Bruder, den weisen Rabbi Elimelech:
»Bruderherz, es steht doch in den heiligen Büchern geschrieben[7],
daß die Seelen aller Menschen in Adam beschlossen waren. Da
waren ja auch wir dabei, als er den Apfel aß. Ich kann es nicht
begreifen, daß ich ihn habe essen lassen – daß du ihn hast essen
lassen.« Elimelech antwortete: »Wir mußten, wie alle mußten.
Denn hätte er nicht gegessen, ewig wäre das Gift der Schlange in
ihm geblieben, ewig hätte er gesonnen: Ich brauche nur von diesem Baum zu essen, da werde ich wie Gott – ich brauche nur
von diesem Baum zu essen, da werde ich wie Gott.«

Geh aus deinem Land

Rabbi Sussja lehrte: »Gott sprach zu Abraham[8]: ›Geh du aus deinem Land, aus deinem Geburtsort, aus dem Haus deines Vaters
in das Land, das ich dich sehn lassen werde.‹ Gott spricht zum
Menschen: Zuvorderst geh aus deinem Land – aus der Trübung,
die du selber dir angetan hast. Sodann aus deinem Geburtsort –
aus der Trübung, die deine Mutter dir angetan hat. Danach aus
deinem Vaterhaus – aus der Trübung, die dein Vater dir angetan
hat. Nun erst vermagst du in das Land zu gehen, das ich dich
sehen lassen werde.«

»Und Israel sah«

Man fragte Rabbi Sussja: »Es steht geschrieben[9]: ›Und Israel sah
Ägypten tot am Ufer des Meers.‹ Warum wird hier in der Ein-
zahl und nicht in der Mehrzahl von den Ägyptern gesprochen?
Und weiter steht geschrieben: ›Und Israel sah die große Hand.‹
Hatte es sie denn bis dahin nicht gesehn?« Er erklärte: »Solang
der Fürstdämon Ägyptens am Leben und an der Herrschaft war,

---

[7] Die schon im talmudischen Zeitalter auftretende Vorstellung ist insbesondere in der
späteren Kabbala zur Ausbildung gelangt.
[8] Genesis 12, 1.
[9] Exodus 14, 30.

bewirkte er, daß ein scheidender Vorhang sich zwischen Israel und ihrem Vater im Himmel zog, und sie konnten seine Herrlichkeit nicht schauen. Als er aber – und dies ist der Sinn der Einzahl – tot am Ufer des Meers lag, zerriß der Vorhang, und ihre offenen Augen sahen die große Hand.«

Sussja und seine Frau

Sussjas Frau war ein zänkisches Weib und lag ihm beständig in den Ohren, er solle sich von ihr scheiden lassen, und sein Herz war schwer von ihrer Rede. Eines Nachts rief er sie an und sprach zu ihr:»Sieh her!« Und er zeigte ihr, daß sein Kissen ganz feucht war. Dann sprach er weiter zu ihr:»Es steht geschrieben in der Gemara[10]: ›Wer sein erstes Weib vertreibt, der Altar selber vergießt Tränen über ihn.‹ Von diesen Tränen ist das Kissen durchnäßt. Und nun, was willst du noch? Willst du noch den Scheidebrief?« Von diesem Augenblick an wurde sie still. Und als sie still geworden war, wurde sie froh. Und als sie froh geworden war, wurde sie gut.

Sussja und die Vögel

Einmal zog Rabbi Sussja über Land und sammelte Geld, um Gefangene auszulösen. So kam er in eine Herberge zu einer Zeit, da der Wirt nicht daheim war. Als er seiner Gewohnheit nach durch die Zimmer wanderte, sah er in einem einen großen Käfig mit allerlei Vögeln stehen, und Sussja sah, daß die eingefangnen danach bangten, wieder im Raum der Welt zu fliegen und freie Vögel zu sein. So entbrannte sein Erbarmen über sie und er sprach zu sich:»Da rennst du dir die Füße ab, Sussja, um Gefangene zu lösen, und was kann es für eine Lösung Gefangener geben, die größer wäre, als diese Vögel aus ihrem Kerker zu entlassen?« Alsdann öffnete er den Käfig, und die Vögel flogen in die Freiheit. Als der Wirt heimkam und den leeren Käfig sah, fragte er die Hausleute in großem Zorn, wer ihm dies angetan habe. Sie antworteten:»Da treibt sich ein Mann herum, dessen Aussehn ist wie eines Narren, und kein andrer als er kann diese Missetat begangen ha-

---

[10] Gittin 42 a.

ben.« Der Wirt schrie Sussja an:»Du Narr, wie hat sich dein
Herz erfrecht, mir meine Vögel zu rauben und das viele Geld zunichte zu machen, das ich für sie gezahlt habe?« Sussja entgegnete
ihm:»Du hast es in den Psalmen [11] oft gelesen und gesagt: ›Und
sein Erbarmen über all seinen Werken.‹« Darauf schlug ihn der
Wirt, bis seine Hand müde war, und warf ihn endlich zur Tür
hinaus. Und Sussja ging fröhlich seines Wegs.

Die Tage

Rabbi Sussja pflegte jeden Morgen beim Aufstehen, ehe er ein
Wort zu Gott oder den Menschen sprach, auszurufen:»Ganz Israel einen guten Morgen!«
Tagsüber schrieb er alles, was er tat, auf einen Zettel, am Abend
vor dem Schlafengehen holte er ihn hervor, las und weinte so
lange, bis die Schrift von den Tränen vertilgt war.

Der Segen

Sussja pflegte jeden jüdischen Knaben, der ihm begegnete, zu
segnen mit den Worten:»Du sollst gesund und stark sein wie
ein Goj!«

Der Gesang

Rabbi Sussja hörte einmal im Bethaus am Vorabend des Versöhnungstags einen Vorsänger die Worte»Und es ist vergeben« auf
wunderbare Weise singen. Da rief er Gott an:»Herr der Welt,
hätte Israel nicht gesündigt, wie wäre vor dir solch ein Gesang
erklungen?«

Wer Amen antwortet

Zum Wort der Weisen [12]:»Wer Amen antwortet, erhebe nicht seine
Stimme mehr als der den Segen spricht«, sagte Rabbi Sussja:
»Der den Segen spricht, das ist die Seele; der Amen antwortet,
das ist der Leib. Der Leib vermesse sich nicht, begeisterter zu reden, als die Seele geredet hat.«

---

[11] 145, 9.   [12] Berachoth 45 a.

Sussjas Andacht

Sussja war einmal bei dem Rabbi von Neshiž zu Besuch. Der
hörte nach Mitternacht ein Geräusch aus der Kammer des Gastes,
trat an die Tür und lauschte. Da hörte er, wie Sussja in der Stube
auf und nieder lief und redete:»Herr der Welt, sieh, ich liebe
dich, aber was vermag ich zu tun, ich kann ja nichts!« Danach lief
er weiter auf und nieder und redete das gleiche, bis er sich plötzlich bedachte und rief:»Hei, ich kann ja pfeifen, da will ich dir
was vorpfeifen.« Als er aber zu pfeifen begann, erschrak der
Rabbi von Neshiž.

Gottesfurcht

Sussja betete einst zu Gott:»Herr, ich liebe dich so sehr, und ich
fürchte dich nicht genug! Herr, ich liebe dich so sehr, und ich
fürchtedich nicht genug! Mache, daß ich dichfürchte wie einer deiner Engel, die dein furchtbarer Name durchfährt!« Alsbald erhörte Gott das Gebet, und der Name durchfuhr dem Sussja das
verborgene Herz, wie es den Engeln geschieht. Da kroch Sussja
unter das Bett wie ein Hündchen, und die Angst des Tieres erschütterte ihn, bis er aufheulte:»Herr, laß mich dich wieder lieben wie Sussja!« Und Gott erhörte ihn zum andern Mal.

Engelschöpfung

Rabbi Sussja grübelte einmal über jener Erzählung des Talmuds
von der Gastfreundschaft, wo es heißt [13]:»Israel, heilig sind sie.
Mancher will und hat nicht, mancher hat und will nicht.« Er
konnte nicht begreifen, daß beide, der Gastfreie, der nur »nicht
hat«, und der Karge, als heilig bezeichnet werden. Und weil er
es nicht begreifen konnte, mußte er weinen. Da wurde ihm der
Sinn kundgetan: Es ist ja allbekannt, daß aus jeder guten Tat
ein Engel geschaffen wird. Die Engel aber haben wie wir Leib
und Seele, nur daß ihr Leib aus Feuer und Wind besteht. Wer
nun will und hat nicht, kann nur die Seele des Engels schaffen;
wer hat und will nicht und lädt den Gast bloß aus Scham ein,

[13] Chulin 7 b.

kann nur den Leib des Engels schaffen. Es ist ja aber bekannt, daß all Israel füreinander bürgen. So fügen sich ihre Werke zusammen, als seien sie Werke eines einzigen Menschen. Eben so fügen sich Leib und Seele des geschaffenen Engels zusammen. Der Karge bleibt freilich so unheilig, wie er war; aber wenn die geschaffene Seele einen Leib findet, mit dem sie sich bekleiden kann, wird im Miteinander der beiden Schöpfungen die Heiligkcit Israels offenbar.

Der Ankläger

Zum Satz der Vätersprüche[14] »Wer eine Sünde begeht, erwirbt sich einen Ankläger« sagte Rabbi Sussja: »Aus jeder Sünde wird ein anklagender Engel geschaffen. Aber ich habe nie einen ganzen Engel gesehen, der aus der Sünde eines gottgläubigen Mannes von Israel geschaffen worden ist. Sondern es fehlt ihm der Kopf, oder der Leib ist verkrüppelt. Denn ein Mann von Israel, der an Gott glaubt – sogar während er die Sünde tut, ist sein Herz wund, und er tut, was er tut, nicht mit all seinem Willen, und so gerät auch der Engel nicht zu einem ganzen Wesen.«

»Über ihnen«

Ein Chassid fragte Rabbi Sussja: »Es heißt von Abraham, da er den Besuch der drei Engel empfängt: ›Dann holte er Sahne und Milch und das Jungrind, das er hatte zurechtmachen lassen, und gab es vor sie. Er aber stand über ihnen unter dem Baum, während sie aßen.‹ Ist es nicht wunderlich, daß der Mensch hier über den Engeln steht?« Rabbi Sussja erklärte: »Der Mensch, der in der Weihe ißt, erlöst die heiligen Funken, die in die Speise gebannt sind. Die Engel aber kennen diesen Dienst nicht, es sei denn, daß der Mensch sie belehre. Darum heißt es von Abraham, daß er über ihnen stand: er ließ die Weihe des Mahls auf sie nieder.«

---

[14] Aboth IV 14.

Das Rad

Es wird erzählt: Als Rabbi Israel von Rižin der Verleumdungen wegen in Gewahrsam war, erzählte er:»Es wurde einmal Rabbi Sussja vom Himmel kundgetan, er solle in einem Dorf unweit von Hanipol einen Zöllner, der ein großer Sünder war, auf den guten Weg bringen. Sogleich begab er sich dorthin und fand den Mann, wie er dastand und den Bauern Schnaps verkaufte. Er versuchte, ihn zu bewegen, daß er innehalte und ein Gebet spreche. Aber der Zöllner wurde nur immer ungeduldiger, und als Rabbi Sussja trotz all seiner Abweisung nicht abließ, ihn zu ermahnen und ihm zuletzt die Hand drängend auf den Arm legte, packte er den Eindringling, schob ihn in den Hof und sperrte die innere Tür hinter ihm zu. Es war grimmig kalt, und dem Rabbi zitterten alle Glieder. Da sah er ein altes Wagenrad liegen und legte es sich an den Leib. Alsbald war es ein Rad des himmlischen Wagens und wärmte ihn herrlich. So fand ihn der Zöllner. Als er das selige Lächeln auf Rabbi Sussjas Lippen sah, erfuhr er im Nu die Wahrheit des Lebens, und schon stand er, stolpernden Schritts und über sich selbst erstaunend, auf dem wahren Weg.«

Am Scheideweg

Auf einer seiner Wanderungen begab es sich, daß Rabbi Sussja an einen Scheideweg kam, und er wußte nicht, welche der beiden Straßen er gehen sollte. Da hob er die Augen und sah, daß die Schechina ihm voranging.

Die Polnischen haben keine Lebensart

Rabbi Natan Adler von Frankfurt erzählte:»Nicht umsonst sagt man: Die Polnischen haben keine Lebensart. Sooft meine Seele sich zum Himmel erhebt, immer ist Rabbi Sussja schon da. Ich habe einmal durchgefastet, um ans Tor des Himmels zu kommen, wenn es noch verschlossen ist. Da stehe ich nun vor dem Tor, und wie es geöffnet wird, gehe ich als erster hinein. Wen, meint ihr, erblicke ich drin? Den Rabbi Sussja. Wie er hereingekommen ist, weiß ich nicht; aber er war schon da. Er hatte nicht gewartet, bis man ihn einließ. Nicht umsonst sagt man: Die Polnischen haben keine Lebensart.«

Sussja, das Feuer und die Erde

Sussja legte einmal seine Hand ins Feuer. Als es sie versengte und sie zurückzuckte, verwunderte er sich und sagte:»Ei, wie grob ist Sussjas Leib, daß er sich vor dem Feuer fürchtet.« Ein andermal sprach er zur Erde:»Erde, Erde, du bist besser als ich, und doch trete ich dich mit meinen Füßen. Aber bald werde ich unter dir liegen und dir untertan sein.«

Feuer und Wolke

Es wird erzählt:»Ehe Sussja der Welt offenbar geworden war, weilte er einst zu Ssukkoth in der Laubhütte des Raws von Ostrah. Des Abends legte sich der auf sein hochaufgebettetes, mit Kissen und Decken wohlversehnes Lager, Sussja nach Art der armen Sabbatgäste auf den Boden. In der Nacht sprach er zu sich: ›Ah, Sische hat kalt, er kann in der Ssukka nicht schlafen.‹ Sogleich kam ein Feuer vom Himmel und erwärmte die Hütte so gut, daß der Raw von Ostrah Federbetten und Decken abwerfen mußte. ›So, nun ist es warm genug‹, sagte Sussja zu sich. Sogleich hob sich der Fürst des Feuers von dannen, und bald mußte der Raw von Ostrah ein Stück nach dem andern über sich ziehen. Das wiederholte sich noch etliche Male, Frost und Glut lösten einander immer wieder ab, und am Morgen sprach der Raw von Ostrah seinen Festgast schon nicht mehr ›Sische‹, sondern ›Reb Sische‹ an. Nach dem Fest wollte Sussja wieder seines Weges ziehen; aber die kranken Füße trugen ihn nicht, und er seufzte auf: ›Ach, Herr der Welt, Sische kann nicht gehn!‹ Sogleich kam eine Wolke herab und sprach: ›Setzt Euch auf!‹ ›Rabbi‹, schrie der Ostraher, ›ich will eine Fuhre mieten, nur schickt die Wolke weg!‹ Seither nannte er ihn nicht mehr ›Reb Sische‹, sondern ›Rebbe Reb Sische‹, und so hieß er fortan im ganzen Land.«

Der Schrecken

Es wird erzählt:»Von einem Manöver kehrte die siegreiche Armee über den Ort Hanipol zurück. Da besetzten sie die Schenke, soffen sämtlichen Vorrat aus und zahlten keinen Heller. Dann wollten sie weiter trinken, und da es nichts gab, zerschlugen sie alle Gefäße und Geräte. Hierauf verlangten sie wieder zu trinken, und da es noch immer nichts gab, verprügelten sie die Insassen. Endlich gelang es den zu Tod Erschreckten, einen Boten zu Rabbi Sussja zu senden. Sussja kam sogleich zur Schenke, blieb vor dem Fenster stehen, sah zu den Soldaten herein und rief dreimal die Worte des Gebets: ›Uw'chen ten pachd'cha... Und so lege deinen Schrecken, Herr unser Gott, auf alle deine Geschöpfe.‹ Da rannte die Armee in wirrer Hast zu Tür und Fenstern hinaus, ließen Waffen und Tornister liegen und liefen straßab, ohne des Befehlshabers acht zu haben, der ihnen am Rand des Fleckens entgegenkam. Erst als er sie anherrschte, blieben sie stehen und bekannten: ›Ein alter Jud ist gekommen und hat geschrien: Pachdach! Da haben wir Angst gekriegt, wir wissen selbst nicht warum, und wir haben immer noch Angst.‹ Der Befehlshaber führte sie zur Schenke, wo sie allen Schaden bezahlten und die Schläge entgelten mußten, ehe sie weitermarschieren durften.«

Das Hirtenlied

Rabbi Sussja kam einst an einer Wiese vorbei, wo ein Schweinehirt, von seiner Herde umgeben, ein Lied auf der Weidenflöte blies. Er trat näher und lauschte, bis er es innehatte und mit sich nehmen konnte. So wurde die Weise des Hirtenknaben David aus der langen Gefangenschaft befreit.

Die Krankheit

Rabbi Sussja wurde sehr alt. Sieben Jahre bis zu seinem Tode lag er auf dem Krankenbett; denn er hatte, so ist von ihm geschrieben, das Leiden auf sich genommen, um Israel zu entsühnen. Einst besuchten ihn der »Seher« von Lublin und Rabbi Hirsch

Löb von Olik[15]. Der sprach zum Seher: »Warum könnt Ihr ihm nicht, wie es Rabbi Jochanan seinen kranken Freunden tat, die Hand reichen, daß er sich aufrichte?« Der Rabbi von Lublin brach in Tränen aus. Da sprach der Rabbi von Olik zu ihm: »Was weint Ihr? Ist er denn krank, weil es über ihn verhängt worden ist? Er hat doch selber das Leiden auf sich genommen und nimmt es auf sich, und wollte er sich aufrichten, bedürfte er dazu keiner fremden Hand.«

Die Frage der Fragen

Vor dem Ende sprach Rabbi Sussja: »In der kommenden Welt wird man mich nicht fragen: ›Warum bist du nicht Mose gewesen?‹ Man wird mich fragen: ›Warum bist du nicht Sussja gewesen?‹«

Der Grabstein

Auf Rabbi Sussjas Grabstein stehen die Worte: »Der Gott in Liebe diente, der sich der Leiden freute, der viele der Schuld entwandte.«

Der Brand

In dem Schreiben eines Raw von Hanipol aus unseren Tagen wird berichtet, in einer Nacht, als kein Mensch sich auf dem Friedhof befand, sei die Laterne über dem Grabmal Rabbi Sussjas zu Boden gefallen. Rabbi Sussjas »Zelt« liegt dem des großen Maggids und dem eines andern Zaddiks zu seiten. Von je durfte niemand anders als unbeschuht und nachdem er im Tauchbad gewesen war die Gräber besuchen. Nur einem Wächter war es erlaubt, ohne diese Vorbereitung dreimal am Tag hinzugehn und das ewige Licht brennend zu erhalten. Das ewige Licht brannte in drei Lampen, die von einer Laterne umfaßt waren. Es brannte über einem Holzschrein, der über den Gräbern stand. Der Schrein war mit einem Deckel verschlossen, und darin lagen Hunderte von Bittzetteln, jeder von einem andern Besucher hergebracht. Am Boden lagen Zweiglein, auch sie, wie es Brauch ist, von den Besuchern vor den Gräbern hingeworfen. Als die Laterne nie-

---

[15] Ein Schüler des Maggids von Zloczow.

derfiel und einen Brand entfachte, verbrannte alles Papier im Schrein und alles Laub am Boden; aber das trockene Holz des Schreins blieb unversehrt.

Das Geheimnis des Schlafs

Rabbi Sussjas jüngerer Sohn sprach:»Die Zaddikim, die in ihrem Dienst immer wieder von Heiligtum zu Heiligtum und von Welt zu Welt gehn, müssen zuvor Mal um Mal ihr Leben von sich werfen, um einen neuen Geist zu empfangen, daß eine neue Erleuchtung sie Mal um Mal überschwebe. Und dies ist das Geheimnis des Schlafs.«

ELIMELECH VON LISENSK

Die Uhr

Zuweilen, wenn Rabbi Elimelech am Sabbat das Gebet der Heiligkeit sprach, nahm er seine Taschenuhr zur Hand und sah darauf. Denn in jener Stunde drohte ihm die Seele vor Seligkeit zu zerfließen. So sah er auf die Uhr, um sich in der Zeit und in der Welt zu erhalten.

Wenn der Sabbat anbrach

Wenn der Sabbat anbrach, konnte Rabbi Elimelech die kündenden Stimmen nicht ertragen und mußte seine Ohren verstopfen, so hallte in ihnen die Heiligkeit des Sabbats.

Gute Werke

Als Rabbi Elimelech aus einer Stadt, die er besucht hatte, heimreiste, gaben ihm alle Chassidim eine lange Strecke das Geleit. Wie der Wagen zum Tor hinausfuhr, stieg der Zaddik aus, hieß den Kutscher die Pferde wieder antreiben und ging inmitten der Menge hinterdrein. Auf die Fragen der erstaunten Chassidim antwortete er:»Als ich sah, mit wie großer Hingabe ihr das gute Werk des Geleitgebens übt, konnte ich es nicht ertragen, von dessen Gemeinschaft ausgeschlossen zu sein.«

Die Antworten

Rabbi Elimelech sagte einmal:»Ich bin sicher, der kommenden Welt teilhaftig zu werden. Wenn ich vor dem obern Gericht stehe und sie mich fragen: ›Hast du nach Gebühr gelernt?‹ werde ich antworten: Nein. Dann fragen sie wieder: ›Hast du nach Gebühr gebetet?‹ und ich antworte desgleichen: Nein. Und sie fragen zum dritten: ›Hast du nach Gebühr Gutes getan?‹ und ich kann auch diesmal nicht anders antworten. Da sprechen sie das Urteil: ›Du sagst die Wahrheit. Um der Wahrheit willen gebührt dir ein Anteil an der kommenden Welt.‹«

Der Altar

Es ist uns überliefert, jedermann in Israel sei befähigt, einen Teil des Tempels zu bauen. Einst kam Rabbi Elimelech im Aufstieg der Seele immer höher, bis ihm zuletzt gezeigt wurde, daß er mit seiner Heiligkeit den Altar im oberen Heiligtum baue.

Das Urlicht

Rabbi Elimelech sprach:»Ehe die Seele in die Luft dieser Welt tritt, führt man sie durch alle Welten. Zuletzt zeigt man ihr das Urlicht, das einst, als die Welt erschaffen wurde, alles erleuchtete, und das Gott dann, als der Mensch verdarb, geborgen hat. Warum zeigt man der Seele dieses Licht? Damit sie von Stund an Verlangen trage, es zu erreichen und sich ihm im irdischen Leben Stufe um Stufe nähere. Und die es erreichen, die Zaddikim, in sie geht das Licht ein, aus ihnen hervor leuchtet es wieder in die Welt. Dazu ist es einst geborgen worden.«

Am Sinai

Rabbi Elimelech sprach:»Nicht allein, daß ich mich erinnere, wie alle Seelen Israels am brennenden Sinaiberg standen: ich erinnere mich auch, welche Seelen neben mir gestanden haben.«

Gott singt

Es heißt im Psalm[1]:»Denn gut ist's, singen unserem Gott.« Rabbi Elimelech deutete es:»Gut ist es, wenn der Mensch bewirkt, daß Gott in ihm singe.«

Das Hausgesind

Eine sehr alte Frau, die in ihrer Jugend als Magd in Rabbi Elimelechs Haus gedient hatte, pflegte, wenn man sie um Erzählungen vom Zaddik bedrängte, zu sagen:»Ich weiß nichts. Nur auf eins besinne ich mich noch. Unter der Woche war allweil Streit in

---

[1] 147, 1.

der Küche, wie es bei Mägden so der Brauch ist. Aber am Vorabend des Sabbats kam etwas über uns, daß wir einander um den Hals fielen und eine die andere bat: ›Mein Herz, vergib mir, was ich dir diese ganze Woche angetan habe!‹«

Die erste Sünde

Rabbi Chajim von Zans erzählte:»Mein heiliger Lehrer, Rabbi Elimelech, pflegte zu sagen, der Mensch müsse in der Umkehr hinter jede Sünde zurückgehn zu der, die sie nach sich zog, und so weiter bis zur ersten und auch für diese noch Buße tun. Er selber hat dafür Buße getan, daß er als Säugling die Brüste seiner Mutter mit Füßen trat.«

Der Büßer

Rabbi David von Lelow hatte sechs Jahre lang und dann noch einmal sechs Jahre die große Kasteiung vollzogen: Fasten je von Sabbat zu Sabbat und alle Arten der strengen Pein. Aber auch nachdem die zweiten sechs Jahre um waren, fühlte er, daß er nicht an der Vollendung stand, und wußte nicht, was er noch tun sollte, um zu erlangen, was ihm fehlte. Da er von Rabbi Elimelech, dem Arzt der Seelen, gehört hatte, fuhr er zu ihm, um von ihm Hilfe zu erbitten. Am Sabbatabend trat er mit vielen andern vor den Zaddik. Der reichte allen die Hand, nur von ihm wandte er sich ab und sah ihn nicht an. Bestürzt ging der Lelower Rabbi hinweg; dann aber bedachte er, es müßte ihn der Meister doch wohl mit einem andern verwechselt haben. Darum näherte er sich ihm am Abend nach dem Beten wieder und streckte ihm die Hand entgegen, aber es erging ihm wie zuvor. Er weinte die ganze Nacht, wagte am Morgen nicht mehr, das Bethaus des Zaddiks zu betreten, und beschloß, gleich nach Sabbatausgang heimzufahren. Als aber die Stunde des heiligen dritten Mahles kam, bei dem Rabbi Elimelech Worte der Lehre sprach, konnte er sich nicht bezwingen und schlich ans Fenster. Da hörte er den Rabbi reden:»Zuweilen kommen Leute zu mir, die sich in Fasten und Marterpein mühten, und mancher vollbringt die große Kasteiung und wiederholt sie alsdann, zwölf ganze Jahre; und nach all dem wähnen sie sich würdig des heiligen Geistes und kommen zu mir, daß ich ihn auf sie niederziehe; den kleinen Mangel, der ihnen verblieb, soll ich füllen. In Wahrheit aber ist all ihre Übung und Mühsal weniger als ein Tropfen im Meer, ja all ihr Dienst steigt nicht zu Gott, sondern zu dem Götzen ihres Hochmuts. Die müssen zu Gott umkehren in vollkommner Abkehr von ihrer bisherigen Arbeit und müssen von neuem zu dienen beginnen mit wahrhaftigem Herzen.« Als Rabbi David diese Worte vernahm, ergriff ihn der Geist mit solcher Gewalt, daß er fast von Sinnen kam. Zitternd und schluchzend stand er hinterm Fenster. Nachdem die Hawdala vollzogen war, ging er mit angehaltenem Atem zur Haustür, öffnete sie ganz leise mit großer Furcht und blieb an der Schwelle stehen. Da erhob sich Rabbi Elimelech von seinem Sitz, lief auf den Regungslosen zu, umarmte ihn und rief:»Gesegnet sei der Kommende!« Dann zog er ihn an den Tisch und setzte ihn an seine Seite. Nun aber konnte Eleasar, der Sohn des Zaddiks, sein Staunen nicht länger bewältigen und sagte:»Vater, das ist doch der Mann, den du zweimal hinweggewiesen hast, weil du seinen Anblick nicht ertragen konntest!«»Nicht doch«, antwortete Rabbi Elimelech,»das war ein ganz anderer, dieser da ist doch unser lieber Rabbi David!«

Das unreine Feuer

Auf der Fahrt zu Rabbi Elimelech, den er nach dem Tod des großen Maggids zu seinem zweiten Lehrer angenommen hatte, hielt sich der junge Jaakob Jizchak, der nachmalige»Seher« von Lublin, in einer kleinen Stadt auf und hörte im Bethaus deren Raw das Morgengebet mit großer Inbrunst sprechen. Er blieb über Sabbat bei ihm und sah die gleiche Inbrunst in all seinem Reden und Tun. Als er mit ihm vertrauter geworden war, fragte er ihn, ob er einem Zaddik gedient habe. Jener verneinte es. Das verwunderte Rabbi Jaakob Jizchak, denn es kann ja der Weg aus keinem Buch und keinem Bericht, sondern allein von Person zu Person erfahren werden. Er bat den frommen Mann, mit ihm zu seinem Lehrer zu fahren, und jener willigte ein. Als sie aber über Rabbi Elimelechs Schwelle traten, kam er dem Schüler nicht wie sonst mit dem Liebesgruß entgegen, sondern wandte sich zum Fenster und achtete der Gäste nicht. Der Lubliner verstand, daß

die Ablehnung seinem Gefährten galt, geleitete den heftig Erregten zur Herberge und kehrte allein zurück. Rabbi Elimelech trat ihm mit dem Liebesgruß entgegen, dann sagte er: »Was ist dies mit dir, Freund, daß du mir solch einen Menschen gebracht hast, dem ich nicht in das verunreinigte Gottesbild seines Antlitzes blicken kann?« Bestürzt hörte Jaakob Jizchak ihm zu, doch wagte er weder zu erwidern noch zu fragen. Aber Rabbi Elimelech verstand ihn und sprach weiter: »Du weißt, Freund, es ist ein Ort, der Wandelstern Venus allein bestrahlt ihn, da mischen sich Gut und Böse. Zuweilen beginnt einer Gott zu dienen, und Absicht und Hochmut mischen sich darein, und besinnt er sich nicht mit großer Kraft, es zu wenden, dann wohnt er an dem trüben Ort und wird es nicht inne. Auch vermag er starke Inbrunst zu üben, denn dicht daran ist der Ort der unreinen Feuerlohe, da holt er sein Feuer und läßt all seinen Dienst daran entbrennen und weiß nicht, woher er es nahm.«
Aus dem Munde des Lubliners hörte der Fremde die Worte Rabbi Elimelechs und erkannte die Wahrheit. In dieser Stunde geschah die Umkehr an ihm. Weinend lief er in das Haus des Meisters und fand unverweilt dessen Hilfe und mit dessen Hilfe den Weg.

Satans Drohung

Es wird erzählt: »Satan kam zu Rabbi Elimelech und sprach: ›Ich lasse es mir nun nicht länger gefallen, wie du mich mit Chassidim verfolgst. Glaub nur nicht, daß ich euch nicht beikäme. Ich mache alle Welt zu Chassidim, dann habt ihr keine Kraft mehr.‹ Einige Zeit danach ging Rabbi Elimelech mit einem Stecken ins Lehrhaus, um etwelche Chassidim hinauszujagen. Es ist nicht bekannt geworden, warum er es nicht getan hat. Ich vermute, daß er sich nicht getraute, Satans Sendlinge auszusondern.«

Elia

Rabbi Elimelech sagte von einem, der Prophet Elia erschiene ihm. Ein andrer wunderte sich, wie dies möglich sei, da sogar dem Meister Ibn Esra[2], einem Geist so viel höherer Sphäre, die

---

[2] Abraham Ibn Esra von Toledo (gest. 1167), ein bedeutender Exeget, Religionsphilosoph und Dichter.

Erscheinung des Propheten, wie man aus seinen eigenen Worten entnehmen kann, versagt geblieben sei. »Du redest wahr«, sprach der Zaddik, »und doch ist es so, wie ich gesagt habe. Du weißt, daß Elia nach seiner Entrückung der Engel des Bundes geworden ist und jeder Beschneidung eines jüdischen Knaben beiwohnt. Wie kann dies aber sein, da doch die Beschneidungen jeweilig zur gleichen Stunde nach dem Beten vollzogen werden, viele zugleich an allen Enden der Erde? Das will ich dir sagen. Weil Elia alles Volk Israel mit dem Geist der Umkehr schlug, daß es aufs Angesicht fiel und den wahren Gott ausrief, darum wurde ihm die Allseele Israels verliehen. So ist, wo immer ein Knabe zum Bunde dargebracht wird, ein Teil von Elias Seele zugegen und geht in das Kind ein, nach dessen Art und Wurzel ein großes oder kleines Teil. Und bildet der aufwachsende Knabe seine Eliaseele zur Gestalt, dann erscheint ihm der Elia, der in ihm war. So hat der Mann, von dem ich sprach, das geringe Teil des Propheten, das in ihm ruhte, durch seine guten Werke zur Offenbarung gedeihen lassen. Ibn Esra aber hatte nicht die Kraft, das große, das ihm beigegeben war, zu vollenden.«

Eine Verhandlung

Es wird erzählt: »Der Kaiser in Wien erließ eine Verordnung, die das bedrängte Leben der Juden in Galizien vollends in Fesseln schlagen mußte. Damals weilte im Lehrhaus Elimelechs ein eifriger und lernbeflissener Mann, Feiwel mit Namen. Der stand eines Nachts auf, betrat die innere Kammer des Zaddiks und sprach zu ihm: ›Herr, ich habe einen Rechtsstreit mit Gott‹; und während er noch redete, entsetzte er sich über seine Worte. Rabbi Elimelech jedoch gab ihm die Antwort: ›Wohl, aber in der Nacht wird nicht Gericht gehalten.‹ Am Morgen kamen zwei Zaddikim nach Lisensk, Israel von Kosnitz und Jaakob Jizchak von Lublin, und nahmen Wohnung bei Rabbi Elimelech. Nach dem Mittagsmahl ließ er jenen Mann rufen und sagte ihm: ›Nun lege uns deinen Rechtsfall vor.‹ ›Ich habe nicht mehr die Kraft zu reden‹, stammelte Feiwel. – ›So gebe ich dir die Kraft.‹ Da redete Rabbi Feiwel: ›Wie darf es sein, daß wir diesem Reich verknechtet sind? Spricht doch Gott in der Thora: ‚Denn meine Knechte

sind die Söhne Israels.‹ Und hat er uns auch der Fremde überantwortet: wo immer wir sind, es ist an ihm, uns die Freiheit,
ihm zu dienen, ungeschmälert zu wahren.‹

Hierauf sprach Rabbi Elimelech: ›Gottes Entgegnung kennen
wir, denn auch sie steht geschrieben, in der Fluchrede durch Mose
und die Propheten. Jetzt aber sollen nach der Vorschrift beide
Rechtsgegner den Ort des Gerichts verlassen, damit die Richter
ihres Ansehens nicht achten. So gehe du hinaus, Rabbi Feiwel.
Und dich, Herr der Welt, vermögen wir nicht hinauszuschicken,
denn deine Herrlichkeit füllt die Erde, und ohne deine Gegenwart könnte keiner von uns einen Augenblick leben; wisse aber,
daß wir auch deines Ansehens nicht achten werden.‹ Danach
saßen die drei zu Gericht, schweigend und mit geschlossenen
Augen. Nach einer Stunde riefen sie den Mann Feiwel in die
Stube und verkündeten das Urteil, daß das Recht bei ihm sei. In
derselben Stunde wurde in Wien die Verordnung aufgehoben.«

Die umgestürzte Schüssel

Es wird erzählt:»Einmal saß Rabbi Elimelech mit den Schülern
beim Sabbatmahl. Der Diener stellte die Suppenschüssel vor ihn.
Rabbi Elimelech hob sie und stürzte sie um, daß die Suppe den
Tisch übergoß. In diesem Augenblick schrie der junge Mendel, der
nachmalige Rymanower: ›Rabbi, was tut Ihr? Sie werden uns ja
alle gefangennehmen!‹ Die Schüler lächelten über die unsinnige
Rede; sie würden laut aufgelacht haben, wenn nicht die Anwesenheit des Lehrers sie bezähmt hätte. Er aber lächelte nicht; er
nickte dem jungen Mendel zu und sprach: ›Fürchte dich nicht,
mein Sohn!‹
Einige Zeit danach wurde bekannt, an jenem Tag sei dem Kaiser
ein gegen die Juden des ganzen Landes gerichteter Erlaß zur Un-
terschrift vorgelegt worden. Mal um Mal setzte der Kaiser die
Feder an; aber immer wieder kam eine Störung dazwischen. Endlich unterschrieb er. Dann griff er nach dem Sandfaß; aber statt
seiner hob er das Tintenfaß und stürzte es über das Schriftstück.
Hierauf zerriß er das Blatt und verbot, ihm den Erlaß noch einmal vor die Augen zu bringen.«

Die wunderbare Mahlzeit

Es wird erzählt:»Zu Rabbi Elimelech pflegten zum Tag des Neuen Jahrs fünfzehn Chassidim zu kommen, und die Rabbanit bereitete ihnen jedesmal zu essen und zu trinken, wenn auch nicht eben im Überfluß; denn es ging damals in ihrer Hauswirtschaft noch recht knapp zu.

Einmal kamen in später Stunde statt der gewohnten fünfzehn nicht weniger als vierzig Mann.

›Wirst du für die Leute genug zu essen haben?‹ fragte Rabbi Elimelech. ›Du weißt doch, wie es damit steht!‹ antwortete sie.

Vor dem Minchagebet fragte er sie noch einmal: ›Könnte man die Speisen nicht doch unter die vierzig teilen, da sie nun einmal unter den Schatten meines Gebälks getreten sind?‹ ›Auch für fünfzehn reicht es kaum aus‹, sagte die Frau.

Im Abendgebet betete der Rabbi mit Inbrunst zu Gott, dem Ernährer aller Geschöpfe. Nach dem Gebet verkündigte er: ›Alle sollen zum Mahle kommen!‹ Nachdem sich die vierzig satt gegessen hatten, standen noch volle Schüsseln umher.«

Vom Lebenswein trinken

Es wird erzählt:»Einmal saßen am zweiten Schawuothabend die Chassidim um Rabbi Elimelechs Tisch und freuten sich der Stunde. Der Rabbi sah sich im Kreise um und nickte einem jeden zu; denn er freute sich ihrer Freude. Und er sprach lächelnd: ›Seht, wir haben alles zu unserer Freude, woran fehlt es uns noch?‹ Aber ein Übermütiger rief ihm zu: ›Wahrlich, uns fehlt's an nichts anderm mehr, als wie die Frommen im Paradies vom Lebenswein³ zu trinken.‹ Der Zaddik befahl ihm: ›Nimm die Jochstange auf die Schultern, hänge zwei Eimer dran und geh an das Tor des Friedhofs! Da setz die Eimer ab und dreh dich um und sprich: Elimelech schickt um Wein! Dann wende dich wieder und heb die gefüllten Eimer an die Stange und bring sie uns her! Aber hüte dich wohl, und wer immer dich anredet, antworte nicht!‹ Da tat jener zitternd, wie ihm befohlen war, holte den

---

³ Wörtlich »der vorbehaltene Wein«, der nach dem Midrasch von der Schöpfung her für die Gerechten verwahrt ist.

Wein am Friedhofstor und trug ihn zitternd heim. Rings um ihn schwang die mondhelle Nacht von Stimmen, die um einen Tropfen baten, greise und kindliche im gleichen Seufzerklang. Hinter dem stumm Forteilenden schleifte es von zahllosen unirdischen Schritten. Schon stand er fast an Rabbi Elimelechs Schwelle, da ging es ihn von vorn an. ›Jetzt könnt ihr mir nichts mehr anhaben!‹ schrie er. Die Stange brach mitten entzwei, die Eimer fielen und zersprangen, klatschend schlug es ihm rechts und links ins Gesicht, er taumelte durch die halboffene Tür. Draußen war es totenstill. Drinnen sprach der Zaddik: ›Setz dich, Narr, an unsern Tisch!‹«

Der Fischhändler

Es heißt, Rabbi Elimelech habe das Mahl der Sabbat-Nachfeier, welches das königliche Geleitmahl oder das Mahl König Davids genannt wird, nicht mit vollen Ehren begangen, und darum habe ihm der König gezürnt.

Auch wird erzählt: »Einst kam an einem Freitagnachmittag ein bäurisch gekleideter Mann mit einem Fischranzen zu Rabbi Elimelech und bot ihm in der Bauernsprache der Gegend die Fische an. Der Zaddik schickte ihn zu seiner Frau; die aber hieß ihn gehen, weil sie schon etliche Stunden zuvor alle Speisen für den Sabbat vorbereitet habe. Der Mann ließ sich nicht abfertigen, sondern erschien wieder beim Rabbi; der beschied seiner Frau, sie solle immerhin etwas kaufen, sie aber beharrte auf ihrer Weigerung. Der Händler trat zum dritten Male in die Stube des Zaddiks, holte die Fische aus dem Ranzen, warf die zappelnden auf den Boden und brummte: ›Ihr tätet gut daran, sie für das Geleitmahl zu verwenden!‹ Da hob Rabbi Elimelech die Brauen (er hatte große Augenbrauen und pflegte sie emporzuziehen, wenn er jemand recht ansehen wollte), schwieg eine Weile und sprach sodann: ›Ich habe nicht mehr die Kraft, Euer Mahl mit allen Ehren zu begehen; aber ich will meinen Kindern anempfehlen, es zu tun.‹«

Die Teigsuppe

In seinen zwei letzten Lebensjahren nahm Rabbi Elimelech nur noch sehr geringe Mengen von Speise und Trank zu sich, und

auch dies nur, weil ihn die Seinen darum bedrängten. Einst, als
sein Sohn, Rabbi Eleasar, ihn weinend bat, etwas mehr zu essen,
um sich am Leben zu erhalten, sagte er mit einem Lächeln auf den
Lippen:»Ach, was sind das für grobe Speisen, die ihr mir vor-
setzt! Ja, wenn ich die Teigsuppe bekäme, die ich damals, auf meiner Wanderschaft mit meinem Bruder Sussja, in dem kleinen
roten Wirtshaus überm Dnjestr zu essen bekam!«
Einige Zeit nach Rabbi Elimelechs Tode unternahm sein Sohn
eine Reise, um das kleine rote Wirtshaus überm Dnjestr zu finden. Angelangt bestellte er ein Nachtlager und fragte, was es
wohl zum Abendessen gäbe.
»Wir sind arme Leute«, sagte die Wirtin.»Wir geben den Bauern
Schnaps für Mehl und Hülsenfrüchte, davon bringt mein Mann
das meiste zur Stadt und handelt dafür Schnaps ein, und den
Rest verzehren wir. So kann ich euch nichts andres anbieten als
eine Teigsuppe.«»Bereite sie mir gleich zu«, sagte Rabbi Eleasar.
Nachdem er zu Abend gebetet hatte, stand die Suppe auf dem
Tisch. Er aß den Teller auf und erbat einen zweiten, er aß den
auf und ließ sich einen dritten geben. Als er auch den geleert
hatte, fragte er die Wirtin:»Sag mir doch, was ist es, das du der
Suppe beigetan hast und das sie so schmackhaft macht?«»Glaubt
mir, Herr«, antwortete sie,»ich habe nichts beigetan.« Als er sie
aber wieder und wieder fragte, sagte sie schließlich:»Wohl,
wenn sie Euch so schmeckt, so muß es vom Paradies selber kommen.« Und nun erzählte sie:»Das ist nun lange Jahre her, da
sind einmal zwei fromme Männer bei mir eingekehrt, es war
ihnen anzusehen, daß es wahre Zaddikim waren. Und da ich
ihnen nichts vorzusetzen hatte als eine Teigsuppe, habe ich beim
Kochen zu Gott gebetet:›Herr der Welt, ich hab doch nichts andres und du hast alles, so erbarm dich deiner müden, hungrigen
Diener und gib für sie in die Suppe von den Kräutern deines
Paradieses!‹ Und wie nun die Suppe auf den Tisch kam, aßen
mir die beiden die große Schüssel leer und nochmals leer, und der
eine sagte mir:›Tochter, deine Suppe schmeckt nach dem Paradies.‹ Und nun hab ich wieder gebetet.«

Der wahre Erweis

Man fragte Rabbi Elimelech:»Es heißt in der Schrift, der Pharao
habe zu Mose und Ahron gesprochen: ›Gebt euch einen Erweis.‹
Wie ist das zu verstehen? Man sollte meinen, er hätte ihnen gesagt: ›Gebt mir einen Erweis.‹«

Rabbi Elimelech erklärte:»Die Zauberer wissen, was sie zustande bringen wollen und wie sie es zustande bringen wollen;
nicht für sie ist das Zeichen, sondern für die Zuschauer allein.
Die aber in der Gottesmacht wirken, wissen kein Woher und kein
Wie, und das Wunder, das aus ihrem Tun aufsteigt, überfällt sie
selber. Das meinte der Pharao mit seinem Wort: ›Gaukelt mir
nichts vor, sondern holt euch ein Zeichen aus der wahren Welt,
daß sie euch beglaubige.‹«

Die verborgenen Zaddikim

Rabbi Gabriel, ein Schüler Rabbi Elimelechs, fuhr einmal zu seinem Lehrer im Mietswagen eines Mannes von täppischem Gebaren, der ihm auf dem ganzen Weg zu seinem steten Verdruß
mit derben und unehrerbietigen Scherzen zusetzte. Als sie in das
Haus des Zaddiks kamen, lief der dem Fuhrmann entgegen, begrüßte ihn mit hoher Freude und fragte ihn aus; dem Rabbi
Gabriel schenkte er geringe Beachtung. Auf der Rückfahrt wollte
der Schüler den Mann, dem solche Ehrung erwiesen worden war,
bedienen, der aber fertigte ihn mit einer schnöden Redensart ab.
Nach etlichen Monaten sah Rabbi Gabriel in der Hauptstadt den
Fuhrmann im Gespräch mit einem Maurer. Er folgte ihnen unbemerkt in ihre Herberge und hörte den einen zum andern sagen:»Bei Melech gibt es noch ein Stück Wahrheit und sonst nirgends«, und der andere wiederholte:»Bei Melech gibt es noch ein
Stück Wahrheit.« Da bemerkten sie den Rabbi in seinem Versteck und schrien ihn an:»Pack dich, was willst du unter uns gemeinen Leuten!« So mußte er von dannen gehen.
Nach dem Tod Rabbi Elimelechs fuhr Gabriel durch einen Wald,
da kam ihm der Wagen seines Freundes, des Rabbi Uri, entgegen. Sie stiegen ab und gingen mitsammen. Er erzählte dem
Gefährten, wie er einst den Fuhrmann und den Maurer belauscht

hatte. Weinend standen sie beide, jeder an einen Baum gelehnt, und wehklagten:»Ein Stück Wahrheit hat es auf der Welt gegeben, und auch das ist uns genommen worden!«

Die Ader

Der Enkel des Baalschem, Rabbi Mosche Efrajim, war den polnischen Chassidim abgeneigt, weil er gehört hatte, sie kasteiten sich viel und verdürben in sich das Ebenbild Gottes, statt alle Glieder des Leibes zu vollenden und ihn mit der Seele zu einem heiligen Gefäß des Dienstes zu verschmelzen. Als nach dem Tode Rabbi Elimelechs dessen Schüler Rabbi Mendel von Rymanow zu ihm kam, um ihn, wie der Sterbende befohlen hatte, wegen der Nachfolge zu befragen, wurde er als Polnischer erkannt und daher knapp und kühl aufgenommen. Sein Gesicht veränderte sich vor aufsteigendem Gram. Rabbi Mosche Efrajim sah ihn aufmerksam an; die erbleichte Stirn und die groß aufgetanen Augen schienen ihm keines niedern Mannes zu sein. Er fragte freundlich:»Bist du schon bei einem Zaddik gewesen?«»Ich habe«, sagte Mendel, »meinem erhabenen Lehrer, dem Rabbi Elimelech, gedient.« Da sah ihn Rabbi Efrajim mit erhöhter Achtsamkeit an und fragte weiter:»Was ist dir an dem wunderbaren Mann am wunderbarsten erschienen?« Und während er fragte, dachte er: Nun wird dieser Chassid mit dem leuchtenden Gesicht seine wahre Art offenbaren und mir irgendeine Wundergeschichte erzählen. Rabbi Mendel antwortete ihm:»Tag für Tag, wenn mein Lehrer in der Betrachtung der Furchtbarkeit Gottes war, wurden seine Adern steif wie harte Stricke. Und jene Ader hinter dem Ohr, die nichts in der Welt fürchtet und erst in der Sterbestunde erzittert, sah ich da Tag für Tag an ihm mit mächtigem Pulse schlagen.« Rabbi Mosche Efrajim schwieg. Dann sagte er:»Das habe ich nicht gewußt«, und wiederholte zweimal:»Das habe ich nicht gewußt«, und nahm Rabbi Mendel wie einen Sohn auf.

»Der Raw«

Nicht zurück

In den Jahren nach der Heirat lebte Salman dem Brauch gemäß bei seinen Schwiegereltern. Aber seine Abgeschiedenheit, seine Art zu beten und all sein Dienst waren ihnen befremdlich, und sie erachteten ihn, wiewohl sie seine Gelehrsamkeit bewunderten, für einen Narren. Umsonst bedrängten sie die Tochter, sich von ihm den Scheidebrief geben zu lassen[1]; daher mußten sie sich damit begnügen, ihm das Leben schwer zu machen. Sie verweigerten ihm Kerzen, so daß er am Fenster beim Mondlicht lernte; und in den Winternächten, in denen er oft fast bis zur Morgendämmerung aufblieb, ließen sie ihn Kälte leiden. Das währte, bis er mit zwanzig Jahren sich aufmachte, um zu dem großen Maggid nach Mesritsch zu wandern.

Als später der Ruhm Rabbi Salmans sich zu verbreiten begann, reute es seine Schwiegermutter der Pein, die sie und ihr inzwischen verstorbener Mann ihm angetan hatten, und sie bat den Zaddik, wieder in ihrem Hause Wohnung zu nehmen; sie wolle es ihm an nichts fehlen lassen und sich auch seiner Chassidim hilfreich annehmen. Rabbi Salman lehnte die Einladung ab, und als die Frau nicht nachließ, sagte er: »Sieh, wer kann es besser haben als das Kind im Mutterleib? Es braucht sich um Essen und Trinken nicht zu bekümmern; auf seinem Haupte brennt ein Licht, bei dessen Schein es von einem Ende der Welt zum andern schaut, und man lehrt es die ganze Thora[2]. Aber wenn es hervortritt, kommt ein Engel und schlägt es auf den Mund, daß es alles Gelernte vergißt. Und doch, wenn einer zurückkehren könnte, er wollte es nicht. Warum wohl? Weil er sein Maß gewonnen hat.«

Die Erlaubnis

Salman besprach sich mit seinem Bruder, daß sie zum heiligen Maggid nach Mesritsch ziehen wollten. Dann bat er seine Frau,

---

[1] Die einzige religionsgesetzlich erlaubte Form der Ehescheidung.
[2] Talmudisch (Nidda 30).

daß sie drein willige, und sie tat es; nur mußte er ihr versprechen, daß er nach anderthalb Jahren zurückkehren würde. Sie hatte sich dreißig Rubel zusammengespart, die gab sie ihm, und er kaufte dafür Pferd und Wagen. Der Bruder aber hatte nicht die Einwilligung seiner Frau erbeten. Als sie in die Stadt Orscha kamen, fiel das Pferd und war tot. »Das ist, weil du ohne Fug mitgekommen bist«, sagte Salman zum Bruder, »und es ist dir bedeutet, daß du diesen Weg nicht zu wandern hast. Darum kehre heim, ich aber will weitergehen; und von allem, was ich erlange, will ich dir zuteilen.« So schieden sie, und Salman ging zu Fuß weiter.

Der Blick des Meisters

Das Gemach des großen Maggids stieß an den Saal, in dem die Schüler schliefen. In der Nacht ging er zuweilen, ein Licht in der Hand, hinüber und sah die Gesichter der Schlafenden an. Einmal bückte er sich zu der niedern Ofenbank, auf der der junge Salman unter einer schlechten dreieckigen Decke lag, betrachtete ihn lang und sprach dann zu sich: »O Wunder über Wunder, daß ein so großer Gott in einem so schmächtigen Hause wohnt!«

Aufstieg

Rabbi Schnëur Salman erzählte: »Vor Mesritsch war mein Dienst auf der Betrachtung gegründet, aus der mir Gottesliebe und Gottesfurcht quollen. In Mesritsch stieg ich zu der Stufe auf, wo das Bewußtsein selber Liebe und Furcht ist.
Als ich zuerst den heiligen Maggid sagen hörte: ›Die Gotteseigenschaft Gnade, das ist unsere Liebe Gottes, die Gotteseigenschaft Gewalt, das ist unsere Furcht Gottes‹, – da hielt ich das für eine Deutung. Aber dann sah ich, daß es so ist: Gottesgnade ist Gottesliebe, Gottesgewalt ist Gottesfurcht.«

Die Vogelsprache

Rabbi Pinchas von Korez wollte den jungen Salman, der ihn auf seiner zweiten Fahrt nach Mesritsch aufsuchte, die Sprache der Vögel und die Sprache der Gewächse lehren, er aber wehrte es ab. »Der Mensch braucht nur *ein* Ding zu verstehen«, sagte er.

Im Alter fuhr Rabbi Schnëur Salman einmal mit einem Enkel
über Land. Überall hüpften und zwitscherten die Vögel. Der
Rabbi hielt eine Weile den Kopf aus dem Wagen. »Wie flink sie
reden!«, sagte er dann zu dem Kind. »Sie haben ihr eigenes Alphabet. Man braucht nur gut zu hören und gut zu fassen, um
ihre Sprache zu verstehn.«

Von dem großen Eifer

Schnëur Salman beschloß nach dem Tode des Maggids, die Stadt
Mesritsch endgültig zu verlassen. Als er vom Sohn des Maggids,
Rabbi Abraham dem Engel, der ihn in der geheimen Weisheit
unterrichtet hatte, Abschied nahm, sagte der ihm, er wolle ihm
das Geleit geben, und setzte sich zu ihm in den Wagen. Hinter
dem Stadttor rief Rabbi Abraham dem Fuhrmann zu: »Treib
die Pferde an und laß sie laufen, bis sie vergessen, daß sie Pferde
sind.« Salman nahm das Wort auf. »Bis ich diesen Weg des Dienstes recht erlernt habe, bedarf es einer geraumen Zeit«, sagte er
und blieb noch ein Jahr in Mesritsch.

Am untern Ende

Nach dem Tode seines Lehrers, des großen Maggids, pflegte
Schnëur Salman zu Rabbi Menachem von Witebsk zu fahren und
galt als dessen Schüler, obgleich seine eigentliche Lehrzeit um
war. An Sabbaten und Festtagen aßen alle Chassidim am Tisch
ihres Rabbis. Salman saß stets am untern Ende. Am Abend des
neuen Jahrs sah der Witebsker den untern Platz leer. Er ging ins
Lehrhaus, wo er Salman noch im Gebet stehen fand, hörte ihm
eine Weile unbemerkt zu und kehrte in die Stube zurück. »Stört
ihn nicht«, sagte er, »er hat Freude an Gott und Gott an ihm.«

Zu Gott

Einmal unterbrach Salman das Gebet und sprach: »Ich will nicht
dein Paradies, ich will nicht deine Kommende Welt, ich will nur
dich allein.«

Aus der Zeit

Rabbi Schnëur Salman erzählte seinen Chassidim:»Ich ging einst gegen Abend auf der Straße, und es geschah mir, daß ich etwas Ungebührliches sah. Es grämte mich sehr, daß ich meine Augen nicht gehütet hatte, ich stellte mich mit dem Gesicht zu einer Mauer und weinte mich aus. Als ich mich wieder umdrehte, sah ich, es war finster geworden, und die Zeit des Minchagebets war vorüber. Da gab ich mir Rat – ich zog mich aus der Zeit und betete Mincha.«

Angst

Als die Chassidim zu Rabbi Salman zu fahren begannen und er zum erstenmal, zum Fenster hinausschauend, die heranziehende Schar erblickte, entsetzte er sich und schrie:»Was wollen sie von mir? Was haben sie an mir gesehn?« Da sprach seine Frau zu ihm:»Gemach, nicht zu dir kommen sie, sie wollen nur, weil du im Schatten des heiligen Maggids geweilt hast, von ihm erzählen hören.«»Dann ist es gut«, sagte er und beruhigte sein Herz,»erzählen, ja, erzählen will ich ihnen.« Als er aber erst zu erzählen anfing, konnte er die Lehre nicht länger verschlossen halten.

Wo bist du?

Als Rabbi Schnëur Salman, der Raw von Reußen, weil seine Einsicht und sein Weg von einem Anführer der Mithnagdim bei der Regierung verleumdet worden waren, in Petersburg gefangen saß und dem Verhör entgegensah, kam der Oberste der Gendarmerie in seine Zelle. Das mächtige und stille Antlitz des Raw, der ihn zuerst, in sich versunken, nicht bemerkte, ließ den nachdenklichen Mann ahnen, welcher Art sein Gefangener war. Er kam mit ihm ins Gespräch und brachte bald manche Frage vor, die ihm beim Lesen der Schrift aufgetaucht war. Zuletzt fragte er:»Wie ist es zu verstehen, daß Gott der Allwissende zu Adam spricht:›Wo bist du?‹«»Glaubt Ihr daran«, entgegnete der Raw,»daß die Schrift ewig ist und jede Zeit, jedes Geschlecht und jeder Mensch in ihr beschlossen sind?«»Ich glaube daran«, sagte er.»Nun wohl«, sprach der Zaddik,»in jeder Zeit ruft Gott je-

den Menschen an: ›Wo bist du in deiner Welt? So viele Jahre und
Tage von den dir zugemessenen sind vergangen, wie weit bist du
derweilen in deiner Welt gekommen?‹ So etwa spricht Gott:
›Sechsundvierzig Jahre hast du gelebt, wo hältst du?‹«
Als der Oberste die Zahl seiner Lebensjahre nennen hörte, raffte
er sich zusammen, legte dem Raw die Hand auf die Schulter und
rief:»Bravo!« Aber sein Herz flatterte.

Frage und Antwort

Der Raw sprach einen Schüler, der eben bei ihm eintrat, so an:
»Mosche, was ist das, ›Gott‹?«
Der Schüler schwieg.
Der Raw fragte zum zweiten- und zum drittenmal.
»Warum schweigst du?«
»Weil ich es nicht weiß.«
»Weiß ich's denn?« sprach der Raw.»Aber ich *muß* sagen; denn
so ist es, daß ich es sagen muß: Er ist deutlich da, und außer ihm
ist nichts deutlich da, und *das* ist er.«

Womit er betete

Der Raw fragte einst seinen Sohn:»Womit betest du?« Der Sohn
verstand den Sinn der Frage: auf welche Betrachtung er sein Gebet gründe. Er antwortete:»Mit dem Spruch[3]: ›Jeglicher Hochwuchs, vor dir neige er sich.‹« Dann fragte er den Vater:»Und
womit betest du?« Er sprach:»Mit der Diele und mit der Bank.«

Aus einer Schüssel

Unter den Schülern des Maggids von Mesritsch war einer, dessen
Name ist in Vergessenheit geraten und niemand weiß ihn mehr.
Einst, im Lehrhaus des Maggids, galt er als der größte unter den
Genossen, und alle wandten sich an ihn, daß er ihnen die Lehr-
worte des Meisters wiederhole und erkläre. Es kam aber eine
Zeit, da begannen die Schüler über ihn zu reden, daß ein Wurm

---

[3] Aus dem am Morgen der Sabbate und Festtage gesprochenen Gebet »Die Seele alles
Lebendigen«.

an ihm nage. Wieder nach einer Zeit verschwand er, und man hörte, daß er sich dem Trunk ergeben habe. Er zog mit Stock und Ranzen im Land herum und saß schweigend in den Wirtshäusern, bis er trunken war; dann sprach er Weisheit um Weisheit. Nach Jahr und Tag kam er in die Stadt Ložny, wo Rabbi Schnëur Salman damals noch seinen Wohnsitz hatte, und trat ins Lehrhaus, zur Zeit da der Raw lehrte. Unbeachtet stand er im Gedränge und lauschte eine Weile. Dann murmelte er vor sich hin: »Aus *einer* Schüssel haben wir alle gegessen, und das ganze Gericht ist bei ihm geblieben«, und ging hinaus. Als der Raw davon hörte, verstand er, wer der Gast war, und ließ überall nach ihm suchen; denn er wollte ihn bewegen, daß er dableibe und nicht mehr umherziehe. Aber der Wanderer war nicht aufzufinden.

Besinnung

Einmal besuchte den Raw einer der Mithnagdim und legte ihm allerlei Fragen vor. Zuletzt wollte er wissen, warum an der Tür des Zaddik ein Diener stehe und nicht zu jeder Zeit die Leute zu ihm vorlasse. Der Raw legte den Kopf in die Hände. Nach einer Weile hob er ihn und sagte: »Haupt und Rumpf sind *ein* Leib, und doch muß das Haupt anders bedeckt und sorglicher gehütet werden.« Aber der Sohn des Zaddiks war nicht zufrieden. »Um diese Antwort zu erteilen«, sagte er hernach, »brauchtest du doch nicht den Kopf in die Hände zu legen und dich zu besinnen.« Rabbi Salman sprach: »Als Korah zu Mose redete: ›All die Gemeinschaft, alle sind sie heilig, in ihrer Mitte ist ja der Herr, warum erhebt ihr euch über des Herrn Gesamt?‹ hörte es Mose und fiel auf sein Angesicht. Dann erst erwiderte er Korah. Warum wohl? Er hätte, was er sagte, doch gleich sagen können. Aber Mose besann sich: Vielleicht kommt dieses Wort von oben, und Korah ist nur ein Bote, wie darf ich ihm da erwidern? Daher fiel er auf sein Angesicht und betrachtete, ob er sich in Wahrheit über die andern zu erheben suche. Und als er betrachtet und erkannt hatte, daß keine solche Sucht an ihm war, wie Gottes Wort es bezeugt, daß der Mann Mose sehr demütig war, mehr als alle Menschen, da wußte er, daß Korah nicht zu ihm abgesandt war, und er erwiderte ihm.«

Vom Messias

Einer fragte den Raw scherzend: »Wird der Messias ein Chassid oder ein Mithnaged sein?« »Ich denke, ein Mithnaged«, sagte er. »Denn würde er ein Chassid sein, die Mithnagdim würden ihm nicht glauben. Die Chassidim aber werden ihm glauben, was immer er sei.«

Das dunkle und das helle Gemüt

Ein reicher Mann, der eifrig dem Lernen oblag und sehr geizig war, fragte einst den Raw von Ljadi: »Wie ist die Erzählung des Talmuds zu verstehen, daß Rabbi Chanina ben Teradjon[4], der in der Zeit der schwersten Verfolgung und bis zu seinem Martertod die Lehre öffentlich vor Schülerscharen vortrug, zweifelte, ob er zum Leben der kommenden Welt bestimmt sei? Und daß er, als er dem Freund seinen Zweifel äußerte, zur Antwort befragt wurde, ob er ein gutes Werk getan habe? Und erst als er sich auswies, daß er von seinem Geld unter die Armen verteilt hatte, erhielt er den tröstlichen Bescheid. Wie ist dies zu verstehn? Wiegt doch nach dem Wort unsrer Weisen das Forschen in der Lehre alle andern Verdienste auf!«

»Es gibt zwei Arten von Menschen«, sagte der Raw, »die Schwarzgalligen und die Hellgalligen. Die einen sitzen über den Büchern der Lehre und sind von karger Natur. Rabbi Chanina war dunkeln Gemüts, lerneifrig und verschlossen; nicht, daß er der Lehre oblag, wohl aber, daß er seinen Trieb regierte und von seinem Gut frei austeilte, war sein Verdienst; doch als er es getan hatte und es ihm zur Natur ward, mit den Menschen zu leben, da war auch sein Lernen keine Not mehr, sondern eine Tugend.«

Schauen

In den Tagen vor dem Sterben fragte der Raw seinen Enkel: »Siehst du etwas?« Der blickte ihn erstaunt an. »Ich«, sagte der Raw, »sehe nur noch das göttliche Nichts[5], das die Welt belebt.«

---

4 Einer der »Zehn Märtyrer«, die von den Römern nach dem Aufstand Bar Kochbas (132–135) hingerichtet worden sind.

Die Erscheinung

Die Frau des Rabbi Mendel von Lubawitsch, des Enkels des Raw, wurde eines Nachts durch ein heftiges Geräusch in der angrenzenden Stube ihres Mannes aus dem Schlaf geschreckt. Sie lief hinüber und sah Rabbi Mendel vor dem Bett am Boden liegen. Auf ihre Frage sagte er, sein Großvater sei bei ihm gewesen. Sie suchte ihn zu beruhigen; er aber sprach: »Wenn eine Seele aus der obern Welt und eine Seele aus dieser Welt sich einander zugesellt haben, muß die eine ein Gewand anziehn und die andre muß ein Gewand ausziehn.«

Auch sagte er zu seinen Vertrauten: »Es heißt im Jerusalemischen Talmud, wer ein Wort im Namen seines Sprechers spreche, solle sich vorstellen, jener stehe vor ihm. Das ist aber eben nur eine Vorstellung. Wer jedoch eine Weise singt, die einst ersonnen wurde, bei dem ist der Meister der Weise wahrhaftig gegenwärtig.« Und er sang die allen bekannte wortlose Weise, die der Raw immer wieder gesungen und gesummt hatte, die »Inbrunst des Raw«.

---

[5] Nach der Lehre der Chabad-Schule (vgl. Einleitung) steht das Göttliche, das Nichtbeschränkte, allem Etwas als das »Nichts« gegenüber.

Die Zusammenkunft

Die Städte Pinsk und Karlin liegen dicht beieinander, die eine am Nordufer, die andre am Südufer eines Flusses. Zur Zeit, da Rabbi Schlomo noch als armer Kinderlehrer in Karlin lebte, war Rabbi Levi Jizchak, der nachmalige Berditschewer Rabbi, der Raw von Pinsk. Eines Tags schickte er seinen Diener nach Karlin und hieß ihn, einen Mann namens Schlomo Sohn der Juta aufsuchen; dem solle er bestellen, er möge zu ihm nach Pinsk kommen. Lange mußte der Diener umfragen, bis er in einem verfallenen Häuschen am äußersten Stadtrand den Kinderlehrer Rabbi Schlomo fand und ihm die Botschaft überbrachte. »Ich werde zur rechten Zeit kommen«, sagte Rabbi Schlomo. Als er einige Stunden danach bei Rabbi Levi Jizchak eintrat, stand der vom Stuhle auf, sprach: »Gesegnet der Kommende«, und selber richtete er ihm den Sitz. Ein Stunde saßen sie einander gegenüber, glühenden Angesichts, angestrengten Blicks, und schwiegen. Danach standen sie auf, lachten einander an – Was ist das für ein großes Lachen! dachte der Diener, der horchend an der Tür stand –, und Rabbi Schlomo nahm Abschied.

Die Chassidim aber erzählten sich, durch die Zusammenkunft der beiden sei von den Juden der Gegend die ihnen drohende Vertreibung abgewandt worden, und darum hätten sie gelacht.

Der Wiedergekehrte

Es wird erzählt: »Als Rabbi Ahron von Karlin in jungen Jahren starb, weigerte sich Rabbi Schlomo, der zusammen mit ihm Schüler des großen Maggids gewesen war, aber dem älteren Gefährten wie einem Lehrer angehangen hatte, dessen Nachfolge anzutreten. Da erschien ihm Rabbi Ahron im Traum und verhieß ihm, wenn er das Joch der Führung auf sich nähme, würde ihm die Gabe verliehen, alle Wanderungen der Seele zu schauen; und die Verheißung bezwang ihn im Traum.

Am Morgen sah er an allen Menschen die Schicksale ihrer Seelen.

An ebendem Morgen brachte man ihm einen Bittzettel nebst
›Lösegeld‹ von einem reichen Mann, der am Sterben war, und zu
gleicher Zeit kam die Vorsteherin der Armenherberge ihm zu sa-
gen, er möge für eine Frau beten, die schon seit Tagen dort in den
Wochen liege und nicht gebären könne. Rabbi Schlomo sah, das
Kind könne nicht zur Welt kommen, bis der reiche Mann sterbe
und seine Seele in diesen Leib einziehen dürfe. In der Tat, die
Nachricht vom Tode und die von der Geburt folgten knapp aufeinander. Als nun dem Rabbi weiter berichtet wurde, in der
Herberge fehle es an Brennholz und die Wöchnerin mit ihrem
Knaben müßte frieren, nahm er vom Geld, das er von dem
reichen Mann erhalten hatte, und ließ dafür Holz kaufen. Denn
er sagte sich: Dieses Kind ist ja der reiche Mann selber, und dessen Geld ist sein Geld. Danach gab er auch den Rest für die Pflege
des Knaben her. Später zog die Frau samt ihrem Kinde mit den
andern Bettlern von Stadt zu Stadt. Als der Knabe sechs Jahre
war, kamen sie wieder nach Karlin, und da erfuhren sie, daß
man für den jüngsten Sohn des Toten die Barmizwafeier[1] rüstete
und auch die Bettler, wie es Sitte war, zu einem Mahle lud. So
gingen mit den andern die beiden, Mutter und Sohn, hin. Nun
aber war der Knabe nicht zu bewegen, am Bettlertisch zu sitzen;
laut und mit herrischer Gebärde heischte er einen Platz zu Häupten der Gäste. Rabbi Schlomo, der dies sah, erwirkte, daß man
dem Kind seinen Willen tat, damit es das Fest nicht störe. Er ist
ja der Hausherr selber, dachte er, und fordert nichts, als was
ihm gebührt. Ähnlich ging es zu, als man die Speisen auftrug:
der Knabe bestand darauf, daß man ihm die besten Teile reichte,
und die Fürbitte des Zaddiks setzte es auch diesmal für ihn durch.
Man fragte die Mutter, ob er sich immer so betrage. Nie zuvor,
erwiderte sie, habe sie dergleichen an ihm wahrgenommen.
Am Ende des Festes, nachdem Rabbi Schlomo schon heimgegangen war, teilte man Geld unter die Armen aus. Als man an den
Knaben kam, rief er: ›Wie wagt ihr, mir Kupfer anzubieten!
Holt Gold aus dem Schrein!‹ Da warfen die Söhne des reichen
Mannes ihn auf die Straße.
Als Rabbi Schlomo erfuhr, wie sie ihren wiedergekehrten Vater

---

[1] Wenn ein Knabe das dreizehnte Jahr vollendet, tritt er als »Bar-mizwa« (»Sohn
des Gebotes«) feierlich die Verantwortung für die Ausübung des Religionsgesetzes an.

behandelt hatten, erbat er vom Himmel, daß man die Wunder-
gabe wieder von ihm nahm.«

Die Weigerung

Es wird erzählt:»Man wollte vom Himmel dem Rabbi Schlomo
von Karlin die Sprache der Vögel, die Sprache der Palmen und
die Sprache der Dienstengel offenbaren. Er aber weigerte sich, sie
zu empfangen, ehe er wisse, welchen Belang jede von ihnen für
den Dienst Gottes habe. Erst als ihm dies kundgetan war, nahm
er sie an und diente Gott fortan auch mit ihnen.«

Die Fahrten

Als Rabbi Schlomo von Karlin durchs Land Reußen fuhr, zählte
er immer wieder die einzelnen Fahrten auf und sprach dabei:
»Dies sind die Züge der Söhne Israels, auf denen sie aus dem
Land Ägypten fuhren[2].« Als man ihn fragte, was er damit meine,
sagte er:»Das heilige Buch Sohar deutet das Gotteswort ›Machen
wir einen Menschen!‹ darauf, daß Gott aus jeder Welt, von der
höchsten bis zur niedersten, ein Teil nahm und aus ihnen allen den
Menschen machte: zu den Welten sagte Gott: ›Wir‹. Und das ist
der Sinn der Fahrten, die der Mensch in seinem Leben macht:
von Stufe zu Stufe soll er fahren, bis alles sich durch ihn in der
höchsten Welt vereint. Das ist es, was geschrieben steht: ›Dies
sind ihre Züge, nach ihren Ausfahrten.‹ Die Fahrten des Menschen sollen dahin gehen, woher er gekommen ist.«

Das Wagnis des Gebets

Einer erbat von Rabbi Schlomo von Karlin das Versprechen, ihn
am kommenden Tag zu besuchen.»Wie kannst du«, sagte der
Zaddik,»von mir ein Versprechen begehren? Heute muß ich zu
Abend beten und ›Höre Israel‹ sprechen, da begibt sich meine
Seele an den Rand des Lebens; dann kommt das Dunkel des
Schlafs; und in der Frühe das große Morgengebet, das ist ein
Schreiten durch alle Welten, und endlich das Aufs-Angesicht-fal-

---

[2] Numeri 33, 1.

len, da neigt sich die Seele über den Rand des Lebens. Vielleicht werde ich auch diesmal noch nicht sterben; aber wie soll ich dir versprechen, etwas nach dem Gebet zu tun?«

Der Zucker

Es wird erzählt:»Wenn Rabbi Schlomo Tee oder Kaffee trank, pflegte er ein Stück Zucker in die Hand zu nehmen und es darin zu halten, solang er trank. Einmal fragte ihn sein Sohn: ›Vater, warum tust du das? Brauchst du den Zucker, so steck ihn doch in den Mund, brauchst du ihn aber nicht, so nimm ihn doch nicht in die Hand!‹ Nachdem er ausgetrunken hatte, gab er dem Sohn das Zuckerstück und sagte: ›Koste es!‹ Der Sohn nahm es in den Mund und erstaunte; denn es war kein Rest von Süßigkeit darin geblieben. Wenn der Sohn später davon erzählte, sagte er: ›Bei wem alles eines ist, der kann mit der Hand wie mit der Zunge schmecken.‹«

Mit dem Schwert am Hals

Rabbi Schlomo reiste einmal mit einem seiner Schüler. Unterwegs verweilten sie ein weniges in einem Wirtshaus, setzten sich an einen Tisch, und der Rabbi hieß Met wärmen; denn er trank gern warmen Met. Währenddessen traten einige Soldaten ein, und da sie Juden am Tisch sitzen sahen, schrien sie sie an, sie sollten sogleich aufstehn.»Ist der Met schon gewärmt worden?« fragte der Rabbi zum Ausschank hinüber. Ergrimmt hieben jene auf den Tisch und brüllten:»Fort mit euch oder ...!«»Ist er noch nicht warm?« sagte der Rabbi. Der Führer der Soldaten zog ein Schwert aus der Scheide und legte es ihm an den Hals.»Allzu heiß darf er nämlich nicht werden«, sagte Rabbi Schlomo. Da zogen sie ab.

Ohne die Wonne

Rabbi Schlomo von Karlin sprach:»Wer alle Gebote der Thora erfüllte, aber den Brand der heiligen Wonne hat er dabei nicht verspürt, wenn der in jene Welt kommt, öffnet man ihm zwar das Paradies; weil er aber auf dieser Welt den Brand der Wonne nicht verspürt hat, verspürt er auch die Wonne des Paradieses nicht. Ist er nun ein Narr und beschwert sich und brummt: ›Und da machen sie so viel Wesens aus dem Paradies!‹, schon ist er hinausgeschmissen. Hat er aber Einsicht, dann wandert er selber hinaus und zum Zaddik, und der lehrt die arme Seele die Wonne verspüren.«

Ein wenig Licht

»Wann kann man ein wenig Licht sehn?« fragte Rabbi Schlomo, und antwortete selber: »Wenn man sich ganz unten hält. Wie geschrieben steht [3]: ›Bettete ich mich im Gruftreich, da bist du.‹«

Hinabsteigen

Rabbi Schlomo sprach: »Wenn du einen Menschen aus Schlamm und Kot heben willst, wähne nicht, du könntest oben stehenbleiben und dich damit begnügen, ihm eine helfende Hand hinabzureichen. Ganz mußt du hinab, in Schlamm und Kot hinein. Da fasse ihn dann mit starken Händen und hole ihn und dich ans Licht.«

Öffnen

Rabbi Schlomo von Karlin sagte zu einem: »Ich habe keinen Schlüssel, dich zu öffnen.« Der schrie: »So sprengt mich denn mit einem Nagel auf!« Diesen Mann pflegte der Rabbi fortan sehr zu loben.

Eine Heilung

Ein Enkel Rabbi Schlomos erzählte: »Zu einem Zaddik kam ein Mann, dessen Seele hatte sich in eine Wirrnis unheimlicher Anwandlungen verwickelt, die man gar nicht niederschreiben kann. ›Ich vermag dir nicht zu helfen‹, sagte der Zaddik, ›du mußt zu Rabbi Schlomo von Karlin gehn.‹ So kam er zu meinem Großvater, just in der Stunde, da er die Chanukkalichter ansteckte und dabei Psalmen sprach, wie es sein Brauch war. Der Mann blieb stehn und hörte zu. Mein Großvater sprach weiter, ohne sich umzusehn. Als er aber zu den Worten kam: ›Und er entriß

---

[3] Psalm 139, 8.

uns unsern Bedrängern‹, wandte er sich zum Gast, klopfte ihm
auf die Schulter und fragte: ›Glaubst du, daß Gott uns aller Bedrängnis entreißen kann?‹ ›Ich glaube‹, sagte jener. Von Stund
an war er aller Anwandlungen ledig.«

Der Schüler spricht

Rabbi Ascher von Stolyn[4] sprach von seinem Lehrer, Rabbi
Schlomo: »Während all seines Betens ist der Rabbi mit einem
Fuß hüben und mit einem drüben, und auf den Fuß drüben
stützt er sich. Und all das in der Seele allein, wie geschrieben
steht[5]: ›Nicht werden deine Tapfen erkannt.‹«
Einmal trat er bei Rabbi Schlomo ein und redete ihn an:»Rabbi,
deine Tapfen werden nicht erkannt.«»Was ist das mit dir«, entgegnete der Karliner,»daß du immerzu hinter mir hergehst?
Komm, ich will dir sagen, wo du's darfst und wo nicht.« Er aber
bedachte sich:»Wenn er's mir erst gesagt hat, werde ich's nicht
übertreten können. So will ich's lieber nicht hören.«

Zeigen und verbergen

Rabbi Ascher von Stolyn, Rabbi Schlomos Schüler, redete einst
von den Chassidim seiner Zeit:»Das sind lehmerne Bauern, das
sind stroherne Kosaken! Wenn sie zum Rabbi kommen, zeigen
sie ihm das Gute, und das Schlechte verbergen sie vor ihm. Als
ich zu meinem süßen heiligen Rabbilein kam (dies sprechend,
küßte er seine Fingerspitzen), habe ich das Gute vor ihm verborgen, aber das Schlechte habe ich ihm gezeigt. Denn es steht geschrieben, man solle den Aussatz dem Priester zeigen.«

Der Ursprung

Rabbi Uri erzählte von seinem Lehrer Rabbi Schlomo:»Ich verweilte lange Zeit in seiner Nähe, ohne daß er mich, wie es der
Brauch ist[6], nach dem Namen meiner Mutter fragte. Einmal

---

4 Sohn Rabbi Ahrons von Karlin (s. den Abschnitt über diesen).
5 Psalm 77, 20.
6 Die Mitteilung des Mutternamens, der zum »eigentlichen« Namen gehört, ist ein
wesentlicher Bestandteil des Vorgangs, in dem sich ein Chassid einem Zaddik anvertraut.

faßte ich mir Mut und sprach ihn deswegen an. Er aber antwortete mir: ›Stier, Löwe, Adler, Mensch‹, und nichts weiter. Ich wagte nicht, ihn um eine Deutung seiner Worte zu bitten. Nach vielen Jahren erst habe ich verstanden, daß die großen Zaddikim, die Ärzte der Seelen, darauf achten, in welchem der vier Träger des himmlischen Wagens[7] eine Seele ihren Ursprung hat, und nicht, durch welchen irdischen Schoß sie verkörpert wurde.«

Über die Musik hinaus

Einst spielten Musikanten vor Rabbi Uri von Strelisk, dem »Seraf«. Danach sprach er zu seinen Chassidim: »Man sagt, in der Musik seien die drei Prinzipien, Leben, Geist und Seele, vereint. Aber die Musikanten von heute spielen aus dem Prinzip des Lebens allein.« Nach einer Weile sprach er: »Von den himmlischen Hallen ist die Halle der Musik die unterste und kleinste; aber wer sich Gott nähern will, braucht nur diese Halle zu betreten. Mein Lehrer, Rabbi Schlomo von Karlin, hat dessen nicht bedurft.«

Abel und Kain

Rabbi Uri sprach: »Mein Lehrer, Rabbi Schlomo von Karlin, hatte die Seele Abels. Es gibt freilich auch Menschen, in denen die gute Wesenheit aus der Seele Kains wohnt, und die sind sehr groß.«

Die Brocken

Einst fuhr Rabbi Schlomo mit seinem Schüler Rabbi Mordechai von Lechowitz über Land. Es war gegen Ende der Zeit, da man den jungen Mond heiligen kann, und da über ihrem Fahren die blanke Sichel aus den sie bisher deckenden Wolken brach, bereiteten sie sich zur heiligen Handlung. Aber der Fuhrmann kam ihnen zuvor. Sowie er den Mond erblickte, wischte er sich die Hände am Wagenrand und lallte den Segen ab. Rabbi Mordechai lachte; aber sein Lehrer verwies es ihm. »Ein König«, erzählte er, »befahl einst, alle Brocken zu sammeln, die von den Mahlzeiten

---

[7] Ezechiel 1, 10.

seines Heers abfielen, und sie in einem Vorratslager zu speichern. Niemand verstand, was er damit wollte. Es kam aber ein großer Krieg, der Feind umzingelte das Heer des Königs und schnitt ihm alle Zufuhr ab. Da ernährte der König sein Heer von den Brocken, die der Feind lachend passieren ließ. Er blieb stark und siegte.«

Aus der Mühsal

Einmal, am Ausgang des Versöhnungstags, als Rabbi Schlomo heiter gestimmt war, sprach er, er wolle jedem sagen, was er in den heiligen Tagen vom Himmel erbeten habe und was ihm als Antwort zugedacht sei. Dem ersten der Schüler, die sich meldeten, sagte er:»Deine Bitte war, Gott möge dir deinen Erwerb zu seiner Zeit ohne Mühsal geben, damit du nicht im Dienste Gottes behindert würdest. Und die Antwort ist, daß was Gott recht eigentlich von dir empfangen will, nicht dein Beten und dein Lernen ist, nur eben dieses Seufzen deines gebrochenen Herzens darüber, daß die Mühsal deines Erwerbs dich im Dienste Gottes behindert.«

Das Gelernte

Rabbi Schlomo sprach einmal zu seinen Schülern:»Wenn einer nach dem Tod in die Welt der Wahrheit kommt, fragt man ihn:›Bei welchem Lehrer bist du gewesen?‹ Und da er den Namen seines Lehrers nennt, fragt man ihn wieder:›Was hast du bei ihm gelernt?‹ Das ist es, wovon es im Midrasch heißt:›Zukünftig steht ein jeder da und läßt sein Gelerntes hören.‹«
Einer der Schüler rief:»Ich habe schon vorbereitet, was ich in Eurem Namen zu sagen habe. Ich werde sagen:›Gott gebe uns ein reines Herz und einen reinen Gedanken, und aus dem Gedanken breite sich die Reinheit in alle Glieder, daß an uns das Wort[8] sich erfülle: Ehe sie mich rufen, antworte ich.‹«

Die Mitgift

Rabbi Schlomo von Karlin konnte es nicht ertragen, Geld in seinem Beutel oder gar in seiner Tischlade liegen zu haben; es be-

[8] Jesaja 65, 24.

drängte ihm das Herz, bis er es einem Bedürftigen hingegeben hatte. Einst verlobte er seinen Sohn der Tochter Rabbi Baruchs von Mesbiž, des Enkels des Baalschem. Baruch war ein Mann der frommen Weisheit und Inbrunst, doch aber auch darauf bedacht, daß das ihm Gebührende ihm zufalle. Als der Zeitpunkt, den die Verlobungsurkunde für die Zahlung der Mitgift nannte, vorübergegangen war, ohne daß er das Geld erhielt, schrieb er an Rabbi Schlomo, er würde die Urkunde zurücksenden und die Verlobung aufheben. Der Rabbi von Karlin bat ihn, einen neuen Zeitpunkt anzusetzen und sandte zwei seiner Vertrauten über Land, den Betrag der Mitgift aus Gaben der Chassidim zusammenzubringen. Als der aber beisammen und in Rabbi Schlomos Händen war, und Arme standen im Vorhof seines Hauses, konnte der Zaddik es nicht ertragen, daß dort die Not und hier bei ihm das Geld war. Er ging in den Vorhof und teilte das Geld aus. Wieder kam ein strenger Brief von Rabbi Baruch. Der Karliner antwortete, man möge nur die Hochzeit rüsten, er selber werde die Mitgift bringen. Wieder sandte er zwei Männer auf die Sammlung aus, wieder kam der Betrag zusammen. Da sie nun aber gewitzigt waren, übergaben sie ihn dem Rabbi nicht eher, als da er mit seinem Sohn im Wagen saß.

Der Weg führte über eine Stadt, in der Rabbi Nachum von Tschernobil, einer jener Verleumdungen wegen, die die Mithnagdim nicht selten unternahmen, gefangen saß. Der Karliner erwirkte bei den Behörden, daß man ihn für eine kurze Frist zum Freunde ins Gefängnis ließ. Wie sie nun einander gegenüberstanden, merkte Rabbi Schlomo sogleich, daß Rabbi Nachum das Leid um Israels willen auf sich genommen hatte; Rabbi Nachum aber merkte sogleich, was in jenem vorging. »Woher weißt du es?« fragte er. »Habe ich doch Gott gebeten, daß kein Engel oder Seraf es wisse!« »Ein Engel oder Seraf«, sagte der Karliner, »weiß es nicht; aber Schlomo Sohn der Juta weiß es. Ich will dafür sorgen, daß, wenn die Reihe an mir sein wird, kein Geschöpf es wisse.« Es war dies aber der Tag vor jenem, an dem der Rabbi von Tschernobil das Gefängnis verlassen sollte. Nachdem der Karliner sich von ihm verabschiedet hatte, ging er zum Vogt des Gefängnisses, überreichte ihm die vierhundert Rubel, die er für die Mitgift bereit hatte, und erwirkte dadurch, daß sein Freund um einen Tag früher die Freiheit wiedererlangte. Dann fuhr er mit dem Sohn zur Hochzeit. Was sich weiter begab, darüber laufen verschiedene Geschichten um. In einer von ihnen aber wird erzählt, während der sieben Tage der Festlichkeit habe Rabbi Baruch die Mitgift nicht erwähnt. Als nun der Karliner sich zur Heimfahrt anschickte, sagte sein Sohn zu ihm:»Du fährst nach Hause, und ich bleibe bei meinem Schwäher. Was soll ich tun, wenn er die Mitgift von mir fordert?«»Setzt er dir einmal zu«, antwortete Rabbi Schlomo, »so stelle dich irgendwo mit dem Gesicht zur Wand und sprich: ›Vater, Vater, der Schwäher setzt mir wegen der Mitgift zu.‹ Dann wird er aufhören, sie von dir zu fordern.« Es verging eine Zeit, ohne daß sich etwas ereignete, bis an einem Freitagabend Rabbi Baruch das Hohelied sprach und sein Schwiegersohn ihm gegenüberstand. Wie da Rabbi Baruch die Worte sprach»Ein Bündel Myrrhe«, unterbrach er sich und bewegte die rechte Hand flüchtig an der linken, wie wer ein Bündel Geldscheine aufblättert. Dann nahm er das Sprechen des Hohenliedes wieder auf. Den Schwiegersohn hielt es aber nicht in der Stube. Er lief in seine Kammer, stellte sich mit dem Gesicht zur Wand und sprach: »Vater, Vater, der Schwäher setzt mir wegen der Mitgift zu.« Von da an hatte er Ruhe.

Das Schlimmste

Rabbi Schlomo fragte:»Was ist die schlimmste Tat des Bösen Triebs?«
Und er antwortete:»Wenn der Mensch vergißt, daß er ein Königssohn ist.«

Wie Gott liebt

Rabbi Schlomo sprach:»Ach, könnte ich doch den größten Zaddik so lieben, wie Gott den größten Bösewicht liebt!«

Um ein Handbreit höher

Als Rabbi Schlomo von Karlin einst in dem Städtchen Dobromysl nah bei Ložny, dem damaligen Wohnort seines einstigen

Gefährten im Lehrhaus des großen Maggids, Rabbi Schnëur Salman, weilte, sagte dieser am Freitag zu einigen Chassidim, die zu ihm gefahren kamen: »Jetzt bin ich kein Rabbi. Der heilige Zaddik, unser Meister Rabbi Schlomo, weilt in meinem Bereich, so ist er jetzt der Rabbi. Darum fahrt über Sabbat zu ihm nach Dobromysl.« Das taten sie und saßen bei den drei Sabbatmahlzeiten am Tisch des Karliners, hörten aber aus seinem Munde keine Worte der Lehre, wie sie es bei ihrem Lehrer gewohnt waren. Und dennoch, unvergleichlich stärker als je zuvor erstrahlte in ihrem Sinn das heilige Licht. Bei der dritten Sabbatmahlzeit sprach Rabbi Schlomo vor dem Tischgebet den kleinen Psalm, der beginnt: »Seine Gründung auf den Heiligungsbergen« und endet: »All meine Quellen sind in dir«, und er übersetzte: »All meine Quellung ist in dir.« Alsbald brachen in ihnen allen die Quellen des Geistes auf, der Geist regierte sie gewaltig, und sie wußten bis lange nach Sabbat nicht zwischen Nacht und Tag zu unterscheiden. Als sie zu Rabbi Salman kamen und ihm erzählten, was ihnen widerfahren war, sagte er: »Ja, wer gleicht dem heiligen Rabbi Schlomo! Er kann übersetzen! Wir können nicht übersetzen! Wer gleicht dem heiligen Rabbi Schlomo! Er ist ja um ein Handbreit höher als die Welt!«

Armilus

Rabbi Schlomo pflegte zu sagen: »Wenn doch nun schon Messias, Sohn Davids, kommen wollte! Messias, Sohn Josefs, der ihm vorausgeht und getötet wird, kann zur Not ich selber sein. Was soll ich denn fürchten und wen soll ich denn fürchten? Soll ich den krummen Kosak fürchten?« Die Leute meinten, daß er den Tod einen krummen Kosaken nenne, und wunderten sich darüber.

Man ging ihn wiederholt von der Gemeinde Ludmir an, daß er in ihr seinen Wohnsitz nehme; denn dort lebten viele seiner Vertrauten; stets lehnte er es ab. Als jedoch wieder einmal die Abgesandten von Ludmir zu ihm kamen – es war Lag-baomer, der dreiunddreißigste Tag der Omer-Zählung, zwischen dem Passah- und dem Offenbarungsfest –, fragte er sie lachend: »Und was

treibt man bei euch am Lag-baomer?«»Nun«, antworteten die
Boten,»wie es eben so der Brauch ist: all die Knaben, die großen
und die kleinen, ziehen mit ihren Bogen aufs Feld und schießen.«
»So, so«, sagte Rabbi Schlomo lächelnd,»wenn bei euch geschos-
sen wird, das ist was andres, dann komm ich also zu euch.«

Zu jener Zeit, als der Rabbi schon in Ludmir wohnte, schlugen
die Russen einen Aufstand der Polen in jener Gegend nieder und
verfolgten die Besiegten bis in die Stadt. Der russische Befehlshaber gab seinen Mannschaften zwei Stunden zum Plündern frei.
Es war der Vortag des Offenbarungsfestes, der in jenem Jahr auf
einen Sabbat fiel. Die Juden waren im Bethaus versammelt.
Rabbi Schlomo stand betend in der Verzückung, ohne etwas
zu sehen oder zu hören. Da kam draußen ein langer Kosak her-
angehinkt, trat ans Fenster und sah herein, die Flinte angelegt.
Eben sprach der Rabbi mit großer Stimme die Worte:»Denn
dein, Herr, ist das Königtum«, da zupfte ihn sein kleiner Enkel,
der neben ihm stand, erschrocken am Rock, und er erwachte aus
der Verzückung. Schon aber traf ihn die Kugel in die Seite.»Warum hat man mich heruntergebracht?« sagte er. Als man ihn in
sein Haus getragen und hingelegt hatte, hieß er, während man
ihm die Wunde verband, das Buch Sohar an einer bestimmten
Stelle aufschlagen und vor sich hinstellen. Das blieb vor seinen
Augen aufgeschlagen bis zum Mittwoch, an dem er starb.
Es wird aber erzählt, der hinkende Kosak habe Armilus geheißen. Das ist der Name des Unholds, der nach alter Überlieferung Messias Sohn Josefs töten wird.

Abgerissen

Einige Tage vor seinem gewaltsamen Tod schrieb Rabbi Schlomo
an seinen Schüler Mordechai von Lechowitz:»Komm, daß ich dich
zum Führer weihe.« Sogleich begab Mordechai sich auf die Reise.
Unterwegs verspürte er urplötzlich, als sei ein Seil, das ihn schützend über einen Abgrund trug, gerissen, und er falle durch den
uferlosen Raum.»Ich bin von meinem Lehrer abgerissen!« schrie
er, und es kam fortan kein andres Wort aus seinem Mund. Seine
Begleiter fuhren mit ihm zum alten Neshižer Rabbi, der im gan-

zen Land als Wundertäter bekannt war, und gingen diesen um Heilung des von Sinnen Geratenen an. »Tut ihm kund«, sagte der Neshižer, »daß sein Lehrer tot ist; dann wird er genesen.« Sie eröffneten es ihm mit großer Vorsicht, weil sie Furcht hegten, er möchte sich ein Leid antun. Er aber, sowie er das Wort vernahm, stand im Nu wieder unverstörten Angesichts, sprach mit starker Stimme den Segen, den man bei einer Todesnachricht spricht, und rief: »Er war mein Lehrer und wird mein Lehrer bleiben.«

Gnadenhalber

Rabbi Ascher von Stolyn erzählte: »Mein Lehrer, Rabbi Schlomo, pflegte zu sagen: ›Ich muß vorbereiten, was ich in der Hölle zu tun habe.‹ Denn er war gewiß, daß ihm kein besseres Los beschieden sei. Als nun nach dem Abscheiden seine Seele aufstieg und die Dienstengel ihn freudig empfingen, um ihn zum höchsten Paradiese zu geleiten, weigerte er sich, mit ihnen zu gehen. ›Man narrt mich‹, rief er, ›das kann die Welt der Wahrheit nicht sein.‹ Bis die Schechina selber zu ihm sprach: ›Komm, mein Sohn, gnadenhalber will ich dich aus meinem Schatz beschenken.‹ Da gab er sich zufrieden.«

»Ich bin Gebet« [9]

Es wird erzählt: »Einst brachte man im himmlischen Gericht die Anklage vor, die meisten Juden beteten ohne Ausrichtung der Seele. Und weil dem so war, wurde gestattet, daß auf Erden ein König aufstand und den Juden seines Landes verbieten wollte, gemeinschaftlich zu beten. Da erhoben sich etliche Engel und wollten es nicht zulassen. So wurde beschlossen, die Seelen der Zaddikim, die in der obern Welt weilen, zu befragen. Sie stimmten dem Verbote zu. Als man aber zu Rabbi Schlomo von Karlin kam, erschütterte er die Welten mit dem Sturm seines Gebets und sprach: ›Ich bin Gebet. Ich nehme es auf mich, anstatt ganz Israels zu beten.‹ Das Verbot kam nicht zustande.«

---

[9] Vgl. Psalm 109, 4.

Die Geschichte vom Umhang

Eine Frau kam zu Rabbi Israel, dem Maggid von Kosnitz, und weinte vor ihm: ein Dutzend Jahre schon sei sie vermählt und habe noch keinen Sohn. »Was willst du tun?« fragte er. Sie wußte nichts zu antworten. »Meine Mutter«, erzählte nun der Maggid, »ist alt geworden ohne ein Kind zu haben. Da hörte sie, daß der heilige Baalschem auf einer Reise in ihrer Stadt Apta weilte. Sie lief zu ihm in die Herberge und flehte ihn an, ihr einen Sohn zu erbeten. ›Was willst du tun?‹ fragte er. ›Mein Mann ist ein armer Buchbinder‹, antwortete sie, ›aber etwas Gutes habe ich doch, das will ich dem Rabbi geben.‹ Stracks lief sie heim und holte den sorgsam verwahrten guten Umhang, die ›Katinka‹, aus der Truhe. Als sie aber damit in die Herberge kam, erfuhr sie, daß der Baalschem bereits wieder nach Mesbiž abgereist sei. Sie machte sich ohne Verzug auf den Weg und ging, da sie kein Geld zum Fahren hatte, mit ihrer Katinka von Stadt zu Stadt, bis sie nach Mesbiž kam. Der Baalschem nahm die Katinka und hing sie an die Wand. ›Es ist gut‹, sagte er. Meine Mutter ging wieder von Stadt zu Stadt, bis sie nach Apta kam. Im Jahr darauf wurde ich geboren.«

»Auch ich will«, rief die Frau, »Euch einen guten Umhang von mir bringen, daß ich einen Sohn bekomme.«

»Das gilt nicht«, erwiderte der Maggid. »Du hast die Geschichte gehört. Meine Mutter hatte keine Geschichte gehört.«

Das Lernen des Knaben

Als Israel sieben Jahre alt war, lernte er bei Tag in der Talmudschule, nachts aber ging er ins Lehrhaus und lernte für sich. In der ersten Chanukkanacht hieß ihn sein Vater nicht ins Lehrhaus gehen; denn er hatte ihn im Verdacht, er würde dort mit andern Knaben das an diesem Fest beliebte Zettelspiel spielen. Da er aber daheim weder Buch noch Kerze hatte, versprach er seinem Vater, er wolle nicht länger im Lehrhaus verweilen, als ein Dreierlicht brennt. Es begab sich aber – sei es, weil der Mond mit besondrer Leuchtkraft ins Fenster schien, sei es, wie sich die Chassidim erzählen, weil die Engel, die sich am Lernen des Knaben erfreuten, das Dreierlicht wunderbar am Leben erhielten –, daß er lange über die vorgesehene Zeit hinaus im Lehrhaus blieb. Als er endlich heimkam, schlug ihn der Vater bis aufs Blut. »Und habt Ihr denn nicht«, so wurde der Maggid gefragt, als er im Alter davon erzählte, »Eurem Vater gesagt, daß Ihr die ganze Zeit über gelernt habt?« »Das hätte ich freilich sagen können«, antwortete er, »und mein Vater hätte mir auch geglaubt; denn er wußte, daß ich nicht lüge; aber darf man denn sich der Ehre der Thora bedienen, um sich zu retten?«

Die Erkenntnis

Es heißt, Rabbi Israel habe in seiner Jugend achthundert Bücher der Kabbala durchforscht. Als er aber zum erstenmal vors Angesicht des Maggids von Mesritsch trat, erkannte er im Nu, daß er nichts wußte.

Seine Thora

Rabbi Israel von Kosnitz sprach: »Mit Recht heben unsre Weisen hervor, daß die Lehre im ersten Psalm zunächst ›die Thora des Herrn‹ genannt wird, dann aber ›seine Thora‹. Denn lernt ein Mensch die Thora um ihrer selbst willen, dann schenkt man ihm die Thora, und sie ist sein, und er darf alle seine heiligen Gedanken in die heilige Thora kleiden.«

Der Pelz

Es wird erzählt: »In seiner Jugend lebte Rabbi Israel in Armut und Bedrängnis. Einst besuchte er Rabbi Levi Jizchak, den nachmaligen Berditschewer Raw, in dem nahen Želichow, wo dieser damals noch wohnte. Nachher begleitete ihn der Zaddik hinaus. Erst standen sie vor der Schwelle seines Hauses beieinander und unterredeten sich, dann gingen sie im Eifer des Gesprächs weiter und weiter mitsammen. Es war grimmig kalt, und Rabbi Levi Jizchak hatte keinen Mantel umgenommen. ›Leiht mir für eine Weile Euren Schafpelz‹, sagte er zum Schüler und Freund, und

der gab ihn gern her. Bitter frierend in seinem dünnen Rock ging
er neben dem Zaddik weiter, und das Gespräch brach nicht ab.
Das währte eine Zeit. ›Nun ist es genug, Israel‹, sagte schließlich
der Rabbi, ›nun soll's auch dir warm werden.‹ Von da an wandte
sich dessen Geschick.«

Siechtum und Stärke

Rabbi Israel siechte von Jugend auf. Sein Leib war wie dürres
Holz und so hager, daß sich die Ärzte verwunderten, wie er leben
könne. Er lag zumeist in Hasenfelle gehüllt auf seinem Ruhebett. Wenn er sich erhob, mußte er, da seine Füße keinen Schuh
vertrugen, bärenfellgefütterte Pantoffeln anziehn, um stehen zu
können. Ins Bethaus trug man ihn in einem Liegestuhl. Da aber,
sowie er an der Schwelle gesprochen hatte[1]: »Wie furchtgewaltig
ist dieser Ort«, verwandelte er sich. Montags und Donnerstags,
an den Tagen, an denen[2] aus der Schrift verlesen wird, ging er in
Tallith und Thefillin, die Thorarolle im Arm, so leichten Fußes
durch die zwei wartenden Reihen, daß die ihn rechts und links
begleitenden Diener mit den Fackelkerzen ihm kaum folgen
konnten, neigte sich im Tanzschritt gegen die heilige Lade, in die
er die Rolle legte, tat einen zweiten Tanzschritt gegen das Pult,
auf dem die Menora[3] stand, und stellte die Kerzen hinein. Dann
sprach er mit seiner gewohnten schwachen Stimme die ersten
Worte des Gebets, aber mit jedem Wort wuchs die Stimme, bis sie
die Herzen aller emporriß. Wenn nach dem Beten die Diener ihn
im Liegestuhl heimtrugen, war er blaß wie ein Sterbender, und
seine Blässe leuchtete. Darum sagte man von ihm, sein Leib
leuchte wie tausend Seelen.
Als er einmal zu einem Beschneidungsfest geladen war und in
den Wagen steigen sollte, traten ein paar Leute hinzu, um ihn
hineinzuheben. »Ihr Toren«, sprach er, »wozu bedarf ich eurer
Kraft! Es heißt: ›Die auf Gott harren, werden Kraft eintau-
schen[4]‹. Ich tausche meine Kraft mit Gott; der hat Kraft genug.«
Und er sprang in den Wagen.

---

[1] Nach Genesis 28, 17.   [2] Zusätzlich zur sabbatlichen Schriftverlesung.
[3] Der siebenarmige Leuchter, insbesondere der in der Synagoge verwendete.
[4] Das ist die ursprüngliche Bedeutung des sonst an dieser Stelle (Jesaja 40, 31) mit
»erneuen« übersetzten Verbs.

Der Rock

Was immer der Kosnitzer sprach, es klang, wie wenn er betete, nur sehr viel leiser und schwächer. Er liebte es, Sprüche und Verse des polnischen Bauernvolkes vor sich hin zu singen. Nach einem Purimmahl, das er in großer Freude abgehalten hatte, sprach er:»Gut sagt das Volk:

Ohne Rock bei Tanz und Schmaus,
Liebe Seele, toll dich aus!

Aber welch ein wunderlicher Rock ist doch der Leib.« Auch zu Gott sprach er mitunter polnisch. Wenn er allein war, hörte man ihn zuweilen sagen:»Mój kochanku«, das ist:»Mein Geliebter«.

Ein Gebet

Der Kosnitzer sprach zu Gott:»Herr der Welt, ich bitte dich, du mögest Israel erlösen. Und willst du nicht, so erlöse die Gojim!«

Ein andres Gebet

Einmal sprach der Maggid von Kosnitz:»Ich stehe vor dir, Gott, wie ein Botenknabe und warte, wohin du mich schickst.«

Zeugnis

Es schreibt Rabbi Mosche von Kosnitz, der Sohn des Maggids: »Mein Vater und Lehrer sprach zu mir: ›Glaube mir, mein Sohn, unter all den ‚fremden Gedanken‘, die je und je mich angewandelt haben, ist keiner anders als während meines Betens zu mir gekommen, und mit der Hilfe Gottes habe ich sie alle zu ihrem Quell und ihrer Wurzel heimgebracht, dahin, wo uranfänglich ihr Zelt stand.‹«

Die toten Gebete und das lebende

Als Rabbi Israel einst im Bethaus die große Fluchrede aus der Schrift verlesen hörte und die Worte vernahm[5]:»Dein Leichnam

---

[5] Deuteronomium 28, 26.

wird zu einem Fraß allem Vogel des Himmels«, schrie er auf. Hernach bei der Mahlzeit sprach er:»Die Gebete, die ohne Furcht und Liebe gebetet werden, die werden Leichnam genannt. Er aber, der das Beten jedes Mundes hört, erbarmt sich seiner Geschöpfe. Er gibt ins Herz des Menschen eine Erweckung von oben, daß er ein einziges Mal mit ausgerichteter Seele beten kann, und da wird sein Gebet gewaltig und verschlingt all die Gebetsleichen und schwingt sich wie der Vogel bis zu den Himmelsschleusen.«

An jedem Tag

Der Maggid von Kosnitz sprach:»An jedem Tag soll der Mensch aus Ägypten gehn.«

Um den kranken Sohn

Als ihm sein geliebter kleiner Sohn erkrankte und die Ärzte keine Hoffnung mehr boten, saß der Maggid von Kosnitz die Nacht über und wußte nichts als seinen Kummer. Als aber die Zeit des Morgengebets kam, sprach er:»Es steht geschrieben[6]: ›Und sie warf den Knaben unter einen der Sträucher.‹ Die Sträucher, die Sträucher, das große Gesträuch[7] des Gebets! Um *eines* Wortes des Gebets willen, daß es in Freude gesprochen werde!«
Als Rabbi Levi Jizchak, der damals noch in dem unfernen Želichow lebte, davon hörte, ging er ins Tauchbad und tauchte mit der heiligen Absicht, den Sinn des Maggids zu wandeln, daß er um die Heilung des Sohnes bete. Und in der Tat, während der Maggid im Gebet stand, wandelte sich sein Sinn, und er betete mit seiner großen Inbrunst, daß das Kind ihm genese.
Damals, so erzählen die Chassidim, genas nicht bloß der kleine Mosche, der Sohn des Maggids, sondern alle kranken Kinder weit in der Runde.

Schwarzes Feuer

Der Kosnitzer Maggid pflegte in jedem Jahr das Grab seines Vaters in der Stadt Apta zu besuchen. Einst, als er dort war, kamen

---

[6] Genesis 21, 15.
[7] Im Hebräischen ein Wortspiel: dasselbe Nomen bedeutet »Gesträuch« und »Gespräch«.

zu ihm die Häupter der Gemeinde und baten ihn, er möge am Sabbat, wie er es bei seinem Besuche im Vorjahr getan hatte, im großen Bethaus predigen. »Habe ich denn«, sagte er, »mit meiner vorjährigen Predigt etwas bewirkt?« Betroffen gingen die Männer von dannen, und die ganze Gemeinde wurde vom Gram erfaßt. Vor der Herberge des Maggids versammelte sich eine Menge, stumm, alle Köpfe gesenkt. Da trat ein Mann, ein Handwerker, hervor, ging in die Stube des Maggids und redete ihn an: »Ihr habt gesagt, Ihr hättet mit Eurer vorjährigen Predigt nichts bewirkt. Bei mir habt Ihr etwas bewirkt. Ich hörte nämlich damals aus Eurem Mund, jeder Sohn Israels solle das Wort der Schrift[8] erfüllen: ›Ich hege den Herrn mir stets gegenüber.‹ Seither steht der Name des Herrn mir vor Augen wie schwarzes Feuer auf weißem Feuer.« »Wenn dem so ist«, sagte der Maggid, »will ich predigen gehn.«

Kasteiung

Zum Kosnitzer Maggid kam einst ein Mann, der zur Kasteiung einen Sack am bloßen Leibe trug und je von Sabbat zu Sabbat fastete. Der Maggid sprach zu ihm: »Meinst du, der Böse Trieb scheue dich? Er narrt dich in den Sack hinein! Besser noch ist es um den, der vorgibt, von Sabbat zu Sabbat zu fasten, und insgeheim sich täglich ein paar Bissen zusteckt: er betrügt nur andere, du aber bist dir selber ein Trug.«

Die Verschmähte

Eine Frau klagte dem Kosnitzer Maggid weinend, daß ihr Mann sich von ihr abgewandt habe und sie häßlich nenne. »Und vielleicht bist du.in der Tat häßlich?« sagte Rabbi Israel. »Rabbi«, rief die Frau aus, »war ich ihm unter dem Trauhimmel nicht schön und lieblich? Warum bin ich nun schwarz geworden?« Da erfaßte den Maggid ein Zittern, und er konnte nur mit Mühe der Frau den Trost zusprechen, er wolle beten, daß Gott ihr das Herz ihres Mannes wieder zuwende. Als sie gegangen war, redete er zu Gott: »Gedenke dieses Weibes, Herr der Welt, und gedenke

---

[8] Psalm 16, 8.

Israels. Als Israel am Sinai gelobte: ›Wir tun's, wir hören's‹ und du es erkorst und dir antrautest, war es dir nicht schön und lieblich? Warum ist es nun schwarz geworden?«

Das Essen des Reichen

Zum Maggid von Kosnitz kam einst ein reicher Mann. »Was pflegst du zu essen?« fragte der Maggid. »Ich führe mich bescheiden«, sagte der reiche Mann, »Brot und Salz und ein Trunk Wasser sind mir genug.« »Was fällt dir ein!« schalt ihn der Maggid. »Braten sollst du essen und Met sollst du trinken wie alle reichen Leute!« Und er ließ den Mann nicht gehn, bis er ihm versprochen hatte, es fortan so zu halten. Nachher fragten die Chassidim nach dem Grund der wunderlichen Rede. »Erst wenn er Fleisch ißt«, antwortete er, »wird er wissen, daß der Arme Brot braucht. Solang er Brot ißt, meint er, der Arme könne Steine essen.«

In Ordnung

Es wird erzählt: »Eine Frau kam zum Kosnitzer Maggid und bat um eine Geldhilfe, ihre verlobte Tochter auszusteuern. ›Was kann ich dir geben!‹ beschied sie der Maggid, ›ein Wechselfieber kann ich dir geben.‹ Traurig ging die Frau hinaus. Tags drauf kam eine begüterte Polin aus einer andern Stadt und klagte über ein hartnäckiges Fieber, das sie seit Jahresfrist plage und vor den größten Ärzten nicht weiche. ›Ein hartnäckiges Fieber?‹ sagte der Maggid, ›seit Jahresfrist? Das kostet Euch fünfzig Gulden.‹ Sie zählte sie auf den Tisch und fuhr geheilt von dannen. Der Maggid hieß die Brautmutter rufen und übergab ihr das Geld. ›Nun ist alles in Ordnung‹, sagte er.«

Die Forderung

Es wird erzählt: »Ein Dorfmann und seine Frau kamen zum Kosnitzer Maggid und baten, er möge für sie, die kinderlos waren, ein Kind erbitten. ›Gebt mir zweiundfünfzig Gulden‹, sagte der Maggid; ›denn dies ist der Zahlenwert des Wortes ›ben‹

›Sohn‹. ›Zehn Gulden wollen wir Euch gern geben‹, sagte der Dorfmann; aber der Maggid weigerte sich, sie anzunehmen. Der Mann ging auf den Markt und schleppte einen Sack voller Kupfergeld herbei, das breitete er auf der Tischplatte aus – zwanzig Gulden. ›Seht nur, wieviel Geld!‹ rief er. Aber der Maggid ließ nicht von seiner Forderung ab. Da geriet der Dorfmann in Zorn, raffte das Geld wieder zusammen und sprach zu seinem Weibe: ›Weib, gehen wir, Gott wird uns auch ohne den Maggid helfen!‹ ›Schon habt ihr die Hilfe erwirkt‹, sagte der Maggid, und so war es.«

Die Probe

Es wird erzählt: »Als der Fürst Adam Czartoryski, Freund und Ratgeber des Zaren Alexander, lange Jahre kinderlos geblieben war, ging er den Maggid von Kosnitz an, für ihn zu beten, und dessen Gebet erwirkte, daß dem Fürsten ein Sohn geschenkt wurde. Bei der Tauffeier erzählte der Vater den Hergang. Sein Bruder, der mit einem jungen Sohn unter den Gästen war, spottete über solchen Aberglauben. ›Laß uns zusammen zu deinem Wundermann fahren‹, schlug er vor, ›und ich will dir zeigen, daß er nicht rechts und links zu unterscheiden weiß.‹ Sie fuhren zusammen nach dem nahen Kosnitz. ›Ich bitte Euch‹, sagte Adams Bruder zum Maggid, ›für meinen kranken Sohn zu beten.‹ Der Maggid senkte den Kopf und schwieg. ›Wollt ihr's tun?‹ drängte jener. Der Maggid hob den Kopf. ›Fahrt‹, sprach er, und Adam sah, daß er die Worte nur mit Mühe über die Lippen brachte, ›fahrt schnell heim, vielleicht könnt Ihr ihn noch lebend sehn.‹ ›Nun, ist es nicht, wie ich dir gesagt habe?‹ sagte der Bruder lachend zu Adam, als sie in den Wagen stiegen. Adam schwieg die Fahrt über. Als sie an seinen Hof kamen, fanden sie den Knaben tot.«

Der »Kugel⁹«

Einmal kam zum Kosnitzer Maggid ein Mann aus dem Volk mit seiner Frau und sagte, er wolle ihr den Scheidebrief geben. »Warum willst du das tun?« fragte der Maggid. »Ich arbeite«, sagte

---

⁹ Eine charakteristische Mehlspeise des Sabbattisches wird auf jiddisch so genannt.

der Mann,»die Woche über in großer Mühsal, da will ich Sabbat meinen Genuß haben. Wie nun der Sabbatmittag da ist, trägt meine Frau erst den Fisch auf und dann die Zwiebeln und den Tschalent[10], und bis die Reihe an den Kugel kommt, bin ich schon satt und habe keinen Geschmack mehr daran. Für diesen Kugel arbeite ich die ganze Woche, und nun kann ich ihn gar nicht schmecken, und all meine Müh war umsonst! Darum hab ich Mal um Mal von meiner Frau verlangt, sie solle den Kugel gleich nach dem Segen über den Wein auf den Tisch bringen. Aber nein und nein! So, sagt sie, war's der Brauch in ihrem Vaterhaus, und einen Brauch, sagt sie, soll man nicht ändern!« Der Maggid wandte sich an die Frau.»Mach von nun an«, sagte er,»zwei Kugel. Den einen trag gleich nach dem Weinsegen und den andern mitten in der Mahlzeit auf wie bisher.« Darauf einigten sich Mann und Weib und nahmen vergnügten Abschied. Der Maggid aber sprach am selben Tag zu seiner Frau:»Mach von jetzt ab am Freitag zwei Kugel, den einen trag nach dem Weinsegen und den andern mitten in der Mahlzeit auf wie bisher.« Seither war es Brauch im Haus des Maggids und blieb Brauch bei seinen Nachkommen, nach dem Segen über den Wein einen Kugel zu essen, und der wurde der Hausfriedenskugel genannt.

Adams Teil

Es wird erzählt, einst sei, als der Kosnitzer Maggid im Gebet stand, Adam, der erste Mensch, zu ihm getreten und habe ihn angesprochen:»Dein Teil an meiner Schuld hast du gelöst – willst du nicht auch noch mein Teil lösen?«

Der Kantonist beim Sseder

Es wird erzählt:»In jener Zeit geschah es in russischen Landen häufig, daß man jüdische Knaben in den Heeresdienst preßte, darin sie dann bis zum sechzigsten Jahr ihres Lebens bleiben mußten. Sie wurden Kantonisten genannt.
Am Vorabend des Passahfestes kam einst ein Mann, an seiner Uniform als Kantonist zu erkennen, nach Kosnitz und bat, zum

[10] Ein Mischgericht aus weißen Bohnen, Graupen und Markknochen, das am Freitag zubereitet und für den Sabbat in die Ofenröhre geschoben wird.

heiligen Maggid vorgelassen zu werden. Als er vor diesem stand, bat er, ihn am Sseder teilnehmen zu lassen, und der Maggid gewährte es.

Als man beim Sseder zum Spruch kam ›Beendet ist die Ordnung des Passah der Regel gemäß‹, bat der Gast, singen zu dürfen, und es wurde ihm gestattet. Nach den Schlußworten des Lieds ›Pedujim lezion berina‹, das ist: ›Erlöste nach Zion mit Jubel‹, rief er auf russisch: ›Podjom!‹ das ist: ›Gehen wir!‹ Der Maggid stand auf und sprach mit jubelnder Stimme: ›Wir sind bereit, nach Zion zu gehn.‹ Aber der Gast war verschwunden.«

Der Geist der Schwester

Es wird erzählt:»Der Maggid von Kosnitz hatte eine Schwester, die ihm in jungen Jahren wegstarb. Da gab man ihr in der oberen Welt die Erlaubnis, im Haus ihres Bruders zu verweilen. Der Maggid pflegte für die armen Waisen Kleider nähen zu lassen. Wenn ihm die Händler Tuch dafür brachten, sagte er stets: ›Ich will meine Schwester fragen, ob die Ware gut und preiswert ist‹, und sie gab ihm stets genaue Auskunft. Sie achtete peinlich auf alle Schritte des Gesindes, und wenn eins von ihnen einen Laib Brot oder ein Stück Fleisch stahl, meldete sie es alsbald dem Bruder. Das wurde ihm zuwider; aber es gelang ihm nicht, sie davon abzubringen. Einmal riß es ihn hin, und er sagte zu ihr: ›Möchtest du nicht lieber ein wenig ruhn?‹ Seither war sie nicht mehr anwesend.«

Der Mann, der den Propheten schlug

Ein Enkel des Maggids von Kosnitz erzählte:»Einst kam ein Besessener vor den heiligen Maggid, sein Andenken beschütze uns, und bat um Erlösung. Der Maggid rief den Geist an, seine Sünden zu bekennen. Der Geist bekannte: ›Als der Prophet Sacharia Sohn Jojadas dem Volke das Verderben ansagte[11], bin ich der erste gewesen, der aus der Menge vorsprang und ihn ins Gesicht schlug, und dann erst schlugen die andern zu, bis sie ihn er-

---

[11] Vgl. 2 Chronik 24, 20 f.

schlagen hatten. Seither muß ich von Seele zu Seele umirren und finde keine Ruhe.‹ Als nun aber der heilige Maggid sein Werk damit begann, daß er die Schaufäden aneinander rieb, lachte der Geist frech auf und schrie: ›In meinen Tagen haben die Schneider und Schuster deine Künste gekannt!‹ ›Wenn ihr denn so klug gewesen seid‹, sagte der Maggid, ›warum habt ihr den Propheten erschlagen?‹ Da sprach der Geist: ›Es ist ja Gesetz: wer seine Weissagung in sich verhält, ist Todes schuldig. Aber hinwieder ist auch dir bekannt: wenn der Prophet seine Weissagung nicht sagt, fällt sie dahin. So wäre es besser gewesen, Sacharia hätte seine Weissagung verhalten und wäre ein Sühnopfer für die Gemeinschaft geworden. Darum haben wir ihn erschlagen.‹ Der heilige Maggid sprach: ›Deswegen, um dies zu berichten, bist du hergekommen‹, und führte das Werk der Erlösung zu Ende.«
So hat es der Enkel des Maggids von Kosnitz erzählt. Es wird aber auch erzählt, der Maggid habe, als er die Worte des Geistes hörte, sein Werk nicht zu Ende führen können, und der Besessene hätte später zu Rabbi Jissachar Bär von Radoschitz, dem wundermächtigen Mann, der in seiner Jugend ein Schüler des Maggids gewesen war, kommen müssen und sei durch ihn erlöst worden.

Die Seele des Spielmanns

Es wird erzählt:»Um Mitternacht kam einst eine Stimme in die Kammer des Maggids von Kosnitz und klagte: ›Heiliger Israels, erbarme dich einer elenden Seele, die seit zehn Jahren von Wirbel zu Wirbel irrt!‹ ›Wer bist du‹, fragte der Maggid, ›und wie hast du dein Erdenleben vollbracht?‹ ›Ein Spielmann war ich‹, sprach die Stimme, ›die Zimbeln waren mein Instrument, und ich habe gesündigt, wie alle fahrenden Spielleute sündigen.‹ – ›Und wer hat dich zu mir geschickt?‹ Da stöhnte die Stimme auf: ›Ich habe ja auf des Rabbi Hochzeit gespielt, und Ihr lobtet mich und wolltet mehr hören, und ich spielte ein Stück ums andre zu Euerm Wohlgefallen.‹ – ›Weißt du noch die Melodie, die du spieltest, als sie mich unter den Trauhimmel führten?‹ Die Stimme sang die Melodie. ›So soll dir am kommenden Sabbat Erlösung werden‹, sprach der Maggid.

Am Freitagabend darauf sang der Maggid vor dem Vorbeterpult
das Lied ›Auf, mein Freund, der Braut entgegen‹ in einer Weise,
die niemand kannte und in die die Sänger nicht einzustimmen
vermochten.«

Die Welt der Melodie

Der »Jehudi«, der Zaddik von Pžysha, sah einmal im Geist, daß
die Krankheit des Kosnitzer Maggids sich zur Sterbensgefahr gesteigert hatte. Sogleich befahl er zweien seiner Getreuen, die treffliche Sänger und Spielleute waren, nach Kosnitz zu fahren, um
Rabbi Israels Herz mit Musik zu erquicken. Die beiden machten
sich unverzüglich auf den Weg, kamen am Freitag ins Haus des
Maggids und wurden betraut, den Sabbat mit ihrem Spiel und
Gesang zu empfangen. Als die Klänge in die Stube einzogen,
wo Rabbi Israel lag, horchte er auf, und sein Angesicht erhellte
sich. Sein Atem ging immer gleichmäßiger, die Stirn wurde kühler, und die Hände lagen vom Krampf befreit auf der Decke. Am
Ende blickte er wie erwachend auf und sprach: »Der Jehudi hatte
gesehn, daß ich durch alle Welten hinweggegangen bin, nur in
der Welt der Melodie war ich nicht. Da hat er zwei Boten geschickt, daß sie mich durch diese Welt zurückführen.«

Die Engelsweise

Man erzählt sich, der Maggid von Kosnitz habe die Melodie, die
er hinterließ, aus dem Mund der Engel gehört, die sie zu Gottes
Ehren sangen. Aber einer seiner Schüler sagte, dem sei nicht so,
sondern die Engel hätten sie aus seinem Munde gehört. Als später
ein Sohn dieses Schülers das weitererzählte, fügte er hinzu: »Das
waren die Engel, die aus den Taten des heiligen Maggids erschaffen worden sind.«

Mit einem Blick

Der junge Zwi Elimelech hörte einst bei der dritten Sabbatmahlzeit seinen Lehrer, Rabbi Mendel von Rymanow, sagen: »Wer im
Geschlecht des Maggids von Kosnitz lebt und es versäumt, sein
Angesicht zu sehen, der wird, wenn der Messias kommt, nicht gewürdigt werden, dessen Angesicht zu sehen.« Sowie man das

Licht auf den Tisch stellte, verabschiedete sich Zwi Elimelech vom Rabbi, nahm den Stock in die Hand und den Ranzen auf die Schultern und wanderte die Tage und Nächte fast ohne Rast nach Kosnitz; denn wer weiß, ob der Messias nicht in dieser Woche kommt? In Kosnitz angelangt, ging er geradenwegs in das Lehrhaus des Maggids, ohne Stock und Ranzen in einer Herberge hinzulegen; denn wer weiß, ob der Messias nicht in dieser Stunde kommt? Man wies ihn in die kleine Kammer. Da standen viele Leute um das Ruhebett des Maggids. Zwi Elimelech lehnte sich an die Wand, stützte die eine Hand auf seinen Stab, die andre auf einen vor ihm stehenden Mann, hob sich empor und sah in das Angesicht des Maggids. »Mit einem Blick«, sprach er zu sich, »erwirbt man die kommende Welt.«

Verlängerung

Im Alter sprach Rabbi Israel: »Es gibt Zaddikim, sowie die den ihnen bestimmten Dienst auf Erden vollendet haben, kommt für sie die Zeit abzuscheiden. Und es gibt Zaddikim, sowie die den ihnen bestimmten Dienst auf Erden vollendet haben, wird ihnen ein neuer Dienst zugeteilt und sie leben, bis sie ihn vollendet haben. So ist es auch mir ergangen.«

Die Bachkiesel

Als im Jahr von Napoleons russischem Feldzug der Rabbi von Apta den Kosnitzer Maggid zum Fest der Offenbarung besuchte, fand er ihn zwar wie gewöhnlich auf dem Krankenbett liegen, aber die Züge von einer seltsamen Entschlossenheit belebt. »Wie ergeht es Euch?« fragte er. »Ich bin jetzt«, antwortete der Maggid, »ein Kriegsmann. Die fünf Bachkiesel, die der junge David zum Kampf mit Goliath dem Philister für seine Schleuder aufsammelte, halte ich bei mir im Bett.« In der Nacht zum ersten Festtag, zwei Stunden nach Mitternacht, stellte sich der Maggid im Bethaus vors Pult, stand betend bis zum Morgen, betete das Morgengebet, las in der Schrift, sprach die Festliturgie und beendete sein Gebet drei Stunden nach Mittag.

Vor dem Ende

Als der Maggid von Kosnitz sterbenssiech im letzten Monat vor seinem Tod am Vorabend des Versöhnungstags vor der Lade betete, hielt er inne, ehe er die Worte sagte:»Er sprach:›Ich verzeihe‹«, und redete zu Gott:»Herr der Welt, du allein weißt, wie groß deine Macht ist, und du allein weißt, wie groß meine leibliche Schwäche ist. Und auch dies weißt du, daß ich diesen ganzen Monat Tag um Tag nicht um meinetwillen, sondern um deines Volkes Israel willen im Gebet vor der Lade gestanden habe. Darum frage ich dich: wenn es mir leicht geworden ist, das Joch deines Volkes auf mich zu nehmen und mit meinem elenden Leibe den Dienst zu tun, wie kann es dir, dessen die Allgewalt ist, schwerfallen, zwei Worte zu sprechen?« Danach hieß er eine Freudenweise anheben und rief mit starker Stimme:»Er sprach:›Ich verzeihe.‹«

JAAKOB JIZCHAK VON LUBLIN
»Der Seher«

Der alte Lehrer

Einst fuhr Rabbi Jaakob Jizchak mit einigen Schülern und Begleitern nach einer fernen Stadt. Es war Freitag mittags, und sie mußten schon nah am Ziel sein, als sie an einen Scheideweg kamen. Der Fuhrmann fragte, welche Richtung er einschlagen solle; der Rabbi wußte es nicht und sagte: »Laß die Zügel hängen und die Pferde gehn, wohin sie wollen.« Nach einiger Zeit erblickten sie die ersten Häuser einer Stadt; aber sie erfuhren bald, daß es eine andre war. »Nun ist es aus mit dem Rabbitum«, sagte der Lubliner. »Wie sollen wir es aber anstellen«, fragten die Schüler, »um über Sabbat Speise und eine Ruhestatt zu bekommen, wenn wir nicht eröffnen dürfen, wer Ihr seid?« Es war nämlich des Zaddiks Brauch, daß er von den Geldgaben, die ihm gebracht wurden, nicht eine kleine Münze über Nacht behielt, sondern alles den Armen austeilte. »Laßt uns ins Bethaus gehen«, sagte er, »da wird jeder von uns von irgendeinem Hausherrn als Sabbatgast mitgenommen werden.« Und so geschah es, bis das Bethaus sich geleert hatte. Aufblickend sah er nur noch einen etwa achtzigjährigen Mann dasitzen. Der fragte ihn: »Wohin geht Ihr zur Sabbateinweihung?« »Ich weiß es nicht«, antwortete der Zaddik. »Geht nur in die Herberge«, sagte der Alte, »und nach dem Ruhetag will ich Geld für Eure Zeche sammeln.« »In der Herberge«, entgegnete Rabbi Jaakob Jizchak, »kann ich nicht den Sabbat einweihen, weil sie dort den Segen über die Lichte nicht sprechen.« Der Alte sagte zögernd: »In meinem Haus ist nur ein wenig Wein und Brot für mich und mein Weib.« »Ich bin kein Schlemmer«, versicherte der Lubliner. So gingen sie zusammen. Der Alte sprach den Segen über den Wein und darauf der Rabbi. Nach dem Segensspruch über das Brot fragte der Greis: »Woher seid Ihr?« – »Aus Lublin.« – »Und kennt Ihr *ihn*?« – »Ich bin stets bei ihm.« Da bat der Alte mit zitternder Stimme: »Erzählt mir etwas von ihm!« »Warum begehrt Ihr das so sehr?« fragte der Zaddik. »Ich war«, berichtete jener, »in jun-

gen Jahren Schulhelfer, und er war eins der Kinder, auf die ich
zu achten hatte. Es waren keine sonderlichen Gaben an ihm zu
bemerken. Und nun habe ich vernommen, daß er ein Großer geworden ist. Seither faste ich einen Tag in jeder Woche, daß ich gewürdigt werde, ihn zu schauen. Denn ich bin zu arm, um nach
Lublin fahren, und zu schwach, um hingehen zu können.«»Und
besinnt Ihr Euch noch auf etwas aus jener Zeit?« fragte der
Rabbi.»Tag für Tag«, sagte der Alte,»mußte ich nach ihm suchen, wenn ich ihn zum Gebetbuch rief, und fand ihn nie. Nach
einer guten Weile kam er stets von selbst, und dann schlug ich
ihn. Einmal paßte ich ihm auf und ging ihm nach. Da sah ich, er
saß im Wald auf einem Ameisenhaufen und schrie: ›Höre Israel,
der Herr ist unser Gott, der Eine Herr!‹ Fortan habe ich ihn
nicht mehr geschlagen.«
Nun verstand Rabbi Jaakob Jizchak, warum ihn seine Pferde
in diese Stadt gebracht hatten.»Ich bin es«, sagte er. Als der Alte
dies hörte, fiel er in Ohnmacht und konnte nur mit Mühe wiederbelebt werden.
Nach Sabbatausgang ging der Zaddik mit seinen Schülern aus
der Stadt, und der Alte gab ihm das Geleit, bis er müde ward
und umkehren mußte. Er kam heim, legte sich hin und starb. Indessen saß der Rabbi mit den Seinen in einem Dorfwirtshaus
beim Mahl der Sabbatnachfeier. Nach dem Mahl erhob er sich
und sprach:»Wir wollen in die Stadt zurück, um meinen alten
Lehrer zu bestatten.«

Die Tränenweihe

Rabbi Sussja kam einst auf seiner großen Wanderschaft in die
Stadt, wo der Vater des Knaben Jaakob Jizchak wohnte. Im
Lehrhaus stellte er sich seinem Brauch gemäß hinter den Ofen
zum Gebet, das Haupt ganz in den Tallith eingehüllt. Plötzlich
sah er, sich halb umwendend, daraus hervor und, ohne den Blick
auf irgendeinem andern Gegenstand verweilen zu lassen, dem
Knaben Jaakob Jizchak in die Augen. Dann drehte er den Kopf
wieder dem Ofen zu und betete weiter. Den Knaben kam mit
unergründlicher Gewalt das Weinen an, ein Tränenabgrund brach
in ihm auf, und er weinte eine Stunde lang. Erst als die Tränen

versiegten, ging Sussja auf ihn zu und sprach:»Die Seele ist dir erweckt. Nun geh zu meinem Bruder Elimelech und lerne bei ihm, daß auch dein Geist aus seinem Schlaf tauche.«

Im Lehrhaus

Ein Zaddik erzählte:»Als ich unter den Schülern Rabbi Schmelkes in Nikolsburg weilte, war dort einer, der hieß Jaakob Jizchak, und der ist nach manchen Jahren der Rabbi von Lublin geworden. Er war, wie ich, zwei Jahre nach der Hochzeit. Im Lehrhaus saß er an einem niedern Platz. Er stellte niemals Fragen, wie es alle andern taten. Er sah niemals einen von uns an, nur den Rabbi allein sah er an, sonst ging er immer mit gesenkten Augen. Aber sein Gesicht hatte einen Goldglanz von innen her. Und ich merkte, daß der Rabbi ihm zugetan war.«

Die heilige Freude

Als Jaakob Jizchak in Rabbi Schmelkes Lehrhaus weilte, war er wie ein Engel von allen irdischen Dingen abgezogen, so sehr, daß Rabbi Schmelke, wiewohl er selber zur Abgeschiedenheit neigte, es übermäßig fand. Er schickte ihn nach Hanipol und gab ihm ein Brieflein an Rabbi Sussja mit, darin stand nichts als dies:»Mach mir unsern Itzikel ein wenig lustiger!« Und Rabbi Sussja, der einst, als Jaakob Jizchak ein Knabe war, in ihm das heilige Weinen erweckt hatte, gelang es nun, in ihm die heilige Freude zu erwecken.

Am Felsrand

Nahe der Stadt Lisensk, wo Rabbi Elimelech lehrte, ist ein zumeist waldüberwachsener, auf einer Seite aber steil abfallender Hügel, dessen felsiger Gipfel bis auf den heutigen Tag Rabbi Melechs Tisch genannt wird. Da pflegte der junge Jaakob Jizchak sich zu ergehen und nachzusinnen, wie man zur wahren Demut und Selbstvernichtung komme. Einmal wußte er sich keinen Rat mehr, als sein Leben darzubringen; er trat an den Felsrand und wollte sich hinabstürzen. Es war ihm aber unbemerkt sein Gefährte, der junge Salke aus Grodzisk, gefolgt; er lief auf ihn zu, faßte ihn am Gürtel und ließ nicht ab, ihm heilsam zuzusprechen, bis er den Vorsatz aus seiner Seele gelöst hatte. Als nach dem Tode seines Lehrers Jaakob Jizchak zum Rabbi in Lublin erkoren wurde, kam Rabbi Salke zu ihm gefahren. Der Zaddik ergriff beide Hände des Eintretenden und sprach: »Rabbi Salke, mein Leben, ich habe Euch sehr lieb. Das kommt, weil Ihr auf der ersten Erdenfahrt meiner Seele mein Vater gewesen seid. Aber wenn ich mich entsinne, was Ihr mir in Lisensk angetan habt, kann ich Euch nicht ganz lieb haben.«

Von seinem Schauen

Die Chassidim erzählen: »Als die Seele des Sehers von Lublin erschaffen wurde, war ihr gegeben, von einem Ende der Welt zum andern zu schauen. Als sie aber die Fülle des Übels erblickte, verstand sie, daß sie es nicht ertragen würde, und bat, daß man die Gabe von ihr nehme. So beschränkte man ihr Sehen auf vier Meilen in der Runde.

In seiner Jugend hielt er sieben Jahre lang die Augen geschlossen, bis auf die Zeiten des Betens und des Lernens, um das Ungebührliche nicht zu sehen. Davon wurden ihm die Augen schwach und kurzsichtig.

Wenn er jemandem auf die Stirn sah oder jemands Bittzettel las, sah er bis in die Wurzeln von dessen Seele im ersten Menschen hinein, sah, ob sie von Abel oder von Kain herkam, sah, wie oft sie schon auf ihrer Wanderung leibliche Gestalt angezogen und was sie in jedem einzelnen Leben verdorben, was verbessert hatte, in welche Sünde sie sich verwickelt, an welcher Tugend sie sich aufgerichtet hatte.

Als er einst Rabbi Mordechai von Neshiž besuchte, sprachen sie von dieser Gabe. Der Lubliner sagte: ›Daß ich an jedem sehe, was er getan hat, tut der Liebe zu Israel Abbruch. Darum bitte ich Euch, wirket dazu, daß dieses Vermögen von mir genommen werde.‹ ›Vom Himmel Beschloßnes‹, antwortete der Neshižer, ›davon gilt, was in der Gemara gesagt ist: ,Unser Gott gibt, aber er nimmt nicht zurück.'‹«

Das Urlicht

Es wird erzählt:»In Lublin pflegte man das Nachmittagsgebet, auch am Sabbat, zu verzögern. Vor diesem Gebet saß der Rabbi jeden Sabbat allein in seiner Stube, und niemand durfte sie damals betreten. Einmal versteckte sich dort ein Chassid, um zu erspähen, was vorging. Erst sah er nichts weiter, als daß der Rabbi sich an den Tisch setzte und ein Buch aufschlug. Da aber schien in dem engen Raum ein ungeheures Licht auf, dessen Anblick den Chassid des Bewußtseins beraubte. Er kam erst zu sich, als der Rabbi aus der Stube ging, und auch er verließ sie, sobald er vollends aus der Betäubung erwacht war. Draußen sah er nichts, hörte aber, daß man schon das Abendgebet sprach, und entsetzt verstand er, daß schon die Kerzen angesteckt waren und er doch von Dunkel umgeben war. Er flehte den Rabbi an, ihm zu helfen, und wurde an einen wundertätigen Mann in einer andern Stadt verwiesen. Der fragte ihn nach den Umständen seiner Erblindung, und er erzählte sie. ›Es gibt für dich keine Heilung‹, sagte jener. ›Du hast das Urlicht der Schöpfungstage gesehn, in dem einst die ersten Menschen von einem Ende der Welt zum andern schauten, das Licht, das nach ihrer Sünde verborgen worden ist und sich nur den Zaddikim in der Thora kundtut. Wer es unbefugt schaut, dessen Augen verfinstern sich auf immer.‹«

Die Landschaft

Als Rabbi Jaakob Jizchak beim Enkel des Baalschem, Rabbi Baruch, zu Gaste war, nahm ihn der stolze und geheimnisvolle Mann, der einmal von sich gesagt hatte, er wolle der Aufseher der Zaddikim sein, am Sabbatvortag in seinem Wagen mit, um zum Tauchbad zu fahren. Unterwegs versenkte sich Rabbi Baruch in die wirkende Kraft seiner Betrachtung, und die Landschaft wandelte sich aus seinem Sinn. Als sie vom Wagen stiegen, fragte er:»Was sieht der Seher?« Rabbi Jaakob Jizchak antwortete:»Die Felder des Heiligen Landes.« Als sie den Hügel überquerten, der die Straße vom Bache trennte, fragte Baruch:»Was riecht der Seher?« Er antwortete:»Die Luft des Tempelbergs.« Als sie in den Bach tauchten, fragte der Enkel des Baalschem:

»Was spürt der Seher?« Und Rabbi Jaakob Jizchak antwortete:
»Den Balsamstrom des Paradieses.«

Was zehn Chassidim vermögen

Einen Jüngling, der sich von Weib und Schwiegereltern hinweg-
gestohlen hatte, um das Wochenfest zu Lublin zu verbringen,
hieß der Rabbi, als er seinen Gruß entgegengenommen und ihm
ins Gesicht gesehen hatte, unverzüglich heimkehren, damit er
noch vor dem Fest zu Hause sei. Jener bat und bat, konnte aber
keine Änderung des Spruchs erwirken und mußte sich ganz verstört auf den Weg machen. Als er unterwegs in einer Herberge
übernachtete und nicht einschlafen konnte, kam in die Wirtsstube
eine Schar Chassidim, die nach Lublin zum Rabbi fuhren. Sie
hörten den auf seiner Bank Liegenden stöhnen, fragten ihn aus
und erfuhren, was sich begeben hatte. Da holten sie Branntwein,
gossen sich und ihm ein, tranken einander und ihm zu: »Zum
Leben! Zum Leben!« Einer nach dem andern ergriff seine Hand,
und dann sagten sie zu ihm: »Du kehrst nicht heim, du kommst
mit uns nach Lublin zum Fest und machst dir keine Sorgen.« Sie
tranken miteinander bis an den Morgen, dann beteten sie mitsammen, tranken noch einmal einander und dem Jüngling zu
und zogen sodann, ihn in ihre Mitte nehmend, vergnügt mitsammen nach Lublin. Dort gingen sie sogleich mitsammen zum Zaddik und begrüßten ihn. Der Zaddik sah den Jüngling an und
schwieg eine Weile. Dann fragte er ihn: »Wo bist du gewesen?
Was hat sich begeben?« Als jener alles erzählt hatte, sagte der
Zaddik: »Es war dir bestimmt, am Fest zu sterben, und es ist
gewendet worden. Das ist's: was zehn Chassidim vermögen, vermag kein Zaddik.«

Das Ruhebett

Es war bekannt, daß der Lubliner oftmals, wenn er sich in einem
Hause zu Gast auf ein fremdes Ruhebett legte, keinen Schlaf
fand. Daher gab Rabbi Jossel von Ostila, sowie er vernahm, daß
der Zaddik auf der nächsten Reise in seine Stadt käme, einem
wackern und frommen Schreiner den Auftrag, aus dem besten

Holz und mit der sorgsamsten Arbeit ein Bett zu zimmern. Der Meister nahm ein Tauchbad, sammelte seinen Sinn auf das Werk, und es geriet ihm wie keins zuvor. Als der Lubliner bei Rabbi Jossel, dessen Bitte willfahrend, Wohnung nahm, führte ihn der in die Kammer, wo das Lager, mit sanften Kissen und weichen Decken erhöht, in seinem frischen Glanze stand. Aber mit schmerzlichem Erstaunen nahm der Gastgeber nach einer Weile wahr, daß der Zaddik sich auf dem Bette seufzend hin und wider warf und von dem Schlaf gemieden wurde. Bestürzt stand er da und wagte erst nach einer Weile, dem Gast das eigene Bett anzubieten. Der Lubliner legte sich darauf, schloß sogleich behaglich die Augen und schlief ein. Später faßte sich Rabbi Jossel ein Herz und fragte, was ihn an dem Ruhebett, das ein gottesfürchtiger Meister mit eifervoller Sorgfalt für ihn gezimmert habe, mangelhaft dünke. Der Zaddik sagte: »Der Mann ist gut, und seine Arbeit ist gut; aber er hat sie in den neun Tagen vor dem Jahrestag der Tempelzerstörung gemacht, und in seiner frommen Art klagte er unablässig um das Heiligtum; nun haftet die Schwermut an seinem Werk und schlägt einem daraus entgegen.«

Das Pfeifenanzünden

Ein Zaddik erzählte: »In meiner Jugend war ich bei einer Hochzeit, zu der auch der Rabbi von Lublin geladen war. Mehr als zweihundert Zaddikim waren unter den Gästen, und die Chassidim hättet ihr nicht zählen können. Man hatte für den Rabbi von Lublin ein Haus mit einem großen Saal gemietet; er aber saß fast die ganze Zeit in einer Kammer allein. Einmal waren viele Chassidim im Saal versammelt, und auch ich war unter ihnen. Da kam der Rabbi herein, setzte sich an ein Tischchen und saß eine Weile schweigend. Dann erhob er sich, sah sich um und zeigte über alle Köpfe weg auf mich, der an die Wand gedrückt stand. ›Der junge Mann da‹, sagte er, ›soll mir die Pfeife anzünden.‹ Ich drängte mich durch die Menge, nahm die Pfeife aus seiner Hand, ging in die Küche, holte eine glühende Kohle, zündete die Pfeife an, brachte sie, reichte sie ihm. In diesem Augenblick empfand ich, daß alle meine Sinne von mir gingen. Im nächsten Augenblick aber sprach der Rabbi etliche Worte zu mir. Zugleich

kehrten jäh alle Sinne mir wieder. Damals habe ich von ihm die
Gabe empfangen, die Leiblichkeit abzustreifen. Seither vermag
ich's, wann ich will.«

Reinigung der Seelen

Rabbi Naftali von Ropschitz sprach: »Ich bezeuge von meinem
Lehrer, Rabbi Itzikel von Lublin: wenn zu ihm ein neuer Chassid kam, nahm er sogleich die Seele aus ihm und reinigte sie von
allem Makel und allem Rost und setzte sie ihm wieder ein, wie
sie in der Stunde seiner Geburt gewesen war.«

Der Taschlich[1]

Einmal hatte es Rabbi Naftali versäumt, mit seinem Lehrer, dem
Rabbi von Lublin, zum Taschlich an den Fluß zu gehen. Als der
Rabbi mit seinen Leuten auf dem Heimweg war, sahen sie Naftali zum Flusse laufen. »Was rennst du so?« fragte ihn einer, »du
siehst doch, der Rabbi geht schon heim, und was macht es dir
nun noch aus, ob du etwas früher oder später ankommst?« »Ich
will noch schnell«, sagte jener, »etwelche von den Sünden aufzuklauben suchen, die der Rabbi ins Wasser geworfen hat, und
sie in der Schatzkammer meines Herzens verwahren.«

Erhellung

Der Rabbi von Lublin sprach einmal: »Wunderlich! Da kommen
Menschen zu mir, die hält die Schwermut in Banden, und wenn
sie von hinnen fahren, sind sie erhellt, wiewohl ich doch selber
(hier wollte er sagen: ›schwermütig bin‹, aber er brach ab und
sagte dann:) schwarz bin und nicht leuchte.«

Das kleine Heiligtum

Ein Schüler des Rabbis von Lublin erzählte: »Bei meinem Lehrer, dem Rabbi von Lublin, waren, außer seinen großen Schü-

---

[1] D. i. Abwerfen, ein Neujahrsritus, in dem durch Werfen von Brocken in einen Fluß
das Hinwegtun der Sünden versinnbildlicht wird.

lern, die aller Welt bekannt sind, noch vierhundert, die man die Dorfleute nannte, und jeder von ihnen hatte die Gabe des heiligen Geistes.«

Man fragte ihn: »Wenn da solch eine heilige Gemeinschaft war und ihr König, der heilige Seher, an ihrer Spitze, warum haben sie nicht gemeinsam einen großen Versuch unternommen, die Erlösung nahezubringen?« Er antwortete: »Großes ist unternommen worden.« Die Fragenden warfen ein: »Warum aber hat nicht die ganze Gemeinschaft zusammengewirkt?«

Er sagte: »Bei unserm heiligen Rabbi war ein kleines Heiligtum, nichts fehlte uns, und wir spürten nicht die Not des Exils, nicht die Verfinsterung, die über allem liegt. Hätten wir sie gespürt, wir hätten die Welten erschüttert, den Himmel hätten wir gespalten, um die Erlösung nahezubringen.«

Das Hindernis

Einst erwartete Rabbi Jaakob Jizchak mit großer Zuversicht, daß die Erlösung in diesem Jahre käme. Als das Jahr um war, sprach er zu seinem Schüler, dem »Jehudi«: »Die gemeinen Leute haben die vollkommene Umkehr getan oder können sie tun, von ihrer Seite ist kein Hindernis. Das Hemmende sind die gehobenen Menschen. Sie vermögen nicht zur Demut und so auch nicht zur Umkehr zu gelangen.«

Die Zahlung

Einmal am Freitagabend vor der Sabbatweihe hatte der Rabbi sich in seine Stube zurückgezogen und die Tür verschlossen. Plötzlich öffnete sie sich wieder, und er trat heraus. Das Haus war voll von seinen großen Schülern, lauter Zaddikim in weißen Atlasoberkleidern, wie es damals unter den großen Zaddikim der Brauch war. Der Rabbi sprach die Versammelten an: »Es steht geschrieben[2]: ›Er zahlt seiner Hasser jedem ins Antlitz, ihn schwinden zu lassen‹, und die Deutung ist: Er zahlt seinen Hassern mit guten Dingen in dieser Welt, sie schwinden zu lassen aus

---

[2] Deuteronomium 7, 10.

der kommenden Welt. So frage ich euch: Gesetzt, der Frevler ist
süchtig nach dem Mammon, wohl denn, Mammon in Fülle wird
ihm gegeben, und gesetzt, der Frevler ist süchtig nach Ehrung,
wohl denn, Ehrung in Fülle wird ihm gegeben – wie nun aber,
wenn der Frevler nicht auf Ehre noch auf Gold aus ist, aber auf
geistige Stufen ist er aus, oder er ist darauf aus, ein Rabbi zu
sein, was dann? Nun wohl, wer auf geistige Stufen aus ist, dem
gibt man geistige Stufen, und wer darauf aus ist, ein Rabbi zu
sein, dem gibt man das Rabbitum, ihn schwinden zu lassen aus
der kommenden Welt.«

Das Leuchten

Einige Chassidim kamen nach Lublin. Ehe sie zum Rabbi gingen, bat ihr Fuhrmann sie, sie möchten mit den andern Zetteln
auch einen mit seinem Namen überreichen, auf daß der Rabbi
seiner zum Guten gedenke, und sie taten nach seinem Wunsch.
Als der Lubliner den Zettel las, rief er:»Wie leuchtet der Name
dieses Mannes!« Die Chassidim verwunderten sich: es sei ein einfältiger und unwissender Mensch, und sie hätten in all den Tagen
keine sonderliche Tugend an ihm wahrgenommen.»Seine Seele«,
sagte der Rabbi,»strahlt mir in diesem Augenblick wie ein lau-
teres Licht entgegen.« Die Chassidim gingen alsbald, den Fuhrmann zu suchen, fanden ihn jedoch in der Herberge nicht. Sie
gingen von Straße zu Straße; da kam ihnen ein fröhlicher Zug
entgegen, Spielleute mit Zimbeln und Pauken voran, eine hüp-
fende und händeklatschende Schar hinterdrein, und inmitten, alle
andern an Jubel und heller Lust überflügelnd, der Fuhrmann.
Auf ihre Frage erzählte er:»Als ihr fort wart, dachte ich: ich
will mir auch etwas Freude suchen gehn. Da schlenderte ich so
durch die Stadt, bis mir aus einem Haus Musik und Fröhlichkeit
entgegenklangen. Ich trat ein und sah, es wurde die Hochzeit
zweier Waisen gefeiert. Da feierte ich mit, trank und sang und
freute mich. Aber nach einer Weile entstand ein Streit und eine
Verwirrung, denn die Braut hatte das Geld nicht, um dem Bräutigam nach Sitte und Pflicht einen Tallith zu schenken. Und es war
nahe daran, daß der Ehevertrag zerrissen wurde. Da wurde mir
das Herz heiß, ich konnte die Beschämung des Mädchens nicht er-

tragen, zog meinen Beutel aus der Tasche, und siehe da, was darin war, reichte gerade hin, um den Tallith zu bezahlen. Darum ist mein Herz froh.«

Der Übergang

Ein reicher und mächtiger Mann namens Schalom, der allgemein Graf Schalom zubenannt wurde, fiel einst in eine schwere Krankheit. Sein Sohn fuhr alsbald zum Rabbi von Lublin, daß er Erbarmen herabflehe. Als er aber nach einer langen Reise vor dem Zaddik stand und ihm den Bittzettel reichte, sprach Rabbi Jaakob Jizchak:»Da ist keine Hilfe mehr. Er ist schon aus der Sphäre der Herrschaft in die der Lehre getreten.« Heimgekehrt erfuhr der Mann, daß sein Vater in eben jener Stunde verstorben war, in derselben Stunde aber hatte ihm sein Weib einen Sohn geboren. Der wurde nach dem Großvater Schalom genannt und wuchs zu einem Meister der Lehre auf.

Der lange Rechtsstreit

Es wird erzählt:»Einmal sagte der Lubliner zu einem seiner Schüler, dem Rabbi Heschel von Komarno: ›Warum suchst du nie den Raw der Stadt auf? Du tätest gut, zuweilen zu ihm zu gehen.‹ Das Wort verwunderte den Schüler, denn der Raw, der Eiserne Kopf zubenannt, war ein erbitterter Gegner des chassidischen Wegs; aber er gehorchte und betete fortan nachmittags in dessen Haus. Der Raw nahm ihn freundlich auf. Einmal wurde nach dem Beten ein Rechtsstreit vorgebracht. Als die Parteien hinausgeschickt wurden und die Erörterung begann, trat der eine der Beisitzer für den Kläger, der andere für den Verklagten ein; der Eiserne Kopf hatte zu entscheiden. Rabbi Heschel saß da und folgte achtsam der Verhandlung. Es war ihm offenkundig, daß das Recht beim Kläger war; aber zu seinem Schrecken merkte er, daß der Raw sich der andern Seite zuneigte. Er wußte sich keinen Rat und wollte es doch nicht dulden; endlich kam ihm eine Glosse zur einschlägigen Talmudstelle in den Sinn, wo seine Auffassung als die richtige dargelegt wurde. Er holte den Band der Gemara, trat zum Raw heran und bat, ihm die Glosse zu deuten. Etwas unwillig wies ihn der Eiserne Kopf ab: es sei nicht an der Zeit; aber Heschel wiederholte sein Anliegen so inständig, daß er das Buch aus seiner Hand nahm und hineinblickte. Erbleichend sagte er dem Fragenden, er wolle ihm tags darauf die Deutung geben, und entließ ihn. Als Rabbi Heschel sich am folgenden Tag nach dem Ausgang der Verhandlung erkundigte, erfuhr er, daß der Kläger obgesiegt hatte. Am gleichen Abend sagte der Lubliner zu ihm: ›Nun brauchst du nicht mehr zum Raw zu gehen.‹ Als ihn der Schüler erstaunt ansah, sprach er weiter: ›Neunundneunzigmal waren nun diese zwei, der Kläger und der Verklagte, auf Erden, und immer wurde das Recht verkehrt, und beider Seelen blieben unerlöst. So mußte ich dich ihnen zu Hilfe senden.‹«

Der Lubliner und der Eiserne Kopf

Der Raw der Stadtgemeinde von Lublin, Asriel Hurwitz, der der Eiserne Kopf zubenannt war, bedrängte Rabbi Jaakob Jizchak unablässig mit Einwendungen und Vorhaltungen. Einmal sagte er zu ihm:»Ihr wißt und bekennt doch selber, daß Ihr kein Zaddik seid. Warum führt Ihr andere auf Eure Wege und zieht eine Gemeinde zusammen?« Rabbi Jaakob Jizchak antwortete: »Was kann ich da tun? Sie laufen mir zu und werden meines Wortes froh und begehren es gar.« Darauf jener:»So gebt es am kommenden Sabbat allen insgesamt zu wissen, daß Ihr keiner der Erhabenen seid, und sie werden sich von Euch kehren.« Dies zu tun, war der Zaddik erbötig, und am nächsten Sabbat bat er die Versammelten, sie möchten ihm doch nicht länger Rang und Würden zusprechen, die ihm nicht zukämen. Da zog glühend in aller Herzen die Demut ein, und sie hingen ihm seither noch eifriger an. Als er dem Eisernen Kopf von seiner Bemühung und ihrem Ergebnis berichtete, bedachte sich der und sagte sodann: »Das ist eben der Weg bei euch Chassidim, den Demütigen zu lieben und den Hochmütigen zu meiden. Darum sagt ihnen, Ihr seiet der Auserwählten einer, und sie werden sich von Euch kehren.« Rabbi Jaakob Jizchak antwortete:»Wenn ich auch kein Zaddik bin, so bin ich doch kein Lügner, und wie kann ich wider die Wahrheit reden?«

Ein andermal fragte Rabbi Asriel den Lubliner: »Wie geht das zu, daß sich so viele um Euch scharen? Ich bin doch weit größer in der Lehre als Ihr, und mir strömen sie nicht zu.« Der Zaddik antwortete: »Auch mich nimmt es wunder, daß einem geringen Menschen wie ich viele nahen, um Gottes Wort zu vernehmen, statt es bei Euch zu suchen, dessen Gelehrsamkeit Berge versetzt. Es mag sich aber so verhalten, daß sie zu mir kommen, weil ich mich darüber wundre, daß sie kommen, und daß sie zu Euch nicht kommen, weil Ihr Euch darüber wundert, daß sie nicht kommen.«

Der Lubliner und ein Prediger

Ein berühmter wandernder Maggid predigte einmal in einer Stadt, als die Kunde sich verbreitete, der Rabbi von Lublin sei gekommen. Alsbald gingen alle Zuhörer von dannen, den Zaddik zu begrüßen. Der Prediger merkte, daß er allein verblieben war; er zögerte eine Weile, dann begab auch er sich in die Herberge, wo der Lubliner eingekehrt war. Dessen Tisch war bereits von »Lösegeldern«, welche die Bittsteller und anderen Besucher dem Zaddik bringen, ganz bedeckt. Der Maggid fragte: »Wie geht das zu: ich predige hier seit etlichen Tagen und habe noch nichts bekommen, Euch aber ist in einer Stunde all dies zugeflogen?« Rabbi Jaakob Jizchak antwortete: »Es wird wohl dies sein, daß jeder in den Herzen der Menschen das erweckt, was er im eignen hegt; ich Geldeshaß, Ihr Geldesliebe.«

Wahrheit

Den Lubliner fragte ein Schüler: »Ihr habt uns, Rabbi, gelehrt, wenn ein Mensch seinen Gehalt kenne und mit seiner Seele ehrlich abrechne, dann gelte, was das Volk sagt: ›Abgerechnet ist halb bezahlt.‹ Wie ist das zu verstehn?« »Wird auf eine Ware«, sprach der Zaddik, »die über die Landesgrenze kommt, das königliche Siegel gelegt, so ist die Ware beglaubigt. So wenn einer seinen Gehalt kennt und mit seiner Seele ehrlich abrechnet: Wahrheit, das Siegel Gottes, prägt sich ihm auf, und er ist beglaubigt.«

Der Weg

Rabbi Bär von Radoschitz bat einst den Lubliner, seinen Lehrer: »Weiset mir einen allgemeinen Weg zum Dienste Gottes!« Der Zaddik antwortete: »Es geht nicht an, den Menschen zu sagen, welchen Weg sie gehen sollen. Denn da ist ein Weg, Gott zu dienen durch die Lehre, und da, durch Gebet, da, durch Fasten, und da, durch Essen. Jedermann soll wohl achten, zu welchem Weg ihn sein Herz zieht, und dann soll er sich diesen mit ganzer Kraft erwählen.«

Auf viele Weisen

Einige Zeit, nachdem Rabbi Schalom, der Sohn Rabbi Abrahams des Engels, gestorben war, kamen zwei seiner Schüler nach Lublin, um sich dem »Seher« anzuschließen. Sie fanden ihn im Freien, wie er gerade die Weihe des Mondes beging. Da er sich aber dabei in einigen Dingen anders verhielt, als sie es von ihrem Lehrer gewohnt waren, versprachen sie sich nichts mehr von Lublin und beschlossen, es am nächsten Tag zu verlassen. Als sie bald danach ins Haus des Sehers traten, begrüßte er sie und fügte sogleich hinzu: »Was wäre das für ein Gott, dem man nur auf eine einzige Weise dienen könnte!« Sie verneigten sich vor ihm und nahmen ihn zu ihrem Rabbi an.

Die widerstrebende Hand

Man fragte den Rabbi von Lublin: »Warum heißt es: ›Und Abraham schickte seine Hand aus‹ und dann erst: ›Und Abraham nahm das Messer‹? Ist der erste Satz nicht überflüssig?«
Er antwortete: »Abraham hatte alle seine Kräfte und Glieder geheiligt, daß sie nichts gegen den Willen Gottes täten. Als nun Gott ihm gebot, er solle seinen Sohn ihm darbringen, verstand er, er solle ihn schlachten. Da aber seine Kräfte und Glieder geheiligt waren, nichts gegen den Willen Gottes zu tun, weigerten sich Abrahams Hände, Abraham zu gehorchen und das Messer zu nehmen, denn dies war ja Gottes Wille nicht. Abraham in der Macht seiner Ergebung mußte seine Hand überwältigen und sie ausschicken wie einen Boten, der den Auftrag des ihn Sendenden zu vollziehen gehalten ist, dann erst ergriff sie das Messer.«

Die wahre Gerechtigkeit

Das Wort der Schrift[3]: »Der Gerechtigkeit, der Gerechtigkeit
jage nach«, legte der Rabbi von Lublin so aus: »Meint ein Mensch,
er stehe auf der vollkommen Gerechtigkeit und brauche nach
nichts mehr zu streben, dann kennt ihn die Gerechtigkeit nicht.
Du mußt ihr unablässig nachjagen und nicht stehenbleiben und
mußt in deinen Augen immer wieder wie ein neugebornes Kind
sein, das noch nichts getan hat. Das ist die wahre Gerechtigkeit.«

Die zweite Mutter

Man fragte den Rabbi von Lublin: »Warum wird im heiligen
Buche Sohar die Umkehr, die der Emanation ›Vernunft‹ wesens-
gleich ist, Mutter genannt?«
Er erklärte: »Wenn ein Mensch bekennt und bereut und sein
Herz nimmt die Vernunft an und bekehrt sich zu ihr, dann wird
er wie ein Neugebornes, und die Umkehr ist seine Mutter.«

Zwiesprache

Ein Schüler fragte den Rabbi von Lublin: »Unsere Weisen sagen,
Gott spreche zur Gemeinde Israels, wie geschrieben steht[4]: ›Kehret zu mir um, und ich will mich zu euch kehren‹, sie aber erwidert, wie geschrieben steht[5]: ›Kehre uns, Herr, zu dir, und
wir kehren um.‹ Was soll dies? Ist Gottes Wort doch gerecht,
denn die Erweckung von unten zieht ja, wie bekannt ist, die von
oben heran.«
Der Rabbi antwortete: »Unsere Weisen sagen: ›Ein Weib schließt
nur mit dem den Bund, der sie zum Gefäß gemacht hat; denn in
der ersten Paarung macht sie der Gatte zum Gefäß, daß sich ihr
Weibtum erwecke.‹ So spricht die Gemeinde Israels zu Gott:
›Mache uns wieder zu deinem Gefäß, daß sich allzeit unsere Umkehr erwecke.‹ Und darum heißt es ja in jener Entgegnung der
Gemeinde Israels weiter, wie geschrieben steht[6]: ›Erneue unsre
Tage wie ureinst.‹ Wie ureinst, das meint: wie es vor der Erschaf-

[3] Deuteronomium 16, 20.
[4] Sacharia 1, 3.
[5] Klagelied 5, 21.
[6] Klagelied 5, 21.

fung der Welt war, als noch nichts andres war als die Erweckung von oben.«

Sünde und Schwermut

Ein Chassid klagte dem Lubliner, daß er von bösen Lüsten geplagt werde und darüber in Schwermut gefallen sei. Der Rabbi sagte ihm:»Hüte dich über alles vor der Schwermut, denn sie ist schlimmer und verderblicher als die Sünde. Was der Böse Geist im Sinn hat, wenn er die Lüste im Menschen weckt, ist nicht, ihn in die Sünde, sondern ihn durch die Sünde in die Schwermut fallen zu lassen.«

Der Böse und der Gerechte

Der Lubliner sprach:»Ich liebe den Bösen, der weiß, daß er böse ist, mehr als den Gerechten, der weiß, daß er gerecht ist. Von den Bösen aber gar, die sich für gerecht halten, ist das Wort gesagt[7]: ›Noch an der Schwelle der Unterwelt kehren sie nicht um.‹ Denn sie wähnen, man führe sie zur Hölle, damit sie Seelen aus ihr erlösen.«

Der fröhliche Sünder

In Lublin lebte ein großer Sünder. Sooft er mit dem Rabbi zu sprechen begehrte, war der ihm zu Willen und unterredete sich mit ihm wie mit einem vertrauten und erprobten Mann. Viele Chassidim ärgerten sich daran, und einer sagte zum andern:»Wie kann es sein, daß der Rabbi, der jedem zum erstenmal Erblickten sein Leben bis zu diesem Tag, ja die Herkunft seiner Seele von der Stirn abliest, nicht sehen sollte, daß dieser ein Sünder ist? Und wenn er es sieht, wie kann es sein, daß er ihn des Verkehrs und des Gesprächs würdigt?« Endlich faßten sie sich den Mut, vor den Rabbi zu treten und ihn zu fragen. Er antwortete ihnen:»Wohl weiß ich davon wie ihr. Aber es ist euch ja bekannt, wie sehr ich die Freude liebe und die Schwermut hasse. Und dieser Mann ist ein so großer Sünder – andere bereuen doch im Augenblick, nachdem sie gesündigt haben, grämen sich einen Augenblick lang und kehren dann erst zu ihrer Torheit zurück,

---

7 Talmudisch (Erubin 19).

er aber kennt keinen Gram und kein verdrießliches Besinnen, sondern wohnt in seiner Freude wie in einem Turm. Und der Glanz seiner Freude überwältigt mein Herz.«

Flickarbeit

Ein Chassid des Lubliners fastete einmal von Sabbat zu Sabbat. Am Freitagnachmittag überkam ihn ein so grausamer Durst, daß er meinte, sterben zu müssen. Da erblickte er einen Brunnen, ging hin und wollte trinken. Aber sogleich besann er sich, um einer kleinen Stunde willen, die er noch zu ertragen hätte, würde er das ganze Werk dieser Woche vernichten. Er trank nicht und entfernte sich vom Brunnen. Stolz flog ihn an, daß er die schwere Probe bestanden habe. Wie er dessen inneward, sprach er zu sich: »Besser, ich gehe hin und trinke, als daß mein Herz dem Hochmut verfällt.« Er kehrte um und trat an den Brunnen. Schon wollte er sich darüberneigen, um Wasser zu schöpfen, da merkte er, daß der Durst von ihm gewichen war. Nach Sabbatanbruch betrat er das Haus seines Lehrers. »Flickarbeit!« rief ihm der an der Schwelle zu.

Fremde Gedanken

Einer bat den Lubliner um Hilfe gegen die »fremden Gedanken«, die ihn beim Beten bedrängten. Der Rabbi deutete ihm an, wie er sich verhalten solle, aber der Mann setzte ihm immer weiter zu und wollte sich nicht abfertigen lassen. Endlich sagte der Rabbi: »Ich weiß nicht, warum du mir in einem fort von fremden Gedanken vorjammerst. Wer heilige Gedanken hat, zu dem kommt zuweilen ein unreiner, und den nennt man dann einen fremden. Aber du – es sind doch deine eigenen gewohnten Gedanken: wem willst du sie zuschreiben?«

Beschämung

Einer, dem der Rabbi von Lublin mit der Geißel des Wortes über alle heimlichen Schwächen der Seele fuhr, unterbrach ihn aufbegehrend: »Rabbi, Ihr beschämt mich!« »Beschäme ich dich?« sprach der Zaddik. »Beschäme ich dich, so muß ich dich um Vergebung bitten.«

Der Dienst

Es war Brauch Rabbi Jaakob Jizchaks, die armen Wanderer in seinem Hause aufzunehmen und sie selbst zu bedienen. Einst hatte er einem die Speisen gereicht und ihm eingeschenkt und seines Winks gewärtig neben seinem Stuhl gestanden; nach dem Mahl nahm er die leeren Schüsseln und Teller und trug sie in die Küche. Da fragte ihn der Gast:»Unser Meister möge mich belehren. Ich weiß, daß Ihr, indem Ihr mir dientet, Gottes Gebot erfülltet, der im Bettler als in seinem Gesandten geehrt werden will. Aber sagt mir, warum habt Ihr Euch die Mühe angetan, die leeren Gefäße hinauszutragen?« Der Rabbi gab ihm zur Antwort:»Gehörte doch auch das Hinaustragen der Kelle und der Kohlenpfanne aus dem Allerheiligsten zum Dienst des Hohenpriesters am Versöhnungstag!«

In der Laubhütte

Ein Schüler des Rabbis von Lublin erzählte:»Einst feierte ich das Hüttenfest in Lublin. Vor dem Sprechen der Lobgesänge ging der Rabbi in die Hütte. Eine Stunde lang etwa sah ich seinen gewaltsamen, wie von einem großen Schrecken getriebenen Bewegungen zu. Allem Volk, das zusah, schien dies das Wesentliche selber zu sein. Sie empfanden, es gehe eine große Furcht auf sie über, und auch sie bewegten sich zitternd und schweißübergossen. Ich aber saß auf der Bank und machte die Nebensache nicht zum Wesen, sondern wartete, bis all das ruhelose Ängsten vorüber war. Da stand ich auf, um recht alles zu sehn, wenn der Rabbi den Segen sprach. Nun sah ich ihn, wie er, zur höchsten Stufe des Geistes erhoben, regungslos den Segen sprach, und ich vernahm den göttlichen Segen. So hatte Mose einst nicht des Donnergetöses und des rauchenden Bergs geachtet, den das Volk zitternd umstand, und war der unbewegten Wolke genaht, aus der Gott zu ihm sprach.«

Die Kleider

Rabbi Bunam erzählte:»Der Rabbi von Lublin hat bessere Chassidim gehabt, als ich einer bin; aber gekannt habe ich ihn mehr als die andern alle. Denn einst kam ich in seine Stube, als er nicht zu Hause war, und da hörte ich ein Flüstern: seine Kleider unterredeten sich von seiner Größe.«

Der Harfner

Der Lubliner pflegte von Zeit zu Zeit inmitten des Gebets eine Tabakprise zu nehmen. Ein eifriger Beter hatte es bemerkt und sagte zu ihm:»Es geziemt doch nicht, innezuhalten.«»Ein großer König«, antwortete der Lubliner,»ging einst durch seine Thronstadt und hörte einen zerlumpten alten Straßensänger sein Lied singen und die Harfe schlagen. Er fand Gefallen daran, nahm den Mann in sein Schloß auf und hörte ihm Tag um Tag zu. Da der Spielmann sich aber von seiner alten Harfe nicht trennen wollte, ereignete sich immer wieder, daß er sie mitten im Spiel neu stimmen mußte. Einmal fuhr ein Hofmann den Alten an: ›Du könntest wahrhaftig vorher dafür sorgen, daß dein Instrument in gutem Stand sei!‹ ›Unser Herr‹, sagte der Straßensänger, ›hat in Chören und Kapellen Scharen besserer Leute als ich. Aber wenn sie ihm nicht Genüge tun und er sich meine Harfe hervorgesucht hat, dann ist es offenbar sein Wille, ihre und meine Art zu ertragen.‹«

Für das Übel danken

Ein Chassid fragte den Lubliner:»Den Satz der Mischna[8]: ›Der Mensch soll Gott für das Übel lobpreisend danken‹, ergänzt die Gemara: ›mit Freude und heiterem Herzen‹. Wie kann das geschehn?« Der Zaddik hörte, daß die Frage aus einem leidvollen Herzen kam.»Du«, antwortete er,»verstehst die Gemara nicht, und ich verstehe die Mischna selber nicht. Gibt es denn in Wahrheit ein Übel in der Welt?«

---

[8] Berachoth IX 5.

Das Hochzeitsgeschenk

Auf der Hochzeit seiner Enkelin Hinda, in dem Augenblick, als die Geschenke überreicht wurden, legte Rabbi Jaakob Jizchak sein Haupt in seine Hände, und es sah aus, als entschlummerte er. Der Badchan [9] rief einmal ums andre: »Hochzeitsgeschenke von seiten der Braut« und wartete auf den Rabbi, aber der rührte sich nicht. Alle schwiegen und harrten, daß er erwache. Als eine halbe Stunde verstrichen war, flüsterte ihm sein Sohn ins Ohr: »Vater, man ruft das Hochzeitsgeschenk von seiten der Braut aus!« Der Alte fuhr aus dem Sinnen auf und antwortete: »So gebe ich mich selber. Nach dreizehn Jahren soll das Geschenk gebracht werden.«

Als nach dreizehn Jahren der Hinda ein Sohn geboren wurde, nannte man ihn, nach dem toten Großvater, Jaakob Jizchak. Herangewachsen, glich er ihm in allen Zügen; so war sein rechtes Auge wie beim Lubliner um ein weniges größer als das linke.

---

[9] »Lustigmacher«, der auf den Hochzeiten die Braut und den Bräutigam »besingt«, witzige Reime auf die Tischgäste vorträgt, die Geschenke »ausruft« usw.

—

Die Henne und die Entlein

Rabbi Schalom Schachna, der früh verwaiste Sohn Abrahams des Engels, wuchs im Hause Rabbi Nachums von Tschernobil auf, und dieser gab ihm seine Enkelin zur Frau. Doch führte er sich in manchem Belange anders, als es Rabbi Nachum gewohnt und als es dem genehm war; er schien prachtliebend zu sein und der Lehre nicht mit geregeltem Eifer anzuhangen. Die Chassidim lagen Rabbi Nachum in den Ohren, er solle ihn zu einem strengen Lebenswandel anhalten.

Einst, im Monat Elul, da alles auf Umkehr sinnt und sich auf die Tage des Gerichts bereitet, zog Rabbi Schalom, statt mit den anderen im Lehrhaus zu verweilen, allmorgendlich in den Wald und kam erst gegen Abend heim. Endlich hieß Rabbi Nachum ihn rufen und ermahnte ihn, an diesen Tagen doch stets ein Kapitel in der geheimen Lehre zu lernen und Psalmen zu sagen, wie es der Brauch bei den jungen Leuten ist. Statt dessen treibe er sich müßig herum, was einem Menschen seiner Abkunft besonders übel anstehe. Still und aufmerksam hörte Rabbi Schalom zu. Dann sagte er: »Es hat sich einmal ereignet, daß man einer Henne Enteneier unterlegt hatte und sie sie ausbrütete. Als sie mit den Entlein zum erstenmal an den Bach ging, sprangen sie ins Wasser und schwammen fröhlich hinaus. Entsetzt lief die Henne das Ufer entlang und schrie den Verwegenen zu, sie sollten sogleich zurückkommen, sonst würden sie jämmerlich ertrinken. ›Sorge dich nicht um uns, Mutter‹, riefen die Entlein, ›wir brauchen das Wasser nicht zu fürchten, wir können ja schwimmen.‹«

Ohne bereitstellen zu lassen

Rabbi Nachum von Tschernobil nahm einmal seinen Schwiegerenkel Rabbi Schalom auf eine Reise mit. In einer Herberge, in der sie einkehrten, lag gerade die Wirtin in den Wehen und konnte das Kind nicht zur Welt bringen. Der Wirt ging Rabbi Nachum an, er möge für sie Lösung erwirken. Der Zaddik hieß ihn alles herrichten, was für die Handlung not sei: ein Haus für sich, von allen Insassen frei, das Tauchbad, einen neuen Tisch und einhundertundsechzig Kupfermünzen. Als er mit der Handlung begann, ging Rabbi Schalom hinaus und kam erst wieder, als sie zu Ende war. »Mein junger Sohn«, sagte Rabbi Nachum, »es wäre geziemend gewesen, dazubleiben und zu erlernen, was dir zu wissen frommt. Warum bist du hinausgegangen?« »Auf diese Weise«, erwiderte Rabbi Schalom, »daß alle Dinge bereitgestellt werden, will ich nicht lernen. Denn was soll ich tun, wenn sie fehlen? Ich will mit allem helfen, was es gibt, mit jedem kleinen und großen Ding will ich helfen, daß keine Seele in Israel verlorengehe.«

Das mächtige Gebet

Einst am Vorabend des Neuen Jahrs, als Rabbi Nachum von Tschernobil im Bethaus mit großer Andacht das Minchagebet sprach, empfand sein Schwiegerenkel, Rabbi Schalom, der den letzten Teil des Gebets vor dem Pult zu sprechen pflegte, ein solches Sinken des Geistes, daß es ihm, während alle ringsum mit großer Intentionskraft beteten, nur unter Anspannung aller Kräfte gelang, Wort für Wort herzusagen und jedes in seiner schlichten Bedeutung zu erfassen. Nach dem Beten sagte Rabbi Nachum zu ihm: »Mein Sohn, wie hat heute dein Gebet den Himmel gestürmt! Tausende verstoßener Seelen sind durch es erhoben worden.«

In Frieden

Einst, als gerade Rabbi Schalom Schachna in einem Städtchen des Bezirks Kiew weilte, kam auch der greise Zaddik Rabbi Seew von Žytomir dorthin, um über den Sabbat zu bleiben. Am Donnerstag abends rüstete Rabbi Schalom die Weiterfahrt und nahm Abschied von Rabbi Seew. Dieser fragte ihn, wann er nach seinem Reiseziel zu kommen gedächte. »Morgen gegen drei Uhr nachmittags«, entgegnete er. »Warum«, fragte Rabbi Seew erstaunt, »wollt Ihr am Vortag des Sabbats noch nach der Tagesmitte unterwegs sein? Um zwölf Uhr pflege ich Sabbatkleider anzuziehn und das Hohelied Salomos, des Friedenskönigs, anzustimmen. Da hat für mich schon der Friede begonnen.«»Und was soll ich machen«, sagte Rabbi Schalom,»wenn gegen Abend zu mir ein Pächter kommt und klagt mir sein Leid, daß ihm ein Kalb erkrankt sei, und aus seinen Worten höre ich hervor, daß er zu mir spricht: ›Du bist eine hohe Seele, und ich bin eine niedre Seele, erhebe mich zu dir!‹ – was soll ich dann machen?« Der Graubart nahm in seine beiden Hände die zwei Leuchter mit den brennenden Kerzen vom Tisch und geleitete den jungen Gast durch den langen Vorraum bis zur Außentür.»Zieht in Frieden!« sagte er,»zieht in Frieden!«

Die Straßen von Nahardea

Rabbi Schalom sprach:»Von einem sternkundigen Weisen erzählt der Talmud[1], die Bahnen des Firmaments seien ihm lichtklar gewesen wie die Straßen seiner Stadt Nahardea. Aber könnten wir doch von uns sagen, lichtklar wie die Bahnen des Himmels seien uns die Straßen unsrer Stadt! Denn in dieser niedersten Welt, der Welt der Körperlichkeit, das verborgene Gottesleben aufleuchten lassen, dies ist das Größere von beiden.«

In derselben Glut

Es steht geschrieben[2]:»Ein Gesang Davids«, und bald danach steht:»Wie er zu Batseba eingegangen war.« Rabbi Schalom erklärte den Vers so:»In derselben Wahrhaftigkeit und Glut, in der er zu Batseba eingegangen war, in derselben kehrte David zu Gott um und sprach zu ihm seinen Gesang. Darum ward ihm im Nu vergeben.«

Auf der höchsten Stufe

Ein Chassid Rabbi Schaloms war einst zugegen, als der »Raw«, Rabbi Schnëur Salman, der sich auf einer Fahrt in der Heimatstadt des Chassids aufhielt, am Sabbat mit großer Inbrunst Worte

---

[1] Berachoth 58 b.   [2] Psalm 51, 1.

der Lehre sprach. Mitten drin aber erschien es dem Chassid, als erkalte der Raw, und was er weitersprach, schien ihm jener Glut, die er vorher so genossen hatte, zu entbehren. Als er das nächste Mal bei seinem Lehrer Rabbi Schalom war, erzählte er ihm die Begebenheit und verhehlte ihm sein Befremden nicht. »Wie kannst du dich erkühnen«, sagte der Zaddik, »über solche Dinge zu urteilen! Dazu reicht dein Verstand nicht aus. Aber wisse denn: es gibt ein sehr hohes Heiligtum – wenn man dahin kommt, wird man alles Wesens ledig und kann nicht mehr entbrennen.«

Auf Erden

Zwischen Rabbi Israel von Rižin, dem Sohn Rabbi Schalom Schachnas, und Rabbi Mosche von Sawran zog sich ein Streit hin. Als der Rabbi von Sawran aus dem Wunsch, mit ihm Frieden zu machen, ihn besuchte, fragte ihn Rabbi Israel:»Glaubt Ihr daran, daß es einen Zaddik gibt, der an Gott hangt, ohne abzulassen?« Er entgegnete wie einer, der seinen Zweifel verhehlen will: »Es mag wohl sein.« Darauf der Rižiner:»So war mein Großvater, Rabbi Abraham, den sie den Engel nannten.« Aber jener: »In Wahrheit, er hat auf Erden nicht viele Tage verbracht.« Der Rižiner:»So war mein Vater, Rabbi Schalom.« Und der Rabbi von Sawran noch einmal:»In Wahrheit, auch er hat auf Erden nicht viele Tage verbracht!« Da antwortete ihm der Rižiner: »Was redet Ihr von Jahr und Tag? Meint Ihr, sie seien auf Erden gewesen, um hier auszutrocknen? Sie kamen, vollbrachten ihren Dienst und kehrten zurück.«

Die Geschichte vom Rauch

Einmal kam Rabbi Mosche von Kobryn am Vorabend des Sabbats zum Rižiner. Der stand mitten in der Stube, die Pfeife in der Hand, und um ihn war dicker Rauch. Sogleich begann der Rižiner zu erzählen:»Es war einmal ein Mann, der verirrte sich am Vorabend des Sabbats um die Zeit der Dämmerung im Wald. Plötzlich erblickte er in der Ferne ein Haus. Er ging darauf zu. Als er eintrat, saß ihm gegenüber ein Räuber, schrecklich anzusehn, und vor dem auf dem Tisch lag eine Flinte. Aber ehe noch der aufspringende Räuber die Flinte ergriffen hatte, war sie schon in der Hand des Mannes, und in der Erwägung eines Augenblicks wußte er:›Treffe ich ihn, so ist es gut; treffe ich ihn nicht, so wird die Stube voll Rauch, und ich kann entfliehn.« Als der Rižiner so weit erzählt hatte, legte er die Pfeife aus der Hand und sagte: »Sabbat!«

Zweierlei Zaddikim

Der Rižiner erzählte, wie Leute zu Jassy den Apter Rabbi nach seiner Predigt schmähten. Anfügend sprach er:»Es gibt in jedem Geschlecht Menschen, die über den Zaddik murren und Mose scheel nachblicken. Denn der Apter Rabbi ist der Mose seines Zeitalters.« Dann hielt er inne, und nach einer Weile sprach er wieder:»Es gibt zweierlei Dienst und zweierlei Zaddikim. Die einen dienen Gott mit der Lehre und dem Gebet, die andern mit dem Essen, dem Trinken und irdischer Freude, so daß sie all dies zur Heiligkeit erheben. Das sind die, über die das Murren ergeht. Aber Gott hat sie so erschaffen, weil er will, daß die Menschen in den Lüsten nicht gefangen liegen, sondern frei in ihnen werden. Das eben ist der Beruf dieser Zaddikim, die Menschen freizumachen. Jene andern sind die Herren der offenbaren, sie sind die der heimlichen Welt. Ihnen werden die Geheimnisse erschlossen und die Träume aufgetan, wie es Josef geschah[1], der sich die schönen Haare kräuselte und Gott mit den Freuden dieser Welt diente.«

Ein andermal sprach er über den Psalmvers[2]:»Der Himmel ist der Himmel des Herrn, den Menschenkindern gab er die Erde« und sagte:»Es gibt zweierlei Zaddikim. Die einen lernen und beten den ganzen Tag und halten sich von allen niedern Dingen frei, um zur Heiligkeit zu gelangen. Die andern aber denken nicht an sich, sondern sinnen nur darauf, die heiligen Funken, die in alle Dinge versenkt sind, wieder zu Gott zu erheben, und geben sich mit allen niedern Dingen ab. Jene, die sich allzeit für den Himmel bereiten, werden im Vers Himmel genannt, und sie haben sich zu Gott abgesondert. Diese aber sind die Erde, die den Menschenkindern gegeben ist.«

Zaddikim und Chassidim

Der Rižiner sprach:»Wie die heiligen Buchstaben ohne die Vokalzeichen keine Stimme und die Vokalzeichen ohne die Buchstaben keinen Bestand haben, so hangen Zaddikim und Chassidim an-

---

[1] Nach dem Midrasch (Tanchuma zu Genesis 39).
[2] 115, 16.

einander. Die Zaddikim sind die Buchstaben, und die Chassidim, die zu ihnen fahren, sind die Vokalzeichen. Die Chassidim brauchen den Zaddik, aber er braucht sie nicht weniger. Durch sie kann er erhoben werden, durch sie kann er, was Gott verhüte, sinken, sie tragen seine Stimme, sie streuen sein Wirken in die Welt. Wenn einer der Chassidim, die zu mir fahren, des Wegs geht, und es begegnet ihm ein Wagen mit lauter ›Aufgeklärten‹, und er beredet sich mit dem Fuhrmann, daß er ihn auf den Kutschbock nehme – wenn dann die Zeit kommt, das Minchagebet zu sprechen, und er steigt ab und bereitet sich und betet, dieweil der Wagen warten muß, die Insassen aber sind ärgerlich und schimpfen über den Fuhrmann und schreien ihn an: mitten darin, eben dadurch erfahren sie die Wandlung.«

Das Dach

Der Lemberger Raw Jakob Ornstein war ein Gegner des chassidischen Wegs. Darum meinte er, als einst der Rižiner ihn besuchte, er werde ihm tiefsinnige Deutungen der Schrift vortragen, um ihm die Gelehrsamkeit der Chassidim zu erweisen. Der Zaddik aber fragte ihn: »Woraus sind die Dächer der Häuser in der Stadt Lemberg gemacht?« »Aus Eisenblech«, antwortete der Raw. »Und weshalb gerade aus Eisenblech?« »Um gegen eine Feuersbrunst geschützt zu sein.« »Dann könnten sie ja auch aus Ziegeln sein«, sagte Rabbi Israel und nahm Abschied. Als er gegangen war, lachte der Raw und rief: »Das ist nun der Mann, dem die Scharen zulaufen!« Nach etlichen Tagen kam Rabbi Meïr von Primischlan nach Lemberg, um seinem Freund, dem Rižiner, zu begegnen, doch fand er ihn nicht mehr. Man berichtete ihm dessen Rede. Da sprach er erglühenden Angesichts: »Wahrlich, aus Ziegeln sollte das Dach sein, das Herz des Mannes, der über die Gemeinde wacht: von all ihrem Leid erschüttert, daß es in jedem Augenblick zu zerbrechen droht, und doch ausharrend; aber es ist aus Eisenblech.«

Der andre Weg

Als einst über die Juden eine Zeit großer Not gekommen war, gab der Rabbi von Apta, damals der »Älteste des Zeitalters«, den Befehl aus, allerorten solle gefastet werden, um Gottes Erbarmen herabzuziehen. Rabbi Israel aber rief seine Spielleute, die er mit sorgfältigem Eifer aus vielen Städten zusammengebracht hatte, und hieß sie Abend um Abend auf dem Söller seines Hauses ihre besten Weisen spielen. Sooft oben die Klarinette und die zarten Glöckchen schallten, versammelten sich im Garten Chassidim in wachsender Schar, bald besiegte die Musik die Traurigkeit, und sie tanzten mit Stampfen und Händeklatschen. Leute, die über dieses Treiben entrüstet waren, vermeldeten dem Apter, wie der Fasttag, den er befohlen, zum Freudentag gewandelt wurde. Er antwortete ihnen: »Nicht an mir ist es, mit dem zu rechten, der im Gedächtnis das Geheiß der Schrift[3] bewahrt hat: ›Wenn ihr in Krieg kommt in eurem Land wider den Dränger, der euch drängt: in die Trompeten schmettert, so werdet ihr bedacht vor dem Herrn, eurem Gott.‹«

Die Gegenlist

Einige Mithnagdim von Sanok kamen zum Rižiner, als er durch ihre Stadt fuhr, und beschwerten sich bei ihm: »Wir beten mit Tagesanbruch in der Gemeinde, und danach sitzen wir in die Gebetmäntel gehüllt und mit den Gebetriemen auf Haupt und Arm und lernen eine Lektion der Mischna. Nicht so die Chassidim: sie beten, wenn die angeordnete Stunde verstrichen ist, und sind sie zu Ende, dann setzen sie sich zusammen und trinken Schnaps. Und da nennt man sie die ›Frommen‹ und uns die ›Widersacher‹!«
Löb, der Diener des Rižiners, wurde, indes er die Beschwerde anhörte, von unwiderstehlichem Lachen überfallen, mochte dann die Ursache seines Gelächters nicht verhehlen und sagte: »Dienst und Gebet der Mithnagdim sind eben eiskalt und haben keine Wärme, grad wie ein Toter, und wenn man bei einem Toten wacht, lernt man der Vorschrift gemäß in der Mischna. Aber den Chassidim, wenn sie ihr bißchen Dienst tun, glüht das Herz und ist warm wie ein lebendiger Mensch, und wer lebendig ist, muß Schnaps trinken.«

---

[3] Numeri 10, 9.

Der Rabbi sprach:»Der Scherz mag hingehn. Die Wahrheit aber ist diese: Ihr wißt[4], von dem Tag an, da unser Tempel zerstört wurde, ist uns das Gebet an Opfers Stelle. Und wie das Opfer untauglich wurde, wenn der Gedanke unrein war, so auch ist es mit dem Gebet. Darum ist der Böse Trieb listig hinterher, um den Beter mit fremden Gedanken mancher Art zu verwirren. Dafür haben nun die Chassidim eine Gegenlist erfunden. Nach dem Gebet setzen sie sich zusammen und trinken einander zu: ›Zum Leben!‹ Jeder bringt vor, was sein Herz bedrückt, und darauf sagt einer zum andern: ›Gott möge dein Verlangen erfüllen!‹ Und da, wie unsre Weisen sagen[5], das Gebet in jeder Sprache gesprochen werden kann, wird auch diese Rede und Gegenrede beim Trunk als Gebet erachtet. Der Böse Trieb aber sieht nur, daß sie essen und trinken und Worte des Alltags reden, und kümmert sich nicht weiter um sie.«

»Dir«

Einst saßen die Chassidim trinkend beisammen, als der Rabbi eintrat. Sein Blick schien ihnen nicht freundlich.»Mißfällt es Euch, Rabbi«, fragten sie,»daß wir trinken? Heißt es doch, wenn Chassidim beim Trank beisammensitzen, sei es, als lernten sie in der Thora!«»Es gibt in der Thora«, sagte der Rižiner,»manch ein Wort, das einmal heilig, ein andermal unheilig ist. So steht geschrieben[6]: ›Und der Herr sprach zu Mose: Haue dir zwei Tafeln von Stein‹, aber auch[7]: ›Nicht mache dir gehaunes Werk.‹ Woran liegt das wohl, daß dasselbe Wort dort heilig und hier unheilig ist? Seht, das liegt daran, daß das Wort ›dir‹ dort nachfolgt, hier vorangeht. So ist es mit allem Tun. Wo das ›dir‹ nachfolgt, ist alles heilig, wo es vorangeht, ist alles unheilig.«

Das Urteil des Messias

Als einige Hausväter aus Berditschew sich beim Rižiner Rabbi darüber beschwerten, daß ihre Schwiegersöhne Weib und Kind verlassen hatten, um sich ihm anzuschließen, und von ihm verlangten, jene zur Heimkehr zu bewegen, erzählte er ihnen von

---

[4] Talmudisch (Berachoth 26).   [5] Berachoth 40.
[6] Exodus 34, 1.   [7] Exodus 20, 4.

einem Jüngling, der zur Zeit des großen Maggids gelebt hatte. Er war aus dem schwiegerväterlichen Haus nach Mesritsch zum Maggid geflohen und zurückgeholt worden, hatte nun mit Handschlag versprochen daheimzubleiben und entschwand doch bald danach wieder. Nun ließ der Schwiegervater sich vom Raw der Stadt bestätigen, der Bruch des Versprechens verpflichte zur Scheidung. Der Mittel zur Erhaltung des Lebens beraubt, erkrankte der Jüngling und starb kurze Zeit danach. »Nun, ihr Hausväter«, sprach der Zaddik weiter, nachdem er zu Ende erzählt hatte, »wenn der Messias kommt, wird der Jüngling den Schwiegervater vor sein Gericht laden. Der Schwiegervater wird sich auf den Raw der Stadt berufen, der Raw auf eine Stelle im Kommentar zum Schulchan Aruch[8]. Dann wird der Messias den Jüngling fragen, warum er das mit Handschlag gegebene Versprechen gebrochen habe, und der Jüngling wird sagen: ›Ich habe doch zum Rabbi fahren müssen!‹ Zuletzt wird der Messias das Urteil sprechen. Er wird zum Schwiegervater sagen: ›Du hast dich auf den Spruch des Raw gestützt, so bist du gerechtfertigt‹, und er wird zum Raw sagen: ›Du hast dich auf das Gesetz gestützt, so bist du gerechtfertigt.‹ Und dann wird er hinzufügen: ›Ich aber bin zu den Ungerechtfertigten gekommen.‹«

Der Zaddik und die Menschen

Der Rižiner sprach: »Wie wenn einer einen Baum mit einer Axt spalten will und holt kräftig aus, aber er verfehlt ihn, und die Axt fährt in den Boden, so ist es, wenn der Zaddik zu den Menschen redet, um ihre Herzen zum Dienste Gottes zu bewegen, sie aber achten nicht darauf, sondern bewundern den Scharfsinn und die Kunst seiner Predigt.«

Die verborgene Lehre

Der Rižiner sprach über den Vers[9] »Eine Lehre wird von mir ausgehn«: »Es kann doch nicht geschehen, daß die Lehre umgetauscht wird. So bleibt auf ewig auch das erste Buch Mose, das

---

[8] »Gedeckter Tisch«: umfassende Kodifikation des jüdischen Gesetzes aus dem 16. Jahrhundert.   [9] Jesaja 51, 4.

Buch des Anfangs, das die Begebenheiten der Väter erzählt von dem Tag an, da Gott die Welt erschuf. Aber ein andres ist uns verborgen: was Gott vor der Schöpfung wirkte. Und das ist der Sinn der Worte[10]: ›Zur Zeit wird es Jakob und Israel zugesprochen werden, was Gott wirkte.‹ Und das auch ist der Sinn der Worte: ›Eine Lehre wird von mir ausgehn‹ – kundzutun, was ich wirkte, ehe ich die Welt erschuf.«

Ezechiel und Aristoteles

Einmal fragte der Rižiner, als viele weise Männer um seinen Tisch versammelt waren: »Warum eifern die Leute gegen unsern Meister Mose ben Maimon[11]?« Ein Rabbi antwortete: »Weil er an einer Stelle sagt, Aristoteles habe mehr von den Sphären des Himmels gewußt als Ezechiel; wie sollte man da nicht gegen ihn eifern?« Der Rižiner sprach: »Es ist so, wie unser Meister Mose ben Maimon sagt. Zwei Menschen kamen in einen Königspalast. Der eine verweilte in jedem Saal, betrachtete mit kundigem Blick die Prunkstoffe und Kleinodien und konnte sich nicht sattsehn. Der andre ging durch die Säle und wußte nur: Das ist des Königs Haus, das ist des Königs Gewand, noch ein paar Schritte, und ich werde meinen Herrn König schauen.«

Die Wegemacher

Als der Gerer Rabbi den Rabbi von Rižin in Sadagora besuchte, fragte ihn dieser: »Gibt es in Polen gute Landstraßen?« »Ja«, antwortete er. »Und wer«, fragte der Rižiner weiter, »übernimmt die Arbeit daran und leitet sie, Juden oder Nichtjuden?« »Juden«, antwortete er. »Wer sollte auch sonst«, rief der Rižiner, »sich aufs Wegemachen verstehen!«

Wer darf Mensch heißen?

Über das Schriftwort[12]: »Ein Mensch, wenn er von euch dem Herrn eine Nahung darnaht...« sprach der Rižiner: »Erst wer sich Gott darbringt, darf Mensch heißen.«

---

[10] Numeri 23, 23.
[11] Der große Religionsphilosoph Maimonides (gest. 1204).
[12] Leviticus 1, 2.

Der rechte Altar

Zum Wort der Schrift[13] »Von Ackererde mache mir einen Altar … Machst du mir aber einen Altar von Steinen, einbaue die nicht gequadert, denn hast du dein Eisen über ihn geschwungen, hast du ihn entweiht«, sprach der Rižiner: »Der Altar aus Ackererde, das ist der, Gott über alles gefällige, Altar aus Schweigen. Machst du aber einen Altar aus Worten, dann seien sie nicht gehauen und gemeißelt, denn mit den stolzen Künsten entweihst du ihn.«

Wesen des Dienstes

Der Rižiner sprach: »Das ist der Dienst des Menschen all seine Tage, den Stoff zur Gestalt zu wandeln, den Leib zu läutern und das Licht in die Finsternis dringen zu lassen, daß die Finsternis selber leuchte und keine Trennung mehr sei zwischen beiden. Wie geschrieben steht: ›Abend ward, und Morgen ward – Ein Tag.‹« Und wieder sprach er: »Man mache nicht viel Aufhebens draus, daß man Gott dient. Rühmt sich die Hand, wenn sie den Willen des Herzens tut?«

Der Gang auf dem Seil

Einmal saßen die Chassidim in brüderlicher Gemeinde beisammen, als Rabbi Israel, die Pfeife in der Hand, zu ihnen trat. Da sie ihn so nah und vertraut vor sich sahen, redeten sie ihn an: »Sagt uns doch, lieber Rabbi, wie sollen wir Gott dienen?« Er verwunderte sich und antwortete: »Weiß ich's denn?« Aber sogleich fuhr er fort zu sprechen und erzählte: »Es waren einst zwei Freunde, die wurden eines gemeinsamen Vergehens halber vor dem König angeklagt. Da er sie aber liebte, wollte er ihnen eine Gnade erweisen. Lossprechen konnte er sie nicht, denn auch das königliche Wort besteht nicht gegen die Satzung des Rechts. So sprach er das Urteil, es solle über einem tiefen Abgrund ein Seil gezogen werden, und die zwei Schuldigen sollten es, einer nach dem andern, beschreiten; wer das jenseitige Ufer erreiche, dem sei das Leben geschenkt. Es geschah so, und der eine der Freunde

---

13 Exodus 20, 24–25.

kam ungefährdet hinüber. Der andre stand noch am selben Fleck und schrie: ›Lieber, sage mir doch, wie hast du es angestellt, um die fürchterliche Tiefe zu überqueren?‹ ›Ich weiß nichts‹, rief jener zurück, ›als dieses eine: wenn es mich nach der einen Seite riß, neigte ich mich auf die andre.‹«

»Triebe brechen«

Ein junger Mann gab dem Rižiner einen Bittzettel, darauf stand, Gott möge ihm beistehn, damit es ihm gelinge, die bösen Triebe zu brechen. Der Rabbi sah ihn lachend an: »Triebe willst du brechen? Rücken und Lenden wirst du brechen, und einen Trieb wirst du nicht brechen. Aber bete, lerne, arbeite im Ernst, dann wird das Böse an deinen Trieben von selber verschwinden.«

Das Leiden

Einer, der von schwerem Siechtum heimgesucht war, klagte Rabbi Israel, das Leiden verstöre ihm Lernen und Gebet. Der Rabbi legte ihm die Hand auf die Schulter und sprach: »Woher weißt du denn, Freund, was Gott wohlgefälliger ist, deine Lehre oder dein Leid?«

Gott der Vergebende

Als der Rižiner auf den Rat der Ärzte nach Odessa kam, um im Meer zu baden, wohnte dort ein Enkel des berühmten Rabbi Jakob Emden, namens Meïr, der von den Wegen seiner Väter gewichen war. Als Rabbi Israel von ihm erfuhr, ließ er ihn rufen und forderte ihn auf, mit ihm nach Rižin zu fahren; für all seinen Lebensbedarf solle gesorgt werden. Der Mann war es zufrieden. In Rižin hatte er nur kurze Zeit am Tisch des Rabbis gesessen, als er vollkommene Buße tat. Eines Tags aber sah der Zaddik ihn mit düsterm Gesicht stehn und fragte ihn: »Meïr, mein Sohn, was betrübt dich? Sind es deine Sünden, so denke, daß die Umkehr alles gutmacht.« Er antwortete: »Wie soll ich mich nicht grämen? Nachdem ich Buße getan habe, kehre ich mich Mal um Mal wieder zur Sünde, wie ein Hund zu seinem Ausgespienen – und wie kann ich wissen, ob meine Buße immer noch angenommen wird?«

Da berührte der Rižiner seinen Arm und sagte:»Hast du nicht
bedacht, warum es im Gebet heißt: ›Denn du bist ein Vergeben-
der zu Israel und ein Verzeihender zu den Stämmen Jeschuruns[14]?
Wäre es nicht genug, zu schreiben: ›Du vergibst und verzeihst‹?
Aber wie es der Menschen Art und Nötigung ist, zu sündigen und
immer wieder zu sündigen, so ist es Gottes Art und göttliche Nötigung, zu vergeben und immer wieder zu vergeben.«

Die Buße

Ein arger Sünder, der keine üble Lust an sich hatte vorübergehen
lassen, kam zu Rabbi Motel von Tschernobil[15], übergab ihm ein
Blatt, darauf die Sünden seines Lebens aufgezeichnet waren, und
bat um Verhängung einer Buße. Als Rabbi Motel das Blatt gelesen hatte, sagte er:»Ich bin schon zu alt, als daß ich noch einen
so schweren Büßer auf mich nehmen könnte. Fahr zum Rižiner,
er ist noch jung – er wird dich auf sich nehmen.« So kam der
Mann zum Rižiner und gab ihm das Blatt. Nun las Rabbi Israel
die ganze lange Rechnung, die großen Posten und die kleinen,
und der Sünder wartete. Endlich sprach der Zaddik:»Dies ist
deine Buße. Welches Wort des Gebets du sprichst, von jetzt an bis
an dein Ende, keines rede leeren Mundes, sondern jedes Wort
bewahre in seiner Fülle.«

Gott und die Freude

Zum Wort der Schrift[16] »Und geschieht's, daß du vergissest, vergissest den Herrn, deinen Gott« sprach der Rižiner:»Es ist bekannt, daß wo es in der Schrift heißt: ›Und geschieht's‹, Freude
gemeint ist. Auch hier ist sie gemeint. Uns wird gesagt: ›Wenn
du die Freude vergissest und der Schwermut verfällst, vergissest
du den Herrn, deinen Gott.‹ Denn es steht geschrieben[17]: ›An
seiner Stätte ist Macht und Wonne.‹«

---

[14] Etwa mit »Geradsinn« wiederzugebender biblisch-poetischer Beiname Israels.
[15] Sohn des Rabbi Nachum von Tschernobil, dessen Tochter dem Vater des Riziners
vermählt war.
[16] Deuteronomium 8, 19.
[17] 1 Chronik 16, 27.

Das Kind denkt an den Vater

Der Rižiner sprach:»In einigen Gebetbüchern heißt es nicht:
›Lege uns nieder, Herr, unser Gott‹, sondern: ›Lege uns nieder,
Herr, unser Vater.‹ Denn denkt der Mensch an Gott als Gott,
von dessen Glorie die Erde voll ist, und kein Ding ist seiner le-
dig, so schämt er sich, in seinem Angesicht sich auf ein gebettetes
Lager auszustrecken. Denkt er aber an Gott als seinen Vater
dann ist ihm zumute wie einem zärtlichen Kind, nach dem der
Vater sieht, wenn es zu Bette geht, und es fest zudeckt und sein
Einschlafen beschirmt. Wie wir beten: ›Und breite über uns die
Schirmung deines Friedens.‹«

Im eignen Lichte wandeln

Ein junger Rabbi klagte dem Rižiner:»In den Stunden, in denen
ich mich der Lehre ergebe, fühle ich Leben und Licht, aber sowie
ich zu lernen aufhöre, ist alles verschwunden. Was soll ich tun?«
Der Rabbi gab ihm zur Antwort:»Das ist, wie wenn einer in fin-
strer Nacht durch den Wald geht, und für eine Weile gesellt sich
zu ihm ein andrer, eine Laterne in der Hand, aber am Scheideweg
gehn sie auseinander, und der erste muß weitertappen. Trägt
einer jedoch sein eigenes Licht, hat er keine Finsternis zu fürchten.«

Fernab

Man fragte den Rižiner Rabbi:»Es steht geschrieben[18]: ›Das
Volk sah, sie schwankten, standen von fern.‹ Wie ist das zu
verstehen? Ist doch die ganze Erde der Herrlichkeit Gottes voll!
Wie kann man sich fernab von ihm stellen?«
Er erklärte:»Die Wunder sind für die Kleingläubigen bestimmt.
Als Israel sah, daß Gott mit Wundern kam, verstanden sie, daß
sie noch in der Ferne zu stehen hatten, ihr Herz regte sich, und sie
stellten sich in ihrem Sinn in die Ferne, die ihnen noch gebührte,
aber zugleich verlangten sie mit der ganzen Kraft ihres erregten
Herzens nach dem vollkommenen Glauben.«

---

[18] Exodus 20, 18.

Heiliger Geist

Man fragte den Rižiner:»Was ist damit gemeint, wenn man von jemandem sagt, er habe den heiligen Geist?«
Er antwortete:»Wenn einer wirklichen Geist hat, und er läßt ihn nicht unrein werden, das wird heiliger Geist genannt.«

Der Kampf um des Himmels willen

Der Rižiner sprach:»Wenn die Chassidim sehn, daß ein Rabbi mit dem andern streitet, streiten auch sie miteinander. In Wahrheit aber steht der Kampf den Zaddikim allein zu, denn es ist ein Kampf um des Himmels willen. Darum heißt es in den Vätersprüchen[19]: ›Welches ist ein Kampf um des Himmels willen? Der Kampf zwischen Schammai[20] und Hillel.‹ Es heißt nicht: ›zwischen der Schule Schammais und der Schule Hillels‹; denn nur zwischen den Lehrern, nicht zwischen den Schülern gibt es den Kampf um des Himmels willen.«

Die Zeit des Gebets

Als er beim Apter Rabbi zu Gast war, wartete Rabbi Israel einmal, wie er es oft tat, lange mit dem Morgengebet. Befragt, wann er beten wolle, antwortete er, er wisse es selber noch nicht, und erzählte eine Geschichte:»Ein König hatte eine Stunde bestimmt, zu der er jedem seiner Untertanen freies Gehör gab. Einmal kam zu andrer Tageszeit ein Bettler vor das Schloß und verlangte, zum König geführt zu werden. Die Wächter fuhren ihn an, ob er denn die Verfügung nicht kenne. Der Bettler sprach: ›Ich kenne sie wohl; aber sie gilt nur für jene, die mit dem König von den Dingen reden, deren sie bedürfen. Ich aber will mit dem König von den Dingen reden, deren das Reich bedarf.‹ Sogleich wurde dem Bettler der Einlaß gewährt. Wie kann ich demnach«, beschloß der Rižiner seine Erzählung,»wissen, wann ich beten werde?«

---

[19] Aboth V 17.
[20] Talmudischer Meister des ersten vorchristlichen Jahrhunderts, der die »erschwerende«, wie sein Zeitgenosse Hillel die »erleichternde« Richtung vertrat.

Das Bohnengericht

Eine Schar junger Männer kam aus einer fernen Stadt nach Rižin, um während der hohen Festtage in Rabbi Israels Nähe zu weilen. Als sie bemerkten, daß er die vorgeschriebenen Gebetszeiten nicht einhielt, sondern wartete, bis die Andacht ihn überkam, wollten sie es ihm nachtun und begannen, nun auch zu warten, sie wußten nicht recht, worauf. Nach dem Fest der Freude an der Lehre gingen sie zum Rabbi, um von ihm Abschied zu nehmen. Er gab ihnen den Segen und sagte:»Achtet darauf, die Gebete nicht zu verzögern, sondern sprecht jedes zu seiner Zeit. Ich will euch die Geschichte von dem Mann erzählen, dem sein Weib jahraus, jahrein, Tag um Tag ein Bohnengericht zum Mittagessen vorsetzte. Einmal versäumte sie sich, und das Mahl kam um eine Stunde zu spät auf den Tisch. Als der Mann es vor sich stehen sah, erzürnte er und rief: ›Ich meinte, du hättest mir heute eine erlesene Speise zugedacht, und das Kochen hätte sich hingezogen, weil es vieler Zuwendung und Sorgfalt bedurfte. Aber auf das Bohnengericht, das ich an jedem Tag esse, habe ich keine Lust zu warten.‹« Damit schloß der Zaddik seine Rede, die jungen Leute verneigten sich und traten die Heimfahrt an. Unterwegs begegneten sie in einer Herberge einem alten Mann, der ihnen von Angesicht unbekannt war und mit dem sie doch sogleich ins Gespräch kamen. Als sie ihm die Abschiedsworte ihres Rabbis erzählten, lächelte er und sprach:»Der Zorn des Mannes kam daher, weil noch keine vollkommene Liebe zwischen ihm und seinem Weibe war. Ist diese aber erfüllt, dann gefällt es dem Mann wohl, wenn das Weib ihn lange warten läßt, um ihm dann das Gericht zu reichen, das er an jedem Tag ißt, und seinem Herzen ist alles neu und gut.« Die Worte gingen den jungen Leuten tief ein. Als sie wieder zu den hohen Festtagen nach Rižin kamen, berichteten sie sie dem Zaddik. Er schwieg eine Weile, dann sagte er:»Was der Alte zu euch sprach, hat er zu mir, er hat es auch zu Gott gesprochen.«

In der Dachstube

Es wird erzählt:»In jeder Nacht pflegte der Rabbi von Rižin zu einer Dachstube hinaufzusteigen und zwei Stunden darin zu verweilen. Der Diener Schmulik, der ihn begleitete, blieb indessen auf der Treppe sitzen. Einmal wollte die Tochter des Zaddiks etwas aus einem Schrank holen, der an der Dachstube stand, und fand Schmulik dasitzen und weinen. Sie fragte, was ihm fehle. ›Einer hat mir‹, sagte er, ›viel Geld in die Hand gesteckt, daß ich ihn zum Rabbi hereinlasse, und nun ist er drin.‹ Er öffnete die Hand und zeigte das Geld. In diesem Augenblick trat der Rabbi aus seiner Tür. In der Stube war niemand. Auf Schmuliks Hand lagen einige Tonscherben.«

Von einem heimlichen Zaddik

Es wird erzählt: »Ein Chassid des Rižiners hatte eine Tochter, die war mit einem schweren Augenübel behaftet, das kein Arzt zu heilen wußte. Mal um Mal bat er den Zaddik um Hilfe, ohne Gewährung zu finden. Schließlich, als das Mädchen schon erblindet war, sagte der Zaddik ungefragt zu ihm: ›Fahr mit deiner Tochter nach Lemberg und passe dort die Händler ab, die auf den Gassen herumziehn und laut, jeder mit einem eignen Singsang, ihre Waren anpreisen, etwa so: ,Schöne Brezeln, frische Brezeln!' Wessen Singsang dir am besten gefällt, der ist's, der deine Tochter heilen kann.‹ Der Chassid tat, wie ihm befohlen war, und fand bald den Mann mit dem lieblichsten Singsang heraus. Er kaufte ihm eine Brezel ab und hieß ihn, ihm am nächsten Tag mehrere in den Gasthof zu bringen. Als nächsten Tags der Händler die Stube betrat, verschloß sie der Chassid und richtete den Auftrag des Rižiners aus. Da fauchte jener mit funkelnden Augen ihn an: ›Laß mich hinaus, oder ich mache aus dir samt deinem Rabbi einen Haufen Knochen!‹ Erschrocken öffnete der Chassid die Tür, der Mann verschwand, aber die Tochter war geheilt.«

Kehre um, Israel!

Rabbi Israel von Rižin sprach am »Sabbat der Umkehr«: »Hosea redet[21]: ›Kehre um, Israel, bis zu dem Herrn, deinem Gott.‹ Das ist zur ganzen Welt und zu allen Wesen des Himmels und der

[21] 14, 2.

Erde gesagt. Denn alles Erschaffene, unten und oben, alle Diener des Höchsten, die Engel, die Serafim, die himmlischen Tiere, die heiligen Räder, bis zum Throne Gottes selber, allen liegt es ob, umzukehren. Und das meinen die Worte ›bis zu dem Herrn, deinem Gott‹: allen Wesen aller Stufen, bis zur obersten, bis an den Thron Gottes, allen liegt es ob, umzukehren.« Danach aber sprach er sich selber an:»O Israel! Kehre um, Israel, zu dem Herrn, deinem Gott!«

Umkehr und Erlösung

Der Rižiner sprach:»Es wird vom heiligen Zaddik von Spola, dem ›Großvater‹, erzählt, er habe einmal gerufen: ›Messias, warum kommst du nicht? Worauf wartest du? Ich schwöre dir bei meinem Bart, die Juden werden nicht Buße tun.‹ Und ich widerstreite dem Spoler Großvater nicht. Aber dies verspreche ich dir, Herr der Welt, wenn der König Messias erscheint, werden sie alsbald Buße tun. Und sie haben eine Rechtfertigung. Denn ehe wir gesündigt hatten, bei deinem Bund mit Abraham zwischen den Opferstücken hast du über uns die vier Exile verhängt; so mußt du uns auch die Erlösung bringen, ehe wir Buße tun.«
Ein andermal, nach der Morgenmahlzeit, legte der Rižiner die Finger seiner rechten Hand auf den Tisch und sagte:»Gott spricht zu Israel[22]: ›Kehret euch zu mir, und ich will mich zu euch kehren.‹« Danach drehte er die Rechte um und sagte:»Wir Kinder Israel aber sprechen[23]: ›Kehre uns, Herr, zu dir, und wir werden umkehren; erneue unsre Tage wie vordem.‹ Denn die schwere Verbannung lastet auf uns, und wir haben keine Kraft, von selber umzukehren.« Sodann wandte er die Hand wieder:»Aber der Heilige, gesegnet sei er, spricht: ›Ihr müßt euch vorerst zu mir kehren.‹« So tat der Rižiner viermal und drehte seine Hand nach oben und nach unten. Zuletzt aber sagte er:»Das Recht ist bei den Kindern Israel, denn wahrlich, die Fluten der Pein schlagen über ihnen zusammen, und sie vermögen ihr Herz nicht zu regieren, daß es umkehre.«

---

[22] Sacharia 1, 3; Maleachi 3, 7.
[23] Klagelied 5, 21.

Die kommende Zeit

An einem Sabbat saß Rabbi Israel an seinem Tisch und seine Chassidim um ihn. Da sprach er zu ihnen:»Es nahen Tage, da es dem gemeinen Menschen gut ergehen wird an Leib und Seele, aber dem edlen Menschen wird es nicht gut ergehen, nicht am Leib und nicht an der Seele, und er wird nicht einmal einen Psalm zu sprechen vermögen.« Und er schloß:»Warum sage ich euch dies? Damit es euer Herz nicht verdrieße: es soll so sein, es muß so sein.«

Ein andermal sprach er:»In den drei letzten Weltstunden vor der Erlösung wird es so schwer sein, an der Jüdischkeit festzuhalten, wie wer an einer glatten Eiswand emporklettern wollte. Darum heißt es im Gebet: ›Hilf uns in den drei Stunden!‹ Das sind die letzten Stunden.«

Die Wehen

Der Rižiner sprach:»Wenn eine Frau schwanger ist, und die Wehen ergreifen sie im achten Monat, da die Zeit noch nicht vollbracht ist, dann müht man sich, die Wehen aufhören zu lassen. Nicht so im neunten: wenn sie da über die Frau kommen, will man die Wehen nur noch steigern, damit sie bald gebäre. Daher, wenn die Früheren zum Himmel schrien, daß eine Not von der Erde gehoben werde, wurden sie erhört, denn die Zeit war noch nicht vollbracht. Jetzt aber, da die Erlösung nahe ist, fruchtet kein Gebet, das um des Leidens der Welt willen aufsteigt, sondern Leid wird auf Leid gehäuft, auf daß die Geburt in Bälde geschehe.«

Der Messias in Rußland

Der Rižiner pflegte zu sagen:»Der Messias wird zuerst in das Land Rußland kommen.«
Es wird auch erzählt:»Ein Chassid des Rabbi Motel von Tschernobil, des Oheims des Rižiners, kam einst zu seinem Zaddik gefahren. Als er in der Herberge betete, mit dem Gesicht, wie es sein Brauch war, eng zur Wand, stand plötzlich ein Mann hinter ihm und redete: ›Die Fläche der Erde habe ich mit meinen Füßen

gemessen, aber ein Exilsleid wie in Rußland habe ich nicht gesehen.‹ Der Chassid drehte sich um, da sah er, wie der Mann auf Rabbi Motels Haus zuging und eintrat. Aber als er ihm in das Haus folgte, war er nicht mehr da. Umsonst fragte der Chassid ihm nach.«

Der Schofarbläser am Sabbat

An einem Neujahrstag, der auf einen Sabbat fiel, sprach der Rižiner:»An einem Neujahrstag, der auf einen Sabbat fällt, darf man das Schofarhorn, das die Welt zum neuen Jahr beruft, nicht blasen. Da bläst Gott selber Schofar. Und er versteht wohl zu blasen. Darum ist an diesem Tag unsre Hoffnung so wach; denn der Quell des Erbarmens selber ist es, der sie weckt.«

Die zwei Käppchen

Rabbi David Mosche, der Sohn des Rižiners, sagte einst zu einem Chassid:»Ihr habt meinen Vater gekannt zu der Zeit, als er in Sadagora wohnte und schon das schwarze Käppchen trug und in der Schwermut ging; aber Ihr habt ihn nicht gesehen, als er in Rižin wohnte und noch das goldene Käppchen trug.« Der Chassid verwunderte sich:»Wie kann das sein, daß der Heilige von Rižin in der Schwermut ging? Habe doch ich selbst von ihm gehört, Schwermut sei die niederste Beschaffenheit.«»Und eben in diese Beschaffenheit«, antwortete Rabbi David,»mußte er, als er die Höhe erreicht hatte, Mal um Mal niedersteigen, um dort unten die Seelen zu erlösen, die hineingestürzt waren.«

Der Schofarhall

Rabbi David Mosche erzählte:»In seinem Todesjahr konnte mein Vater am Tag des Neuen Jahrs nicht in das Bethaus gehen, sondern ich betete mit ihm in seiner Stube. Sein Dienst war wunderbarer als je zuvor. Danach sprach er zu mir: ›Heute habe ich den Schofarhall des Messias gehört.‹«

Das Mahl des Sabbatausgangs

In seinem Alter wohnte der Rižiner des Sommers in der kleinen Stadt Potok. Einmal kam Rabbi Mosche von Kobryn zu ihm über den Sabbat. An diesem Tag aß der Rižiner das Mahl des Sabbatausgangs nicht, sondern saß am Abend in seinem Garten, und der Rabbi von Kobryn saß bei ihm. Eine gute Weile schwieg der Rižiner; dann sprach er: »Nicht wahr, wir können das Mahl durch die Früchte dieses Baums da vor uns ersetzen?« Dann faßte er den Rabbi von Kobryn am Gürtel und sagte: »Wir wollen ein wenig lustwandeln.« Und als sie es taten, sprach er noch einmal: »Lieber Rabbi Mosche, du bist doch ein gelehrter Mann, ist es nicht wahr, daß man rechtmäßigerweise das Mahl des Sabbatausgangs durch Früchte ersetzen darf?« Da verstand der Rabbi von Kobryn, daß der Rižiner sein Ende und seine Söhne meinte, und rief laut: »Unser heiliger Rabbi, die Welt braucht Euch noch!« Aber anderthalb Monate nach diesem Sabbat starb Rabbi Israel.

Der neue Himmel

Als Rabbi Abraham Jaakob, der Sohn des Rižiners, ein Kind war, wandelte er einst am Freitag gegen Abend im Hofe auf und nieder, als die Chassidim schon beten gegangen waren. Ein Chassid trat zu ihm und sagte:»Warum gehst du nicht hinein? Es ist schon Sabbat.«»Es ist noch nicht Sabbat«, antwortete er.»Woher weißt du das?« fragte der Chassid.»Am Sabbat«, antwortete er, »kommt stets ein neuer Himmel, und den sehe ich jetzt noch nicht.«

Die Kreatur

Am fünfzehnten des Monats Schwat, dem »Neujahr der Bäume«, als man, wie immer an diesem Tag, Früchte auf den Tisch stellte, spach Rabbi Abraham Jaakob:»Es steht geschrieben[1]: ›Ein Mensch, wenn er von euch dem Herrn eine Nahung darnaht, vom Vieh, von den Rindern und von den Schafen mögt ihr eure Nahung darnahen.‹ Alle Kreatur, Gewächs und Getier, bringt sich dem Menschen dar und nah, durch den Menschen aber sind alle Gott dar- und nahgebracht. Wenn der Mensch sich mit all seinen Gliedern Gott zum Opfer reinigt und heiligt, reinigt und heiligt er die Kreatur.«

Von den modernen Erfindungen

»Von allem vermag man zu lernen«, sagte einmal der Rabbi von Sadagora zu seinen Chassidim,»alles vermag uns zu lehren. Nicht bloß alles, was Gott geschaffen hat, auch alles, was der Mensch gemacht hat, vermag uns zu lehren.«
»Was können wir«, fragte ein Chassid zweifelnd,»von der Eisenbahn lernen?«»Daß man um eines Augenblicks willen alles versäumen kann.«»Und vom Telegraphen?«»Daß jedes Wort gezählt und angerechnet wird.«»Und vom Telephon?«»Daß man dort hört, was wir hier reden.«

---

[1] Leviticus 1, 2.

Das Vogellied

Man fragte den Sadagorer am »Sabbat des Lieds«, dem Sabbat, an dem das Lied aus der Thora verlesen wird, das Mose und Israel am Schilfmeer sangen: »Warum ist es an diesem Tage Brauch, den Vögeln Buchweizengrütze zu streuen?« »Ein König«, antwortete er, »ließ sich abseits von allen seinen Palästen ein kleines Lusthaus bauen, wo er allein sein konnte. Da hatte niemand Zutritt zu ihm, und auch keiner seiner Diener durfte darin verweilen. Einzig ein Singvogel teilte den Raum mit ihm, und der König lauschte seinem Lied, das ihm lieber war als alles Spiel der Spielleute. In der Stunde, da das Schilfmeer gespalten wurde, lobsangen alle Engel und Serafim dem Herrn. Er aber lauschte dem Lied des Vögleins Israel. Darum wird heute den Vögeln Speise bereitet.«

Am Sabbat des Lieds

Am »Sabbat des Lieds«, an dem das Lied am Schilfmeer verlesen wird, sprach der Rabbi von Sadagora: »Es steht nicht geschrieben, sie hätten das Lied sogleich nach der Überschreitung des Schilfmeers gesungen, sondern zuerst gelangten sie zur Stufe des vollkommenen Vertrauens, wie geschrieben steht: ›Und sie vertrauten dem Herrn und Mose, seinem Knecht.‹ Dann erst heißt es: ›Damals sang Mose und die Kinder Israels.‹ Erst wer vertraut, kann das Lied singen.«

Alle Melodien

Rabbi Abraham Jaakob sprach: »Jedes Volk hat seine eigne Melodie, keines singt die eines andern. Israel aber singt sie alle mitsammen, um sie Gott darzubringen. So singen im ›Abschnitt des Lieds‹ alle Landtiere und alle Vögel, jedes sein eigenes Lied, Israel aber macht ein Lied aus ihrer aller Liedern, um sie Gott darzubringen.«

Das Zeugnis

Eine Bande sogenannter Aufklärer kam einst am Freitagabend
ungebeten ins Haus des Sadagorer Rabbis, um sich seinen Weihesegen anzuhören und sich sodann darüber lustig zu machen. Als
der Zaddik es merkte, sagte er:»Die Worte aus der Geschichte
der Schöpfung, mit denen wir die Einweihung des Sabbats beginnen, ›Vollendet waren Himmel und Erde‹, werden hier bekanntlich als Zeugnis für Gottes des Einzigen Schöpferwerk gesprochen, und wo wäre Zeugnis so sehr an seinem Platz, wie wo Leug-
nung ist? So laßt uns denen ins Angesicht bezeugen, daß Gott die
Welt schafft und führt.« Er stand und sprach den Weihesegen.

Jeder hat seinen Ort

Man fragte Rabbi Abraham Jaakob:»Unsere Weisen sagen[2]:
›Kein Ding, das seinen Ort nicht hätte.‹ Es hat also auch der
Mensch seinen Ort. Warum ist dann den Leuten zuweilen so
eng?« Er antwortete:»Weil jeder den Ort des andern besetzen
will.«

Leiden und Wehen

Der Sadagorer Rabbi saß einst beim Mittagsmahl seufzend und
ohne zu essen. Seine Schwester fragte ihn mehrmals, was ihn so
bekümmere.»Hast denn nicht auch du«, fragte er endlich zurück,»vernommen, was von dem schlimmen Stand unsrer Brüder im Russischen Reich berichtet worden ist?«»Mich dünkt«,
antwortete sie,»daß diese Leiden schon zu den Wehen der Mes-
siaszeit[3] gehören könnten.« Der Zaddik besann sich.»Wohl,
wohl«, sagte er dann.»Aber wenn die Not zu ihrer Höhe wachsen will, schreit Israel zu Gott, es könne sie nicht länger tragen,
und der Erbarmer hört darauf, er lindert das Leid und verschiebt
die Erlösung.«

---

[2] Aboth IV 3.
[3] Nach talmudischer Überlieferung. (Sanhedrin 98).

Das wandernde Licht

Der Sadagorer Rabbi wurde einst von einem Freund gefragt: »Wie geht dies zu? Manche heiligen Männer in den Zeiten, die vor uns waren, haben auf die Frist hingedeutet, zu der die Erlösung geschehen soll; das Zeitalter, auf das sie wiesen, ist gekommen und vergangen, aber die Erlösung ist nicht geschehen.« Der Zaddik antwortete: »Mein Vater, sein Gedächtnis sei uns zum Segen, hat so gesprochen: ›Es heißt schon in der Gemara[4]: Alle angesetzten Enden sind vergangen. Aber wie die Schechina in zehn Reisen aus dem Heiligtum in die Verbannung zog, so kehrt sie nicht auf einmal zurück, und das Licht der Erlösung säumt zwischen Himmel und Erde. Zu jeder angesetzten Endzeit ist es um eine Stufe niedergestiegen. Jetzt weilt das Licht der Erlösung in dem untersten Himmel, der Vorhang genannt ist.‹ So hat mein Vater gesprochen. Aber ich sage: Das Licht der Erlösung breitet sich um uns in Haupteshöhe. Wir merken es nicht, denn unsere Köpfe sind unter der Last der Verbannung gebeugt. Möchte Gott unsere Köpfe aufrichten!«

---

[4] Sanhedrin 97 b.

Das Damspiel

An einem der Tage des Chanukkafestes kam Rabbi Nachum, des Rižiners Sohn, unerwartet ins Lehrhaus und fand die Schüler beim Damspiel, wie es der Brauch an diesen Tagen war. Als sie den Zaddik eintreten sahen, wurden sie verwirrt und hielten inne. Er aber nickte ihnen freundlich zu und fragte:»Kennt ihr auch die Gesetze des Damspiels?«Und da sie vor Scheu kein Wort über die Lippen brachten, gab er selber die Antwort:»Ich will euch die Gesetze des Damspiels sagen. Das erste ist, man darf nicht zwei Schritte auf einmal gehen. Das zweite, man darf nur vorwärts gehen und sich nicht rückwärts kehren. Und das dritte, wenn man oben ist, darf man schon gehen, wohin man will.«

Die Wahl

»Könnten wir«, sagte einmal Rabbi Nachum zu den Chassidim um ihn,»unsere Leiden an den Nagel hängen, und stünde es uns frei, die zu wählen, die uns am besten gefielen, jeder holte sich die seinen wieder, denn alle andern würden ihn noch schlimmer bedünken.«

Der Frömmler

In einer Stadt lebte ein Mann, von dessen Frömmigkeit redeten die Leute so viel, daß er in ihrem Munde den Beinamen des Frommen erwarb. Als er einmal erkrankte und die Seinen erfuhren, daß etliche aus der Stadt zu Rabbi Nachum von Stepinescht zogen, um sich von ihm segnen zu lassen, baten sie diese, auch des »Frommen« vor dem Zaddik zu gedenken. Die Leute willfahrten ihrer Bitte; mit den Zetteln, auf die ihre Namen geschrieben waren, gaben sie Rabbi Nachum auch den Zettel mit dem Namen des Kranken und sagten, das sei ein Mann, weitberühmt um seines strengen Lebens willen und der Fromme geheißen.»Ich weiß nicht«, erwiderte der Rabbi,»was das ist, ein Frommer, und auch von meinem Vater habe ich nichts darüber erfahren. Aber ich meine, es wird eine Art Kleid sein: der Oberstoff ist aus Überhebung und das Futter aus Groll, und genäht ist es mit den Fäden der Schwermut.«

DAVID MOSCHE VON CZORTKOW

Der die Schläfrigkeit herabsenkt

Die Chassidim erzählen:»Als Rabbi David Mosche, der Sohn des Rižiners, sieben Jahre alt war, brach eines Abends im Haus seines Vaters ein Brand aus. Man versammelte die Kinder, aber David Mosche fehlte. Sein Vater sandte einen Diener, ihn zu holen. Der Diener fand den Knaben wach auf dem Bett liegen und fragte, ob er denn nichts vom Brand gemerkt habe. David Mosche schwieg, gab aber durch Zeichen zu verstehen, er habe es wohl gemerkt, nur wolle er, da er das Gebet ›Der die Schläfrigkeit herabsenkt‹ schon gesprochen habe, das Einschlafen nicht unterbrechen, er sei aber der Rettung gewiß. Während der Diener es dem Vater meldete, erlosch der Brand.«

Der getreue Knecht

Rabbi Nachum von Stepinescht sprach einmal von seinem Bruder, Rabbi David Mosche von Czortkow:»Wenn mein Bruder David Mosche das Buch der Psalmen aufschlägt und die Preisungen zu sagen beginnt, ruft Gott ihm zu: ›David Mosche, mein Sohn, da gebe ich dir die ganze Welt in die Hand, tu mit ihr, was du willst.‹ Ach, gäbe er mir so die Welt, ich wüßte, was ich zu tun habe! David Mosche aber ist ein so getreuer Knecht: er reicht sie in eben dem Stande zurück, in dem er sie empfangen hat.«

Die Geburt einer Melodie

Einmal sprach der Czortkower Rabbi:»Zuweilen geschieht's, Krieg entbrennt zwischen zwei Reichen, und der Krieg zieht sich durch dreißig Jahre hin. Da wird aus der Stimme der Stöhnenden, die im Kampfe fielen, und aus der Stimme der triumphierenden Sieger eine Melodie geboren, auf daß man sie vor dem Zaddik singe.«

In der Dichte des Gewölks

Rabbi David Mosche sprach:»Gott redet zu Mose[1]: ›Da, ich
komme zu dir in der Dichte des Gewölks, auf daß das Volk höre,
wenn ich mit dir rede.‹ Immer droht dem Zaddik die Gefahr,
daß er im Geiste zu hoch steige und keinen Zusammenhang mehr
mit seinem Geschlechte habe. Darum bringt Gott die dunkle
Wolke des Leids über die Seele des Zaddiks und beengt sie: wieder kann dann das Wort, da er's empfängt, zum Volke gelangen.
Der Zaddik aber, wenn das Leid über ihn kommt, findet Gott
auch darin, wie geschrieben steht[2]: ›Und Mose trat hin zum Wetterdunkel, in dem Gott war.‹«

Die Demut Mose

Einst sprach Rabbi David Mosche unter Tränen:»Es steht geschrieben von Mose, er sei demütiger gewesen als alle Menschen.
Wie ist das zu verstehen? Er, mit dem Gott Mund zu Mund
sprach und der all das Ungeheure wirkte, wie konnte er sich
niedriger dünken als andere? Aber es ist dies, daß in den vierzig
Tagen, die Mose in der Höhe verbrachte, sein Leib verklärt wurde
wie der der dienenden Engel. Seither sprach er zu sich: ›Was ist
dabei, wenn ich, dessen Leib verklärt worden ist, Gott diene?
Aber einer von Israel, der noch mit dem trüben Leibe bekleidet
ist und dient Gott, wieviel größer ist der als ich!‹«

Die Thorarolle

Einst weihte man im Bethaus eine neue Thorarolle ein. Rabbi
David Mosche hielt sie in den Händen und freute sich an ihr. Da
sie aber groß und sichtlich schwer war, trat einer der Chassidim
zu ihm und wollte sie ihm aus der Hand nehmen.»Wenn man
sie erst hält«, sagte der Rabbi, »ist sie nicht mehr schwer.«

Fasten oder Essen?

Die Frau des Czortkowers erzählte:»Ich merkte, jedesmal, wenn
man ihm Kaffee gebracht hatte, und ich trat heran zu ihm in die

---

[1] Exodus 19, 9.   [2] Exodus 19, 21.

Stube, war das Glas leer, aber am Satz war zu erkennen, daß der
Kaffee nicht getrunken, sondern ausgegossen worden war. Da bat
ich Gott einmal, er möge mir die rechten Worte eingeben. Dann
trat ich wie gewöhnlich ein und sagte: ›Besinne dich, was ist Gott
lieber, dein Fasten oder dein Essen?‹ Er ließ sich ein andres Glas
Kaffee geben und trank es aus.«

»Nicht mehr auf natürlichem Weg«

Rabbi David Mosche erkundigte sich einst nach einem seiner Chassidim, der in einer schweren Bedrängnis der Hilfe Gottes bedurfte: ob sie ihm schon geworden sei. Man antwortete ihm, das
sei noch nicht geschehen; auch sei die Sache von solcher Art, daß
eine Hilfe auf dem natürlichen Weg sich hier kaum erdenken
lasse. »Gewiß«, sagte der Zaddik, »hat dieser Mann den vollkommenen Glauben nicht.«
Als er sah, daß die Chassidim ihn nicht verstanden, fuhr er fort:
»Es sieht ja zunächst so aus, als gäbe es keinen Grund, den natürlichen Weg vom außernatürlichen abzusondern. Dieses Ereignis
ist von Gott, und jenes ist von Gott, was will man da viel Unterschiede machen? Aber der Unterschied besteht in Wahrheit.
Ihr wißt: Als die Welt erschaffen wurde, war die Ergießung des
Lichtes so schrankenlos, daß die Welt es nicht ertragen konnte
und die Gefäße zerbrachen. Daher geschah die Einschränkung,
damit das Licht empfangen werde. Und dies heißt der natürliche
Weg: die Einpassung der Fülle in das begrenzte Maß des Gefäßes. Solch ein Gefäß aber ist die Bereitschaft des Menschen, und
die Bereitschaft ist der Glaube. Aber wie nicht bei allen Menschen
und auch bei jedem von ihnen nicht zu allen Zeiten der Glaube
gleich ist, so ist auch die Grenze des natürlichen Wegs verschieden.
Wessen Glaube stärker, wessen Gefäß weiträumiger ist, dem ist
ein größeres Maß natürlichen Wegs zugeteilt, denn dieser reicht
bis zur Grenze des Glaubens. Oder: gestern war dein Glaube
klein, und da mußtest du eine Hilfe, deren du bedurftest, außer
der Natur suchen, heute aber ist dein Glaube groß geworden, und
so ist alle Hilfe, die dir geschieht, in den natürlichen Weg eingetan. Das ist es, was von Nachschon ben Aminadab erzählt wird[3],

---

[3] Talmudische Sage (Sota 37).

daß er, als Israel am Schilfmeer stand, noch ehe es gespalten war, hineinsprang, und da das Wasser ihm zum Halse reichte, sprach[4]: ›Befreie mich, Gott, denn das Wasser kommt an die Seele.‹ Er schrie nicht, er sprach es mit sanfter Stimme, denn sein Glaube war groß, und alles, was geschah, war natürlich.«

Lob dieses Geschlechts

Einmal herrschte am achten Tag des Hüttenfestes große Freude am Tisch des Czortkower Rabbis. Er fragte lachend: »Warum freuen sich die Leute so sehr? Haben wohl ein Gläschen getrunken?« »Zum Trinken«, antwortete man ihm, »war noch keine Zeit, wir sind ja lang im Bethaus geblieben und haben uns dann gleich an des Rabbis Tisch gesetzt. Man freut sich einfach am Fest und daß man beim Rabbi ist.« »Wahr ist es«, sprach er, »sowie die von Israel nur das kleinste Quentchen Offenbarung verspüren, gleich überkommt sie eine mächtige Freude.« Und nach einer Weile fuhr er fort: »Ich sage, daß dieses Geschlecht, in dem Gott sich zu uns in großer Verborgenheit verhält, trefflicher ist als das Geschlecht der Wüste. Jenem war die große Offenbarung zuteil geworden, da, wie bekannt ist[5], eine Magd mehr sah als später der Prophet Ezechiel, und sie hatten gewaltige Geisteskräfte, und ihr Meister war Mose – jetzt aber ist große Verborgenheit, und die Kräfte sind gering, und dennoch, sowie man nur das kleinste Quentchen Offenbarung verspürt, ist man erhoben und freudig. Darum sage ich, trefflicher ist dieses Geschlecht als das Geschlecht der Wüste.«

---

[4] Psalm 69, 2.
[5] Eine Lehre des Midrasch (Mechilta zu Exodus 15, 12).

—

MOSCHE LÖB VON SASOW

In den Nächten

In seiner Jugend zog Mosche Löb zuweilen am Abend heimlich andere Kleider an, entfernte sich unbemerkt und nahm an den Vergnügungen einiger Altersgenossen teil, sang und tanzte mit ihnen. Sie liebten ihn alle, und sein hingeworfenes Wort war ihnen ein Gesetz, aber er befahl ihnen nie. Als er nach Nikolsburg fuhr, um bei Rabbi Schmelke zu lernen, gaben sie ihre Gelage auf, weil sie ohne ihn keine Freude dran fanden.

Nach vielen Jahren kam einer von ihnen, der inzwischen in fernen Ländern gewesen war, in die Heimat zurück und verweilte unterwegs in Sasow. In der Herberge und auf der Straße erzählten ihm alle Leute, mit denen er sprach, von einem wunderbaren Mann, dem großen Zaddik Rabbi Mosche Löb. Es kam ihm, als er den vielverbreiteten Namen hörte, nicht in den Sinn, es könnte dies der Geselle seiner einstigen Freuden sein; als er aber, von Neugier getrieben, vor den Rabbi trat, erkannte er ihn sogleich. Es durchfuhr ihn: Sieh doch, wie dieser die Welt zu betrügen versteht! Während er jedoch Rabbi Mosche Löb in das vertraute und doch ehrfurchtgebietende Antlitz sah, entsann er sich nun erst wahrhaft und verstand endlich die unsichtbare Lenkung jener Nächte und wie das Spiel sich Mal um Mal unter der Wirkung eines unfaßbaren Gesetzes erhoben hatte. Er neigte sich vor dem ihn freundlich anblickenden Zaddik und sprach:»Herr, ich danke Euch.«

Die Rute

Mosche Löbs Vater war ein heftiger Gegner des chassidischen Wegs. Als er erfuhr, daß Mosche Löb ohne sein Vorwissen das Haus verlassen und sich nach Nikolsburg ins Lehrhaus des Rabbi Schmelke begeben hatte, entbrannte sein Zorn. Er schnitt sich eine scharfe Rute und stellte sie in seine Stube für die Heimkehr des Sohns bereit. Sooft er an einem Baum einen geeigneten Zweig sah, schnitt er eine neue Rute, die ihn wirksamer dünkte, und warf die alte weg. Viel Zeit verging, viele Ruten lösten einander ab. Als der Diener einmal das Haus gründlich säuberte und in Ordnung brachte, tat er die Rute in eine Dachkammer. Bald darauf kam Mosche Löb, der sich bei seinem Lehrer einen kurzen Urlaub ausgebeten hatte, nach Haus. Als er den Vater bei seinem Anblick aufstehen und wütend herumsuchen sah, ging er geradenwegs in die Dachkammer, holte die Rute und legte sie vor den Alten hin. Der sah ihm bezwungen in das ernste und liebevolle Gesicht.

Der Chalat

Sieben Jahre lang lernte Mosche Löb im Lehrhaus des heiligen Rabbi Schmelke von Nikolsburg. Als die sieben Jahre vollendet waren, ließ ihn der Rabbi rufen und sagte ihm nichts anderes als dies:»Nun kannst du heimkehren.« Sodann gab er ihm drei Dinge auf den Weg: einen Dukaten, einen Brotlaib und ein langes weißes Gewand von der Art, die Chalat genannt wird, und sagte zu ihm:»Durch diesen Chalat soll die Liebe zu Israel dir ins Herz kommen.«

Als Mosche Löb am Abend, müde von der Wanderung des Tages, sich einem Dorfe näherte, wo er zu übernachten und sein Brot zu verzehren gedachte, hörte er ein Stöhnen und merkte, daß es hinter einem vergitterten Kellerfenster hervorkam. Er trat hinzu, sprach den Stöhnenden an und hatte bald von ihm erfahren, daß er, ein jüdischer Schankpächter, hier eingekerkert sitze, weil er dem Gutsherrn den Zins, dreihundert Gulden, schuldig geblieben sei. Erst warf Mosche Löb den Brotlaib durchs Fenstergitter hinab, dann schlug er, als wäre er hier heimisch, ohne Fragen und Zögern den Weg zum Gutshof ein, ließ sich vor den Herrn führen und forderte ihn auf, den Juden freizulassen; er wolle ihm einen Dukaten als Lösegeld geben. Der Gutsherr besah sich den frechen Burschen, der eine Schuld von dreihundert Gulden mit einem Dukaten auskaufen wollte, und wies ihn hinaus. Aber kaum war Mosche Löb draußen, da ergriff ihn die Pein des gefangenen Juden mit solcher Gewalt, daß er die Tür wieder aufriß und hineinrief:»Und Ihr müßt ihn freigeben! Nehmt meinen

Dukaten und gebt den Mann frei!« Es war aber in jenen Tagen im Reiche Polen jeder Edelmann ein König auf seinem Besitz und hatte Macht über Leben und Tod. So wurde Mosche Löb auf das Geheiß des Herrn von den Knechten gepackt und in den Hundezwinger geworfen. Und da ihn aus den Augen der Hunde, die auf ihn losstürzten, der Tod ansah, zog er schnell den weißen Chalat an, um im festlichen Gewand zu sterben. Da wichen die Hunde vor dem Anblick des Kleides und krochen winselnd an die Wände.

Als der Gutsherr den Zwinger betrat, lehnte Mosche Löb immer noch zunächst der Tür, und die Hunde umstanden ihn in weitem Kreis, winselnd und zitternd. Er hieß ihn sich aufmachen und von dannen gehen. Aber Mosche Löb verschwor sich: »Nicht ehe Ihr meinen Dukaten genommen und den Mann freigegeben habt!« Alsdann nahm der Herr den Dukaten, ging selber nach dem Haus, wo der Jude gefangen war, öffnete den Keller und hieß den Mann in Frieden heimkehren. Mosche Löb aber zog seines Wegs weiter. Diese Geschichte liebte der Czortkower Rabbi zu erzählen. Und wenn er geendet hatte, pflegte er zu sagen: »Ach, wo nimmt man solch einen Chalat her!«

Da wohnt ein Jud

Als Mosche Löb zum erstenmal zu Rabbi Elimelech kam, erwies der ihm beim Sabbatmahl die Ehre, ihn zur Auslegung der Lehre aufzufordern. Es war dies aber der Sabbat, an dem aus der Schrift verlesen wird, wie Gott die Erstgebornen der Ägypter heimsuchte, die Häuser der Israeliten aber übersprang. Mosche Löb sagte: »Es kann nicht gemeint sein, Gott habe einen Raum übersprungen, denn es gibt ja nichts, wo er nicht wäre. Sondern wenn er in Haus um Haus der Ägypter die Verderbnis der Seelen sah und dann ein Haus sich ihm bot, wo fromme Zucht waltete, hüpfte er und rief: ›Da wohnt ein Jud!‹« Wie Rabbi Elimelech diese Lehre hörte, sprang er auf den Tisch, tanzte darauf und sang Mal um Mal: »Da wohnt ein Jud! Da wohnt ein Jud!«

Wenn man heimkommt

In jungen Jahren lebte Rabbi Mosche Löb mit Weib und Kindern in großer Armut. Einer seiner Nachbarn, ein wohlhabender Mann, bot ihm einen Geldbetrag an, daß er auf den Markt fahre und Waren einkaufe, um sie sodann in seiner Heimatstadt feilzubieten. Rabbi Mosche Löb fuhr mit den andern Händlern auf den Markt. Angekommen, gingen sie alle ihren Geschäften nach; er aber begab sich ins Lehrhaus. Als er von dort auf den Marktplatz kam, ohne zu wissen, wie viele Stunden verstrichen waren, rüsteten sich eben alle zur Heimfahrt, und als er sagte, er wolle Waren einkaufen, wurde er ausgelacht. So fuhr er denn mit den andern heim. An der Tür seines Hauses empfingen ihn seine Kinder mit dem lauten Ruf: »Was hast du uns mitgebracht?« Da fiel er in Ohnmacht. Als er daraus erwachte, kam grade der wohlhabende Nachbar, um sich nach seinem Tagewerk zu erkundigen, sah, wie elend er war, und fragte: »Was ist Euch, Rabbi? Habt Ihr etwa das Geld verloren? Laßt Euch dadurch das Gemüt nicht beschweren, ich will es Euch ja noch einmal geben.« »Oh«, sagte Rabbi Mosche Löb, »wenn man dereinst heimkommt und gefragt wird: ›Was hast du uns mitgebracht?‹!« »Wenn dem so ist«, sagte der Nachbar, »dann führt Ihr Euer Geschäft am besten daheim.« Damals wurde durch ihn der Welt kundgetan, daß Rabbi Mosche Löb ein Zaddik war.

Wie lange noch?

Man bat einmal, lange nach Rabbi Mosche Löbs Tode, seinen Sohn, Rabbi Schmelke von Sasow, vom Vater zu erzählen. Er sprach: »Nur als Knabe habe ich ihn gekannt, und da hatte ich noch nicht den Verstand, seine Taten in mir aufzunehmen. Aber ich will euch doch etwas erzählen. Als ich noch ein Kind von fünf Jahren war, stand einst mein Vater am Neujahrsfest betend vor der Lade. Ich hatte mich unter den Tallith geschlichen und hörte, wie er mitten im leisen Gebet sich, unter einschmeichelnden und zärtlichen Anrufen, wie ein Kind beim Vater, in der Volkssprache bei Gott beschwerte und so etwa betete: ›Heiliger Schöpfer, schick uns doch endlich den Messias, wie lange noch willst du uns in der finstern Galuth[1] schmachten lassen, wir halten's nicht mehr aus!‹«

Wie den Sasower ein Dieb belehrte

Der Sasower reiste einmal im Lande umher, um Geld zum Freikauf Schuldgefangener zu sammeln, aber es gelang ihm nicht, den nötigen Betrag zu erhalten. Da reute es ihn, so viel Zeit der Lehre und dem Gebet umsonst entzogen zu haben, und er nahm sich vor, fortan zu Hause zu bleiben. Am selben Tag erfuhr er, daß ein Jude, der ein Kleid gestohlen hatte, bei der Tat betroffen und nach reichlicher Prügelstrafe in Gewahrsam genommen worden war. Er verwandte sich beim Richter für den Eingekerkerten und erwirkte dessen Freilassung. Als er ihn aus dem Gefängnis holte, ermahnte ihn der Zaddik:»Denk an die Schläge, die du erlitten hast, und hüte dich, dergleichen wieder zu begehen.«»Warum denn nicht?« sagte der Dieb,»was einmal nicht geriet, kann das nächste Mal geraten.«»Wenn dem so ist«, sprach der Sasower zu sich,»so muß auch ich das Meine wieder und wieder versuchen.«

Die Störung

In einer Mitternacht, als Rabbi Mosche Löb in das Geheimnis der Lehre versenkt war, klopfte es an sein Fenster. Draußen stand ein betrunkener Bauer und begehrte Einlaß und Nachtlager. Einen Augenblick war das Herz des Zaddiks erzürnt und redete zu ihm:»Wie erfrecht sich der Trunkenbold, und was soll er uns hier im Haus?« Dann antwortete er seinem Herzen:»Und was soll er Gott in seiner Welt? Wenn Gott sich mit ihm verträgt, darf ich mich ihm weigern?« Sogleich öffnete er die Tür und bereitete das Lager.

Imitatio Dei

Der Sasower gab einmal einem übel berüchtigten Menschen sein letztes Geld hin. Die Schüler warfen es ihm vor.»Soll ich«, sagte er,»wählerischer sein als Gott, der es mir gegeben hat?«

---

[1] D. i. Exil.

Wie der Sasower die Liebe lernte

Rabbi Mosche Löb erzählte: »Wie man die Menschen lieben soll,
habe ich von einem Bauern gelernt. Der saß mit anderen Bauern
in einer Schenke und trank. Lange schwieg er wie die andern alle.
Als aber sein Herz von Wein bewegt war, sprach er seinen Nachbarn an: ›Sag du, liebst du mich oder liebst du mich nicht?‹ Jener
antwortete: ›Ich liebe dich sehr.‹ Er aber sprach wieder: ›Du
sagst: ich liebe dich, und weißt doch nicht, was mir fehlt. Liebtest
du mich in Wahrheit, du würdest es wissen.‹ Der andre vermochte
kein Wort zu erwidern, und auch der Bauer, der gefragt hatte,
schwieg wieder wie vorher. Ich aber verstand: das ist die Liebe
zu den Menschen, ihr Bedürfen zu spüren und ihr Leid zu tragen.«

Eignes Leid

Wann immer der Sasower einen leiden sah, an der Seele oder am
Leibe, nahm er daran mit solcher Inständigkeit teil, daß das Leid
zu seinem eignen wurde. Als ihm jemand einmal seine Verwunderung darüber aussprach, daß er immer so mitleiden könne, sagte
er: »Wie denn, mitleiden? Das ist doch mein eignes Leid, wie
kann ich denn anders als es leiden?«

Der Gruß

An jedem Tag nach dem Morgengebet pflegte der Sasower alle
Frauen, die in diesem Jahr verwitwet worden waren, zu besuchen
und ihnen »Guten Morgen« zu sagen.
Wem er auf der Straße begegnete, den grüßte er zuerst. Da gab
es keinen Bauern und keinen Bettler, dem es gelungen wäre, seinem Gruß zuvorzukommen. Einst, als er in der Stadt Brody war,
hörte ein Gegner des chassidischen Wegs davon und dang zwei
Leute, die sollten ihm nachschleichen und ihm, bevor er ihr Nahen merkte, in beide Ohren »Guten Morgen« schreien. Leise
schlichen sie dem Rabbi nach; aber ehe sie ihn noch erreichten,
hatte er sich schon umgedreht und ihnen lachend »Guten Morgen, ihr Nachschleicher!« zugerufen.

Auf dem Jahrmarkt

Es war ein Brauch des Rabbi Mosche Löb, auf die Jahrmärkte zu fahren und da Ausschau zu halten, wo etwa einer seiner Hilfe bedürftig wäre. Einmal hatten die Händler, durch eine vorbeiziehende Gauklertruppe oder sonst ein Schauspiel weggelockt, das Vieh unversorgt auf dem Marktplatz gelassen, und die dürstenden Kälber ließen die Köpfe hängen. Da lief der Rabbi herbei, nahm einen Eimer und tränkte die Tiere, als hätte er zeitlebens kein anderes Gewerbe getrieben. Eben kam einer der Händler zurück, und als er sah, daß ein Mann damit beschäftigt war, die Kälber zu tränken, rief er ihm zu, er solle auch die seinen versehen, die in einer Seitengasse stünden; es werde ihm auf einen Groschen nicht ankommen. Der Rabbi gehorchte und blieb bei seinem Geschäft, bis es vollendet war.

Menschenliebe

Der Sasower saß am Bett aller kranken Knaben der Stadt, pflegte und wartete sie. Einmal sagte er:»Wer einem pestkranken Kind nicht den Eiter aus seiner Beule saugen mag, ist noch nicht zur halben Höhe der Menschenliebe gelangt.«

Die Versäumnis

Am Vorabend des Versöhnungstags, zur Zeit, da man Kol Nidre sagen sollte, waren alle Chassidim im Bethaus versammelt und warteten auf den Rabbi. Die Zeit verging, er kam nicht. Eine der Frauen sprach zu sich:»Es dauert wohl noch eine Weile, bis angefangen wird, und ich habe mich so sehr beeilt, und mein Kind ist allein zu Haus geblieben, da will ich doch schnell nach ihm sehen, ob es nicht aufgewacht ist, in ein paar Minuten bin ich wieder hier.« Sie lief hinüber, horchte an der Tür, es war still. Leise drückte sie die Klinke nieder, steckte den Kopf vor, da stand der Rabbi und hielt ihr Kind im Arm, dessen Weinen ihn auf dem Weg zum Bethaus hergelockt hatte. Er hatte mit ihm gespielt und ihm vorgesungen, bis es einschlief.

Wie der Sasower die Mitternachtsklage sprach

Rabbi Mosche Löb war ein riesenhaft gewachsener Mann, aber
ein schweres Siechtum zehrte an seiner Kraft. Dennoch erhob er
sich, auch wenn er am Abend von den Schmerzen erschöpft gewesen war, zu jeder Mitternacht von seinem Lager, ging wach
und stark aus seiner Kammer und sprach die Klage um Jerusalem. Darum sagten die Chassidim, das Wort des Hohenlieds[2] »Die
Stimme meines Freundes pocht« sei an ihm offenbart, denn die
Stimme der trauernden Schechina pochte sichtbar in ihm und
rührte ihn auf.
Rabbi Hirsch von Żydaczow hatte von dem wundersamen Tun
des Sasowers um Mitternacht gehört. Als er in seinem Hause
weilte, verbarg er sich einmal, um ihm zuzusehen. Um Mitternacht sah er, wie der Sasower Bauernkleider anzog, auf den
schneebedeckten Hof ging, eine Last Holz aus dem Keller holte,
sie zusammenband und sich damit belud. Dann verließ er das
Haus, und Rabbi Hirsch folgte ihm in den klirrenden Frost der
Winternacht bis ans Ende der Stadt, wo Rabbi Mosche Löb an
einer armseligen Hütte stehenblieb und das Holz ablud. Der
Schüler schlich sich ans hintere Fenster und sah eine leere Stube,
einen erloschenen Ofen und auf einem Bette liegend eine Frau,
die mit trostloser Gebärde ihr neugeborenes Kind an die Brust
preßte. Schon aber stand der Sasower in der Stube, Rabbi Hirsch
sah ihn auf die Frau zutreten und hörte ihn sie in ruthenischer
Sprache anreden: »Ich habe eine Last Holz zu verkaufen und
mag damit nicht weitergehn, willst du sie mir um geringen Preis
abnehmen?« Die Frau antwortete: »Ich habe keinen Heller im
Haus.« Der Rabbi aber ließ sich nicht abfertigen. »Das Geld will
ich mir ein andermal bei dir holen, nimm mir nur das Holz ab.«
Die Frau widersprach weiter: »Was soll mir das Holz? Kann ich
es doch nicht in kleine Scheite hauen, und ein Beil ist auch nicht
da.« Darauf der Sasower: »Dafür laß mich sorgen«, ging vor die
Tür hinaus, zog ein Beil hervor und hackte das Holz klein. Und
während er das Holz kleinhackte, hörte Rabbi Hirsch ihn den
einen Teil der Mitternachtsklage sprechen, der unter dem Namen
der Urmutter Rahel steht, und die Worte drangen zu ihm: »Er-

[2] 5, 2.

wache, vom Staube erhebe dich, Gefangne, Jerusalem!« Dann trug der Rabbi das Holz, sich tief bückend, um durch die niedere Tür Eingang zu finden, in die Stube und heizte den Ofen. Während er die Scheite hineintat, sprach er mit leiser Stimme den andern Teil der Mitternachtsklage, der unter dem Namen der Urmutter Lea steht, und beschloß ihn: »Du wirst dich Zions erbarmen, die Mauern Jerusalems wirst du aufbauen.« Sodann verließ er die Stube und ging eilenden Schrittes nach Hause.

Unten und oben

Der Sasower Rabbi unterhielt in seinem Hause zwei treffliche Sänger, die aber, wie Sänger so oft, übermütige Kerle waren. Einmal setzte seine Frau etwas Kaffee für ihn auf den Tisch, aber ehe er sich noch bereit gemacht hatte, hatten ihm die beiden Gesellen den Kaffee weggetrunken und die Kanne mit Wasser gefüllt. Die Frau, die ihm nun keinen warmen Trunk zu geben hatte, denn es ging recht knapp zu bei ihnen, erboste sich über die Tunichtgute und rief: »Wozu brauchst du denn die Sänger, nur Ärger hat man von ihnen!« Er sagte: »Mit ihrem lieblichen Gesang erwecken sie mir das Herz, daß ich die Stimme der singenden Engel hören kann.«

Gott und Mensch

Es wird erzählt: »Einer Nachbarin Rabbi Mosche Löbs starb ein Kind nach dem andern im ersten Jahr. Einmal schrie sie im Haus des Zaddiks auf: ›Das ist kein guter Gott, der einem Kinder gibt, um sie einem wieder nehmen zu können, das ist ein grausamer Gott!‹ Die Ehefrau des Rabbis fuhr sie an: ›So darf ein Mensch nicht reden! Man muß sagen: Gottes Gnade ist unerforschlich, und was er tut, ist wohlgetan.‹ ›Nicht doch‹, sprach der Rabbi, der die Unterredung in seiner Kammer gehört hatte und nun heraustrat, ›man soll sich nicht drein fügen. Fasset Mut, Frau, und fasset Kraft: übers Jahr werdet Ihr einen Sohn gebären, und ich werde ihn einst unter den Trauhimmel führen.‹ Und so geschah es.«

Die gute Gottesleugnung

Rabbi Mosche Löb sprach:»Es gibt keine Eigenschaft und keine Kraft am Menschen, die umsonst geschaffen wäre. Und auch alle niedern und verworfenen Eigenschaften haben eine Erhebung zum Dienste Gottes. So etwa der Hochmut: wenn er erhoben wird, wandelt er sich zu einem hohen Mut in den Wegen Gottes. Aber wozu mag wohl die Gottesleugnung geschaffen sein? Auch sie hat ihre Erhebung, in der hilfreichen Tat. Denn wenn einer zu dir kommt und von dir Hilfe fordert, dann ist es nicht an dir, ihm mit frommem Munde zu empfehlen:›Habe Vertrauen und wirf deine Not auf Gott‹, sondern dann sollst du handeln, als wäre da kein Gott, sondern auf der ganzen Welt nur einer, der diesem Menschen helfen kann, du allein.«

Das Meteinschenken

Rabbi Chajim von Zans erzählte:»Als ich weniger als drei Jahre alt war, brach in meiner Heimatstadt Brody ein großer Brand aus, und meine Amme floh mit mir nach Sasow. Da blieb sie mit mir über die letzten Tage des Hüttenfestes. Es war aber der Brauch bei Rabbi Mosche Löb von Sasow, am Tag der Freude an der Lehre vor Sonnenaufgang mit der ganzen Gemeinde auf den Marktplatz zu gehen. Da waren Tische und Bänke aufgestellt, und alle saßen um die Tische, und der Rabbi, sein Andenken sei zum Segen, nahm einen Krug Met in die Hand, ging von Tisch zu Tisch und schenkte ein. Auch die Frauen kamen auf den Marktplatz, um zuzusehen. Unter ihnen war damals meine Amme, die mich auf dem Arm trug. Der Rabbi sagte:›Die Frauen sollen seitwärts treten.‹ Das taten sie und meine Amme unter ihnen. Als ich das merkte, hob ich meinen Kopf über die Schulter der Amme und sah zu. Ich sah gut zu und weiß noch alles, wie ich es gesehen habe.«
Ein Zaddik, der unter den Zuhörern war, fragte:»Erinnert sich der Rabbi wirklich genau, wie er den Kopf über die Schulter der Amme hob?« Rabbi Chajim sagte:»Ich *sollte* mich eben erinnern. Ich hatte ein schönes Seelchen bekommen, und wenn ich es nicht später verdorben hätte, wäre etwas daraus geworden. So hat man mir damals diese Erinnerung auf den Weg gegeben.«

Der Heiltanz

Rabbi Mosche Löb hatte die Nachricht empfangen, daß sein Freund, der Rabbi von Berditschew, erkrankt war. Am Sabbat sprach er Mal um Mal dessen Namen und betete. Dann zog er neue Saffianschuhe an, schnürte sie fest und tanzte. Ein Zaddik, der zugegen war, erzählte:»Eine Macht ging von dem Tanz aus, jeder Schritt war ein mächtiges Geheimnis. Ein unbekanntes Licht erfüllte das Haus, und wer zusah, sah die Himmelsschar mittanzen.«

Der Brauttanz

Ein Chassid erzählte:»Ich war auf der Hochzeit des Enkels Rabbi Mosche Löbs unter einer großen Schar von Gästen. Als man den Reigen zum Brauttanz anführte, sprang plötzlich ein Mann im kurzen Bauernrock, eine kurze Bauernpfeife im Mund, in den Kreis und tanzte allein in dessen Mitte. Ich wollte ihn schon beim Ärmel fassen, denn ich dachte: der muß doch nicht bei Sinnen sein, daß er in einen Kreis von lauter Zaddikim einbricht. Aber als ich sah, daß alle ihm schweigend zuschauten, gab ich mich zufrieden. Nach dem Tanz erfuhr ich, daß es der Rabbi war.«

Jetzt ist's an der Zeit zu tanzen

Ein Zaddik, der dem Sterben nahe war, stand auf und tanzte. Und da ihn die Umstehenden davon abbringen wollten, sagte er:»Jetzt ist's an der Zeit zu tanzen.« Danach erzählte er:»Als Rabbi Uri von Strelisk umherzog, um für einen frommen Zweck Geld zu sammeln, kam er auch zum Sasower Rabbi. ›Geld‹, sagte der, ›habe ich nicht, aber ich will Euch ein Stücklein vortanzen.‹ Er tanzte die Nacht durch, und Rabbi Uri hob nicht die Augen von ihm, denn jeder Schritt hatte eine heilige Intention. Als der Morgen dämmerte, sagte Rabbi Mosche Löb: ›Nun will ich gehn und auf Märkten und Gassen etwas Geld zusammenholen.‹ Er ging und kehrte erst nach zwei Tagen zurück. Befragt, wo er sich aufgehalten habe, berichtete er: ›In jungen Jahren brauchte ich einmal Geld, um Gefangene auszulösen, und begab mich auf die Sammelfahrt mit einem Knaben, der mir die Häuser der reichen

Leute zeigen sollte. Der Knabe verrichtete seinen Dienst mit solchem Eifer und Geschick, daß der erforderte Betrag bald beisammen war. Deshalb versprach ich ihm, dereinst auf seiner Hochzeit zu tanzen. Als ich nun in die Stadt Zloczow kam, hörte ich eine fröhliche Musik, ging ihr nach und erfuhr, daß jener Knabe Hochzeit feierte. So tanzte ich dort und vergnügte mich mit den Vergnügten bis jetzt.‹ Darum«, fügte der erzählende Zaddik hinzu, »sage ich: Wenn man von dir fordern kommt, ist's an der Zeit zu tanzen.«

Wie der Sasower einer Kindbetterin half

Es wird erzählt:»In einem Dorf lag eine Frau seit Tagen in den Wehen, und die Stunde ihrer Befreiung wollte nicht kommen. Man schickte einen Boten zum Sasower, daß er auf sie das Erbarmen herabflehe. Der Mann kam in tiefer Nacht in der Stadt an, wo er niemand, auch den Zaddik selbst nicht, kannte und im Finstern keinen Weg wußte. In einem einzigen Hause sah er noch ein Licht brennen. Er klopfte an. Ein alter Mann öffnete ihm, schenkte ihm ein Glas Branntwein zur Stärkung ein und ließ sich von ihm berichten, zu welchem Ende er hergekommen sei. ›Es ist schon zu spät hinzugehn‹, sagte er dann, ›leg dich nur hier zur Ruhe, und am Morgen will ich dich zum Rabbi führen.‹ Er gab ihm zu essen und bettete ihm ein Lager auf. Frühmorgens erwachte der Mann, und es reute ihn, daß er nachts seiner Müdigkeit und dem Zureden des Alten nachgegeben und den eiligen Auftrag verschoben hatte. Da trat sein Gastgeber zu ihm und sprach: ›Sei getrost. Eben habe ich erfahren, daß die Frau eines gesunden Knaben entbunden worden ist. Geh in die umliegenden Orte und berichte es den Verwandten.‹ Vorm Haus merkte der Mann aus den Fragen der Leute, daß es das des Rabbi war. Aber er wagte nicht mehr umzukehren.«

Der Weg des Lebens

Rabbi Mosche Löb sprach: »Der Weg in dieser Welt ist wie die Schneide eines Messers. Auf dieser Seite ist die Unterwelt und auf jener Seite ist die Unterwelt und der Weg des Lebens inmitten.«

Der Ort des Feuers

Rabbi Mosche Löb sprach:»Feuer suchst du? Du findest es in der Asche.«

Eine Stunde

Rabbi Mosche Löb sprach:»Ein Mensch, dem nicht an jedem Tag eine Stunde gehört, ist kein Mensch.«

Sich auf Gott verlassen

Rabbi Mosche Löb sprach:»Wie leicht ist es für einen armen Mann, sich auf Gott zu verlassen – worauf sonst könnte er sich verlassen? Und wie schwer ist es für einen reichen Mann, sich auf Gott zu verlassen – alle seine Güter rufen ihm zu: ›Verlaß dich auf mich!‹«

Drei Geschlechter

Der Rižiner Rabbi erzählte:»Als der heilige Baalschemtow einst das Leben eines todkranken Knaben, dem er zugetan war, retten wollte, hieß er ein reines Wachslicht gießen, nahm es in den Wald, heftete es an einen Baum und entzündete es. Dann sprach er einen langen Spruch. Das Licht brannte die ganze Nacht. Am Morgen war der Knabe genesen.

Als mein Ahn, der große Maggid, der Schüler des heiligen Baalschemtow, eine ebensolche Heilung bewirken wollte, wußte er die geheime Spannung des Spruches nicht. Er tat, was sein Meister getan hatte, und rief dessen Namen an. Das Werk geriet.

Als Rabbi Mosche Löb von Sasow, der Schülersschüler des großen Maggids, eine ebensolche Heilung bewirken wollte, sprach er: ›Wir haben nicht mehr die Kraft, es auch nur so zu tun. Aber erzählen will ich die Begebenheit, und Gott wird helfen.‹ Und das Werk geriet.«

Die Liebe zu Israel

Von allen Eigenschaften seines Lehrers Rabbi Schmelke von Nikolsburg hatte Rabbi Mosche Löb nur eine zu erlangen sich gewünscht: die Liebe zu Israel. Sie ist ihm auch in gehäuftem Maße

zuteil geworden. Denn als er, von seinem schweren Siechtum geplagt, zwei Jahre und ein halbes in Schmerzen lag, wich die Gewißheit nicht von ihm, er trage sie um der Gemeinde Israels willen, und die Schmerzen waren nicht erleichtert, aber verklärt.

Die Hochzeitsmelodie

Einmal vermählte Rabbi Mosche Löb zwei arme Waisen miteinander und sorgte dafür, daß sich die beiden am Hochzeitstag
nicht wie Verlassene und Heimlose fühlten. Als sich über den beiden jungen Menschen der Baldachin erhob, strahlte das Angesicht des Rabbis, denn er erlebte diesen Augenblick in einer ge-
doppelten Vaterschaft. Er lauschte der Melodie der Spielleute,
dann sprach er zu denen, die ihn umgaben: »Möchte mir doch
gewährt werden, daß, wenn der Tag meiner Bestimmung erscheint,
man mich mit dieser Melodie in das ewige Haus geleite.«
Nach vielen Jahren – diese Stunde und dieses Wort waren längst
vergessen – begab es sich an einem schneereichen Wintertag, daß
eine Schar von Spielleuten zu einer Hochzeit nach Brody fuhr.
Plötzlich zogen die Pferde an und schlugen einen heftigen Trab
ein. Umsonst versuchte man sie aufzuhalten, sie liefen immer
schneller, schleuderten die Schlitten immer wilder und rannten
unbeirrbar einem Ziel zu. An einem Friedhof hielten sie endlich
still. Die Spielleute sahen eine große Volksmenge versammelt und
fragten nach dem Ort und nach dem Namen des Toten. Als man
ihnen Rabbi Mosche Löb nannte, fiel ihnen ein, wie sie in jungen
Jahren vor ihm auf der Hochzeit der beiden Waisen gespielt hatten. Jetzt entsann man sich im umstehenden Volk der Begebenheit, und alle riefen: »Spielt die Hochzeitsmelodie!«

Nach dem Tod

Es wird erzählt: »Als Rabbi Mosche Löb von Sasow gestorben
war, sprach er zu sich: ›Nun bin ich aller Gebote ledig geworden.
Womit kann ich jetzt noch Gottes Willen tun?‹ Er bedachte sich:
Sicherlich ist Gottes Wille, daß ich für meine unzähligen Sünden
Strafe empfange. Sogleich lief er mit der ganzen Kraft und sprang
in die Hölle. Darüber gab's im Himmel große Unruhe, und bald

bekam der Höllenfürst einen Erlaß: Solange der Rabbi von Sasow dort ist, soll das Feuer ruhn. Der Fürst bat den Zaddik, sich nach dem Paradies hinwegzubegeben, denn hier sei nicht sein Platz, – es gehe nicht an, daß die Hölle seinetwegen feiere. ›Ist dem so‹, sagte Mosche Löb, ›dann rühre ich mich nicht weg, bis alle Seelen mitgehen dürfen. Auf Erden habe ich mich mit der Auslösung Gefangener abgegeben, da werde ich doch diese Menge da nicht im Kerker leiden lassen.‹ Und er soll es durchgesetzt haben.«

Der Tanzbär

Es wird erzählt: »Einige Gäste, die die Hochzeit der Tochter Rabbi Schmelkes von Sasow, des Sohnes Rabbi Mosche Löbs, mitgefeiert hatten, besuchten auf der Heimfahrt Rabbi Meïr von Primischlau. Er fragte sie eifrig aus, was Besonderes sie auf dem Fest gesehen hätten, und wollte sich bei allem, was sie zu berichten wußten, nicht bescheiden, sondern fragte wieder und wieder: ›Und was hat sich sonst begeben?‹ Schließlich berichteten sie: ›Während der gebotenen Tänze mit Bräutigam und Braut sprang plötzlich ein riesenhaft gewachsener Mann, an Leib und Gesicht als Bär verkleidet, in den Kreis und führte einen herrlichen Bärentanz aus. Ringsum staunten alle die wahrhaft erstaunlichen Gebärden an und klatschten in die Hände. Und plötzlich, wie er gekommen war, war er entschwunden. Niemand kannte ihn.‹ ›Wißt‹, sagte Rabbi Meïr, ›das ist kein andrer gewesen als unser heiliger Lehrer, Rabbi Mosche Löb von Sasow, sein Andenken stehe uns bei, der aus dem obersten Paradies herunterkam, sich mit den Seinen zu freuen.‹«

Das Herz des Sasowers

Man fragte einst Rabbi Bunam: »Habt Ihr einen Zaddik gekannt, dessen Herz gebrochen und zerknirscht und zugleich heil und ganz war?« Rabbi Bunam antwortete: »Solch einen Zaddik habe ich gekannt. Das ist Rabbi Mosche Löb von Sasow gewesen.«

Dem ewig Lebenden

In der letzten Stunde vor dem Sterben sah Rabbi Schmelke von Sasow seinen Vater, Rabbi Mosche Löb, und den großen Lehrer Rabbi Michal, den Maggid von Zloczow, sich zur Seite stehen. Da begann er das Lied zu singen: »Die Herrlichkeit und die Treue dem ewig Lebenden.« Als er zum Vers gelangt war »Das Wissen und die Rede dem ewig Lebenden«, hielt er im Singen inne und sprach: »Wenn der Mensch zu seinem letzten Ende kommt, da die Kraft der Rede und die Kraft des Wissens von ihm genommen werden, übergebe er beide, Wissen und Rede, dem ewig Lebenden.«

Einen Menschen umbringen

Zu Rabbi Mendel von Kosow kam eine Abordnung und führte
Klage über einen Schächter in ihrer Stadt. Nachdem sie eine
lange Reihe von Übeltaten aufgezählt hatten, forderten die Leute
vom Zaddik, er möge den leidigen Mann seines Amts entheben.
Einer aber, der mit ihnen gekommen war, bestritt ihre Aussage
als verleumderisch und dem Haß entsprungen. Rabbi Mendel
entschied zugunsten des Schächters. Die andern warfen ihm heftig
vor, daß er dem einzelnen vor den vielen Glauben geschenkt
habe. »Die Schrift erzählt«, sprach er, »Gott habe Abraham geboten, seinen Sohn zu opfern, und Abraham habe sich bereitet,
Gehorsam zu leisten; dann aber habe ihm ein Engel Einhalt getan, und sogleich sei er der Stimme botmäßig gewesen, wiewohl
Gott selber sein Geheiß nicht widerrufen habe. Damit lehrt uns
die Thora: einen Menschen umbringen, das muß Gott allein uns
befehlen, und hat er's schon getan, wenn dann das winzigste Englein kommt und uns sagt: ›Streck deine Hand nicht aus‹, so haben wir dessen Spruch zu folgen.«

Die rechte Hilfe

Unter den Chassidim des Rabbi Mendel von Kosow war ein
Mann, Rabbi Mosche mit Namen, wohlhabend und wohltätig.
Da drehte sich, wie man zu sagen pflegt, das Rad über ihm, er
verarmte und geriet in Schulden. Er kam nun zum Zaddik und
eröffnete ihm seine schlimme Lage. »Fahre zu meinem Schwager,
dem Seraf von Strelisk«, sagte Rabbi Mendel, »und schütte ihm
dein Herz aus.« Das tat der Mann alsbald. Nachdem Rabbi Uri
von Strelisk ihn angehört hatte, sagte er: »Ich will für dich ins
Tauchbad gehn, und das Verdienst des Tauchbads wird dir zum
Schutz gereichen.« Der Mann kam zu seinem Meister wieder und
erstattete ihm Bericht. »Geh nochmals hin«, sprach der Rabbi von
Kosow, »und sage meinem Schwager: ›Mit dem Tauchbad kann

ich meine Gläubiger nicht bezahlen.‹« Der Mann fuhr zum zweitenmal nach Strelisk und redete, wie ihm aufgetragen war.»Wohl denn, mein Sohn«, erwiderte der Seraf,»so will ich auch das Verdienst der Thefillin, die ich heute anlegen werde, dir widmen.« Als der Mann auch dies nun in Kosow erzählte, sagte ihm Rabbi Mendel:»Richte meinem Schwager von mir aus, auch mit den Thefillin seien die Peiniger nicht hinwegzubringen.« Wieder führte er den Befehl aus. Der Seraf bedachte sich.»Nun«, sprach er, »wenn dem so ist, will ich das Größte tun. Ich will das Verdienst aller Gebete, die ich heute beten werde, dir zudenken. So werden von Stund an die drei Verdienste vereint dir beistehn.« Rabbi Mosche kam nach Kosow und legte Rechenschaft ab.»Geh«, sagte der Zaddik, leise wie immer, nur langsamer als gewöhnlich, und wenn er langsam redete, wirkte es auf die Hörer stärker als die gewaltigste Erhebung der Stimme,»geh und bringe meinem Schwager Nachricht in meinem Namen, sprich zu ihm: ›Mit alledem ist nicht eine einzige Schuld zu bezahlen.‹« Als der Seraf die Botschaft empfing, zog er sogleich seinen Pelzmantel an und machte sich auf den Weg. In Kosow war sein erstes Wort zu seinem Schwager:»Was begehrst du von mir?«»Ich begehre«, sagte Rabbi Mendel,»daß wir beide etliche Wochen lang unter unseren Leuten umherziehen und das Geld aufbringen. Denn es steht geschrieben[1]: ›Stütze ihn!‹« Und das geschah.

Die Tabaksdose

Als Rabbi David von Zablotow, der Sohn des Rabbi Mendel von Kosow, in Žydaczow als Gast des Rabbi Zwi Hirsch weilte, zog er einmal seine Schnupftabaksdose aus der Tasche, um daran zu riechen. Kaum hatte Rabbi Hirsch die Dose erblickt, fragte er:»Woher ist die?«»Von meinem Vater«, sagte er.»Aus dieser Dose«, sprach der Žydaczower Rabbi,»sieht mir das Bild der Stiftshütte entgegen, und alle heimlich heiligen Intentionen, die Bezalel der Baumeister im Sinne hatte, als er das Gotteszelt machte, sehen mir daraus entgegen.« Rabbi David antwortete: »Es ist mir von meinem Vater überliefert: als er diese Dose ma-

---

[1] Leviticus 25, 35.

chen ließ, gab er dem Silberschmied ein Stück lauteren Silbers und wies ihn genau an, was er zu tun hätte. Ja, er gebot ihm die Zahl der Hammerschläge, so viel und nicht mehr. Die ganze Zeit stand er dabei und achtete darauf, daß alles richtig geschehe.« »Nun ist's erklärt«, sagte der Žydaczower.

Heute wie gestern

Als Rabbi Menachem Mendel von Kosow einst bestürmt wurde: »Warum kommt der Messias nicht?« sagte er: »Es steht geschrieben[2]: ›Warum ist der Sohn Isais weder gestern noch heute gekommen?‹ Warum nicht? Weil wir heute sind, wie wir gestern waren.«

Die Gabe an den Gegner

Zu Rabbi Mendel von Kosow kam einst einer der Juden seiner Stadt, der als ein Gegner des chassidischen Wegs bekannt war, und klagte ihm, er habe eine Tochter zu vermählen und könne die Mitgift nicht aufbringen. Er bat um Rat, durch welches Geschäft er wohl den erforderlichen Geldbetrag verdienen könnte. »Wieviel brauchst du?« fragte der Rabbi. Es waren etliche hundert Gulden. Rabbi Mendel zog eine Lade seines Tisches auf, leerte sie und gab das Geld dem Mann.
Bald danach erfuhr der Bruder des Zaddiks, was sich begeben hatte. Er kam und hielt ihm vor: wenn im eignen Haus was nötig sei, sage er immer wieder, er habe kein Geld übrig, jetzt aber gebe er dem Widersacher solch einen Betrag her! »Es war schon vor dir jemand bei mir«, antwortete Rabbi Mendel, »der hat dasselbe vorgebracht wie du, nur hat er viel besser reden können.« »Wer war das?« fragte der Bruder. »Das ist«, antwortete Rabbi Mendel, »der Satan gewesen.«

Der Tanz und der Schmerz

An jedem Vorabend des Sabbats pflegte Rabbi Chajim von Kosow, Rabbi Mendels Sohn, vor seinen versammelten Getreuen zu

---

[2] 1 Samuel 20, 27.

tanzen, entflammten Angesichts, und alle wußten, daß jeder
Schritt hohe Dinge meinte und hohe Dinge wirkte. Einmal fiel ihm beim Tanzen eine schwere Bank auf den Fuß, und er mußte vor Schmerz innehalten. Später fragte man ihn danach. »Mir scheint«, sagte er, »der Schmerz kam, weil ich den Tanz unterbrochen hatte.«

In jedem Geschlecht

Einst saßen mehrere Chassidim des Rabbi Chajim von Kosow am Abend in dessen Lehrhaus und erzählten einander Geschichten von Zaddikim, vornehmlich vom Baalschem. Und weil Erzählen wie Lauschen ihnen so süß war, saßen sie noch um Mitternacht beisammen. Da erzählte einer von ihnen wieder eine Geschichte vom Baalschem. Als er aber fertig war, seufzte ein andrer tief auf. »Ach, ach«, sagte er vor sich hin, »wo nimmt man heut so einen Mann her!« Im gleichen Augenblick hörten sie Schritte auf der Holztreppe von der Wohnung des Zaddiks herabkommen. Schon öffnete sich die Tür, und im kurzen Spenzer, wie er sich abends zu kleiden pflegte, stand Rabbi Chajim an der Schwelle. »Ihr Toren«, sprach er leise, »in jedem Geschlecht ist er, der Baalschemtow, da, nur daß er damals offenbar war und jetzt verborgen ist.« Er schloß die Tür und ging die Treppe wieder hinauf. Stumm saßen die Chassidim beisammen.

Das Lied des Gänsehirten

Rabbi Löb, Sohn der Sara, der wandernde Zaddik, der niemals lang am selben Ort verweilte, war stets auf der Suche nach Seelen, toten, die nach Erlösung verlangen, und lebenden, die der Entdeckung und Erhebung bedürfen.

Einmal, da er im russischen Norden sich aufhielt, bekam er, so wird erzählt, Kunde von einer heiligen Seele, die im Süden, in Ungarn, sich im Leibe eines Knaben mehr verstecke als zeige. Sogleich unternahm er eine seiner wunderbaren Eilfahrten dahin. Er kam in dem Städtchen an, das ihm gewiesen worden war, und nachdem er im Bethaus gebetet hatte, ging er in den angrenzenden Wald und durchquerte ihn bis zu einer Lichtung, wo er an einem Bach, der den Wald durchzog, einen etwa achtjährigen Knaben fand, der bedächtig das Ufer abschritt und mit Augen und Ohren einer Gänseherde zugewandt war, indes aber auch diese offenbar genau auf seine Winke und Pfiffe achtete. Unbemerkt folgte er ihm und hörte bald, wie der Knabe ein leises Lied vor sich hin summte, dessen wenige Worte immer von neuem wiederholend. Und so ging das Lied:»Schechina, Schechina, wie fern bist du! Galuth, Galuth, wie groß bist du! Würde die Galuth hinweggenommen, wir könnten zueinander kommen.« Endlich trat Rabbi Löb auf den Knaben zu und fragte ihn, woher er das Lied habe.»Das singen alle Hirten hier«, antwortete der Knabe.»Singen sie wirklich diese Worte?« fragte wieder der Zaddik.»Wohl«, antwortete der Knabe,»sie sagen ›Liebchen‹ statt ›Schechina‹ und ›Wald‹ statt ›Galuth‹, aber das ist doch dumm. Wer soll denn unser Liebchen sein, wenn nicht die Schechina, und daß der Wald, der uns von ihr trennt, die Galuth ist, das weiß doch jedes Kind, da ist es doch besser, es gleich zu sagen.« Rabbi Löb ging mit dem Knaben und der Gänseherde zu dessen Mutter, einer armen Witwe, und erbot sich ihr, sich des Knaben anzunehmen und dafür Sorge zu tragen, daß er zum Rabbi würde. So brachte er ihn zu Rabbi Schmelke nach Nikolsburg, und in seinem Lehrhaus wuchs der Knabe heran. Rabbi Schmelkes Melodien erzogen seine Seele, aber bis ans Ende seines Lebens sang er die Lieder der ungarischen Hirten, die Worte leicht abwandelnd, vor sich hin.

Miriams Brunnen

Ein Enkel des bekannten Jakob Fisch, eines zugleich reichen und frommen Mannes, den der Baalschem mit beiden Händen gesegnet hatte, daß er uralt werde, und in der Tat, er wurde hundertunddreizehn Jahre alt und sein Gesicht war jung geblieben, erzählte: »Der Gutshof meines Großvaters lag unmittelbar neben der Stadt Kalew. Einmal, vor Anbruch des Versöhnungstags, schon gegen Abend, als im Bethaus bereits alles Volk in den Kitteln stand und unter großem Weinen das ›lautere Gebet‹ sprach, rief der Kalewer Rabbi meinen Großvater zu sich und sagte zu ihm: ›Rabbi Jakob, spannt Euren Wagen an, wir wollen eine Spazierfahrt machen.‹ Mein Großvater wunderte sich sehr, da er aber den Zaddik wohl kannte, erwiderte er kein Wort, sondern sandte nach Hause und ließ den Wagen kommen. Sie stiegen ein und fuhren über die Felder meines Großvaters. An einer Stelle war ein schmaler Wasserstreifen zu sehen. Eilends tat der Rabbi seine Kleider ab und tauchte Mal um Mal unter. Mein Großvater stand dabei und wußte nicht, was er tun sollte. Schon aber zog der Zaddik die Kleider wieder an. Sie fuhren gradeaus ins Bethaus, und er trat vors Pult.

Mein Großvater kam aus der Verwunderung nicht heraus; denn nie hatte er an jener Stelle Wasser gesehen. Nach Ausgang des Versöhnungstags ging er hin und sah sich um, da war nirgends Wasser zu entdecken. So ging er zum Zaddik und sprach: ›Unser Rabbi, Ihr wißt, daß ich Euch nie nach Euren Angelegenheiten frage, nun aber bitte ich Euch, mir zu erklären, was vorgefallen ist.‹ ›Rabbi Jakob‹, antwortete er, ›kommt einmal Miriams Brunnen, der Israel in der Wüste begleitete, unversehens hier durch, was steht Ihr da, statt mit mir drin zu tauchen?‹«

Das Tauchbad ohne Wasser

Einst, am Nachmittag vor dem Versöhnungstag, zur Zeit des Tauchbads, war der Rabbi von Kalew zu dem Bach gegangen, an dem die Stadt liegt. Aber statt darin zu tauchen, legte er sich ins Gras am Ufer und sagte:»Oh, wie gut ist es hier zu schlafen!« Als es schon auf den Abend ging und die ihn begleitenden Chassidim alle schon in den Bach getaucht waren, wachte er auf, reckte die Glieder und ohne zu tauchen, aber mit den wie von einem neuen Leben zeugenden Mienen und Gebärden, die er stets nach dem Bade hatte, kehrte er mit den andern in die Stadt zurück.

Schmerzen ertragen

Rabbi Jizchak Eisik war von der Jugend bis ins Alter von einem schweren Übel geplagt, von dem bekannt war, daß es mit maßlosen Schmerzen verbunden war. Einst fragte ihn der Arzt, wie es möglich sei, daß er ohne zu klagen und zu stöhnen die Schmerzen ertrage. Er antwortete:»Das könnt Ihr leicht verstehen, wenn Ihr nur darauf achtet, daß die Schmerzen die Seele durchscheuern und durchlaugen. Da kann es doch gar nicht anders sein, als daß der Mensch sie mit Liebe empfängt und nicht wider sie murrt. Ist aber erst eine Zeit vergangen, dann hilft ihm noch die so gewonnene Lebenskraft, die Schmerzen des gegenwärtigen Augenblicks ertragen. Und es ist ja immer nur ein Augenblick, denn die vergangnen sind doch nicht mehr vorhanden, und wer wird sich mit künftigen Schmerzen befassen!«

Wie Lauge

Als Rabbi Jizchak Eisik einmal das Sabbatlied»Wenn ich den Sabbat hüte« gesungen hatte, in dem es heißt:»Darum wasch' ich mein Herz wie Lauge«, hielt er inne und sprach:»Lauge wäscht man doch nicht, man wäscht mit Lauge!« Dann erwiderte er sich selber:»Aber in der Heiligkeit des heiligen Sabbats kann ein Herz so rein werden, daß es die Kraft bekommt, laugengleich andre Herzen zu reinigen.«
Der Schüler, der dies berichtet, erzählte in späteren Jahren, als

er selber ein Zaddik geworden war, seinen Chassidim: »Wißt ihr, wie ich zum Juden gemacht worden bin? Mein Lehrer, der heilige Rabbi von Kalew, hat mir die Seele aus dem Leibe genommen und hat sie, wie die Wäscherinnen am Bach, geseift und gewalkt und gespült und getrocknet und gerollt und hat sie rein in mich zurückgetan.«

Und das Feuer sank zusammen

Es wird erzählt: »Der Rabbi von Kalew brachte einst den Sabbat in einem nahen Dorf im Hause eines seiner Chassidim zu. Zur Stunde des Sabbatempfangs wurde plötzlich ein Geschrei vernommen, ein Angestellter stürzte herein und rief, die Scheuer mit dem Getreide brenne. Der Hauswirt wollte hinauseilen, aber der Rabbi faßte ihn an der Hand. ›Bleib da!‹ sagte er, ›ich will dir eine Geschichte erzählen.‹ Der Chassid blieb. ›Rabbi Sussja‹, erzählte der Zaddik, ›tat in seiner Jugend im Hause des großen Maggids, wie es unter dessen jüngsten Schülern Sitte war, den Dienst eines Ofenheizers. Einmal, als er kurz vor dem Sabbatempfang mit großer Begeisterung die Psalmen hersagte, wurde er durch Schreie aus dem Innern des Hauses aufgestört. Aus dem Ofen, den er geheizt hatte, waren Funken gefallen, und da niemand in der Wohnstube war, hatten sie einen Brand entfacht. ›Sussja!‹ rief man vorwurfsvoll, ›es brennt!‹ ›Nun wohl‹, antwortete er, ›es steht doch geschrieben [1]: ‚Und das Feuer sank zusammen.‘ Im gleichen Augenblick sank das Feuer zusammen.‹ Der Rabbi von Kalew schwieg. Der Chassid, den er immer noch an der Hand hielt, wagte noch immer nicht, sich zu rühren. Ein Augenblick verging, und schon rief es zum Fenster hinein, das Feuer in der Scheune sei zusammengesunken.«

Der Besuch am Ssederabend

Es wird erzählt: »Die Tochter Rabbi Zwi Hirschs von Żydaczow, Reisel, die mit einem Sohn des Kalewer Rabbis vermählt war, lebte mit ihm im Haus ihres Vaters. Einmal erhielten sie aus Kalew die Aufforderung, das Passahfest dort zu verbringen. Die

---

[1] Numeri 11, 2.

Frau war dem abgeneigt, denn sie mochte nicht einen Sseder ihres Vaters missen; aber er redete ihr sehr zu, und so willigte sie ein. Im Haus des Schwiegervaters waren die Bräuche anders als die ihr vertrauten. Besonders verdroß es sie aber, daß der Rabbi am Ssederabend sich nicht, wie sie es von ihrem Vater gewohnt war, früh zu Tische setzte, sondern lange Zeit in der Stube auf und nieder ging, ohne ein Wort zu sprechen. Plötzlich öffnete er das Fenster. Da kam ein Wagen vorgefahren, mit zwei großen Schimmeln bespannt, darin saßen drei Männer und vier Frauen von fürstlichem Ansehn. Der Rabbi trat zu ihnen hinaus, sie umarmten und küßten ihn, sie wechselten mit ihm einige Worte, und schon knallte die Peitsche, und der Wagen fuhr dahin. Der Rabbi trat wieder ein, er schloß das Fenster und setzte sich an den Tisch. Reisel wagte nicht zu fragen. Als sie nach dem Fest heimgekommen war, berichtete sie alles ihrem Vater. › Wisse‹, sagte er, ›das sind die Erzväter und die Erzmütter gewesen. Der heilige Rabbi hat sich nicht zum Sseder setzen wollen, ehe die Erlösung naht, und hat mit seinem Gebet die oberen Welten bestürmt. Da mußten die Väter und Mütter kommen und ihm kundtun, es sei noch nicht an der Zeit.‹«

AUS DEM LEHRHAUS DES RABBI ELIMELECH

—

ABRAHAM JEHOSCHUA HESCHEL VON APTA

Die Zukunft wissen

Es wird erzählt: »Wenn der junge Heschel übers Feld ging, hörte
er aus dem Rauschen der Gewächse die künftigen Dinge, und
wenn er in den Gassen ging, hörte er aus den Schritten der Menschen die künftigen Dinge; wenn er aber in die Stille seiner Kammer entwich, redeten die Glieder des eigenen Leibes zu ihm die
künftigen Dinge. Da ward ihm bang um die Wahl des Wegs, ob
er sie noch wahrhaft vollziehen könnte, wissend, wohin der
Schritt ihn trug. So faßte er sich ein Herz und betete, daß es von
ihm genommen werde. Und der barmherzige Gott willfahrte
seiner Bitte.«

Die Bestechung

In seiner Jugend war Rabbi Abraham Jehoschua »Vater des Gerichtshofs« zu Kolbischow, und fünf Städte gehörten zu seinem
Bezirk. Einst hatte er eine Rechtssache zusammen mit zwei be-
stochenen Beisitzern zu entscheiden. Da er sich ihren Vorschlägen
beharrlich widersetzte, rieten sie endlich ihrem Auftraggeber,
er möge dem Rabbi, dessen Unbestechlichkeit alle drei wohl kannten, einen ansehnlichen Geldbetrag heimlich in die Tasche des Fest-
rocks legen, den er nur an den Neumondstagen trug. Der Mann
folgte dem Rat, und es gelang ihm, unbemerkt zu bleiben. Bei
der nächsten Verhandlung spürte der Rabbi, wie sein Sinn sich
dem Gutachten seiner Beisitzer zuneigte. Er schwieg eine Weile;
dann vertagte er die Urteilsfällung, ging in seine Kammer und
weinte sich vor Gott aus. Am Tag des neuen Mondes zog er den
Festrock an und fand das Geld. Er hieß den Mann kommen und
entnötigte ihm das Bekenntnis.
Wenn der Apter diese Begebenheit erzählte, pflegte er den Spruch
der Schrift[1] anzuführen: »Die Bestechung blendet die Augen der
Weisen, sie verdreht die Reden der Gerechten.«

---

[1] Deuteronomium 16, 19.

Zaddikim kommen nach Kolbischow

Rabbi Schmelke von Sasow, der Sohn Rabbi Mosche Löbs von
Sasow, war ein Kind, als sein Vater starb. In seiner Jugend besuchte er einst den Rabbi von Apta. Der hieß dem Gast zu Ehren
im Lehrhaus die Kerzen anzünden und empfing ihn mit solcher
Freundlichkeit, daß er ganz beschämt war. Als er sich widerstrebend in den für ihn bereitgestellten Lehnstuhl hatte setzen lassen,
begann der Apter, zu ihm gewandt, sogleich zu erzählen:
»Eurem Vater danke ich's, daß ich zum wahren Dienst Gottes gelangt bin. Ich war damals Raw in dem Städtchen Kolbischow
und wußte mir nichts andres als Lernen um des Lernens willen.
Wie ich so einmal an einem Nachmittag über den Büchern sitze,
höre ich einen Wagen vorfahren. Ich gehe hinaus, da sind zwei
Männer aus dem Wagen gestiegen, der ältere klein und schmäch-
tig, der jüngere von riesenhaftem Wuchs, die treten auf mich zu.
Mir war's beschwerlich, im Lernen gestört zu werden, so fragte
ich sie gar nicht, wer sie seien, setzte ihnen nur etwas Gebäck und
süßen Branntwein vor und begab mich ans Buch zurück. Sie aber
saßen und unterredeten sich miteinander, ohne sich an mich zu
wenden. Ich nahm mich zusammen, um, ohne abgelenkt zu werden, im Lernen fortzufahren, aber ich konnte nicht umhin, etwelche
ihrer Worte in mein Ohr dringen zu lassen, zumal sie an Stimme
und Ausdruck des Antlitzes eine hohe Art zu reden hatten, und
es waren auch in der Tat hohe Dinge, von denen sie redeten. Offensichtlich führten sie ein auf ihrer Fahrt angehobenes Gespräch
fort. Ich lehnte es aber in meiner Seele ab, mich damit zu befassen, denn ich sagte zu mir: ›Das ist doch nicht mein Weg – was
habe ich damit zu schaffen!‹ Hernach ging ich mit ihnen ins Bethaus. Nach dem Beten fragten sie mich, ob ich ihnen ein Nachtlager geben könnte. Es war damals knapper Raum bei mir im
Haus, aber Leute wie diese konnte man nicht abweisen, das verstand ich wohl. So stimmte ich zu, setzte ihnen Kaffee vor und
lernte weiter. Und wieder ging's wie vorhin, sie führten ein Gespräch fort, und mein Sinn war zwischen angestrengtes Lesen
und sich wehrendes Hören aufgeteilt. Hernach richtete ich ihnen
ein Nachtlager, und auch ich legte mich hin. Um Mitternacht
stand ich wie immer auf und lernte, und da hörte ich sie in der

angrenzenden Stube sich von hohen Dingen unterreden. Am Frühmorgen traten sie zu mir, um Abschied zu nehmen, und wie beiläufig fragten sie mich, mit welcher Stelle der Gemara ich mich eben beschäftigte. Als ich es ihnen gesagt hatte, hoben sie an, die Stelle zu erörtern, der Ältere machte eine Bemerkung, und der Jüngere machte einen Einwand, und nach einer halben Stunde hatten sie mir beide miteinander die Stelle ganz durchleuchtet, und ich merkte, daß ich sie erst jetzt recht verstand. Dann aber erzählte der Ältere, um etwas, was er gesagt hatte, mit einem Beispiel zu belegen, eine Geschichte vom Baalschemtow, und der Jüngere erzählte in gleicher Weise eine zweite Geschichte. Nachdem sie ihre Geschichten erzählt hatten, nahmen sie Abschied, und auch jetzt fragte ich sie nach nichts; denn ich war froh, wieder ungestört lernen zu können. Wie ich mich nun aber, ehe ich mich ins Bethaus begab, wie gewöhnlich ein weniges in der offenen Hauslaube erging, überfiel es mich plötzlich: warum habe ich die Männer nicht gefragt, wer sie sind und weshalb sie kamen? Und nun stiegen mir im Sinn Stück um Stück ihre Reden auf, die ich während des Lernens in mein Ohr aufgenommen hatte, und sie fügten sich mir zu einem großen Zusammenhang. Ich merkte erst jetzt wahrhaft: das sind ja Dinge von den Höhen der Welt her. Und nun mußte ich immer daran denken. Ich sagte mir die Worte vor und merkte, daß sie richtig gelernt werden wollten. Dann aber verspürte ich, wie mein Gebet von Tag zu Tag reiner und stärker wurde. Die Worte streckten sich über das Gebet hin und reinigten und stärkten es. Ständig wuchs jetzt in mir die Betrübnis, daß ich die Männer hatte gehen lassen, ohne mit ihnen bekannt zu werden, und das Verlangen, sie wiederzusehen. Zwei Wochen etwa waren verstrichen, es war wieder früher Morgen, und ich erging mich wieder in der offenen Hauslaube, im bloßen Käppchen; denn ich pflegte die Pelzmütze erst aufzusetzen, wenn ich mich ins Bethaus begab. Da sah ich, ein Wagen fährt am Haus vorbei, ohne anhalten zu wollen, und die zwei Männer sitzen darin. Ich stürze im bloßen Käppchen hinaus und rufe ihnen einen Gruß zu. Während der Wagen anhält, erwidern sie lässig meinen Gruß, und der Ältere fügt hinzu: ›Wir haben's eilig, wir wollen im nächsten Dorf beten.‹ ›Kann ich euch nicht etwas zu essen bringen?‹ frage ich. ›Nun gut‹, sagt der Jüngere ein wenig freundlicher, ›so hol schnell ein paar Brezeln.‹ Bis ich die geholt hatte, vergingen doch ein paar Augenblicke, und wie ich wieder herauskomme, sehe ich den Wagen schon in voller Fahrt. Ich griff noch rasch nach Tallith und Thefillin und so, diese in der einen, die Brezeln in der andern Hand haltend, rannte ich im bloßen Käppchen dem Wagen nach und schrie, sie möchten anhalten. Aber es war, als hörten sie nicht, und erst als es mir mit dem Aufwand meiner letzten Kraft gelungen war, sie einzuholen, stand der Wagen, ich stieg zu ihnen ein, und wir kamen ins Gespräch. So erfuhr ich, daß der ältere der Raw von Berditschew war und der jüngere Rabbi Mosche Löb von Sasow, Euer Vater. Nach dem Gebet im nächsten Dorf reichte ich ihnen die Brezeln, sie sprachen den Segen und aßen, und ich mit ihnen. Dann wollten sie mich heimschicken, aber ich erbat, sie noch ein wenig begleiten zu dürfen. So fuhren wir denn los, und sie sprachen zu mir, und dann fragte ich sie, und sie gaben mir Bescheid, das Gespräch spann sich fort, und der Wagen fuhr, ich wurde nicht gewahr, wie die Stunden verstrichen, und als der Wagen hielt, ergab es sich, daß wir in Lisensk vor dem Hause Rabbi Elimelechs waren. ›Hier ist dein Ort‹, sagte Euer Vater, ›wo das Licht für dich wohnt.‹ – Und so blieb ich in Lisensk.«

Versuchungen

Josef Landau, Rabbiner von Jassy in Rumänien, hatte sich von einem Machthaber der Gemeinde, dem er um eines Vergehens gegen das geistliche Gesetz willen entgegengetreten war, nicht bestechen lassen. Als er einige Zeit danach den Apter besuchte, erzählte er ihm mit selbstzufriedener Miene, wie er der Versuchung widerstanden habe. Beim Abschied segnete ihn der Zaddik, er möge ein lautrer und gottesfürchtiger Mann werden. »Der Segen meines Herrn und Lehrers«, sagte Rabbi Josef Landau, »gefällt mir wohl, und was darüber könnte ich begehren? Aber warum habt Ihr ihn mir gerade diesmal gespendet?« Der Apter antwortete: »Es steht geschrieben[2]: ›Dein, Herr, ist die Gnade, denn du zahlst jedermann nach seinem Tun.‹ Die Erklärer haben sich immer wieder gefragt, was dies für eine Gnade sei, wenn einer

---

[2] Psalm 62, 13.

einem Mietling den ihm zukommenden Lohn bezahle. Aber in Wahrheit ist es Gottes Gnade, daß er jeden Menschen nach dessen innerm Rang in Versuchung führt, den gemeinen Mann in leichte, den höhern in schwere. Wenn Ihr einer so geringen ausgesetzt worden seid, so ist dies ein Zeichen, daß Ihr noch nicht auf einer der obern Stufen zur Vollendung steht. Darum habe ich Euch gesegnet, daß Ihr zu ihnen aufsteiget und größerer Prüfung gewürdigt werdet.«

In die Hölle

Der Apter sprach zu Gott: »Herr der Welt, mir ist bewußt, daß ich keinerlei Tugend und Verdienst habe, um derentwillen du mich nach meinem Tode ins Paradies unter die Gerechten versetzen könntest. Aber willst du mich etwa in die Hölle in die Mitte der Bösewichter setzen, so weißt du doch, daß ich mich mit ihnen nicht vertragen kann. Darum bitte ich dich, führe alle Bösen aus der Hölle, dann kannst du mich hineinbringen.«

Die Wende

Zum Apter kam einmal eine angesehene Frau, seinen Rat zu erfragen. Sowie er sie erblickte, fuhr er sie an: »Buhlerin, es ist noch nicht lang, daß du gesündigt hast, und nun erdreistest du dich, meine reine Stube zu betreten!« Da antwortete das Weib aus seinem innern Herzen: »Der Schöpfer der Welt ist den Bösen langmütig, er fordert ihre Schuldzahlung nicht in Eile ein, er offenbart ihr Geheimnis keiner Kreatur, daß sie sich nicht schämen, zu ihm umzukehren, er verbirgt ihnen sein Angesicht nicht. Aber der Rabbi von Apta sitzt auf seinem Stuhl und kann sich nicht enthalten, aufzudecken, was der Schöpfer der Welt zugehüllt hat.« Seither pflegte der Apter zu sagen: »Von je hat mich keiner bezwungen, nur einmal ein Weib.«

Der Stolze und der Demütige

Der Apter kam einst in eine Stadt, da bewarben sich zwei Männer um die Gunst, ihn beherbergen zu dürfen. Beide führten die Wirtschaft mit frommer Sorgfalt, beider Häuser waren geräumig

und wohlversehen. Aber um den einen spann sich ein schlimmes
Gerücht von Buhlschaft und sündigem Treiben; er selber wußte,
daß er schwach war, und dachte gering von seinem Wert. Den andern hingegen konnte kein Mensch in der Gemeinde irgendeines
Übels bezichtigen; er schritt stattlich und stolz in seiner Makel-
losigkeit einher. Der Rabbi wählte das Haus dessen, von dem die
arge Rede ging. Als er nach dem Grund seiner Wahl befragt
wurde, antwortete er: »Vom Hochmütigen spricht Gott[3]: ›Ich
und er können nicht zusammen in der Welt verweilen.‹ Und wenn
der Heilige, gesegnet sei Er, bei ihm keinen Platz hat, wie sollte
ich ihn haben? Dagegen heißt es in der Thora[4]: ›der einwohnt
bei ihnen inmitten ihrer Makel‹. Und wenn Gott da Herberge
nimmt, wie sollte ich es nicht?«

Die Goldwaage

Rabbi Naftali, ein Schüler des Apters, bat einen Gefährten, er
möge erkunden, was ihr Lehrer von ihm halte. Ein halbes Jahr
mühte der sich, den Zaddik auszuforschen, vernahm aber kein
Wort von ihm über Naftali, kein gutes und kein schlimmes. Das
berichtete er dem Freund und sagte: »Sieh, der Meister hat eine
Goldwaage im Mund. Er sagt über keinen ein urteilendes Wort,
daß er ihm nicht etwa damit unrecht täte. Hat er uns doch verboten, selbst über die zu urteilen, die als böse von Grund aus gelten. Denn wer sie kränke, kränke Gott selber.«

Fabeleien

Der Apter liebte es, Fabeleien zu erzählen. Man hätte sie für
ungeheuerliche Übertreibungen ohne Sinn halten können, aber
nicht seine Schüler allein fanden Bedeutung und Erleuchtung
darin.
Einst war er zu Besuch bei Rabbi Baruch von Mesbiž, dem Enkel
des Baalschem. Als er seine Fabeleien zu erzählen beginnen
wollte, bat ihn Rabbi Baruch, mit ihm zum Quell zu gehen, der

---

[3] Ein talmudischer Spruch (Sota 5).
[4] Leviticus 16, 16.

»der Born des Baalschem« genannt wird. Am Quell angelangt, hob der Apter sogleich an zu erzählen, und Rabbi Baruch stand auf seinen Stock gestützt und hörte zu. Unter anderem erzählte der Apter von der Hochzeit seines Sohns: »Der Teig für die Nudelspeise war in Blättern über die Zäune gebreitet, von den Dächern hing er herab.« Die umstehenden Chassidim von Mesbiž sahen auf den spottgewohnten Mund ihres Rabbis, sie waren bereit, sowie er lächelte, ein wildes Gelächter anzuschlagen, aber sie sahen ihn aufmerksam lauschen, und seine Lippen kräuselten sich nicht. Später, als der Apter gegangen war, sagte Rabbi Baruch: »Nie habe ich solch einen Goldmund gesehn.«

Als der Apter einst zum Besuch Rabbi Levi Jizchaks in Berditschew angekommen war, zogen die Leute in Haufen herbei, ihn zu sehen und zu begrüßen. Kaum hatte er von dem süßen Branntwein und dem Kuchen, die man ihm vorgesetzt hatte, gekostet, begann er schon, in der Stube auf und nieder gehend, zu erzählen: wie man, als er Raw in der Stadt Jassy war, eine große Brücke vor seinem Haus bauen wollte und welche Unmengen Holz herangefahren wurden. Ein Kaufmann, der nach Jassy Handel trieb, stand dabei und nickte eifrig: »Ja, Rabbi, wahrhaft so ist es gewesen.« Der Apter drehte ihm erstaunt den Kopf zu. »Und woher weißt du davon?« fragte er.

Die Verleumdung

Zwei Jünglinge wohnten in derselben Stadt, die waren Freunde von Kindheit an. Nach ihrer Heirat beschlossen sie, ihr Geschäft gemeinschaftlich zu führen, und es gedieh. Aber der Frau des einen, die klug und im Umgang mit Kunden gewandt war, mißfiel es, daß dem andern, der ein braves, doch etwas einfältiges Eheweib hatte, der gleiche Anteil am Gewinn zufiel. Ob ihr Mann ihr auch verwies, es komme nicht auf unsre List und Stärke an, sondern auf das Wohlgefallen Gottes, sie nahm keine Belehrung an, sondern setzte ihm immer mehr zu, bis er zu seinem Freunde sprach: »Lieber, wir müssen auseinandergehen, denn ich kann dies nicht länger ertragen.« Nach der Teilung des Geschäfts blieb das Glück dem Gefährten treu, die kluge Frau hingegen hatte fortan Mißgeschick in allen Käufen und Verkäufen. So wuchs die

Bosheit in ihr, und es fiel ihr endlich bei, die andere durch zwei bestochene Lügenzeugen des Ehebruchs bezichtigen zu lassen. Die Sache kam vors geistliche Gericht. Als Rabbi Abraham Jehoschua von Apta die Zeugen vernommen hatte, hieß er seinen Sohn rufen und sprach zu ihm:»Schreib an die ganze Landschaft: ›Wer fortan dem Apter Rabbi einen Rubel gibt, ist ein Sünder in Israel.‹ Denn es heißt in der Thora[5]: ›Auf zweier Zeugen Mund soll ein Sachentscheid stehn.‹ Ich aber sehe, daß dieses Weib schuldlos ist. So geht mein Sehen wider die heilige Thora, und wer mir noch steuert, sündigt.« Als diese Worte in hoher Gewalt aus dem Munde des Apters kamen, ergriff die Zeugen ein Schrekken, sie stießen einander den Ellbogen in die Seite und gestanden die Wahrheit.

In der Welt des Wahns

Einmal sprach der Apter von der Welt des Wahns, wo die Seelen aller in der Verblendung ihrer Eitelkeit Dahingegangenen umherirren müssen, und erzählte:»In einem harten Winter vor etlichen Jahren wollte ein armer Mann auf dem Markt unsrer Stadt etwas Holz kaufen, um seinem Weib, das eben geboren hatte, die Stube zu erwärmen. Er fand nur noch einige Bündel und war eben dabei, sie zu kaufen, als der Vorsteher der Gemeinde hinzutrat und den Preis überbot. Umsonst bat ihn der Arme, der keinen höhern zu zahlen vermochte, sich der Frau und des Kindes zu erbarmen. In der Nacht darauf erkrankten Frau und Kind und starben nach wenigen Tagen. Der Mann überlebte sie nur um ein kurzes; aber an seinem Sterbetag war der Vorsteher tot. Damals erschienen beider Seelen vor mir in meinem Traum, denn der Arme hatte seinen Widersacher vor mein Gericht gefordert. Ich sprach das Urteil. Der Vorsteher war zeit seines Lebens vielmals von Bedrückten und Gepeinigten vor den weltlichen Richtern angeklagt worden und hatte immer wieder, in allen Windungen der Rechtsprechung bewandert, das Verfahren von einer Instanz zur anderen gezerrt, bis er den Freispruch erlistete. So legte er auch jetzt, in seiner Sicherheit unerschüttert, als lebte er noch auf Erden, in der Welt seines Wahns nach seiner Gewohn-

---

heit Berufung beim Stuhlrichter ein. Der war bald zur Stelle; aber der gewissen Erwartung entgegen verschärfte er meinen Spruch. ›Ich will's dem Stuhlrichter zeigen‹, schrie der Mann und appellierte weiter, und wieder war der zuständige Gerichtshof versammelt, und wieder erhöhte er die Strafe. ›Und wenn ich zum Kaiser gehen sollte, ich fechte die Sache durch‹, gelobte der Vorsteher. Jetzt ist er beim Statthalter angelangt.«

Die hören sollen, hören

Einst drängten sich die Leute, um die Lehre zu vernehmen, die der Apter sprach. »Umsonst!« rief er ihnen zu, »wer hören soll, hört auch aus der Ferne, wer nicht hören soll, hört auch aus der Nähe nicht.«

Die Wege

Ein Schüler fragte den Apter: »Es steht geschrieben[6]: ›Denn der Herr erkennt den Weg der Bewährten, aber der Weg der Bösen verliert sich.‹ Die beiden Teile des Satzes scheinen einander nicht zu entsprechen.« Der Rabbi erklärte: »Die Bewährten haben viele und vielfältige Wege, und auch die Bösen haben viele und vielfältige Wege. Aber die vielen Wege der Bewährten erkennt Gott in ihrem Wesen: daß sie *ein* Weg und der Weg sind. Aber die Wege der Bösen sind in ihrem Wesen viele und vielfältige, denn sie sind ja nichts andres als das vielfältige Verlieren des einen Wegs. Und das erweist sich ihnen selber zuletzt darin, daß jeder seinen Weg und allen Weg verliert. Wie wenn einer im Walde geht, einen Weg geht immer weiter, und weiß nicht, warum er diesen und keinen andern geht, und geht Tag und Nacht, bis er an eine große Buche kommt, die steht am Ende des Wegs, und da ist der Weg verloren, und der Mann kann nicht vor und wagt sich nicht zurück, denn der Weg ist ihm verlorengegangen.«

Freie Wahl

Rabbi Heschel sprach: »Gott will, daß die freie Wahl sei, darum hat er bis heute gewartet. Denn in der Zeit des Tempels gab's

---

[6] Psalm 1, 6.

Todes- und Prügelstrafe, und somit noch keine Freiheit. Danach gab es Strafverordnungen in Israel, und somit noch keine Freiheit. Heute jedoch ist's so geworden, daß jeder ohne Scham öffentlich sündigt, und es ergeht ihm wohl. Darum, wer heute recht lebt, ist gültig in Gottes Augen, und an ihm hangt die Erlösung.«

Ein großes Volk

Man fragte den Apter Rabbi: »Der Midrasch weist darauf hin, daß Gott zweimal zu Abraham ›Geh dir‹ sagt, einmal als er ihn aus seinem Vaterhause gehen und einmal als er ihn seinen Sohn opfern heißt. Das erklärt der Midrasch damit, auch das erste Geheiß sei, wie das zweite, eine Versuchung gewesen. Wie ist das zu verstehn?«

»Als Gott«, antwortete er, »Abraham aus seinem Vaterhause gehen hieß, versprach er ihm, ihn ›zu einem großen Volk‹ zu machen. Der Böse Trieb sah, wie er begeistert sich zur Fahrt rüstete, und flüsterte ihm zu: ›Du tust recht. Ein großes Volk, das bedeutet Macht, das bedeutet Besitz!‹ Aber Abraham lachte ihn nur aus. ›Das verstehe ich besser als du‹, sagte er. ›Ein großes Volk, das bedeutet ein Volk, das den Namen Gottes heiligt.‹«

An jedem Tag

Der Rabbi von Apta sprach: »Jedem Menschen von Israel ist geboten, sich anzusehn, als stünde er am Berge Sinai, um die Thora zu empfangen. Denn für den Menschen gibt es Vergangenes und Künftiges, nicht aber für Gott: an jedem Tag gibt er die Thora.«

Zweierlei Liebe

Man fragte den Apter: »Es steht geschrieben[7]: ›So diente Jakob um Rahel sieben Jahre, und sie waren in seinen Augen wie einige Tage, weil er sie liebte.‹ Wie ist das zu verstehn? Sollte man nicht meinen, dem Liebenden sei die Zeit überlang und ein Tag wie ein Jahr erschienen?«

---

[7] Genesis 29, 20.

Der Apter erklärte:»Es gibt zweierlei Liebe. Die eine hängt sich an den geliebten Gegenstand und kehrt wieder zum Liebenden zurück; so wird ihm jede Stunde groß und schwer, weil er zu dem Geliebten zu kommen begehrt. Die andre aber, die Liebe der wahren Gefährten, kehrt nicht zum Liebenden zurück. So gilt es ihm gleich, ob er tausend Meilen oder eine von dem Geliebten entfernt wohnt. Darum heißt es: ›So diente Jakob um Rahel sieben Jahre, und sie waren in seinen Augen wie einige Tage, weil er sie liebte.‹ *Sie* liebte er: seine Liebe haftete an ihr und kehrte nicht zu ihm zurück; er meinte nicht sich und sein Verlangen, sondern hatte die wahre Liebe.«

Wie ein Gefäß

Rabbi Heschel sprach:»Der Mensch soll wie ein Gefäß sein, das willig empfängt, was sein Eigentümer dreingießt, sei's Wein, sei's Essig.«

Wir bilden Gottes menschliche Gestalt

Unsere Weisen sprachen[8]:»Wisse, was oberhalb von dir ist.« Das deutete der Apter also:»Wisse, was oberhalb, ist von dir. Und was ist dies, was oberhalb ist? Ezechiel sagt es[9]: ›Und auf der Gestalt des Throns eine Gestalt anzusehn wie ein Mensch darauf oberhalb.‹ Wie kann das von Gott gesagt werden? Steht doch geschrieben[10]: ›Wem wollt ihr mich vergleichen, daß ich ihm ähnlich wäre?‹ Aber es ist so, daß die Gestalt, anzusehn wie ein Mensch, von uns ist. Es ist die Gestalt, die wir mit dem Dienst unseres wahrhaften Herzens bilden. Damit schaffen wir unserem Schöpfer, dem Bild- und Gleichnislosen, ihm selber, gesegnet sei er und gesegnet sei sein Name, eine menschliche Gestalt. Wenn einer Barmherzigkeit und liebreiche Hilfe erweist, bildet er an Gottes rechter Hand. Und wenn einer den göttlichen Krieg kämpft und das Übel verdrängt, bildet er an Gottes linker Hand. Der oberhalb auf dem Throne ist, von dir ist er.«

---

[8] Aboth II 1.   [9] 1, 26.   [10] Jesaja 40, 25.

Die Witwe

Ein Schüler des Apters erzählte:»Einst stand ich bei einem Gespräch, das mein Lehrer mit einer Witwe führte. Er redete zu ihr von ihrem Witwentum, mit den guten Worten eines Trösters, und so, als den Trost für ihre Seele, nahm sie die Rede auf und stärkte sich daran. Ich aber sah ihn weinen und mußte selber weinen; da gewahrte ich, daß er zur Schechina, der verlassenen, sprach.«

Die Seele

Wenn Rabbi Abraham Jehoschua am Versöhnungstag den Bericht vom Dienst des Hohenpriesters im Allerheiligsten wiederholte und an die Stelle kam, wo es heißt:»Und so sprach er«, sagte er jedesmal nicht diese Worte, sondern er sagte:»Und so sprach ich.« Denn er hatte die Zeit, da seine Seele in einem Hohenpriester zu Jerusalem war, nicht vergessen, und er brauchte den Dienst im Tempel nicht von außen zu erfahren.

Auch erzählte er selber einmal:»Zehnmal war ich auf dieser Welt. Ein Hoherpriester war ich, ein Fürst war ich, ein König war ich, ein Exilarch war ich, zehnerlei Würden hatte ich inne. Aber keinmal habe ich die Menschen vollkommen geliebt. Darum wurde ich wieder gesandt, um die Liebe zu vollenden. Gerät es mir diesmal, kehre ich nicht mehr wieder.«

Weinen und Lachen

Ein Mann bekannte einst dem Apter eine Sünde und berichtete ihm weinend, wie er Buße getan habe. Der Zaddik lachte. Der Mann redete weiter, was er noch zu tun gedenke, um seine Schuld zu sühnen; der Zaddik hörte nicht auf zu lachen. Der Mann wollte noch etwas sagen, aber das Lachen verschlug ihm Stimme und Atem. Entsetzt starrte er den Zaddik an. Da geschah ihm, daß auch die Seele den Atem anhielt und nun vernahm, was in der Tiefe spricht. Er erkannte, wie nichtig all sein büßerisches Treiben gewesen war, und erfuhr die Umkehr.

Später erzählte der Apter seinen Chassidim:»Ehe ich vor zweitausend Jahren Hoherpriester im Tempel zu Jerusalem wurde, mußte ich den Dienst von Stufe zu Stufe erlernen. Zunächst wurde ich in die junge Priesterschaft aufgenommen. Damals war dieser Mann der ›Abgesonderten‹ einer, der strengen Reinheit ergeben und in der Übung aller Tugenden erprobt. Unversehens widerfuhr ihm, daß er sich in eine schwere Sünde verstrickte. Der Vorschrift gemäß bereitete er sich, das Sühnopfer darzubringen. Zu jener Zeit war der Brauch so: Wenn einer bei dem über das Opfervieh gesetzten Beamten ein ausgewähltes Tier holte, fragte der ihn, welche Sünde ihm zu sühnen obliege. Dem Mann trat der Gram seines Geheimnisses über die Lippen, und er schüttete sein Herz aus wie Wasser. Dann ging er mit dem Opfertier durch die Straßen Jerusalems, bis zur Tempelhalle, wo es geschlachtet werden sollte. Hier traten ihm die jungen Priester entgegen und fragten ihn wieder, und wieder schmolz sein Herz wie Wachs im Feuer. Wenn er endlich zum Hohenpriester kam und ihm das Innerste bekannte, war er ein anderer geworden. Als nun dieser Mann mit seinem Opfertier an die Tempelhalle trat, erbarmte es mich seines verstörten und tränenübergossenen Angesichts. Ich sprach ihm zu, weinte mit ihm und ermunterte sein Herz, bis er es selber zu festigen begann und das Gewicht der Sünde immer leichter wurde. Beim Hohenpriester angelangt, erfuhr er die Umkehr nicht, und sein Opfer wurde nicht in Gnaden angenommen. Daher mußte er im Umschwung der Zeit noch einmal zur Erde niedersteigen und noch einmal vor mir erscheinen. Aber diesmal habe ich ihn mehr geliebt.«

Der Gottesknecht

Man fragte den Apter Rabbi: »Es heißt im letzten Abschnitt des fünften Buches Mose: ›So starb dort Mose, der Knecht des Herrn.‹ Und wieder heißt es im ersten Abschnitt des Buches Josua: ›Es war nach dem Tode Moses, des Knechts des Herrn.‹ Warum wohl wird hier in der Stunde seines Sterbens und nach ihr Mose ein Knecht Gottes genannt, als würde damit ein Neues berichtet, da doch schon Abschnitt um Abschnitt vor diesen zu erzählen wußte, wie er seinem Herrn gedient hatte mit seinem ganzen Herzen und Vermögen?« Der Apter erklärte: »Ehe Mose stirbt, zeigt Gott ihm vom Gipfel des Nebo das Land und spricht zu ihm: ›Dieses ist das Land, das ich Abraham, Isaak und Jakob zuge-

schworen habe.‹ Hierzu bemerkt Raschi: ›Gott entsandte Mose
und sprach: Geh und melde es den Vätern, daß ich meinen Schwur
nunmehr erfüllen will, den ich ihnen zugeschworen habe.‹ So war
denn Mose auch im Tod Gottes Bote und getreuer Knecht, und
er starb, um Dienst zu tun in der Ewigkeit.«

Der Tisch

Am Neumondstag seines Sterbemonats redete der Apter an seinem Tisch vom Tod der Gerechten. Nach dem Tischgebet stand
er auf und begann glühenden Angesichts in der Stube auf und
nieder zu gehen. Dann hielt er vor dem Tisch inne und sprach:
»Du reiner Tisch wirst für mich zeugen, daß ich rechtschaffen an
dir gegessen und rechtschaffen an dir gelehrt habe.«
Später befahl er, man solle aus dem Tisch seinen Sarg machen.

Die Inschrift

Vor dem Sterben befahl der Apter seinen Söhnen, auf seinen
Grabstein kein andres Lob schreiben zu lassen als: »Der Israel
liebte«. Diese Inschrift trägt der Stein.

Im Sterben

Im Sterben schrie der Apter: »Warum säumt der Sohn Isais?« Er
weinte und sprach: »Der Rabbi von Berditschew versprach vor
dem Tode, er wolle an der Ruhe aller Heiligen rütteln und nicht
ablassen, bis der Messias kommt. Dann haben sie ihn in Halle
um Halle mit Wonnen so überschüttet, daß er vergaß. Aber ich
werde nicht vergessen. Ich will nicht ins Paradies, ehe der Messias
kommt.«

Über unsrem Aspekt

Nach dem Tode des Apter Rabbis kamen zwei Zaddikim zusammen, Rabbi Jizchak von Radziwil, der Sohn des Zloczower
Maggids, und Rabbi Israel von Rižin, der Urenkel des Maggids
von Mesritsch. Rabbi Israel fragte: »Wie ist das: er hat doch ge-

sagt, er wolle nicht ins Paradies, ehe der Messias kommt?« Rabbi Isaak erwiderte: »Es heißt im Psalm[11]: ›Wir besannen, Elohim, deine Gnade, im Innern deiner Halle.‹ Ich lese es so: ›Wir besannen Elohim. Deine Gnade ist's im Innern deiner Halle.‹ Wenn wir hier unsre Nöte besinnen, sehen wir darin immer nur das Attribut der Strenge, den Gottesnamen Elohim[12]. Aber dort, im Innern der Gotteshalle, wer dahin, ja sei es auch nur an die Schwelle, kam, erkennt, daß alles die Gnade Gottes ist.«

Die Vision der Markthändlerin

Rabbi Jizchak von Neshiž, der Sohn Rabbi Mordechais von Neshiž, erzählte: »Am Tag, eh der Apter Rabbi plötzlich erkrankte und starb, saß eine alte Gemüsehändlerin auf dem Marktplatz und erzählte ihrer Nachbarin: ›Heut in der Morgendämmerung habe ich, ich weiß nicht, ob wach, ob im Traum, meinen Mann, der Friede sei über ihm, gesehn, der schon viele Jahre tot ist. Ich sehe ihn an mir vorüberkommen, ohne auf mich zu achten. Da schreie ich ihm weinend zu: ,Erst lässest du mich mit den Waisen im Elend zurück, und jetzt schaust du mich nicht einmal an!' Er aber rennt weiter und blickt sich nicht um. Und nun, wie ich so dasitze und weine, sehe ich ihn zurückkommen, und er bleibt stehn und sagt zu mir: ,Ich habe nicht innehalten dürfen, wir haben den Weg beräuchern müssen, die Luft zu reinigen, weil die Zaddikim aus dem Lande Israel die Luft hier nicht vertragen können, und sie kommen ja, um den Apter Rabbi zu empfangen und hinüberzugeleiten.'‹ Ist das nicht eine schöne Geschichte?«

Das Grab zu Tiberias

Es wird erzählt: »Einst saß der Apter in Gedanken und sah verwundert und ein wenig wehmütig drein. Den Chassidim, die ihn fragten, ob ihn etwas beschwere, sagte er: ›Auf allen früheren Erdenfahrten meiner Seele hatte ich eine Würde in Israel. Nur

---

[11] 48, 10.
[12] Der Gottesname Elohim (pluralische Form, etwa mit »Gottheit« wiederzugeben) wird in der jüdischen Tradition mit dem Attribut der Strenge, der Name JHWH mit dem der Gnade verknüpft.

diesmal habe ich keine.‹ In eben dem Augenblick trat ein Sendbote aus dem Lande Israel ein und überreichte dem Rabbi ein Schreiben, worin ihn der wolhynische Kolel, das ist die Landsmannschaft der aus Wolhynien Eingewanderten, deren Sitz in Tiberias war, zu seinem Oberhaupt ernannte. Der Apter hieß ein Freudenmahl rüsten. Danach übergab er dem Boten einen Geldbetrag mit dem Auftrag, neben dem Grab des Propheten Hosea für ihn ein Bodengeviert von gleicher Größe zu erwerben.

In der Nacht, in der Rabbi Abraham Jehoschua starb, schlug eine Stimme an die Fenster des wolhynischen Versammlungshauses in Tiberias: ›Geht hinaus, dem Rabbi von Apta das Geleit zu geben.‹ Aus der Tür tretend, sah der Hauswart des Kolel eine Bahre durch die Luft getragen, von tausend Seelen umschwebt. Er folgte ihr auf den Friedhof und sah, wie der Leichnam zu Grabe gebracht wurde.«

Das Loblied

Um aus seiner Heimat in Rabbi Elimelechs Stadt reisen zu können, verdingte sich der junge Mendel einem Fuhrherrn als Knecht. Zu seinen Pflichten gehörte, daß er während der Rast Wagen und Pferde hüten mußte. Es war ein grausamer Frosttag. Der Fuhrmann und die Fahrgäste wärmten sich in der Herberge, aßen und tranken, Rabbi Mendel in seinem dünnen Rock und den durchlöcherten Schuhen ging neben dem Wagen auf und nieder und rieb sich die Hände. »Gelobt sei der Schöpfer«, sang er vor sich hin, »daß ich kalt habe, gelobt sei der Schöpfer, daß ich hungrig bin.« Er hüpfte auf einem Fuß, dann auf dem andern und sang sein Loblied wie eine Tanzweise. Ein des Wegs kommender Herbergsgast sah und hörte das und verwunderte sich. »Junger Mann«, sagte er, »was redest du da zusammen?« »Ich danke Gott«, antwortete Mendel, »daß ich gesund bin und meinen Hunger so kräftig spüren kann.« »Warum ißt du dich denn aber nicht satt?« fragte der Mann. Mendel besann sich. »Dazu braucht man Geld«, sagte er. Der Mann rief einen Knecht zum Wagenhüten herbei, nahm Mendel in die Herberge mit und ließ ihm Essen und warmes Getränk reichen. Dann versorgte er ihn mit festem Schuhwerk und einem kurzen Schafspelz, wie ihn die Dorfjuden tragen.

In Lisensk angelangt, ging Mendel unverweilt in Rabbi Elimelechs Haus und trat schnell, von den Dienern nicht bemerkt, in die Stube des Zaddiks, der über einem Buch saß, in eine Tiefe der Lehre versenkt. Sein Sohn Eleasar winkte dem ungehobelten Fremden zu, hinauszugehen und draußen zu warten, bis er nicht mehr störte. Aber Rabbi Elimelech hatte schon aufgesehen. Er faßte den Sohn am Arm und sprach, fast singend, als spräche er ein Loblied: »Lasar, Lasar, was willst du von dem Jüdel? Feuerfunken fliegen ihm ums Haupt.«

Der Kauf

Rabbi Mendels Schwiegereltern setzten ihrer Tochter zu, von dem Mann, der seine Zeit mit geistigen Übungen verbrachte und zu den Geschäften ebenso untauglich wie unlustig war, sich den Scheidebrief geben zu lassen. Als sie widerstand, wiesen sie das Paar, das bisher dem Brauch gemäß bei ihnen gelebt hatte, aus dem Haus. Nun kam harte Not über die beiden. Zuweilen gelang es der Frau, aus der väterlichen Küche mit Hilfe der Köchin einige Speisevorräte, aus dem väterlichen Keller ein paar Holzbündel zu stehlen. Einmal aber waren die Eltern verreist, die Kaufleute gaben nichts mehr ohne Bezahlung her, und so konnte die Frau an drei Tagen Rabbi Mendel, der im Lehrhaus saß und lernte, kein Essen bringen. Am dritten wagte sie sich noch einmal über die Schwelle des Bäckers. Er wies sie ab. Sie ging schweigend hinaus. Da folgte er ihr und bot ihr Brot und andre Speise an, wieviel sie tragen könne, wenn sie ihm dafür ihren Anteil an der kommenden Welt verhieße. Sie zögerte nur einen Augenblick, dann nahm sie den Vertrag an. Als sie in das Lehrhaus trat, sah sie ihren Mann auf seinem Platz, fast ohnmächtig, aber das Buch fest mit beiden Händen umklammernd. Sie breitete das Tuch, trug ihm auf und sah ihm zu, während er aß. Er blickte empor; nie zuvor war sie stehengeblieben. Sie blickten einander an. Sie sah, daß er in diesem Blick erfuhr, was sie getan hatte; und dann sah sie, daß sie der Ewigkeit von neuem teilhaftig war.

Das hungrige Kind

Einmal, als in Rabbi Mendels Haus keine Brotschnitte war, kam sein Sohn weinend zu ihm gelaufen und klagte, sein Hunger sei so groß, daß er ihn nicht mehr ertragen könne. »So groß ist dein Hunger nicht«, sagte der Vater, »denn sonst hätte ich etwas, um ihn dir zu stillen.« Der Knabe schlich sich schweigend fort. Ehe er noch aber an der Tür war, sah der Rabbi eine kleine Münze, einen Dreier, auf dem Tisch liegen. »Ich habe dir unrecht getan«, rief er, »du bist in Wahrheit sehr hungrig.«

Der Löffel

An Rabbi Elimelechs Tisch vergaß einmal der Diener, Rabbi
Mendel, der zu Gast war, einen Löffel hinzulegen. Alle aßen, nur
er nicht. Der Zaddik bemerkte es und fragte:»Warum ißt du
nicht?«»Ich habe keinen Löffel«, sagte er.»Sieh«, sprach Rabbi
Elimelech,»man muß auch einen Löffel verlangen, und gar erst
eine Schüssel.« Rabbi Mendel nahm das Wort des Lehrers in sein
Herz auf. Von diesem Tag an wandte sich sein Los.

In der Jugend

Rabbi Mendel berühmte sich einst vor seinem Lehrer, Rabbi Elimelech, er sehe abends den Engel, der das Licht vor der Finsternis hinwegrollt, und morgens den Engel, der die Finsternis vor
dem Licht hinwegrollt.»Ja«, sagte Rabbi Elimelech,»das habe
ich in meiner Jugend auch gesehn. Später sieht man diese Dinge
nicht mehr.«

Die Berufung

Ein Mann kam zu Rabbi Mendel und bat, ihm zu bestätigen, daß
er zum Rabbi berufen sei: er fühle sich auf dieser Stufe angelangt
und fähig, Segen über Israel zu gießen. Der Zaddik sah ihn eine
Weile schweigend an.»Mich«, erzählte er dann,»pflegte in der
Jugend um jede Mitternacht die Stimme eines Mannes mit dem
Ruf zu wecken:›Mendel, steh auf, die Mitternachtsklage zu verrichten!‹ Die Stimme war mir vertraut geworden. Aber eines
Nachts geschah es, da kam ein anderer Ruf.›Rabbi Mendel‹, so
sprach es,›steh auf, die Mitternachtsklage zu verrichten!‹ Der
Schrecken erfaßte mich, ich zitterte bis zum Morgen, und tagsüber
peinigte mich der Schrecken.›Vielleicht habe ich falsch gehört‹,
beschwichtigte ich mein Herz. Aber in der nächsten Nacht sprach
es wieder:›Rabbi Mendel!‹ Von da an kasteite ich mich vierzig
Tage lang und betete unablässig, daß es von mir genommen
werde. Aber das Tor des Himmels blieb mir verschlossen, und
die Stimme ließ nicht ab. Da ergab ich mich drein.«

Die Teilung

Vor seinem Sterben legte Rabbi Elimelech seine Hände auf die Häupter seiner vier liebsten Schüler und teilte sein Gut unter sie aus. Jaakob Jizchak gab er die schauende Kraft seiner Augen, Abraham Jehoschua die richtende Kraft seines Mundes, Israel von Kosnitz die betende Kraft seines Herzens, aber Mendel gab er die lenkende Kraft seines Geistes.

Nichts vorzusetzen

Nach dem Tode Rabbi Elimelechs kamen mehrere seiner jüngeren Schüler überein, zu Rabbi Mendel nach Prystyk, wo er damals noch wohnte, zu fahren. Als sie an einem Freitagnachmittag in sein Haus kamen, lagen auf dem Tisch zwei Sabbatbrezeln aus Roggenmehl, und zwei kleine Kerzen staken in Erdschollen. Sie fragten seine Frau nach ihm und erfuhren, er sei noch im Tauchbad. Naftali, der nachmalige Rabbi von Ropschitz, ging sogleich in die Stadt und kaufte alles Nötige ein, ein weißes Tischtuch, große und kleine Sabbatbrote, große Kerzen in schönen Leuchtern. Der Tisch wurde nun richtig gedeckt, und sie setzten sich alle dran. Als Rabbi Mendel eintrat, standen sie auf, um ihm damit zu sagen, daß sie ihn zu ihrem Vater annähmen. Er sah einen nach dem andern lange an und sagte dann: »Wenn man was Rechtes mitbringt, darf man sogar zu mir kommen, der ich nichts vorzusetzen habe.«

Die Weigerung

Am Vorabend des Neuen Jahres trat einst Rabbi Mendel ins Bethaus. Er blickte über die vielen hin, die aus fern und nah zusammengekommen waren. »Eine schöne Schar!« rief er zu ihnen hin, »aber wisset, ich kann nicht euch alle auf meinen Schultern tragen, jeder muß für sich selber arbeiten.«

Die Frauenkleidung

Die erste Verfügung Rabbi Mendels in Rymanow war, die Töchter Israels sollten nicht in bunten und üppig verzierten Kleidern auf den Gassen einherprunken. Die jüdischen Mädchen und

Frauen von Rymanow hielten sich fortan getreulich an das Gebot des Zaddiks. Aber die Schwiegertochter des reichsten Mannes, die der sich eben aus der Kreisstadt geholt hatte, weigerte sich, ihren Staat unbewundert in den Truhen vermodern zu lassen. Als Rabbi Mendel sie reichbeflittert die Hauptstraße auf und ab schreiten sah, ließ er sich die ausgelassensten Gassenjungen kommen und ermächtigte sie, der Frau nachzurufen, was ihnen das Herz eingäbe. Ergrimmt kam der reiche Mann, eins der Häupter der Gemeinde, zum Rabbi und setzte ihm auseinander, seine Verfügung sei der Thora entgegen, denn Esra der Schreiber habe unter seinen Erlassen auch dies angeordnet, es sollten Händler von Flecken zu Flecken ziehen, damit die Töchter Israels sich schmükken könnten. »Glaubst du etwa«, fragte Rabbi Mendel, »Esra hätte damit gemeint, sie sollten auf den Gassen einherprunken? Und er hätte nicht gewußt, daß keine Frau die ihr zukommende Ehrung anderswo als in ihrem Haus empfangen kann?«

Maße und Gewichte

Am letzten Tag jedes Monats ließ Rabbi Mendel in allen jüdischen Läden Maße und Gewichte nachprüfen. Einmal fanden seine Boten bei einem reichen Kaufmann ein außer Gültigkeit gekommenes Schöpfmaß. Der Mann erklärte, es werde nicht mehr zum Messen verwendet. »Und wenn es auch nur als Spucknapf dient, das Gesetz verbietet, es in einem Hause zu dulden«, sagte der eine der Beauftragten, Hirsch, Rabbi Mendels getreuer Diener, den der Zaddik im stillen zu seiner Nachfolge ausersehen hatte. Er warf das Maß zu Boden und zertrat es. »Ist auch Saul unter den Propheten?« fuhr ihn der Kaufmann höhnisch an, »verstehst du dich auch schon darauf, das Gesetz auszulegen?« Heimgekehrt, berichtete Hirsch dem Zaddik, es sei alles in Ordnung, aber von den andern Boten erfuhr Rabbi Mendel den Vorgang. Sogleich befahl er, mit dem Hammer an aller Leute Türen zu schlagen und sie zu einer Predigt ins Bethaus zu laden; nur an die Tür jenes Kaufmanns solle man nicht klopfen. Die Gemeinde versammelte sich. Rabbi Mendel predigte über gerechte Maße und Gewichte. Jetzt erst ging es dem reichen Mann, der mit den andern gekommen war, auf, warum man ihn nicht geladen hatte.

Daß der Rabbi von ihm, aber zu allen außer ihm redete, kehrte ihm das Herz um. Nach der Predigt ging er auf Rabbi Mendel zu und bat, ihn zu strafen und ihm zu vergeben.

Von der Gastfreundschaft

Einer klagte Rabbi Mendel, er könne das Gebot der Gastfreundschaft nicht erfüllen, denn die Augen seines Weibes seien den Besuchern mißgünstig, und sooft er jemand mitbringe, entstehe Hader, der den häuslichen Frieden zerstöre. Der Rabbi sprach: »Unsere Weisen sagen[1]: ›Größer ist die Gastfreundschaft als der Empfang der Schechina.‹ Dieses Wort mag uns übermäßig scheinen. Aber man muß es recht verstehen. Es heißt[2], wenn Frieden zwischen Mann und Weib sei, ruhe die Schechina zwischen ihnen. Darum wird von der Gastfreundschaft gesagt, sie sei noch größer als der Empfang der Schechina: auch wenn ihre Erfüllung den Frieden zwischen einem Manne und seinem Weibe stört, ist ihr Befehl der entscheidende.«

Die Gastbrote

In einer Zeit der Teuerung sah Rabbi Mendel, daß die vielen Bedürftigen, die in seinem Haus zu Gast waren, kleinere Brote als sonst bekamen. Er ordnete an, man solle sie größer machen, als sie vorher waren; denn die Brote hätten dem Hunger und nicht dem Preise gerecht zu sein.

Der Dachschaden

Es kamen Beamte der Regierung nach Rymanow, um ein Haus zu bestimmen, in dem die Speisevorräte für das Heer verwahrt würden. Sie fanden keinen anderen geeigneten Ort als das Bethaus der Juden. Sowie die Vorsteher der Gemeinde dies erfuhren, kamen sie bestürzt und ratlos zu Rabbi Mendel. Nur einer unter ihnen wußte von einem Umstand zu berichten, der eine Änderung des Beschlusses erhoffen ließe: seit einiger Zeit sei das Dach des Bethauses schadhaft, und wenn es erst kräftig hereinregne, würde man den Vorräten wohl eine andere Unterkunft suchen. »So ist«,

---

[1] Talmudisch (Schabbath 127).   [2] Talmudisch (Sota 17).

sprach der Zaddik,»das Urteil gerecht, daß aus dem Heiligtum ein Lagerhaus werde; denn das Urteil ist über eure Trägheit und Leichtfertigkeit gesprochen. Ordnet unverzüglich an, daß der Schaden ausgebessert werde.«Das geschah noch am gleichen Tag. Von der Absicht der Beamten hörte man seither nichts mehr; erst nach Wochen erfuhr man, daß sie sich an eben jenem Tage für eine andere Stadt entschieden hatten.

Vor Gericht

Als der Apter und der Rymanower bei Rabbi Jaakob Jizchak, dem »Seher«, in der Stadt Lancut weilten, die dessen Wohnstätte war, ehe er nach Lublin kam, wurden sie von seinen Widersachern bei der Behörde verleumdet und von dieser in Gewahrsam gesetzt. Sie kamen aber überein, daß Rabbi Mendel, der der deutschen Sprache, der Amtssprache, am besten mächtig war, im Verhör für sie alle antworten solle. Der Richter fragte:»Was ist euer Geschäft?«»Königsdienst«, sagte der Rymanower. –»Was für eines Königs?« –»Des Königs der Könige.« –»Und warum seid ihr zwei Fremden nach Lancut gekommen?« –»Um von diesem hier den höheren Diensteifer zu erlernen.« –»Und warum tragt ihr weiße Gewänder?« –»Es ist dies die Farbe unseres Amtes.« – Der Richter sprach:»Wir haben mit dieser Art Leute nichts zu schaffen« und entließ sie.

Die zwei Lichter

Man fragte Rabbi Mendel von Rymanow:»Warum können nicht zwei Zaddikim in derselben Stadt ihren Sitz haben?«
Er antwortete:»Die Zaddikim sind wie die Himmelslichter. Als Gott die zwei großen Himmelslichter schuf, setzte er beide ans Firmament, jedes zu seinem besonderen Dienst. Seither halten sie Freundschaft, das große Licht tut sich nichts darauf zugute, daß es das große ist, und das kleine Licht ist zufrieden, das kleine zu sein. So war auch einst in den Tagen unserer Weisen ein ganzer Sternenhimmel beisammen, große und kleine Sterne, und sie lebten brüderlich miteinander. Nicht so die Zaddikim unsrer Tage: da will keiner das kleine Licht sein und sich dem größeren beugen. So ist es denn besser, jeder hat sein eignes Firmament für sich.«

Am Offenbarungsfest

Einst ging am ersten Tag des Schawuothfestes, am Morgen, ehe
man den Abschnitt der Schrift zu verlesen begann, Rabbi Mendel
aus dem Betsaal in seine Kammer. Nach einer Weile kehrte er in
den Betsaal zurück und sprach:»Dem Zwang zur Annahme der
Thora, der euch meisterte, als der Berg umgestürzt ward und
über euch hing wie eine Mulde[3], dem Zwang und der Verantwortung enthebe ich euch heute. Von neuem habt ihr die Wahl.«
Da riefen alle:»Auch jetzt nehmen wir die Thora an.«
Ein Schüler des Lubliners, der zugegen war, weil er in jenem
Jahr nicht wie sonst über die Festtage zu seinem Lehrer fahren
konnte, pflegte, wenn er dies erzählte, hinzuzufügen:»Und all
ihr Makel war weggeschmolzen wie damals am Sinai.«

Der heilige Sabbat

Rabbi Mendels Mutter fragte ihn einmal:»Was ist der eigentliche Sinn der Bezeichnung: ›der heilige Sabbat‹?« Er antwortete:
»Der Sabbat heiligt.« Sie aber sagte:»Er heiligt nicht allein, er
heilt dich auch.«

An seinem Tag

Rabbi Kalman von Krakau fragte Rabbi Hirsch, den»Diener«,
Rabbi Mendels Nachfolger:»Was ist Euer Weg im Dienste des
Gebets?«
Er sprach:»Mein Weg ist mir von meinem heiligen Lehrer, sein
Verdienst sei zum Leben der kommenden Welt, überliefert. Es
steht vom Manna geschrieben[4]: ›Sie sollen es lesen: das dem Tag
Zustehende an seinem Tag.‹ Jeder Tag hat seinen eigenen Gebet-
spruch, und den soll man mit besonderer Ausrichtung der Seele
sprechen.«

Glaube und Vertrauen

Man fragte Rabbi Mendel von Rymanow, wie es zu verstehen
sei, daß Gott, als er Mose gebot, das Volk solle an jedem Tag das

---

[3] Nach einer talmudischen Sage (Schabbath 88).
[4] Exodus 16, 4.

diesem Tag zustehende Maß Manna auflesen, hinzufügte: »damit ich es prüfe, ob es in meiner Weisung geht, ob nicht.« Er erklärte: »Wenn man sogar den einfachsten Mann fragt, ob er glaube, daß Gott der Einzige in seiner Welt sei, wird er nachdrücklich antworten: ›Was fragst du! Wissen doch alle Geschöpfe, daß er der Einzige der Welt ist.‹ Fragt man ihn aber, ob er zum Schöpfer Vertrauen habe, daß er ihm alles zukommen läßt, dessen er bedarf, dann stutzt er und sagt nach einer Weile: ›Ja, zu dieser Stufe bin ich noch nicht gelangt.‹ In Wahrheit jedoch sind Glaube und Vertrauen zusammengeschlossen, und keins kann ohne das andere sein. Wer stark glaubt, vertraut auch stark; wer aber, Gott behüte, Gott nicht völlig vertraut, bei dem ist auch der Glaube nur schwächlich. Darum spricht Gott: ›Ich lasse euch nun Brot vom Himmel regnen‹, das heißt: ›Ich vermag euch Brot vom Himmel regnen zu lassen. Wer aber in meiner Weisung geht, der liest an jedem Tag das diesem Tag zustehende Maß auf und sorgt sich nicht um den morgigen Tag.‹«

Der Herr und der Bauer

In der ersten Passahandacht pflegte, nach dem Singen des Lieds vom »Böcklein« Israel, Rabbi Mendel von Rymanow diese Geschichte zu erzählen:
»Ein Bauer stand auf dem Markt, ein Kälblein zu verkaufen. Kam ein Herr und fragte: ›Was willst du für den Hund?‹ Sagte der Bauer: ›Das ist ein Kalb und kein Hund.‹ Jeder bestand auf dem Seinen, und so ging es eine Weile fort, bis der Herr dem Bauern eine Ohrfeige gab, die er mit den Worten begleitete: ›Da hast du was, daß du im Gedächtnis behaltest: wenn der Herr sagt, es ist ein Hund, so ist es ein Hund.‹ Der Bauer antwortete: ›Ich behalte alles im Gedächtnis.‹
Eine Zeit danach kam nachts ein Freund des Bauern atemlos in das Dorf gelaufen, das an den Gutshof des Herrn grenzte, und schrie die Feuerwehr zusammen: in seinem etwas entfernten Wohnort stünden die Dreschscheune der Gemeinde und das Haus des in der ganzen Gegend beliebten Schulzen in Flammen. Die gesamte Feuerwehr zog mit allen Spritzen dahin. Indessen steckte der Bauer den Gutshof an allen vier Ecken an, und er brannte ab.

Nach einigen Wochen, als er hörte, daß der Herr den Hof wieder aufbauen wolle, verkleidete er sich, stellte sich ihm als Baumeister vor und erklärte sich bereit, ihm sogleich einen Grundriß anzufertigen, was er denn auch gleich tat, denn das war ein kluger Bauer. Wie sie nun über der Zeichnung saßen, rechneten sie aus, wieviel Holz zum Bau benötigt werde, und kamen überein, unverzüglich in den Wald zu gehn, der dem Herrn gehörte, um den Umfang der verwendbaren Bäume auszumessen. Im Wald musterte der Bauer die am Rand stehenden mit verächtlicher Miene. Weiter drin gebe es bessere, sagte der Herr. So gingen sie prüfend weiter bis in die Waldmitte, wo der Baumeister innehielt und begeistert auf einen Baumriesen zeigte: daraus ließe sich ein prächtiges Gebälk machen, so und so viele Ellen dick. ›Der gibt viel mehr Ellen ab‹, sagte der Herr. Der Baumeister trat heran und legte die Arme um den Stamm. ›Genau, wie ich geschätzt habe!‹ rief er. Nun trat auch der Herr heran und tat wie der Bauer. Da holte der die Meßschnur hervor, band den Herrn samt Armen und Beinen an den Baum, verprügelte ihn weidlich und sprach dazu: ›Dieses ist das erste Merkzeichen, daß du's wissest: wenn der Bauer sagt, es ist ein Kalb, ist es ein Kalb und kein Hund.‹ Sodann ging er seines Wegs, der Herr aber mußte viele Stunden dastehn, bis einer kam und ihn losband.

Heimgekommen, fühlte der Herr sich krank und mußte sich hinlegen. Im Liegen wurde er von Tag zu Tag nur immer kränker, ließ Arzt um Arzt holen, aber keiner wußte ihm zu helfen. Da verbreitete sich in dem benachbarten Städtchen das Gerücht, ein großer Wunderarzt würde auf seiner Reise einen Tag hier verweilen und alle Kranken, die zu ihm kommen, gesund machen. Bald danach erschien der als Wunderarzt verkleidete Bauer und gab auch gleich einige gute Ratschläge, denn das war ein kluger Bauer. Der Herr, zu dem die Kunde gedrungen war, ließ ihn sogleich zu sich rufen; er wolle ihm, wenn er ihn heile, bezahlen, wieviel er verlange. Der Arzt kam, warf einen Blick auf den Kranken und sprach gebieterisch zu den Umstehenden: ›Ihr müßt mich allein mit ihm lassen und dürft, auch wenn er schreit, mich in meinem grausamen, aber untrüglichen Heilverfahren nicht stören.‹ Als alle fort waren, verriegelte er die Tür und bedachte den Herrn mit einer Tracht Prügel. Die Draußenstehenden hörten das klägliche Geschrei und sagten: ›Das ist einer, der macht's gründlich!‹ Der Bauer aber sprach zum Herrn: ›Dieses ist das zweite Merkzeichen, daß du dir's einprägst: wenn der Bauer sagt, es ist ein Kalb, so ist es ein Kalb und kein Hund‹, und ging von dannen, so gelassen und zuversichtlich, daß die Leute nicht daran dachten, ihn aufzuhalten.

Als der Herr von seiner Krankheit und seinen Wunden genesen war, machte er sich auf, den Bauern zu suchen, aber er konnte ihn nicht finden, denn der hatte sich nicht bloß das Gesicht gefärbt und die Haartracht verändert, sondern auch ganz andere Gebärden angenommen, so daß er schlechthin nicht wiederzuerkennen war. Am Frühmorgen des nächsten Markttags, als er den Herrn um sich spähend dicht am noch unbelebten Marktplatz in seiner Kutsche sitzen sah, sagte er zu einem andern Bauern, der sein Pferd bei sich hatte und als guter Reiter bekannt war: ›Willst du mir einen Dienst leisten, Freund?‹ ›Freilich‹, antwortete der, ›wenn's nur nicht was gar zu Schwieriges ist.‹ ›Du brauchst nur‹, sagte der Bauer, ›auf die Kutsche da zuzureiten, dich zu dem Herrn, den du drin sitzen siehst, hinunterzubeugen und ihm zuzuflüstern: ,Wenn der Bauer sagt, es ist ein Kalb, so ist es ein Kalb.' Dann reitest du davon, wie du reiten kannst, und hältst nicht ein, bis du denen, die dich verfolgen werden, aus dem Gesicht gekommen bist. Hernach treffen wir uns in der bewußten Schenke, und ich lasse den besten alten Zwetschgenschnaps auftischen.‹ Der Freund führte die Anordnung aus. Als der Herr den Spruch hörte, sprang er auf, gewiß, den Gesuchten vor sich zu haben, und rief dem Kutscher und dem Diener zu, sie sollten eilig die Pferde ausspannen, dem Flüchtling nachsetzen und ihn herbringen. Sie spannten die Pferde aus und setzten dem Flüchtling nach. Als der Bauer den Herrn allein in der Kutsche sitzen sah, trat er heran, versetzte ihm eine gehörige Ohrfeige und sprach: ›Dies ist das dritte Merkzeichen, und nun hast du's wohl ausgelernt: wenn der Bauer sagt, es ist ein Kalb, so ist es ein Kalb und kein Hund.‹ Dann ging er in die Schenke.

Und das Kälblein«, – so schloß jedesmal Rabbi Mendel seine Erzählung – »das Kälblein ist ein Kälblein geblieben und kein Hund geworden.«

Und fragten die Kinder: »Wie hat der kluge Bauer geheißen?«

antwortete er:»Michael.« Und fragten sie:»Und wie hat der böse Herr geheißen?« antwortete er:»Sammael.« Und fragten sie:»Und wie hat das Kälblein geheißen, das kein Hund geworden ist?« antwortete er:»Das ist das bekannte Kälblein Israel.«

Die Landstraße

Rabbi Mendel pflegte zu klagen:»Solang es die Landstraßen noch nicht gab, mußte man nachts die Fahrt unterbrechen. Da hat man dann in der Herberge in aller Ruhe Psalmen gesagt und ein Buch aufgeschlagen und ein jüdisches Wort miteinander geredet. Jetzt fährt man auf der Landstraße den Tag und die Nacht, und es gibt keine Ruhe mehr.«

Von den Spöttern

Rabbi Mendel sagte einmal zu einem andern Zaddik:»Hätte Pharao gewußt, daß man mit Gespött die ganze Welt abfertigen kann, er hätte Israel nie freigelassen.« Er zeigte mit dem Finger zum Fenster hinaus:»Seht diesen Himmel an – mit ihrem Gespött können sie Euch beweisen, es gebe ihn nicht.« Nach dem Mahl sprach er in seiner Kammer:»Meint Ihr etwa, in unserm Lehrhaus hätten heute keine Spötter mitgebetet? Einer fand den Gesang des Vorbeters zu gedehnt und ein anderer nicht süß genug.«

Erfüllung des Gesetzes

Ein Schüler fragte Rabbi Mendel von Rymanow:»Es heißt in der Gemara[5] von Abraham, er habe das ganze Gesetz erfüllt. Wie kann das sein, da es noch nicht offenbart war?«
»Du weißt«, sagte der Rabbi,»daß die Gebote der Thora den Knochen und ihre Verbote den Adern des Menschen entsprechen. So deckt das ganze Gesetz den ganzen Menschenleib. Abraham aber hatte jedes seiner Glieder so geläutert und geheiligt, daß jedes von selber das Gebot erfüllte, das ihm zugehörte.«

---

[5] (Joma 28).

Das Herz

Rabbi Mendel von Rymanow pflegte zu sagen, alle Menschen, die ihn angegangen hätten, um ihretwillen Gott zu bitten, zögen in der Stunde, da er das stille Gebet der Achtzehn Segenssprüche spreche, durch seinen Sinn.
Einst wunderte sich jemand, wie dies möglich sei, da die Zeit doch nicht hinreiche. Rabbi Mendel antwortete: »Von der Not eines jeden bleibt eine Spur in meinem Herzen eingeritzt. In der Stunde des Gebets öffne ich mein Herz und sage: ›Herr der Welt, lies ab, was hier geschrieben steht!‹«

Die Unterbrechung

Rabbi Hirsch, der »Diener«, erzählte: »Wenn mein heiliger Lehrer, sein Verdienst sei zum Leben der kommenden Welt, am Vortag des Neuen Jahrs vorm Pult die Sühnungsliturgie sprach, pflegte er sich, nachdem er gesagt hatte: ›Wenn wahrhaftig sie alle umgekehrt sind mit Herz und Seele, dich zu begütigen‹, zu unterbrechen und eine Weile im Schweigen zu verharren, wonach er das Gebet wiederaufnahm. Viele wähnten, er befasse sich in jener Zeit mit den Künsten der Letternvertauschung in den Gottesnamen. Aber die Eingeweihten wußten: er wartete, bis er merkte, daß ein jeder in der Gemeinde willens geworden war, mit Herz und Seele umzukehren.«

Die Arbeitsgeräusche

Man fragte Rabbi Mendel: »Die Schrift erzählt, Mose habe, als man ihm überbrachte, daß das Volk überviel Gaben zum Bau des Zeltes bringe, im Lager anzusagen befohlen, niemand solle mehr am Heiligtum Arbeit tun. Wie hängt das zusammen? Mose brauchte doch nur zu befehlen, man solle keine Gaben mehr bringen!«
Er erklärte: »Es ist bekannt, daß jene Handwerker große Heilige waren und mit ihrem Werk heilige Wirkung taten. Wenn einer von ihnen mit dem Hammer auf den Amboß schlug und ein andrer die Axt ins Holz hieb, pochte der Widerhall in den Her-

zen alles hörenden Volks, und die heilige Begierde trieb sie an, mehr zu bringen, als not war. Darum hieß Mose die Handwerker in ihrer Arbeit innehalten.«

Der Bund der Schüler

Die Schüler Rabbi Mendels schlossen einen Bund. Sie schrieben eine Urkunde, in der es heißt:»Wir wollen einen Bund von Gefährten stiften, die mitsammen Wahrheit und Gerechtigkeit suchen und nach Demut streben; die trachten, mit dem ganzen Herzen zu Gott umzukehren, auf daß nicht mehr ein Vorhang uns von seiner Heiligkeit und Lehre trenne.« Sooft sie einen Beschluß faßten, wie sie sich führen sollten, trugen sie ihn auf der Rolle ein, die mit dieser Urkunde begann. Einer der Beschlüsse lautet: »Uns vor widrigen Worten zu hüten, von denen unser heiliger Rabbi verkündet hat, daß man mit ihnen das Gebot überschreitet: Morde nicht!«

Der Spruch Rabbi Mendels, der hier angeführt wird, lautet:»Jedes Wort ist eine vollkommene Gestalt, und wer die Laute des Worts den Dämonen hinwirft, der tut an ihm, wie wer sich wider seinen Nächsten aufmacht und ihn erschlägt.«

Die Lade und ihre Träger

Rabbi Mendel sprach:»Wenn einer Gott recht dienen möchte, und es gerät ihm nicht, Mauern richten sich vor ihm auf, sein Gebet ist ohne Klang und sein Lernen ohne Licht, wenn da sein Herz über ihn ergrimmt, und er kommt, als ein vom eignen Herzen Verworfner, zum Zaddik, zitternd, ob er bei dem die Hilfe fände, da bringt er in seiner Demut auch dem Zaddik die Demut zu. Denn der die Hilfe spenden soll, sieht die Seele des Hilfesuchenden, die gebeugte und inbrünstige, und denkt:›Dieser ist besser als ich!‹ Und in diesem Augenblick wird der Zaddik im Dienst über die Höhe erhoben, und er ist mächtig, das Gebundene zu lösen. Davon gilt dann das Wort[6]:›Die Lade trug ihre Träger.‹«

---

[6] Talmudisch (Sota 35) zu Josua 3.

Gegenseitiger Segen

Rabbi Feiwisch von Zbaraž kam einst zu Rabbi Mendel, um über den Sabbat in seiner Nähe zu weilen. Als er am Sonntag Abschied nahm, sagte er weinend: »Nun bin ich schon vierundsiebzig Jahre alt und habe noch nicht die wahre Umkehr vollzogen.« Weinend entgegnete Rabbi Mendel: »Ich bin in der gleichen Not.« Da kamen sie überein, einander zu segnen, daß sie die wahre Umkehr vollzögen.

Die letzte Freude

Bald nachdem Rabbi Mendels Frau gestorben war, starb ihm auch die Tochter weg. Man flüsterte es sich zu, er dürfe es noch nicht erfahren. Als aber sein Tochtermann weinend ins Bethaus kam, während der Rabbi im sabbatlichen Morgengebet stand, begriff dieser sogleich, daß es geschehen war. Nach dem Gebet der Achtzehn Segenssprüche sprach er: »Herr der Welt, du hast mir die Frau genommen, da habe ich mich noch an meiner Tochter erfreuen können. Jetzt hast du mir auch die genommen. Nun kann ich mich an keinem mehr erfreuen als an dir allein. So will ich mich an dir freuen.« Und er sprach das Hauptgebet des Sabbats in begeisterter Freude.

ZWI HIRSCH VON RYMANOW

Der Werdegang der Abstammung

Als der Rabbi von Rižyn seinen Enkel mit der Tochter Rabbi Hirschs von Rymanow verlobte, sagte er, ehe die Heiratsurkunde niedergeschrieben wurde:»Es ist der Brauch bei uns, in dieser Stunde den mit uns Verschwägerten den Werdegang meiner Abstammung vorzutragen. Das will ich auch jetzt tun. Der Vater meines Großvaters ist Rabbi Bär gewesen und mein Großvater Rabbi Abraham der Engel und mein Vater Rabbi Schalom Schachna.« So nannte er den großen Maggid, dessen Sohn und Enkel bei Namen, ohne die gewohnten Ehrentitel beizufügen. Sodann sagte er zu Rabbi Hirsch:»Nun wollet Ihr mir den Werdegang Eurer Abstammung erzählen.« Rabbi Hirsch antwortete:»Mein Vater und meine Mutter haben die Erde verlassen, als ich ein zehnjähriger Knabe war, und ich habe sie daher nicht genug gekannt, um von ihnen reden zu können, aber ich habe von ihnen gehört, daß sie rechtschaffne und gradlinige Leute waren. Meine Verwandten haben mich dann zu einem Schneider in die Lehre gegeben. Bei dem bin ich fünf Jahre gewesen und war trotz meiner Jugend ein redlicher Arbeiter. Ich habe mich in acht genommen, das Neue nicht zu verderben und das Alte zurechtzumachen.«»Die Heirat ist von beiden Seiten beschlossen«, rief der Rabbi von Rižyn.

Das Bettmachen

Der Diener Rabbi Menachem Mendels von Rymanow, dem aufgetragen war, am Abend das Bett zu richten, ließ keinen andern heran. Als nun der junge Zwi Hirsch, nachdem er das Schneiderhandwerk verlassen hatte, in das Haus des Zaddiks als Ofenheizer aufgenommen worden war, bat er den Diener, ihn an seiner Stelle das Bett richten zu lassen. Jener aber verweigerte es, da der Rabbi es gewiß merken würde, wenn eines andern Hand daran gewesen wäre. Einmal begab es sich jedoch, daß der Diener vor der Abendstunde eilig fortmußte und seine Arbeit unter ge-

nauen Anordnungen dem jungen Ofenheizer übertrug. Hirsch
versprach, alles genau zu beachten. Als Rabbi Mendel am Morgen aufstand, rief er den Diener und fragte, wer das Bett gemacht habe. Zitternd gab der Mann Bescheid und bat um Vergebung. »Ich habe bisher nicht gewußt«, sagte der Zaddik, »daß
man so sanft schlafen kann. Fortan soll das Betten dem Ofenheizer übertragen sein.«

Die reinigende Kraft

Rabbi Natan Jehuda, der Sohn Rabbi Mendels von Rymanow,
erzählte: »Als Rabbi Hirsch, der ›Diener‹, Hochzeit gehalten
hatte, kam ich am Morgen nach der Trauung ins Lehrhaus und
fand darin den Bräutigam, der mit derselben Hingabe wie alle
Tage die Arbeit der Säuberung betrieb. Unwillig ging ich zu meinem Vater und sagte zu ihm: ›Vater, das geht doch nicht an, daß
dein Diener sein Fest mißachtet und sich an den sieben Tagen des
Festmahls mit solch niedriger Arbeit befaßt!‹ Mein Vater antwortete mir: ›Du bereitest mir eine Freude, mein Sohn. Ich hatte
große Sorge, wie ich heute würde beten können, wenn der Diener Zwi Hirsch nicht selber das Lehrhaus reinigt. Sein Säubern
treibt ja stets alle Dämonen hinaus und schafft reine Luft, und
dann ist es gut, in dem Haus zu beten.‹
Von da an nahm mein Vater Rabbi Hirsch zu seinem Schüler an.«

Das höchste Beten

Einmal klagte Rabbi Hirsch seinem Lehrer, daß in der Stunde
des Betens feurige Lettern und Wörter vor seinen Augen niederstiegen. »Dies sind doch«, sagte Rabbi Mendel, »die Kawwanoth
unsres Meisters Rabbi Jizchak Lurja, des Ehrwürdigen. Wie
kannst du dich darüber beschweren?« »Ich will«, antwortete er,
»mit keiner andern Intention beten als der auf den Sinn der
Worte allein gerichteten.« »Was du dir wünschest«, sagte Rabbi
Mendel, »ist eine sehr hohe Stufe, die nur ein einziger in einem
Geschlecht erreicht: erst alle geheime Weisheit gelernt haben und
dann wie ein kleines Kind beten.«

Nach dem Tod des Lehrers

Es gibt mannigfaltige Berichte darüber, wie Rabbi Hirsch die Nachfolge seines Herrn und Lehrers antrat. Unter anderm wird erzählt, es habe Rabbi Mendel geträumt, der Engel Metatron[1], der »Fürst des innersten Gemachs«, setze den Diener Hirsch auf den Zaddikstuhl. Hernach habe er gemerkt, daß Hirsch die Seelen der Toten, die herbeikamen, um Erlösung zu finden, ebenso deutlich sah wie er selber. Das habe zwar seine Unruhe gemildert, doch habe er den Diener fortan nicht mehr bei sich wohnen und sich persönliche Dienste leisten lassen, nur bei dem Anlegen der Thefillin – dies habe sich Hirsch als letzte Gunst erbeten – habe er ihm noch helfen dürfen.

Nach Rabbi Mendels Tode – so erzählt ein andrer Bericht – fuhren seine beiden Söhne zu Rabbi Naftali von Ropschitz, damit er entscheide, welcher von ihnen der Nachfolger des Vaters werden solle. Sie nahmen Rabbi Hirsch zu ihrer Bedienung mit. Auch waren sie übereingekommen, daß welcher von ihnen Rabbi würde, den Diener ins Haus nehmen sollte. Unterwegs kam ihnen ein Dorfmann entgegen, der zu den Chassidim ihres Vaters gehört hatte. Als sie ihm den Tod seines Meisters gemeldet hatten, wollte er ihnen, als Rabbi Mendels Söhnen, seinen mitgebrachten Bittzettel reichen, doch mochten sie ihn nicht annehmen, da noch keiner von ihnen die Vollmacht zum Rabbitum empfangen hatte. Scherzend sagte ihm der Jüngere, er möge doch Rabbi Hirsch den Zettel reichen, und der Mann tat es in der Einfalt seines Herzens. Betroffen sahen sie, daß Rabbi Hirsch mit gelassener Gebärde, wie man etwas Selbstverständliches tut, den Zettel entgegennahm. Als sie zu Rabbi Naftali kamen, begrüßte er Hirsch als Rabbi und setzte ihn auf den Ehrenplatz.

Es heißt, daß eine Schar von Chassidim Rabbi Natan Jehuda, den ältesten Sohn Rabbi Mendels, zum Rabbi erwählen wollte, er jedoch es nicht bloß ablehnte, sondern auch für eine längere Zeit in die Fremde ging.

---

[1] Der entrückte Henoch soll in diesen Engel verwandelt worden sein.

Die erneuerte Seele

Rabbi Mendel pflegte zu klagen: »Solang es die Landstraßen Mensch am Morgen aufsteht und sieht, daß Gott ihm die Seele erstattet hat und er ein neues Geschöpf geworden ist, da schickt sich's für ihn, ein Sänger zu sein und Gott zuzusingen. Bei meinem heiligen Lehrer, Rabbi Menachem Mendel, gab es einen Chassid: wenn der im Morgengebet an die Worte kam: ›Mein Gott, die Seele, die du in mich gegeben hast, ist rein‹, tanzte er und stimmte einen Jubelgesang an.«

Die Vollkommenheit der Thora

Eine Frau kam einst zu Rabbi Hirsch mit großem Weinen und klagte, ihr sei im Gericht der Thora Unrecht geschehn. Der Zaddik ließ die Richter rufen und sagte: »Zeigt mir doch die Quelle, aus der ihr den Urteilsspruch geschöpft habt, denn es dünkt mich, es sei ein Irrtum geschehn.« Als sie zusammen die Stelle in »Brustschild des Rechts²« erforschten, auf der sich das Urteil gründete, zeigte es sich, daß in der Tat die Erklärung mißverstanden worden war. Einer der Richter fragte den Rabbi, woher er denn im vorhinein gewußt hätte, daß ein Irrtum vorliege. Er antwortete: »Es steht geschrieben³: ›Die Weisung des Herrn ist vollkommen, die Seele erquickend.‹ Wenn ihr ihrer Wahrheit nach gerichtet hättet, hätte die Frau nicht so weinen können.«

Die Quintessenz der Thora

Vor seinem Tode sprach Rabbi Hirsch von Rymanow Mal um Mal die Worte aus dem Gesange Moses⁴ vor sich hin: »Ein Gott der Treue und kein Falsch.« Dann sagte er: »Das ist die Quintessenz der heiligen Thora, zu wissen, daß er ein Gott der Treue ist und daß also kein Falsch geschieht. Ihr mögt fragen: ›Wenn dem so ist, wozu dann die ganze Thora? es würde doch genügen, Gott hätte am Sinai den einen Vers gesagt!‹ Die Antwort ist: kein Mensch kann dies Eine erfassen, ehe er die ganze Thora gelernt und geübt hat.«

---

² Teil des »Schulchan-Aruch«-Kodex.   ³ Psalm 19, 8.
⁴ Deuteronomium 32, 4.

URI VON STRELISK

Mit zehn Pulten

Als Rabbi Uri, nachdem er bei seinem Lehrer Rabbi Schlomo in
Karlin geweilt hatte, nach Lemberg zurückkehrte, hatte er keine
Zehnerschaft zum Gemeinschaftsgebet, sondern betete ein ganzes
Jahr allein für sich. Da kam er beim Lernen des Buches Sohar
an eine Stelle, wo der gelobt wird, der der Verlesung der Thora
zuhört, und er beschloß, nunmehr an jedem Sabbat zur Verlesung
ins Bethaus zu gehn. Als er am ersten Sabbat danach zuhörte,
merkte er: sie lesen ja gar nicht wirklich, was dasteht! So ging
er in der nächsten Woche nicht mehr hin. Aber nun las er wieder
im Buche Sohar, wie der gelobt wird, der mit der Gemeinde betet.
Er sammelte zehn Männer, um mit ihnen zu beten, und sprach
zu sich:»Und wenn Gott mir geböte, mit zehn Betpulten zu
beten, würde ich mit ihnen beten.«

Das gültige Opfer

Rabbi Uri sprach:»Es steht geschrieben: ›Und Abel brachte,
auch er.‹ Sein ›Er‹, sich selber hat er gebracht. Nur wenn einer
auch sich selber bringt, gilt sein Opfer.«

Ehe er zum Beten ging

Ehe er zum Beten ging, pflegte Rabbi Uri allmorgendlich sein
Haus zu bestellen und von Weib und Kindern Abschied zu nehmen.

Das heimliche Gebet

Die Gebetsworte »Unsern Hilferuf empfange, hör auf unsern
Schrei, du, der das Verhohlne weiß!« erklärte Rabbi Uri:»Uns
ist ja gar nicht bekannt, wie wir beten sollen, wir rufen nur um

Hilfe aus der Not des Augenblicks. Aber die Seele meint das geistige Bedürfen – nur daß wir unvermögend sind auszusprechen, was die Seele meint. Darum beten wir, daß Gott zwar unsern Hilferuf empfange, aber auch den stummen Schrei der Seele vernehme, er, der das Verhohlne weiß.«

Verborgen gehen

Rabbi Uri sprach:»Es steht geschrieben[1]: ›Und verborgen zu gehen mit deinem Gotte.‹ Ihr wißt, die Engel sind Stehende, sie stehen unablässig jeder auf seiner Stufe, wir aber sind Gehende, wir gehen von Stufe zu Stufe. Denn die Engel haben kein stoffliches Gewand, sie können sich nicht verborgen halten in ihrem Dienst, und auf welcher Stufe sie stehn, in der werden sie offenbar. Der Menschensohn auf Erden aber, er ist mit Stoff bekleidet und kann sich inmitten seines Körpers verborgen halten. So kann er von Stufe zu Stufe gehn.«

Dort und da

Rabbi Uri lehrte:»Es heißt im Psalm[2]: ›Ob ich den Himmel erklömme, du bist dort, bettete ich mir im Gruftreich, da bist du.‹ Wenn ich mich groß dünke und meine, an den Himmel zu rühren, erfahre ich, daß Gott das ferne Dort ist und ferner, je höher ich mich hebe. Bette ich mir aber in der Tiefe und erniedrige meine Seele zur untersten Welt, ist er da, bei mir.«

Decke meine Augen auf

Rabbi Uri sprach einst an seinem Tisch mit großer Inbrunst die Worte des Psalms[3]:»Decke meine Augen auf, daß ich Wunder erblicke aus deiner Weisung«, und legte sie so aus:»Wir wissen[4], daß Gott ein großes Licht geschaffen hatte, damit der Mensch von einem Ende der Welt zum andern schauen könne und kein trennender Vorhang zwischen dem Sehen des Auges und dem Gesehenen sei. Dann aber hat Gott dieses Licht verborgen. Dar-

---

[1] Micha 6, 8.   [2] 139, 8.   [3] 119, 18.   [4] Talmudisch (Chagiga 12): das vor allen Himmelslichtern geschaffene Urlicht ist gemeint.

um bittet David: ›Decke meine Augen auf.‹ Es ist ja in Wahrheit
nicht das Auge mit seinem Weiß und Schwarz, das das Sehen
hervorbringt, sondern die Kraft Gottes verleiht es ihm. Nur daß
ein trennender Vorhang das Auge hindert, die Ferne zu sehen,
wie es die Nähe sieht. David bittet, daß dieser Vorhang hinweggenommen werde, damit er die Wunder alles Seienden erblicke.
Denn, so spricht er, ›aus deiner Weisung‹ sehe ich, daß nach deiner
Absicht keine Trennung sein soll.«

Wohin?

Rabbi Uri sprach einmal zu den in Strelisk zusammengekomme-
nen Chassidim: »Ihr fahrt zu mir, und wohin fahre ich? Ich fahre
und fahre immerzu dahin, wo ich Gott anhaften kann.«

Der Wunsch

Ein Zaddik, der bei Rabbi Uri zu Gast war, fragte ihn: »Woran
liegt es wohl, daß Eure Chassidim allesamt nicht reich sind?«
»Das will ich Euch zeigen«, antwortete der Strelisker. »Ruft von
den Leuten im Vorraum irgendeinen herein!« Er tat es. »Es ist
eine Zeit der Gnade«, redete Rabbi Uri den eintretenden Chassid
an, »der Wunsch, den du jetzt aussprichst, soll sich dir erfüllen.«
»Wenn ich wünschen darf«, brachte der Mann mit schüchterner
und brennender Stimme vor, »so wünsche ich, daß ich allmorgendlich das Gebet ›Gesegnet, der da sprach, und die Welt ward‹
so sagen kann, wie unser Rabbi es sagt.«

Geschlecht um Geschlecht

Rabbi Uri sprach: »Man hilft nicht seinem Geschlecht allein. Geschlecht um Geschlecht gießt David in betrübte Seelen die Begeisterung, Geschlecht um Geschlecht rüstet Simson die schwachen
Seelen mit Heldenkraft.«

Jeder das Seine

Rabbi Uri sprach: »David konnte die Psalmen verfassen, und
was kann ich? Ich kann die Psalmen sagen.«

Zweierlei Absicht

Zu der Erzählung des Midrasch, daß Abraham, weil er sich weigerte, den Götzen zu dienen, ins Feuer geworfen wurde und darin bewahrt blieb, sein Bruderssohn Haran hingegen verbrannte,
bemerkte Rabbi Uri: »Abraham dachte: Ich muß selber ins Feuer,
wenn ich will, daß die Götzen ins Feuer kommen; darum blieb
er bewahrt. Haran aber dachte: Wenn ich sehe, daß Abraham bewahrt bleibt, will auch ich mich ausliefern; darum verbrannte er.«

Lettern und Seelen

Rabbi Uri sprach: »Die Myriaden der Lettern der Thora stehen
gegen die Myriaden der Seelen Israels. Fehlt eine Letter in der
Thorarolle, ist diese ungültig; fehlt eine Seele im Verbande Israels, ruht die Schechina nicht über ihm. Wie die Lettern müssen
sich auch die Seelen verbinden und zu einem Verband werden.
Warum aber ist es verboten, daß eine Letter in der Thora ihre
Gefährtin berühre? Jede Seele von Israel muß Stunden haben,
da sie mit ihrem Schöpfer allein ist.«

Der wachsende Baum

Rabbi Uri lehrte: »Der Mensch gleicht einem Baum. Willst du
dich vor einen Baum stellen und unablässig spähen, wie er wachse
und um wieviel er schon gewachsen sei? Nichts wirst du sehen.
Aber pflege ihn allezeit, beschneide, was an ihm untauglich ist,
wehre seinen Schädlingen, zu guter Frist wird er groß geworden
sein. So der Mensch: es tut nur not, die Hemmnisse zu bewältigen, auf daß er zu seinem Wuchs gedeihe; aber ungeziemend ist es,
allstündlich zu prüfen, um wieviel er schon zugenommen habe.«

In die Freiheit

Es ist überliefert, solange Rabbi Uri am Sabbatausgang noch nicht
den Segen gesprochen hatte, der zwischen Sabbat und Werktag
scheidet, seien die Schlüssel der Hölle in seiner Hand gewesen
und die für die Zeit des heiligen Ruhetags aus der Pein befreiten
Seelen hätten unbehelligt in der Welt umherschweben können.

Das Zeichen

Rabbi Uri lag einige Stunden bewußtlos in der Agonie. Sein Lieblingsschüler, Rabbi Jehuda Zwi, öffnete von einer Zeit zur andern die Tür, warf einen Blick auf den Sterbenden und schloß sie wieder. Endlich trat er ein und ans Bett. Die ihm folgenden Chassidim sahen im nächsten Augenblick ihren Lehrer noch einmal den Körper strecken und verscheiden. Als sie später Rabbi Jehuda Zwi fragten, woran er das Kommen des Todes erkannt habe, antwortete er:»Es steht geschrieben⁵: ›Denn nicht sieht mich der Mensch und lebt.‹ Ich sah, daß er sah.«

Das Zeugnis des Schülers

Der Rabbi von Kalew bat einst Rabbi Jehuda Zwi, ihm Worte der Lehre zu sagen, die er von seinem Lehrer, Rabbi Uri, gehört habe.»Die Lehre meines Lehrers«, sagte Rabbi Jehuda Zwi,»ist wie das himmlische Manna, das nur herein-, nicht hinausgeht⁶.« Da aber der Rabbi von Kalew nicht aufhörte, in ihn zu dringen, riß er sich den Rock über der Brust auf und rief:»So schaut in mein Herz! Da werdet Ihr erfahren, was mein Lehrer ist.«

---

⁵ Exodus 33, 20.
⁶ Talmudisch (Joma 75).

JEHUDA ZWI VON STRETYN UND SEIN SOHN
ABRAHAM VON STRETYN

Als Schächter

Es wird erzählt:»Zuerst war Rabbi Jehuda Zwi Schächter in Stretyn, denn er wollte damals das Joch des Rabbinats noch nicht auf sich nehmen. Wenn er schächten ging, kam das Geflügel ihm entgegengeflogen, und das Schlachtvieh legte sich ihm zu Füßen und streckte ihm die Hälse hin.

Ein stößiger Ochs war in den Wald geflohen und richtete vielen Schaden an. Da riet man seinem Herrn, er solle ihn von Rabbi Jehuda Zwi schächten lassen, und er nahm den Rat an. Als Rabbi Jehuda Zwi nun mit dem Schächtmesser in den Wald ging, trottete der Ochs ihm entgegen, kauerte vor ihm nieder und hielt ihm den Hals hin.

Eine Gans flog von der Stadt Rohatyn zur Stadt Stretyn stracks in seine Hände hinein.

Denn seine schächtenden Hände hatten die Macht, die in die Tiere gebannten Seelen zu erlösen.«

Mensch und Mensch begegnen

Auf einer Fahrt erfuhr Rabbi Jehuda Zwi von Stretyn, daß Rabbi Schimon von Jaroslaw in der entgegengesetzten Richtung desselben Weges fahre. Er stieg aus dem Wagen und ging ihm entgegen. Aber auch Rabbi Schimon hatte von seinem Nahen gehört, war ausgestiegen und kam ihm entgegen. Sie begrüßten einander brüderlich. Dann sprach Rabbi Jehuda Zwi:»Jetzt ist mir der Sinn des Spruchs aufgegangen:›Mensch und Mensch begegnen, Berg und Berg begegnen nicht.‹ Wenn der eine sich für einen einfachen Menschen hält und der andre desgleichen, können sie einander begegnen. Wenn aber der eine sich für einen hohen Berg hält und der andre desgleichen, können sie einander nicht begegnen.«

Schwangerschaft

Rabbi Jehuda Zwi sprach:»Wenn dem Menschen zuweilen eine
neue Führung im Dienste Gottes aufgeht, dann sei sie in ihm verhohlen, ohne ausgesprochen zu werden, neun Monate lang wie
in einer Schwangerschaft, und danach erst, wie in einer Geburt,
sage er sie den andern.«

Messias Sohn Josefs

Ein Chassid erzählte:»Einst sprach Rabbi Jehuda Zwi an seinem Tisch zu uns: ›Heute wird Messias Sohn Josefs in Ungarn
geboren, und er wird einer von den verborgenen Zaddikim[1] sein.
Und wenn Gott mir so langes Leben schenkt, werde ich hinfahren und ihn sehen.‹ Nach achtzehn Jahren reiste der Rabbi in
die Stadt Pest und nahm mich nebst anderen Chassidim mit. In
Pest verweilten wir einige Wochen, ohne daß jemand von uns
Schülern wußte, warum wir hierhergekommen waren. Eines Tags
erschien in der Herberge ein Jüngling im kurzen Rock, engel-
gleich herrlich von Angesicht. Ohne nach Erlaubnis zu fragen,
ging er gradaus in die Stube des Rabbis und schloß die Tür hinter
sich. Da ich jener Worte von einst gedachte, stand ich unweit der
Tür und wartete auf ihn, ihn beim Hinausgehen zu begrüßen und
seinen Segen zu erbitten. Als er aber nach Stunden heraustrat,
begleitete ihn der Rabbi bis ans Haustor, und wie ich dann auf
die Gasse lief, war er verschwunden. Aber noch jetzt, nach so
vielen Jahren, spüre ich im Herzen den Lebensantrieb, den ich
damals, bei seinem Vorübergehn, empfing.«

Die übernommenen Leiden

In den letzten drei Jahren seines Lebens litt Rabbi Jehuda Zwi
an einem schweren Siechtum, das an seinem ganzen Leibe in unmäßig schmerzhaften Geschwüren ausbrach. Die Ärzte sagten, es
sei innerhalb der ihnen bekannten Menschenkraft unmöglich,

---

[1] So werden die 36 Männer genannt, auf deren nach außen unkenntlichem, hinter dem
weltlichen Treiben eines Bauern, Handwerkers, Lastträgers verhohlenem Wirken immer wieder der Bestand der Schöpfung ruhe.

solche Schmerzen zu ertragen. Als einer seiner Vertrauten den Rabbi darum befragte, sagte er:»In meinen jüngeren Jahren, wenn ein Kranker zu mir kam, habe ich mit Hingabe meiner Seele beten können, daß sein Leiden von ihm genommen werde. Später ist die Gebetsmacht mir erlahmt, und ich habe nur noch die Leiden auf mich nehmen können. Und jetzt trage ich sie eben.«

Das Mittel

Ein gelehrter und kargherziger Mann redete Rabbi Abraham von Stretyn an:»Es heißt, Ihr gäbet den Leuten heimliche Heilmittel und Eure Mittel seien wirksam. Gebt mir denn eins, um Furcht Gottes zu erlangen!«

»Für Furcht Gottes«, sagte Rabbi Abraham,»weiß ich bei mir kein Mittel. Aber wenn Ihr wollt, könnt Ihr eins für Liebe Gottes erhalten.«

»Das ist mir noch erwünschter«, rief jener,»gebt es nur her!«

»Das Mittel«, antwortete der Zaddik,»ist Liebe zu den Menschen.«

Einung der Sinne

Rabbi Chajim von Zans wunderte sich einst, daß Rabbi Abraham von Stretyn, der bei ihm zu Gast war, keinen Zucker in den Kaffee tat.»Es steht geschrieben[2]«, antwortete ihm Rabbi Abraham auf seine Frage:»>Kein Friede ist in meinen Gebeinen von meiner Sünde her.‹ Warum waltet eine Trennung zwischen den Kräften in den Gliedern des Menschen, die doch aus denselben Elementen gewirkt sind, warum können die Augen nur sehen und die Ohren nur hören? Um der Sünde des ersten Menschen willen ist keine Eintracht zwischen ihnen. Wer aber sich zurechtschafft bis zur Wurzel seiner Seele, bis in Adams Schuld hinein, der stiftet Eintracht in seinem Leib. Der kann die Süßigkeit auch mit den Augen schmecken.«

---

2 Psalm 38, 4.

MORDECHAI VON LECHOWITZ UND SEINE NACHKOMMEN

Die Kette

Rabbi Mordechai von Lechowitz sagte zu seinen Schülern: »Der Zaddik kann keine Worte der Lehre sprechen, er binde denn zuvor seine Seele an die seines toten Lehrers oder des Lehrers seines Lehrers. Dann schließt sich Glied an Glied, und die Lehre strömt[1] von Mose zu Josua, von Josua zu den Ältesten und so fort bis zu seinem Lehrer, und von dem zu ihm.«

Das Wesen des Gebets

Rabbi Mosche von Kobryn erzählte: »Mein Lehrer, Rabbi Mordechai von Lechowitz, hat mich beten gelehrt. Er unterwies mich: ›Wer das Wort ‚Herr‘ spricht und dabei im Sinn hat, noch das Wort ‚der Welt‘ zu sprechen, das ist kein Sprechen. Sondern in dem Augenblick, da er ‚Herr‘ sagt, sei in seinem Sinn, daß er sich ganz dem Herrn darreicht, mag seine Seele ausgehn im Herrn und er nicht mehr das Wort ‚Welt‘ aussprechen und mag's ihm genug sein, daß er ‚Herr‘ sagen konnte.‹ Dies ist das Wesen des Gebets.«

Aus der Ferse

Ein Zaddik fragte den andern: »Was ist der Weg von Lechowitz?« »Der Weg von Lechowitz«, war die Antwort, »ist, daß das Wort, wie's gesprochen wird, aus der Ferse springt. Da wird wahr, was geschrieben steht[2]: ›All meine Gebeine werden sprechen.‹«

»An deinem Königtum«

Ein Sendling aus dem Lande Israel, ein frommer und redlicher Mann, fürchtete sich, daß man ihm, wie es damals solchen Sendlingen gegenüber üblich war, viel Ehre erweisen und er darüber

---

[1] Nach Aboth I, 1.
[2] Psalm 35, 10.

eine Genugtuung empfinden könnte. Darum bat er Gott, er möge ihm, wenn sich dergleichen begäbe, sogleich Magenkrämpfe senden, damit er über dem leiblichen Schmerz die Ehrung vergäße. Es wurde ihm gewährt. Als er, es war an einem Freitag, nach Lechowitz kam, empfing ihn Rabbi Mordechai mit großen Ehren. Alsbald mußte der Sendling sich vor Schmerz hinlegen und konnte nicht zur Tafel des Zaddiks gehn. Aber von seinem Lager aus hörte er, wie nebenan die Chassidim, vom Zaddik angeführt, »Sie werden sich freuen an deinem Königtum« sangen. Er sprang auf. Der Schmerz war von ihm gewichen. Wie er war, ohne Oberkleid und Schuhe, auf dem Kopf nur das Käppchen, rannte er hinüber und umtanzte den Tisch. »Gepriesen sei der Herr«, rief er im Takt, »der mich hat gebracht an den wahren Ort. Ich hab's gehört: Sie werden sich freuen an deinem Königtum. Nicht an Weib und Kindern, nicht an Schaf und Rindern, nur an deinem Königtum! Gepriesen sei der Herr, daß wir gekommen sind an den wahren Ort. Nur an deinem Königtum, nur an deinem Königtum!«

Der Riß in der Lunge

Rabbi Mordechai sprach einmal vor sich hin: »Wir haben von einem Vogel gehört, der singt Gott sein Loblied mit solcher Inbrunst zu, daß sein Leib zerspringt. Ich aber bete und bleibe wohlbehalten. Was taugt da mein Gebet?« Nach einiger Zeit ereignete sich, daß vor Inbrunst des Betens seine Lunge einen Riß bekam. Die Ärzte in der Stadt Lemberg erklärten ihn für verloren. Er aber sprach zu Gott: »Ich habe doch nicht nur ein einziges Gebet sprechen wollen, ich will doch noch weiter beten.« Da half ihm Gott, und er genas. Als er wieder einmal in Lemberg war und die Menge der Chassidim sein Haus umstand, kam ein Arzt vorbei und fragte, wer gekommen sei. »Der Rabbi von Lechowitz«, antwortete man. »Lebt der noch?« rief er. »Dann lebt er ja ohne Lunge!«

Wunder

Der Rabbi von Kobryn sagte: »Wir haben auf die Wunder nicht geachtet, die unser Lehrer Rabbi Mordechai tat, und wenn sich einmal das Wunder nicht ereignete, wuchs er in unsern Augen.«

Gegen die Sorgen

Rabbi Mordechai sprach:»Man darf sich nicht sorgen. Eine einzige Sorge ist dem Menschen erlaubt: darüber, daß er sich Sorgen macht.«

Wozu die Freude?

Zum Psalmvers[3] »Erfreue die Seele deines Knechts, denn zu dir, mein Herr, erhebe ich meine Seele« sprach Rabbi Mordechai einmal:»›Erfreue die Seele deines Knechts‹ – wozu die Freude? ›Denn zu dir, mein Herr, erhebe ich meine Seele‹ – in der Freude kann ich meine Seele zu dir erheben.«

Ein Segen

Als Rabbi Mordechai einst bei der Beschneidung des Sohns seines Freundes, des Rabbi Ascher von Stolyn, Gevatter stand und man hernach ihm den Knaben brachte, daß er ihn segne, sprach er zu ihm:»Du sollst Gott nicht narren und sollst dich nicht narren und sollst die Leute nicht narren.«

Das Zeichen Kains

Rabbi Mordechai legte den Vers »Und der Herr setzte Kain ein Zeichen, daß ihn nicht schlage, wer ihn trifft« so aus:»Dem Büßer Kain hat Gott ein Zeichen der Kraft und Heiligkeit verliehen, daß ihn, was immer ihn auch treffe, nicht am Geiste schlage und ihn in seinem Werk der Buße verwirre.«

Die gute Frechheit

Ein gelehrter alter Mann, ein Gegner des chassidischen Wegs, fragte einst Rabbi Mordechai:»Sagt mir doch, woher das kommt: solang ein junger Mensch im Lehrhaus lernt, ohne sich um die chassidischen Wunderlichkeiten zu bekümmern, ist er wohlgeachtet und von guten Manieren, sowie er aber sich den Chassidim anschließt, wird er ein Frechling.« Der Zaddik antwortete:

---

[3] 86, 4.

»Kennt Ihr nicht jenen gelehrten Alten, der sich von der Urzeit her mit dem Menschengeschlecht abgibt? Einen alten König nennt ihn König Salomo[4], und daß er ein Gelehrter ist, erweist sich daraus, daß er mit allen Lernenden lernt. Wenn dieser gelehrte Alte zu einem schämigen jungen Menschen kommt, der keinem anders als mit guten Manieren zu begegnen weiß, und beginnt ihn zu verführen, daß er ihm auf seinen Wegen folge, wagt es der Jüngling nicht, ihn von sich zu weisen. Der Chassid aber, der Frechling, packt ihn mit beiden Armen und drückt ihn an sich, daß ihm die Rippen krachen, und schmeißt ihn zur Tür hinaus.«

Der Fresser und Säufer

Rabbi Mordechai fragte einmal seine Vertrauten: »Was redet man über mich in Litauen?« Erst wollte keiner eine Antwort geben, als er aber darauf bestand, sagte einer: »Man redet über den Rabbi, er sei einer von den Fressern und Säufern.« »Ja«, sagte er, »wenn ich so viel essen und trinken könnte, wie sie sagen, kämen all die in den hohen Hüten aus Deutschland zu mir, Buße zu tun.«

Der Vers im Innern

Als Rabbi Mordechai einmal in der großen Stadt Minsk war und dort vor mehreren gegnerisch gesinnten Männern die Schrift auslegte, lachten die ihn aus. »Dadurch wird doch der Vers gar nicht klargestellt«, riefen sie. »Meint ihr denn«, erwiderte er, »ich wolle den Vers im Buch klarstellen? Der bedarf der Klarstellung nicht! Ich will den Vers in meinem Innern klarstellen.«

Andern zur Freude

Wieder einmal lachten die Mithnagdim den Rabbi von Lechowitz aus. Er setzte ihrem Lachen nur ein Lächeln entgegen und sprach: »Kein Wesen in der Welt hat Gott erschaffen, daß es nicht anderen Wesen Freude bereite. Auch mich hat er andern zur Freude

---

[4] Prediger 4, 13.

erschaffen; den mir Nahen, weil meine Nähe ihnen wohltut, euch, weil ihr meiner spotten könnt.« Verdüstert hörten's die Mithnagdim.

Chassid und Mithnaged

Ein Chassid des Lechowitzer Zaddiks hatte einen Geschäftspartner, der war ein Mithnaged. Der Chassid setzte ihm zu, er solle mit ihm zum Rabbi fahren, aber er weigerte sich beharrlich. Schließlich, als sie einmal ihrer Geschäfte wegen in Lechowitz weilten, ließ er sich überreden und ging zum Sabbattisch des Zaddiks mit. Beim Mahl sah der Chassid, wie das Gesicht des Freundes vor Entzücken aufstrahlte. Hernach fragte er ihn danach. Jener antwortete: »Er hat so heilig gegessen, wie der Hohepriester geopfert hat.« Später kam der Chassid bekümmert zum Rabbi und begehrte von ihm zu wissen, wie es zugehe, daß der andre beim ersten Besuch etwas sah, was er, der Vertraute, nicht sah. »Der Mithnaged muß sehen, der Chassid darf glauben«, erwiderte Rabbi Mordechai.

Der Betrug

Rabbi Mordechai befaßte sich mit dem Einnehmen der Gelder für das Land Israel, und er selber gab große Beträge dafür her. Immerzu: wenn er am Morgen vom Lager aufstand, vor dem Frühgebet, nach dem Frühgebet, vor dem Lernen, nach dem Lernen, vor dem Essen, nach dem Essen und so fort bis zum Abend, legte er Gaben für das Land Israel nieder. Das angesammelte Geld sandte er an Rabbi Abraham Kolisker, der damals im Lande Israel der Einnehmer war, und legte einen Zettel mit den Namen der Geber dazu. Da Rabbi Mordechai selber aber so hohe Beträge beisteuerte und nicht wollte, daß die Größe seines Anteils bekannt werde, fügte er auf dem Zettel etwas davon jeder der anderen Gaben zu. Wenn der Zettel in Rabbi Abrahams Hand kam, sah er ihn lächelnd und kopfschüttelnd an und zeigte auf einen Betrag nach dem andern: »Hier ist etwas vom Lechowitzer dabei! Und hier ist wieder etwas vom Lechowitzer dabei!«

Bei dir

Als Rabbi Mordechai einmal den Psalmvers[5] sprach:»Dumm war
ich und erkannte nicht, ein Vieh bin ich bei dir gewesen«, unterbrach er sich und rief:»Herr der Welt, ein Dummer will ich
sein, ein Vieh will ich sein, wenn ich nur bei dir bin.«

In den Spuren des Vaters

Als Rabbi Noach, Rabbi Mordechais Sohn, die Nachfolge seines
Vaters angetreten hatte, merkten die Schüler, daß er in manchem
sich anders als jener betrug, und befragten ihn darum.»Ich halte
es«, antwortete er,»genau so wie mein Vater. Er hat nicht nach-
gemacht, und ich mache nicht nach.«

Gegen die Scheinheiligkeit

Rabbi Noach von Lechowitz sprach:»Wer Gottesarbeit verrich-
tet, um etwas vorzutäuschen, was frommt's ihm? Gott kann man
nicht narren, und wenn's einem gelingt, die Leute zu narren,
geht's schief aus. Wer narren will, narrt nur sich selber und bleibt
der Narr.«

»Ich glaube«

Rabbi Noach hörte einst von seiner Kammer aus, wie im dran-
stoßenden Lehrhaus einer seiner Treuen die Glaubenssätze zu
sprechen begann, dann aber, sogleich nach den Worten»Ich glaube
in vollkommenem Glauben« abbrach und sich zuflüsterte:»Das
versteh' ich nicht«, und nochmals:»Das versteh' ich nicht.« Der
Zaddik trat aus der Kammer ins Lehrhaus.»Was ist es, das du
nicht verstehst?« fragte er.»Ich verstehe nicht, was das für ein
Ding ist«, antwortete der Mann.»Ich sage: Ich glaube. Glaube
ich wirklich, wie geht es dann zu, daß ich sündige? Glaube ich
aber nicht wirklich, warum sage ich dann eine Lüge her?« »Es
heißt«, sagte Rabbi Noach zu ihm,»der Spruch ›Ich glaube‹ sei
ein Gebet. ›Ich möge glauben‹, das bedeute er.« Da glühte der

---

Chassid auf.»So ist es recht«, schrie er, »so ist es recht! Möge ich glauben, Herr der Welt! möge ich glauben!«

Das neue Gewand

In Rabbi Noachs letzten Lebenstagen, als noch niemand wußte, daß sein Ende nah war, wollten seine Vertrauten ihm zum Neuen Jahr ein neues Gewand machen lassen und schickten einen Schneider zu ihm in die Kammer, sein Maß zu nehmen. Als er den eintretenden Schneider sah, lief er in der Stube hin und wieder und sprach Mal um Mal mit einer wundersamen Inbrunst: »Schwarz war's gedacht, weiß wird's gemacht.« Verwirrt ging der Schneider von dannen.

Es werde Licht

Rabbi Schlomo Chajim von Kajdanow, ein Enkel Rabbi Mordechais von Lechowitz, lehrte: »Es steht geschrieben [6]: ›Und er sprach: Gott, es werde Licht‹ – wenn ein Mensch in seiner Wahrheit betet: ›Gott, es werde Licht‹, dann wird ihm Licht.«

Ein Jude

Vor dem Sterben sprach Rabbi Schlomo Chajim zu seinen Söhnen: »Kinder, ihr sollt nicht meinen, euer Vater sei ein Zaddik, ein ›Rebbe‹, ein ›guter Jud [7]‹ gewesen – aber auch ein Fälscher war ich nicht: ich habe ein Jude sein wollen.«

---

[6] Genesis 1, 13 wird hier Wort um Wort wiedergegeben.
[7] Beides (»Rebbe« jiddisch für »Rabbi«) volkstümliche Bezeichnungen des Zaddiks.

Der Fisch im Wasser

Rabbi Mosche von Kobryn erzählte:»Als ich ein Knabe war, spielte ich einmal am Neumondstag des Monats Elul[1] mit anderen Kindern. Da sagte meine ältere Schwester zu mir:›Spielst du auch heute, im Beginn des Monats der Bereitung zum großen Gericht, wo sogar der Fisch im Wasser zittert!‹ Wie ich das hörte, kam ich ins Zittern und konnte stundenlang nicht einhalten. Noch heute, wenn ich dran denke, ist es mir, als sei ich ein Fisch im Wasser am Neumondstag des Monats Elul und zittere wie er vor dem Weltgericht.«

Wohltun

Rabbi Mosche von Kobryn war der Sohn von Dorfleuten, die mit schwerer Arbeit ihr Leben fristeten. Als er ein Knabe war, kam eine Hungersnot über Litauen, die Armen schwärmten mit Weib und Kind aus den Städten übers flache Land, um sich Nahrung zu suchen. Auch durch das Dorf, in dem Mosches Eltern wohnten, zogen täglich Scharen Bedürftiger. Seine Mutter mahlte Korn auf einer Handmühle und buk an jedem Morgen Brot, um es unter sie auszuteilen. An einem Tag kam eine größere Schar als sonst, das Brot reichte nicht für alle, aber der Ofen war geheizt, Teig lag in den Schüsseln, eilig nahm die Frau davon, knetete die Laibe zurecht und schob sie in den Ofen. Die Hungrigen jedoch brummten, weil sie warten mußten, und etliche Freche unter ihnen verstiegen sich zu Scheltworten und Flüchen. Darüber brach die Frau in Tränen aus.»Weine nicht, Mutter«, sagte der Knabe,»tu nur deine Arbeit und laß sie fluchen und erfülle Gottes Gebot! Vielleicht, wenn sie dich lobten und segneten, wäre es weniger erfüllt.«

---

[1] Der Monat, der den Gerichtstagen, Neujahr und Versöhnungstag, vorausgeht.

Soldat sein

Der Kobryner erzählte:»Als ich in meiner Jugend einmal bei meinem Lehrer, Rabbi Mordechai von Lechowitz, über das Purimfest weilte, rief er beim Mahl: ›Heut ist der Tag der Geschenke, die Stunde der Spende ist gekommen. Wer die Hand ausstreckt, bekommt von mir, welche Kraft und Kunst des Dienstes er sich wünscht.‹ Die Schüler verlangten mancherlei Geistesgaben, jeder bekam die seine und behielt sie. Endlich fragte der Rabbi: ›Nun, Moschke, was begehrst du?‹ Ich bezwang meine Scham und antwortete: ›Ich will keine unentgeltliche Gabe, ich will ein gemeiner Soldat sein und mir selber was verdienen.‹«

Die Reihenfolge

Der Kobryner erzählte:»Wenn ich von meinem Lehrer eine Weisung vernahm, wie zu dienen sei, wollte ich nichts mehr von ihm hören, bis ich die erfüllt hatte. Dann erst tat ich wieder die Ohren auf.«

Der Getreue

Rabbi Mordechai von Lechowitz war ein Schüler des Rabbi Schlomo von Karlin. Als dieser starb, teilten sich seine Schüler Rabbi Mordechai und Rabbi Ascher von Stolyn in die Hauptsitze seiner Chassidim. Aber über den Ort Kobryn waren sie uneins, da jeder von beiden ihn seinem Bezirk zurechnen wollte. Da schlug Rabbi Mordechai einen Ausweg vor.»Ich habe«, sagte er,»in Kobryn einen Chassid, den Rabbi Mosche. Wenn es Euch im Lauf eines Jahrs gelingt, ihn zu bewegen, zu Euch zu fahren, ist Kobryn Euer. In diesem Jahr dürft Ihr alles tun, um ihn Euch zu nähern, und ich werde alles tun, um ihn von mir zu entfernen.« So geschah es. Als Rabbi Mosche das nächste Mal nach Lechowitz kam, entbot ihm sein Lehrer keinen Gruß. Er aber fragte nicht und zweifelte nicht, sondern hing ihm weiter an wie zuvor. Und ob Rabbi Ascher auch ihn besuchte und ihm alle Freundlichkeit erwies und ihm alles Gute für diese und die kommende Welt versprach, blieb er treu. So fiel Kobryn seinem Lehrer zu.

Engel und Menschen

Der Kobryner rief einst, zur Höhe gewendet:»Englein, Englein, das ist keine besondre Kunst, so in den Himmeln als Engel zu bestehen, du brauchst nicht zu essen und zu trinken und Kinder zu zeugen und Geld zu erwerben. Spring du nur mal auf die Erde nieder und gib dich mit Essen und Trinken und Kinderzeugen und Gelderwerb ab, da wollen wir sehen, ob du ein Engel bleibst. Gelingt es dir, dann magst du dich berühmen, jetzt aber nicht!«

Alles ist Dienst

Der Kobryner sprach:»Es heißt im Talmud[2]: ›Als das Heiligtum bestand, sühnte der Altar. Jetzt sühnt der Tisch des Menschen, und er ist an Stelle des Altars.‹ Es gibt zwei Arten von Opfern: das Gelübde, das spricht: ›Dies liegt mir ob‹, und die Spende, die spricht: ›Dies wird dargebracht.‹ Das Gelübde nimmt in Pflicht über sich hinaus, die Spende nimmt nicht in Pflicht über sich hinaus. So gibt es hinsichtlich des Essens zwei Arten von Zaddikim. Der eine ißt, um gesund und stark für den Dienst Gottes zu sein; der darf nach dem Essen keine Zeit verlieren, sondern muß sogleich lernen und beten; denn dazu ist er von seinem Essen her in Pflicht genommen, und so ist er wie das Gelübde, das spricht: ›Dies liegt mir ob‹. Der andre ißt nach Art der Spende: ›Dies wird dargebracht‹, und sein Essen selber ist Dienst, da es die heiligen Funken, die in der Speise sind, sichtet und erhebt und hohe Einungen eint. Er ist nicht in Pflicht genommen, denn hier ist alles Dienst.«

Eine Antwort

Der Rabbi von Kobryn liebte es, die Antwort zu erzählen, die der General Gowin dem Zaren Nikolaj gegeben hatte. Der General war sehr alt und hatte fünfzig Jahre Dienst getan. Bei einem Manöver, dem der Zar beiwohnte, war er der Führer der einen Armee. Nikolaj ritt die vorderste Reihe ab und sprach den General an:»Nun, bist rüstig, Gowin, brennt dir wohl noch das

---

[2] Berachoth 55 a.

Blut?«»Majestät«, sagte Gowin,»das Blut brennt nicht, der Dienst brennt.«

Die Bücher

Einmal sagte er:»Wäre es in meiner Macht, ich würde alle Schriften von Zaddikim verbergen. Denn wenn einer viel Chassiduth weiß, wird seine Weisheit leicht größer als seine Taten.«

Am Ende der Sache

Der Kobryner lehrte:»Es heißt am Schluß des ›Predigers‹: ›Am Ende der Sache gibt sich als alles zu hören: fürchte Gott!‹ An welcher Sache Ende du kommst, da, an ihrem Ende, vernimmst du immer dieses eine ›Fürchte Gott!‹, und dieses eine ist alles. Es gibt kein Ding in der Welt, das dir nicht einen Weg zur Furcht Gottes und zu seinem Dienst weist. Alles ist Gebot.«

Auf und nieder

Rabbi Mosche von Kobryn lehrte:»Wenn du über ein frisch gepflügtes Feld wanderst, wechseln Furchen mit Kämmen. So ist der Weg im Dienste Gottes. Jetzt gehst du aufwärts, jetzt abwärts, jetzt packt dich der Böse Trieb, jetzt packst du ihn. Sieh nur zu, daß du den letzten Schlag behältst!«

Für den König

»Und stürzt einer von euch«, so lehrte der Kobryner seine Chassidim,»von der erreichten Höhe mit einem Mal in den Abgrund, er verzweifle nicht! Er nehme von neuem das Joch des Himmelreichs auf sich, er beginne von neuem den Kampf!
Als die Sachsen in unsrer Gegend mit den Russen fochten, hat ein russischer Soldat einen sächsischen in seine Gewalt bekommen. ›Sag Pardon‹, schrie er, ›und ich tu dir nichts!‹ ›Nix Pardon‹, blies ihm der Sachse ins Gesicht, ›wär 'ne Schand für'n König!‹ ›Sag Pardon‹, brüllte der Russe, ›oder ich hau' dir den Kopf ab!‹ Aber noch als der Stahl ihm die Halsader schnitt, wiederholte der Sachse: ›Wär 'ne Schand für'n König!‹«

Schlecht und recht

Vor dem Schöpfen des Wassers zum Backen der Mazzoth sprach der Rabbi von Kobryn zu den Umstehenden: »Allerhand Kriegskünste lehrt der König seine Leute, aber wenn es zum Kampf kommt, wirft man alles von sich, was man wußte, und schießt schlecht und recht. So gibt's auch über das Wasserschöpfen viele Gcheimnisse zu lernen; aber wenn es zur Handlung selber kommt, weiß ich nichts mehr, als was mir geboten ist.«

Das mißratene Gewand

Einem Schneider, der für die Frau eines hohen Offiziers ein kostbares Kleid zu machen hatte, war es zu knapp geraten, und er war mit Schimpf aus dem Haus gejagt worden. Er kam zum Rabbi von Kobryn und bat ihn, ihm zu sagen, was er tun solle, um nicht all seine adlige Kundschaft zu verlieren. »Geh nochmals hin«, sagte der Zaddik, »und mache dich erbötig, das Kleid umzuarbeiten. Dann trenne es auf und setze die Stücke, so wie sie sind, wieder zusammen.« Der Mann tat so, verrichtete bang und demütig die Arbeit noch einmal, die er in stolzer Sicherheit verpfuscht hatte, und es geriet.
Diese Geschichte pflegte Rabbi Mosche sehr gern zu erzählen.

Die Seele und der Böse Trieb

Der Kobryner Rabbi lehrte: »Die Seele spricht zum Bösen Trieb wie Abraham zu Lot: ›Ist's zur Linken, will ich zur Rechten, ist's zur Rechten, will ich zur Linken.‹ ›Willst du mich nach links führen‹, spricht die Seele zum Bösen Trieb, ›ich höre nicht auf dich und wähle den rechten Weg. Aber rätst du mir sogar, mit dir nach rechts zu gehen, so will ich lieber zur Linken.‹«

Bitter, nicht schlimm

Der Kobryner lehrte: »Wenn der Mensch leidet, soll er nicht sagen: ›Es ist schlimm, es ist schlimm!‹ Nichts ist schlimm, was Gott dem Menschen tut. Aber man darf sagen: ›Es ist bitter!‹ Denn es gibt bittre Gifte unter den Arzneien.«

Nicht vom Brot allein

Rabbi Mosche nahm einst beim Sabbatmahl ein Stück Brot in die Hand und sprach zu den Chassidim:»Es steht geschrieben[3]: ›Nicht vom Brot allein lebt der Mensch, nein, von jeglichem, was aus dem Munde des Herrn fährt, lebt der Mensch.‹ Nicht von dem stofflichen Brot kommt dem Menschen das Leben, sondern von den Funken göttlichen Lebens, die darin sind. Wollt ihr wissen, wo Gott ist, seht dieses Brot an. Hier ist er. Durch sein belebendes Leben besteht jedes der Dinge, und entzieht er sich einem von ihnen, zerfällt das und wird zunichte.«

Durch dessen Wort...

Ein Chassid des Kobryners war bei öffentlichen Arbeiten beschäftigt. Eines Morgens überkam ihn dabei eine Sorge, er wußte sich keinen Rat, endlich ließ er alles liegen, ging in die Stadt und, ohne ins eigene Haus zu blicken, geradeswegs zum Zaddik. Dem hatte man eben ein Graupengericht zum Frühstück gereicht, und er sprach darüber den Segen:»... durch dessen Wort alles ward«. Den eintretenden Chassid hatte er nicht angesehn und ihm nicht die Hand gegeben. Der stand beiseite und wartete, bis er seine Sache vorbringen könnte. Endlich sagte der Rabbi zu ihm:»Salman, ich habe gemeint, du glichest deinem Vater; aber jetzt sehe ich, du gleichst ihm nicht. Einmal war dein Vater mit einem ganzen Packen Sorgen zu mir gekommen. Als er eintrat, sprach ich wie heute gerade den Segen: ›... durch dessen Wort alles ward‹. Als ich ihn gesprochen hatte, merkte ich, daß dein Vater schon wieder fortwollte. ›Awrähmel‹, sagte ich, ›hast du kein Anliegen?‹ ›Nein‹, erwiderte er mir und nahm Abschied. Verstehst du? Wenn ein Jude vernimmt, daß alles durch Gottes Wort geworden ist, was hat er da noch zu fragen? Ist ihm doch eine Antwort auf alle seine Fragen und Sorgen gegeben!« Und Rabbi Mosche bot dem Chassid die Hand zum Gruß. Der schwieg eine Weile, nahm Abschied und ging getrost an seine Arbeit zurück.

---

[3] Deuteronomium 8, 3.

Wo ist der Mensch?

Beim Sabbatmahl standen einst viele Jünglinge um den Tisch des Kobryner Rabbis. Er faßte einen ins Auge, der schon oft in seinem Haus gewesen war, und fragte den Diener:»Wer ist das?« Erstaunt sagte der den Namen.»Ich kenne ihn nicht«, wiederholte Rabbi Mosche. Der Diener brachte nun die Namen des Vaters und des Schwiegervaters vor, und als auch dies nicht half, berichtete er, wann jener nach Kobryn gekommen war und wie er an der Lehre teilgenommen hatte. Da besann sich der Zaddik und sprach zu dem bestürzt vor ihm Stehenden: »Nun weiß ich, warum ich dich nicht erkannt habe. Wohin der Mensch seinen Gedanken setzt, da ist er, und da deine Gedanken in der Ferne schweiften, sah ich nur einen Fleischklumpen.«

Nicht drängen

Einmal drängten die Leute an einem Chanukkaabend, um zu sehen, wie der Rabbi von Kobryn die Lichter entzünden würde. Da sprach er:»Es steht geschrieben[4]: ›Das Volk sah, sie bewegten sich, standen von fern.‹ Wenn man sich herandrängt, steht man fern.«

Das Erkalten

Ein Chassid klagte dem Kobryner: Jedesmal, wenn er zu ihm fahre, entbrenne sein Herz und er wähne, sowie er zu seinem Lehrer komme, werde er in den Himmel fliegen, und jedesmal, wenn er dann bei ihm sei, erlösche das Feuer und das Herz schrumpfe ihm mehr ein als daheim. Der Rabbi sagte:»Denke daran, wie David im Psalm[5] spricht: ›Meine Seele dürstet nach Gott‹, und dann[6]: ›So schaue ich im Heiligtum dich‹. David bittet Gott, er möge ihm gewähren, an der heiligen Stätte die gleiche Inbrunst zu verspüren, die über ihn kam, als er ›im Heideland, matt, ohne Wasser‹ war. Denn zuerst schickt der erbarmende Gott den Menschen eine Erweckung zur Heiligkeit, dann aber, wenn er etwas zu tun beginnt, wird jene von ihm ge-

---

[4] Exodus 20, 15.   [5] 42, 3.   [6] 63, 3.

nommen, damit er selber handle und selber zum Stande der vollen Erweckung gelange.«

Die List des Satans

»Einst«, erzählte der Kobryner Rabbi, »pflegte sich der Satan, wenn er einen Chassid hindern wollte, zum Zaddik zu fahren, in die Gestalt seines Vaters oder seiner Mutter oder seines Weibes zu verwandeln und ihm nun zuzureden, so gut er konnte, um ihn von seinem Willen abzubringen. Als er aber merkte, daß all der Widerstand die Kraft der Treue nur steigerte, verfiel er auf ein anderes Mittel. Jetzt schließt er Frieden mit dem Mann, den er vornimmt, befreundet sich mit ihm und redet sänftiglich: ›Du hast mich bekehrt. Fahre nur zu deinem Rabbi und erlaube mir, mit dir zu fahren, bete nur in deiner Weise und laß mich mitbeten, lerne nur, was du magst, ich will dir lernen helfen.‹ Und so kommt die Zeit heran, wo der Satan ihm sagt: ›Setze dich nur auf den Zaddiksitz, und ich will mit dir sitzen; wir bleiben zusammen.‹«

Die Welt annehmen

Ein Chassid Rabbi Mosches von Kobryn war sehr arm. Er beklagte sich einst beim Zaddik über die Not, die ihn im Lernen und Beten behindere. »In dieser unsrer Zeit«, sagte Rabbi Mosche, »ist die größte Frömmigkeit, über alles Lernen und Beten, wenn man die Welt annimmt, wie sie steht und geht.«

Die ursprüngliche Bedeutung

Zu einem Verfasser von Büchern, der ihn über die Kabbala, die geheime Lehre, und über die Kawwanoth, die geheimen Intentionen, die auf überirdische Wirkung abzielen, befragte, sprach Rabbi Mosche: »Merke wohl, daß das Wort *kabbala* von *kabbel,* annehmen, aufnehmen, und das Wort *kawwana* von *kawwen,* auf etwas richten oder lenken, stammt. Denn der Endsinn aller Weisheit der Kabbala ist: das Joch des Gotteswillens auf sich nehmen, und der Endsinn aller Kunst der Kawwanoth ist: sein Herz auf Gott richten. Wenn einer sagt: ›Der Herr ist mein Gott‹, das heißt: er ist mein und ich bin sein – wie geht ihm da nicht die Seele aus dem Leibe?« Sowie er dies gesprochen hatte, fiel er in eine tiefe Ohnmacht.

Unentgeltlich

Einer der Chassidim Rabbi Jizchaks von Worki kam nach dessen Tod zu Rabbi Mosche von Kobryn.»Was sucht Ihr hier bei mir in Litauen«, fragte der,»wovon Ihr nicht ebensoviel und mehr bei jedem der Zaddikim von Polen fändet?«»Mein Lehrer«, antwortete der Mann,»hat oft gesagt, es sei fromme Pflicht, den Rabbi von Kobryn kennenzulernen, denn er rede in seinem Herzen die Wahrheit. Da bin ich schlüssig geworden, Euch zu besuchen, daß ich vielleicht von Euch erführe, wie man die Wahrheit erlangt.«»Die Wahrheit«, sagte der Kobryner,»kann man nicht erlangen. Gott schaut einen Menschen an, der sein Leben drantut, die Wahrheit zu erlangen – auf einmal schenkt er ihm etwas davon, unentgeltlich. Darum heißt es[7]: ›Du wirst Jakob Wahrheit geben‹.« Er nahm eine winzige Tabakprise zwischen die Finger und streute sie hin:»Sieh, noch weniger als dies!« Und nahm noch einmal etliche Tabakkörner in die Hand:»Sei's noch weniger, wenn's nur Wahrheit ist!«

Die wahre Gottesfurcht

»Hätte ich«, sagte der Rabbi von Kobryn,»die wahre Furcht Gottes, ich liefe auf die Gassen und schriee: ›Ihr vergeht euch gegen die Thora, in der geschrieben steht: Werdet heilig!‹«

Der Pflock und die Krone

Der Kobryner sprach:»Der Führer in Israel darf nicht meinen, der Herr der Welt habe ihn deshalb erwählt, weil er ein großer Mann sei. Wenn es dem König beliebte, seine Krone an den Holzpflock zu hängen, der in der Wand steckt, wird der sich seiner Schönheit berühmen, die das Auge des Königs auf sich gezogen habe?«

---

[7] Micha 7, 20.

Der andern halber

Am Vorabend des Neujahrstags vor dem Nachmittagsgebet legte
der Kobryner einst seinen Kopf auf all die Bittzettel, die vor ihm
ausgebreitet waren, und sprach:»Herr der Welt, du kennst meine
Torheit, und meine Verschuldungen sind dir nicht verhohlen[8],
aber was tut man mit den Leuten? Sie meinen doch, ich sei etwas!
Darum bitte ich dich, laß an mir nicht zuschanden werden, die
auf dich hoffen!«

Die Überwindung

Einst, am Vorabend des Neuen Jahrs, als Rabbi Mosche zum Gebet vor die Lade trat, begannen all seine Glieder zu zittern. Er
klammerte sich ans Pult, aber auch das Pult schwankte hin und
her. Der Zaddik konnte sich nicht auf den Füßen halten, bis er
sich ganz nach hinten bog. Da war's anzusehn, als treibe er das
Zittern nach innen. Nun erst stand er fest an seinem Ort und hob
zu beten an.

Der Vorbeter

Rabbi Mosche von Kobryn sprach vor dem Beten am Tag des
Neuen Jahrs:»Ein König zürnte einst seinem unbotmäßigen
Volk und saß zu Gericht. Niemand getraute sich, vor ihn zu treten und ihn um Erbarmen anzugehn. Unter ihnen aber war der
Rädelsführer. Der wußte, daß sein Kopf verwirkt war. Er trat
vor und sprach den König an. So tritt an den Furchtbaren Tagen
der Vorbeter vor die Lade und betet für die Gemeinde.«

Anruf

Am Neujahrstag vor dem Schofarblasen pflegte der Kobryner zu
rufen:»Brüderlein, verlaßt euch nicht auf mich, sondern tue jeder das Seine!«

---

[8] Vgl. Psalm 69, 6.

Das Opfer

Rabbi Mosche von Kobryn sprach einst an einem Sabbat der Gemeinde das Mussafgebet vor, welches für das Opfer der Sabbate und Festtage steht. Bei den Worten »Führe uns in unser Land, da werden wir dir die Opfer unsrer Pflichten bringen« fiel er ohnmächtig zu Boden. Mit großer Mühe rief man ihn ins Leben zurück, und er vollendete das Gebet.

Als er des Abends an seinem Tisch noch einmal sprach: »Dort werden wir dir das Sonderopfer dieses Sabbats bringen, wir haben ja kein Heiligtum und keinen Opferdienst«, entbrannte er und schrie auf: »Herr der Welt, wir, wir, wir selber, uns selber wollen wir dir an Opfers Statt darbringen!«

Da verstanden alle, warum er im Bethaus wie des Lebens entledigt hingefallen war.

Der Narr

»Warum wohl«, fragte man den Kobryner, »nennen die Leute allenthalben den Vorsänger einen Narren?«

»Ihr wißt«, sagte er, »daß die Welt der Musik an die der Umkehr grenzt. Wenn der Vorsänger singt, ist er in der Welt der Musik und ganz nah an der andern. Wie bringt er es fertig, nicht hinüberzuspringen und die wahre Buße zu tun? Gibt es eine Narrheit wie diese?«

Kraft tauschen

Rabbi Mosche lehrte: »Wenn ein Jude sagen will: ›Gesegnet du, unser Gott, König der Welt‹ und sich anschickt, das erste Wort, das Wort ›Gesegnet‹, zu sprechen, soll er es mit all seinen Kräften sprechen, bis ihm keine Kraft mehr bleibt, das Wort ›du‹ zu sprechen. Und das ist's, was geschrieben steht[9]: ›Die auf den Herrn hoffen, werden Kraft tauschen.‹ Wir sagen gleichsam: ›Unser Vater im Himmel, alle Kraft, die in mir ist, gebe ich in dem ersten Wort dir hin, und du gib mir nun zum Tausch eine Fülle neuer Kraft, daß ich weiterbeten kann.‹«

---

[9] Jesaja 40, 31.

In das Wort

Rabbi Mosche von Kobryn lehrte:»Wenn du ein Wort vor Gott sprichst, geh du mit allen deinen Gliedern in das Wort ein.« Ein Hörer fragte:»Wie soll das möglich sein, daß der große Mensch in das kleine Wort hineinkomme?«»Wer sich größer dünkt als das Wort«, sagte der Zaddik,»von dem reden wir nicht.«

Wer nicht zu fragen weiß

Wenn der Kobryner in der Passah-Haggada die Stelle von den vier Söhnen las, die den Sinn der heiligen Bräuche zu erfahren begehren, und an die Worte kam, die vom Jüngsten gesagt sind und den Hausvater also beraten:»Und wer nicht zu fragen weiß, eröffne du es ihm«, pflegte er innezuhalten und aufseufzend zu Gott zu sprechen:»Und wer, ach, nicht zu beten vermag, tu du ihm sein Herz auf, daß er beten könne.«

Eins, wer weiß es?

Zur ersten Frage des Rätselspiels, das am Schluß der Passah-Haggada gesungen wird –»Eins, wer weiß es? Eins, ich weiß es« –, sprach Rabbi Mosche von Kobryn:»Eins, wer weiß es? Wer kann den einzig Einen erkennen? Fragen doch die Serafim selber[10]: ›Wo ist der Ort seiner Herrlichkeit?‹! Eins, ich weiß es dennoch! Denn, wie der Weise sagt[11]: ›Wo finde ich dich? Und wo finde ich dich nicht?‹ Und auch die Serafim antworten[12]: ›Voll ist die ganze Erde seiner Herrlichkeit.‹ Ich kann den einzig Einen erkennen darin, was er an mir wirkt.«

---

[10] In dem im sabbatlichen Gottesdienst vorgetragenen Wechselgesang.
[11] Eine der Hymnen Jehuda Halevis beginnt mit den Versen:
　　Gott, wo finde ich dich?
　　Dein Ort ist hoch und verhohlen.
　　Und wo find' ich dich nicht?
　　Die Welt ist voll deiner Ehre.
[12] In dem oben erwähnten Wechselgesang (aus Jesaja 6, 3 aufgenommen).

Die Leiter

Rabbi Mosche lehrte:»Es steht geschrieben[13]: ›Und er träumte: da, eine Leiter, auf die Erde gestellt.‹ Das ist jeder Mensch. Jeder soll es wissen: Ich bin Lehm, einer von unzähligen irdenen Scherben bin ich, aber ›ihr Haupt rührt an den Himmel‹, bis an den Himmel reicht meine Seele, ›und da, Boten Gottes steigen daran auf und nieder‹, sogar Aufstieg und Niederstieg der Engel hangen an meinen Taten.«

Überall

Der Rabbi von Kobryn lehrte:»Gott spricht zum Menschen, wie er zu Mose sprach[14]: ›Streife die Schuhe von deinen Füßen‹ – streife die Gewöhnung ab, die deinen Fuß umschließt[15], und du wirst erkennen, daß der Ort, auf dem du eben jetzt stehst, heiliger Boden ist. Denn es gibt keine Wesensstufe, auf der man nicht, überall und allezeit, Gottes Heiligkeit finden könnte.«

Er kommt

Der Kobryner lehrte:»Es wird im Midrasch[16] erzählt, als Mose dem Volke kundtat, daß Gott es aus der Knechtschaft erlösen wolle, da hätten sie zu ihm gesprochen: ›Wie können wir erlöst werden, ist doch ganz Ägypten unsres Götzendienstes voll!‹ Er aber habe ihnen erwidert: ›Weil Gott euch erlösen will, achtet er eures Götzendienstes nicht.‹ Wie geschrieben steht[17]: ›Der Hall meines Freundes, da, eben kommt er! hüpft über die Berge, springt über die Hügel!‹
So ist es auch jetzt. Wenn der Mensch sich besinnt und aus seinen üblen Sitten erlöst zu werden begehrt, raunt der Böse Trieb ihm zu: ›Wie könntest du das! hast du doch all deine Tage mit Nichtigkeit verbracht!‹ Aber die Zaddikim sagen: ›Da Gott dich erlösen will, wird er des Gewesenen nicht achten, sondern er springt über alles hinweg und erlöst dich.‹«

---

[13] Genesis 28, 12.   [14] Exodus 3, 5.
[15] Im Hebräischen ein Wortspiel (hergel: Gewöhnung, regel: Fuß).
[16] Jalkut Schimeoni zu Exodus CXC.
[17] Hohelied 2, 8.

Um Gottes willen

Der Kobryner lehrte:»Es steht geschrieben[18]: ›Und Mose erstattete dem Herrn die Rede des Volkes.‹ Er hatte dem göttlichen Befehl gemäß Israel die Botschaft gebracht, sie würden ein Königsbereich von Priestern und ein heiliger Stamm werden. Das Volk aber hatte geantwortet: ›Alles, was der Herr geredet hat, wollen wir tun.‹ Das heißt: Nicht deshalb begehren wir Gott zu dienen, damit wir hohe Stufen erreichen, sondern deshalb nur, weil er zu uns geredet hat. Ihre Antwort gefiel Mose wohl, und er erstattete sie Gott, in ihrem und in seinem eigenen Namen.«

Den Tod nicht fürchten

Als am Fest der Offenbarung die Chassidim um den Tisch des Rabbis von Kobryn saßen, lehrte er:»Es steht geschrieben[19], das Volk habe am Sinai zu Mose gesprochen: ›Rede du mit uns, wir wollen hören, aber nimmer rede Gott mit uns, sonst müssen wir sterben.‹ Wie kann das sein, daß Israel in seiner höchsten Stunde sich weigert, Gottes Stimme zu hören, aus Furcht vor dem Tode, der doch nichts anderes ist, als daß die Seele aus ihrem Gehäuse gerissen wird, um am Licht des Lebens zu haften!«
Mal um Mal, immer dringender wiederholte der Zaddik die Frage. Als er sie zum drittenmal aussprach, fiel er in Ohnmacht und blieb eine Weile regungslos. Nur mit Mühe konnte man ihn wiederbeleben. Alsbald setzte er sich in seinem Stuhle auf und schloß seine Lehre:
»›Sonst müssen wir sterben.‹ Denn sehr schwer war es ihnen, den irdischen Dienst Gottes aufzugeben.«

Der Demütigste

Man fragte den Kobryner:»Wie ist es möglich, daß Dathan und Abiram dem Mose vorwerfen, er wolle selbstherrlich herrschen? Bezeugt doch die Thora, daß er der demütigste aller Menschen war!«

---

[18] Exodus 19, 8.
[19] Exodus 20, 19.

Der Rabbi gab Bescheid: »Wenn Mose auf dem Zaddikstuhl saß, hat er mit großer Mächtigkeit gerichtet. Darum meinten sie, er wolle über sie herrschen. In seinem innern Herzen aber war er der demütigste Mensch. Anders die Leute, die dahergehen, das Gesicht zur Erde geneigt, und sich als demütig bezeichnen – das ist eine untaugliche Demut. Die echte ist im Herzen vergraben.«

Die unaufgenommenen Worte

Einmal sagte Rabbi Mosche von Kobryn, nachdem er an seinem Sabbattisch die Thora ausgelegt hatte, zu den umsitzenden Chassidim: »Ich sehe, daß alle Worte, die ich sprach, auch nicht einen gefunden haben, der sie in seinem Herzen empfangen hätte. Und fragt ihr mich, woher ich es weiß, der ich kein Prophet und kein Prophetensohn bin: Worte, die aus dem Herzen kommen, gehen in Wahrheit zu Herzen; finden sie aber keins, das sie empfinge, dann erweist Gott dem Mann, der sie sprach, die Gnade, daß sie nicht ortlos dahintreiben, sondern alle heimkehren in das Herz, aus dem sie gesprochen worden sind. So ist es mir ergangen. Ich habe es wie einen Stoß verspürt, da drangen sie alle mitsammen ein.«

*

Eine Zeit nach seinem Tod sagte ein Freund: »Hätte er zu wem zu reden gehabt, er lebte noch.«

Die Ruhe

Als er einmal im Alter am Sabbattisch saß, sah man ihm an, daß er sehr schwach war. Sein vertrauter Diener redete ihm zu, er möge sich zur Ruhe begeben. »Narr«, rief er, »meine Ruhe ist nur, wenn ich mit Israel zusammensitze, eine andere Ruhe habe ich nicht.«

»Wenn ich wüßte«

Rabbi Mosche sagte einmal: »Wenn ich mit Sicherheit wüßte, daß ich einem einzigen meiner Chassidim geholfen habe, Gott zu dienen, hätte ich gar keine Sorge.«

Ein andermal sagte er:»Wenn ich wüßte, daß ich ein einziges Mal Amen gesprochen habe, wie es sich gebührt, hätte ich gar keine Sorge.«
Und wieder einmal sagte er:»Wenn ich wüßte, daß man nach meinem Tod im Himmel ankündigen wird, man bringe einen Juden, hätte ich gar keine Sorge.«

Das Ende

Am Großen Sabbat, nicht viele Tage vor dem Verscheiden, sprach Rabbi Mosche von Kobryn Mal um Mal das Psalmwort[20]:»Preise, meine Seele, den Herrn!« Dann fügte er leise hinzu:»Du Seele, in welcher Welt du auch sein wirst, in jeder wirst du den Herrn preisen. Aber das erbitte ich von Gott: ›Preisen will ich den Herrn in meinem Leben‹ – solang ich noch hier lebe, will ich ihn preisen können.«
Am letzten Passahtag redete er lange an seinem Tisch vor dem Tischsegen. Dann sprach er:»Nun habe ich nichts mehr zu sagen, wir wollen den Segen sprechen.«
In der Nacht darauf mußte er sich ins Sterbebett legen und starb nach einer Woche.

Das Wichtigste

Bald nach dem Tode Rabbi Mosches von Kobryn wurde einer seiner Schüler von dem»alten Kozker«, Rabbi Mendel, gefragt:»Was war für Euern Lehrer das Wichtigste?«
Er besann sich, dann gab er die Antwort:»Womit er sich gerade abgab.«

---

[20] Psalm 146, 1.

—

MOSCHE UND ELEASAR VON KOSNITZ

Zum Leuchten

Rabbi Mosche, der Sohn des Kosnitzer Maggids, sprach:»Es steht geschrieben[1]: ›Öl von Oliven, lautres, gestoßnes, zum Leuchten.‹ Gepreßt und zerstoßen soll man sein, aber zum Leuchten und nicht zum Liegen!«

Das Fenster und der Vorhang

Als der junge Rabbi Eleasar von Kosnitz, der Sohn Rabbi Mosches, bei Rabbi Naftali von Ropschitz zu Gast war, blickte er einmal verwundert auf die Fenster, vor die Vorhänge gezogen waren. Auf die Frage seines Wirts, worüber er sich wundere, sagte er:»Wenn man will, daß die Leute hineinschauen, wozu der Vorhang? Und wenn man's nicht will, wozu das Fenster?«»Und wie erklärst du es dir?« fragte Rabbi Naftali. »Wenn man einen, den man liebt«, sagte er, »hineinschauen lassen will, zieht man den Vorhang weg.«

---

[1] Exodus 27, 20.

Die Rechtfertigung

Rabbi Chajim Meïr Jechiel erzählte:»Meiner Mutter, der Frau
Perle, der Friede über ihr, starb ein Kind nach dem andern weg,
als es noch klein war. Endlich wurde ihr ein Knabe geboren, der
den Namen Mosche erhielt und von dem es schien, daß sie ihn
würde aufziehn dürfen. Als der Knabe sieben Jahre alt war, saß
er zum erstenmal am Tisch meines Großvaters, des heiligen Maggids, beim dritten Sabbatmahl. An jenem Tag war der Abschnitt
der Schrift verlesen worden, der erzählt, wie Gott Mose befiehlt,
zum Fels zu reden, daß er Wasser hervorbringe, und Mose schlägt
an den Felsen, und Wasser geht hervor. Beim Mahl sprang plötzlich der Knabe Mosche auf den Tisch und rief:›Die Thora spricht
von Moses Sünde – aber war es eine Sünde, daß er den Fels
schlug? Hat ihm doch Gott selber gesagt:›Nimm den Stab!‹ Und
so sprach er weiter und führte die Rechtfertigung unsres Lehrers
Mose folgerichtig durch. Dann stieg er vom Tisch und sagte zu
seiner Mutter:›Mutter, der Kopf tut mir weh.‹ Er ging in seine
Stube, legte sich auf sein Bett und starb. Die Zaddikim des Geschlechts haben später gesagt, die Seele unsres Lehrers Mose sei
in dem Knaben gewesen und er sei nur zur Welt gekommen, um
unsern Lehrer Mose zu rechtfertigen.
Danach flehte meine Mutter ihren Vater, den heiligen Maggid,
an, ihr zu helfen, daß sie einen Sohn aufziehen könnte. Er antwortete ihr:›Meine Tochter, du bist, wenn du bei deinem Manne
liegst, zu hoch in deiner Seele verzückt, darum kommt in die Kinder, die du empfängst, zu wenig vom irdischen Element. Du
mußt deine Seele tief zur Erde senken, dann wirst du einen Sohn
empfangen, der leben wird.‹ Diese Belehrung nahm meine Mutter in ihr Herz auf, und bald darauf empfing sie mich.
In der Nacht vor meiner Geburt träumte ihr, man führe sie in
einen Saal. Da saßen um einen langen Tisch gekrönte alte Männer im weißen Gewand und lauschten einem Knaben,ihrem Sohn
Mosche, der zu Häupten der Tafel saß. Sie wollte auf ihn zu und

ihn umarmen, aber er rief: ›Rühre mich nicht an!‹ Dann segnete er sie für die Stunde der Geburt.«

Nicht ohne leibliches Gewand

Rabbi Chajim Meïr Jechiel erzählte:»Als ich fünf Jahre alt war, sagte ich zu meinem Großvater, dem heiligen Maggid: ›Großvater, du fährst zu einem Rabbi, der Vater fährt zu einem Rabbi, nur ich fahre zu keinem Rabbi, ich will auch zu einem Rabbi fahren‹, und ich fing an zu weinen. Sagte mein Großvater zu mir: ›Ich bin doch auch ein Rabbi.‹ Sagte ich zu ihm: ›Warum fährst du dann zu einem Rabbi?‹ Sagte er: ›Wie kommst du darauf, daß ich zu einem Rabbi fahre?‹ Sagte ich: ›Ich sehe doch nachts, wie ein alter Mann bei dir ist, und du sitzest vor ihm wie der Knecht vor seinem Herrn – so ist er also dein Rabbi.‹ ›Mein Kind‹, sagte er, ›das ist der heilige Baalschemtow, sein Verdienst beschütze uns. Wenn du größer sein wirst, wirst du auch bei ihm lernen können.‹ Sagte ich: ›Nein, ich will keinen toten Rabbi.‹ Und dabei bin ich bis heut verblieben. Denn ich mag keine Geistesstufen ohne leibliches Gewand. Beim Lernen von einem Rabbi muß der Schüler zumindest in einem dem Lehrer gleich sein: im leiblichen Gewand. Das ist das Geheimnis der Schechina im Exil.«

Nicht ohne eigene Arbeit

Rabbi Chajim Meïr Jechiel, der Enkel des Kosnitzer Maggids, erzählte:»Als ich ein Knabe von elf Jahren war, rief mich mein Großvater zu sich und sagte: ›Komm in der Morgendämmerung zu mir, und ich will dich Kabbala lehren.‹ Ich aber tat's nicht, sondern fortan lernte ich in der Morgendämmerung allein und tat meinen Dienst; denn ich wollte nichts erlangen, als was ich selber erlangen konnte. Nach einiger Zeit rief mich mein Großvater wieder zu sich und sagte: ›Ich habe zuvor gemeint, du hättest keine Lust, früh aufzustehn. Jetzt aber habe ich erfahren, daß du früh auf bist, und doch kommst du nicht zu mir.‹ Er hatte genau verstanden, daß ich durch mich selber lernen wollte, denn er fuhr fort: ›So sieh doch zu, daß du jeden Morgen bei meinem Gebet zugegen bist, und ich will dir einen heiligen Verstand zukommen lassen.‹ Ich aber wollte auch dies nicht ohne eigne Arbeit gewinnen, und so war ich nur bei Anfang und Ende des Gebets zugegen. Wieder verging eine Zeit, da erschien mir in der nächtlichen Schau mein Lehrer, der Rabbi von Apta, sein Gedächtnis zum Segen, und brachte mir Thefillin aus dem Paradies. Als ich ein Gehäuse der Thefillin mir vor die Stirn geschnürt hatte, verspürte ich einen heiligen Verstand.«

Die Wahl einer Seele

Rabbi Chajim Meïr Jechiel sprach einmal zu seinen Chassidim: »Ich kenne einen Mann, der ist als Knabe, in der Nacht, da er Barmizwa wurde, nach oben entrückt worden, und da gewährte man ihm, sich eine Seele nach seinem Wunsch zu erwählen. So wählte er sich eine große Seele. Aber nach alledem ist sie zu keiner hohen Stufe aufgestiegen, und er ist ein kleiner Mann geblieben.«
Die Chassidim verstanden, daß er von sich selber sprach.

Das Geheimnis der Zählung

»Ich will euch«, sagte einmal der Rabbi von Mogielnica zu seinen Chassidim, »das Geheimnis der Zählung in den fünfzig Tagen von Passah zu Schawuoth kundtun. Zuerst ist es finster, dann wird es ganz licht, danach aber wieder finster, und nun Mal um Mal, Stufe um Stufe, immer etwas lichter und lichter, bis es von neuem ganz licht ist und der Empfang der Thora, zu dem wir uns bereitet hatten, da ist.«

Macht über die Geister

Der Rabbi von Radoschitz fragte einst den Rabbi von Mogielnica: »Ich habe gehört, daß Ihr zwei böse Geister an einem Tag vertreibt. Sagt mir doch, welcher Kawwanoth Ihr Euch dazu bedient?« »Glaubt mir«, antwortete der Rabbi von Mogielnica, »ich bediene mich gar keiner Kawwanoth. Aber diese Geister sind Narren, sie haben Angst vor mir, und sowie sie nur meiner ersichtig werden, machen sie sich auf und davon.«

Gegen die Frömmler

Als der Rabbi von Mogielnica einmal am Purimfest die Rolle des Buches Esther verlas, stand ein junger Mensch dabei, der sagte nach der Verlesung:»Ich fürchte, ich habe nicht genau genug zugehört und habe im stillen Mitsprechen das eine oder andere Wort übersprungen.«»Da habt Ihr«, sagte der Rabbi danach zu seinen Vertrauten,»einen rechten Frömmler. So einem ist es um nichts andres zu tun, als der gebotenen Pflicht nachzukommen. Wer aber mit der Seele darauf gerichtet ist, den Gotteswillen, der im Gebot ist, zu erfüllen, und ganz am Gotteswillen haftet, dem kann es wohl geschehn, daß er etwas vom Gebotnen verfehlt, und es ficht ihn nicht an. Denn es steht geschrieben[1]: ›In der Liebe zu ihr wirst du stets umirren.‹«

Keine Gegensätze

Der Rabbi von Mogielnica sprach:»Es ist bekannt, daß die scheinbar einander widerstreitenden Entscheidungen unserer Weisen diese und jene ›Worte des lebendigen Gottes‹ sind. Jeder von ihnen entschied seiner eignen Himmelswurzel gemäß, und droben sind all ihre Worte Wahrheit, denn droben gibt es den Widerstreit nicht, und alle Gegensätze, wie Verbot und Erlaubnis, Strafbarkeit und Straflosigkeit, sind dort eine einzige Einheit. Erst in ihrer Ausbreitung nach unten entsteht die Trennung zwischen Verbotnem und Erlaubtem.«

Zweierlei

Rabbi Chajim von Mogielnica wollte eine Reise antreten; weil er aber alt und schwach war, konnte er den Wagen nicht besteigen. Einige anwesende Chassidim gingen, einen Schemel zu besorgen. Als aber Rabbi Jissachar sah, daß sein Lehrer wartend dastand, legte er sich auf die Erde, der Zaddik trat auf seinen Rücken und bestieg den Wagen. Hernach redeten die Schüler darüber. Einer sagte:»Was wundert ihr euch? Ich bin bereit, zwei Stunden unter den Füßen des Rabbis zu liegen!« Am Freitagabend, ehe der zum Mahle kam, lag er unterm Tisch. Der Rabbi merkte es gleich:»Na, na«, rief er,»heraus unterm Tisch!«

---

[1] Sprüche 5, 19.

Ehe

Rabbi Jissachar von Wolborz erzählte:»Nach meiner Hochzeit
studierte ich mit einem Freund im Lehrhaus die Vorschriften für
die Ehe, als unser Lehrer, Rabbi Chajim von Mogielnica, eintrat und uns ein Schriftstück übergab, das, wie er sagte, sich selber erkläre; er verweilte nicht bei uns. Das Schriftstück war eine
Heiratsurkunde, an der wir nichts merkten, was irgendeine Erklärung erfordert hätte. Wir fragten den Sohn des Rabbi danach.
›Seht ihr nicht‹, sagte er, ›daß auf dem Blatt zwei Hände abge-
bildet sind, die ineinander ruhen? Um die geht es.‹ Später bestätigte das sein Vater und deutete uns das Zeichen: ›An den Ärmeln
ist zu erkennen, daß es die Hände des Bräutigams und der Braut
sind. Der Bräutigam reicht der Braut seine Hand und spricht[2]:
‚Ich verlobe dich mir auf Weltzeit‘ – Hand ist nie mehr aus Hand
zu ziehn –, ‚in Bewährung und in Gerechtigkeit‘ – einmal ein
Patsch, einmal ein Klaps –, ‚in Huld und in Erbarmen‘ – einmal ein guter Happen, einmal ein guter Schluck –, aber ‚auf Weltzeit‘ bleiben wir beisammen, nicht zornig werden: so hat ein
Jude es mit dem Herrn der Welt auf sich zu nehmen, aber nicht
zornig werden!‹«

In der Welt des Wahns

Es wird erzählt:»Zu Rabbi Jissachar von Wolborz kam ein Toter, den er einst als angesehenen Mann gekannt hatte, und bat
ihn um Hilfe: seine Frau sei ihm vor einiger Zeit gestorben, und
er brauche Geld, um die Trauung mit einer zweiten auszurichten.
›Weißt du denn nicht‹, sagte der Zaddik, ›daß du nicht mehr am
Leben, sondern in der Welt des Wahns bist?‹ Als jener es nicht
glauben wollte, hob er ihm den Rockschoß und zeigte ihm, daß
er in den Sterbekleidern ging.
Später wurde Rabbi Jissachar von seinem Sohn gefragt: ›Wenn
dem so ist – vielleicht bin dann auch ich in der Welt des Wahns?‹
›Wenn man weiß‹, antwortete er, ›daß es eine Welt des Wahns
gibt, ist man nicht in ihr.‹«

---

[2] Wie Gott, Hosea 2, 21, zu Israel spricht.

DAVID VON LELOW

Der neue Anzug

Der Vater des kleinen David war arm und konnte einst während der ersten Monate eines strengen Winters seinem Sohn keinen warmen Anzug beschaffen. Schließlich gelang es ihm, das Geld zusammenzusparen. Als David im neuen Anzug zur Schule kam, sah er einen noch kleineren Knaben, der in seinen Lumpen schlotterte, und wechselte sogleich die Kleider mit ihm. Heimgekehrt, ging er zur Mutter und erzählte ihr, wie es zugegangen war. »Zieh deinen alten Anzug an«, sagte sie, »und geh zurück in die Schule. Wenn der Vater kommt und erfährt, was du getan hast, wird er in Zorn geraten und dich schlagen.« »Aber, Mutter«, erwiderte der Knabe, »es ist doch besser, er schlägt mich und mildert sich den Verdruß.«

Der Name Gottes

Rabbi David von Lelow hörte einmal, wie ein einfältiger Mann beim Beten nach jedem Vers den Gottesnamen sagte. Das kam daher, daß am Schluß jedes Verses zwei Punkte übereinander stehen: jeden der beiden nahm der Mann für den winzigen Buchstaben Jud oder Jod, und da der Gottesname in der Abkürzung durch zwei Juds dargestellt wird, meinte er, der Name stehe am Schluß jedes Verses. Der Zaddik belehrte ihn: »Wo du zwei Juden nebeneinander, gleich auf gleich, findest, da ist der Name Gottes. Wo es dir aber scheint, daß ein Jud über dem andern steht, das sind keine Juden und da ist der Name Gottes nicht.«

Von den Handwerkern

Rabbi Jizchak von Worki erzählte: »Ich bin einst mit Rabbi David von Lelow, sein Andenken sei zum Segen, auf einer Reise

gewesen. Da sind wir eine Stunde nach Mitternacht in das Städtchen Elkisch gekommen. Rabbi David hat niemand wecken wollen, so sind wir zu Rabbi Berisch dem Bäcker gegangen. Der stand
grade am Backofen und tat seine Arbeit. Wie wir eintraten, sah
ich, daß sein Gesicht sich verdüsterte, weil wir ihn bei der Arbeit
betroffen hatten. ›Ach‹, sagte Rabbi David, ›hülfe mir doch
Gott, daß ich mir noch mit meiner Hände Müh mein Brot verdienen könnte! In Wahrheit hat ja jedermann in Israel eine Innerlichkeit, die er selber nicht kennt. Was er in dieser Innerlichkeit will, ist, für seine Mitmenschen zu arbeiten. Daß ein Handwerker, sei er Schuster, Schneider oder Bäcker, für sein Werk
Geld annimmt, das ist nur, um das Leben zu fristen und weiter
für seine Mitmenschen arbeiten zu können.‹ Während Rabbi David sprach, sah ich, wie das Gesicht des Bäckers sich mehr und
mehr erhellte.«

Die Verwechslung

Rabbi Jizchak von Worki erzählte: »Als ich einmal mit meinem
heiligen Lehrer, Rabbi David von Lelow, unterwegs war und
wir in einer fernen Stadt verweilten, fiel plötzlich auf der Gasse
eine Frau über ihn her und schlug auf ihn ein. Sie glaubte in ihm
ihren Mann zu erkennen, der sie vor vielen Jahren verlassen
hatte. Als nach wenigen Augenblicken der Irrtum sich klärte,
brach sie in ein fassungsloses Weinen aus. ›Sei ruhig‹, sagte Rabbi
David zu ihr, ›du hast doch nicht mich, sondern deinen Mann geschlagen.‹ Und er fügte leiser hinzu: ›Wie oft schlägt man auf
einen ein, weil man ihn für einen andern hält, als er ist!‹«

Friedenstiftung

Einst fuhr Rabbi David mit seinem Schüler Jizchak, dem nachmaligen Rabbi von Worki, nach einem Ort, wohin er zu kommen gebeten worden war, um zwischen den beiden Partnern
eines langjährigen Streits Frieden zu stiften. Am Sabbat betete
er vor der Lade. Die beiden Gegner waren anwesend. Nach Sabbatausgang hieß er den Wagen zur Rückfahrt anspannen. »Der
Rabbi hat doch noch nicht durchgeführt«, bemerkte der Schüler,

»um wessentwillen er hierhergekommen ist!« »Du irrst dich«, sagte Rabbi David. »Als ich im Gebet gesprochen hatte: ›Der Frieden stiftet in seinen Höhn, er wird Frieden stiften über uns‹, war der Frieden geschlossen.« Und so war es in der Tat.

Mit den Kindern

Wenn Rabbi David von Lelow in eine jüdische Stadt kam, pflegte er alle Kinder zusammenzuholen, jedes bekam von ihm ein Pfeifchen geschenkt, dann packte er sie alle miteinander in den großen Leiterwagen, in dem er reiste, und fuhr sie durch die ganze Stadt, und die Kinder pfiffen aus Leibeskräften, ohne einzuhalten, und Rabbi David lachte übers ganze Gesicht, ohne einzuhalten.

Mit den Tieren

Einst war Rabbi David mit seinem Schüler Rabbi Jizchak über das Neue Jahr, wie er's alljährlich zu halten pflegte, in Lublin bei seinem Lehrer, dem »Seher«. Am Festtag, vor dem Schofarblasen, sah sich der Seher um und merkte, daß Rabbi David nicht anwesend war. Sogleich sandte er Jizchak in die Herberge ihn suchen. Er fand ihn, wie er vorm Haustor stand und das Käppchen voller Gerste den Pferden hinreichte, die der Fuhrmann, ins Bethaus eilend, hungernd zurückgelassen hatte. Als Rabbi David, nachdem er die Tiere gefüttert hatte, ins Bethaus kam, sagte der Seher: »Da hat uns Rabbi David ein schönes Schofarblasen gemacht.«

*

Einmal an einem Freitagnachmittag, als Rabbi David auf der Fahrt war, blieb das Pferd stehn und wollte sich nicht vom Fleck rühren. Der Fuhrmann schlug es, aber der Zaddik tat Einspruch. »Rabbi«, rief der Fuhrmann, »die Sonne geht bald unter, der Sabbat ist nah!« »Damit hast du wohl recht«, antwortete Rabbi David, »aber da kommt es für dich darauf an, dich dem Tier verständlich zu machen. Sonst fordert es dich dereinst im Himmel vors Gericht, und das wird dir nicht zur Ehre gereichen.«

Von Josefs Brüdern

Der Lelower sprach zu seinen Chassidim:»Erlösung kann zu
einem Menschen nicht kommen, ehe er die Schäden seiner Seele
sieht und sie zurechtzubringen unternimmt. Erlösung kann zu
einem Volke nicht kommen, ehe es die Schäden seiner Seele sieht
und sie zurechtzubringen unternimmt. Wer, Mensch oder Volk,
der Erkenntnis seiner Mängel keinen Zutritt gewährt, zu dem
hat die Erlösung keinen Zutritt. Wir werden in dem Maße erlös-
bar, in dem wir uns selber sichtbar werden.
Als die Söhne Jakobs zu Josef sprachen:›Rechtschaffen sind wir‹,
antwortete er ihnen: ›Das ist's, was ich zu euch geredet habe:
Kundschafter seid ihr.‹ Danach aber, als sie mit Herz und Mund
die Wahrheit bekannten und zueinander sprachen:›Wohl, schuldig sind wir, an unserem Bruder‹, begann ihre Erlösung aufzu-
glimmen, vom Erbarmen ergriffen wandte sich Josef zur Seite
und weinte.«

Der Widersacher

Rabbi Mosche Teitelbaum war von Jugend auf ein Feind der chassidischen Lehre, denn sie erschien ihm als eine arge und unbändige Ketzerei. Einst weilte er zu Gast bei seinem Freunde, Rabbi Jossef Ascher, der gleich ihm den Neuerern entgegen war. In jenen Tagen war das Gebetbuch des Meisters Lurja, des Ehrwürdigen, dessen Wort der Vorfahre des chassidischen Wortes ist, im Druck ausgegeben worden. Als es vor die beiden gebracht wurde, entriß Rabbi Mosche dem Boten den schweren Band und warf ihn zu Boden. Rabbi Jossef Ascher aber hob ihn auf und sagte: »Es ist ja doch ein Gebetbuch, und man darf es nicht verächtlich machen.«

Als man dem Lubliner diesen Vorfall berichtete, sprach er: »Rabbi Mosche wird ein Chassid werden, Rabbi Jossef Ascher wird ein Gegner bleiben. Denn wer großen Brand der Feindschaft hat, kann zu Gott entbrennen; wessen Widerwille aber kalt ist, dem ist der Weg verschlossen.« Und so geschah es.

Trauer und Freude

Als Rabbi Mosche Teitelbaum ein Schüler des Lubliners geworden war, prüfte er eine Zeitlang die Lebensweise der Chassidim, und sie gefiel ihm wohl. Aber einmal stieg eine Frage in seinem Herzen auf. Er sah, wie sie sich allezeit freuten, jede Arbeit in Freude verrichteten, in Freude wandelten und ruhten, in hoher Freude beteten, und zugleich gedachte er des Wortes im »Pfad des Lebens«[1]: »Es steht jedem Gottesfürchtigen an, um die Zerstörung des Heiligtums Trauer und Trübsal zu hegen.« Darüber faßte ihn, als er zum Lubliner unterwegs war, der Zweifel an. Aber er bändigte ihn und sprach zu Gott: »Herr, du kennst meine Gedanken und daß es mein Wille ist, meine Augen sollten sich nicht vermessen, Unrecht zu gewahren am Rechtmäßigen. Darum sei du

---

[1] Abteilung des Gesetzeskodex Schulchan Aruch.

mit mir und hilf mir, daß mein Meister, wenn ich zu ihm komme, meine Frage stille. Denn so sagen ja unsere Weisen[2]: ›Wer sich zu reinigen kommt, dem stehen sie bei.‹ Sie, heißt es, und nicht er: von den Menschen ist die Rede.« So verweilte er im Gebet und besprach sich mit Gott, bis er nach Lublin kam. Als er über Rabbi Jaakob Jizchaks Schwelle trat, sprach der ihn an:»Warum ist dein Antlitz heute bekümmert? Wohl heißt es im Gesetzbuch, es stehe jedem Gottesfürchtigen an, um die Zerstörung des Heiligtums Trauer und Trübsal zu hegen. Aber glaube, auch wir sprechen die Mitternachtsklage um Jerusalem mit Weinen und Weheruf, und doch geschieht alles in Freude. Kennst du die Geschichte vom König, der in die Verbannung kam? Er irrte lang umher, bis er bei einem seiner Freunde Zuflucht fand. Der Getreue mußte weinen, sooft er daran dachte, daß der König aus seinem Reich vertrieben sei. Und zu gleicher Zeit lebte die Freude in ihm, daß der König bei ihm wohne. Lieber, die verbannte Schechina hat Wohnung bei uns genommen. Ich dürfte von dem Geheimnis nicht reden, denn es ist geboten, Gottes Sache im Schweigen zu behüten; aber unsere Weisen haben gesagt: ›Wer sich zu reinigen kommt, dem stehen sie bei.‹ Sie, heißt es, und nicht er; von den Menschen ist die Rede.«

Die Furcht

In den Aufzeichnungen des Rabbi Mosche Teitelbaum über seine Träume in der Jugend heißt es:»Am Vorabend des Neuen Jahrs sah ich zum Fenster hinaus, da rannten die Leute ins Bethaus beten, und ich sah, daß die Furcht des Gerichtstags über ihnen war. Und ich sagte zu mir: ›Gott sei Dank, ich habe das ganze Jahr das Rechte getan, recht gelernt und recht gebetet, ich brauche nicht zu fürchten.‹ Da zeigte man mir im Traum alle meine guten Werke. Ich schaue und schaue: zerrissen, zerfetzt, geschändet! Und schon war ich wach. Von der Furcht erfaßt, rannte ich ins Bethaus.«

---

[2] Talmudisch (Schabbath 104 a).

Das Paradies

In den Aufzeichnungen des Rabbi Mosche Teitelbaum über seine
Träume heißt es:»Ich bin im Paradies der Tannaiten gewesen.«
Auch bewahrte er ein Blatt, darauf stand:»Die Engel werden
dich untertauchen, ohne dir Schaden zu tun.« Denn im Traum
stand er an einem Berg und wollte ins Paradies der Tannaiten
gelangen. Aber es wurde ihm gesagt, er müsse zuvor in Miriams
Brunnen untertauchen. Und schon sah er schaudernd in die Tiefe
des Wassers. Da nahmen ihn die Engel und tauchten ihn unter
und brachten ihn wieder herauf. Nun kam er ins Paradies der
Tannaiten. Hier sah er einen der Meister sitzen, eine Pelzmütze
auf dem Kopf, der lernte den Traktat »Die erste Pforte«. Der
Weg ging nicht weiter. Rabbi Mosche wunderte sich. »Das kann
doch nicht das Paradies sein!« rief er. »Du Junge«, sagten die Engel zu ihm, »du meinst, die Tannaiten seien im Paradies – nein,
das Paradies ist in den Tannaiten.«

Der Harrende

Ohne Unterlaß erwartete Rabbi Mosche Teitelbaum das Kommen des Messias.
Wenn er von der Gasse her ein Getümmel hörte, fragte er mit
zitternder Stimme:»Ist der Bote erschienen?«
Ehe er schlafen ging, legte er nah am Bett die Sabbatkleider zurecht und lehnte den Wanderstab dran. Ein Wächter war bestellt,
der beim ersten Zeichen, das er vernähme, den Rabbi wecken
sollte.
Man bot ihm einst ein schönes, an das Bethaus grenzendes Wohnhaus zum Kauf. »Was soll ich damit?« rief er. »Bald kommt der
Messias, und ich werde nach Jerusalem ziehn.«
Die großen Zaddikim seines Zeitalters sagten von ihm, ein Funke
der Seele Jeremias sei in ihm wiedergeboren. Er selbst pflegte,
wenn einer über die Größe seiner Trauer am Jahrestag der Zerstörung staunte, zu sprechen:»Was wundert's euch? Ich bin der
Mann, der das Elend sah[3]. Aber Gott wird mich auch das Bauen
sehen lassen.«

---

[3] Klagelied 3, 1.

Bis ins hohe Alter wandelte ihn der Gedanke nicht an, daß er sterben könnte, ehe der Messias kam.

*

Während er einst am siebenten Tag des Hüttenfestes, dem Tag des großen Bittgebets um Hilfe, im Umzug um die Bühne ging, betete er:»Herr der Welt, laß doch das Ende mit deiner Hilfsgewährung kommen! Und meine nicht, ich bangte um mein Wohl! Ich stimme ja zu, daß mir an Lebensodem, Geist und Seele keinerlei Befreiung und Erlösung geschehe, ja wie der Stein aus der Schleuder zu werden und alle Pein zu tragen bin ich bereit, nur daß deine Schechina nicht mehr leide.«

*

Als er zweiundachtzig war, sprach er am Vorabend des Versöhnungstags, vor Kol Nidre:»Herr der Welt, du weißt, ich bin ein arger Sünder, aber du weißt: ich meine die Wahrheit, lügen tue ich nicht, und so sage ich, wie es ist. Hätte Mosche, Sohn der Channa, gewußt, er würde grau werden, ehe der Messias kommt, er hätte es wohl nicht ertragen. Aber du, Herr der Welt, hast mich zum Narren gehalten von Tag zu Tag, bis ich grau geworden bin. Bei meinem Leben, eine große Kunst ist das, daß der Allmächtige einen alten Narren zum Narren hält! Nun bitte ich dich, Herr der Welt, laß es jetzt kommen! Nicht um unsertwillen, sondern um deinetwillen, daß dein Name vom Menschenvolk geheiligt werde!«

*

Vor dem Tod sprach er:»Ich sinne über meine heiligen Lehrer, deren Seele im obersten Paradies ist. Warum schweigen sie, warum erschüttern sie nicht alle Welten, um den Messias herabzubringen?« Und nach einer Weile:»Gewiß hat man sie im Reich der Wonne mit Wonnen überströmt, und sie haben die Erde vergessen, und es ist ihnen, als sei der Messias schon gekommen.« Und wieder nach einer Weile:»Wenn man es mit mir so machen will – ich werde mein Volk nicht verstoßen.«

Der Wächter

In Ropschitz, Rabbi Naftalis Stadt, pflegten die Reichen, deren Häuser einsam oder am Ende des Ortes lagen, Leute zu dingen, die nachts über ihren Besitz wachen sollten. Als Rabbi Naftali sich eines Abends spät am Rande des Waldes erging, der die Stadt säumte, begegnete er solch einem auf und nieder wandelnden Wächter. »Für wen gehst du?« fragte er ihn. Der gab Bescheid, fügte aber die Gegenfrage daran: »Und für wen geht Ihr, Rabbi?« Das Wort traf den Zaddik wie ein Pfeil. »Noch gehe ich für niemand«, brachte er mühsam hervor, dann schritt er lange schweigend neben dem Mann auf und nieder. »Willst du mein Diener werden?« fragte er endlich. »Das will ich gern«, antwortete jener, »aber was habe ich zu tun?« »Mich zu erinnern«, sagte Rabbi Naftali.

Das Frühgebet

»Es gibt Zaddikim«, sagte einmal Rabbi Naftali, »die beten, die der Hilfe Bedürftigen mögen zu ihnen kommen und durch ihr Gebet Hilfe finden. Aber der Ropschitzer Rabbi steht frühmorgens auf und betet, alle der Hilfe Bedürftigen mögen sie daheim finden und nicht nach Ropschitz zu fahren brauchen und nicht verführt werden zu meinen, der Rabbi habe ihnen geholfen.«

Ein Wunsch

Nach dem Mussafgebet am Versöhnungstag sagte der Ropschitzer einmal: »Ich wollte, ich würde als Kuh wiedergeboren, und ein Jude käme am Morgen, mir etwas Milch abzumelken, um sich zu erquicken, ehe er den Dienst Gottes beginnt.«

Führer und Geschlecht

Rabbi Naftali sprach einmal über die Erzählung des Midrasch, Gott habe Mose alle kommenden Geschlechter gezeigt, Geschlecht um Geschlecht mit seinen Predigern, Geschlecht um Geschlecht mit seinen Richtern.»Warum wohl«, fragte ein Schüler,»wird erst das Geschlecht und dann der Führer genannt? Kommt nicht diesem der Vortritt zu?«»Ihr wißt[1]«, sagte der Rabbi,»daß Moses Antlitz an Strahlenglanz der Sonne glich, Josuas dem Monde, und so blaßte das Antlitz des Führers immer mehr. Hätte Gott Mose unversehens den Schulbehelfer Naftali« – so liebte er sich zu nennen –»als Rabbi gezeigt,›Das soll ein Rabbi sein!‹ hätte er gerufen und wäre vor Schreck in Ohnmacht gefallen. Darum ließ ihn Gott erst jedes Geschlecht sehen und dann den Führer, der diesem Geschlecht zustand.«

Die schlechte Bitte

Der Ropschitzer erzählte:»Zur Zeit der Belagerung Sebastopols ritt der Zar Nikolaj einen der Wälle entlang, als ein feindlicher Bogenschütze auf ihn anlegte. Ein russischer Soldat, der das aus der Ferne bemerkte, scheuchte mit einem Schrei das Pferd des Kaisers zur Seite, und der Pfeil verfehlte sein Ziel. Der Zar sagte dem Mann, er solle sich eine Gunst ausbitten.›Unser Feldwebel‹, brachte der Soldat hervor,›hat ein grausames Gemüt und schlägt mich immerzu. Wenn ich doch unter einen andern kommen könnte!‹›Narr‹, rief Nikolaj,›sei selbst Feldwebel!‹ So flehen wir um die kleinen Dinge der Stunde und wissen nicht zu beten, daß uns Erlösung werde.«

Auskunft

An einem Sabbat, während Rabbi Naftali inmitten seiner Chassidim saß, ging einem von ihnen unablässig das Schriftwort[2] durch den Sinn:»Gottheit ward vor mir nicht gebildet, nach mir wird nicht sein«, und er grübelte:»Wie kann es bei Gott, der ohne Anfang und Ende ist, ein Vorher und ein Nachher geben?« Plötzlich stand der Rabbi auf und sprach:»Jesaja der Prophet redet:›Gottheit ward vor mir nicht gebildet‹ – vor mir, das bedeutet: vor meinem Angesicht, vergebens versuchen die Menschen, vor meinem Angesicht eine Gottgestalt zu bilden;›nach mir wird

---

[1] Talmudisch (Baba Bathra 75).
[2] Jesaja 43, 10.

nicht sein‹ – das bedeutet: es gibt kein Nach-mir, vergebens versuchen die Menschen, sich ein Nach-mir vorzugaukeln.« Der Chassid vernahm es, und sein grübelnder Sinn war gestillt.

Die Zwillingsbrote

Zwei Jünglinge, einander innig zugetan, pflegten mitsammen zu Rabbi Naftali zu fahren und an seinem Tisch zu sitzen. Wenn er, wie es sein Brauch war, die Brotlaibe austeilte, gab er den Freunden jedesmal zwei aneinanderhaftende Zwillingsbrote. Einst schlich sich unversehens ein wechselseitiger Verdruß in die Herzen der beiden, sie wußten ihm keinen Grund und vermochten nicht, ihn zu überwinden. Als sie bald danach wieder nach Ropschitz und zum Sabbatabend an des Rabbis Tisch kamen, nahm er bei der Austeilung des Brotes die zwei Zwillingslaibe, trennte sie voneinander und reichte jedem der beiden Jünglinge einen. Auf dem Heimweg nach dem Mahl überkam es sie, und sie riefen zugleich:»Schuldig, schuldig sind wir!« Sie gingen in die Herberge, sie ließen sich Schnaps bringen, sie tranken einander zu: »Zum Leben!« Am nächsten Tag beim Sabbatmittagsmahl legte Rabbi Naftali das eine Doppelbrot in die Hände der Freunde.

Im Feuer

Der junge Rabbi Feiwisch, des Ropschitzers Schüler, sprach allmitternächtlich die Klage um Jerusalem, als sei die Gottesstadt heute zerstört worden. Mal um Mal überwältigte ihn die unendliche Trauer.
Einst hieß am späten Abend der Ropschitzer die Chassidim, die um ihn waren, ihm ins Lehrhaus folgen.»Ich will euch zeigen«, sagte er,»was das Wort des Propheten[3] bedeutet: ›Stehe auf, jammre in der Nacht!‹« Im halbdunkeln Lehrhaus fanden sie den jungen Feiwisch in tiefem Schlaf auf einer Bank liegend. Eine Weile standen sie vor ihm und wunderten sich, weshalb der Zaddik sie hergerufen habe. Plötzlich fiel der Jüngling zu Boden, riß seinen Hemdkragen auf und schrie:»Mutter, ich verbrenne!« Da schlug es Mitternacht.

---

[3] Klagelied 2, 19.

Später verließ Feiwisch den Ropschitzer und wurde ein Schüler des Apter Rabbis. Darüber grämte sich sein erster Lehrer. »Ich habe mit aller Kraft«, sagte er, »das Feuer niedergehalten; beim Apter wird er im Brandopfer seines Herzens aufgehen.« Rabbi Feiwisch starb bald danach im Bethaus mitten im Sprechen des Gebets »Die Seele alles Lebendigen segne deinen Namen!«

Der Lehrer

Zu Rabbi Naftali von Ropschitz kam ein Mann, der hatte einen langen Zettel in der Hand, darauf seine Sünden verzeichnet standen. Er erzählte, er sei bereits bei einem andern Zaddik gewesen, der habe ihm aber eine so schwere Buße auferlegt, daß sein Leib sie nicht ertragen könne. Der Rabbi schnitt ihm die Rede ab. »Und was hat dir«, rief er ihm furchtbar zu, »unser Vater Leides getan, daß du ihn verraten hast?« Das Wort riß den Mann um, des Bewußtseins im Nu beraubt fiel er zu Boden. Einige Chassidim aus Ungarn, die daneben standen, lachten. »Ich erschlage schier eine Menschenseele«, fuhr Rabbi Naftali sie an, »und ihr lacht!« »Vergebt«, sagten sie, »es ist uns von unserem Lehrer, Rabbi Eisik von Kalew, auf seinem Totenbett dieses Zeichen gegeben worden: ›Findet ihr einen, der dem Sünder das Eingeweide herauszieht und es reinigt und ihm wieder eintut, daß er lebe, den nehmt euch zum Rabbi!‹ Darum lachten wir: wir haben wieder einen Meister gefunden und wollen ihn behalten, bis der Messias kommt; dann wollen wir zu unserem alten Lehrer zurückkehren.« Da lachte auch der Zaddik sie an. Dann hob er den reuigen Sünder vom Boden. »So weicht dein Fehl[4]«, sprach er, »geh in Frieden, halte dich am Weg Gottes, und er wird dir helfen.«

Der schämige Büßer

Ein Sünder, der Buße tun wollte, kam zum Ropschitzer Rabbi, um zu erfahren, was ihm oblag. Er schämte sich, dem Zaddik alle seine Sünden zu bekennen, und mußte doch jede offenbaren, um die sie sühnende Bußhandlung zu vernehmen. Daher erzählte er,

---

[4] Jesaja 6, 7.

einer seiner Freunde hätte sich solchermaßen vergangen, aber aus
Scham es nicht über sich gebracht, selber zu kommen, und ihm
den Auftrag erteilt, für jede Sünde die ihr zustehende Reinigung
zu erfragen. Rabbi Naftali sah ihm lächelnd ins listig angestrengte Gesicht.
»Dein Freund«, sagte er, »ist ein Tor. Er konnte doch getrost selber kommen und mir vorschwatzen, er vertrete einen andern, der
sich zu kommen geschämt habe.«

Der hochmütige Asket

Als Rabbi Naftali noch jung war, gab es in seiner Vaterstadt
einen Mann, der viele Fasten und Nachtwachen hielt, bis es ihn
dünkte, er sei der Vollkommenheit nah, und sein Herz sich blähte.
Rabbi Naftali, der wohl sah, wie es um jenen stand, war einmal
im Lehrhaus zugegen, als ein Knabe den in Betrachtung Versunkenen mit dem Ellbogen streifte. Er verwies es dem Knaben: »Wie
wagst du es, diesen Mann zu stören! Weißt du denn nicht, daß er
seit vierundzwanzig Stunden fastet?« »Vielmehr von einem Sabbat zum andern!« berichtigte der Asket. Da war das Verborgene
offenbar geworden.

Die andre Hälfte

Am Großen Sabbat[5] kam der Ropschitzer einst müden Schritts
vom Bethaus heim. »Was hat dich so erschöpft?« fragte ihn seine
Frau. »Mit der Predigt«, sagte er, »mußte ich mich so abmühen.
Ich hatte von den Armen und ihrem vielfältigen Bedürfen für
das kommende Passahfest zu reden, denn Mazzot und Wein und
all das andre ist in diesem Jahr überteuer geworden.« »Und was
hast du mit deiner Predigt erwirkt?« fragte die Frau weiter. »Die
Hälfte des Nötigen ist gesichert«, gab er zur Antwort, »die Armen nämlich sind bereit, zu nehmen. Wie's um die andre Hälfte
steht, ob nämlich die Reichen zu geben bereit sind, das weiß ich
noch nicht.«

---

[5] So wird der dem Passahfest vorausgehende genannt.

Nicht Einhalt tun

Ein vertrauter Freund des Ropschitzers, der Rabbi von Ulanow, lag am Tag der Freude an der Lehre im Sterben. In Ropschitz hatten die Chassidim gerade den großen Reigentanz im Hof des Zaddiks begonnen, als er, im Fenster stehend und mit einem Lächeln zu ihnen niederblickend, plötzlich die Hand erhob. Im Nu hielten sie inne und sahen mit stockendem Atem zu ihm auf. Er stand eine Weile stumm und erschien wie einer, der eben von einer schlimmen Botschaft bestürzt worden ist. Dann hob er die Hand den Chassidim zu und rief:»Wenn in der Schlacht einer der Führer fällt, werden die Reihen sich auflösen und zur Flucht wenden? Die Schlacht geht weiter! Jubelt und tanzt!«
Später wurde bekannt, daß in jener Stunde der Rabbi von Ulanow gestorben war.

Die widerspenstigen Augen

»Als ich ein Knabe war«, erzählte Rabbi Schlomo Löb von Lentschno, »habe ich alle meine Glieder beschworen, sie sollten nichts tun, als was Gottes Wille ist. Und alle Glieder willigten ein; nur die Augen widerstanden. Da sagte ich, ich würde die Augen nicht öffnen, und blieb so liegen. Als nun meine Mutter auf ihre Fragen, warum ich nicht aufstünde, keine Auskunft von mir bekam, schlug sie mich mit dem Stecken. Da fragte ich meine Augen, ob sie jetzt den Schwur annähmen. Aber sie wehrten mich noch immer ab. Schließlich schlug die Mutter so heftig zu, daß sie sich meiner erbarmten und ja sagten. So durfte ich aufstehn.«

Der Unerschrockene

Man fragte Rabbi Zwi Elimelech von Dynow, warum er, wiewohl in einem andern Lager stehend, doch ein Freund Rabbi Schlomo Löbs von Lentschno geblieben sei. Er antwortete: »Wie könnte ich gegen ihn sein! Als wir beide bei Rabbi Mendel in Rymanow lernten, lag doch eine solche Furcht über uns allen, daß auch die Größten unter uns die Augenbrauen nicht emporzuheben wagten. Er aber, Schlomo Löb, streifte seine Schuhe ab und tanzte in Strümpfen auf dem Tisch im Angesicht des Rabbis, und der saß da und sah zu und sagte nichts.«

Das Ebenbild

Der »Jehudi« erzählte einmal seinem Freund, dem Rabbi Kalman von Krakau, unter seinen Schülern sei einer, der habe noch das volle Ebenbild Gottes im Antlitz. Kalman ging mit der Kerze ins Lehrhaus, wo die Schüler schliefen, und suchte alle Gesichter ab, aber er fand nichts. »Du hast gewiß nicht hinter dem Ofen gesucht«, antwortete ihm der »Jehudi« auf seinen Bericht und ging selber mit. Hinterm Ofen fanden sie den jungen Schlomo Löb. Rabbi Kalman sah ihn beim Licht der Kerze lange an. »Es ist wahr«, sagte er dann, »es ist wahr.«

Unstet und flüchtig

Als Rabbi Schlomo Löb, nachdem er eine Weile in Lublin und Rymanow gelernt hatte, sich dem »Jehudi« anschloß, sagte der zu ihm: »Die wirksamste Sühne ist, unstet und flüchtig zu werden.« Da beschloß Rabbi Schlomo Löb in seiner Seele, unstet und flüchtig zu werden. Viele Jahre danach kam ein in Lentschno wohnender Chassid zu Rabbi Mendel von Kozk. Der fragte ihn: »Hast du den Rabbi von Lentschno gesehn?« »Ich habe«, antwortete er, »ehe ich herfuhr, von ihm Abschied genommen.« Fragte der Kozker weiter: »Nun, ist er fröhlich?« »Ja«, antwortete er. »So ist es«, sagte der Kozker wehmütig, »wer zuerst unstet und flüchtig ist, der wird danach fröhlich.«

Die Vierhundert

Rabbi Jizchak von Worki fragte einst den Rabbi Schlomo Löb von Lentschno: »Wie kommt es, daß Eure Chassidim so gebrochen und gedrückt aussehn?« Er antwortete: »Wißt Ihr denn nicht, daß meine Leute von jenen Vierhundert sind, die mit David ins Exil gegangen sind und von denen geschrieben steht[1]: ›Alljeder Mann in der Klemme, alljeder Mann, der einen Schuldherrn hatte, alljeder seelenverbitterte Mann.‹«

Der vollkommene Schwimmer

Als der Sohn des Rabbi von Lentschno noch ein Knabe war, sah er einst Rabbi Jizchak von Worki beten. Voller Verwunderung kam er zum Vater gelaufen und fragte ihn, wie das zugehe, daß solch ein Zaddik ganz ruhig und schlicht ohne alle Äußerungen der Verzückung bete. »Wer nicht gut schwimmen kann«, antwortete der Vater, »muß sich heftig bewegen, um sich über Wasser zu halten. Der vollkommene Schwimmer legt sich auf die Flut, und sie trägt ihn.«

---

[1] 1 Samuel 22, 2.

Zwei Wege

Ein Enkel des Rabbis von Radoschitz erzählte: »In seiner Jugend war Rabbi Jissachar Bär ein Schüler Rabbi Mosche Löbs von Sasow. Wenn der Sasower auf seine Fahrten ging, um Gefangene auszulösen, pflegte er den Jüngling mitzunehmen. Einst fuhren sie mitsammen auf der Weichsel, als ein Sturm ausbrach und das Boot dem Scheitern nahe war. Der Sasower stand auf und rief: ›Wir gehen zu unserem Vater!‹ und schlug Hand an Hand, wie die tun, die den Brauttanz umringen. Sie wurden errettet.

Hernach fuhren sie nach Warschau zum Gouverneur. Als sie an dessen Schloß kamen, sahen sie, ringsum standen bewaffnete Wächter und ließen niemand herein, der sich nicht ausweisen konnte, daß ihm der Zutritt gewährt sei. Rabbi Mosche Löb fragte meinen Großvater: ›Was soll ich ihnen sagen?‹ Er antwortete: ›Der Rabbi möge ihnen in ihrer Sprache sagen: ›Puszczaj!‹ Das heißt: ›Laß durch!‹, oder auch: ›Laß los!‹ Rabbi Mosche Löb, der riesengroße Mann, trat auf einen der Wächter zu und rief mit seiner gewaltigsten Stimme: ›Puszczaj!‹ Erschreckt trat der Wächter zurück und ließ die beiden durch. Was weiter geschah, wissen wir nicht, aber offenbar hat der Sasower auch dem Gouverneur ›Puszczaj!‹ zugerufen; denn alle Gefangenen, derentwegen sie gekommen waren, wurden freigelassen.«

In der Schüssel

In seiner Jugend litt Rabbi Jissachar Bär große Not. In einem Jahr mußte er wie vor, so auch nach dem Versöhnungstag manchen Tag fasten, und als das Hüttenfest herankam, hatte er nichts im Haus, es festlich zu begehen. So blieb er nach dem Gebet im Lehrhaus; denn er wußte, daheim gab es nichts zu essen. Es hatte aber seine Frau, ohne ihm etwas davon zu sagen, ein Schmuckstück, das sie noch besaß, verkauft und dafür Festbrote und Erdäpfel und Kerzen eingehandelt. Als nun der Rabbi gegen Abend

heimkam und in die Laubhütte trat, fand er den Tisch festlich gedeckt und freute sich dessen. Er wusch die Hände, setzte sich und
begann von den Erdäpfeln zu essen, mit rechter Lust; denn er
hatte tagelang fasten müssen. Wie er aber dessen inne wurde,
wie sehr er mit dem Essen befaßt war, hielt er ein. »Berl«, sagte
er zu sich, »du sitzest ja nicht in der Hütte, du sitzest ja in der
Schüssel!« Und er aß nicht mehr.

Der Schrecken im Tauchbad

Es wird erzählt: »Einst war die Not des jungen Jissachar Bär
so gestiegen, daß er schon seit einigen Tagen hungerte und sich
keinen Rat mehr wußte, da es ihm widerstrebte, sich andern anzuvertrauen. Als er an einem Abend empfand, er könne nun nicht
mehr lang am Leben bleiben, sagte er sich, er wolle doch noch
einmal, ehe er zu schwach dazu sei, ins Tauchbad gehn. Das Tauchbad in Radoschitz war damals sechzig oder siebzig Stufen tief.
Er zog sich bis aufs Hemd aus und stieg hinab. Beim Hinabsteigen hörte er unten einen Schall, als klatsche jemand aufs Wasser,
ging aber weiter. Der Schall wurde immer stärker, es war nun
offenbar, daß der Klatschenden viele waren. Jissachar Bär stand
einen Augenblick still, dann ging er weiter hinab. Ein großer
Luftzug löschte ihm die Laterne. In der Finsternis hörte er unten
ein greuliches Getöse. Er merkte, daß sich Wesen aus der Tiefe
hoben, ihm den Weg zu verstellen. Eilig warf er das Hemd ab
und sprang ins Wasser. Es wurde ganz still, nur ein Fingerschnal-
zer war noch zu vernehmen, wie wenn einer sagt: ›Verspielt!‹
und schnalzt mit den Fingern. Jissachar Bär tauchte Mal um Mal,
dann stieg er die Stufen hinan, zog sich an und ging heim. Vor
seinem Haus stand ein Wagen, mit Mehlsäcken und anderer
Speise beladen. ›Seid Ihr Rabbi Jissachar Bär?‹ fragte der Fuhrmann, ›ich habe Euch diese Waren zu überbringen.‹
Es war aber an jenem Tag ein paar Stunden vorher am Haus eines
in der Nähe der Stadt wohnenden Branntweinpächters, eines
Chassid, ein Bauernwagen vorgefahren, darin ein hochgewachsener Greis saß. Der sah den Pächter, als er heraustrat und ihn
begrüßte, mit seinen etwas kurzsichtigen Augen durchdringend
an und fragte: ›Wo ist hier der Rabbi?‹ ›Hier gibt es keinen

Rabbi‹, antwortete er. ›Kennst du nicht‹, fuhr der Alte fort zu
fragen, ›in der Stadt Radoschitz einen ausgezeichneten Mann, einen
›schönen Juden‹? ›Hier gibt es keinen ausgezeichneten Mann‹,
versicherte der Branntweinpächter. ›Bei uns gibt es überhaupt nichts
Außerordentliches, wenn Ihr nicht etwa einen Kinderlehrer, den
wir hier haben, als etwas Außerordentliches ansehen wollt. Das
ist freilich ein wunderlicher Mensch, was man so einen ›Frommen‹ nennt. Wir rufen ihn denn auch nicht anders als Berl den
Müßiggänger.‹ Da richtete sich der Greis im Wagen auf, daß er
noch höher gewachsen erschien, und schnaubte den Pächter an:
›Was, Berl rufst du ihn? Das ist kein Berl, das ist ein großer Bär!
Der schüttelt die Welt, wie man einen Baum im Walde schüttelt.‹
Er rief dem Fuhrmann zu: ›Nach Lublin zurück!‹ und schon war
der Wagen mit seinen Insassen verschwunden. In diesem Augen-
blick überkam es den Pächter: ›Das ist ja der Rabbi von Lublin
gewesen!‹; denn eben so war er ihm einst beschrieben worden.
Im nächsten Augenblick aber überkam es ihn: ›Der Rabbi von
Lublin ist ja vor zwei Jahren gestorben!‹ Da packte er einen Wa-
gen mit Mehlsäcken und andrer Speise voll und schickte ihn nach
Radoschitz.«

Die erste Heilung

Als der junge Jissachar Bär einst zu seinem Lehrer, dem »Jehudi«, nach Pžysha wanderte und gerade über einen Berg zog, der
der Stadt vorgelagert ist, drang von unten her ein Schreien und
Weinen zu ihm. Er konnte nicht daran zweifeln: es kam aus dem
Haus seines Lehrers. Verwirrt lief er hinunter. Sowie der »Jehudi« ihn erblickte, erzählte er ihm unter Tränen, sein kranker
Knabe sei im Sterben. Er holte ihn aus der Wiege und legte ihn
ihm in die Arme. »Wir wissen uns keinen Rat mehr«, sagte er,
»aber du kommst zur rechten Zeit, nimm ihn auf dich und, ich
weiß es, du wirst ihn uns genesen zurückgeben.« Bestürzt hörte
Jissachar Bär ihn an. Nie hatte er mit dergleichen zu schaffen
gehabt, nie irgend außergewöhnliche Kräfte in sich verspürt.
Aber er nahm den Knaben, er legte ihn wieder in seine Wiege
und wiegte ihn, und wiegend schüttete er seine flehende Seele vor
Gott hin. Nach einer Stunde war der Knabe der Gefahr enthoben.

Die Weisheit des Bauern

Rabbi Jissachar Bär von Radoschitz begegnete einst einem alten
Bauern aus dem Dorf Oleschnje, der ihn in seiner Jugend gut
gekannt hatte, von seinem Aufstieg aber nichts wußte.»Berl«,
rief der Bauer ihm zu,»was hört man bei dir?«»Und was hört
man bei dir?« fragte der Rabbi.»Was soll ich dir sagen, Berl«,
gab jener zur Antwort,»was man nicht ausarbeitet, hat man
nicht.«
Seither pflegte Rabbi Bär, wenn er von der rechten Lebenshaltung sprach, einzuflechten:»Und der Alte von Oleschnje hat gesagt: ›Was man nicht ausarbeitet, hat man nicht.‹«

Das Bekenntnis

Als Rabbi Jissachar Bär einmal sehr krank war, sprach er vor
sich hin:»Es ist Sitte, daß ein Mensch, wenn er krank ist, seine
Sünden bekennt. Aber was soll ich bekennen? Soll ich sagen: ›Ich
habe gesündigt?‹ Ein Mensch in diesem Stande, in dem ich jetzt
bin, kann doch nicht lügen, und ich habe ja nicht gesündigt. Oder
soll ich sagen: ›Ich habe im Dienste Gottes zu wenig getan?‹ Ich
habe ja getan, was in meinem Vermögen war. Aber das eine
kann ich bekennen: meine Gesinnung zu Gott war nicht klar und
rein genug, nicht genug ihm allein zugewandt. Ich kann es auf
mich nehmen, daß sie klarer und reiner werde. Denn da ist uns
ein schrankenloses Fortschreiten gegeben, unsre Gesinnung gründet sich ja auf unsrer Erfassung der Größe Gottes, des Schrankenlosen. Das nehme ich also auf mich: hilft mir Gott, daß ich genese,
so will ich trachten, daß meine Gesinnung zu ihm immer klarer
und reiner werde, immer mehr ihm zugewandt.«
Er genas und lebte noch zwanzig Jahre.

Der Nachahmer

Der Rabbi von Radoschitz hatte einen Schüler, der wußte den
Weihesegen seines Lehrers am Freitagabend so genau nachzuahmen, daß wer aus der Ferne ihn hörte den Rabbi selber zu
hören meinte. Als er einmal in Radoschitz war, rief ihn der Zad-

dik heran. »Ich habe erfahren«, sagte er, »du verstündest meinen Weihesegen an Vortrag und Bewegungen genau nachzuahmen. Mach es mir mal vor!« »Wenn es den Rabbi nicht verdrießen wird«, antwortete der Schüler, »will ich's tun.« »Du brauchst nichts zu fürchten«, sagte der Zaddik. Der Schüler sprach den Segen über den Wein mit demselben Vortrag und tat dieselben Bewegungen dazu, wie es der Zaddik gewohnt war. Als er aber an eine bestimmte Stelle kam, hielt er inne, tat keine Bewegungen mehr und beendete die Weihe schlecht und recht. Danach fragte ihn der Zaddik: »Warum hast du's nicht weitergemacht?« »Rabbi«, antwortete der Schüler, »an dieser Stelle opfert der Rabbi sich selber, und dazu bin ich nicht verpflichtet.«

Die seltsame Hilfe

Die Tochter des Rabbi Mosche von Lelow, die Enkelin des Rabbi David von Lelow, der der Freund und Beschützer des »Jehudi« gewesen war, hatte keine Kinder. Mal um Mal bestürmte sie ihren Vater, er solle für sie beten. Schließlich sagte er ihr, nur der Rabbi von Radoschitz vermöge ihr zu helfen. Sogleich rüstete sie die Reise und fuhr mit der Schwiegermutter, die auch eines großen Zaddiks Tochter war, nach Radoschitz. Als sie Rabbi Jissachar Bär ihre Not geklagt hatte, fuhr er sie an und schalt sie, wie man ein mutwilliges Kind schilt: »Was fällt dir ein, du naseweise Person, Kinder zu wollen! Hinaus mit dir!« Die junge Frau, zart und von je nur an gute Worte gewöhnt, entwich, in Tränen aufgelöst. »Nun will ich weinen, bis ich sterbe«, sagte sie zu sich. Ihre Schwiegermutter aber ging zum Rabbi und fragte ihn, was ihn bewogen habe, die Arme so zu beschämen, ob denn etwa Sünde an ihr sei? »Sage ihr ›Glück auf‹«, erwiderte der Rabbi, »schon ist ihr geholfen. Es gab keinen andern Weg, als sie bis auf den Grund aufzurühren.« Erneut trat die Frau vor ihn, und er segnete sie. Heimgekehrt, empfing sie einen Sohn.

Ich und Du

Man fragte den Radoschitzer Rabbi:»Wie ist es in der Gemara zu verstehn, daß Rabbi Schimon ben Jochai[1] zu seinem Sohn spricht:›Mein Sohn, genug ist's der Welt, ich und du‹?« Er antwortete:»Es bedeutet, der Wesenssinn der Schöpfung der Welt sei, daß sie sprechen:›Du bist unser Gott‹, und der Heilige, gesegnet sei Er, spricht:›Ich bin der Herr, euer Gott.‹ Dieses Ich und Du, genug ist's daran der Welt.«

Gottes Gebet

Man fragte den Radoschitzer Rabbi:»Wir verstehen eine Stelle der Gemara nicht. Da lesen wir[2]:›Woraus ergibt sich, daß Gott selber betet? Es heißt[3]: ‚Sie lasse ich kommen zum Berg meines Heiligtums, sie lasse ich sich freuen im Haus meines Gebets.‘ Es heißt nicht, ‚ihres Gebets‘, sondern ‚meines Gebets‘. Daraus ergibt sich, daß Gott selber betet.‹ Wie ist das zu verstehn? Soll denn mit diesem ›sondern‹ ausgeschaltet werden, daß die Menschen beten?«

Er antwortete:»Nicht doch! Gott hat Freude an dem Gebet der Redlichen. Mehr noch: er ist es, der es in ihnen erweckt und ihnen die Kraft dazu verleiht. So ist denn, was sie beten, Gottes Gebet.«

Das Licht hinterm Fenster

Am ersten Passahabend vor dem»Sseder« rief einst Rabbi Jissachar Bär den Enkel des Kosnitzer Maggids, den Rabbi von Mogielnica, der bei ihm zu Gast war, zu sich ans Fenster und zeigte hinaus.»Seht Ihr, Mogielnicer Raw«, sagte er,»seht Ihr?«

Nach dem Festmahl tanzte der Rabbi von Mogielnica um den Tisch und sang dazu mit leiser Stimme.»Unser Bruder, der heilige Alte«, sang er,»hat mir ein Licht gezeigt, ein großes Licht hat er mir gezeigt, aber wer weiß, wer weiß, wie viele sind der Jahre, die wir noch schlafen müssen, bis es zu uns, zu uns kommt!«

---

[1] Ein von der Legende verklärter, von der Kabbala zu ihrem zentralen Heros erhobener Meister des 2. Jahrhunderts, von dem der Talmud (Schabbath 33) erzählt, er habe, von den Römern seines kritischen Freimuts wegen zum Tode verurteilt, mit seinem Sohn viele Jahre sich in einer Höhle geborgen.
[2] Berachoth 7.   [3] Jesaja 56, 7.

Die Wandlung

Rabbi Schaloms älterer Bruder fragte ihn einmal: »Wie geht es zu, daß du solche Vollkommenheit erreicht hast? In unsrer frühen Jugend habe ich doch besser gelernt als du!«»Das ist so zugegangen, Bruder«, antwortete der Belzer Rabbi. »Als ich Bar Mizwa wurde, kam mein Großvater, Rabbi Eleasar von Amsterdam, sein Andenken sei zum Segen, in nächtlicher Schau zu mir und tauschte meine Seele um. Seither bin ich ein anderer geworden.«

Das Licht der Lehre

Der junge Schalom lernte erst beim Luzker Rabbi in Sokal. Wie er aber Mal um Mal von dem »Seher« von Lublin hörte, entbrannte in seinem Herzen das Begehren, von ihm Thora zu empfangen. Sein Lehrer, an den er sich wandte, wollte ihm die Reise nicht gestatten. »Wenn du nach Lublin fährst«, sagte er zu ihm, »werde ich von dir alles wieder nehmen, was du hier erlangt hast.« Er aber achtete nicht darauf, sondern fuhr. Als er zurückkehrte und am Haus seines Lehrers vorbeiging, stand der im Fenster. Er rief seine Frau herbei. »Sieh es dir an«, sagte er, »wie das Licht der Lehre meinem Schüler vom Angesicht strahlt.«

Die Beichte

Ein Chassid erzählte: »Ich kam einmal zu Rabbi Schalom von Belz und klagte ihm, wie mich im Gebet die fremden Gedanken anwandelten und verwirrten, nicht Gedanken an die Geschäfte des Tags, sondern schlimme und ängstigende Bilder, und ich bat ihn, meine Seele zu heilen. Da sprach er zu mir: ›Schäme dich nicht vor mir, mein Sohn, sondern berichte mir alles, was dich stört und verstört.‹ Sogleich begann ich und sagte ihm jeden Schrecken und jedes Gelüst, die mich befallen hatten. Während ich redete, hielt er die Augen geschlossen, ich aber sah ihn an und sah, wie seine heiligen Gedanken arbeiteten, die fremden aus den Tiefen meiner Seele zu heben. Als ich geendet hatte, sprach er: ›Gott wird dir helfen, daß sie nicht mehr zu dir kommen.‹ Und von der Stunde an gedachte ich ihrer nicht mehr.«

Morgen

Als man einst vor dem Passahfest beim gebotenen Schöpfen des Wassers zum Backen der Mazzoth einander zurief:»Nächstes Jahr in Jerusalem!« sagte Rabbi Schalom:»Warum erst im nächsten Jahr? Vielleicht werden wir mit diesem Wasser, das wir jetzt schöpfen, morgen am Vortag des Festes in Jerusalem Mazzoth backen und sie essen, wenn der Messias kommt, uns zu erlösen.«

Adam und Eva

Rabbi Chajim von Zans nahm einst, als er wieder einmal den Belzer Rabbi besuchte, seinen jungen Sohn Baruch mit. Sie fanden Rabbi Schalom mit seiner Frau in einer Stube mit Bretterwänden am Tisch sitzen. Als sie nach einer Weile heimgingen, fragte Rabbi Chajim seinen Sohn:»Wie sind dir die beiden erschienen, der heilige Rabbi und seine Frau?«»Als wir eintraten«, antwortete er,»sind sie mir erschienen wie Adam und Eva vor der Sünde.«»Und so«, sagte der Vater,»sind sie auch mir erschienen. Wie ist dir aber die Stube erschienen, in der sie saßen?«»Wie das Paradies«, antwortete Baruch.»So«, sagte Rabbi Chajim,»ist sie auch mir erschienen.«

Warum?

Nach dem Tod seiner Frau sprach Rabbi Schalom:»Herr der Welt! Wenn in mir die Kraft wäre, sie aufzuwecken, hätte ich es nicht schon getan? Ich kann's nur eben nicht. Aber du, Herr der Welt, in dir ist doch die Kraft, du kannst doch – warum erweckst du Israel nicht?«

Keinen andern

Als Rabbi Chajim noch ein Knabe war, wurde er einmal belauscht, wie er lange in seiner Stube auf und nieder lief und in einem fort vor sich hin flüsterte:»Ich meine nichts anderes, nur dich allein!«

Der kranke Fuß

Rabbi Chajim von Zans war in seiner Jugend ein Schüler des Ropschitzer Zaddiks. Beim Beten pflegte er vor großer Inbrunst mit beiden Schuhen aufzustampfen. Er lahmte aber an einem Fuß. Einmal kam die Frau des Zaddiks, nachdem sie dem Beten Rabbi Chajims zugesehen hatte, zu ihrem Mann und sprach:»Was bist du doch für ein schlechter Mensch! Warum läßt du ihn mit dem kranken Fuß aufstampfen? Sag ihm doch, er dürfe es nur mit dem gesunden tun!«»Das könnte ich nur«, antwortete der Zaddik,»wenn er im Beten jeweils wüßte, ob er mit dem gesunden, ob er mit dem kranken Fuß auftritt.«

Für ein Fünklein

Ein Zaddik, der Rabbi Chajim von Zans gram war, sagte einmal zu ihm:»Ihr klettert in den obern Welten herum, und ich wirke, wenn ich zehn Psalmen hersage, ebensoviel wie Ihr.«»Es ist wahr«, antwortete der Zanser,»ich klettre in den Welten, aber für ein Fünklein der Furcht Gottes gebe ich alles hin.«

Lehre und Dienst

Ein Raw begehrte sehr, sich mit dem Zanser Rabbi ohne Zeugen über hohe Gegenstände zu unterreden, und erreichte es schließlich, daß der Zaddik ihn auf eine seiner stets vor dem Minchagebet unternommenen Spazierfahrten mitnahm. Als sie aus der

Stadt gekommen waren, forderte Rabbi Chajim ihn zum Reden auf. »Die Frage, die ich an Euch richten möchte«, sagte der Raw, »ist diese: Welches ist der Unterschied zwischen dem Weg der Lehre und dem Weg des Dienstes?« Der Rabbi steckte seine Pfeife an und paffte dicke Wolken in die klare Luft. Dazwischen stieß er lange Brummtöne aus wie ein ungeduldiger Löwe. Dem Raw war schaurig zumute, und er wünschte, er hätte nie einen Wunsch geäußert. Nachdem sie noch etwa eine Meile gefahren waren, rüttelte der Zaddik sich auf und sagte: »Ihr wollt wissen, welches der Unterschied zwischen dem Weg der Lehre und dem Weg des Dienstes sei. Wisset denn, der Weg der Lehre ist: einer ist immerzu des Willens, seine Seele für die Ehre Gottes herzugeben, und der Weg des Dienstes ist: einer ist immerzu bereit, den Spruch[1] zu verwirklichen: ›Meine Seele geht aus, seiner Rede nach.‹ Er klopfte ans Fenster. Das war für den Kutscher das Zeichen zur Rückfahrt.

Zum Volk

Rabbi Chajim wurde einmal nach dem Minchagebet von einem zudringlichen Menschen mit einem Anliegen behelligt. Als er nicht ablassen wollte, fuhr ihn der Zaddik an. Von einem Freund, der zugegen war, nach dem Grund seines Zorns befragt, antwortete er, wer Mincha spreche, stehe der Welt der Ursonderung gegenüber; wie sollte er nicht zürnen, wenn er von ihr komme und nun mit den kleinen Sorgen der kleinen Leute überfallen werde? Darauf sprach jener: »Nachdem die Schrift von der ersten Sinai-Kundgebung Gottes an Mose erzählt hat, heißt es[2]: ›Mose schritt vom Berg hinab zum Volk.‹ Raschi bemerkt dazu: ›Dies belehrt uns, daß Mose sich vom Berg aus nicht seinen Geschäften, sondern dem Volke zuwandte.‹ Wie ist das zu verstehen? Was für Geschäfte hatte denn unser Lehrer Mose, der Friede über ihm, in der Wüste, auf die er verzichtete, um zum Volk zu gehen? Es ist aber so zu verstehn: Als Mose vom Berge niederstieg, haftete er noch an den oberen Welten und vollbrachte sein hohes Werk an ihnen, die Sphäre des Gerichts mit dem Element des Erbarmens zu durchdringen. Das waren Moses Geschäfte. Und doch ließ er von sei-

---

[1] Hohelied 5, 6.   [2] Exodus 19, 14.

nem hohen Werke ab, machte sich von den obern Welten los und
wandte sich dem Volke zu; er vernahm all ihre kleinen Sorgen,
speicherte alle Beschwernis der Herzen ganz Israels in sich auf
und trug sie alsdann im Gebet empor.« Als Rabbi Chajim dies
hörte, beschwichtigte sich sein Sinn, er ließ den Mann, den er angefahren hatte, zurückrufen, um sein Anliegen entgegenzunehmen, und fast die ganze Nacht durch empfing er die Klagen und
Bitten der versammelten Chassidim.

Der Grund

Der Zanser Rabbi sprach einmal:»Ich habe die armen Leute lieb.
Wißt ihr, warum? Weil Gott sie lieb hat.«

Was man vom Leben hat

Der Zanser Rabbi erzählte, indem er seine Worte mit malenden
Gebärden begleitete:»Da kommen Leute zu mir, die die ganze
Woche hindurch auf die Märkte fahren. So einer kommt zu mir
und schreit:›Liebster Rabbi! Noch habe ich nichts Gutes von meinen Tagen gehabt. Die ganze Woche steige ich von einem Wagen
ab und in einen andern hinein! Aber wenn der Mensch sich besinnt, daß es ihm gewährt ist, zu Gott selber zu beten, fehlt ihm
gar nichts mehr.‹«

Die Äpfel

Eine arme Äpfelhändlerin, deren Stand nah am Hause Rabbi
Chajims war, kam einst klagend zu ihm:»Unser Rabbi, ich
habe noch kein Geld, um für den Sabbat einzukaufen.«»Und
dein Äpfelstand?« fragte der Zaddik.»Die Leute sagen«, antwortete sie,»meine Äpfel seien schlecht, und wollen keine kaufen.« Sogleich lief Rabbi Chajim auf die Gasse und rief:»Wer
will gute Äpfel kaufen?« Im Nu sammelte sich die Menge um
ihn, die Münzen flogen unbesehen und ungezählt herbei, und bald
waren alle Früchte zum doppelten und dreifachen Preis verkauft.
»Sieh nur«, sagte er zur Frau, als er sich zum Gehen wandte,
»deine Äpfel waren gut, die Leute haben es nur nicht gewußt.«

Der Truthahn

Rabbi Chajim hatte eine Schar von Armen seiner Stadt ausgewählt, unter die er allmonatlich Geld verteilte, nicht kleine Almosen, sondern jedem so viel, als er zum Unterhalt für sich und die Seinen bedurfte. Einmal hatte am Markttag ein Geflügelhändler einen ungewöhnlich schönen Truthahn nach Zans gebracht. Er trug ihn sogleich in des Rabbis Haus und bot ihn dessen Frau für den Sabbattisch; der aber war der Preis zu hoch, und so mußte der Mann den kostbaren Vogel wieder mitnehmen. Nach einiger Zeit erfuhr die Frau, daß den Hahn einer der Gabenempfänger ihres Mannes erstanden hatte. »Sieh dir deine Armen an!« klagte sie ihm. »Ich habe das Tier nicht kaufen können, weil es mir zu teuer war, er aber hat es gekauft!« »Also braucht dieser Mann«, sagte der Zaddik, »auch einen guten Truthahn für den Sabbat. Bisher habe ich es nicht gewußt. Von jetzt an aber, da ich es weiß, muß ich sein Monatsgeld erhöhen.«

Die Beschämung

Ein armer Melammed kam einst in das Haus Rabbi Chajims von Zans. »Nun werdet Ihr wohl bald«, sagte der Zaddik, »Eurer Tochter die Hochzeit richten.« »Ich weiß es nicht«, antwortete jener. Rabbi Chajim sah ihn fragend an. »Ich habe noch«, klagte der Schulmeister, »kein Geld, um dem Bräutigam nach Brauch und Sitte einen Gebetmantel und eine Pelzmütze zu schenken.« Des Zaddiks Sohn, Rabbi Jecheskel, der dabei stand, unterbrach ihn. »Vater«, rief er, »erst vor ein paar Tagen habe ich diesen Mann beides kaufen sehn!« Dem Melammed stieg das Blut ins Gesicht; er ging schweigend hinaus. »Was hast du getan!« sprach Rabbi Chajim. »Vielleicht hat er das Gekaufte nicht bezahlen können; vielleicht auch braucht er Geld, um seiner Frau ein Kleid zur Hochzeit zu machen, und mag es nicht sagen. Du aber hast einen Menschen beschämt.« Sogleich lief Rabbi Jecheskel auf die Straße, holte den Melammed ein und bat ihn um Vergebung. Aber der Mann wollte ihm nicht vergeben, sondern forderte ihn vor das Gericht des Zaddiks. Bald standen sie wieder beide vor dessen Angesicht. »Vergib ihm nicht«, sprach der Alte zum Melam-

med,»bis er dir alle Kosten der Hochzeit, bis zum letzten Schuh-
riemen, bezahlt hat.« Und so geschah es.

Die wahre Weisheit

Der Zanser Rabbi stand einmal am Fenster und blickte auf die
Straße. Als er einen Mann vorübergehen sah, klopfte er an die
Scheibe und bedeutete ihm einzutreten. Sowie jener im Zimmer
war, fragte ihn Rabbi Chajim:»Sage mir, wenn du einen Beutel
voll Dukaten findest, wirst du ihn seinem Besitzer zurückerstat-
ten?«»Rabbi«, antwortete der Mann,»ohne Verzug würde ich,
wenn ich den Eigentümer kennte, ihm den Fund übergeben.«»Du
bist ein Narr«, sagte der Zanser. Wieder stellte er sich ans Fenster, rief einen anderen Passanten herbei und legte ihm die gleiche
Frage vor.»Ich bin doch kein Narr«, erwiderte der,»daß ich
einen Geldbeutel, der mir zugefallen ist, aus der Hand gäbe.«
»Ein Bösewicht bist du«, sagte der Zanser und hieß einen dritten
hereinkommen. Der gab zur Antwort:»Rabbi, wie kann ich
wissen, auf welcher Stufe ich dann stehen werde? Ob es mir gelingen wird, dem Bösen Trieb obzusiegen? Vielleicht übermannt
er mich, und ich eigne mir das fremde Gut an; vielleicht aber steht
Gott, gesegnet sei Er, mir gegen ihn bei und ich gebe das Gefun-
dene dem rechtmäßigen Besitzer zurück.«
»Wie fein sind deine Worte!«, rief der Zaddik,»du bist der wahre
Weise.«

Die Geschichte vom General

Einmal auf einer Reise wurden Rabbi Chajim große Ehren erwiesen. Hernach sprach er zu seinem Sohn, der ihn auf der Fahrt
begleitete:»Ich will dir die Geschichte vom General erzählen. Es
ist die Sitte, daß die Schildwache einem General, wenn er vorbei-
geht, größere Ehren als einem Obersten bezeigt. Nun geschah es
einmal, daß ein General wegen eines Vergehens vor Gericht gestellt und zum Obersten degradiert wurde. Als er aus dem Hause
trat, in dem das Militärgericht getagt hatte, und an der Schildwache vorbeiging, merkte diese nicht, daß er nicht mehr die Ge-
neralsabzeichen trug, und grüßte ihn ebenso wie stets vorher. Da
erst war ihm das Herz wie durchbohrt.«

Die Wegsuche

Im Monat Elul, da die Menschen ihre Seelen für die Tage des Gerichts bereit machen, pflegte Rabbi Chajim Geschichten zu erzählen, mit einer Melodie, die alle Hörer zur Umkehr bewegte. Einmal erzählte er:»Es hat sich einst einer im tiefen Wald verirrt. Nach einer Zeit verirrte sich ein zweiter und traf auf den ersten. Ohne zu wissen, wie es dem ergangen war, fragte er ihn, auf welchem Weg man hinausgelange. ›Den weiß ich nicht‹, antwortete der erste, ›aber ich kann dir die Wege zeigen, die nur noch tiefer ins Dickicht führen, und dann laß uns gemeinsam nach dem Wege suchen.‹ Gemeinde!« so schloß der Rabbi seine Erzählung, »suchen wir gemeinsam den Weg!«

Die Kleider des Königs

Der Diener des Zanser Rabbis erzählte:»Am Morgen vor dem Gebet legte einmal der Rabbi sich noch für eine Weile hin, da ihn eine Müdigkeit überkommen hatte. Plötzlich trat – wie sich hernach ergab, irrtümlich, denn mit allen Wirtschaftssachen kam man sonst stets zum Sohn des Zaddiks, dem Kreisrabbiner – ein Soldat ein, der Steuern einzog. Der Zaddik erschrak bei seinem Anblick. Später, als der Soldat gegangen war, sagte er zu mir: ›Dieser Soldat ist ein einfacher Bauer; aber wenn er die Kleider des Königs anzieht, fürchtet man sich vor ihm. Ziehn wir die Kleider des Königs an, Tallith und Thefillin, und alle Völker werden in uns den König fürchten.‹«

Alle

Der Zanser pflegte zu sagen:»Alle Zaddikim dienen, jeder auf eine andre Weise, jeder nach seinem andern Stand, und wer sagt: ›Nur mein Rabbi ist ein Gerechter‹, verliert beide Welten.«

Der Rat

Als Rabbi Chajim seinen Sohn der Tochter des Rabbi Elieser von Dzikow, des Sohnes Rabbi Naftalis von Ropschitz, vermählt hatte, trat er am Tag nach der Hochzeit beim Brautvater ein und sagte:»Schwäher, Ihr seid mir nahegekommen, und ich darf Euch sagen, was mein Herz peinigt. Seht, Haupt- und Barthaar sind mir weiß geworden, und noch habe ich nicht Buße getan!«»Ach, Schwäher«, erwiderte ihm Rabbi Elieser,»Ihr habt nur Euch im Sinn. Vergeßt Euch und habt die Welt im Sinn!«

Bescheidung

Der Zanser Rabbi pflegte zu erzählen:»In meiner Jugend, als mich die Gottesliebe entzündete, meinte ich, ich würde die ganze Welt zu Gott bekehren. Aber bald verstand ich, es würde genug sein, wenn ich die Leute meiner Stadt bekehrte, und ich mühte mich lang, doch wollte es mir nicht gelingen. Da merkte ich, daß ich mir immer noch zu viel vorgenommen hatte, und ich wandte mich meinen Hausgenossen zu. Es ist mir nicht geglückt, sie zu bekehren. Endlich ging es mir auf: mich selbst will ich zurechtschaffen, daß ich Gott in Wahrheit diene. Aber auch diese Bekehrung habe ich nicht zustande gebracht.«

Die Fehlenden

Kurz vor seinem Tode sagte Rabbi Chajim zu einem Besucher:»Hätte ich neun treue Freunde, deren Herz mit meinem einig ist, wir täten jeder ein Brot in seinen Ranzen und gingen mitsammen aufs Feld hinaus und ergingen uns auf dem Feld und beteten und beteten, bis das Gebet erfüllt würde und die Erlösung käme.«

Auf der Kanzel

Als Rabbi Jecheskel, des Zansers Sohn, sich in der ungarischen Stadt Ujhely aufhielt, ließ er ausrufen, er werde im Bethaus predigen. Zur angesetzten Zeit versammelte sich die ganze Gemeinde. Der Rabbi bestieg die Kanzel und sprach:»Hört, meine Herren! Einst habe ich hier eine Predigt gehalten, und meine Absicht war nicht ungeteilt auf den Himmel gerichtet. Das aber ist eine große Sünde, mit gespaltenem Willen predigen. Darum habe ich beschlossen, Buße zu tun. Weil aber nach dem Wort unsrer Weisen das Unrecht an dem Ort zu büßen ist, wo es geschah, bin ich wieder auf diese Kanzel gekommen. Und so bitte ich den heiligen Gott, gesegnet sei Er, er möge mir vergeben.« Da wurde die ganze Gemeinde der Macht des göttlichen Wortes gewahr, die Furcht Gottes bemächtigte sich ihrer Herzen, und alle vollzogen die Umkehr.

Der Vortrag

Rabbi Jecheskel war noch jung zum Raw der Stadt Sieniawa erwählt worden. Die ganze Gemeinde erwartete, daß er am ersten Sabbat nach seiner Ankunft, wie es Brauch war, predigen würde, aber er versagte sich ihrem Wunsch. Beim dritten Sabbatmahl baten ihn die angesehensten Männer der Stadt, die um seinen Tisch saßen, er möge ihnen die Thora auslegen. Da ließ er sich eine Bibel geben, schlug den Abschnitt der Woche auf und verlas ihn vom Anfang bis zum Ende. Darauf sagte er:»Dies ist die Thora Gottes, sie ist heilig, und es steht mir nicht zu, über sie zu reden.« Er küßte das Buch und ließ es an seinen Platz zurücklegen.

Die Entscheidung der Dämonen

Es ist bekannt, daß Rabbi Jecheskel an seinem Tisch nicht Thora zu sagen pflegte. Und weil seine Chassidim ihn immer wieder deswegen befragten, erzählte er ihnen einmal am Sabbattisch diese Geschichte:»Ein Jüngling wurde einmal von den Dämonen gefangengenommen. Es gelang nicht, ihn zu retten, bis man einen großen Zaddik um Hilfe anging, und der tat, was er tat. Da sprachen die Dämonen: ›Wenn sich bei uns Thorareden eures Rabbi befinden, wird uns nichts berühren, was er unternimmt. Wenn aber keine Thorareden von ihm bei uns sind, geben wir uns besiegt und lassen den Jüngling frei.‹ Sie suchten in ihren Schreibbüchern, und da sie nichts fanden, gaben sie den Jüngling frei. – Nun«, fügte der Rabbi hinzu,»sagt selber, darf einer Thora sagen?«

ZWI HIRSCH VON ŽYDACZOW,
JEHUDA ZWI VON ROZDOL UND
JIZCHAK EISIK VON ŽYDACZOW

Aus der Tiefe

Rabbi Hirsch von Žydaczow erzählte:»Als ich am Vortag des
Sabbats in großer Schande aus der Stadt Brody vertrieben wurde
und nach ununterbrochener Wanderung gegen Abend, knapp vor
Beginn des Sabbats, heimkam, ging ich in meinen Werktagsklei-
dern ins Bethaus und konnte nur eben die Wörter des Gebets hersagen. Am Morgen aber sprach ich vor dem Beten zu Gott und
sagte ihm:›Herr der Welt, du siehst die Demütigung der Ge-
demütigten und siehst mein zerschlagenes Herz. Gib mir Licht,
daß ich zu dir beten könne!‹ Da entzündeten sich alle meine Glieder, und ich betete in fließendem Feuer, wie es mir nie zuvor
widerfuhr und nicht mehr widerfahren wird.«

Die Doppelantwort

Rabbi Hirsch sagte einmal zu seinen Chassidim:»Wenn ein
Mensch zu mir kommt und mich angeht, um sein Bedürfen in dieser Welt für ihn zu beten, der wegen einer Pachtung und der wegen eines Ladens, in jenem Augenblick kommt die Seele dieses
Menschen zu mir wegen der Erlösung in der oberen Welt. Mir
aber liegt es ob, beiden zu antworten – in einer einzigen Antwort.«

Die Menge tut's nicht

Rabbi Hirsch von Žydaczow trat einst ins Bethaus und sprach zu
den versammelten Chassidim:»Meine Söhne, es steht geschrieben[1]:›Dem König ist nicht geholfen mit der Menge des Heers.‹
Gott ist damit nicht geholfen, wenn ein Zaddik eine Menge Chassidim hat.«

---

[1] Psalm 33, 16.

Der Verdacht

Der Rabbi von Komarno, der Neffe Rabbi Hirschs, erzählt:
»Einst in der Morgendämmerung am Schawuothfest trat ich bei
meinem Lehrer und Oheim ein, er aber bemerkte mein Eintreten
nicht. Da hörte ich, wie er auf und nieder ging und sich vor Gott
ausweinte. Es waren aber damals übers Fest vier- oder fünfhundert Leute zu ihm gekommen. Er redete: ›Vielleicht hat Sammael
mir diese Menge geschickt, mich von dir hinweg zu verführen?
Erbarme dich der Seele dieses Armen, daß ich nicht von deinem
Angesicht verstoßen werde!‹«

Götzendienst

Rabbi Zwi Hirsch unterbrach einst beim dritten Sabbatmahl
seine Lehrrede und sprach:»Es gibt Chassidim, die fahren zu
ihrem Rabbi und sagen, es gebe keinen Rabbi in der Welt außer
ihrem Rabbi. Das ist Götzendienst. Wie denn soll man sprechen?
Man soll sagen:›Jeder Rabbi ist gut für seine Schüler, aber unser
Rabbi ist für unsre Sache der beste.‹«

Die Erleuchtung

Rabbi Mosche von Sambor, Rabbi Zwi Hirschs jüngerer Bruder,
ging in jungen Jahren in die Dörfer und trieb Handel mit den
Bauern. Wenn er dann heimgekommen war und das Minchagebet
sprach, fühlte er all seine Glieder wie von einer Erleuchtung
durchzogen.
Er selber erzählt:»Ich fragte einst meinen Bruder und Lehrer:
›Weshalb ist dies: wenn ich zuweilen in Geschäften unterwegs
bin und ich komme dann heim und stelle mich beten, habe ich
eine Erleuchtung, fast als hätte mich die Schechina besucht.‹ Er
antwortete mir in seiner klaren Sprache:›Was wunderst du dich
darüber? Wenn der Wanderer im Wege Gottes geht, dann kommen, ob er's auch nicht weiß, alle heiligen Funken, die in den
Kräutern des Feldes und in den Bäumen des Waldes verhaftet
sind, alle kommen sie herbeigelaufen, sich an den Menschen zu
heften, und davon empfängt er eine große Erleuchtung.‹«

Noch nicht!

Als Rabbi Hirsch auf der Reise nach Munkacs den greisen Rabbi Mosche Teitelbaum in Ujhely besuchte, klagte der, wie er es oft zu tun pflegte, daß der Messias noch nicht gekommen sei. »Ihr wißt«, sagte Rabbi Hirsch, »es ist mein Brauch, mich für jeden, auch den Abtrünnigsten, einzusetzen und bei ihm bis zur Wurzel seiner Abtrünnigkeit vorzudringen, wo das Böse als Not und Begier zu erkennen ist. Und bin ich erst so weit, dann hole ich ihn auch schon heraus! Was meint Ihr nun: wollen wir all die Seelen verlorengeben? Und wären sie nicht verloren, wenn heute der Messias käme?«

Wandlung des Werks

Als Rabbi Hirsch, von der Bestattung seiner Frau heimgekehrt, die Treppe zu seinem Zimmer hinaufstieg, hörte man ihn zu sich sagen: »Bisher habe ich mit der untern Vermählung heilige Einung gewirkt, nun will ich Einung wirken mit der oberen Vermählung.« Er starb zwei Wochen danach.

Die Grundfeste

Den Rabbi Jehuda Zwi von Rozdol, Rabbi Hirschs Brudersohn, fragte seine Frau: »Warum schweigst du deinen Feinden, die darauf sinnen, dich zu kränken, und erweisest ihnen gar Guttaten, und könntest doch Gottes Strafe auf sie niederflehen?«
Er sprach: »Hast du dich noch nie besonnen, warum so viele zum Zaddik gefahren kommen und ihm Gaben darbringen, Hunderte und Tausende dem einen? Das ist, weil jeder Bau der Grundfeste bedarf, ohne die er keinen Bestand hat; der Bau der Welt aber hat seinen Bestand am Zaddik, wie geschrieben steht[2]: ›Der Bewährte[3] ist die Grundfeste der Welt.‹ Daher geziemt es, daß alle ihn erhalten, der sie alle erhält. Aber weshalb wohl kommen die Leute auch zu mir gefahren und bringen auch mir Gaben, der ich doch kein Zaddik bin? Ich habe es geprüft und erwogen; da kam

---

[2] Sprüche Salomos 10, 25 (eigentlich: »... eine Grundfeste auf Weltzeit«).
[3] Hebräisch Zaddik.

mir in den Sinn, daß die Welt noch eines anderen Grundes bedarf. Denn es steht geschrieben[4]: ›Überm Nichts hing die Erde er auf‹, und der Talmud[5] sagt dazu: ›Die Welt besteht auf dem, der in der Stunde des Streits sich zunichte macht und seinen Hassern nicht widerredet.‹ Sieh, weil sie außer dem Zaddik auch noch das Nichts brauchen, erhalten mich die Leute.«

Die größte Begierde

Ein Gelehrter sagte zum Rabbi von Rozdol: »Es will mir scheinen, das Zaddiktum sei die größte aller Begierden.«
»So ist es«, erwiderte der Rabbi, »aber um zu ihr zu gelangen, muß man erst alle kleineren überwältigt haben.«

Gedenken und Vergessen

Am Tag des Neuen Jahrs sprach Rabbi Jehuda Zwi von Rozdol: »Wir haben heute gebetet: ›Alles Vergeßnen gedenkst du von Weltzeit her.‹ Was haben wir damit gesagt? Gott will nur dessen gedenken, was der Mensch vergißt. Wenn einer das Gute tut und das Getane nicht im Sinn hält, sondern nichts vollbracht zu haben weiß, seines Dienstes ist Gott eingedenk. Redet aber einer zu seinem erhobenen Herzen: ›Schön habe ich gebetet, schön habe ich gelernt‹, vor Gottes Augen ist nichts mehr davon da. Ist einer der Sünde verfallen, und danach besinnt er sich auf sie mit all seiner Kraft und bereut sie, hat Gott sie vergessen. Die leichthin abgestreiften Sünden aber sind bei ihm verwahrt.«

Der Faden der Gnade

Als Rabbi Jizchak Eisik von Żydaczow, Rabbi Hirschs Brudersohn, noch kaum dem Knabenalter entwachsen war, fragte ihn einmal sein Vater, dessen einziger Sohn er war: »Wie verstehst du das Wort unsrer Weisen[6]: ›Wer sich bei Nacht mit der Lehre befaßt, zu dem zieht Gott bei Tag einen Faden der Gnade hin‹?

---

[4] Hiob 26, 7.   [5] Chullin 89.
[6] Talmudisch (Chagiga 12).

Wir stehn doch immer mitternachts auf und befassen uns mit der
Lehre, und doch sind wir bei Tag in großer Not und Bedrängnis.
Wo ist da der Faden der Gnade?«

Der Knabe antwortete:»Vater, daß wir dennoch, ohne der Bedrängnis zu achten, Mitternacht um Mitternacht aufstehen und
uns mit der Lehre befassen, eben das ist der Faden der Gnade.«

Die drei Zeichen

Rabbi Schalom von Kaminka nahm einmal seinen Sohn, den
Knaben Jehoschua, zu Rabbi Zwi Hirsch nach Żydaczow mit.
Beim Mittagsmahl sah der Knabe, wie ein Jüngling mit dichten
schwarzen Locken eintrat, in einer Hand einen Wasserkrug, in
der andern eine Schüssel, das Handtuch über der Schulter, und
nun mit einer Freudigkeit, die ihm vom Angesicht strahlte und
all seine Glieder beseelte, von einem zum andern der um die lange
Tafel Sitzenden ging und sie bediente, bis alle ihre Hände gewaschen hatten.»Vater«, fragte Jehoschua,»wer ist der schwarze
Jüngling?«»Sieh ihn dir gut an«, antwortete Rabbi Schalom,
»das wird ein Fürst in Israel sein.«

Viele Jahre danach, als nach dem Tode Rabbi Hirschs sein jüngerer Bruder Jizchak Eisik, eben jener»schwarze Jüngling«, der
Rabbi von Żydaczow geworden war und von überallher Chassidim zu ihm herbeiströmten, drang sein Ruhm auch nach Kaminka zu Rabbi Jehoschua, der die Nachfolge seines Vaters angetreten hatte.»Ich will zu ihm fahren«, beschloß er,»und ihn beobachten, ob sein Weg wohl der rechte ist und ich mich ihm anschließen soll. Dafür will ich mir drei Zeichen erwählen: zum ersten, ob er, wenn ich dort bin, mich begrüßen kommt, zum zweiten, ob er mich zum Essen einlädt, zum dritten, ob er einen meiner Gedanken errät.«

Als Rabbi Jehoschua sich auf seiner Fahrt der Stadt Żydaczow
näherte, befiel ihn plötzlich ein Fieber, und bei der Ankunft
mußte man ihn vom Wagen tragen und zu Bette legen. Als Rabbi
Jizchak davon erfuhr, besuchte er ihn und sagte ihm, er würde
gewiß noch am gleichen Tage gesunden, so möge er denn mit ihm
zu Abend essen. Als dann in der Tat der Genesene an Rabbi Jizchaks Tisch saß, redete der ihn lachend an:»Nun, Raw von Ka-

minka, und wenn einer nicht den Gedanken eines andern zu erraten vermag, darf er dann kein Rabbi sein?« Rabbi Jehoschua ist ein Lieblingsschüler Rabbi Jizchaks geworden.

Gib und nimm

Rabbi Jizchak Eisik sprach:»Die Losung des Lebens ist: ›Gib und nimm.‹ Jeder Mensch soll ein Spender und Empfänger sein. Wer nicht beides in einem ist, der ist ein unfruchtbarer Baum.«

Durch die Finsternis

Rabbi Jizchak Eisik betete stets ohne Heftigkeit, mit einem sanft heiligen Ton, aber die Worte bebten allem Volk im Bethaus durchs Herz. Als er einst am Schawuothfest den Hymnus zur Einleitung der Lesung aus der Thora sprach, entflammte das Hören einen seiner Schüler, der noch den Seher von Lublin gekannt hatte, so sehr, daß ihm die Augen den Dienst versagten. Erst nachdem der Zaddik zu sprechen aufgehört hatte, kehrte ihm das Augenlicht zurück. Nach dem Gebet erzählte er die Begebenheit seinem Lehrer.»Das kam daher«, sagte dieser,»weil deine Seele, die sich an das Wort gebunden hatte, durch jene ›Finsternis, Wolke und Wetterdunkel‹[7] vom Sinai gegangen ist.«

Der Atemhauch

Ein Schüler des Rabbi Jizchak Eisik erzählte:»Anfangs, wenn ich die Lehrrede unseres Meisters zu hören kam, ohne sie noch verstehen zu können, machte ich den Mund weit auf, daß doch sein heiliger Atemhauch in mich eindringe.«

Die Sittenpredigt

Rabbi Jizchak Eisik von Žydaczow erhielt einmal den Besuch des Rabbi Salman Löb aus Sighet in Transsylvanien, der brachte

---

[7] Deuteronomium 4, 11.

eine Schar seiner Chassidim mit, darunter auch etliche Weingutsbesitzer, die sich in einigem Maße nach Art der sogenannten Aufgeklärten aufführten. Der Gast bat Rabbi Jizchak, ihnen Worte der Mahnung zu sagen. »Solche Worte der Mahnung«, antwortete der Zaddik, »sind bei uns nicht üblich. Wenn ich am Sabbat vor der Gemeinde spreche: ›Alle werden dich bekennen, alle werden dich preisen‹, das sind unsre Worte der Mahnung. Wen sie nicht zur Umkehr erwecken, dem wird keine Sittenpredigt helfen.«

Während tags darauf Rabbi Jizchak vor der Lade »Alle werden dich bekennen« sprach, fiel der Blick des Rabbis aus Ungarn auf jene von seinen Leuten, die ihm Sorge bereiteten, und er sah sie weinen.

Der Festtag des Exils

Rabbi Jizchak Eisik wollte nach dem Heiligen Lande fahren und sich dort niederlassen. Vergeblich bemühten sich seine Söhne und seine Freunde, ihn davon abzubringen. Dann aber begab sich etwas Seltsames.

Am Abend, der auf den ersten Passahtag folgt, kam der Zaddik ins Bethaus, in den Tallith gehüllt, den er nur an Werktagen trug. Nach dem Gebet der Achtzehn Segenssprüche stand er da, ohne mit den Lobpsalmen zu beginnen, und die Gemeinde wartete ihm staunend zu; denn nie hatte sich dergleichen begeben. Nach einer Weile erst begann er die Psalmen zu sprechen, und er sprach sie, wie stets, mit einer hohen Begeisterung. Hernach, während des Mahls, erzählte er: »Heut beim Abendgebet ist mir die Geisteskraft gänzlich entzogen worden, und nicht das allein, sondern man legte mir auch den Werktagstallith um. Ich wußte nicht, was hat mir Gott da getan? Endlich wurde es mir offenbart: weil ich nach dem Lande Israel wollte, ging mir der Zusammenhang mit der Heiligkeit des zweiten Festtags, der nur in den Ländern des Exils gilt, verloren, und ich blieb im Werktag. Da wog ich alles in meinem Sinn und beschloß, diese Heiligkeit nicht aufzugeben, sondern auf die Übersiedlung ins Heilige Land zu verzichten. Nun erst wurde mir die Geisteskraft zurückgegeben.«

Wiewohl aber Rabbi Jizchak dem Lande Israel entsagt hatte, waren

seine Augen und sein Herz allezeit dort. Er ließ in der heiligen
Stadt Safed ein Bethaus bauen, das auf seinen Namen genannt
ist. Seither pflegte er zu sagen, seine Gebete stiegen auf diesem
Wege zum Himmel auf. Auch erzählte er, an jedem Tag vor dem
Morgengebet mache er einen Ausflug ins Heilige Land. Und
wenn ihm eine Stelle im Buche Sohar verschlossen blieb, lehnte
er den Kopf an die Büchse, in die man die Gaben fürs Heilige
Land auf den Namen Rabbi Meïrs des Wundertäters legt und
die nicht von seinem Tische wich, sprach den Spruch der Weisen[8]:
»Die Luft des Landes Israel macht weise«, und schon öffneten
sich ihm die Tore des Lichts.

Die gemeinsame Fahrt

Ein Chassid wollte nach dem Lande Israel fahren und kam zu
Rabbi Jizchak Eisik, Rat von ihm zu erfragen. Der Zaddik
sprach zu ihm: »Warte noch, du wirst mit mir zusammen nach
dem Lande Israel kommen.« Der Chassid verstand, auch Rabbi
Jizchak habe im Sinn, dahin zu reisen, und wartete, bis er von
ihm Nachricht erhielte. Aber die Nachricht, die er erhielt, war
die vom Tode des Zaddiks. Als er sie erhielt, sagte er: »So muß
ich nun die Fahrt rüsten.« Er tauchte im Tauchbad, er ließ die
heilige Brüderschaft rufen und sprach das Sündenbekenntnis, er
schrieb sein Vermächtnis nieder, er legte sich hin, lag einige Tage
und starb.

Frei

Oftmals in seinem letzten Jahr hob Rabbi Eisik von Žydaczow
die Hände gegen das Fenster, das auf die Straße ging, und sprach
zu sich: »Guckst sie dir an, die grobe Welt!«
Am Morgen des Tags, an dessen Abend er starb, zog er wie immer Tallith und Thefillin an. Nachdem er aber den ersten Segen des
Morgengebets gesagt hatte, hieß er sich Tallith und Thefillin abnehmen und sprach: »Heut bin ich von den Thefillin und allen Geboten frei und werde frei von der Welt.«

---

[8] Baba bathra 158 b.

JAAKOB JIZCHAK VON PŻYSHA (DER »JEHUDI«) UND SEINE NACHKOMMEN

Der Friedensstifter

Jaakob Jizchaks Vater wurde zuweilen von seinem Bruder besucht, der als armer Bethausdiener in einem entlegenen Städtchen lebte, in Wahrheit aber einer der sechsunddreißig verborgenen Zaddikim war, auf denen die Welt steht. Die beiden pflegten, wenn er bei seinem Bruder zu Besuch war, aus der Stadt aufs Feld zu gehen und sich von den Geheimnissen der Lehre zu unterreden. Einmal nahmen sie den Knaben mit, und er ging hinter ihnen her. Sie kamen an eine Wiese, auf der Schafe weideten. Da sahen sie, daß zwischen den Tieren ein großer Zwist um die Anteile an der Weide ausgebrochen war. Schon gingen die Leitwidder mit den Hörnern aufeinander los. Weder Hirt noch Hund war zu erblicken. Im Nu war der Knabe vorgesprungen, in einem Nu nahm er die Wiese in Besitz und richtete seine Herrschaft auf. Er trennte die Kämpfer und schlichtete den Streit. Alsbald war jedem Schaf und jedem Lamm zugeteilt, was es brauchte. Aber mehrere Tiere beeilten sich nun nicht mit dem Fressen, sondern drängten sich an den Knaben, der ihnen das Fell kraute und zu ihnen redete. »Bruder«, sagte der Bethausdiener, »das wird ein Hirt der Herde.«

Der Weg zur Vollendung

Einmal wurde der »Jehudi« ersucht, den dreizehnjährigen Chanoch, den nachmaligen Rabbi von Alexander, in der Gemara zu prüfen. Der Knabe mußte die ihm aufgegebene Stelle eine Stunde lang besinnen, ehe er sie erklären konnte. Danach legte der Zaddik seine Hand an Chanochs Wange und sagte: »Als ich dreizehn war, erschlossen sich mir schwerere Stellen als diese im Nu, und als ich achtzehn war, galt ich als ›ein Großer in der Thora‹. Aber es ging mir auf, daß ein Mensch mit dem Lernen allein nicht zur Vollendung kommen kann. Ich verstand, was[1] von un-

---

[1] In verschiedenen Midraschim.

serm Vater Abraham erzählt ist: wie Sonne, Mond und Sterne
erforschte und nirgends Gott fand, und wie sich ihm im Nicht-
finden die Gegenwart Gottes offenbarte. Mit dieser Einsicht trug
ich mich drei Monate. Dann forschte ich so lange, bis auch ich zur
Wahrheit des Nichtfindens kam.«

Der Schmied

Als Rabbi Jaakob Jizchak in jungen Jahren im Haus seines
Schwiegervaters lebte, hatte er einen Schmied zum Nachbarn.
Der stand frühmorgens auf und schlug auf seinen Amboß los,
daß es dem schlafenden Jüngling in den Ohren dröhnte. Er erwachte und besann sich:»Wenn dieser um vergängliches Werk
und weltlichen Gewinn sich so früh dem Schlummer entreißt,
soll ich es zum Dienst des ewigen Gottes nicht vermögen?« Am
nächsten Morgen stand er vor dem Schmied auf. Der hörte in
die Schmiede tretend den jungen Gelehrten am Fenster halblaut
aus seinem Buche lesen, und das reizte ihn:»Der hat es doch nicht
nötig und ist schon an der Arbeit! Ich werde mich doch von so
einem nicht unterkriegen lassen!« Nachts darauf stand er vor
dem Jehudi auf. Aber der junge Rabbi nahm den Wettstreit auf
und gewann ihn. In spätrer Zeit pflegte er zu sagen:»Was ich erlangt habe, verdanke ich zuvorderst einem Schmied.«

Was er in Lublin lernte

Als der Leipniker Raw, der dem chassidischen Weg entgangen
war, mit dem jungen Jaakob Jizchak und seiner Gelehrsamkeit
bekannt geworden war, fragte er ihn:»Was hast du nur bei dem
Lubliner zu suchen? Was kannst du bei ihm lernen? Was hast du
bei ihm gelernt?«»Und wenn nichts anderes«, sagte der Jehudi,
»eins habe ich bei meinem Lehrer, dem heiligen Rabbi von Lublin,
gelernt: wenn ich mich schlafen lege, schlummre ich im gleichen
Augenblick ein.«

Das Los des Engels

Der Jehudi erzählte:»Ein Chassid kam nach dem Tod vor das
himmlische Gericht, und er hatte starke Fürsprecher, so daß eine

günstige Entscheidung schon sicher schien, als ein großer Engel auftrat und ihn eines Vergehens anklagte. ›Warum hast du dies getan?‹ wurde er gefragt und fand keine andere Antwort als: ›Mein Weib hat mich dazu verleitet.‹ Da lachte der Engel hoch auf: ›Fürwahr, eine treffliche Rechtfertigung! Er hat der Stimme eines Weibes nicht widerstehen können!‹ Das Urteil wurde gefällt: Dem Mann Strafe für sein Vergehen, dem Engel die Probe, in irdischen Leib einzukehren und eines Weibes Ehemann zu werden.«
Die Chassidim, die den Ausgang dieser Geschichte hörten, faßten ihn dahin auf, daß der Rabbi sich selber meinte.

Erwiderung im Streit

Die Ehefrau des Jehudi setzte ihm oft mit langen Streitreden zu. Er hörte an, was sie vorbrachte, schwieg und nahm es in Freuden hin. Einmal aber, als ihr Schelten das gewohnte Maß überstieg, gab er ihr ein paar Worte zurück. Später fragte ihn sein Schüler Rabbi Bunam: »Was hat dieser Tag vor den andern voraus?« »Ich sah«, sprach der Jehudi, »daß ihre Seele am Abscheiden war vor wütendem Gram, weil ich von ihrem Schreien mich nicht anfechten ließ. Darum reichte ich ihr ein wenig Rede, damit sie fühle, die ihre bekümmere mich, und sich an ihrem Gefühl stärke.«

Zorn entsühnt den Feind

Es gab Leute, die den Jehudi unablässig bei seinem Lehrer, dem Rabbi von Lublin, verleumdeten, daß er ihn zu verdrängen strebe. Zu ihnen gehörte die Ehefrau des Lubliners. Als sie plötzlich starb, ließ ihr Mann den Jehudi rufen und sprach zu ihm: »Das hast du bewirkt.« – »Da sei Gott vor.« – »Was also hast du getan, als du erfuhrst, wie sie von dir redete?« – »Ich habe die Psalmen gesagt.« – »Und das nennst du nichts tun?« – »Was hätte ich denn sollen?« – »In Zorn geraten«, antwortete der Lubliner. – »Rabbi«, sprach der Jehudi, »schaut mir in die Augen und durch die Augen ins Herz und seht da nach, ob ich in Zorn zu geraten verstehe.« Der Seher sah seinem Schüler in die Augen. »Wahrhaftig«, sagte er, »der Jud versteht das Zürnen nicht.«

Der Festtag des Exils

Als der Jehudi einmal am zweiten Schawuothtag am Tisch des Kosnitzer Maggids saß, sprach dieser zu ihm:»Es bedrängt mich, daß ich am zweiten Festtag, der nur in den Ländern des Exils gefeiert wird, Weihe und Erleuchtung stärker spüre als am ersten, der im Lande Israel als der einzige gilt. Könnt Ihr mir sagen, woran es liegt, daß der Tag der Fremde mein Herz heiliger als der Heimatstag bewegt?«»Wenn ein Mann«, antwortete der Jehudi,»mit seinem Weibe gestritten hat und sie sich versöhnen, wird die Liebe größer als zuvor.«»Ihr habt mich wiederbelebt«, sagte der Maggid und küßte ihn auf die Stirn.

Elia

Es wird erzählt:»Der Jehudi pflegte einen Bauernrock anzuziehn, eine Schirmmütze, wie sie die Bauern tragen, aufzusetzen und mit seinem Hausverwalter, der sich ebenso verkleidet hatte, auf alle Märkte zu fahren, um den in Bauerngestalt wandernden Elia zu suchen. Einmal erblickte er auf einem Markt einen dörfischen Mann, der eine Mähre am Zügel führte. Er packte den Verwalter am Arm und schrie: ›Da ist er!‹ Der Fremde blitzte ihm seinen Zorn ins Gesicht: ›Jud!‹ rief er, ›wenn du weißt, wozu redst du!‹ Und schon war er verschwunden.«
Etwelche sagen, von damals an habe man den Pžysher Rabbi nicht anders als den »Juden« (»Jehudi«) genannt.

Eine Versuchung

Einst ging der Jehudi auf der Gasse herum und redete stundenlang mit den einfachen Leuten von scheinbar müßigen und eitlen Dingen, in Wahrheit aber stiftete er damit wunderbare Einungen in den oberen Welten. Danach kam der Böse Trieb zu ihm und flüsterte ihm zu:»Sieh doch, wie groß und wie herrlich die Macht deiner Seele ist!« Er aber antwortete ihm:»Was willst du mir einbilden! Was ich tue, tun doch gewiß alle Menschen – nur daß ich es an ihnen so wenig merken kann wie sie an mir.«

Können und Wollen

Über Land wandernd, traf der Jehudi einst auf einen umgestürzten Heuwagen. »Hilf mir doch den Wagen aufrichten!« rief ihm der Besitzer zu. Er versuchte es, aber es ging nicht vonstatten. »Ich kann es nicht«, versicherte er endlich. Der Bauer sah ihn streng an. »Du kannst«, sagte er, »aber du willst nicht.« Am Abend dieses Tags sprach der Jehudi zu seinen Schülern: »Heute ist es mir gesagt worden. Wir können den Namen Gottes aufrichten, aber wir wollen nicht.«

Schweigen und Reden

Einer hatte die Probe des Schweigens auf sich genommen und redete drei Jahre lang nichts außer den Worten der Lehre und des Gebets. Endlich ließ der Jehudi ihn rufen. »Junger Mann«, sagte er zu ihm, »was ist das, daß ich in der Welt der Wahrheit kein Wort von dir zu sehen bekomme?« »Rabbi«, rechtfertigte sich jener, »wozu soll ich Eitles reden? Frommt es nicht besser, nur zu lernen und zu beten?« »So kommt«, sprach der Jehudi, »eben kein Wort von dir selber in die Welt der Wahrheit. Wer nur lernt und betet, mordet das eigne Wort in der Seele. Was ist das: Eitles reden? Man kann, was immer, eitel sagen, man kann, was immer, wahrhaftig sagen... Und nun lasse ich dir eine Pfeife mit Tabak für die Nacht zurechtlegen, komm nach dem Abendgebet zu mir, und ich will dich reden lehren.« Sie saßen die Nacht durch beisammen; am Morgen war die Lehrzeit zu Ende.

Sprache

Der Jehudi ging mit seinem Schüler Perez über eine Wiese, auf der weidende Rinder brüllten, während auf dem hindurchfließenden Bach eine Gänseschar schnatternd und flügelschlagend hervorstieg. »Könnte man doch all die Rede verstehen!« rief der Schüler. »Wenn du«, sagte der Rabbi, »dahinkommst, aus dem Grunde zu fassen, was du selber redest, wirst du die Sprache aller Wesen verstehen lernen.«

Nicht was zum Munde eingeht...

Der Jehudi trug einst seinem Schüler Rabbi Bunam auf, eine Reise zu unternehmen. Bunam fragte nicht, sondern ging mit etlichen Chassidim zur Stadt hinaus, wohin die Straße sie führte. Gegen Mittag kamen sie in ein Dorf und kehrten beim Schankpächter ein, der, erfreut über die frommen Gäste, sie zum Essen einlud. Rabbi Bunam setzte sich in die Wirtsstube, die andern gingen aus und ein und forschten allerlei wegen des Fleisches, das ihnen vorgesetzt werden sollte: nach der Fehlerfreiheit des Tiers [2], nach der Person des Schächters [3], nach der Sorgfalt des Salzens [4]. Da hob ein Mann in zerrissenen Kleidern, der hinter dem Ofen saß und den Wanderstecken noch in der Hand hielt, zu reden an: »O ihr Chassidim! Ihr macht viel Aufhebens, ob euch rein genug sei, was ihr in den Mund tut, aber was euch aus dem Munde geht, um dessen Lauterkeit tragt ihr minder Sorge!«
Rabbi Bunam wollte entgegnen. Schon aber war der Wandersmann, wie es Elias Sitte ist, verschwunden. Der Rabbi verstand, zu welchem Ende ihn sein Lehrer auf den Weg geschickt hatte.

Elternehrung

Einst lernte der Jehudi mit seinen Schülern in der Gemara. Eine Stelle machte ihn nachdenklich; schweigend vertiefte er sich in ihre Betrachtung. Unter den Schülern war ein Knabe, dessen Vater bald nach seiner Geburt gestorben war. Da er wußte, daß solche Unterbrechungen bei seinem Lehrer eine gute Weile währten, ging er eilig heim, um indessen seinen heftigen Hunger zu stillen. Als er schon auf dem Rückweg ins Lehrhaus war, rief ihm seine Mutter zu, er solle ihr zuvor ein schweres Heubündel vom Speicher heruntertragen. Er kehrte nicht um, denn er fürchtete, sich zu verspäten. Mittenwegs aber bedachte er sich: Der Sinn des Lernens ist ja das Tun. Sogleich lief er zurück und gehorchte sei-

---

[2] Bestimmte Organerkrankungen und andere Defekte machen den Genuß eines sonst »reinen« Tiers zu einem unerlaubten.
[3] Ob ihm vertraut werden kann, daß er sein Messer schartenfrei bewahrte und die Vorschriften beim Schächten genau einhielt.
[4] Um das Blut, dessen Genuß verboten ist, dem Fleisch völlig zu entziehen, wird dieses ganz mit Salz bestreut.

ner Mutter. Dann ging er wieder ins Lehrhaus. Sowie er über die Schwelle trat, erwachte der Jehudi aus seiner Betrachtung, erhob sich zur vollen Größe und sprach freudig zum Knaben:»Gewiß hast du in dieser Stunde die Mutter geehrt. Denn Abaji, von dem wir wissen, daß unter den Meistern der Gemara er allein weder seinen Vater noch seine Mutter kannte, und dessen Seele sich daher je und je denen einverleibt, die das Gebot der Elternehrung, der ihm versagten, erfüllen, ist mir soeben erschienen und hat mir die schwere Stelle gedeutet.«

Die heilige Verzweiflung

Zum Psalmvers[5]»Bis wann muß ich Ratschläge hegen in meiner Seele, Kummer in meinem Herzen tagsüber!«sprach der Jehudi:»Solang ich noch Ratschläge hege in meiner Seele, muß Kummer tagsüber in meinem Herzen sein. Erst wenn ich keinen Rat mehr sehe, mir zu helfen, und mich aller Ratschläge begebe und keine Hilfe mehr weiß als von Gott, wird mir Hilfe.« Und weiter sprach er:»Das ist das Geheimnis des Tauchbads.«

Schriftdeutung

Rabbi Bunam kam einst in die Kammer seines Lehrers, des Jehudi. Der sah vom Buch auf wie einer, der seine Arbeit für einen Augenblick, jedoch nicht ungern, unterbricht, und sprach wie in einem Spiel:»Sag mir einen Vers in der Thora, und ich will ihn dir deuten.« Bunam sagte den Vers, der ihm als erster einfiel[6]: »Mose redete in die Ohren aller Versammlung Israels die Worte dieses Gesangs, bis sie vollendet waren.«»Bis sie vollendet waren«, wiederholte der Jehudi und sah wieder ins Buch; die Unterredung war zu Ende. Rabbi Bunam ging in hoher Freude hinaus. Der fünfzehnjährige Chanoch, der mit ihm in der Kammer gewesen war, fragte ihn, worüber er sich freue, er habe doch die versprochene Deutung nicht zu hören bekommen.»Besinne dich!« sagte Bunam. Da verstand auch der andre: Mose hatte seinen Gesang wieder und wieder zu den Kindern Israel gesprochen, bis er sie zur Vollendung brachte.

---

[5] 13, 3.   [6] Deuteronomium 31, 30.

Abraham und seine Gäste

Zu dem Vers der Schrift[7], der von Abraham, den die Engel besuchten, erzählt:»Und er stand über ihnen und sie aßen«, sprach der Jehudi:»Warum sagt uns das die Schrift? Es ist doch nicht die Sitte, daß der Hausherr, wenn er nicht mit dem Gaste ißt, bei dessen Essen über ihm steht. Aber dies ist es, was uns die Schrift sagen will: Bei den Engeln ist Vorzug und Mangel zugleich, und bei den Menschen ist Vorzug und Mangel zugleich. Der Vorzug der Engel ist, daß sie nicht verderben können; ihr Mangel ist, daß sie nicht aufsteigen können. Der Mangel des Menschen ist, daß er verderben kann; sein Vorzug ist, daß er aufsteigen kann. Es verhält sich aber so, daß ein Mensch, der die Gastfreundschaft wahrhaft ausübt, die Vorzüge seiner Gäste erwirbt. So erwarb Abraham den Vorzug der Engel, nicht verderben zu können. Nun stand er über ihnen.«

Das rechte Kind

Nach einem Sabbatmahl, bei dem viele Hausväter zugegen waren, sprach der Jehudi:»Ach, ihr Leute! Fragt man einen von euch, weswegen er sich auf Erden mühe, antwortet ein jeder: ›Um meinen Sohn großzuziehen, daß er lerne und Gott diene.‹ Und ist der Sohn herangewachsen, vergißt er, weswegen sich sein Vater auf Erden mühte, und müht sich gleichermaßen, und fragst du ihn nach dem Zweck all der Plage, dann sagt er zu dir: ›Ich muß doch meinen Sohn zur Lehre und zu guten Werken großziehen.‹ Und so geht es, ihr Leute, von Geschlecht zu Geschlecht. Aber wann wird man endlich das rechte Kind zu sehen bekommen?«

Unvermischt

Der Jehudi pflegte zu sagen:»Die Hauptsache ist, daß Gut und Böse nicht vermischt seien. Genug an einem Fädlein des Guten, wenn es nur ohne alle Beimischung ist!«

---

[7] Genesis 18, 8;»über« ist die Grundbedeutung der Präposition.

Vom Storch

Der Jehudi wurde gefragt:»Der Talmud erklärt, der Vogel Storch heiße deshalb im Hebräischen Chassida, die Fromme oder Liebreiche, weil er den Seinen Liebe erweise. Warum wird er dann aber unter die unreinen Vögel gerechnet?« Er gab zur Antwort:»Weil er nur den Seinen Liebe erweist.«

Unsere Probe

Der Jehudi sprach:»Jedwedes Ding hat seine Probe, mit der man es prüfen kann, ob es taugt. Und was ist die Probe des Mannes von Israel? Das ist die Liebe zu Israel. Wenn er sieht, daß Tag um Tag die Liebe zu Israel in seiner Seele wächst, weiß er, daß er im Dienste Gottes aufsteigt.«

Das Kostbarste

Der Jehudi pflegte zu sagen:»Ich gäbe gern all mein Teil in dieser und in der kommenden Welt für ein Quentchen Jüdischkeit.«

Das Schwerste

Der Jehudi sagte einmal:»Ein Wundertäter sein ist keine Kunst, ein Mann, der eine Geistesstufe erklommen hat, kann Himmel und Erde verdrehn, – aber ein Jude sein ist schwer.«

Vom Verfall

Eines Nachts lagen der Jehudi und sein Schüler Bunam in einer Kammer. Entgegen seiner Gewohnheit schlief der Jehudi nicht, sondern sann und seufzte. Rabbi Bunam fragte:»Warum seufzt Ihr?«»Ich muß immerzu«, sprach er,»daran denken, daß nach Mose die Richter kamen, nach den Richtern die Propheten, dann die Männer der großen Versammlung[8], sodann die Tannaim und Amoraim und so fort bis zu den Ermahnern[9], und als auch dies

---

[8] Die Schriftgelehrten im 4. vorchristlichen Jahrhundert, die nach dem Vorgang Esras die heiligen Bücher sammelten und erklärten.
[9] So werden die späteren Sittenlehrer, insbesondre des 17. Jahrhunderts, genannt.

verdarb und falsche Ermahner sich mehrten, standen die Zaddikim auf. Darüber aber seufze ich, daß ich sehe: auch dies wird verdorben werden. Was wird Israel tun?«

Der Vorausgehende

Als der junge Perez im Sterben lag, setzte sich der Jehudi ans Bett seines Schülers und sprach zu ihm:»Perez, deine Zeit ist noch nicht gekommen.« Er sagte:»Rabbi, ich weiß es wohl; aber ich bitte, daß mir gestattet sei, etwas auszusprechen.«»Sprich«, sagte der Jehudi.»Ich habe gesehen«, sprach Perez,»daß der Rabbi bald von der Erde scheiden muß, und ich will nicht ohne Euch hier bleiben.« Einige Wochen nach ihm starb der Jehudi.

Der letzte Einblick

Der Jehudi erzählte zuweilen, er erlange an jedem Neujahrstag einen neuen Einblick in den Dienst der geheimen Einungen, und da erscheine ihm alles, was er im vergangenen Jahr tat, nichtig vor dem Neuen, und so gehe er von Kreuzung zu Kreuzung den schrankenlosen Weg. Aber einmal, gegen Ende des Jahres, als er das»Buch des Engels Rasiel [10]« las, tat sich ihm kund, daß er bald nach dem Neujahrstag sterben müsse. Er ging zu seinem Lehrer, dem Rabbi von Lublin, und berichtete es ihm.»Bleibt bei uns über Roschhaschana«, sagte der Lubliner,»und man wird Euch erhalten.« Aber er nahm Abschied und kehrte in sein Haus zurück.

Am Tag seines Todes gingen Rabbi Kalman und Rabbi Schmuel an einem fernen Ort mitsammen. Rabbi Kalman sprach:»Es gibt eine Einung, die man an diesem Tag, aber nur im Lande Israel vollziehen kann; wer sie außerhalb des Landes vollzieht, muß selben Tags sterben. So ist es schon Mose, unserm Meister, der Friede über ihm, widerfahren.«

---

[10] Kabbalistisches Werk des 8. Jahrhunderts.

Die auseinandergenommene Taschenuhr

Rabbi Jerachmiel, der erste Sohn des Jehudi, der Uhrmacher gewesen war, ehe er Rabbi wurde, erzählte einmal der im Bethaus
versammelten Gemeinde:»Als ich das Uhrmacherhandwerk erlernt hatte, lebte ich bei meinem Schwiegervater, und auch er
verstand sich auf Uhren. Einmal wollte ich zu einem großen Zaddik fahren und hatte kein Geld zur Reise. Da sagte ich meinem
Schwiegervater, wenn er mir zehn Gulden gebe, wolle ich ihm
seine seit langem verdorbene Taschenuhr zurechtmachen, was er
selber oft vergeblich versucht hatte. Er ging darauf ein. So nahm
ich die Taschenuhr ganz und gar auseinander, um zu sehen, was
ihr fehle. Und da sah ich, nichts fehlte ihr, nur eine haardünne
Feder war leicht verbogen. Die bog ich sogleich zurecht, und die
Uhr war so gut und redlich, wie da sie aus den Händen ihres
Machers gekommen war.«
Als Rabbi Jerachmiel dies erzählt hatte, brach die ganze Gemeinde in Tränen aus.

Nach Sabbatausgang

Einst an einem Freitag, als er vom Tauchbad heimkehrte, sagte
Rabbi Jehoschua Ascher, der zweite Sohn des Jehudi, zu seinen
Söhnen, er bitte sie, am Abend nicht, wie es ihr Brauch war, zum
Sabbatmahl zu kommen, dagegen früh schlafen zu gehn, damit
sie in der Nacht nach Sabbatausgang lange bei ihm bleiben könnten. Sie aber achteten nicht darauf, sondern kamen am Abend
wie immer an seinen Tisch. Nach dem Mahl sagte er zu ihnen:
»Morgen sollt ihr untertags nicht kommen, wie ihr sonst zu tun
pflegt, und seht zu, nach dem Mittagessen zu ruhn.« Wieder aber
hatten sie seiner Worte nicht acht und kamen an den väterlichen
Tisch, wie sie es gewohnt waren. Beim dritten Sabbatmahl hieß
der Rabbi seinen ältesten Sohn an seiner Stelle das Brot brechen, und als der es nicht tun wollte, sagte er:»Du mußt lernen,
für Israel Brot zu brechen und die Fülle des Segens ihnen zuzu-
teilen.« Nach dem Mahl, dem Abendgebet und der Hawdala aß
der Rabbi wie immer mit all seinen Vertrauten das Geleitmahl,
und wieder befahl er seinem ältesten Sohn, das Brot zu brechen.

Nach dem Mahl sagte er zu den Söhnen: »Ich bitte euch, nicht
fortzugehn, sondern mir eine wahre Wohltat zu erweisen, indem
ihr bei mir bleibt.« Eine Weile danach ließ er sich frische Wäsche
in seine Stube bringen. Seine Frau wunderte sich über den um
diese Stunde ungewohnten Wunsch, gab aber dem Diener die
Wäsche, und der Rabbi zog sie an. Sodann hieß er den Diener im
Lehrhaus und in allen Zimmern Kerzen entzünden. Die Frau
wandte etwas ein; als sie aber hörte, daß der Rabbi es eben so
haben wolle, gab sie die Kerzen her. Wieder nach einer Weile
hieß der Rabbi die Türen öffnen und die Söhne sowie die Vertrauten, die im Lehrhaus und im Vorraum sich aufgehalten hatten, zu ihm kommen. Der Rabbi hatte sich auf dem Bett ausgestreckt. Jetzt ließ er sich die Pfeife reichen, tat einige gelassene
Züge daraus und legte sie auf den Stuhl. Dann zog er die Decke
über den Kopf, man hörte noch, nur eben vernehmbar, ein Seufzen, dann war er verschieden.

Nicht Gerechte suchen

Ein Mann, der sich ein Vergehen hatte zuschulden kommen lassen und nun von dessen Folgen bedrängt war, kam zum Maggid
von Trisk um Rat, der aber lehnte es streng ab, sich mit seiner
Sache zu befassen. »Man berät sich, ehe man handelt, nicht danach«, sagte er. Der Mann wandte sich nun an Rabbi Jaakob Zwi
von Parysow, einen Sohn des Rabbi Jehoschua Ascher. »Dir muß
geholfen werden«, sagte dieser. »Es darf uns nicht darum gehen,
Gerechte zu suchen, sondern für die Sünder Gnade zu erflehen.
Abraham suchte Gerechte, und so mißlang sein Unterfangen.
Mose aber betete[11]: ›Verzeihe die Verfehlung dieses Volkes‹,
und Gott antwortete ihm: ›Ich verzeihe nach deiner Rede.‹«

Wo Gott zu finden ist

Zu Rabbi Meïr Schalom, einem Sohn des Rabbi Jehoschua Ascher,
kam einst ein Kaufmann und beklagte sich über einen andern, der
einen Laden dicht neben dem seinen aufgetan habe. »Du meinst

---

[11] Numeri 14, 19 f.

offenbar«, sagte der Zaddik, »dein Laden sei es, der dich erhält, und richtest auf ihn dein Herz statt auf Gott, der dich erhält. Oder weißt du nicht, wo Gott wohnt? Es steht geschrieben [12]: ›Halte lieb deinen Genossen, dir gleich: ich bin der Herr.‹ Das heißt: ›Wolle, wie für dich, für deinen Genossen, was er braucht – da wirst du Gott finden.‹«

Der Gruß des Wanderers

Ein Enkel Rabbi Nechemjas, des dritten Sohns des Jehudi, erzählte: »Als mein Großvater von seinem Besuch beim Rižiner Rabbi in Sadagora heimreiste und, mit einem seiner Chassidim im Wagen sitzend, in einen leichten Schlaf verfiel, ging ein Mann vorüber, der trug einen großen Sack auf dem Rücken. Als der Mann schon etwa hundert Ellen weit war, drehte er sich um und rief meinem Großvater, der darüber erwachte, zu: ›Nechemjale, bist du's?‹ Mein Großvater sah aus dem Wagen. ›Nechemjale‹, sagte der Mann, ›nach Polen fährst du? Grüß mir den Heiligen von Radoschitz, grüß mir den Heiligen von Mogielnica, grüß mir deinen heiligen Bruder, Rabbi Jerachmiel!‹ Und er ging weiter. Sie waren aber alle tot, die er hatte grüßen lassen. Bald nach der Heimkehr starb mein Großvater.«

---

[12] Leviticus 19, 18.

—

SSIMCHA BUNAM VON PŻYSHA

Schachspielsprüche

In seiner Jugend, als Rabbi Bunam Holzhändler war, pflegte er mit fragwürdigen Leuten Schach zu spielen. Er tat jeden Zug mit einer innigen und heiteren Andacht, als vollzöge er eine heilige Handlung. Dabei trug er von Weile zu Weile halb singend Scherzverslein vor, wie etwa dieses:»Machst du einen Gang, sorg, daß dir nicht werde bang.« Die Sprüche paßten stets zur Lage im Spiel, aber der Ton, in dem sie gesagt wurden, war so, daß die Zuhörer aufhorchen mußten. Sie spürten immer stärker: es ging ihr Leben an. Sie wollten's nicht wahr haben, sie wehrten sich, sie erlagen. Die große Umkehr nahm ihre Herzen in Besitz.

Der falsche Zug

Einmal spielte Rabbi Bunam mit einem Mann Schach, den von seinem üblen Weg abzubringen ihm besonders anlag. Er machte einen falschen Zug, alsbald zog der Partner und brachte ihn in eine schlimme Lage. Rabbi Bunam bat, ihn den Zug zurücknehmen zu lassen, und der Mann gestand es zu. Als das sich aber bald wiederholte, weigerte er sich, es ihm nochmals nachzusehen. »Einmal habe ich's Euch hingehen lassen«, sagte er,»aber jetzt muß es gelten.«»Wehe dem Menschen«, rief der Zaddik,»der sich schon so tief ins Böse verkrochen hat, daß ihm kein Gebet mehr hilft, umkehren zu können!« Stumm und regungslos, die Seele lichterloh entbrannt, starrte der Spielpartner ihn an.

Weltliche Gespräche

Rabbi Bunam fuhr auf der Weichsel Holz nach Danzig, um es dort zum Verkauf zu bringen. Dazwischen aber lernte er bei dem Jehudi.

Einmal kam er geradeswegs von Danzig zu ihm. »Hast du dort
Neues erfahren?« fragte ihn der Jehudi. Alsbald begann Bunam
ihm allerhand zu erzählen. Jerachmiel, den Sohn des Jehudi, verdroß es, daß man diesem die Zeit mit müßigen Weltreden raube.
Später aber, als der Gast gegangen war, sagte der Jehudi zu seinem Sohn: »Weißt du, was er mir berichtet hat? Es reicht von unter dem großen Abgrund bis an den Thron der Majestät.«

Die Wände

Auf einer Handelsreise nach Leipzig hielten Rabbi Bunam und
einige Kaufleute, die ihn begleiteten, unterwegs vor dem Hause
eines Juden an, um das Nachmittagsgebet zu sprechen. Sowie er
aber eintrat, verspürte er, daß es ein übelriechendes Haus war;
nie hatte er in solch einem Raum gebetet. Er gab den andern ein
Zeichen, und sie gingen hinaus. Der Rabbi wandte sich einem
Nachbarhaus zu. Doch schon nach wenigen Schritten hielt er
inne. »Wir müssen zurück«, rief er, »die Wände fordern mich vor
Gericht, weil ich sie verachtet und beschämt habe.«

Sind's Gottesleugner?

In Danzig saß Rabbi Bunam an jedem Sabbat mit den »Deut-
schen« – so wurden die Juden genannt, die die alten Lehren und
Sitten aufgegeben hatten – und sprach am Tisch von der Thora.
Die »Deutschen« aber spotteten über seine wunderlichen Reden.
Empört bat sein Sohn, Rabbi Abraham Mosche, er möge die
Thora nicht mehr den Gottesleugnern zum Gespött hinwerfen.
»Was kann ich tun«, sagte Rabbi Bunam, »wenn die Zeit kommt
und das Wort in mir wach wird – wie soll ich es verhalten! Immerhin, wenn ich am nächsten Sabbat wieder reden will, tritt
mich heimlich auf den Fuß, damit ich's lasse.« Das tat der Sohn,
als sie wieder am Sabbattisch saßen. Aber Rabbi Bunam verwies
es ihm: »Nicht doch, diese da sind keine Gottesleugner! Eben
habe ich gehört, wie einer von ihnen, weil der Kopf ihn heftig
schmerzte, aufschrie: ›Höre, Israel!‹ Ein Gottesleugner war Pharao, der unter Gottes Schlägen erklärte[1], er kenne ihn nicht.«

---

[1] Exodus 5, 2.

Das Schauspiel und der Zettel

Als Rabbi Bunam noch Holzhändler war, fragten ihn in Danzig etliche Kaufleute, warum er, der im Schrifttum so bewandert sei, zu Zaddikim fahre: was könnten die ihm sagen, was er nicht ebensogut aus seinen Büchern erfahre? Er gab ihnen Antwort, aber sie verstanden ihn nicht. Am Abend forderten sie ihn vergeblich auf, mit ihnen ins Schauspiel zu gehen. Als sie heimkamen, erzählten sie ihm, sie hätten vieles Wunderbare gesehen. »Die wunderbaren Dinge kenne ich auch«, sagte er, »ich habe den Zettel gelesen.« »Danach«, beschieden sie ihn, »könnt Ihr nicht wirklich etwas davon wissen, was wir mit unsern Augen gesehen haben.« »So eben verhält es sich«, sprach er, »mit den Büchern und den Zaddikim.«

Im Dirnenhaus

Ein Holzhändler gab einmal Rabbi Bunam seinen Sohn nach Danzig mit, der für ihn dort Geschäfte zu besorgen hatte, und bat ihn, auf den Jüngling zu achten. An einem Abend fand er ihn nicht in der Herberge. Er ging sogleich auf die Straße und vor sich hin, bis er an ein Haus kam, aus dem Klavierspiel und Gesang erschollen. Er trat ein. Als er eintrat, war gerade das Lied zu Ende, und er sah den Sohn des Holzhändlers zum Saal hinausgehn. »Sing deine schönste Nummer«, sagte er zur Sängerin und gab ihr einen Gulden. Sie sang, die innere Tür ging sogleich wieder auf, und der Jüngling kam zurück. Rabbi Bunam ging auf ihn zu. »Ach, da bist du«, sagte er mit gelassener Stimme, »man hat nach dir gefragt, komm doch gleich mit.« In der Herberge angelangt, spielte er mit ihm ein Weile Karten, dann gingen sie zur Ruhe. Am nächsten Abend besuchte er mit ihm ein Theater. Als sie aber heimkamen, hob Rabbi Bunam an Psalmen zu sprechen und sprach sie mit großer Macht, bis er den Jüngling aus allen Kräften der Stofflichkeit zog und der zur vollkommenen Umkehr gelangte.

Viel später erzählte der Zaddik einmal seinen Vertrauten: »Damals im Dirnenhaus habe ich gelernt, daß die Schechina sich allerorten niederläßt, und ist an einem Ort nur ein einziger, der sie empfängt, der empfängt ihren vollen Segen.«

Im Volksgarten

Als er in Danzig war, ging Rabbi Bunam einmal am Abend in den Volksgarten. Da brannten viele Lichter, und Jünglinge und Mädchen lustwandelten in hellen Gewändern. »Das sind die Kerzen des Versöhnungstags«, sprach er zu sich, »und das sind die Sterbekittel der Beter.«

Die Wohltat

Als Rabbi Bunam noch ein Holzhändler war und alljährlich auf den Holzmarkt nach Danzig fuhr, hörte er auf der Reise in einer kleinen Stadt, wo er den Sabbat verbringen wollte, von einem frommen und gelehrten Mann, der in großem Elend lebte. Da lud er sich bei dem Mann als Sabbatgast ein, ließ ihm Geräte und Speisevorrat in das leere Haus tragen und wußte ihm auch noch würdige Kleider aufzunötigen. Nach dem Sabbat überreichte Rabbi Bunam seinem Gastgeber einen ansehnlichen Geldbetrag als Abschiedsgeschenk. Jener weigerte sich, das Geld anzunehmen; er habe schon übergenug empfangen. »Das andre«, sagte der Zaddik, »habe ich nicht Euch, sondern mir gegeben, um die Wunde des Mitleidens, die mir Euer Elend schlug, zu heilen; nun erst kann ich das Gebot des Wohltuns erfüllen. Darum steht geschrieben [2]: ›Geben sollst, geben du ihm, und nicht erbose sich dein Herz, wann du ihm gibst‹ – wer den Anblick der Armut nicht ertragen kann, muß sie so lange lindern, bis der Verdruß seines Herzens überwunden ist, dann erst vermag er in Wahrheit seinem Mitmenschen zu geben.«

Der Apotheker

Später wurde Rabbi Bunam Apotheker in Pžysha. In den Nächten aber lernte er weiter bei Rabbi Jaakob Jizchak, dem Jehudi. Wenn dieser hinwieder es im Umgang mit seinen Chassidim einmal schwer hatte, eine Seele zu heilen, pflegte er zu sagen: »Ruft mir den Apotheker zu Hilfe!«

---

[2] Deuteronomium 15, 10.

Die Gitarre

Rabbi Jecheskel von Kosnitz erzählte einem Schüler Rabbi Bunams:»Als dein Lehrer Apotheker in Pžysha war, hielten wir zusammen. Einmal ging ich zu ihm, einmal kam er zu mir. Als ich an einem Abend die Apotheke betrat, sehe ich, auf der Bank liegt ein Instrument, eins von denen, deren Saiten man mit den Fingern zupft. Gerade kommt eine Bäuerin mit einem Rezept. Rabbi Bunam fertigt mit der einen Hand die Arznei an, die andre läßt er auf den Saiten spielen. Wie die Bäuerin geht, sage ich zu ihm: ›Rabbi Bunam, das ist ein unheiliges Gebaren!‹ Sagt er: ›Rabbi Jecheskel, Ihr seid ein mißgeborner Chassid!‹ Ich bin heimgegangen und hatte einen Groll im Herzen. Aber in der Nacht ist mir mein Großvater erschienen, hat mir eine Ohrfeige gegeben und mich angefahren: ›Guck dem Mann nicht nach, er leuchtet in die himmlischen Hallen hinein!‹«

Der Entschluß

Nach dem Tode seines Lehrers, des »heiligen Juden«, blieb Rabbi Bunam in der Stadt Pžysha. Als seine Frau einmal vorm Fenster saß, sah sie, daß ein Wagen voller Leute vor ihr Haus fuhr. Sie lief zu ihrem Mann und rief:»Bunam, eine Fuhre Chassidim ist zu dir gekommen!« »Was fällt dir ein«, sagte er, »du weißt doch, daß das nicht mein Geschäft ist.« Als sie aber nach einer Stunde fortgingen, sagte er zu ihr:»Es ist umsonst, ich kann mich nicht länger dagegen stemmen. Wie sie eintraten, wußte ich mit einem Schlag eines jeden Nöte und Wünsche.«

Der Hirt

Eine Zeit nach dem Tod des Jehudi wußten die Schüler noch nicht, wen sie sich zum Meister erwählen sollten. Sie fragten Rabbi Bunam um Rat. Er sprach:»Ein Hirt weidete die Schafe am Feldrain. Ermüdet fiel er zur Erde und schlief ein. Das war ihm noch nie geschehn. Um Mitternacht erwachte er, der Vollmond stand hoch, die Nacht war kühl und klar. Der Hirt trank einen Schluck Wasser vom Bach; es tat ihm wohl. Zugleich ent-

sann er sich seiner Schafe, und sein Herzschlag stockte. Er sah
sich um; die Tiere lagen wenige Schritte vor ihm wie im Pferch
aneinandergedrängt; er zählte sie, keins fehlte. Er rief: ›Geliebter Gott, wie soll ich dir's vergelten? Vertrau mir deine Schafe
an, so will ich sie hüten wie meinen Augapfel.‹ Solch einen Hirten sucht euch zum Rabbi!« Rabbi Abele Neustädter, der einst
den Jehudi in der Kabbala unterwiesen hatte und der vielen unter den Versammelten als der Nachfolger seines Schülers erschien,
stand vom Stuhl auf und setzte Rabbi Bunam hinein.

Der teure Arzt

Als Rabbi Bunam die Nachfolge seines Lehrers, des Jehudi, antrat, wandten sich viele Jünglinge zu ihm und vergaßen Haus
und Erwerb. Das verdroß die Väter sehr, und Rabbi Bunam erfuhr schärfere Verfolgung als alle Zaddikim des Zeitalters. Einmal kam einem jungen Mann sein Schwiegervater nachgefahren,
hieß den Reisewagen an der Tür des Rabbi warten, drang ein
und schrie an der Schwelle: »Die besten Söhne verderbt Ihr uns,
daß sie alles hinwerfen und bei Euch die Jahre versitzen. Und
dann sagt Ihr noch, Ihr wolltet sie Gottesfurcht lehren! Gottesfurcht lehren! Dazu brauchen wir Euch nicht, dazu haben wir
gute Bücher genug, da können sie mehr finden als bei Euch!«
Rabbi Bunam wartete, bis der Mann nichts mehr zu sagen wußte,
dann sprach er: »Es ist Euch wohl bekannt, daß ich ein Apotheker gewesen bin. Da habe ich beobachtet, daß ein Arzt, der alle
Kranken ungerufen und unbelohnt besuchte, geringeres Zutrauen
und weniger Achtung für seine Anordnungen fand als ein anderer, der sich gehörig bezahlen ließ. Mit Pein und Plage, die sie
von ihren Vätern und Schwiegervätern erleiden, müssen die Seelenkranken zahlen, die mich aufsuchen, und glauben dem Arzt,
der ihnen so teuer zu stehen kommt.«

Der Mantel

Ein Schüler Rabbi Bunams wurde gefragt: »Was ist denn an
Eurem Lehrer so Großes, daß Ihr Euch seiner so berühmt?« Er
sprach: »Elia fand den Elisa, wie er mit seinen Stieren den Acker
pflügte. Ihr müßt Euch den Elisa nicht wie einen Propheten vor-

stellen, sondern wie einen rechten Bauern, der seine Stiere anruft: ›Hü, zieht an!‹ Da kam der Meister und warf seinen Mantel auf ihn, und schon brannte Elisa lichterloh. Er schlachtete die Stiere, er zerbrach den Pflug. ›Was habe ich dir denn angetan?‹ fragte Elia. ›Oh!‹ schrie er, ›was hast du mir angetan!‹ Er verließ Vater und Mutter und rannte hinter seinem Lehrer her, daß man ihn von Elia nicht mehr abreißen konnte. So ist es, wenn Rabbi Bunam die Hand eines Schülers faßt. Das kann der einfältigste Mann sein, es beginnt in ihm so lebendig zu werden, daß er am liebsten sich Gott auf dem Altar darbringen möchte.«

Der Schatz

Den Jünglingen, die zum erstenmal zu ihm kamen, pflegte Rabbi Bunam die Geschichte von Rabbi Eisik, Sohn Rabbi Jekels in Krakau, zu erzählen. Dem war nach Jahren schwerer Not, die sein Gottvertrauen nicht erschüttert hatten, im Traum befohlen worden, in der Stadt Prag an der Brücke, die zum Königsschloß führt, nach einem Schatz zu suchen. Als der Traum zum drittenmal wiederkehrte, machte sich Rabbi Eisik auf und wanderte nach Prag. Aber an der Brücke standen Tag und Nacht Wachtposten, und er getraute sich nicht zu graben. Doch kam er an jedem Morgen zur Brücke und umkreiste sie bis zum Abend. Endlich fragte ihn der Hauptmann der Wache, auf sein Treiben aufmerksam geworden, freundlich, ob er hier etwas suche oder auf jemand warte. Rabbi Eisik erzählte, welcher Traum ihn aus fernem Land hergeführt habe. Der Hauptmann lachte:»Und da bist du armer Kerl mit deinen zerfetzten Sohlen einem Traum zu Gefallen hergepilgert! Ja, wer den Träumen traut! Da hätte ich mich ja auch auf die Beine machen müssen, als es mir einmal im Traum befahl, nach Krakau zu wandern und in der Stube eines Juden, Eisik Sohn Jekels sollte er heißen, unterm Ofen nach einem Schatz zu graben. Eisik Sohn Jekels! Ich kann's mir vorstellen, wie ich drüben, wo die eine Hälfte der Juden Eisik und die andre Jekel heißt, alle Häuser aufreiße!« Und er lachte wieder. Rabbi Eisik verneigte sich, wanderte heim, grub den Schatz aus und baute das Bethaus, das Reb Eisik Reb Jekels Schul heißt.

»Merke dir diese Geschichte«, pflegte Rabbi Bunam hinzuzufügen, »und nimm auf, was sie dir sagt: daß es etwas gibt, was du nirgends in der Welt, auch nicht beim Zaddik finden kannst, und daß es doch einen Ort gibt, wo du es finden kannst.«

Der grübelnde Wächter

Rabbi Bunam sagte einmal: »Zuweilen wird ein Mensch sündig und weiß selber nicht, wie es geschah; denn es hat keinen Augenblick gegeben, wo er nicht mit allen Gedanken auf seiner Hut war.« Und er erzählte dieses Gleichnis: »Ein großer Herr hatte einmal ein Rennpferd im Stall stehen, das war ihm über alles wert, und er ließ es wohl bewachen. Die Stalltür war mit Sperrhaken verschlossen, und ein Wächter saß ständig davor. In einer Nacht wurde der Herr von einer Unruhe befallen. Er ging zum Stall, da saß der Wächter und grübelte sichtlich angestrengt einer Sache nach. ›Was gibt dir so zu denken?‹, fragte er ihn. ›Ich überlege‹, antwortete der Mann. ›Wenn ein Nagel in die Wand geschlagen wird, wo geht der Lehm hin?‹ ›Das überlegst du schön‹, sagte der Herr. Er ging ins Haus zurück und legte sich hin. Aber er konnte nicht schlafen, und nach einer Weile hielt er's nicht aus und ging wieder zum Stall. Wieder saß der Wächter vorm Tor und grübelte. ›Worüber denkst du nach?‹ fragte ihn der Herr. ›Ich überlege‹, sagte er. ›Wenn ein Hohlbeugel gebakken wird, wo geht der Teig hin?‹ ›Schön überlegst du das‹, bestätigte ihm der Herr. Wieder ging er zur Ruhe, wieder duldete es ihn nicht auf dem Lager, und er mußte sich zum drittenmal zum Stall begeben. Der Wächter saß an seinem Platz und grübelte. ›Was beschäftigt dich jetzt?‹ fragte der Herr. ›Ich überlege‹, antwortete jener. ›Hier ist das Tor, mit Sperrhaken wohl verschlossen, hier sitze ich davor und wache, und das Pferd ist nicht da, wie geht das zu?‹«

Die drei Gefangenen

Nach dem Tode des Rabbi Uri von Strelisk, den man den Seraf nannte, kam einer seiner Chassidim zu Rabbi Bunam, um sich ihm anzuschließen. Rabbi Bunam fragte: »Welches war der Weg deines Lehrers, euch im Dienst zu unterweisen?«»Sein Weg«, sagte der Chassid,»war, Demut in unsere Herzen zu pflanzen. Darum mußte jeder, der zu ihm kam, mochte er ein Vornehmer oder ein Gelehrter sein, zu allererst zwei große Eimer am Marktbrunnen füllen oder eine andere beschwerliche und geringgeschätzte Arbeit auf der Straße vollbringen.« Rabbi Bunam sprach:»Ich will dir eine Geschichte erzählen. Drei Männer, zwei kluge und ein törichter, saßen einst in einem nachtfinstern Verlies, in das ihnen täglich Speisen und Eßgerät hinuntergelassen wurden. Das Dunkel und die Not der Gefangenschaft hatten den Narren vollends verwirrt, so daß er sich der Geräte, weil er sie nicht sah, nicht zu bedienen verstand. Einer seiner Gefährten belehrte ihn, aber am nächsten Tag wußte er das Gerät wieder nicht zu handhaben, und so mußte der Kluge sich unablässig mit ihm abmühen. Der dritte Gefangene aber saß schweigend und kümmerte sich um den Toren nicht. Einmal fragte der zweite, warum er sich des Beistands enthalte. ›Sieh‹, antwortete jener, ›du mühst dich ab und kommst zu keinem Ziel, denn jeder Tag wirft dein Werk um, ich aber sitze und überlege, wie ich es anstellen muß, um in die Wand ein Loch zu bohren, daß das Licht der Sonne herfinde und wir alles sehen.‹«

Die Rettung

Rabbi Bunam erzählte:»Rabbi Eleasar von Amsterdam war auf einer Seefahrt zum Heiligen Land, als ein Sturm das Schiff fast zum Sinken brachte. Vor der Morgenröte hieß Rabbi Eleasar seine Leute aufs Deck treten und beim ersten Lichtschein das Schofarhorn blasen. Als sie es taten, legte sich der Sturm. Meint aber nicht«, fügte Rabbi Bunam hinzu,»es sei Rabbi Eleasars Absicht gewesen, das Schiff zu retten. Vielmehr war er gewiß, es gehe unter, und wollte mit den Seinen vor dem Tode noch ein heiliges Gebot, das des Schofarblasens, erfüllen. Wäre er auf eine wunderbare Rettung ausgegangen, sie wäre nicht geglückt.«

Die Erzählung, die erzählt wurde

Rabbi Bunam erzählte:»Einmal, unterwegs, nah bei Warschau, empfand ich, ich müsse eine Geschichte erzählen. Die Geschichte war aber weltlicher Art, und ich wußte, sie würde unter den vielen Leuten, die sich um mich versammelt hatten, nur Lachen erregen. Der Böse Trieb redete mir heftig ab: ich würde all die Leute verlieren, denn wenn ich die Geschichte erzählte, würden sie mich nicht mehr für einen Rabbi halten. Ich aber sprach in meinem Herzen:›Was hast du dich um die geheimen Bestimmungen Gottes zu sorgen?‹ Und ich gedachte der Worte Rabbi Pinchas' von Korez:›Die Erlustigungen stammen vom Paradies, sogar die Scherzworte.‹ So verzichtete ich in meinem Herzen darauf, Rabbi zu sein, und erzählte die Geschichte. Die Versammelten brachen in ein großes Lachen aus. Alle, die mir bisher noch ferngeblieben waren, schlossen sich mir an.«

Alle und jeder

Rabbi Bunam sagte einmal:»Wenn am Sabbat meine Stube voller Leute ist, wird es mir schwer, Worte der Lehre zu sprechen. Denn jeder bedarf seiner eigenen Lehre, jeder soll in seiner Lehre vollendet werden, und was ich allen zuteile, entziehe ich jedem von ihnen.«

Ohren und Mund

Als Rabbi Bunam einmal an seinem Tisch Worte der Lehre sprach, drängten sich alle so sehr heran, daß der Diener sie laut anfuhr. »Laß doch«, sagte der Zaddik zu ihm, »glaub mir: wie sie die Ohren herzuneigen, um zu hören, was ich sage, so neige auch ich die Ohren herzu, um zu hören, was mein Mund sagt.«

Das Bröcklein

Rabbi Bunam erging sich einmal mit einigen Schülern vor der Stadt. Er bückte sich, hob ein Sandbröcklein auf, betrachtete es und legte es wieder an seinen Ort. »Wer nicht glaubt«, sagte er, »daß Gott will, dieses Bröcklein solle eben hier liegen, glaubt nicht.«

Beginn der Lehre

Rabbi Bunam begann die Lehre mit den Worten:»Wir danken dir, Quell des Segens und Gesegneter, daß du offenbar und verborgen bist.« Dann sprach er:»Der beherzte Mensch muß Gott fühlen, wie er den Ort fühlt, auf dem er steht. Und wie er sich nicht ohne Ort zu denken vermag, so soll er in aller Einfalt des Orts der Welt innewerden, des offenbaren, der sie enthält; zugleich aber, daß eben er das verborgene Leben ist, das sie erfüllt.«

Der Geschmack des Brotes

Beim dritten Sabbatmahl sprach einst Rabbi Bunam:»Es steht geschrieben[3]: ›Schmeckt und seht, wie der Herr gut ist.‹ Der Geschmack, den ihr am Brote verspürt, das ist noch nicht der wahre Geschmack des Brotes. Erst die Zaddikim, die all ihre Glieder durchläutert haben, schmecken den wahren Geschmack des Brotes, wie Gott es geschaffen hat. Sie schmecken und sehn, wie der Herr gut ist.«

Alle Glieder

Als Rabbi Bunam von seinen Gegnern befragt wurde, warum er allmorgendlich das Gebet verzögere, antwortete er:»Der Mensch hat Knochen, die noch schlafen, wenn er schon erwacht ist. Es steht aber geschrieben[4]: ›Sprechen werden all meine Gebeine: Herr, wer ist dir gleich!‹ So muß denn der Mensch warten, bis alle seine Gebeine erwacht sind.«

Zwei Taschen

Rabbi Bunam sprach zu seinen Schülern:»Jeder von euch muß zwei Taschen haben, nach Bedarf in die eine oder andere greifen zu können: in der rechten liegt das Wort[5]: ›Um meinetwillen ist die Welt erschaffen worden‹, und in der linken[6]: ›Ich bin Erde und Asche.‹«

---

[3] Psalm 34, 9.
[4] Psalm 35, 10.
[5] Talmudisch (Sanhedrin 37).
[6] Genesis 18, 27.

Zwei Türen

Rabbi Bunam sprach:»Immerzu geht der Mensch durch zwei Türen: von dieser Welt hinaus, zur kommenden Welt hinein und wieder aus und ein.«

Der Trauring

Rabbi Bunam lehrte:»Wie wenn einer alles zur Hochzeit vorbereitet hat und hat vergessen, den Trauring zu kaufen, so wer sich ein langes Leben lang gemüht hat und hat vergessen, sich selber zu heiligen – zuletzt ringt er die Hände und verzehrt sich.«

Das Halstuch

Rabbi Bunams Lieblingsschüler hatte sein Halstuch verloren und suchte danach mit großem Eifer. Die Gefährten lachten über ihn. »Er tut recht«, sagte der Zaddik,»wenn er ein Ding, dessen er sich bedient hat, wert hält. So besucht ja auch die Seele nach dem Tod den entsunkenen Leib und neigt sich über ihn.«

Gaben

Rabbi Bunam sprach zu seinen Chassidim:»Wer von euch nichts als liebreich ist, ist ein Buhler, wer nichts als fromm, ein Gauner, wer nichts als klug, ein Ungläubiger. Nur wer alle drei Eigenschaften hat, kann Gott rechtschaffen dienen.«

Der Met

Man berichtete Rabbi Bunam, daß seine Schüler zu Freundschaftsmahlen zusammenkamen. Da erzählte er ihnen:»Ein Mann wollte sich einen Erwerb sichern und fragte nach einem passenden um. Man riet ihm, er solle Met machen lassen, denn Met trinken die Leute gern. So fuhr er in eine andere Stadt und ließ sich von einem kundigen Metbrauer die Grundsätze seiner Kunst beibringen. Sodann kehrte er heim. Und wie es üblich ist, veranstaltete er zunächst ein großes Metgelage und lud viele ein, gewiß, daß sie danach den Ruhm des von ihm ausgeschenkten Getränks verbreiten würden. Wie aber der Met auf den Tisch kam und die Gäste von ihm kosteten, schnitten sie allerhand Gesichter, denn er war bitter und ungenießbar. Der Mann reiste zu seinem Meister und forderte von ihm ingrimmig das Lehrgeld zurück. Der Brauer fragte ihn aus, ob er auch alle Zutaten in der richtigen Menge beigemischt habe, und auf jede Frage bekam er ein böses ›Ja‹ zur Antwort. Schließlich fragte er noch: ›Du hast doch wohl auch Honig richtig dreingetan?‹ ›Honig?‹ sagte der Mann, ›nein, daran habe ich nicht gedacht.‹ ›Du Erznarr‹, rief der Meister, ›muß man dir auch das sagen?!‹ So ist es mit euch«, schloß Rabbi Bunam seine Erzählung, »ein Mählchen ist ganz gut, aber ein volles Maß chassidischen Honigs muß dabei sein.«

Lehrer und Schüler

Rabbi Chanoch erzählte: »Ein ganzes Jahr verlangte es mich, zu meinem Lehrer, dem Rabbi Bunam, zu gehen und mit ihm zu reden. Aber jedesmal, wenn ich ins Haus trat, fühlte ich mich nicht Mannes genug. Endlich kam es mir, als ich weinend übers Feld ging, daß ich sogleich zum Rabbi laufen mußte. Er fragte: ›Warum weinst du?‹ ›Ich bin doch‹, sagte ich, ›ein Geschöpf auf der Welt und bin mit allen Sinnen und allen Gliedern erschaffen, und ich weiß nicht, was ist's, wozu ich erschaffen bin, und was tauge ich auf der Welt?‹ ›Du Närrlein‹, sagte er, ›damit gehe auch ich herum. Du wirst heute mit mir zu Abend essen.‹«

Selbstgefühl

Rabbi Chanoch erzählte: »Im Hause meines Lehrers, des Rabbi Bunam, war es der Brauch, daß am Vorabend des Versöhnungstags alle Chassidim zu ihm kamen und sich ihm in Erinnerung brachten. Einmal, nachdem ich die Abrechnung der Seele vollzogen hatte, schämte ich mich, mich vor ihm sehen zu lassen. Dann beschloß ich aber, mitten unter den anderen zu kommen, mich ihm in Erinnerung zu bringen und sogleich eilends von dannen zu gehn. Das tat ich auch. Sowie er mich aber zurücktreten sah, rief er mich zu sich heran. Alsbald schmeichelte es meinem Herzen, daß der Rabbi mich anschaun wollte. In demselben Augenblick jedoch, als es meinem Herzen schmeichelte, sagte er zu mir: ›Es ist nicht mehr nötig.‹«

Der Väterspruch

Ein Schüler erzählte:»Einmal zog mein Lehrer, Rabbi Simcha Bunam, mit seiner heiligen Hand meinen Kopf zu sich heran, bis seine Lippen an mein inneres Ohr rührten, und flüsterte mir dreimal die Worte der Vätersprüche[7] zu: ›Seid nicht wie die Knechte, die dem Herrn dienen, um Lohn zu empfangen.‹ Fast spaltete er mir das Hirn mit dem heiligen und furchtbaren Hauch seines Mundes.«

Blas!

Als Rabbi Bunam einst in seinem Bethaus einen Mann mit dem Schofarblasen beehrte, hob der an, weitläufige Vorbereitungen zu machen, um seine Seele recht auf die Intention der Töne auszurichten.»Narr«, rief der Zaddik,»blas!«

Das Leben festhalten

Rabbi Bunam sprach:»Am Neuen Jahr beginnt die Welt neu, und ehe sie neu beginnt, geht sie zu Ende. So denn, wie vorm Sterben alle Kräfte des Leibes angestrengt das Leben festhalten, so halte der Mensch am Neuen Jahr das Leben der Welt mit allen Kräften fest.«

Im Exil

Am Tag des Neuen Jahres nach der Heimkehr vom Gottesdienst sprach Rabbi Bunam zu den in seinem Haus versammelten Chassidim:»Ein Königssohn empörte sich wider seinen Vater und wurde von dessen Angesicht verbannt. Nach einer Zeit erbarmte es den König, und er hieß ihn suchen. Es währte lang, bis einer der Boten in der Fremde ihn in einer Dorfschenke fand, wo er bloßfüßig und im zerrissenen Hemd unter betrunkenen Bauern tanzte. Der Höfling verneigte sich und sagte: ›Ich bin von Eurem Vater gesandt, Euch zu fragen, was Ihr begehrt. Was immer es sei, er ist bereit, es zu erfüllen.‹ Der Prinz brach in Tränen aus. ›Hätte ich doch‹, sagte er, ›ein warmes Gewand und ein Paar kräftige

---

[7] Aboth I, 3.

Schuhe!‹ – Seht, so winseln wir um das kleine Bedürfen der Stunde und vergessen, daß Gottes Schechina im Exil ist.«

Ich bin Gebet

Zum Psalmwort[8] »Ich aber bin Gebet« sprach Rabbi Bunam: »Das ist, wie wenn ein Armer drei Tage nichts gegessen hat und seine Kleider sind zerlumpt und so erscheint er vor dem König – braucht der noch zu sagen, was er begehrt? So stand David vor Gott, er selber als Gebet.«

Der Metzger am Sabbat

Rabbi Bunam sagte einmal: »Wie sehr beneide ich doch den Metzger, der den ganzen Freitag über das Fleisch für den Sabbat austeilt und ehe es Abend wird von Haus zu Haus trottet, die Beträge einzuheben, und da hört er ausrufen, daß man im Bethaus den Sabbat empfängt, und er rennt mit aller Kraft, den Sabbat zu empfangen, und eilt nach Hause, den Segen zu sprechen, und seufzt und spricht: ›Gelobt sei Gott, der uns den Sabbat zur Ruhe gegeben hat!‹ Könnte ich doch wie er den Geschmack des Sabbats verkosten!«

Das Zeichen der Vergebung

»Woran erkennen wir wohl«, fragte Rabbi Bunam seine Schüler, »in diesem Zeitalter ohne Propheten, wann uns eine Sünde vergeben ist?« Die Schüler gaben mancherlei Antwort, aber keine gefiel dem Rabbi. »Wir erkennen es«, sagte er, »daran, daß wir die Sünde nicht mehr tun.«

Die Ausnahme

Rabbi Bunam sprach einmal: »Ja, ich kann alle Sünder zur Umkehr bringen – nur die Lügner nicht.«

[8] 109, 4.

Die Frucht der Kasteiung

Einer fragte Rabbi Bunam: »Ich habe Mal um Mal mich kasteit und alle Regeln erfüllt, aber Elia ist mir noch nicht erschienen.« Zur Antwort erzählte ihm der Zaddik: »Der heilige Baalschemtow begab sich einmal auf eine weite Reise. Er mietete ein Zweigespann, setzte sich in den Wagen und sprach den Namen. Sogleich sprang der Weg mit Macht den anziehenden Pferden entgegen, und kaum hatten sie sich in Trab gesetzt, waren sie schon an der ersten Herberge und wußten nicht, wie ihnen geschah. Hier pflegten sie gefüttert zu werden; aber noch hatten sie sich nicht recht besonnen, als schon die zweite Herberge an ihnen vorüberstürmte. Schließlich verfielen die Tiere auf den Gedanken, sie seien offenbar Menschen geworden und würden daher erst am Abend in der Stadt, wo übernachtet würde, Nahrung erhalten. Als aber der Wagen auch am Abend nicht anhielt, sondern von Stadt zu Stadt weiterflog, kamen die Pferde überein, es sei nicht anders möglich, als daß sie in Engel verwandelt worden seien und weder Essens noch Trinkens mehr bedürften. Da hielt der Wagen am Ziel, sie kamen in den Stall, kriegten ein Maß Hafer vorgeschüttet und stießen die Mäuler hinein wie ausgehungerte Pferde.«

»Solang es dir ebenso ergeht«, sagte Rabbi Bunam, »tätst du gut, dich zu bescheiden.«

Der gefällige Traum

Ein ehrsüchtiger Mann kam zu Rabbi Bunam und erzählte ihm, sein Vater erscheine ihm im Traum und spreche: »Ich gebe dir kund, daß du zum Führer bestimmt bist.« Der Zaddik nahm die Erzählung schweigend hin. Bald darauf kam der Mann wieder und berichtete, der Traum habe sich wiederholt. »Ich sehe«, sagte Rabbi Bunam, »daß du zur Führerschaft bereit bist. Kommt dein Vater noch einmal, so antworte ihm, du seist bereit zu führen, aber er möchte nun auch den Leuten erscheinen, die von dir geführt werden sollen.«

Die widerspenstige Ehre

Einer sagte zu Rabbi Bunam:»An mir hat sich erwiesen, daß nicht wahr ist, was gesagt wird, wer vor der Ehre fliehe, dem jage sie nach, wer ihr nachjage, den fliehe sie. Denn ich bin ihr mit rechtem Fleiß davongerannt, sie aber hat nicht einen Schritt getan, um mich einzuholen.«»Offenbar«, erwiderte der Rabbi, »hatte sie bemerkt, daß du dich umsahst, und fand nun am Spiel keinen Reiz mehr.«

Die eitle Abgeschiedenheit

Man erzählte Rabbi Bunam von einem in der Abgeschiedenheit lebenden Mann.»Mancher«, sagte er,»zieht sich in die Wildnis zurück und blinzelt durchs Gestrüpp, ob ihn keiner aus der Ferne bewundert.«

Götzenopfer

Man fragte Rabbi Bunam:»Was ist mit ›Götzenopfer‹ gemeint? Es ist doch ganz undenkbar, daß ein Mensch einem Götzen Opfer darbringt!« Er sagte:»So will ich euch ein Beispiel geben. Wenn ein frommer und gerechter Mann mit andern bei Tisch sitzt und würde gern noch etwas mehr essen, aber seines Ansehns bei den Leuten wegen verzichtet er darauf, das ist Götzenopfer.«

Der Irrgang

Man sprach vor Rabbi Bunam von Zaddikim, die in den Verzückungen ihres einsamen Dienstes aufgingen. Er entgegnete: »Ein König ließ zu seinem Schloß einen weiten und vielverschlungenen Irrgang errichten. Wer sein Angesicht schauen wollte, hatte keinen andern Weg als diesen, wo jeder Schritt in die unendliche Wirrnis verführen konnte. Die sich aus großer Liebe zum König hineinwagten, waren von zweierlei Art. Die einen dachten an nichts, als Stück vor Stück des Wegs zu überwinden, die andern brachten an seinen bedenklichsten Krümmungen Zeichen an, die zum Weitergang ermutigten, ohne ihn leicht zu machen. Die er-

sten unterwarfen sich der Absicht in der Anordnung des Königs;
die zweiten vertrauten dem Willen seiner Gnade.«

Das Licht

Nach seiner Erblindung war Rabbi Bunam einmal bei Rabbi Fischel zu Gast, von dessen Wunderheilungen viel Rühmens im
Lande war. »Vertraut Euch mir an«, sagte der Gastgeber, »ich
will Euch das Licht zurückholen.« »Dessen bedarf es nicht«, antwortete Bunam, »was zu sehen mir nottut, sehe ich.«

Nicht tauschen

Rabbi Bunam sprach einmal: »Ich möchte nicht mit Vater Abraham tauschen. Was hätte Gott davon, wenn der Erzvater Abraham wie der blinde Bunam würde und der blinde Bunam wie
Abraham? Da taugt es schon mehr, ich lege es darauf an, ein
klein wenig über mich hinauszuwachsen.«

Der Narr und der Kluge

Rabbi Bunam sprach einmal: »Wenn ich kunstreiche Schriftdeutungen vorbringen wollte, könnte ich vieles zum besten geben.
Aber der Narr sagt, was er weiß, der Kluge weiß, was er sagt.«

Der einsame Baum

Rabbi Bunam sprach einmal: »Wenn ich die Welt betrachte, erscheint es mir zuweilen, als sei jeder Mensch ein Baum in einer
Wildnis, und Gott habe in seiner Welt keinen als ihn allein, und
er keinen, dem er sich zuwenden könnte, als Gott allein.«

Der unerlöste Ort

Einmal betete Rabbi Bunam in einer Herberge. Die Leute rannten ihn an und stießen ihn, aber er ging nicht in seine Kammer.
Später sagte er zu den Schülern: »Zuweilen glaubt man, an einem
Ort nicht beten zu können, und sucht einen andern auf. Aber das
ist nicht der rechte Weg. Denn der verlassene Ort klagt einem

nach: ›Warum wolltest du nicht auf mir deine Andacht verrichten? Störte dich ein Hindernis, so war dir eben dies das Zeichen, daß es dir oblag, mich zu erlösen.‹«

Der verbotene Weg

Es wird erzählt:»Rabbi Bunam machte einst mit seinen Schülern eine Fahrt ins Land. Unterwegs schliefen alle ein. Plötzlich erwachten die Schüler, da stand der Wagen im tiefsten Waldesdickicht, ringsum nirgends ein Pfad, keiner konnte verstehen, wie sie hingelangt waren. Sie weckten den Rabbi. Er blickte auf und rief: ›Wache!‹ ›Wer fährt?‹ antwortete es aus dem Dikkicht. – ›Der Pžysher Apotheker.‹ Drohend tönte es zurück: ›Diesmal und kein zweites!‹ Ein Weg öffnete sich, der Wagen fuhr, die Schüler erkannten die Gegend, nie hatten sie da einen Wald gesehen. Sie wagten nicht, hinter sich zu blicken.«

Die große Schuld

Rabbi Bunam sprach zu seinen Chassidim:»Die große Schuld des Menschen sind nicht die Sünden, die er begeht – die Versuchung ist mächtig und seine Kraft gering! Die große Schuld des Menschen ist, daß er in jedem Augenblick die Umkehr tun kann und nicht tut.«

David und wir

Rabbi Bunam wurde gefragt:»Warum wird uns, die wir am Versöhnungstag so viele Male unsre Schuld bekennen, keine Botschaft der Vergebung gebracht? David aber hatte kaum einmal gesagt: ›Ich habe dem Herrn gesündigt‹, und schon erhielt er die Kunde[9]: ›So hat der Herr deine Versündigung vorbeischwinden lassen.‹«
Er antwortete:»David sprach: ›Ich habe dem Herrn gesündigt‹ und meinte: ›Tue mit mir nach deinem Willen, und ich will es in Liebe empfangen, denn gerecht bist du, Herr!‹ Wir aber, wenn wir sagen[10]: ›Wir haben uns vergangen‹, denken, es gezieme sich

---

[9] 2 Samuel 12, 13.
[10] Im (alphabetisch geordneten) liturgischen Sündenbekenntnis des Versöhnungstags.

für Gott, uns zu verzeihen, und wenn wir unmittelbar danach
sagen: ›Wir haben verraten‹, denken wir, es gezieme sich für
Gott, nachdem er uns verziehen hat, uns mit allem Guten zu
beschenken.«

Junge Bäume

Rabbi Meïr von Stabnitz bekämpfte unablässig Rabbi Bunam
und seinen Weg. Einmal ließ er zwei seiner Chassidim schwören,
sie würden seinen Wunsch erfüllen. Als sie geschworen hatten, beauftragte er sie, nach Pžysha zu reisen und Rabbi Bunam folgende Botschaft zu überbringen: »Wie geht es zu, daß Ihr Rabbi
seid? Kann man, was dazu nötig ist, durch Holzhandel in Danzig
erlangen?« Schwer bekümmert kamen die Leute nach Pžysha. Sie
baten Rabbi Bunam vorweg, ihnen die ungewollte Kränkung zu
vergeben, und wiederholten die Worte ihres Auftrags. »Sagt
eurem Lehrer«, antwortete ihnen der Zaddik, »wenn ich in jungen Jahren geahnt hätte, was mir bevorstand, hätte ich mich
wohl so geführt wie er. Es ist aber besser, daß ich es nicht geahnt
habe.«
Später sagte er zu seinen Schülern: »Meïr ist ein Gottesmann von
Jugend auf und weiß nicht, wie man sündigt. Wie soll er da wissen, was den Leuten fehlt, die zu ihm kommen? Ich war in Danzig und in den Theatern, und ich weiß, wie es mit dem Sündigen
zugeht – seither weiß ich auch, wie man einen jungen Baum, der
krumm wächst, zurechtbiegen kann.«

Auf der großen Hochzeit

Auf der Hochzeit eines Enkels des großen Apter Rabbis in Ostila,
wo an zweihundert Zaddikim in weißen Gewändern versammelt
waren, brachten die Gegner Rabbi Bunams allerhand falsche Beschuldigungen gegen ihn und seine Chassidim auf und versuchten
es durchzusetzen, daß sie in den Bann getan werden. Einige Schüler Rabbi Bunams standen mit großer Kraft und Leidenschaft für
ihre Sache ein, und einer sprang sogar auf den Tisch, riß sich das
Hemd über der Brust auf und rief dem Apter zu: »Schaut mir in
die Herzkammer, da werdet Ihr sehen, was mein Lehrer ist!« Zu-

letzt sagte der Apter, der den Vorsitz führte:»Unter uns ist ja der Sohn meines Freundes, des heiligen Jehudi, dessen Andenken zum Segen gereicht, laßt uns ihn nach der Wahrheit befragen.« Rabbi Jerachmiel, der Sohn des»heiligen Juden«, stand auf. Da nach dem Tod seines Vaters zwischen seinen Anhängern und denen Rabbi Bunams Mißhelligkeiten entstanden waren, die sich lange zwischen beiden Lagern hinzogen, erwarteten alle, auch er würde seine Bedenken gegen den neuen Weg äußern. Er aber sprach:»Mein Vater pflegte zu sagen: ›Bunam ist meine Herzspitze.‹ Und einmal, als ich gemeint hatte, er halte meinen Vater mit weltlichen Reden auf, sagte er mir danach: ›Weißt du, was er mir berichtet hat? Es reicht von unter dem großen Abgrund bis an den Thron der Majestät.‹« Alle schwiegen nun; nur Rabbi Simon Deutsch, der schon den Jehudi bei ihrem Lehrer, dem Seher von Lublin, verleumdet hatte, holte zu neuen Beschuldigungen aus und verglich Rabbi Bunam mit dem falschen Messias Sabbatai Zwi. Da erhob sich der alte Apter und fuhr ihn mit seiner mächtigen Stimme an:»Rabbi Simon, Ihr seid ein Streithans! Wenn Ihr in einem öden Wald wäret, würdet Ihr noch mit den Blättern der Bäume Streit führen. Es ist Euch nicht vergessen, was Ihr in Lublin getan habt. Wir wollen Euch kein Ohr leihen.« Nach diesen Worten wurde auf der Hochzeit über den Gegenstand nicht mehr geredet.

Ewige Schöpfung

Rabbi Bunam lehrte:»Die ersten Worte der Schrift sind so zu verstehen: Im Anfang des Erschaffens Gottes von Himmel und Erde. Denn auch jetzt noch ist die Welt im Stande der Schöpfung. Macht ein Handwerker ein Gerät und es wird fertig, dann bedarf es seiner nicht mehr. Nicht so die Welt: Tag um Tag, Nu um Nu bedarf sie der Erneuerung der Urwort-Kräfte, durch die sie erschaffen wurde, und würde die Kraft dieser Kräfte für einen Augenblick von ihr scheiden, sie verfiele wieder zu Irrsal und Wirrsal.«

Fluch und Segen

Einer fragte Rabbi Bunam:»Was ist das für ein seltsamer Fluch, mit dem Gott die Schlange verflucht: sie solle Staub fressen? Wenn Gott ihr die Natur gab, sich davon ernähren zu können, schiene es mir eher ein Segen, daß sie überall finde, was sie zum Leben braucht.«

Rabbi Bunam antwortete:»Zum Manne sprach Gott, er solle im Schweiße seines Angesichts Brot essen, und mangelt es ihm, möge er zu Gott um Hilfe beten; zum Weibe sprach er, es solle in Schmerzen Kinder gebären, und wird ihm die Stunde allzu schwer, möge es zu Gott um Linderung beten; so sind beide mit Gott verbunden und finden zu ihm. Der Schlange aber, als dem Ursprung des Übels, gab Gott alles, wessen sie bedarf, daß sie keine Bitte an ihn zu richten habe. So versieht Gott zuweilen die Bösen mit der Fülle des Reichtums.«

Um der Erlösung willen

Rabbi Bunam legte aus:»Es steht geschrieben[11]:›Und nun, könnte er gar seine Hand ausstrecken und auch vom Baum des Lebens nehmen und essen und in Weltzeit leben.‹ Nach der Sünde der ersten Menschen erkannte ihnen Gott in der Fülle seines Erbarmens zu, in der Welt des Todes zu leben, damit sie zur vollkommenen Erlösung gelangen. Darum beschloß er zu verhüten, daß sie auch vom Baum des Lebens essen und der Geist sich dann nie mehr von der Stofflichkeit löse und zur Erlösung bereite, und vertrieb sie aus dem Paradies.«

Die Opferung Isaaks

Man fragte Rabbi Bunam:»Wozu wird in der Geschichte von der Opferung Isaaks besonders gesagt und wieder gesagt, daß sie beide ›mitsammen‹ gingen? Das versteht sich doch von selber.« Er antwortete:»Die Versuchung, die Isaak bestand, war größer als die Abrahams. Abraham hörte den Befehl aus Gottes Mund, Isaak – als er die Worte seines Vaters, Gott ersehe sich das Lamm

---

[11] Genesis 3, 22.

zum Opfer, verstand – aus einem Menschenmund. Aber Abraham
sann darüber nach: ›Woher kommt meinem Sohn diese große
Kraft? Es ist wohl die Kraft seiner Jugend!‹ Da holte er selber
aus sich die Kraft seiner Jugend hervor. Nun erst gingen beide
wahrhaft mitsammen.«

Dienst und Dienst

An seinem Sabbattisch legte Rabbi Bunam die Schrift aus:»Es
steht geschrieben[12]: ›Die Söhne Israels seufzten aus dem Dienst,
sie schrien auf, ihr Hilferuf stieg zu Gott empor aus dem Dienst.‹
Weshalb heißt es zweimal ›aus dem Dienst‹? Mit dem ersten ist
die Fron Ägyptens gemeint, mit dem andern aber der Dienst
Gottes. ›Heraus aus dem Dienst von Fleisch und Blut‹, das war
ihr Hilferuf, ›auf zu Gott von seinem Dienste aus!‹«

Ertragen

Rabbi Bunam legte aus:»Es steht geschrieben[13]: ›Ich führe euch
unter den Lasten Ägyptens hervor.‹ Warum wird hier von den
Lasten und nicht von der Fron geredet? Es ist so, daß die Fron
Israel zur Gewohnheit geworden war. Als Gott das sah, wie sie
nicht mehr spürten, was ihnen geschah, sprach er: ›Ich führe euch
unter den Lasten Ägyptens hervor, das Ertragen der Last taugt
nichts, ich muß euch auslösen.‹«

Nicht mehr als dies

Man fragte Rabbi Bunam:»Es steht geschrieben[14]: ›Ihr aber sollt
mir werden ein Königsbereich von Priestern, ein heiliger Stamm.
Dies ist die Rede, die du zu den Söhnen Jisraels reden sollst.‹
Dazu bemerkt unser Lehrer Raschi: ›Dies ist die Rede, nicht
weniger und nicht mehr.‹ Was meint er damit?«
Rabbi Bunam erklärte:»Mose war gut. Er wollte dem Volk mehr
offenbaren, aber er durfte nicht, denn Gottes Wille war, daß sie
sich selber darum mühen sollten. Jene Worte sollte Mose ihnen

---

[12] Exodus 2, 23.   [13] Exodus 6, 6.   [14] Exodus 19, 6.

sagen, nicht weniger und nicht mehr, damit sie fühlten: es steckt etwas darin, darum müssen wir uns mühen, bis wir's innewerden. Deshalb heißt es weiter: ›Und er legte ihnen vor all diese Rede.‹ Nicht weniger und nicht mehr.«

Ich bin's

Man fragte Rabbi Bunam:»Es steht geschrieben[15]: ›Ich bin der Herr, dein Gott, der ich dich aus dem Land Ägypten führte.‹ Warum heißt es nicht: ›Ich bin der Herr, dein Gott, der ich Himmel und Erde schuf‹?«
Rabbi Bunam erklärte:»Himmel und Erde – dann hätte der Mensch gesagt: ›Das ist mir zu groß, da traue ich mich nicht hin.‹ Gott aber sprach zu ihm: Ich bin's, der ich dich aus dem Dreck geholt habe, nun komm heran und hör!«

Heraus

Rabbi Bunam legte aus:»Es heißt[16]: ›Aus dem Himmel redete ich mit euch.‹ Gott geht aus seinem Himmel hervor, wenn er mit uns reden will. Und wir? Es heißt[17]: ›Aus der Drangsal rief ich Jah.‹ Wir gehen aus all unsern Bedrängnissen heraus und rufen: Daß nur der Name Gottes vollkommen werde!«

Wir wollen trinken

Rabbi Bunam legte aus:»Es steht geschrieben, Israel habe am Sinai gesprochen[18]: ›Wir wollen tun und wollen hören.‹ Müßte es nicht eigentlich heißen: ›Ich will tun und will hören‹, da doch jeder Einzelne für sich selbst spricht? Aber es war so, wie wenn eine Menschenschar an einem glühend heißen Tag verdurstend im Gefängnis sitzt und plötzlich kommt einer und fragt, ob sie nicht trinken wollen – da antwortet ein jeder: ›Ja, wir wollen trinken‹, da doch jeder weiß, wie durstig sie alle sind. So verschmachteten am Sinai alle nach dem Trank der Lehre, und jeder spürte den Durst aller, und als das Wort zu ihnen kam, rief jeder: ›Wir.‹«

---

[15] Exodus 20, 2.   [16] Exodus 20, 22.   [17] Psalm 118, 5.   [18] Exodus 24, 7.

Mose und Korah

Rabbi Bunam lehrte:»In jedem Geschlecht kehrt die Seele Moses und die Seele Korahs wieder. Und wenn einmal die Seele Korahs sich willig der Seele Moses unterwirft, wird Korah erlöst.« Ein andermal sagte er:»Es steht geschrieben[19]: ›Da nahm Korah.‹ Was nahm er denn? Sich selber wollte er nehmen – darum konnte nichts mehr taugen, was er tat.«

Rechte und falsche Umkehr

Man fragte Rabbi Bunam:»Warum ist die Sünde des Goldenen Kalbs vergeben worden, wiewohl wir in der Schrift nicht finden, daß das Volk die Umkehr vollzogen und Buße getan hätte, die Sünde der Kundschafter aber ist nicht vergeben worden, wiewohl das Volk, wie wir lesen, ihrethalber sehr trauerte? Wir wissen doch, daß es nichts gibt, was der Umkehr widerstünde.«
Er sagte:»Dies ist das Wesen der Umkehr: wenn ein Mensch weiß, daß er nichts zu hoffen hat, und fühlt sich wie eine Tonscherbe, denn er hat die Ordnung des Lebens beschädigt und wie könnte das Beschädigte wieder ganz werden? Und dennoch, ohne Hoffnung, will er von nun an Gott dienen und tut's. Das ist Umkehr, und nichts widersteht ihr. So war's bei der Sünde des Kalbs: sie war die erste, und sie wußten noch nichts von der Wirkung der Umkehr, daher geschah sie mit dem ganzen Herzen. Anders verhielt es sich bei der Sünde der Kundschafter: da wußten sie, was die Umkehr wirken kann, und sie meinten, sie würden Buße tun und alsbald in den früheren Stand zurückkehren–daher geschah die Umkehr nicht mit dem ganzen Herzen und blieb ohne Wirkung.«

Der Hirt ist da

Rabbi Bunam sprach einmal über den Vers der Schrift[20]:»Ich sah alles Israel auseinandergesprengt auf den Bergen, wie Schafe, für die kein Hirt da ist.« Er sagte:»Das bedeutet nicht, daß der

---

[19] Numeri 16, 1. [20] 1 Könige 22, 17.

Hirt nicht da sei. Der Hirt ist immer da. Wohl verbirgt er sich
zuzeiten und ist dann für die Schafe nicht da, denn sie sehen ihn
nicht.«

Gegen die Schwermut

Rabbi Bunam legte aus:»Es heißt im Psalm[21]: ›Der die gebrochenen Herzens sind heilt.‹ Weshalb wird uns das gesagt? Ist es
doch eine gute Eigenschaft, ein gebrochenes Herz zu haben, und
Gott gefällig, wie geschrieben steht[22]: ›Gottesopfer ist ein gebrochenes Gemüt.‹ Aber es heißt ja in jenem Psalm weiter: ›und
verbindet ihre Schwären‹. Gott heilt sie, die gebrochenen Herzens sind, nicht ganz und gar, sondern so, daß ihr Leiden ihnen
nicht zu schwärender Schwermut[23] werde. Denn Schwermut ist
eine böse Eigenschaft und Gott mißfällig. Das gebrochne Herz
bereitet den Menschen zum Dienste Gottes, die Schwermut zersetzt den Dienst. Man muß zwischen ihnen recht unterscheiden,
wie zwischen Freude und Ausgelassenheit: da ist es so leicht, sich
zu irren, aber sie sind fern voneinander wie die Enden der Welt.«

Im Wasser

Rabbi Bunam sprach:»Es steht in den Sprüchen Salomos[24] geschrieben: ›Wie im Wasser das Antlitz zum Antlitz, so das Herz
des Menschen zum Menschen.‹ Warum heißt es ›im Wasser‹ und
nicht ›im Spiegel‹? Im Wasser sieht der Mensch sein Abbild nur,
wenn er dicht herankommt. So muß auch das Herz sich ganz nah
zum Herzen beugen, dann erblickt es sich darin.«

Das Tor

Zu den Worten des Psalms[25] »Öffnet mir die Tore der Wahrheit« sprach Rabbi Bunam:»Der Weg des redlichen Dienstes ist
dieser, daß der Mensch sich allezeit noch draußen fühle und Gott
bitte, ihm den Eingang zum wahren Dienst zu öffnen. Das ist's
auch, wovon David sagt[26]: ›Dies ist das Tor zum Herrn, Bewährte
kommen hinein.‹ Es gibt kein Tor zum Herrn als diese Bitte.«

---

[21] Psalm 147, 3.   [22] Psalm 51, 19.
[23] Das Wortspiel des Originals ist nicht zulänglich wiederzugeben.
[24] 27, 19.   [25] 118, 19.   [26] 118, 20.

Der Bund mit den Philistern

Rabbi Bunam hieß einst einen Wagen anspannen und fuhr mit einigen Chassidim nach Warschau. Da befahl er, an einer Volksschenke zu halten; sie gingen hinein und setzten sich an einen Tisch. An einem benachbarten Ecktisch saßen zwei Lastträger, tranken Schnaps und erzählten sich allerhand. Dann fragte der eine: »Hast du schon den Wochenabschnitt gelernt?«»Ja«, sagte der.»Auch ich habe ihn schon gelernt«, berichtete der erste,»und eins ist mir schwer geworden zu verstehen. Es heißt da²⁷ von unserem Vater Abraham und dem Philisterkönig Abimelech: ›Sie schlossen, die zwei, einen Bund.‹ Ich habe mich gefragt, wozu wohl da steht ›die zwei‹ – das scheint doch überflüssig.«»Gut gefragt«, rief der andere,»aber wie magst du dir wohl die Frage beantworten?«»Ich denke«, antwortete jener,»einen Bund haben sie geschlossen, aber eins sind sie nicht geworden, sie blieben zwei.« Rabbi Bunam stand auf, ging mit den Seinen hinaus und bestieg wieder den Wagen.»Nachdem wir gehört haben«, sprach er,»was diese verborgenen Zaddikim uns zu sagen hatten, können wir heimfahren.«

Weltfrieden und Seelenfrieden

Rabbi Bunam lehrte:»Unsere Weisen sagen²⁸: ›Suche den Frieden an deinem Ort.‹ Man kann den Frieden nirgendwo anders suchen als bei sich selber. Es heißt im Psalm²⁹: ›Kein Friede ist in meinen Gebeinen von meiner Sünde her.‹ Wenn der Mensch in sich selber den Frieden gestiftet hat, ist er befähigt, ihn in der ganzen Welt zu stiften.«

Die Heimlichkeit

Rabbi Bunam sprach:»Vor dem Kommen des Messias wird die Heimlichkeit so groß sein, daß auch die Zaddikim, die in weißen Gewändern gehn, nicht wissen, wann und wo, und auch sie im Glauben an den Messias wirr und wankend werden.«

❊

---

²⁷ Genesis 21, 27.   ²⁸ Jerus. Talmud, Pea I, 5.   ²⁹ Psalm 38, 4.

Ein andermal sprach er:»Vor dem Kommen des Messias wird Sommer ohne Hitze und Winter ohne Kälte sein, Gelehrte ohne Lehre und Chassidim ohne Chassiduth.«

Die Prüfung

»Der heilige Baalschemtow«, sagte Rabbi Bunam,»war klüger als der große Ketzer Acher[30]. Als der eine Himmelsstimme rufen hörte[31]: ›Kehret um, abgekehrte Söhne, bis auf Acher‹, gab er alles auf und verließ die Gemeinschaft. Der Baalschemtow aber – als er einst wahrnahm, daß alle Geistesgaben ihm urplötzlich entzogen worden waren, sprach er: ›Nun denn, so will ich Gott wie ein einfacher Mensch dienen, ich bin ein Narr, ich glaube‹, und hob an, wie ein kleines Kind zu beten. Und alsbald wurde er höher erhoben als zuvor. Denn es war eine Prüfung gewesen.«

Das Buch Adam

Einst sagte Rabbi Bunam:»Ich hatte im Sinn, ein Buch zu schreiben, das sollte ein Viertel Papier stark sein und ›Adam‹ heißen, und es sollte darin stehen der ganze Mensch. Dann aber habe ich mich besonnen, es sei besser, dieses Buch nicht zu schreiben.«

Der »gute Jude«

»Warum«, fragte Rabbi Bunam einmal,»nennt man den Zaddik ›der gute Jude‹?« Und scherzend beantwortete er selber seine Frage:»Wollte man sagen, er bete gut, so müßte man ihn ›guter Beter‹ nennen, wollte man sagen, er lerne gut, ›guter Lerner‹. Ein ›guter Jude‹ denkt gut und trinkt gut und ißt gut und arbeitet gut und deutet gut und meint gut und alles gut.«
Zu einem Schüler aber, der seit kurzem in Pžysha war, sagte er:»Du mußt wissen, weshalb du zu mir gekommen bist. Bist du gekommen, um ein guter Jude zu werden, so hast du recht getan. Hast du aber im Sinn, ein ›guter Jude‹ zu werden, bist du umsonst zu mir gekommen.«

---

[30] Acher, d. i. ein Anderer, nannte man den Erzketzer des 2. Jahrhunderts, Elischa ben Abuja.
[31] Talmudisch (Chagiga 15) im Anschluß an Jeremia 3, 14.

Abraham und Isaak

Rabbi Bunam erklärte die Überlieferung, daß Abraham die Eigenschaft der Gnade und Isaak die des Gerichts vertreten habe: »Abrahams Haus war nach allen vier Seiten weit geöffnet, alle nahm er gastlich auf und gab ihnen von allem Guten. Dadurch offenbarte er der Welt den großen Namen Gottes. Als aber Isaak an seiner Statt Rabbi wurde, ging er in einen Laden, kaufte Eisenriegel und verschloß alle Türen. Er selbst ging ins innerste Gemach, sonderte sich von den Menschen ab und lag Tag und Nacht der Lehre ob. Furcht und Zittern ergriff alle seine Chassidim und alle, die ihn zu befragen kamen. So offenbarte er der Welt, daß es ein Gericht gibt. Wenn man von einer Zeit zur andern eine Tür öffnete und die Leute vorließ, vollzog jeder, der sein Antlitz sah, alsbald die vollkommene Umkehr.«

Die Chassidim des Satans

Rabbi Bunam erzählte: »Als der heilige Baalschemtow die Chassidim machte, fühlte sich der Böse Trieb in großer Bedrängnis, denn, so sprach er zu seinen Scharen, ›jetzt werden die Chassidim des Baalschem die Welt mit ihrer Heiligkeit in Brand setzen.‹ Dann aber fand er sich einen Rat. Verkleidet und verstellt ging er zu zwei Chassidim hin, die in einer Stadt zusammenwohnten, und sagte: ›Eure Werke sind löblich, aber ihr müßt doch wenigstens zehn werden, damit ihr miteinander beten könnt.‹ Er holte acht von seinen Leuten und tat sie mit ihnen zusammen. Da es ihnen aber an Geld für eine Schriftrolle und andres mehr fehlte, holte er einen reichen Mann von den Seinen und brachte ihn zu jenen, daß er ihnen gebe, wessen sie bedürften. So machte er's überall. Als er sie aber so weit hatte, sprach er zu seinen Scharen: ›Jetzt brauchen wir nichts mehr zu befürchten, denn wir haben die Mehrheit, und nach der geht es.‹«

Wiederholung

Einmal sagte Rabbi Bunam zu seinem Schüler Rabbi Mendel: »Wozu mir viele Chassidim wie diese da! Ich hätte genug an eini-

gen, die Chassidim sind!«»Warum haben die frühern Zaddikim
nicht so getan?« antwortete Rabbi Mendel. Geraume Zeit danach,
als sein Lehrer längst tot und er selber der Rabbi von Kozk war,
sagte er einmal zu seinem Schüler, Rabbi Hirsch von Tomaschow:
»Wozu mir viele Chassidim wie diese da! Ich hätte genug an einigen, die Chassidim sind!«»Warum haben die frühern Zaddikim
nicht so getan?« antwortete Rabbi Hirsch.

In der Nacht

Zwei Stunden in jeder Nacht pflegte Rabbi Bunam liegend seinem Schüler Mendel, dem späteren Rabbi von Kozk, zuzuhören,
der aus dem Buche Sohar vortrug. Zuweilen schlief Rabbi Bunam
für eine kurze Weile ein, und der Vortrag wurde unterbrochen;
wenn er erwachte, nahm er selber ihn auf. Einmal aber sprach er
beim Erwachen den Schüler so an: »Mendel, ich habe mich bedacht, was soll ich das weiter treiben, immerzu kommen die Leute
zu mir und halten mich vom Dienst ab; ich will die Rabbischaft
von mir werfen und Gott dienen.« Das wiederholte er Mal um
Mal. Der Schüler hörte und schwieg. Endlich schlummerte Rabbi
Bunam wieder ein. Nach einigen Atemzügen setzte er sich auf
und sagte: »Mendel, kein Rabbi hat es tun dürfen, auch ich darf
es nicht.«

Das Verbot und seine Aufhebung

Die russische Regierung hatte verordnet, daß die Chassidim nicht
mehr zu den Zaddikim fahren durften. Die edle Frau Temeril,
die sich Rabbi Bunams in seiner Jugend angenommen hatte und
in deren Diensten er einst auf der Weichsel Holz nach Danzig
fuhr, verwandte sich in Warschau beim Statthalter und erwirkte
die Aufhebung des Verbots. Als man dies Rabbi Bunam meldete,
sagte er: »Die Absicht war gut. Aber besser wäre es gewesen, sie
hätte bei der Regierung erwirkt, daß man um jedes Zaddiks
Wohnung eine Mauer errichte und Kosaken umherstelle, die keinem den Eintritt gewährten. Dann sollte man uns bei Brot und
Wasser leben und das Unsre tun lassen.«

Der gute Feind

Der Streit, der zwischen Rabbi Bunam und Rabbi Meïr von Stabnitz entbrannt war, zog sich viele Jahre hin. Als Rabbi Meïr gestorben war, kam ein Chassid des Rabbi Bunam zu ihm und brachte ihm die gute Nachricht. Der Zaddik sprang auf und schlug die Hände zusammen. »Da meint man mich mit«, sagte er, »er ist doch mein Rückenhalter gewesen.« Rabbi Bunam starb noch im gleichen Sommer.

Die Schlüssel

Der Gerer Rabbi erzählte: »Rabbi Bunam hatte die Schlüssel aller Firmamente. Und warum auch nicht? Der Mensch, der nicht sich meint, dem gibt man alle Schlüssel. Er hätte auch Tote beleben können; aber er war ein ehrlicher Mann und nahm nicht, was ihm nicht zukam.«

Der Sinn

Als Rabbi Bunam im Sterben lag, weinte seine Frau. Er sprach: »Was weinst du? All mein Leben war ja nur dazu, daß ich sterben lerne.«

Geheimnisse des Sterbens

Rabbi Judel, der Rabbi Abraham Mosche, den Sohn Rabbi Bunams, treu bedient hat, erzählte: »Am Vorabend des letzten Sabbats vor Rabbi Bunams Abscheiden sagte mir Rabbi Abraham Mosche, er wolle zu seinem Vater gehn. So gingen wir zusammen dahin, und Rabbi Abraham Mosche setzte sich zu Häupten des Bettes. Da hörte er, wie sein Vater das Abendgebet betete, aber gleich danach hörte er, wie er das Morgengebet betete. Er sprach: ›Mein Vater, dies ist die Zeit des Abendgebets.‹ Aber da hörte er, daß der Vater begann, das Nachmittagsgebet zu beten. Als er das hörte, fiel er in Ohnmacht, und sein Kopf schlug rücklings an den Boden. Ich lief aus der entgegengesetzten Ecke, wo ich stand, herbei, und es gelang mir, ihn zum Bewußtsein zu erwecken. Sogleich sagte er zu mir: ›Gehen wir heim‹, und wir gingen heim. Daheim ließ er mich an seiner Statt die Sabbatweihe sprechen, denn er müsse gleich schlafen gehn. Auch befahl er mir, was immer ge-

schähe, niemand zu ihm einzulassen. Er blieb bis zum Dienstag
auf seinem Bette liegen, von einer Zeit zur andern brachte ich ihm
ein Gläschen Wein, sonst nahm er nichts zu sich. Am Dienstag kamen die Leute herbeigerannt und meldeten, es sei zu merken, daß
Rabbi Bunams Abscheiden nahe; aber ich wies sie ab. Da kam
seine Mutter, die Rabbanith, der Friede über ihr, an die Tür und
sprach zu ihm: ›Ich bitte dich, mein Sohn, geh ins Haus deines
kranken Vaters. Soll denn gesagt werden, du hättest in der Stunde
seines Abscheidens nicht bei deinem Vater sein wollen?‹ ›Mutter‹,
antwortete er, ›glaube mir, wenn ich gehen könnte, würde ich
gehn, aber ich kann nicht.‹ Ich habe später erfahren, daß die Rabbanith nun zu Rabbi Jizchak von Worki, dem Schüler Rabbi Bunams, ging und ihn bat, auf seinen Freund, Rabbi Abraham Mosche, einzuwirken, daß er ans Sterbebett des Vaters komme. Rabbi
Jizchak antwortete ihr: ›Wenn Euer Ehrwürden mir gebieten,
aufs Dach zu steigen und hinabzuspringen, werde ich es tun. Aber
in dieser Sache hier vermag ich Euer Ehrwürden nicht zu gehorchen. Denn Rabbi Abraham und sein heiliger Vater sind jetzt mit
etwas befaßt, woran die Serafim nicht rühren können, und ich
darf nicht wagen, mich dreinzumengen.‹ Als aber bald darauf
Rabbi Bunam, sein Verdienst beschütze uns, von hinnen schied,
in eben jenem Augenblick öffnete Rabbi Abraham Mosche die
Augen und sprach zu mir: ›Judel, es ist finster worden über der
Welt.‹ Als sie die Bahre ins ›Haus des Lebens‹ trugen, kamen sie
vor Rabbi Abraham Mosches Haustür. Da trat er hinaus und
blieb stehn, bis sie die Bahre vorbeigetragen hatten, dann ging
er zurück.
Viele Jahre später war ich in den letzten Tagen des Passahfestes,
an dessen letztem Tag Rabbi Jizchak in Worki verschied, bei seinem Sohn Rabbi Mendel. Da hieß er mich, was immer geschähe,
niemand zu ihm einzulassen.«

Fortan

Nach dem Tod Rabbi Bunams kam sein Schüler Jizchak von
Worki zu seinem Sohn Abraham Mosche, ihm Trost zuzusprechen. Der Sohn klagte: »… Und wer wird mich weiter lehren?«
»Seid getrost«, sprach der Schüler zu ihm, »bisher hat er Euch
im Kaftan gelehrt, fortan wird er Euch ohne Kaftan lehren.«

Das Gelüst

Als Rabbi Abraham Mosche am Chanukkafest mit seiner Mutter in der Stadt Biala weilte, sagte er zu ihr:»Mutter, es gelüstet mich zu sterben.« Sie sagte:»Ich habe von deinem Vater gehört, daß man das Sterben erlernen muß.« Er antwortete:»Ich habe es schon erlernt.« Wieder sagte sie:»Ich habe von deinem Vater gehört, daß man sehr lange lernen muß, um es zu erlernen.« Er antwortete:»Ich habe schon genug gelernt« und legte sich hin. Er starb am siebenten Festtag. Später erfuhr seine Mutter, daß er vor seiner Abreise seine Lieblingsschüler besucht und von ihnen Abschied genommen hatte.

Zweierlei Unterricht

Als Menachem Mendel schon der weitberühmte und vielangefeindete Rabbi von Kozk war, kam er einmal in sein Heimatstädtchen. Da besuchte er den Kinderlehrer, der ihm einst das
Alphabet beigebracht und noch die Fünf Bücher der Thora mit
ihm gelesen hatte; aber den Lehrer, dessen Unterricht er hernach
empfangen hatte, besuchte er nicht. Bei einer Begegnung fragte
ihn dieser, ob er sich seiner denn zu schämen hätte. Er antwortete:»Ihr habt mich Dinge gelehrt, auf die man entgegnen kann,
denn die eine Deutung sagt dies und die andre jenes. Er aber hat
mich eine wahre Lehre gelehrt, auf die es nichts zu entgegnen
gibt, und dergestalt ist sie bei mir geblieben. Darum liegt es mir
ob, ihn besonders zu ehren.«

Wie er Chassid wurde

Rabbi Mendel erzählte:»Chassid bin ich geworden, weil es in
meiner Heimat einen alten Mann gab, der hat Geschichten von
Zaddikim erzählt. Er hat erzählt, was er wußte, und ich habe
gehört, was ich brauchte.«

Dies ist mein Gott

Bald nachdem Mendel, fünfzehnjährig, ohne seine Eltern zu fragen, zum»Seher« nach Lublin fuhr, erschien sein Vater dort, um
ihn zurückzuholen.»Warum verlässest du den Brauch deiner Väter«, rief er,»und hangst den Chassidim an!«»Im Gesang am
Schilfmeer[1]«, sagte Mendel,»steht zuerst:›dies ist mein Gott, ich
rühme ihn‹, und danach erst:›Meines Vaters Gott, ich erhebe
ihn.‹«

Von Lublin nach Pžysha

Als Mendel enttäuscht mit einem seiner Gefährten den»Seher«
verließ und nach Pžysha fuhr, um sich dessen Schüler, dem Je-

---

[1] Exodus 15, 2.

hudi, anzuschließen, erkrankte er unterwegs. Sein Gefährte lief
zum Jehudi und bat ihn, Mendels im Gebet zu gedenken. »Habt
ihr Lublin verlassen«, fragte der Jehudi, »ohne vom Rabbi
Urlaub zu nehmen?« Als die Frage bejaht wurde, ging er mit in
die Herberge. »Nimm es auf dich«, sagte er zu Mendel, »sobald
du gesund wirst, nach Lublin zurückzukehren und Urlaub zu erbitten.« Mendel schüttelte den Kopf. »Die Wahrheit«, erwiderte
er, »habe ich nie bereut.« Der Jehudi betrachtete ihn lang. »Wenn
du so auf deiner Einsicht beharrst«, sagte er dann, »wirst du auch
ohnedies gesund werden.« Und so geschah es.
Als Mendel aber nach der Genesung zu ihm kam, sagte der Jehudi: »Es steht geschrieben [2]: ›Gut ist's dem Mann, wenn in seiner Jugend er ein Joch trug.‹« Da ging dem Jüngling die Bereitschaft zum wahren Dienst in alle Glieder ein.
Später fragte der »Seher« einmal den Jehudi, ob er gute junge
Leute um sich habe. »Mendel«, antwortete er, »will gut sein.«
Viele Jahre danach, in seinem Alter, erzählte Rabbi Mendel von
Kozk diese Frage und diese Antwort: »Damals«, fügte er hinzu, »habe ich es noch nicht gewollt. Aber von eben dem Augenblick an, wo der heilige Jude es aussprach, will und will ich es.«

Nach dem Tod des Jehudi

Rabbi Mendel erzählte seinem Schüler Rabbi Chanoch: »Als der
heilige Jehudi krank lag, sagten alle die Psalmen her, ich aber
stand am Ofen und wollte nicht Psalmen sagen. Da kam Rabbi
Bunam auf mich zu und fragte: ›Warum bedrängst du den Himmel so sehr?‹ Aber ich verstand nicht, was er von mir wollte.
Nach dem Abscheiden des Jehudi sagte er zu mir: ›Es ist vorbei,
der Rabbi ist nicht mehr da, aber die Gottesfurcht hat er uns hinterlassen, und wo des Rabbis Wort ist, da ist er.‹ Ich antwortete
nichts. Hernach habe ich anderswo nachgesehen, ob des Rabbis
Wort da war, aber es war nicht da. So bin ich zu Rabbi Bunam
gekommen.«

---

[2] Klagelied 3, 27.

Das Angebot

Es wird auch erzählt, als nach dem Tode des Jehudi Rabbi Mendel sich sehr darum sorgte, wer nun sein Lehrer sein würde, sei ihm der Jehudi im Traum erschienen und hätte ihn trösten wollen: er sei bereit, auch weiter sein Lehrer zu sein. »Ich will keinen Lehrer von jener Welt«, antwortete Mendel.

Der Ekel

Frau Temeril, die bekannte Wohltäterin aus Warschau, hatte bei einem Besuch in Pžysha Rabbi Bunam einen Geldbetrag übergeben, daß er ihn unter würdige und bedürftige Jünglinge in seinem Lehrhaus verteile. Der Zaddik betraute einen Schüler damit. Als der mit der Verteilung fertig war, trat eben Rabbi Mendel ein, im zerrissenen Oberrock, aus dessen Futter die Baumwolle hervorsah. »Wie schade«, rief der mit der Verteilung betraute Schüler, »dich habe ich vergessen, und nun habe ich kein Geld mehr.« »Geld?!« sagte Rabbi Mendel und spie aus. Wochenlang konnte der Schüler keine Münze ohne aufsteigenden Ekel betrachten.

Getreu

Rabbi Bunam fragte seinen Schüler Mendel: »Was ist der Sinn des Wortes *emuna,* das man mit Glauben zu übertragen pflegt?« Rabbi Mendel sagte: »Emuna, das heißt: getreu. Getreu, getreu, ich bleib' dabei. So heißt es[3]: ›Und all Sein Werk ist in Treuen‹, und so heißt es[4]: ›Für Geschlecht um Geschlecht Seine Treue.‹ Getreu, getreu sollen wir sein.«
Rabbi Bunam befahl, ein Danklied anzustimmen.

Ein Gespräch

Rabbi Bunam sagte einmal zu seinem Schüler Rabbi Mendel: »Wenn man mich zur Hölle verurteilt, was werde ich tun?« Mendel schwieg.

---

[3] Psalm 33, 4.   [4] Psalm 100, 5.

Nach einer Weile sagte Rabbi Bunam:»So will ich's machen. Unsere Weisen sagen ja [5]: ›Wird ein Schüler verbannt, verbannt man seinen Lehrer mit ihm.‹ Ich werde sagen:»Bringt meine Lehrer herbei, den Seher von Lublin und den heiligen Jehudi!«
Darauf erwiderte Mendel:»Für Euch kommt das ja nicht in Betracht, aber mir kann es von Nutzen sein, es zu wissen.«

Die heimliche Bestattung

Rabbi Mendel war beim Tode seines Lehrers, des Rabbi Bunam, nicht zugegen, denn zu eben jener Zeit wurde die Hochzeit seines Sohns gefeiert, und Rabbi Bunam hatte ihm auf seinem Sterbebette ausdrücklich aufgetragen, nicht bei ihm zu bleiben, sondern zur Hochzeit zu fahren, und hatte auf seine Einwände nicht geachtet. Nach der Hochzeit erfuhr Rabbi Mendel, daß sein Lehrer verschieden war und daß das Begräbnis schon stattgefunden hatte. Er fuhr nach Pžysha, ließ sich den Schlüssel zum verschlossenen Sterbezimmer geben und schloß sich darin ein. Als er nach langer Zeit herauskam, sagte er zu den versammelten Gefährten:»Ich allein bin bei der Bestattung des Rabbi zugegen gewesen.«

Wozu das Schloß gebaut wurde

Als Rabbi Mendel einst in dem Ort Pilew, das ist Pulawy, war, besuchte er das Schloß des Fürsten Czartoryski. Er ging von Saal zu Saal, dann kam er in den Garten, und hier verweilte er lange. Zu jener Zeit begab es sich, daß Rabbi Israel, der Sohn des Sehers von Lublin, auf einer Reise in Pilew halt machte. Als er hörte, daß Rabbi Mendel von Kozk im Schloß des Czartoryski weilte, erzählte er:»Ich bin einst mit meinem Vater, das Gedenken des Zaddiks sei zum Segen, hier vorbeigefahren, als das Schloß gebaut wurde. Mein Vater blickte drauf und sprach: ›Für wen wird dieses Schloß gebaut? Für einen Zaddik, der einmal drin verweilen wird.‹ Da nun der Zaddik in dem Schloß verweilt, liegt es mir ob, hinzugehn und ihn anzusehn.«

---

[5] Talmudisch (Makkoth 10).

Der Sabbat

Rabbi Mendel von Kozk sprach einmal zu einem seiner Chassidim: »Weißt du, wer ich bin? Es hat den Rabbi Bär gegeben, es hat den Rabbi Schmelke gegeben, es hat den Rabbi Elimelech gegeben, es hat den Rabbi von Lublin gegeben, es hat den ›heiligen Juden‹ gegeben, es hat den Rabbi Bunam gegeben, und ich bin der siebente. Ich bin der Auszug von allem, ich bin der Sabbat.«

Von seiner Seele

Rabbi Mendel von Kozk sagte einmal zu seinem Schwiegersohn: »Meine Seele ist noch von denen aus der Zeit vor der Zerstörung des Heiligtums. Ich bin nicht von den Heutigen. Und gekommen bin ich in diese Welt, um zu klären, was Heiligkeit und was das Außenwesen ist.«

Die Firmamente

Ein Zaddik, der dem Kozker Rabbi entgegen war, ließ ihm einmal sagen: »Ich bin so groß, ich reiche ans siebente Firmament.« Er ließ ihm antworten: »Ich bin so klein, alle sieben Firmamente liegen auf mir.«

Der Mann des Vertrauens

Ein Schüler erzählte: »Einst als ich in der Stube meines Herrn und Lehrers, des Rabbi von Kozk stand, habe ich verstanden, was in den Sprüchen Salomos[6] geschrieben steht: ›Ein Mann des Vertrauens, wer findet den?‹ Damit ist nicht gemeint, man finde nur einen unter tausend, sondern: der Mann des Vertrauens, der wahrhaft Treue, ist in der Tat nicht zu finden, denn er ist in großer Verborgenheit – du stehst vor ihm, aber du findest ihn nicht.«

Im Pelz

Der Kozker sagte einmal von einem berühmten Rabbi: »Das ist ein Zaddik im Pelz.« Die Schüler fragten, wie das zu verstehen

---

[6] 20, 6.

sei. »Nun«, erklärte er, »einer kauft sich im Winter einen Pelz, ein andrer kauft Brennholz. Was ist der Unterschied zwischen ihnen? Jener will nur sich, dieser auch andern Wärme spenden.«

Der Irrtum Korahs

Ein Schüler fragte den Kozker, was es wohl gewesen sei, das Korah antrieb, sich gegen Mose und Aaron zu empören. »Er hatte wahrgenommen«, sagte der Rabbi, »daß, sooft er unter den singenden Leviten auf der Erhöhung stand, große Gaben des Geistes auf ihn niederkamen. Da meinte er, wenn er als räuchernder Hoherpriester im innern Heiligtum stünde, würden ihm noch größere Gaben zuwachsen. Er wußte nicht, daß auch die Mächtigkeit, die er verspürt hatte, daher kam, weil Aaron dort stand und er hier.«

Beim Umschreiten

Ein Chassid erzählte seinem Sohn: »Als ich einst am Tag der Freude an der Lehre in Kozk war und der Rabbi mit der Rolle im Arm die Bühne umschritt und zu dem Ort kam, an dem ich stand, und nun den Vers sprach[7]: ›In seiner Halle spricht alles Ehre‹, war es mir, ich stünde in der Himmelshalle und hörte alle Engel Ehre sprechen, und in einer Art von Ohnmacht wurde ich zu einem anderen Menschen.«

Von draußen

Man fragte den Kozker Rabbi, woher er die Chassidim, die zu ihm kamen, in ihren Geschäften zu beraten verstehe, da er doch außerhalb all dieses Getriebes stünde. Er erwiderte: »Von wo aus kann man ein Ding in seiner Ganzheit am besten überblicken?«

Es steht geschrieben

Als Rabbi Jizchak Meïr, der nachmalige Rabbi von Ger, das erstemal in Kozk weilte, merkte er bald, daß im Hause des Zad-

7 Psalm 29, 9.

diks keine rechte Ordnung und Aufsicht herrschte; denn immer wieder wurde etwas gestohlen. Einmal hörte er den Diener Feiwel der Rabbanith vorhalten:»Wie soll da nicht gestohlen werden, wenn alles offen und wie preisgegeben herumliegt und niemand drauf achthat!«Da aber ertönte aus der Stube des Zaddiks dessen Stimme:»Feiwel, es steht doch geschrieben: ›Du sollst nicht stehlen!‹« Als Rabbi Jizchak Meïr das hörte, überkam es ihn, es sei ganz und gar unmöglich, daß jemand etwas stehle.

Nach dem Erwachen

Der Kozker sprach einmal am Morgen nach dem Gebet:»Als ich heut erwacht bin, dünkte es mich, ich sei kein lebender Mensch. Ich machte die Augen auf, betrachtete meine Hände und sah, ich kann mich ihrer bedienen, und ich wusch sie, ich betrachtete meine Füße und sah, ich kann mit ihnen gehen, und ich machte ein paar Schritte. So sprach ich den Segen: ›Gesegnet, der die Toten belebt‹, und verstand, ich bin ein lebender Mensch.«

Der Herr der Burg

Rabbi Mendel redete einmal zu seinen Chassidim über das Gleichnis des Midrasch[8] von einem, der unterwegs eine Burg in Flammen sah, ohne daß jemand am Löschen war, und dachte, das sei eine Burg ohne einen Verwalter, bis der Burgherr auf ihn niedersah und sprach:»Ich bin der Herr der Burg.« Als Rabbi Mendel die Worte aussprach»Ich bin der Herr der Burg«, fiel auf alle, die dastanden, eine große Furcht, denn sie empfanden alle: die Burg brennt, aber sie hat einen Herrn.

Das ewige Wunder

Die Worte, die von dem Gedenken und Feiern des Wunders von Chanukka gesprochen werden,»Und man hat es festgesetzt, deinem großen Namen zu danken und zu lobpreisen«, legte Rabbi Mendel so aus:»Man hat alle so sehr mit der Kraft des Wunders

---

[8] Genesis rabba XXXIX.

durchdrungen, damit sie auf das Wunder achten, das immerzu geschieht.«

Gottes Rückseite

Zum Vers der Schrift[9] »Du wirst meinen Rücken sehn, aber mein Antlitz wird nicht gesehn« sprach der Kozker Rabbi: »All das Widerstreitende und Verkehrte, das die Menschen wahrnehmen, wird Gottes Rücken genannt. Sein Antlitz aber, wo alles mit allem übereinstimmt, kann kein Mensch sehn.«

Mitsammen

Der Kozker Rabbi sprach: »Es heißt im Psalm[10]: ›Die Gerichte des Herrn sind in Treuen, gerecht sind sie mitsammen.‹ Du siehst in dieser Welt über den einen Menschen solch ein Gericht, über den anderen ein jenem scheinbar widersprechendes, und du staunst und kannst es nicht begreifen, wie beides gerecht sein soll. Aber in der kommenden Welt wirst du sie mitsammen sehn, und daß mitsammen sie gerecht sind.«

Wozu ist der Mensch erschaffen?

Rabbi Mendel von Kozk fragte einst seinen Schüler Rabbi Jaakob von Radzimin: »Jaakob, wozu ist der Mensch erschaffen?« Er antwortete: »Damit er seine Seele zur Vollendung bringe.« »Jaakob«, sagte der Zaddik, »haben wir's so bei unserem Lehrer Rabbi Bunam gelernt?! Wahrlich, der Mensch ist erschaffen, damit er den Himmel emporhebe.«

Die Leiter

Rabbi Mendel von Kozk sprach zu seinen Schülern: »Aus der Himmelswelt zur Erde sind die Seelen auf einer Leiter niedergestiegen, dann wurde sie hinweggezogen. Nun ruft man von oben die Seelen heim. Die einen rühren sich nicht vom Fleck, denn wie kann man ohne Leiter in den Himmel? Die andern machen einen Sprung, fallen hin, machen noch einen Sprung, fallen wieder hin,

---

[9] Exodus 33, 23.   [10] Psalm 19, 10.

dann geben sie es auf. Etwelche aber wissen wohl, daß sie's nicht schaffen können, und versuchen es doch Mal um Mal, bis Gott sie auffängt und emporzieht.«

Der Vorrang des Menschen

Zu den Worten der Schrift[11] »Dies ist die Weisung für das Brandopfer« sprach der Kozker Rabbi: »Warum fordert Gott das Opfer von den Menschen und nicht von den Engeln? Das der Engel wäre lauterer, als das der Menschen sein kann. Aber was Gott begehrt, ist nicht die Tat, sondern die Bereitung. Der heilige Engel kann nur tun, er kann sich nicht bereiten. Bereitung ist die Sache des Menschen, der im Dickicht der gewaltigen Hindernisse verfangen ist und sich daraus befreien muß. Dies ist der Vorzug der Werke des Menschen.«

Untertauchen

Zum Spruch Rabbi Akibas[12], Gott sei das Tauchbad Israels, sagte der Kozker Rabbi: »Das Tauchbad übt seine seelenläuternde Kraft nur aus, wenn man ganz untertaucht, daß kein Haar hervorsieht. So soll man in Gott untertauchen.«

Gottes Wohnung

»Wo wohnt Gott?«
Mit dieser Frage überraschte der Kozker einige gelehrte Männer, die bei ihm zu Gast waren. Sie lachten über ihn: »Wie redet Ihr! Ist doch die Welt seiner Herrlichkeit voll!«
Er aber beantwortete die eigene Frage:
»Gott wohnt, wo man ihn einläßt.«

Vater und Söhne

Zum Kozker Rabbi kam ein Mann und beklagte sich über seine Söhne, die ihn in seinem Alter, da er dem Erwerb nicht mehr

---

[11] Leviticus 6, 2.
[12] Das Wort *mikweh* kann sowohl »Hoffnung« bedeuten (so Jeremia 17, 13: »Die Hoffnung Israels ist der Herr«) als auch »Tauchbad«. R. Akiba (Jerus. Talmud Joma VIII, 45) deutet den jeremianischen Satz im letzteren Sinn.

nachgehen könne, nicht unterstützten. »Immer war ich für sie
da«, sagte er, »und jetzt achten sie mein nicht.« Der Rabbi hob
die Augen zum Himmel und schwieg. »So ist es«, sagte er dann
leise, »der Vater nimmt teil am Leid der Söhne, aber die Söhne
nehmen nicht teil am Leid des Vaters.«

Das Gefäß

Ein Schüler des Kozker Rabbis erzählte im Alter, kurz vor dem
eigenen Tod: »Ich will euch den ersten Spruch mitteilen, den ich
vom Rabbi gehört habe. Viele hörte ich nach diesem von ihm,
aber mit dem einen hat er mein Herz für immer entzündet. Es
war an einem Sabbatabend nach dem Weihesegen. Der Rabbi saß
in seinem hohen Stuhl mit verwandeltem Gesicht, als sei ihm die
Seele aus dem Leibe gegangen und schwebe nur noch um ihn. Mit
großer Entschiedenheit streckte er die Hände aus, goß uns über
die unsern das Wasser zum Segensspruch, sprach den Segen über
das Brot und brach es. Dann redete er so: ›Weise, Forscher, Denker gibt's in der Welt. Alle forschen und denken sie dem Geheimnis Gottes nach. Aber was können sie davon erfahren? Nicht
mehr als sie der Stufe der Vernunft nach zu fassen vermögen.
Aber das Volk der Söhne Israels, geheiligt sind sie – sie haben ein
Gefäß, das ist das gebotene Tun, damit können sie mehr fassen
als ihrer Stufe nach, bis zur Stufe der Dienstengel. Das ist jenes
Wort am Sinai[13]: ›Wir wollen tun und wollen hören.‹ Mit unserm Tun hören wir.‹«

Geben und Nehmen

Man fragte den Kozker: »Warum wird das Fest der Offenbarung
die Zeit der Verleihung unserer Thora genannt und nicht die Zeit
des Empfangs unserer Thora?«
»An dem Tag«, antwortete er, »den das Fest erinnert, geschah
das Geben, aber das Nehmen geschieht zu jeder Zeit. Gegeben
worden ist allen im gleichen Maß, aber sie haben nicht im gleichen
Maß genommen.«

---

[13] Exodus 24, 7.

Auf deinem Herzen

Rabbi Mendel von Kozk sprach:»Es heißt[14]: ›So seien diese Reden, die ich heut dir gebiete, auf deinem Herzen.‹ Es heißt nicht ›in deinem Herzen‹. Denn das Herz ist zeitenweise verschlossen, die Worte liegen aber auf ihm, und wenn es in heiligen Zeiten sich öffnet, fallen sie in seine Tiefe.«

Kein fremder Gott

Man fragte den Kozker Rabbi:»Was tut König David damit Neues auf, daß er sagt[15]: ›Nicht sei fremde Gottheit bei dir‹? Es ist doch schon im Zehngebot ausdrücklich gesagt: ›Nicht sei dir andere Gottheit.‹«
Er antwortete:»Der Sinn ist: Gott soll bei dir kein Fremder sein.«

Gegossene Götter

Der Kozker sprach:»Es steht geschrieben[16]: ›Gegossene Götter mache dir nicht.‹ Wenn du Gott im Sinn hast, sollst du ihn selber meinen und nicht einen gegossenen Gott, den du dir in deinem Bilde gemacht hast.«

Kein Götzenbild

Die Schüler des Kozkers unterredeten sich einmal, warum geschrieben stehe[17]:»Hütet euch, ihr möchtet sonst des Herrn eures Gottes Bund vergessen, den er mit euch schloß, und euch Schnitzwerk machen, Abgestaltung all dessen, was der Herr dein Gott dir gebot«, und nicht, wie der Sinn fordert:»was der Herr dein Gott dir verbot.« Der Zaddik, der zuhörte, griff in das Gespräch ein.»Die Thora warnt uns«, sagte er,»aus irgendeinem Ding, das der Herr unser Gott uns geboten hat, uns ein Götzenbild zu machen.«

---

[14] Deuteronomium 6, 6.
[15] Psalm 81, 10.
[16] Exodus 34, 17.
[17] Deuteronomium 4, 23.

Der Jäger

Rabbi Mendel von Kozk erzählte die Geschichte vom Jäger, den der Prophet Elia in der Wildnis betraf und fragte, warum er ohne Lehre und Gesetz lebe. Der Jäger rechtfertigte sich:»Ich habe die Pforte nicht gefunden, die vor das Angesicht Gottes führt.«»Du bist doch nicht als Jäger geboren«, sagte Elia.»Woher kam dir wohl der Verstand zu diesem Gewerbe?«»Die Not hat es mich gelehrt«, entgegnete der Jäger.»Und hättest du«, sprach der Prophet,»ebenso große Not gelitten, weil du in Gottes Ferne umirrst, meinst du, sie hätte dir nicht den Weg zu ihm gewiesen?«

Furcht

Der Kozker fragte einen Chassid:»Hast du schon einmal einen Wolf gesehn?«
»Ja«, sagte er.
»Und hast du dich vor ihm gefürchtet?«
»Ja.«
»Dachtest du da aber daran, daß du Furcht hast?«
»Nein«, antwortete der Chassid,»ich fürchtete mich nur.«
»So soll man es«, sprach der Rabbi,»mit der Furcht Gottes halten.«

Zweierlei Furcht

Man fragte den Kozker Rabbi:»Am Sinai spricht das Volk zu Mose [18]: ›Rede du mit uns, und wir wollen hören, aber nimmer rede mit uns Gott, sonst müssen wir sterben.‹ Und Mose antwortet: ›Fürchtet euch nimmer.‹ Er sagt, Gott sei gekommen, ›daß seine Furcht über euch sei, damit ihr vom Sündigen lasset‹. Ist da nicht ein Widerspruch?« Rabbi Mendel sprach:»›Fürchtet euch nicht‹, das bedeutet: Diese eure Furcht, die Furcht vor dem Tode, ist nicht die Furcht, die Gott von euch begehrt. Er will, daß ihr ihn fürchtet, das ist, daß ihr seine Ferne fürchtet, und daß ihr der Sünde nicht verfallet, die euch von ihm entfernt.«

---

[18] Exodus 20, 19.

Was kommt es dir darauf an?

Ein Chassid kam zum Kozker Rabbi. »Rabbi«, klagte er, »ich muß grübeln und grübeln, es läßt mich nicht los!«
»Was ist es denn«, fragte der Rabbi, »worüber du grübeln mußt?«
»Ich muß grübeln: gibt's wirklich ein Gericht und einen Richter?«
»Was kommt es dir darauf an?«
»Rabbi! Wenn's kein Gericht und keinen Richter gibt, was ist dann an der ganzen Schöpfung!«
»Was kommt es dir darauf an?«
»Rabbi! Wenn's kein Gericht und keinen Richter gibt, was ist dann an den Worten der Thora!«
»Was kommt es dir darauf an?«
»Rabbi! Rabbi! Was es mir darauf ankommt?! Wie redet Ihr! Und worauf denn soll es mir ankommen?!«
»Wenn es dir denn so sehr darauf ankommt«, sagte der Kozker, »dann bist du doch ein rechter Jude – ein rechter Jude darf grübeln: es kann ihm nichts geschehn.«

Die Sorge

Ein Chassid klagte dem Kozker seine Armut und Bedrängnis. »Sorge nicht«, beschied ihn der Rabbi. »Bete mit deinem ganzen Herzen zu Gott, und der Herr des Erbarmens wird sich deiner erbarmen.«
»Ich weiß aber nicht«, redete jener weiter, »wie ich beten soll.«
Mit aufwallendem Mitleiden sah ihn der Kozker an. »Da hast du freilich«, sprach er, »eine große Sorge.«

Heiligkeit

Es steht geschrieben[19]: »Heilige Menschen sollt ihr mir sein.«
Der Kozker übertrug: »*Menschlich* heilig sollt ihr mir sein.«

---

[19] Exodus 22, 30.

Das Gebrechen

Einer kam zum Kozker und brachte sein Leidwesen vor:»Die
Leute nennen mich einen Frömmler. Was ist das für ein Gebrechen, das sie mir zuschreiben? Warum ein Frömmler und nicht
ein Frommer?«
»Der Frömmler«, erwiderte der Rabbi,»macht aus der Hauptsache der Frömmigkeit eine Nebensache und aus ihrer Nebensache die Hauptsache.«

Aus der Ferne

Den Schriftvers[20]»Bin ich denn ein Gott aus der Nähe und nicht
aus der Ferne?« erklärte Rabbi Mendel:»›Aus der Ferne‹, das
meint den Bösen, ›aus der Nähe‹, das meint den Gerechten. Gott
spricht: ›Will ich denn gerade den, der mir nah ist, den Gerechten? Ich will doch auch den Fernen, den Bösen.‹«

Der »Weg« des Frevlers

Zum Schriftwort[21]»Der Frevler verlasse seinen Weg« sprach der
Kozker:»Hat denn der Frevler einen Weg? Einen Schlamm hat
er und keinen Weg. Aber so ist es zu verstehn: Der Frevler verlasse seinen ›Weg‹, sein Wähnen nämlich, er habe einen Weg.«

Die Fassung

Rabbi Mendel sprach:»Je größer und leuchtkräftiger der Edelstein, um so größer die Fassung. Je größer und leuchtkräftiger
die Seele, um so größer die ›Schale‹, die sie umschließt.«

Große Schuld

Rabbi Mendel sprach:»Wer die Thora lernt und müht sich nicht
um sie, wer sündigt und vergibt sich selber, wer betet, weil er
gestern gebetet hat, der schiere Bösewicht ist besser als er.«

---

[20] Jeremia 23, 23.   [21] Jesaja 55, 7.

Woche und Sabbat

Einmal sagte Rabbi Mendel von Kozk zu Rabbi Jizchak Meïr von Ger:»Ich weiß nicht, was wollen sie von mir! Die ganze Woche tut jeder, was er will, und wenn der Sabbat kommt, zieht sich jeder den schwarzen Talar an und legt den schwarzen Gürtel drum und setzt den schwarzen Pelzhut auf und ist schon auf du und du mit der Braut Sabbat! Ich sage: wie sein Wochenwerk, so sein Sabbatwerk.«

Ernst

Der Kozker rief einige seiner Chassidim an:»Was schwatzen sie da: ernst beten?! Was soll das, ernst beten?!«
Sie verstanden ihn nicht.
»Gibt es denn etwas, das man ohne Ernst treiben darf?« sagte er.

Keine Unterbrechung

Rabbi Mendel achtete darauf, daß die Chassidim beim Beten kein Halstuch trugen. Denn, so sagte er, da soll zwischen Hirn und Herz keine Unterbrechung sein.

Der Schurz

Rabbi Mendel fragte einmal seine Chassidim:»Wißt ihr, was von uns verlangt wird?« und antwortete selber:»Es steht geschrieben in Jeremia [22]: ›Wie der Schurz an den Hüften des Mannes haftet, so angeheftet habe ich mir alles Haus Israel‹. Daß wir in dem Schurz haften, das wird von uns verlangt.«

Beten und essen

Man fragte Rabbi Mendel:»Es steht geschrieben [23]: ›Dem Herrn eurem Gott dienet! So wird er dein Brot segnen.‹ Warum heißt es zuerst ›ihr‹ und dann ›du‹?«

---

[22] 13, 11.　　[23] Exodus 23, 25.

Er erklärte:»Dienen, das bedeutet beten. Wenn der Mensch betet, und sei's auch allein in seiner Kammer, soll er sich erst mit ganz Israel verbinden, und so ist es in jedem wahren Gebet die Gemeinschaft, die betet. Wenn aber der Mensch ißt, und sei's auch in einer großen Tafelrunde, das Essen selber tut jeder für sich.«

Die Grundsätze

Rabbi Mendel von Kozk sprach einmal zur Gemeinde:»Was begehre ich denn von euch! Drei Dinge nur: Aus sich nicht herausschielen, in den andern nicht hineinschielen und sich nicht meinen.«

Nicht einen am andern messen

Man sagte einmal zu Rabbi Mendel von einem bestimmten Menschen, er sei größer als ein anderer, den man ebenfalls beim Namen nannte. Rabbi Mendel erwiderte:»Bin ich ich, weil ich ich bin, und du bist du, weil du du bist, dann bin ich ich und du bist du. Bin ich hingegen ich, weil du du bist, und du bist du, weil ich ich bin, dann bin ich nicht ich und du bist nicht du.«

Götzendienst

Der Kozker sprach:»Wenn ein Mensch ein Gesicht macht vor einem Gesicht, das kein Gesicht ist, das ist Götzendienst.«

Der falsche Friede

Zwischen Rabbi Mendel von Kozk und Rabbi Jizchak von Worki, die beide des weisen Rabbi Bunam Schüler gewesen waren, bestand eine nie getrübte brüderliche Freundschaft. Ihre Chassidim aber hatten allerhand Streit miteinander um Dinge der Lehre, und die eine Meinung wollte sich nicht mit der andern versöhnen. Einmal weilten beide Zaddikim in einer Stadt. Als sie einander begrüßt hatten, sagte Rabbi Jizchak:»Ich habe Euch Neues zu berichten. Unsere Leute haben Frieden geschlossen.« Da fuhr der Kozker auf und rief mit blitzenden Augen:»So ist die Kraft des Trugs schon überstark geworden, und der Satan geht daran, die

Wahrheit aus der Welt zu tilgen.«»Was sagt Ihr da!« stammelte Rabbi Jizchak. »Bedenkt«, redete der Kozker weiter, »was der Midrasch[24] von der Stunde erzählt, als Gott den Menschen schaffen wollte: wie sich da die Engel in Parteien schieden. Die Liebe sprach: ›Er werde erschaffen, denn er wird Liebeswerke tun.‹ Die Wahrheit sprach: ›Er werde nicht erschaffen, denn er wird Trug üben.‹ Die Gerechtigkeit sprach: ›Er werde erschaffen, denn er wird Recht ergehen lassen.‹ Der Friede sprach: ›Er werde nicht erschaffen, denn er wird Streit führen.‹ Was tat Gott? Er ergriff die Wahrheit und warf sie zur Erde. Habt Ihr die Erzählung recht besonnen? Ist sie nicht wunderlich? Die Wahrheit war nun freilich zur Erde geworfen und hinderte die Schöpfung des Menschen nicht mehr, aber was tat Gott mit dem Frieden und was antwortete er ihm?« Der Rabbi von Worki schwieg. »Seht«, sagte der Kozker, »unsre Weisen haben uns gelehrt[25], daß der Streit um Gottes willen aus der Wurzel der Wahrheit entspringt. Als die Wahrheit zur Erde gefallen war, verstand der Friede, daß ein Frieden ohne Wahrheit ein falscher Frieden ist.«

Was man nicht nachmachen kann

Der Kozker Rabbi sprach: »Alles in der Welt kann man nachmachen, nur die Wahrheit nicht. Denn eine nachgemachte Wahrheit ist keine Wahrheit mehr.«

Erkenntnis mehren

Den Spruch des Predigers Salomo[26] »Wer Erkenntnis mehrt, mehrt Schmerz« pflegte der Kozker Rabbi so auszulegen: »Der Mensch soll seine Erkenntnis mehren, ob er damit auch unausweichlich seinen Schmerz mehrt.«

Thora

Der Kozker fragte einen selbstgewissen Jüngling: »Kannst du lernen?«
»Ja«, antwortete der.

---

[24] Genesis rabba VIII.   [25] Aboth V 20.   [26] 1, 18.

»Weißt du«, fragte der Rabbi weiter, »was der Sinn des Wortes Thora ist?«
Der Jüngling schwieg.
»Der Sinn des Wortes Thora«, sagte Rabbi Mendel, »ist: Es lehrt. Aber du meinst, du könntest selber lernen – da hat's dich also noch nichts gelehrt.«

Die Söhne

Ein Mann kam zum Kozker Rabbi und fragte, wie er wohl seine Söhne dazubringen könnte, sich mit der Lehre Gottes zu befassen. Der Rabbi antwortete: »Willst du's in Wahrheit, befasse du dich mit der Lehre, und sie werden es dir absehen. Sonst werden auch sie sich nicht damit befassen, sondern werden ihre Söhne anweisen, das zu tun, und so fort und fort. Es steht ja geschrieben [27]: ›Hüte dich, hüte sehr deine Seele, daß du etwa vergäßest der Dinge, die deine Augen sahn...! Gib sie zu wissen deinen Söhnen und den Söhnen deiner Söhne!‹ Vergissest du selber die Lehre, dann werden auch deine Söhne sie vergessen und nur wieder ihren Söhnen sie zu wissen geben, und auch die werden vergessen und nur zu wissen geben, alle werden zu wissen geben und keiner wird wissen!«

Die Teuerung

Einst, als in der Gegend von Kozk eine große Teuerung war, wollten die über Sabbat gekommenen Chassidim am Tag danach heimfahren, aber der Rabbi zog den Abschied hin. Seine Frau stand gerade am Herd, als er, die brennende Pfeife im Mund, eintrat. »Mendel«, sagte sie, »warum hältst du die Chassidim auf? Sie müssen doch in der Herberge viel Geld fürs Essen zahlen.« »Warum ist das Essen teuer?« erwiderte er. »Weil alle immerzu essen wollen. Wenn alle immerzu lernen wollten, würde das Lernen teuer und das Essen billig werden.«

---

[27] Deuteronomium 4, 9.

Wunder

Man erzählte dem Kozker von einem Wundermann, der die geheime Kunst verstehe, einen Golem zu machen. »Das ist nicht wichtig«, sagte er, »aber versteht er die geheime Kunst, einen Chassid zu machen?«

Wie der Faßbinder

Einmal kam Rabbi Mendel von Worki, der Sohn des Rabbi Jizchak von Worki, aus der Stube des Kozker Rabbis, schweißbedeckt und sehr matt, und setzte sich im Vorraum auf den Balken, um zu verschnaufen. Er sagte zu den Chassidim, die herumstanden: »Wißt, dieser heilige Alte hat mich an allen Gliedern, von der Fußsohle bis zum Scheitel, durchgeprüft wie der Faßbinder sein Faß.«

Das Große Los

Rabbi Jechiel Meïr, der spätere Rabbi von Gostynin, kam zu seinem Lehrer, dem Kozker, und berichtete ihm freudigen Angesichts (denn er war bisher ein armer Mann gewesen), er habe das Große Los gewonnen. »Ich habe keine Schuld daran«, sagte der Zaddik. Rabbi Jechiel fuhr heim und verteilte das Geld unter bedürftige Freunde.

Du sollst nicht stehlen

Als Rabbi Jechiel Meïr von Gostynin einmal am Offenbarungsfest bei seinem Lehrer in Kozk gewesen war und heimkam, fragte ihn sein Schwiegervater: »Nun, hat man bei Euch die Offenbarung anders empfangen als anderswo?« »Gewiß«, antwortete er. »Was soll das bedeuten?«, fragte jener. »Wie versteht man hier zum Beispiel ›Du sollst nicht stehlen‹«?, fragte Rabbi Jechiel zurück. »Nun eben«, erwiderte der Schwiegervater, »man soll seinen Mitmenschen nicht bestehlen.« »Das braucht man uns nicht mehr zu gebieten«, sprach Rabbi Jechiel, »in Kozk erklärt man's: Man soll sich selber nicht bestehlen.«

Verschiedener Brauch

Ein Chassid von Kozk unterredete sich mit einem Chassid von Tschernobil über die beiderseitigen Bräuche.

Der von Tschernobil sprach:»Wir durchwachen jede Nacht vom Donnerstag auf den Freitag, am Freitag geben wir Almosen nach unserm Vermögen, und am Sabbat rezitieren wir das ganze Buch der Psalmen.«

»Wir«, erwiderte der von Kozk,»wachen alle Nächte, solang wir können, Almosen geben wir, wenn uns ein Armer begegnet und wir Geld in der Tasche haben, und die Psalmen, über denen David sich siebzig Jahre abgerackert hat, sagen wir nicht hintereinander herunter, sondern sagen sie, wie's die Stunde erheischt.«

Der Unterschied

Während der Streit zwischen den Chassidim von Kozk und den Chassidim von Radoschitz im Gang war, sagte Rabbi Jissachar Bär von Radoschitz einmal zu einem Kozker Chassid:»Das Verfahren deines Lehrers ist:›Kann man nicht drüber weg, muß man drunter weg‹, mein Verfahren aber ist:›Kann man nicht drüber weg, muß man eben doch drüber weg.‹«

Anders faßte den Unterschied Rabbi Jizchak Meïr von Ger, des Kozker Rabbis Schüler und Freund, als nach dem Tode des Radoschitzers einer von dessen Chassidim ihn besuchte.»Die Welt meint«, sagte er,»zwischen Kozk und Radoschitz sei Haß und Hader gewesen. Das ist ein arger Irrtum. Bestanden hat nur dieser Meinungskampf: in Kozk wollte man das Herz der Juden unserem Vater im Himmel nähern, in Radoschitz wollte man unsern Vater im Himmel dem Herzen der Juden nähern.«

Zwischen Kozk und Izbica

Eine Zeit, nachdem Rabbi Mordechai Jossef von Izbica sich von Kozk losgesagt und eine eigene Gemeinde begründet hatte, kam ein Chassid, der zu ihm nach Izbica gefahren war, von da nach Kozk und zum Rabbi. Rabbi Mendel hob die Augen, sah ihn unverwandt an und fragte laut:»Wer ist das?«, als kennte er ihn nicht. Und als der Chassid bestürzt fragte: »Rabbi, kennt Ihr mich denn nicht?«, sagte er: »Das kannst du doch nicht sein! Es heißt doch in den Vätersprüchen [28]: ›Und die Furcht deines Lehrers wie die Furcht des Himmels.‹ Gibt es denn zwei Himmel?«

Rede zu den Söhnen Israels

Als ein Schüler des Rabbis von Lentschno einmal den Rabbi von Kozk besuchte, sagte der zu ihm: »Grüße mir deinen Lehrer. Ich liebe ihn sehr. Aber warum schreit er zu Gott, daß er den Messias sende? Warum schreit er nicht zu Israel, daß sie zu Gott umkehren? Es steht geschrieben [29]: ›Was schreist du nach mir! Rede zu den Söhnen Israels!‹«

Die drei Säulen

Rabbi Mendel sprach: »Von den drei Säulen, auf denen die Welt steht [30], Lehre, Dienst und Guttun, werden um die Zeit des Endes die zwei ersten zusammenschrumpfen, nur die Guttaten werden sich mehren, und dann wird wahr werden, was geschrieben steht [31]: ›Zion wird erlöst durch Rechttun.‹«

Die Stunde

Der Kozker sprach: »Geschlecht um Geschlecht haben sich gemüht, den Messias zu bringen, jedes Geschlecht auf seine Art, und es ist ihnen nicht gelungen. Es gelingt nicht, den Messias zu bringen. Einmal, wenn die Juden ganz vertan sein werden in ihre Sorge um das tägliche Brot und ihre Gemüter verwirrt, wird er kommen.«

Die nicht beten können

Am Vortag des Versöhnungstags sagte der Rabbi von Kozk zu einem seiner Chassidim: »Hirsch, ich mache dich zum Vorbeter für die Juden, die nicht beten können, für die Juden in den Feldern und in den Wäldern, für die hier sind und für die nicht hier sind, nicht für die Lebenden allein, auch für die Toten, du sollst es wissen: die Wände kleben voller Seelen!«

---

[28] Aboth IV, 12.   [29] Exodus 14, 15.
[30] Nach Aboth I, 2.   [31] Jesaja 1, 27.

Das Heiligtum der Liebe

Man fragte den Kozker Rabbi:»Warum hat es einst eine so große Liebe zwischen den Chassidim gegeben und in unserer Zeit ist sie nicht mehr zu finden?«
Er antwortete:»Im Himmel ist ein Heiligtum der Liebe, das hat der Rabbi von Berditschew für die Menschen geöffnet, und so ist die große Liebe zwischen den Chassidim geworden. Dann aber sind auch die Schlechten hineingekommen und haben sich für ihre Liebeleien Liebe geholt. Da haben die Zaddikim das Heiligtum wieder geschlossen.«

Der Winkel

Es steht geschrieben [32]:»Ein Ende setzte er der Finsternis.«»Einen Winkel«, pflegte der Kozker zu rufen, wenn er dies las,»einen Winkel hat Gott in der Finsternis freigegeben, daß man sich darin berge.«

Wozu ein Buch verfassen?

Die Chassidim fragten den Rabbi von Kozk, warum er kein Buch verfasse. Eine Weile schwieg er, dann gab er zur Antwort: »Nehmen wir schon an, ich hätte ein Buch verfaßt – wer wird es kaufen? Unsere eigenen Leute werden es kaufen. Und wann kommen unsre Leute dazu, ein Buch zu lesen, da sie doch die Woche über in der Mühe des Erwerbs versunken sind? Am Sabbat kommen sie dazu, es zu lesen. Und wann kommen sie am Sabbat dazu? Erst muß man ins Tauchbad, dann muß man lernen und beten, und dann kommt das Sabbatmahl. Aber nach dem Sabbatmahl, da kommt man dazu, ein Buch zu lesen. Einer streckt sich auf die Bank und nimmt das Buch zur Hand und macht es auf. Und weil er satt und schläfrig ist, schlummert er ein, und das Buch fällt zu Boden. Nun sagt, wozu sollte ich ein Buch verfassen?«

---

[32] Hiob 28, 3.

Der heilige Ziegenbock

Unter den wenigen, die in den Jahren seiner »Verschlossenheit«
bei Rabbi Mendel eintreten durften, war Rabbi Jizchak von
Worki.

Einst kam er nach längerer Abwesenheit wieder nach Kozk,
klopfte an Rabbi Mendels Stube, trat ein und grüßte:»Frieden
über Euch, Rabbi!«
»Was nennst du mich Rabbi?« brummte ihn der Kozker an.»Ich
bin doch kein Rabbi! Kennst du mich denn nicht mehr? Ich bin
doch der Bock! Der heilige Ziegenbock bin ich. Weißt du die Geschichte nicht mehr?

Ein alter Jude hat einst am Abend auf dem Weg zum Lehrhaus
die Tabaksdose verloren, seine Tabaksdose aus Bockshorn. Er
jammerte:›Nicht genug noch an der finstern Galuth, da muß mir
auch noch dies widerfahren! Ach und weh um die Tabaksdose
aus Bockshorn!‹ Da begegnete er dem heiligen Ziegenbock. Der
heilige Ziegenbock wandelte über die Erde, und die Spitzen seiner schwarzen Hörner rührten an die Sterne. Als er die Klage des
alten Juden hörte, beugte er sich zu ihm hinab und sprach:
›Schneide dir von meinen Hörnern ab, wieviel du für eine Dose
brauchst.‹ Das tat der Alte. Er machte sich eine Dose daraus und
füllte sie mit Tabak. Dann ging er ins Lehrhaus und bot allen
ringsum Prisen an. Die schnupften und schnupften, und jeder, der
geschnupft hatte, rief: ›Oh, welch ein herrlicher Tabak! Das hat
er von der Dose. Oh, welch eine herrliche Dose! Woher ist die?‹
So erzählte ihnen der Alte von dem guten heiligen Ziegenbock.
Da ging einer nach dem andern auf die Gasse und suchte den
heiligen Ziegenbock. Der heilige Ziegenbock wandelte über die
Erde, und die Spitzen seiner schwarzen Hörner rührten an die
Sterne. Einer nach dem andern trat vor ihn hin und bat, etwas
abschneiden zu dürfen. Mal um Mal beugte sich der heilige Ziegenbock zu dem Bittsteller nieder. Dose um Dose wurde gemacht
und mit Tabak gefüllt. Der Ruhm der Dosen verbreitete sich
weithin. Auf jedem Schritt trat dem heiligen Ziegenbock ein Bittsteller entgegen.
Hornlos wandelt der heilige Ziegenbock über die Erde.«

Ohne Brille

In seinen spätern Jahren litt der Kozker an schweren Augen-
schmerzen. Man riet ihm, beim Lesen eine Brille zu tragen. Er
aber wehrte ab. »Ich will nicht«, sagte er, »zwischen meine Augen
und die heilige Thora eine Scheidewand setzen.«

In den Wald

Gegen das Ende seiner Tage sprach der Rabbi von Kozk: »Ich
hatte gemeint, ich würde nur vierhundert Chassidim haben, mit
denen würde ich in den Wald gehen und ihnen Manna geben, und
sie würden die Königsmacht Gottes erkennen.«

Der säumige Knecht

Rabbi Jizchak von Worki ermahnte einst einen seiner Söhne, weil er die Lehre vernachlässigte. Als der Sohn, der schon selber Familienvater war, sich mit allerhand häuslichen Sorgen entschuldigte, erzählte er ihm:»Als ich noch Schreiber bei Frau Temeril war, sah ich einmal, wie der Aufseher einen Knecht prügelte, weil er nachlässig gearbeitet hatte. Und seltsam: während er geschlagen wurde, holte der Knecht mit der Sense kräftig aus und schnitt mit großem Eifer das Getreide. Hernach fragte ich ihn, warum er das getan habe. ›Du dummer Jud‹, sagte er, ›all die Schläge kriegte ich doch, weil ich die Arbeit nachlässig getan hatte! Wie sollte ich mich da nicht mit vollem Eifer dran machen!‹ So ist es mit dir, mein Sohn: all deine Sorgen kommen ja eben daher, daß du die Lehre vernachlässigst.«

Selber

Einige Große in Israel waren einst bei Rabbi Jizchak von Worki zu Gast. Man sprach vom Wert eines rechtschaffenen Dieners für die Führung des Hauses; wenn er gut sei, wende sich alles zum Guten, wie man an Josef sehe, in dessen Hand alles gedieh. Rabbi Jizchak widersprach.»So habe auch ich einst gemeint«, sagte er, »dann aber zeigte mir mein Lehrer, daß alles am Hausherrn hangt. In meiner Jugend nämlich hatte ich große Bedrängnis von meinem Weibe, und ob auch ich selbst es tragen mochte, so erbarmte mich doch des Gesindes. Darum fuhr ich zu meinem Lehrer, Rabbi David von Lelow, und befragte ihn, ob ich meinem Weibe entgegentreten solle. Er antwortete mir: ›Was redest du zu mir? Rede zu dir selber!‹ Ich mußte mich auf das Wort eine Zeit besinnen, bis ich es verstand; ich verstand es aber, als ich mich auf ein Wort des heiligen Baalschemtow besann: ›Es gibt den Gedanken, die Rede, die Tat. Der Gedanke entspricht der Ehefrau, die Rede den Kindern, die Tat dem Gesinde. Wer die drei in sich zurechtbringt, dem wandelt sich alles zum Guten.‹ Da verstand ich, was mein Lehrer im Sinn hatte: daß alles an mir selber hangt.«

Sterben und leben

Zum Psalmvers[1] »Ich sterbe nicht, nein, ich darf leben« sprach
Rabbi Jizchak: »Erst muß der Mensch sich in den Tod geben,
damit er wahrhaft leben kann. Aber wenn er es tut, erfährt er,
daß er nicht sterben, sondern leben könne.«

Adams Sünde

Man fragte Rabbi Jizchak: »Was war wohl Adams eigentliche
Sünde?« »Adams eigentliche Sünde«, sagte er, »war, daß er sich
um den morgigen Tag sorgte. Die Schlange redete ihm vor: ›Ihr
habt keinen Dienst, den ihr vollbringen könntet, denn ihr unterscheidet nicht zwischen Gut und Böse und vermögt nicht, die
Wahl zu üben. Eßt von dieser Frucht, und ihr werdet unterscheiden, und werdet das Gute wählen, und ihr werdet den Lohn empfangen.‹ Daß er darauf hörte, war Adams Verfehlung. Er sorgte
sich, daß er keinen Dienst haben würde; aber in dieser Stunde
hatte er ja seinen Dienst: Gott zu gehorchen und der Schlange
zu widerstehen.«

Mit einem Verleumder

Einer versuchte durch allerhand Verleumdung, die Chassidim des
Rabbi Jizchak von Worki gegen ihren Meister aufzuwiegeln. Ein
Getümmel entstand, man hinterbrachte es dem Zaddik, er ließ
den Mann rufen und empfing ihn ohne Zeugen. »Narr«, sagte er
zu ihm, »warum bringst du Unwahres vor, daß man dich Lügen
strafe? Laß mich dir doch alles Übel berichten, das an mir ist;
wenn du dann hinausgehst und es der Welt verkündest, wird dir
kein Widerspruch standhalten.«

Die Hebe

Am Sabbat, an dem der Schriftabschnitt von der »Hebe« verlesen wird, war einst Rabbi Jizchak von Worki zu Besuch bei
dem Rabbi von Kozk, der damals seit kurzer Zeit in der Abgeschiedenheit lebte und nur noch so nahe Freunde bei sich empfing.

---

[1] 118, 17.

»Weshalb«, fragte Rabbi Jizchak, »sondert Ihr Euch in solchem Maße von den Menschen ab?«

»Die Antwort«, sagte der Rabbi Mendel, »steht im heutigen Schriftabschnitt [2]: ›Und sie sollen mir eine Hebe nehmen‹, und das wird erklärt: ›Mir, das heißt: Für meinen Namen.‹ Wenn ein Jude den rechten Weg, den Weg Gottes, annehmen will, dann gibt es für ihn nur eins: ›Hebe‹. Abheben, hinwegheben muß er sich von allen Menschen, und nicht von den Bösen allein, sondern auch von den Guten, wie es weiter heißt: ›von jedermann, den sein Herz willigt.‹«

»Die Antwort, auf das, was Ihr vorbringt«, sagte der Rabbi von Worki, »steht im heutigen Schriftabschnitt, in ebendem Vers: ›Sie sollen mir eine Hebe nehmen‹ – wenn ein Jude den rechten Weg, den Weg Gottes, annehmen will, dann muß er von jedem Menschen etwas für sich abheben, zu jedem soll er sich gesellen und im Umgang mit ihm empfangen, was er für den Weg Gottes eben von ihm empfangen kann. Doch gibt es eine Einschränkung. Von den Menschen verschlossenen Herzens wird er nichts empfangen, sondern nur ›von jedermann, den sein Herz willigt‹.«

Das Verdienst

Jemand sagte zu Rabbi Jizchak: »Ich kann es nicht verstehen, was die Gemara [3] von Rabbi Seïra erzählt: daß er, von den Schülern nach der Ursache seiner Langlebigkeit befragt, antwortete, er habe sich nie gefreut, wenn einem andern ein Übel widerfuhr. Ist denn das ein Verdienst?«

Der Rabbi sprach: »Dies ist, wie's gemeint ist: Bei den freudigen Anlässen, die das Leben mir bot, habe ich mich nicht freuen können, wenn gleichzeitig einem andern ein Übel widerfuhr.«

Das Alphabet

Man fragte einst Rabbi Jizchak: »Warum wohl hat man das Sündenbekenntnis am Versöhnungstag nach dem Alphabet geordnet?« »Sonst wüßte man doch nicht«, sagte er, »wann man auf-

---

[2] Exodus 25, 2.   [3] Megilla 28 a.

hören soll, sich an die Brust zu schlagen. Denn die Sünde hat kein Ende, und das Sündenbewußtsein hat kein Ende, aber das Alphabet hat ein Ende.«

Die Himmelsstimme

Man fragte Rabbi Jizchak, wie der Spruch der Weisen[4] zu verstehen sei:»Was dir der Hausherr sagt, das tu, bis auf das Fortgehn.« Man müsse doch dem Wirt erst recht willfahren, wenn er einen gehen heißt! Der Rabbi antwortete:»Die haben recht, die den Spruch auf Gott, unsern Hausherrn, deuten. In allem sollen wir ihm botmäßig sein – nur dann nicht, wenn er uns bescheidet, uns von ihm zu entfernen. Denn wir wissen[5]: der Verstoßene ist von Ihm nicht verstoßen. Es verhält sich aber so, daß einem, der viel Übel getan hat, ein besonders harter Weg zur Umkehr bestimmt ist: vom Himmel her wird ihm kundgetan, man begehre seine Umkehr nicht mehr und würde sie nicht mehr annehmen. Läßt er sich aber nicht anfechten, bricht es vielmehr eben da in ihm durch, spricht er: ›Dennoch!‹ und kehrt um, dann wird ihm die Heilung. Von dem Erzketzer Elischa ben Abuja, der ›Acher‹, ›Andrer‹, genannt worden ist, wird erzählt, er habe eine Himmelsstimme ausrufen hören: ›Kehret um, abgekehrte Söhne, bis auf Acher!‹ Da löste er die letzten Bande, die ihn an Gesetz und Gemeinschaft hefteten, und sagte der Wahrheit ab. Hätte er der Stimme den Glauben versagen sollen, da sie ihn doch ansprach und also etwas von ihm wollte? Das würde nicht gefrommt haben, denn die Gnade begibt sich auf der Schneide des Messers. Aber sein Dennoch, seine Umkehr wäre angenommen worden, denn die Gnade will sich begeben können.«

---

[4] Talmudisch (Pessachim 86). [5] 2 Samuel 14, 14.

Die Verlorene

Eine Witwe klagte Rabbi Jizchak, daß die Kaufleute, denen ihr
Mann als Schreiber gedient hatte, einen Lohnbetrag, den sie ihm
schuldig geblieben wären, ihr vorenthielten und sie unbarmherzig im Elend ließen. Der Zaddik ließ die Leute holen. Als sie der
Frau ansichtig wurden, riefen sie aus Einem Mund: »Auf diese
Verlorene hört Ihr! Seit drei Jahren ist ihr Mann tot, und vor
einem halben hat sie ein Kind der Buhlschaft geboren!« »So arm
war sie also«, sprach Rabbi Jizchak, »daß sie sich verlorengeben
mußte!«

Nach dreißig Jahren

Ein Mann hatte dreißig Jahre in der Abgeschiedenheit dem Lernen angehangen. Als er wieder unter die Menschen kam, hörte er
von Rabbi Jizchak von Worki reden und beschloß, zu ihm zu
fahren. Unterwegs malte er sich aus, wie ihn der Zaddik als einen
gelehrten Mann, der sich so lange um die Thora gemüht habe,
freudig und ehrenreich empfangen würde. Als er vor Rabbi Jizchak stand, sagte der zu ihm: »Ihr seid doch ein gelehrter Mann
und habt Euch so lang um die Thora gemüht – wißt Ihr wohl,
was Gott spricht?« Verlegen und unschlüssig brachte der Gelehrte
vor: »Gott spricht, man solle beten und lernen.« Der Zaddik
lachte: »Ihr wißt nicht, wonach man Euch fragt.« Jener ging betrübt von dannen. Sooft er seinen Besuch wiederholte, empfing
ihn Rabbi Jizchak mit den gleichen Worten. Endlich kam er Abschied zu nehmen. »Womit fahrt Ihr heim«, sagte der Zaddik,
»wenn Ihr nicht wißt, was Gott spricht!« Weinend erwiderte der
Mann: »Rabbi, dazu bin ich ja zu Euch gekommen, um etwas zu
erfahren!« »Es steht geschrieben[6]«, sagte der Zaddik, »›Birgt
sich ein Mann im Verborgnen‹ – das ist, sitzt einer in seiner
Stube eingeschlossen dreißig Jahre und lernt in der Lehre – ›daß
ich ihn nicht sähe‹ – das ist: so kann es sein, daß ich ihn nicht
ansehen will – ›spricht Gott‹ – das ist es, was Gott spricht.« Ins
Herz getroffen stand der Mann eine Weile, der Sprache und
schier des Denkens beraubt. Dann regte sich der Geist in ihm.
»Rabbi«, seufzte er, »ich habe eine Frage an Euch.« »Rede«,

---

[6] Jeremia 23, 24.

sagte der Zaddik. »Was ist vorgeschrieben zu tun«, fragte er, »wenn Fetzen eines zerrissenen heiligen Buches zur Erde fallen?« »Aufheben soll man sie«, sagte der Zaddik, »daß sie nicht zuschanden werden.« Der Mann warf sich zu Boden. »Rabbi, Rabbi«, schrie er, »ein Behälter voll heiliger Schriftfetzen liegt vor Euch, laßt sie nicht zuschanden werden!« Mit beiden Händen hob der Zaddik ihn auf und setzte ihn neben sich. Dann begann er helfende Worte zu reden.

Gastlichkeit

Als Rabbi Jizchak sich in der Stadt Kinzk aufhielt, richtete ein vielbegüterter Mann ihm ein Festmahl her. Der Zaddik betrat das Haus: die Vorhalle war ringsum von großen Laternen erleuchtet, und Teppiche lagen auf den Stufen. Da weigerte er sich weiterzugehn, es sei denn, der Hausherr lasse die Laternen löschen und die Teppiche hinwegräumen, oder aber, er verspreche ihm, fortan jeden, auch den unansehnlichsten Gast mit solchem Prunk zu empfangen. »Es ist uns geboten«, sagte er, »gastlich zu sein. Und wie, wenn uns obliegt, den Schofar zu blasen, zwischen einem Widderhorn und dem andern kein Unterschied zu machen ist, so ist auch als Gast jeder jedem gleich.« Vergebens bat ihn der Hausherr, von seiner Forderung abzustehen; schließlich mußte er, da er das Versprechen nicht geben konnte, sich bequemen, das Haus wieder in den alltäglichen Zustand versetzen zu lassen.

Gebot und Geld

Rabbi Jizchak lobte einst einen Wirt, der auf Befriedigung aller Wünsche seiner Gäste bedacht war. »Wie sehr ist dieser Mann bemüht«, sagte er, »das Gebot der Gastfreundlichkeit zu erfüllen!« »Aber er läßt sich doch dafür bezahlen«, wandte man ein. »Geld nimmt er«, antwortete der Zaddik, »damit es ihm möglich sei, das Gebot zu erfüllen.«

Der Getreue

Im Midrasch wird erzählt: Die Dienstengel sprachen einst zu Gott:»Du hast Mose gestattet zu schreiben, was er schreiben will – da möchte er ja zu Israel sagen: ›Ich habe euch die Lehre gegeben‹!«»Nicht doch«, erwiderte ihnen Gott,»aber täte er es, er wäre mir treu.« Rabbi Jizchak von Worki wurde von seinen Schülern befragt, wie dies zu verstehen sei. Er antwortete mit einem Gleichnis: »Ein Kaufmann wollte auf Reisen gehen. Er nahm sich einen Gehilfen und stellte ihn in den Laden; er selbst hielt sich zumeist in der angrenzenden Stube auf. Von da aus hörte er im ersten Jahr zuweilen, wie der Gehilfe zu einem Käufer sagte: ›So billig kann es der Herr nicht hergeben.‹ Der Kaufmann reiste nicht. Im zweiten Jahr vernahm er mitunter von nebenan: ›So billig können wir's nicht hergeben.‹ Er verschob noch die Reise. Aber im dritten Jahr hieß es: ›So billig kann ich's nicht hergeben.‹ Da trat er seine Reise an.«

Die Wohnung

Die Schüler redeten zu Rabbi Jizchak:»Zum Bericht der Schrift, der Vorrat der vom Volk zum Bau des Gotteszelts dargebrachten Gaben sei so überreich gewesen, daß nach vollendetem Werk ein Rest verblieb, sagt der Midrasch, Mose habe Gott befragt, was daraus zu machen sei, und Gott habe ihm geantwortet: ›Mache daraus eine Wohnung für das Zeugnis‹, und Mose habe so getan. Wie ist das zu verstehn? Wohnung des Zeugnisses heißt doch die Lade, als der Behälter der Tafeln, und auch sie war doch schon vollendet!«

»Ihr wißt«, erwiderte der Rabbi,»daß die Heiligkeit des Heiligtums im Einzug der Schechina bestand. Wie kann es aber sein, so ist immer wieder gefragt worden, daß die Herrlichkeit dessen, von dem es heißt[7]: ›Die Himmel und die Himmel ob Himmeln fassen dich nicht‹, in den Raum zwischen den Stangen der Lade eingeschränkt wurde? So hört auf das Lied der Lieder[8]: ›Eine Sänfte machte sich der König Salomo aus Hölzern des Libanon.

---

[7] 1 Könige 8, 27.   [8] 3, 9.

Ihre Ständer machte er aus Silber, ihre Lehne aus Gold, ihren Sitz aus Purpur‹. Und wollt ihr wissen, wie man auf solch einem Bette ruhen könne, so folgt sogleich die Antwort: ›Ihr Inwendiges eingelegt, Liebesarbeit.‹ Die Liebe des Volks, das zum Bau des Heiligtums spendete, zog die Schechina zwischen die Stangen der Lade. Weil aber des Liebeswillens überviel war, über alles Werk hinaus, fragte Mose: ›Was sollen wir mit diesem Willen beginnen?‹ und Gott antwortete ihm: ›Mache daraus‹, das ist: aus der überfließenden Inwendigkeit des Herzens Israels, ›eine Wohnung für das Zeugnis‹ – das Zeugnis soll drin wohnen, daß eure Liebe mich in die Welt gezogen hat.«

Auf der höchsten Stufe

Man fragte Rabbi Jizchak: »Es steht geschrieben[9]: ›Dies ist der Segen, mit dem Mose, der Mann Gottes, die Söhne Israels vor seinem Sterben segnete.‹ Zu den Worten ›vor seinem Sterben‹ erklärt Raschi: ›nah an seinem Sterben‹ und fügt zur Begründung den Spruch bei[10]: ›Wenn nicht jetzt, wann denn?‹ Was will er damit sagen, was nicht schon jedem die Schrift gesagt hätte?«
»Beachtet«, antwortete der Rabbi, »daß Mose an dieser einzigen Stelle der Mann Gottes genannt wird. Es ist aber so, daß er in seiner Liebe schon lange und immer wieder begehrt hatte, Israel zu segnen, aber stets wurde er inne, daß er zu einer noch höheren Stufe kommen und sein Segen noch größere Kraft gewinnen werde, darum verzögerte er ihn. Nun aber, da er zur Stufe des Manns Gottes gelangt war, das ist zur Stufe der Engel, die nicht wie die Menschen wandeln, sondern auf sich bestehen, wußte er, daß er nah an seinem Sterben war, und er segnete Israel – denn ›wenn nicht jetzt, wann denn?‹«

---

[9] Deuteronomium 33, 1.   [10] Aboth I, 14.

Glaube

Ein Chassid Rabbi Jizchaks hatte keine Kinder. Mal um Mal bat er seinen Lehrer, für ihn zu beten, und Mal um Mal verwies ihn der an den berühmten Wundertäter Rabbi Bär von Radoschitz; er aber folgte der Weisung nicht. Die Chassidim fragten ihn, warum er nicht nach Radoschitz fahre. »Wenn ich es tue«, sagte er, »und bringe keinen Glauben dorthin mit, wird mir keine Hilfe werden. Wenn ich aber etwas Glauben an den Rabbi von Radoschitz aufbringe, wird mir das am Glauben an meinen Rabbi abgehen. Und wenn, was Gott verhüten möge, mein Glaube an meinen Rabbi mangelhaft würde, wozu brauchte ich dann Kinder!«

MENDEL VON WORKI

Die Probe

Rabbi Jizchak von Worki brachte einst seine Söhne zu seinem Lehrer Rabbi Bunam. Der gab jedem ein Glas Portbier zu trinken und fragte, was dies wohl sei. Der ältere sagte:»Ich kenne es nicht.« Der jüngere, Mendel, der damals drei Jahre war, sagte: »Bitter und gut.«»Dieser wird eine große Gemeinde führen«, sprach Rabbi Bunam.

Der Antreiber

Als Rabbi Jizchak von Worki mit seinem jungen Sohn Mendel bei Rabbi Israel von Rižin zu Gast war, lud der ihn zu einer Spazierfahrt ein. Mendel bat, mitfahren zu dürfen.»Wer das Geheimnis des Gotteswagens noch nicht kennt«, sagte der Rižiner, »kann nicht mitfahren.«»Aber ich verstehe ja anzutreiben«, sagte Mendel. Der Rižiner sah ihn groß an.»So tu's«, antwortete er dann. Mendel stieg auf den Kutschbock und nahm die Zügel in die Hände.
Unterwegs fragte der Rižiner:»Worker Raw, woher habt Ihr solch einen Sohn erlangt?«»Das ist«, antwortete Rabbi Jizchak, »eine unentgeltliche Gabe.«

Eins tut not

Bei Rabbi Mendels Hochzeit brachte der Lustigmacher mitten unter seinen halb spaßhaften, halb ernsten Vorträgen auch diesen Singsang vor:»Beten und lernen und Gott dienen!« In der geläufigen gleichen Melodie sang alsbald Rabbi Mendel ihm nach: »Nicht beten, nicht lernen und Gott nicht erzürnen!«

Der schnelle Gehorsam

Als Rabbi Jizchak von Worki um einer Angelegenheit der Gemeinschaft willen in Warschau verweilte und ein körperliches Leiden ihn befiel, bat sein älterer Sohn, Rabbi David von Om-

schinow, ihn inständig, er möge heimfahren. Nach längerem
Widerstreben stimmte er endlich zu. Rabbi David ließ den Kutscher holen und hieß ihn den Wagen anspannen. Inzwischen kam
der jüngere Sohn, Rabbi Mendel, der bei der Unterredung nicht
zugegen gewesen war, herzu und hörte vom Kutscher, daß der
Vater nach Worki zurückfahre.»Geh ruhig nach Hause«, sagte
er,»der Rabbi fährt nicht.« Als Rabbi David den Vorfall erfuhr,
beklagte er sich bei dem Vater.»Was willst du von ihm?« sagte
der,»er gehorcht, noch ehe ich ihm befehle.«

Tun

Als Rabbi Jizchak von Worki schwer erkrankt war, fastete sein
älterer Sohn und sagte die Psalmen auf, der jüngere aber, Rabbi
Mendel, trieb sich mit einer Schar gleichaltriger Chassidim umher, die von Knabenjahren her zu ihm hielten und sich seine Leibgarde nannten; sie tranken Schnaps und riefen:»Zum Leben!«
Zuweilen auch ging er allein in den Wald. Nach der Genesung
des Vaters wurde ein Freudenmahl gerichtet. Mendel sagte zu
seinem Bruder:»Du hast zu wenig getan, um dich recht freuen
zu können. Nichts als Fasten und Beten!«

Die Bande im Weinkeller

Die Bande von Gleichaltrigen, mit denen der junge Mendel sich
herumzutreiben pflegte, bestand aus lauter Menschen hohen Ranges, aber sie alle verstanden, ebenso wie er selber, es geheimzuhalten.
Der nachmalige Rabbi von Biala, Rabbi Berisch, der damals unter den Schülern von Worki durch seine Gelehrsamkeit bekannt
war, wunderte sich immer wieder, daß er sie nicht lernen sah.
Einst, in der ersten Schawuothnacht, als man vom Tisch aufgestanden war und es schon dämmerte, merkte er, wie die Bande,
Mendel an der Spitze, sich in den Keller begab. Er schlich ihnen
nach, verbarg sich und sah: sie hüllten sich in die Gebetmäntel
und beteten schnell das Morgengebet ab, dann setzten sie sich zueinander und tranken. Das verdroß Rabbi Berisch gewaltig. Da
aber sah er: sowie sie alle das zweite Gläslein ausgetrunken hatten, sprach Mendel ein paar leise Worte zu ihnen, die er in seinem

Versteck nicht verstehen konnte, und sogleich legten sie alle die Köpfe über den Tisch und weinten, und Rabbi Berisch war es, als füllten sich alle die Gläslein mit Tränen. Hernach bat er, in die Bande aufgenommen zu werden, mußte aber erst eine Wartezeit durchmachen.

Die Stimmen

Nach dem Tod Rabbi Jizchaks kamen viele Chassidim über das Schawuothfest nach Worki. Unter ihnen war Rabbi Benjamin aus Lublin, der noch ein Schüler des »Sehers« gewesen war und sich dann, noch bei dessen Lebzeiten, dessen Schüler, dem vielbefeindeten »Jehudi«, angeschlossen hatte. Da er sehr alt und dazu kränklich war, mußte er sich bald nach der Ankunft aufs Bett legen. Nach dem Gebet kamen die beiden Söhne Rabbi Jizchaks, ihn zu besuchen. »Kinder«, sprach er zu ihnen, »sagt mir doch, wie ist zu verstehen, was geschrieben steht[1]: ›Und alles Volk sah die Stimmen.‹« Der ältere Sohn, Rabbi Jakob David, trug eine scharfsinnige Deutung vor, der jüngere aber, Rabbi Menachem Mendel, schwieg seinem Brauche gemäß. »Und was sagt Ihr?« fragte Rabbi Benjamin. »Ich sage«, antwortete er, »die Deutung ist: sie sahen und erkannten, daß man die Stimmen in sich hereinnehmen und zur eignen Stimme machen muß.«

Kein Spruch und keine Reden

Einige Zeit nach dem Tode Rabbi Jizchaks, als jeder seiner beiden Söhne schon seine eigene Gemeinde führte, trafen sie einmal an einem dritten Orte zusammen, und man richtete ein Festmahl ihnen zu Ehren. Beim Mahl hielt Rabbi David einen ausgedehnten Lehrvortrag, Rabbi Mendel aber schwieg. »Warum sprichst nicht auch du Worte der Lehre?« fragte ihn der Bruder. »Es heißt im Psalm[2]«, antwortete er, »vom Himmel: ›Kein Sprechen ists, keine Rede, unhörbar bleibt seine Stimme, – über alles Erdreich fährt sein Schwall.‹«

*

---

[1] Exodus 20, 18. [2] 19, 4 f.

Als einige Zeit danach ein großer Zaddik Mendel fragte, warum
er nicht Thora sage, erwiderte er:»Von Simon von Emmaus erzählt die Gemara[3], er habe alle Stellen der Schrift gedeutet, in
denen das Wort *eth* vorkommt[4]. Als er aber zu dem Vers gelangte[5], in dem dieses Wort den Spruch einleitet: ›Den Herrn
deinen Gott sollst du fürchten‹, zog er sich zurück. Wer zur Furcht
selber gelangt, deutet nicht mehr.«

Die schweigsame Nacht

Einst saß Rabbi Mendel eine ganze Nacht mit seinen Chassidim.
Keiner redete, aber alle spürten eine große Ehrfurcht und eine
große Erhebung. Zuletzt sagte der Rabbi:»Wohl dem Juden, der
weiß, daß der Sinn von ›Einer‹ Einer ist!«

Rede im Schweigen

An Rabbi Mendels Tisch saßen einst die Chassidim schweigend
beisammen. Man konnte die Fliege an der Wand hören, so groß
war das Schweigen. Nach dem Tischgebet sagte der Rabbi von
Biala zu seinem Nachbarn:»Ist das heut ein Tisch gewesen! Er
hat mich so geprüft, daß mir die Adern zu platzen drohten, aber
ich habe standgehalten und habe auf alle Fragen Antwort gegeben.«

Der Weg des Schweigens

Einst kamen Rabbi Mendel, der Sohn des Zaddiks von Worki,
und Rabbi Eleasar, der Enkel des Maggids von Kosnitz, zum
erstenmal zusammen. Sie gingen ohne Gefährten in eine Stube,
setzten sich einander gegenüber und schwiegen eine Stunde lang.
Dann ließen sie die andern ein.»Nun sind wir fertig«, sagte
Rabbi Mendel.

⁙

---

[3] Pessachim 22 b.
[4] Das den Akkusativ bezeichnet.
[5] Deuteronomium 6, 13.

Als er in Kozk war, fragte ihn der Kozker Rabbi:»Wo hast du die Kunst des Schweigens erlernt?«»Da war er nahe am Antworten; dann aber bedachte er sich und übte seine Kunst.

Vom lautlosen Schreien und Weinen

Rabbi Mendel redete einmal über den Schriftvers[6]»Und Gott hörte die Stimme des Knaben«.»Es war ja gar nicht erzählt worden«, sagte er,»daß Ismael seine Stimme hätte erschallen lassen. Nein, ein lautloser Schrei ist es gewesen, den Gott hörte.«

*

Ein andermal redete er über den Schriftvers[7], wo es von der Pharaonentochter heißt:»Sie öffnete, sah es, das Kind: da, ein weinender Knabe!«»Man sollte erwarten«, sagte er,»daß erzählt würde, sie hätte das Weinen des Kindes Mose gehört. Nein, im Innern hat das Kind geweint. Darum heißt es weiter: ›Und sie sprach: Von den Kindern der Hebräer ist dieses.‹ Es war ein jüdisches Gewein.«

Die Grundhaltungen

Man fragte Rabbi Menachem Mendel von Worki, was den wahren Juden ausmache. Er sagte:»Uns geziemen drei Dinge: ein aufrechtes Knien, ein lautloser Schrei, ein unbewegter Tanz.«

Der redliche Schlaf

Als einst am Vortag des Neuen Jahrs eine weither gekommene Menge im Lehrhaus von Worki versammelt war, die einen an den Tischen sitzend und lernend, die andern, solche, die keine Unterkunft gefunden hatten, mit ihren Ranzen am Boden ruhend, denn viele waren zu Fuß hergewandert, trat Rabbi Mendel ein, ohne daß es, beim Lärm, den die Lernenden machten, bemerkt wurde. Er sah sich erst diese, dann die am Boden Liegenden an.»Ihr Schlaf«, sagte er,»gefällt mir besser als ihr Lernen.«

---

[6] Genesis 21, 17.   [7] Exodus 2, 6.

Der schöne Tod

Bald nach dem Tode eines Zaddiks, der ein Freund Rabbi Mendels von Worki gewesen war, kam ein Chassid zu diesem und berichtete ihm, daß er dem Sterben beigewohnt hatte. »Wie war es?« fragte Rabbi Mendel. »Sehr schön«, sagte der Chassid, »wie wenn man aus einer Stube in die andre geht.« »Aus einer Stube in die andre?« versetzte Rabbi Mendel, »nein, aus einem Winkel der Stube in den andern.«

Wo wohnt Gott?

Als Rabbi Jizchak Meïr ein kleiner Junge war, brachte ihn seine Mutter einmal zum Maggid von Kosnitz. Da fragte ihn jemand: »Jizchak Meïr, ich gebe dir einen Gulden, wenn du mir sagst, wo Gott wohnt.« Er antwortete: »Und ich gebe dir zwei Gulden, wenn du mir sagst, wo er nicht wohnt.«

Lob der Grammatik

Der Gerer Rabbi erzählte: »In meiner Kindheit wollte ich mich nicht ins Studium der Grammatik vertiefen, denn ich wähnte, das sei eben eine Wissenschaft wie alle andern. Später aber habe ich mich ihr ergeben, denn ich sah, die Geheimnisse der Lehre hangen daran.«

Der Unzufriedene

Als Rabbi Jizchak Meïr in seiner Jugend unter den Schülern Rabbi Mosches von Kosnitz, des Sohns des Kosnitzer Maggids, weilte, begab es sich, daß der Lehrer ihn, weil er ihm bei der Lösung einer schwierigen Frage auf eine überraschend treffende Weise geholfen hatte, auf die Stirn küßte. »Ich brauche«, sagte Jizchak Meïr zu sich, »einen Rabbi, der mir das Fleisch von den Knochen reißt, und nicht einen, der mich küßt.« Er verließ Kosnitz bald danach.

Der schnelle Schlaf

Rabbi Jizchak Meïrs Frau fragte ihn einmal, warum er so wenig schlafe – damit schade er doch seiner Gesundheit. Er antwortete lachend: »Warum hat dein Vater mich dir zum Mann genommen? Weil ich ein Lernbegabter war. Und was heißt das, ein Lernbegabter? Das heißt, man lernt in zwei Stunden, wozu ein andrer den ganzen Tag braucht. So schlafe ich in zwei Stunden, wozu ein andrer die ganze Nacht braucht.«

Wie der Ochs

Ein Chassid klagte dem Gerer Rabbi: »Ich habe mich gemüht und abgemüht, und doch ergeht's mir nicht wie dem Meister eines Handwerks; dem tut sich nach zwanzig Jahren Arbeit doch irgendein gutes Zeichen an seinem Werke kund: daß es schöner als einst gelingt oder schneller als einst gerät – ich aber sehe gar nichts. Wie ich vor zwanzig Jahren gebetet habe, so bete ich heut.« Der Zaddik antwortete: »Es ist im Namen Elias gelehrt[1]: ›Der Mensch nehme die Thora auf sich wie der Ochs sein Joch und der Esel seine Last.‹ Sieh, wie der Ochs des Morgens aus dem Stall aufs Feld geht und pflügt und heimgeführt wird, und so Tag um Tag, und nichts ändert sich ihm, aber das gepflügte Feld bringt seine Frucht.«

Die kommenden Proben

Der Gerer Rabbi sprach: »Zahllose und schwere Versuchungen werden kommen, und wer sich nicht dafür bereitet hat, der wird verloren sein. Denn in der Stunde der Versuchung ist es zu spät, sich zu bereiten. Die Versuchung aber ist nur eine Probe: da soll sich weisen, was an echtem Erz, was an Schlacken in dir ist.«

Die Gefahr

Auf einer Reise fuhr der Gerer mit einem seiner Vertrauten einen steilen Berg hinab. Erschreckt setzten sich die Pferde in Lauf und waren nicht einzuhalten. Der Chassid sah aus dem Wagen, und es schauderte ihn; als er aber den Zaddik anblickte, war dessen Angesicht gelassen wie allezeit. »Wie geht es zu«, fragte er, »daß Euch die Gefahr nicht schreckt?« »Wer die wahre in jedem Augenblick spürt«, entgegnete der Zaddik, »den schreckt keine Gefahr des Augenblicks mehr.«

---

[1] Talmudisch (Aboda Sara 5).

Die Schutzfeste

Als der Rabbi von Ger den Bau seines großen Lehrhauses vollendet hatte, kam der Raw von Warschau es besichtigen und sprach zu ihm:»Gewiß habt Ihr einen guten Grund dafür, daß Ihr von uns ferngerückt seid und Euer Haus außerhalb der Stadt erbaut habt.« Als aber der Rabbi von Ger schwieg, fuhr der Raw fort: »Ich verstehe Euren Grund. Ihr wolltet für Warschau eine Schutzfeste errichten. Die muß freilich außerhalb der Stadt sein. Und zuweilen muß man sogar von ihr aus in die Stadt hineinschießen.« Immer noch sprach der Gerer Rabbi kein Wort, aber er lachte wie einer, der dem Sprecher beipflichtet.

Vom Essen

Der Rabbi von Ger fragte einmal einen Chassid, was er aus dem Munde des Rabbis von Kozk vernommen habe.»Ich habe von ihm vernommen«, antwortete der Chassid,»er wundere sich, daß der Mensch nicht durch das bloße Sprechen des Tischgebets gottesfürchtig und rechtschaffen wird.«»Mir geht es damit anders«, sagte der Gerer.»Ich wundere mich, daß der Mensch nicht durch das bloße Essen gottesfürchtig und rechtschaffen wird. Es steht doch geschrieben[2]: ›Der Ochs kennt seinen Eigner und der Esel die Krippe seines Herrn.‹«

*

Als man den Rabbi von Ger einmal fragte, welches der Unterschied zwischen den gewöhnlichen Hausvätern und den Chassidim sei, antwortete er lachend:»Nach dem Gebet gehen die gewöhnlichen Hausväter lernen, aber die Chassidim gehen nach dem Gebet essen. Denn wenn der Chassid merkt, er habe sowohl in der einsamen Betrachtung vor dem Gebet als auch im Gebet selbst die Größe Gottes noch nicht erkannt, geht er essen und denkt: ›Bin ich auch noch nicht wie der Ochs, der seinen Eigner kennt, so kann ich doch schon wie der Esel an der Krippe meines Herrn stehn.‹«

---

[2] Jesaja 1, 3.

»Die Welt wegwerfen«

Der Gerer Rabbi sprach:»Ich höre manchen sagen: ›Ich will die Welt wegwerfen.‹ Ist denn die Welt dein, daß du sie wegwerfen könntest?«

Die Sünden des Volks

Als einmal, einige Zeit nach dem Wochenfest, der Rabbi von Radzinim den Rabbi von Ger besuchte, kam diesem das Gesicht des Freundes abgemagert und erschlafft vor.»Was ist dir?« fragte er.»Ist es nur die Wirkung der großen Hitze oder plagt dich ein Kummer?«»Mir geht es in jedem Jahr in den Sommermonaten so«, antwortete jener,»wenn nämlich die Abschnitte der Schrift verlesen werden, die von der Wanderung Israels in der Wüste handeln, und Sünde auf Sünde folgt, schlimme Sünden wie die der Kundschafter und die am Baal Peor. Daß von einem Geschlecht der Einsicht wie dieses solche Sünden berichtet werden, das ist es, was mich quält.«»Sie müssen«, sagte der Gerer,»mit dem, was ihre Sünde genannt wird, Großes im Sinn gehabt haben, denn aus ihren Sünden ist die Thora gemacht worden. Meinst du, daß aus unsern guten Taten eine Thora gemacht werden könnte?«

Eine Predigt

Der Gerer Rabbi redete vor dem Versöhnungstag zu den um seinen Tisch versammelten Chassidim:»Unser Lehrer Hillel spricht[3]: ›Wenn nicht ich für mich bin, wer ist für mich?‹ Wenn ich nicht meinen Dienst tue, wer wird ihn für mich tun? Jeder muß seinen Dienst selber vollbringen. Und weiter spricht er: ›Und wenn nicht jetzt, wann denn?‹ Wann wird das Jetzt sein? Das jetzige Jetzt, der Augenblick, in dem wir reden, war doch von der Erschaffung der Welt an nicht, und es wird nie wieder sein. Früher war ein anderes Jetzt, später wird ein anderes Jetzt sein, und jedes Jetzt hat seinen eignen Dienst; wie es im heiligen Buch So-

---

[3] Aboth I, 14.

har heißt: ›Die Gewänder des Morgens sind nicht die Gewänder des Abends.‹

Man mühe sich um die Lehre mit allen Kräften, so wird man der Lehre verbunden – aber den sechzig Myriaden Lettern der Thora entsprechen die sechzig Myriaden Seelen Israels, von denen sie redet: so wird man der Gesamtheit verschwägert. Und wenn man sich in die Gesamtheit tut, empfängt man von der Gesamtheit; man empfängt von ihr noch mehr, als man in sie tut. So kann man zu seinem Jetzt noch von dem Jetzt des andern erhalten, von dem Guten, das er in diesem Jetzt vollbringt. Und wieder spricht unser Lehrer Hillel: ›Wenn ich für mich allein bin, was bin ich?‹ Sollte ich, was Gott verhüte, von der Gesamtheit abgetrennt sein, wann werde ich mein Jetzt gutmachen können? Man kann dieses Jetzt von keinem andern Jetzt gutmachen lassen, denn jeder Augenblick ist in einem besondern Lichte eingeschränkt. Wer ein Übel, das er getan hat, immerzu beredet und besinnt, hört nicht auf, das Gemeine, das er tat, zu denken, und was man denkt, darin liegt man, mit der Seele liegt man ganz und gar darin, was man denkt – so liegt er doch in der Gemeinheit: der wird gewiß nicht umkehren können, denn sein Geist wird grob und sein Herz stockig werden, und es mag noch die Schwermut über ihn kommen. Was willst du? Rühr' her den Kot, rühr' hin den Kot, bleibt's doch immer Kot. Ja gesündigt, nicht gesündigt, was hat man im Himmel davon? In der Zeit, wo ich darüber grüble, kann ich doch Perlen reihen, dem Himmel zur Freude. Darum heißt es[4]: ›Weiche vom Bösen und tue das Gute‹ – wende dich von dem Bösen ganz weg, sinne ihm nicht nach und tue das Gute. Unrechtes hast du getan? Tue Rechtes ihm entgegen.

So soll man denn heute, vorm Tag der Versöhnung, fühlen Verlassen der Sünde und Festigung des Gemüts, und das aus der Tiefe des Herzens und nicht durch gewaltsame Verzückung, und es mit dem Herzen empfangen für alle Zukunft, und fröhlich sein, und das Sündenbekenntnis heruntersagen, so schnell man kann, nicht verweilen darin, aber verweilen soll man in dem Wort: ›Und regieren wirst du, Herr, allein.‹«

---

[4] Psalm 34, 15.

Scham

Mitten im Lehrvortrag seufzte der Gerer tief auf und sprach:
»Ein Wort unsrer Weisen peinigt mich bis ins Gebein und nimmt
mir das Leben. Es heißt[5]: ›Wer keine Scham hat, dessen Väter
haben nicht am Berg Sinai gestanden.‹ Nun denn, wo ist die
Scham?!«

Betonung

Der Gerer lehrte seine Schüler: »Mit einer leichten Betonung vermag der Mensch seinen Gefährten im Dienst Gottes abzukühlen.
So redet die Schlange[6] zu Eva: ›Obschon Gott sprach‹ – wie wenn
einer zu euch sagte: ›Und was ist da schon Großes dabei, wenn
Gott das sprach‹: eine leichte Betonung, und Eva war im Glauben erkaltet und aß die verbotene Frucht.«

Das Motiv

Man fragte den Rabbi von Ger: »Was bedeutet es, daß Gott Kain
fragt[7], warum sein Antlitz gefallen sei? Wie sollte es nicht gefallen sein, da Gott seine Gabe nicht angenommen hatte?«
Er antwortete: »Gott fragt Kain: ›Warum ist dein Antlitz gefallen? Weil ich deine Gabe nicht angenommen habe, oder weil ich
die Gabe deines Bruders angenommen habe?‹«

Die drei Fragen

Wenn der Gerer im Auslegen der Schrift an die Worte[8] kam, die
Jakob an seinen Knecht richtet: »Wenn mein Bruder Esau auf
dich stößt und fragt dich, sprechend: ›Wessen bist du, wohin gehst
du und wessen sind diese vor dir?‹« sprach er zu seinen Schülern:
»Merket wohl auf, wie ähnlich die Fragen Esaus dem Spruch
unsrer Weisen[9] sind? ›Betrachte drei Dinge: wisse, woher du
kamst und wohin du gehst und vor wem du dich zu verantworten
hast.‹ Merket wohl auf, denn großer Prüfung bedarf, wer die
drei Dinge betrachtet: daß nicht Esau in ihm frage. Denn auch

---

[5] Im Talmud (Nedarim 20).   [6] Genesis 3, 1.   [7] Genesis 4, 6.
[8] Genesis 32, 18.   [9] Aboth III, 1.

Esau vermag nach diesen drei zu fragen und Schwermut über den Menschen zu bringen.«

Die Finsternis der Seele

Zu den Worten der Schrift über die mit Finsternis geschlagenen Ägypter[10]»Nicht sah ein Mann seinen Bruder, nicht hob sich ein Mann von seinem Platz« sagte der Gerer Rabbi:»Wer seinen Bruder nicht angucken mag, kommt bald dahin, daß er an seinem Platze festhaftet und sich nicht von ihm rühren kann.«

Der wahre Auszug

Man fragte den Gerer Rabbi:»Warum redet man am Schawuothfest, das doch zum Gedächtnis der Offenbarung eingesetzt worden ist, von ihm mit den Worten ›Gedächtnis des Auszugs von Ägypten‹?«
Er erklärte:»Gott spricht ja[11] aus dem brennenden Busch zu Mose: ›Und dies ist dir das Zeichen, daß ich selber dich sandte: hast du das Volk aus Ägypten geführt, an diesem Berge werdet ihr Gotte dienstbar.‹ Daß sie am Sinai die Thora empfingen, war das Zeichen, daß sie nunmehr aus Ägypten herausgekommen waren. Bis dahin steckten sie noch drin.«

Die ewige Stimme

Der Gerer Rabbi sprach:»Was in der Schrift von der Stimme überm Sinai gesagt wird[12], daß sie»nicht fortfuhr«, wird von den Targumim[13] so verstanden, daß sie sich nicht unterbrach. Und in der Tat, die Stimme spricht heut wie von urher. Nur daß man sie höre, dazu bedarf es der Bereitung wie damals. Wie geschrieben steht[14]: ›Und nun, wenn ihr hört, hört auf meine Stimme.‹ Das ist das Nun: wenn wir sie hören.«

---

[10] Exodus 10, 26.
[11] Exodus 3, 12.
[12] Deuteronomium 5, 19.
[13] Den aramäischen Schriftübertragungen.
[14] Exodus 19, 5.

Das Rad und das Pünktlein

Rabbi Jizchak Meïr erging sich einmal an einem Spätsommer-
abend mit seinem Enkel im Hof des Lehrhauses. Es war Neumond, der erste Tag des Monats Elul. Der Zaddik fragte, ob
man heute den Schofar geblasen habe, wie es geboten ist, einen
Monat, ehe das Jahr sich erneut. Danach begann er zu reden:
»Wenn einer Führer wird, müssen alle nötigen Dinge dasein, ein
Lehrhaus und Zimmer und Tische und Stühle, und einer wird
Verwalter, und einer wird Diener und so fort. Und dann kommt
der böse Widersacher und reißt das innerste Pünktlein heraus,
aber alles andre bleibt wie zuvor, und das Rad dreht sich weiter, nur das innerste Pünktlein fehlt.« Der Rabbi hob die Stimme:
»Aber Gott helfe uns: man darf's nicht geschehen lassen!«

Um Vergebung

Als Rabbi Jizchak Meïrs Mutter starb, ging er weinend hinter
ihrer Bahre und bat sie, ihm zu vergeben. Und ehe man den Grab-
deckel schloß, rief er: »In dieser Welt bin ich ein geehrter Mann
und viele nennen mich Rabbi, aber nun kommst du in die Welt
der Wahrheit und siehst, daß es nicht so ist, wie sie meinen – so
vergib mir, trag's mir nicht nach, was kann ich tun, wenn sich die
Menschen in mir irren!«

Wer soll kommen?

Zum Passahfest war einmal eine Menge im Haus des Gerer Rabbis versammelt. Plötzlich erhob er die Stimme: »Ihr sollt wissen, ein Rabbilein bin ich nicht. Geld begehre ich nicht, um Ehre
ist es mir nicht zu tun, einzig darauf bin ich aus, daß ich in den
etlichen Jahren, die ich noch da bin, Herzen von Juden zum
Himmel richte. Wessen Wille das nicht ist, den bitte ich, nicht
mehr zu mir zu kommen. Die mich aufsuchen, um Erwerb oder
Kinder oder Heilung zu erlangen, tun besser daran, zu andern zu
fahren. Wer aber spürt, daß ihm etwas am Dienste Gottes fehlt,
und es setzt ihm zu, daß die Krankheit oder die Sorge um den
Erwerb oder das Verlangen nach Kindern ihn hindert, dem kann
bei mir in diesem und in jenem zugleich geholfen werden.«

Zwei Aspekte

Der Rabbi von Ger fragte einmal einen seiner Schüler, der ihn besuchte, welche Gedanken ihn unterwegs beschäftigt hätten. »Da kommen«, war die Antwort, »Chassidim zum Rabbi mit allerhand Anliegen, des Erwerbs wegen oder einer Krankheit wegen oder dergleichen mehr. Was für einen Zusammenhang, so habe ich mich gefragt, hat der Rabbi damit?«»Und was hast du dir darauf erwidert?« sagte der Zaddik. »Ich habe mir erwidert«, gab der Schüler zur Antwort, »daß der Rabbi die zu ihm Kommenden zur Umkehr bringt und sie dadurch auf eine höhere Stufe erhebt, von der ihr Gebet eher Erhörung findet.«»Ich weiß es anders«, sagte der Zaddik. »Der Rabbi besinnt sich: ›Was bin ich und was ist mein Leben, daß diese da zu mir kommen und von mir begehren, für sie zu beten! Ich bin ja wie ein Tropfen am Eimer!‹ Und so vollzieht er die Umkehr und wird erhoben, und da er sich mit dem zu ihm Gekommenen verbunden hat, strömt das Heil von ihm auf diesen über.«
Das war die letzte Fahrt dieses Schülers zum Rabbi, der bald danach starb.

Im Staub

Einer fragte den Gerer Rabbi: »Warum weinen die Leute stets, wenn sie die Worte des Gebets sprechen: ›Der Mensch, sein Ursprung ist aus dem Staub und sein Ende im Staub‹? Wäre sein Ursprung aus dem Gold und sein Ende im Staub, da möchte es geziemen zu weinen, nicht aber, wenn er dahin kehrt, woher er gekommen ist.«
Der Zaddik antwortete: »Der Ursprung der Welt ist im Staub, und der Mensch ist in sie gesetzt, daß er den Staub zum Geist erhebe. Aber sein Ende ist – immer wieder ist das Ende, daß er versagt und alles im Staub aufgeht.«

Das Herz bleibt

Der Gerer Rabbi erzählte in seinem Alter: »Als ich noch ein Schüler war, kam einmal im Lehrhaus Rabbi Schlomo Löb auf mich zu und sagte: ›Junger Mann, du bist doch als der Hochbegabte aus Polen bekannt, so erkläre mir, warum unsere Weisen zu dem Schriftvers[15], wir sollten Gott mit unsrer ganzen Seele lieben, vermerkt haben[16]: ›Auch wenn er dir die Seele nimmt‹, zu den benachbarten Schriftworten aber, daß wir ihn mit unserm ganzen Herzen lieben sollen, nicht vermerkt haben: ›Auch wenn er dir das Herz nimmt.‹ Ich wußte ihm nichts zu antworten, denn die Frage schien mir überhaupt keine zu sein: ›die Seele nehmen‹ bedeutet eben: das Leben nehmen. Aber was ist das nur mit mir gewesen, daß ich nicht zu wissen begehrte, was er meine? Je älter ich werde, um so größer steht seine Frage vor mir. Das Leben soll Gott, wenn er so will, uns nehmen; aber das, womit wir ihn lieben, das ›Herz‹, muß er uns lassen.«

Die Angst vor dem Tod

Der Gerer Rabbi sprach einmal: »Was ängstigt der Mensch sich vor seinem Tode? Er geht doch zu seinem Vater! Der Mensch ängstigt sich vor dem Augenblick, wo er von drüben alles überschaut, was sich hier mit ihm begeben hat.«

[15] Deuteronomium 6, 5.
[16] Im Talmud (Berachoth 61).

CHANOCH VON ALEXANDER

Vor Gott

Als Rabbi Chanoch von Alexander in seiner Jugend als Schüler
Rabbi Bunams in Pžysha weilte, war es ihm übertragen, das Morgengebet vorzubeten, und zwar in einem Haus, das an das seines
Lehrers grenzte. Er pflegte aber mit heftigen Gebärden und lauten Rufen zu beten, anders als Rabbi Bunam, der auch im Gottesdienst der Gemeinde nur die gelassene Rede liebte. Einst stand
der junge Chanoch im Gebet, als der Rabbi eintrat. Sogleich unterbrach er seine Rufe und Gebärden. Aber kaum hatte er es getan, bedachte er sich.»Ich habe es doch nicht mit dem Rabbi zu
tun«, sprach er in seiner Seele,»ich stehe doch vor Gott!« Und
alsbald nahm er seine stürmische Betweise wieder auf.
Nach dem Gottesdienst ließ Rabbi Bunam ihn zu sich rufen.
»Chanoch«, sagte er zu ihm,»heute habe ich eine rechte Freude
an deinem Beten gehabt.«

Verborgenheit

Rabbi Jechiel Meïr von Gostynin war einst in seiner Jugend auf
einer Hochzeit in Pžysha. Er wurde in der Herberge in der gleichen Stube mit dem jungen Rabbi Chanoch von Alexander, den
er noch nicht kannte, untergebracht und mußte mit ihm in einem
Bette schlafen. Am Hochzeitsabend ließ Rabbi Chanoch sich als
Spaßmacher sehen und hören, was ihn in des Gefährten Achtung
nicht eben erhob. In der Nacht aber merkte er, wie Chanoch leise
aufstand und, sich unbeobachtet wähnend, in den Vorraum begab. Jechiel Meïr horchte hin. Er hörte ein Flüstern, das ihm ans
Mark griff. Wie noch nie gehört, drangen ihm die geflüsterten
Psalmenverse ans Ohr. Als Chanoch zurückkam, stellte er sich
schlafend. Am Abend der »Sieben Segensprüche« ließ Rabbi
Chanoch wieder alle seine Künste spielen. Er erzählte die lustigen Streiche eines Weibes, Chanele die Diebin genannt, mit solcher Anschaulichkeit, daß die gesamte Hochzeitsgesellschaft sich
vor Lachen am Boden wälzte. Verwirrt starrte Rabbi Jechiel Meïr

ihn an: war das derselbe Mann, dessen Andacht er nachts vorher belauscht hatte? Da warf jener, mitten im wildesten Scherz, den Kopf herum und blickte ihm in die Augen. Was Jechiel Meïr in der Nacht gehört hatte, eben das sah er nun vor sich, und es war an ihn gerichtet. Er erbebte.

Die Geheimnisse

Rabbi Bunam pflegte zu sagen: »Ein Geheimnis ist, was man so sagt, daß alle es hören und keiner weiß, der nicht wissen soll.« Sein Schüler, Rabbi Chanoch, aber fügte hinzu: »Die Geheimnisse der Lehre sind so verborgen, daß man sie überhaupt nicht mitteilen kann. Wie geschrieben steht[1]: ›Das Geheimnis des Herrn ist derer, die ihn fürchten.‹ Nur in der Furcht Gottes können sie gefaßt werden, und außer der Furcht Gottes können sie nicht gefaßt werden.«

Die Drohung

Ein Großer drohte Rabbi Chanoch, er wolle ihn von allen geistigen Stufen, die er erreicht hatte, mit einem Schlage stürzen: Er antwortete: »Ihr könnt mich nicht an einen noch so niedrigen Ort werfen, auf dem ich nicht schon stünde.«

Der Seufzer des Metzgers

Rabbi Chanoch erzählte, kurze Zeit, nachdem er Rabbi geworden war: »Ein Metzger hackte noch munter drauf los und hackte schon auf den Sabbat ein. Plötzlich überfiel es ihn, es war Sabbat! Er rannte ins Bethaus, und wie er hereingestürzt kam, hörte er sie singen: ›Komm, mein Freund, der Braut entgegen!‹ Da tat er einen Seufzer – das war gar nicht mehr der Metzger, der seufzte, der Jud hat aus ihm geseufzt. Das ist's, was geschrieben steht[2]: ›Die Söhne Israels seufzten aus dem Frondienst‹ – Israel hat, der Jud hat aus ihm geseufzt.«

---

[1] Psalm 25, 14.   [2] Exodus 2, 23.

Das Hochzeitshaus

Rabbi Chanoch erzählte dieses Gleichnis:»Ein Mann kam aus einem Städtchen nach Warschau. In der Nähe des Hauses, in dem er Wohnung genommen hatte, hörte er spielen und tanzen. Da wird eine Hochzeit ausgerichtet, dachte er. Aber am nächsten Tag drang wieder die Festmusik zu seinen Ohren, und so auch tags darauf. ›Wer mag wohl der Hausherr sein‹, fragte er seine Freunde in der Stadt, ›der so viele Söhne verheiratet?‹ Sie lachten ihn aus. ›Dieses Haus‹, belehrten sie ihn, ›mietet jeden Tag ein andrer, um Hochzeit auszurichten, und da spielen die Spielleute, und die Gäste tanzen. Darum nennen wir das Haus die Hochzeitsstube.‹«
»Deshalb vergleichen unsre Weisen³«, fügte Rabbi Chanoch hinzu,»diese Welt einem Hochzeitshaus.«

Das vergebliche Suchen

Rabbi Chanoch erzählte:»Es gab einmal einen Toren, den man den Golem nannte, so töricht war er. Am Morgen beim Aufstehn fiel es ihm immer so schwer, seine Kleider zusammenzusuchen, daß er am Abend, dran denkend, oft Scheu trug, schlafen zu gehn. Eines Abends faßte er sich schließlich ein Herz, nahm Zettel und Stift zur Hand und verzeichnete beim Auskleiden, wo er jedes Stück hinlegte. Am Morgen zog er wohlgemut den Zettel hervor und las: ›Die Mütze‹ – hier war sie, er setzte sie auf, ›Die Hosen‹, da lagen sie, er fuhr hinein, und so fort, bis er alles anhatte. ›Ja aber, wo bin ich denn?‹ fragte er sich nun ganz bang, ›wo bin ich geblieben?‹ Umsonst suchte und suchte er, er konnte sich nicht finden.« –»So geht es uns«, sagte der Rabbi.

Das»Abschrecken«

Rabbi Chanoch erzählte:»Eine Magd aus Polen verdingte sich nach Deutschland. Wenn man da Fleisch im Topf kocht und etwas kaltes Wasser hineingießt, damit man leichter abschäumen

³ Im Talmud (Erubin 54).

könne, nennt man das ›abschrecken‹. Als die Frau des Hauses, in
dem die Magd diente, einmal während des Kochens auf den
Markt gehen mußte, sagte sie zu ihr: ›Gib auf die Suppe acht
und vergiß auch nicht abzuschrecken.‹ Die Magd verstand es
nicht, schämte sich aber zu fragen. Als sie nun den Schaum hoch
aufwallen sah, nahm sie den Besen zur Hand und bedrohte damit den Topf von allen Seiten, bis er umfiel und die Suppe den
Herd bedeckte.«
»Wenn ihr den aufwallenden Bösen Trieb abschrecken wollt«,
fügte der Rabbi hinzu, »werdet ihr alles verschütten. Scheiden
und abschäumen müßt ihr lernen.«

Das eigentliche Exil

Rabbi Chanoch sprach: »Das eigentliche Exil Israels in Ägypten
war, daß sie es ertragen gelernt hatten.«

Das Gemeine

Man fragte Rabbi Chanoch: »Es steht geschrieben [4]: ›Die Söhne
Israels hoben ihre Augen, da: Ägypten zieht ihnen nach! Sie
fürchteten sich sehr, sie schrien, die Söhne Israels, zum Herrn.‹
Warum haben sie sich so gefürchtet, da sie doch wußten, daß
Gott selber ihnen beistand?«
Rabbi Chanoch erklärte: »Als sie in Ägypten waren, als sie bis
über die Ohren in der Gemeinheit staken, sahen sie die Gemeinheit nicht. Nun aber heben sie die Augen und sehen: die Gemeinheit zieht ihnen nach. Sie hatten gewähnt, da Gott sie heraus-
führe, werde alles fertig sein. Da sehen sie: nein, die Gemeinheit
ist bei ihnen geblieben – und sie schreien zu Gott. ›Und Mose
sprach zum Volk: Fürchtet euch nimmer, tretet hin, seht die Befreiung des Herrn, die er heut an euch tun wird, denn wie ihr
heute Ägypten saht, seht in Weltzeit ihr's nicht wieder.‹ Daß ihr
heute die Gemeinheit seht, die bei euch ist, das selber ist die Befreiung. ›Der Herr wird für euch kämpfen.‹ Jetzt, da ihr euch
selber gemein seht, wird Gott euch aus der Gemeinheit helfen.
›Ihr aber, seid still! Seid still, euch ist schon geholfen.‹«

---

[4] Exodus 14, 10.

Aus dem Weg der Natur treten

Man fragte Rabbi Chanoch:»Warum sagt man: ›die Aufreißung des Schilfmeers‹ und nicht: ›die Spaltung des Schilfmeers‹? Es steht doch geschrieben[5]: ›Er spaltete das Meer und führte sie hindurch.‹« Rabbi Chanoch erklärte:»›Spaltung‹ deutet auf einen kleinen Spalt, ›Aufreißung‹ meint einen großen Riß. Der Midrasch erzählt, als Mose dem Meer befahl, sich zu spalten, habe es geantwortet, es wolle nicht Fleisch und Blut gehorchen und aus dem Wege der Natur treten; erst da es den Sargschrein Josefs erblickte, habe es getan, was ihm geboten war; deshalb werde im Psalm[6] gesungen: ›Das Meer sah und entfloh.‹ Es sah und erkannte, daß Josef, dessen Gebeine vom Volk in das Verheißene Land mitgenommen wurden, einst, da er der Versuchung widerstand, aus dem Weg der Natur getreten war. Da trat auch es aus dem Weg der Natur und riß sich selber auf. Deshalb sagt man: ›die Aufreißung des Schilfmeers‹.«

Amalek

Rabbi Chanoch sprach:»Solang Amaleks Zwingherrschaft dauert, weiß man nicht, daß man nichts ist. Wird Amaleks Zwingherrschaft unterbrochen, merkt man, daß man nichts ist.«

Gesicht und Gehör

Man fragte Rabbi Chanoch:»Es steht geschrieben[7]: ›Ich komme zu dir in der Dichte des Gewölks, um des willen, daß das Volk höre, wann ich mit dir rede.‹ Wie kann das Hören dadurch gefördert werden, daß er in der dichten Wolke kommt?« Rabbi Chanoch erklärte:»Der Sinn des Gesichts verschlägt den Sinn des Gehörs. Aber die dichte Wolke überschattet den Sinn des Gesichts, und alles ist Gehör.«

---

[5] Psalm 78, 13.
[6] 114, 3.
[7] Exodus 19, 9.

Bis ans Herz des Himmels

Rabbi Chanoch deutete das Schriftwort [8] »Der Berg, entzündet im Feuer bis an das Herz des Himmels«: »Das Feuer des Sinai brannte in die Menschen hinein, bis es ihnen ein Himmelsherz machte.«

Der Wille

Man fragte Rabbi Chanoch: »Es heißt im Psalm [9]: ›Den Willen der ihn Fürchtenden tut er.‹ Wie kann von Gott gesagt werden, er erfülle alles, was die Gottesfürchtigen wollen? Müssen doch gerade sie vieles erdulden, was sie nicht gewollt haben, und vieles, was sie wollten, vermissen!«
Er sagte: »Ihr müßt es so verstehn, daß er es ist, der den Willen der ihn Fürchtenden macht. Auch den Willen selber hat Gott erschaffen. Es ist nur not, daß der Mensch den Willen wolle.«

Den Menschenkindern

Rabbi Chanoch hielt, als er den Psalmvers [10] gesprochen hatte: »Der Himmel, des Herrn Himmel ists, den Menschenkindern gab er die Erde«, inne und sagte: »› Der Himmel ist des Herrn Himmel‹, er ist eben schon himmlischer Art, ›den Menschenkindern gab er die Erde‹, daß sie sie zu einem himmlischen Ding machen.«

Zwei Welten

Rabbi Chanoch sprach: »Auch die Völker der Erde glauben, daß zwei Welten sind; ›in jener Welt‹, sagen sie. Der Unterschied ist dies: sie meinen, die zwei seien voneinander abgehoben und abgeschnitten, Israel aber bekennt, daß beide Welten in Wahrheit eine sind und in aller Wirklichkeit eine werden sollen.«

Kämpfe

Man fragte Rabbi Chanoch, warum die Chassidim den Gebetsbeginn hinauszögern.

---

[8] Deuteronomium 4, 11.   [9] 145, 19.   [10] 115, 16.

»Solange die Soldaten eingeübt werden«, antwortete er, »ist für
jegliche Tätigkeit eine Zeit angesetzt, und daran müssen sie sich
halten. Wenn es aber dann in die Schlacht geht, vergessen sie,
was ihnen auferlegt war, und fechten, wenn's die Stunde befiehlt.«
»Die Chassidim«, sagte der Rabbi, »sind Kämpfer.«

Beim Mahl

Rabbi Chanoch sprach einmal zu den Chassidim beim Mahl an
einem der neun Tage, die dem neunten des Ab, dem Klagetag,
vorausgehn: »In früheren Zeiten, wenn diese Tage kamen, war
jeder von der Pein aufgewühlt, daß das Heiligtum verbrannt ist
und wir kein Heiligtum haben, unsre Opfer darzubringen. Jetzt
aber essen die Chassidim ihr Mahl, wie man ein Opfer darbringt,
und sprechen: ›Der Herr war, ist und wird sein, das Heiligtum
war, ist und wird sein.‹«
Einmal sagte er: »Wenn der Messias kommt, wird man sehen,
was die Tische ausgerichtet haben.«

Wenn man hineinguckt

Zu Rabbi Chanoch kam einst ein Chassid und klagte ihm unter
vielem Weinen ein Mißgeschick, das ihn betroffen hatte.
»Als ich in der Kleinkinderschule war«, entgegnete der Rabbi,
»und ein Knabe in der Lernstunde zu weinen begann, sagte der
Lehrer zu ihm: ›Sieh ins Buch! Wenn man hineinguckt, weint
man nicht.‹«

Das Altern

Ein Spielmann spielte Rabbi Chanoch vor. Der sagte: »Auch Me-
lodien, die altern, verlieren den Geschmack. Diese hat uns vor-
mals, als sie bei Rabbi Bunam gespielt wurde, das Herz erhoben.
Jetzt ist ihr Geschmack verlorengegangen. So ist es in Wahrheit.
Man muß sich auf das Alter sehr rüsten und bereiten. Wir beten:
›Wirf uns nicht hinweg zur Zeit des Alters!‹ Denn dann geht der
Geschmack verloren. Aber zuweilen ist gerade dies das Gute.

Denn sehe ich, daß ich nach allem, was ich getan habe, gar nichts bin, so muß ich eben von neuem zu arbeiten beginnen. Und es heißt von Gott im Gebet: ›Der an jedem Tag das Werk der Schöpfung erneut.‹«

DER WEG DES MENSCHEN
nach der chassidischen Lehre

SELBSTBESINNUNG

Als Rabbi Schnëur Salman, der Raw von Reussen, weil seine Einsicht und sein Weg von einem Anführer der Mithnagdim bei der Regierung verleumdet worden waren, in Petersburg gefangen saß und dem Verhör entgegensah, kam der Oberste der Gendarmerie in seine Zelle. Das mächtige und stille Antlitz des Raw, der ihn zuerst, in sich versunken, nicht bemerkte, ließ den nachdenklichen Mann ahnen, welcher Art sein Gefangener war. Er kam mit ihm ins Gespräch und brachte bald manche Frage vor, die ihm beim Lesen der Schrift aufgetaucht war. Zuletzt fragte er: »Wie ist es zu verstehen, daß Gott der Allwissende zu Adam spricht: ›Wo bist du?‹«»Glaubt Ihr daran«, entgegnete der Raw, »daß die Schrift ewig ist und jede Zeit, jedes Geschlecht und jeder Mensch in ihr beschlossen sind?« »Ich glaube daran«, sagte er. »Nun wohl«, sprach der Zaddik, »in jeder Zeit ruft Gott jeden Menschen an: ›Wo bist du in deiner Welt? So viele Jahre und Tage von den dir zugemessenen sind vergangen, wie weit bist du derweilen in deiner Welt gekommen?‹ So etwa spricht Gott: ›Sechsundvierzig Jahre hast du gelebt, wo hältst du?‹«
Als der Oberste die Zahl seiner Lebensjahre nennen hörte, raffte er sich zusammen, legte dem Raw die Hand auf die Schulter und rief: »Bravo!« Aber sein Herz flatterte.
Was geschieht in dieser Geschichte?
Auf den ersten Blick erinnert sie uns an talmudische Erzählungen, in denen ein Römer oder sonst ein Heide einen der jüdischen Weisen über eine biblische Stelle befragt, um einen angeblichen Widerspruch in der Lehre Israels aufzudecken, und eine Antwort empfängt, die entweder darlegt, daß kein Widerspruch besteht, oder auf andere Weise die Kritik widerlegt, woran sich zuweilen eine persönliche Zurechtweisung knüpft. Bald aber merken wir einen bedeutsamen Unterschied zwischen den talmudischen Erzählungen und der chassidischen, einen Unterschied, der freilich zunächst größer erscheint als er ist. Die Antwort wird nämlich auf einer anderen Ebene gegeben als die, auf der die Frage gefragt worden ist.
Der Oberste geht darauf aus, einen angeblichen Widerspruch in der jüdischen Glaubenswelt aufzudecken. Die Juden bekennen

sich zu Gott als dem allwissenden Wesen, aber die Bibel legt ihm
Fragen in den Mund, wie sie jemand fragt, der etwas nicht weiß
und es erfahren will. Gott sucht Adam, der sich versteckt hat, er
ruft in den Garten hinein und fragt, wo er sich befinde; also weiß
er es nicht, man kann sich vor ihm verbergen, also ist er der Allwissende nicht.

Statt nun aber die Bibelstelle zu erklären und den scheinbaren
Widerspruch aufzuheben, geht der Rabbi von ihr nur aus und be-
nützt ihr Motiv, um dem Obersten eine Vorhaltung über sein
eigenes bisheriges Leben, über den Unernst, die Gedankenlosig-
keit und den Mangel an Verantwortungsgefühl in seiner eigenen
Seele zu machen. Auf die sachliche Frage, die, mag sie hier auch
ehrlich gemeint sein, doch im Grunde keine echte Frage, sondern
nur eine Form der Kontroverse ist, wird eine persönliche Antwort
erteilt, oder vielmehr, statt einer Antwort erfolgt eine persönliche Zurechtweisung. Von jenen talmudischen Entgegnungen ist
scheinbar nur die zuweilen daran geknüpfte Zurechtweisung übriggeblieben.

Betrachten wir jedoch die Erzählung genauer. Der Oberste fragt
nach einer Stelle aus dem biblischen Bericht von der Sünde Adams.
Was der Rabbi antwortet, geht darauf hinaus, daß er zu ihm
sagt:»Du selber bist Adam, zu dir selber spricht Gott: ›Wo bist
du?‹« Scheinbar hat er ihm über die Bedeutung der biblischen
Stelle als solcher keine Auskunft gegeben. In Wahrheit aber beleuchtet die Antwort zugleich die Situation des von Gott befragten Adam und die Situation jedes Menschen allzeit und allerorten. Der Oberste muß ja, sowie er die biblische Frage als an ihn
selber gerichtet vernimmt und versteht, merken, was es bedeutet,
wenn Gott fragt:»Wo bist du?«, sei die Frage nun an Adam oder
an sonst einen Menschen gerichtet. Wenn Gott so fragt, will er
vom Menschen nicht etwas erfahren, was er noch nicht weiß; er
will im Menschen etwas bewirken, was eben nur durch eine solche
Frage bewirkt wird, vorausgesetzt, daß sie den Menschen ins
Herz trifft, daß der Mensch sich von ihr ins Herz treffen läßt.

Adam versteckt sich, um nicht Rechenschaft ablegen zu müssen,
um der Verantwortung für sein Leben zu entgehen. So versteckt
sich jeder Mensch, denn jeder Mensch ist Adam und in Adams
Situation. Um der Verantwortung für das gelebte Leben zu ent-

gehen, wird das Dasein zu einem Verstecksapparat ausgebaut. Und indem der Mensch sich so »vor dem Angesicht Gottes« versteckt und immer neu versteckt, verstrickt er sich immer tiefer und tiefer in die Verkehrtheit. So entsteht eine neue Situation, die von Tag zu Tag, von Versteck zu Versteck immer fragwürdiger wird. Diese Situation kann genau gekennzeichnet werden: dem Auge Gottes kann der Mensch nicht entgehen, aber indem er sich vor ihm zu verstecken sucht, versteckt er sich vor sich selber. Gewiß, es gibt auch in ihm ein Etwas, das ihn sucht, aber er macht es diesem Etwas immer schwerer, ihn zu finden. In diese Situation hinein fällt die Frage Gottes. Sie will den Menschen aufrühren, sie will seinen Versteckapparat zerschlagen, sie will ihm zeigen, wo er hingeraten ist, sie will in ihm den großen Willen erwecken, heraus zu gelangen.

Alles kommt nun darauf an, ob der Mensch sich der Frage stellt. Gewiß, jedem wird, wie dem Obersten in unserer Erzählung, »das Herz flattern«, wenn sie an sein Ohr dringt. Aber der Apparat hilft ihm auch dazu, dieser Bewegung des Herzens Herr zu werden. Die Stimme kommt ja nicht in einem Gewitter, das die Existenz des Menschen bedroht; es ist »die Stimme eines verschwebenden Schweigens«[1], und es ist leicht, sie zu übertäuben. Solang dies geschieht, wird das Leben des Menschen zu keinem Weg. Mag ein Mensch noch so viel Erfolg, noch so viel Genuß erfahren, mag er noch so große Macht erlangen und noch so Gewaltiges zustande bringen: sein Leben bleibt weglos, solang er sich der Stimme nicht stellt. Adam stellt sich der Stimme, er erkennt die Verstrickung, er bekennt: »Ich habe mich versteckt«, und damit beginnt der Weg des Menschen. Die entscheidende Selbstbesinnung ist der Beginn des Wegs im Leben des Menschen, immer wieder der Beginn des menschlichen Wegs. Aber entscheidend ist sie eben nur dann, wenn sie zum Weg führt. Denn es gibt auch eine unfruchtbare Selbstbesinnung, die nirgends hinführt als zu Selbstquälerei, Verzweiflung und noch tieferer Verstrickung. Wenn der Gerer Rabbi im Auslegen der Schrift an die Worte kam, die Jakob an seinen Knecht richtet: »Wenn mein Bruder Esau auf dich stößt, und fragt dich: ›Wessen bist du, wohin gehst du, wessen

---

[1] So ist annähernd genau der merkwürdige Ausdruck 1 Könige 19, 12 wiederzugeben.

sind die vor dir?‹«, sprach er zu seinen Schülern: »Merket wohl auf, wie ähnlich die Fragen Esaus dem Spruch unsrer Weisen sind: ›Betrachte drei Dinge. Wisse, woher du kamst und wohin du gehst und vor wem du dich zu verantworten hast.‹ Merket wohl auf, denn großer Prüfung bedarf, wer die drei Dinge betrachtet: daß nicht Esau in ihm frage. Denn auch Esau vermag nach diesen drei zu fragen und Schwermut über den Menschen zu bringen.« Es gibt eine dämonische Frage, eine Scheinfrage, die die Frage Gottes, die Frage der Wahrheit äfft. Sie ist daran zu erkennen, daß sie nicht bei dem »Wo bist du?« innehält, sondern fortfährt: »Von da heraus, wo du hingeraten bist, führt kein Weg mehr.« Es gibt eine verkehrte Selbstbesinnung, die den Menschen nicht zur Umkehr bewegt und auf den Weg bringt, sondern ihm die Umkehr als hoffnungslos darstellt und ihn damit dorthin treibt, wo sie anscheinend vollends unmöglich geworden ist und der Mensch nur noch kraft des dämonischen Hochmuts, des Hochmuts der Verkehrtheit, weiterzuleben vermag.

Rabbi Bär von Radoschitz bat einst seinen Lehrer, den »Seher« von Lublin: »Weiset mir einen allgemeinen Weg zum Dienste Gottes!« Der Zaddik antwortete: »Es geht nicht an, dem Menschen zu sagen, welchen Weg er gehen soll. Denn da ist ein Weg, Gott zu dienen durch Lehre, und da, durch Gebet, da, durch Fasten, und da, durch Essen. Jedermann soll wohl achten, zu welchem Weg ihn sein Herz zieht, und dann soll er sich diesen mit ganzer Kraft erwählen.« Damit ist zunächst etwas über unser Verhältnis zu dem gesagt, was vor uns an echtem Dienst geleistet worden ist. Wir sollen es verehren, wir sollen davon lernen, aber wir sollen es nicht nachmachen. Was Großes und Heiliges getan worden ist, ist für uns beispielhaft, weil es uns anschaulich zeigt, was Größe und Heiligkeit ist, aber es ist kein Modell, das wir nachzuzeichnen hätten. Wie Geringes wir auch zustande zu bringen vermögen, wenn wir es an dem Maße der Taten der Väter messen, es hat seinen Wert darin, daß wir es aus eigner Art und eigner Kraft zustande bringen.

Ein Chassid fragte den Zloczower Maggid: »Es heißt: ›Jeder in Israel ist verpflichtet zu sprechen: Wann wird mein Werk an die Werke meiner Väter, Abraham, Isaak und Jakob, reichen?‹ Wie ist das zu verstehen? Wie dürften wir uns erkühnen zu denken, daß wir es den Vätern gleichzutun vermöchten?« Der Maggid erklärte: »Wie die Väter neuen Dienst stifteten, jeder neuen Dienst nach seiner Eigenschaft, der eine den der Liebe, der andre den der Stärke, der dritte den der Pracht, so sollen wir, ein jeder von uns nach seiner eignen Art, im Licht der Lehre und des Dienstes Erneuerung stiften und nicht Getanes tun, sondern das zu Tuende.«

Mit jedem Menschen ist etwas Neues in die Welt gesetzt, was es noch nicht gegeben hat, etwas Erstes und Einziges. »Pflicht ist es jedermanns in Israel zu wissen und zu bedenken, daß er in der Welt einzig in seiner Beschaffenheit ist, und es ist noch kein ihm Gleicher auf der Welt gewesen, denn wäre schon ein ihm Gleicher auf der Welt gewesen, er brauchte nicht auf der Welt zu sein. Jeder Einzelne ist ein neues Ding in der Welt, und er soll seine

Eigenschaft in dieser Welt vollkommen machen. Denn wahrlich: daß dies nicht geschieht, das ist's, was das Kommen des Messias verzögert.« Dieses Einzige und Einmalige ist es, was jedem vor allem auszubilden und ins Werk zu setzen aufgetragen ist, nicht aber, noch einmal zu tun, was ein anderer, und sei es der größte, schon verwirklicht hat. Der weise Rabbi Bunam sagte einmal im Alter, als er schon erblindet war: »Ich möchte nicht mit Vater Abraham tauschen. Was hätte Gott davon, wenn der Erzvater Abraham wie der blinde Bunam würde und der blinde Bunam wie Abraham?« Und mit noch größerer Eindringlichkeit ist dasselbe von Rabbi Sussja ausgesprochen worden, als er kurz vor dem Tode sagte: »In der kommenden Welt wird man mich nicht fragen: ›Warum bist du nicht Mose gewesen?‹ Man wird mich fragen: ›Warum bist du nicht Sussja gewesen?‹«

Wir haben hier eine Lehre vor uns, die auf der Tatsache aufgebaut ist, daß die Menschen in ihrem Wesen ungleich sind, und die demgemäß sie nicht gleichmachen will. Alle Menschen haben Zugang zu Gott, aber jeder einen andern. Gerade in der Verschiedenheit der Menschen, in der Verschiedenheit ihrer Eigenschaften und ihrer Neigungen liegt die große Chance des Menschengeschlechts. Gottes Allumfassung stellt sich in der unendlichen Vielheit der Wege dar, die zu ihm führen, und von denen jeder einem Menschen offen ist. Als etliche Schüler eines verstorbenen Zaddiks zum »Seher« von Lublin kamen und sich darüber wunderten, daß er andere Bräuche als die ihres Lehrers hatte, rief er: »Was wäre das für ein Gott, der nur einen einzigen Weg hätte, auf dem man ihm dienen kann!« Aber indem jeder Mensch von seinem Punkt aus, von seinem Wesen aus zu Gott zu kommen vermag, vermag, auf allen Wegen vordringend, das Menschengeschlecht als solches zu ihm zu kommen.

Gott sagt nicht: »Das ist ein Weg zu mir, das aber nicht«, sondern er sagt: »Alles, was du tust, kann ein Weg zu mir sein, wenn du es nur so tust, daß es dich zu mir führt.« Was aber dies ist, das eben dieser Mensch und kein anderer tun kann und tun soll, kann ihm nur aus ihm selber offenbar werden. Hier kann, wie gesagt, nur irreführen, wenn einer darauf schaut, wie weit es ein anderer gebracht hat, und es ihm nachzutun trachtet; denn dabei entgeht ihm eben, wozu er und nur er allein berufen ist. Der Baalschem

sagt: »Jedermann soll sich seiner Stufe entsprechend verhalten.«
Geschieht dem aber nicht so: wer die Stufe seines Gefährten erfaßt und seine eigne fahren läßt, diese und jene werden durch ihn
nicht verwirklicht werden.« Auf welchem Weg ein Mensch zu
Gott gelangt, kann somit nichts anderes ihm sagen als die Erkenntnis seines eigenen Wesens, die Erkenntnis seiner wesentlichen Eigenschaft und Neigung. »In jedermann ist etwas Kostbares, das in keinem andern ist.« Was aber an einem Menschen
»kostbar« ist, kann er nur entdecken, wenn er sein stärkstes Gefühl, seinen zentralen Wunsch, das in ihm, was sein Innerstes bewegt, wahrhaft erfaßt.

Freilich kennt der Mensch oft dieses sein stärkstes Gefühl nur in
der Gestalt der besonderen Leidenschaft, in der Gestalt des »Bösen Triebs«, der ihn verführen will. Naturgemäß stürzt sich das
mächtigste Verlangen eines Menschen zunächst auf die dieses Verlangen zu stillen verheißenden Dinge, denen er begegnet. Worauf
es ankommt, ist, daß er die Kraft eben dieses Gefühls, eben dieses Antriebs von dem Zufälligen auf das Notwendige und von
dem Relativen auf das Absolute richte. So findet er seinen Weg.

Ein Zaddik lehrt: »Es heißt am Schluß des ›Predigers‹: ›Am Ende
der Sache wird das Ganze vernommen: fürchte Gott!‹ An welcher
Sache Ende du kommst, da, an ihrem Ende, vernimmst du dieses
eine: ›Fürchte Gott‹, und dieses eine ist das Ganze. Es gibt kein
Ding in der Welt, das dir nicht einen Weg zur Furcht Gottes und
zum Dienste Gottes weist. Alles ist Gebot.« Es kann aber keineswegs unsere wahre Aufgabe in der Welt, in die wir gesetzt sind,
sein, uns von Dingen und Wesen, die uns begegnen und unser
Herz an sich ziehen, abzuwenden, sondern gerade durch Heiligung unserer Verbindung mit ihnen damit in Berührung zu kommen, was sich in ihnen als Schönheit, als Wohlgefühl, als Genuß
offenbart. Der Chassidismus lehrt, daß die Freude an der Welt,
wenn wir sie mit unserem ganzen Wesen heiligen, zur Freude an
Gott führt.

In der Erzählung vom ›Seher‹ scheint dem zu widersprechen, daß
unter den Wegen neben einem durch Essen auch einer durch Fasten als Beispiel angeführt wird. Betrachten wir dies aber innerhalb der gesamten chassidischen Lehre, so sehen wir, daß das
Sich-entfernen von der Natur, das Sich-enthalten dem natür-

lichen Leben gegenüber wohl zuweilen den einem Menschen notwendigen Wegbeginn, auch wohl an Kreuzpunkten des Daseins
ein ihm notwendiges Sich-isolieren, aber nicht den ganzen Weg
bedeuten kann. Mancher Mensch muß mit Fasten beginnen und
immer wieder beginnen, weil ihm eigentümlich ist, daß er erst
durch eine Askese zur Befreiung von der Versklavung unter die
Welt, zur tiefsten Selbstbesinnung und von da aus zur Bindung
an das Absolute kommen kann. Aber nie darf diese Askese die
Herrschaft über das Leben des Menschen beanspruchen. Der
Mensch soll sich von der Natur nur entfernen, um erneuert zu
ihr zurückzukehren und durch den geheiligten Kontakt mit ihr
den Weg zu Gott zu finden.

Den Satz der Schrift, der von Abraham, der die Engel bewirtet,
erzählt: »Und er stand über ihnen unter dem Baum, während sie
aßen«, deutete Rabbi Sussja dahin, der Mensch stehe über den
Engeln, weil er die ihnen unbekannte Intention des Essens kennt,
die es heiligt. Auf die Engel, die des Essens ungewohnt waren,
zog Abraham die Intention herab, mit der er es Gott zu weihen
pflegte. Alle natürliche Handlung führt, wenn sie geheiligt wird,
zu Gott, und die Natur bedarf des Menschen, damit das an ihr
vollzogen werde, was kein Engel an ihr vollziehen kann: damit
sie geheiligt werde.

ENTSCHLOSSENHEIT

Ein Chassid des »Sehers von Lublin« fastete einmal von Sabbat zu Sabbat. Am Freitagnachmittag überkam ihn ein so grausamer Durst, daß er meinte sterben zu müssen. Da erblickte er einen Brunnen, ging hin und wollte trinken. Aber sogleich besann er sich, um einer kleinen Stunde willen, die er noch zu ertragen hätte, würde er das ganze Werk dieser Woche vernichten. Er trank nicht und entfernte sich vom Brunnen. Stolz flog ihn an, daß er die schwere Probe bestanden habe. Wie er dessen inne ward, sprach er zu sich: »Besser, ich gehe hin und trinke, als daß mein Herz dem Hochmut verfällt.« Er kehrte um und trat an den Brunnen. Schon wollte er sich darüber neigen, um Wasser zu schöpfen, da merkte er, daß der Durst von ihm gewichen war. Nach Sabbatanbruch betrat er das Haus seines Lehrers. »Flickarbeit!« rief ihm der an der Schwelle zu.

Als ich diese Geschichte in meiner Jugend zum ersten Mal hörte, war ich davon betroffen, wie hart hier ein Meister seinen eifrig bemühten Schüler behandelt. Dieser strengt sich aufs äußerste an, um ein schweres Werk der Askese zustande zu bringen, er fühlt sich versucht es abzubrechen und überwindet die Versuchung, und nach alledem erntet er nichts anderes als ein absprechendes Urteil seines Lehrers. Wohl entstammte die erste Hemmung der Macht des Körpers über die Seele, einer Macht, die erst gebrochen werden mußte, aber die zweite entstammte dem edelsten Motiv: Lieber scheitern als um des Gelingens willen in Hochmut verfallen! Wie kann man um solch eines inneren Ringens willen gescholten werden? Wird hier vom Menschen nicht zu viel gefordert?

Viel später (aber immerhin schon vor einem Vierteljahrhundert), nämlich als ich selber diese Geschichte der Überlieferung nacherzählte, verstand ich erst, daß es hier überhaupt nicht darum geht, vom Menschen etwas zu fordern. War doch der Zaddik von Lublin nicht eben als Freund der Askese bekannt, und was der Chassid unternahm, unternahm er gewiß nicht ihm zu Gefallen, sondern wohl weil er hoffte, auf diesem Wege auf eine höhere Stufe der Seele zu gelangen; und daß das Fasten im Anfangsstadium der persönlichen Entwicklung und später in kritischen Momenten dazu dienen kann, hatte er ja aus dem Munde des »Sehers« gehört. Was dieser nun, nachdem er offenbar mit wahrem Verständnis den Verlauf des Wagnisses beobachtet hatte, zum Schüler sagt, bedeutet zweifellos: »Auf diese Weise gelangt man nicht auf eine höhere Stufe.« Er warnt den Schüler vor etwas, was ihn mit Notwendigkeit hindert, seine Absicht zu erreichen. Was aber dieses Etwas ist, wird uns deutlich genug. Gerügt wird, daß man vordringt und wieder zurückweicht; das Hin und Her, der Zickzack-Charakter des Tuns ist das Bedenkliche. Was der »Flickarbeit« gegenübersteht, ist die Arbeit aus Einem Guß. Wie aber vollbringt man eine Arbeit aus Einem Guß? Nicht anders als mit geeinter Seele.

Wieder jedoch überfällt uns die Frage, ob hier mit einem Menschen nicht zu hart umgegangen wird. Es ist ja in unserer Welt eben so bestellt, daß der eine – gleichviel wie man es ausdrücken will, »von Natur« oder »von Gnade« – eine einheitliche Seele, eine Seele aus Einem Guß hat und demgemäß einheitliche Werke, Werke aus Einem Guß vollbringt, weil eben seine so geartete Seele sie ihm eingibt und ihn dazu befähigt; der andere aber hat eine vielfältige, komplizierte, widerspruchsvolle Seele, und davon ist naturgemäß sein Tun bestimmt: dessen Hemmungen und Störungen kommen aus den Hemmungen und Störungen der Seele, ihre Unruhe prägt sich in seiner Unruhe aus. Was kann denn ein so beschaffener Mensch anders als sich anstrengen, die Versuchungen, die ihn auf dem Weg zum jeweiligen Ziel antreten, zu überwinden? Was kann er anders tun als eben jeweils mitten im Tun, sich, wie man zu sagen pflegt, »zusammenzunehmen«, das heißt, seine hin und her gerissene Seele einzusammeln und immer wieder gesammelt auf das Ziel zu richten, und dazu noch bereit zu sein, wie es der Chassid in unserer Erzählung tut, als der Hochmut ihn anwandelt, sogar das Ziel zu opfern, um die Seele zu retten?

Wenn wir von diesen Fragen aus noch einmal unsre Erzählung prüfen, sehen wir erst, welche Lehre sich in der Kritik des »Sehers« birgt. Es ist die Lehre, daß der Mensch seine Seele zu einen vermag. Der Mensch mit der vielfältigen, komplizierten, widerspruchsvollen Seele ist nicht ausgeliefert: das Innerste dieser Seele, die Gotteskraft in ihrer Tiefe, vermag auf sie einzuwirken, sie zu ändern, die einander befehdenden Kräfte aneinander zu binden, die auseinanderstrebenden Elemente ineinander zu schmelzen, es vermag sie zu einen. Solch eine Einung muß sich vollziehen, *ehe* der Mensch an ein ungewöhnliches Werk herangeht. Nur mit geeinter Seele wird er es so zu tun imstande sein, daß es nicht Flickarbeit, sondern Arbeit aus Einem Guß wird. Das ist es also, was der »Seher« dem Chassid vorwirft: daß er sein Wagnis mit ungeeinter Seele unternommen hat; mitten im Werk gelingt die Einung nicht. Man soll aber auch nicht etwa meinen, die Askese könne die Einung herbeiführen; sie kann reinigen, kann konzentrieren, aber sie kann nicht bewirken, daß das Ergebnis davon bis zur Erreichung des Ziels bewahrt bleibe, – sie kann die Seele vor deren eignem Widerspruch nicht schützen. Nun muß man freilich eines im Auge behalten: daß keine Einung der Seele eine endgültige ist. Wie auch die von Geburt einheitlichste Seele doch zuweilen von inneren Schwierigkeiten überfallen wird, so kann auch die am gewaltigsten um die Einheit ringende sie nie vollkommen erreichen. Aber jedes Werk, das ich aus geeinter Seele tue, wirkt auf meine Seele zurück, wirkt in die Richtung auf neue und höhere Einung hin, jedes führt mich, wenn auch auf mancherlei Umwegen, zu einer *stetigeren* Einheit hin, als die ihm vorausgehende war. So gelangt man endlich dahin, wo man sich seiner Seele überlassen kann, weil ihr Maß an Einheit so groß ist, daß sie den Widerspruch wie im Spiel überwindet. Wachsam muß man freilich auch dann sein, aber es ist eine gelassene Wachsamkeit.

An einem der Tage des Lichterfestes kam Rabbi Nachum, ein Sohn des Rižiner Rabbis, unerwartet ins Lehrhaus und fand die Schüler beim Damspiel, wie es der Brauch an diesen Tagen war. Als sie den Zaddik eintreten sahen, wurden sie verwirrt und hielten inne. Er aber nickte ihnen freundlich zu und fragte: »Kennt ihr auch die Gesetze des Damspiels?« Und da sie vor Scheu kein Wort über die Lippen brachten, gab er selber die Antwort: »Ich will euch die Gesetze des Damspiels sagen. Das erste ist, man darf nicht zwei Schritte auf einmal gehen. Das zweite, man darf nur vorwärts gehen und sich nicht rückwärts kehren. Und das dritte, wenn man oben ist, darf man schon gehen, wohin man will.«

Aber man würde, was mit Einung der Seele gemeint ist, von Grund aus mißverstehen, wenn man unter »Seele« hier etwas anderes verstünde als: der ganze Mensch, Leib und Geist miteinander. Die Seele ist nicht wirklich geeint, wenn es nicht alle leiblichen Kräfte, alle Glieder des Leibes sind. Den Schriftvers ›Alles, was deine Hand zu tun findet, tue in deiner Kraft!‹ deutete der Baalschem, man solle die Tat, die man tut, mit allen Gliedern tun, d. h. es solle auch das ganze leibliche Wesen des Menschen daran beteiligt sein, nichts von ihm dürfe draußen bleiben. Der Mensch, der eine Einheit aus Leib und Geist wird, dessen Werk ist Werk aus Einem Guß.

BEI SICH BEGINNEN

Einige Große in Israel waren einst bei Rabbi Jizchak von Worki zu Gast. Man sprach vom Wert eines rechtschaffenen Dieners für die Führung des Hauses; wenn er gut sei, wende sich alles zum Guten, wie man an Josef sehe, in dessen Hand alles gedieh. Rabbi Jizchak widersprach. »So habe auch ich einst gemeint«, sagte er, »dann aber zeigte mir mein Lehrer, daß alles am Hausherrn hangt. In meiner Jugend nämlich hatte ich große Bedrängnis von meinem Weibe, und ob auch ich selbst es tragen mochte, so erbarmte mich doch des Gesindes. Darum fuhr ich zu meinem Lehrer, Rabbi David von Lelow, und befragte ihn, ob ich meinem Weibe entgegentreten solle. Er antwortete mir: ›Was redest du zu mir? Rede zu dir selber!‹ Ich mußte mich auf das Wort eine Zeit besinnen, bis ich es verstand; ich verstand es aber, als ich mich auf ein Wort des heiligen Baalschemtow besann: ›Es gibt den Gedanken, das Wort, die Handlung. Der Gedanke entspricht der Ehefrau, das Wort den Kindern, die Handlung dem Gesinde. Wer die drei in sich zurechtschafft, dem wandelt sich alles zum Guten.‹ Da verstand ich, was mein Lehrer gemeint hatte: daß alles an mir selber hangt.«

In dieser Erzählung wird an eins der tiefsten und schwersten Probleme unseres Lebens gerührt: an den wahren Ursprung des Konflikts zwischen den Menschen.

Man pflegt Erscheinungen des Konflikts zunächst aus den Motiven zu erklären, deren sich die miteinander im Streit Liegenden als des Anlasses zum Streit bewußt sind, und aus den diesen Motiven zugrundeliegenden objektiven Situationen und Vorgängen, in die beide Teile verwickelt sind; oder man geht analytisch vor und sucht die unbewußten Komplexe zu erforschen, zu denen sich jene Motive nur wie Symptome einer Krankheit zu den organischen Schäden selber verhalten. Die chassidische Lehre hat mit dieser Auffassung das gemeinsam, daß auch sie von der Problematik des äußeren Lebens auf die des inneren verweist. Aber sie unterscheidet sich von jener in zwei wesentlichen Punkten, einem grundsätzlichen und einem praktischen, der aber noch wichtiger ist.

Der grundsätzliche Unterschied besteht darin, daß die chassidische Lehre nicht auf die Untersuchung einzelner seelischer Komplikationen ausgeht, sondern den ganzen Menschen meint. Damit ist aber keineswegs ein quantitativer Unterschied ausgesprochen. Vielmehr handelt es sich hier um die Erkenntnis, daß Herauslösen von Teilelementen und Teilprozessen aus dem Ganzen stets der Erfassung der Ganzheit hinderlich ist und daß zu wirklicher Wandlung, zu wirklicher Heilung zunächst des Einzelnen und sodann des Verhältnisses zwischen ihm und seinen Mitmenschen, nur die Erfassung der Ganzheit als Ganzheit führen kann. (Paradox ausgedrückt: die Suche nach dem Schwerpunkt verschiebt ihn und vereitelt damit den ganzen Versuch, die Problematik zu überwinden.) Das heißt nicht, daß nicht alle Phänomene der Seele zu betrachten seien; aber keins von ihnen ist so in den Mittelpunkt der Betrachtung zu rücken, als ob alles andre daraus abzuleiten wäre; vielmehr muß an allen Punkten angesetzt werden, und zwar nicht einzeln, sondern gerade in ihrem vitalen Zusammenhang.

Der praktische Unterschied aber besteht darin, daß der Mensch hier gar nicht als Objekt der Untersuchung behandelt wird, sondern aufgerufen wird, sich »zurechtzuschaffen«. Der Mensch soll zuerst selbst erkennen, daß die Konfliktsituationen zwischen ihm und den andern nur Auswirkungen der Konfliktsituationen in seiner eigenen Seele sind, und dann soll er diesen seinen inneren Konflikt zu überwinden suchen, um nunmehr als ein Gewandelter, Befriedeter zu seinen Mitmenschen auszugehen und neue, gewandelte Beziehungen zu ihnen einzugehen.

Der Mensch sucht freilich naturgemäß dieser entscheidenden, für das ihm geläufige Verhältnis zur Welt äußerst kränkenden Wendung dadurch auszuweichen, daß er den ihn so Aufrufenden oder die eigene Seele, wenn sie es ist, die ihn aufruft, auf die Tatsache hinweist, daß an jedem Konflikt zwei beteiligt sind: fordre man von ihm, daß er von diesem auf seinen inneren Konflikt zurückgreife, so müsse man das eben auch von seinem Konfliktpartner fordern. Aber gerade in dieser Betrachtungsweise, in der der Einzelne sich nur als Individuum ansieht, dem andere Individuen entgegenstehen, und nicht als echte Person, deren Wandlung zur Wandlung der Welt hilft, gerade hier liegt der fundamentale Irrtum, dem die chassidische Lehre entgegentritt.

Es kommt einzig darauf an, bei sich zu beginnen, und in diesem Augenblick habe ich mich um nichts andres in der Welt als um diesen Beginn zu kümmern. Jede andere Stellungnahme lenkt mich von meinem Beginnen ab, schwächt meine Initiative dazu, vereitelt das ganze kühne und gewaltige Unternehmen. Der archimedische Punkt, von dem aus ich an meinem Orte die Welt bewegen kann, ist die Wandlung meiner selbst; setze ich anstatt seiner zwei archimedische Punkte, den hier in meiner Seele und den dort in der Seele meines mit mir im Konflikt stehenden Mitmenschen, dann entschwindet mir alsbald der eine, auf den sich mir eine Sicht eröffnet hatte.

Rabbi Bunam lehrte:»Unsere Weisen sagen:›Suche den Frieden an deinem Ort.‹ Man kann den Frieden nirgendwo anders suchen als bei sich selber, bis man ihn da gefunden hat. Es heißt im Psalm: ›Es ist kein Friede in meinen Gebeinen von meiner Sünde her.‹ Erst wenn der Mensch in sich selber den Frieden gefunden hat, kann er daran gehen, ihn in der ganzen Welt zu suchen.«

Aber die Erzählung, von der ich ausgegangen bin, begnügt sich nicht damit, auf den wahren Ursprung der äußeren Konflikte, auf den inneren Konflikt, allgemein hinzuweisen. In dem Spruch des Baalschem, der darin angeführt wird, wird auch genau gesagt, worin der entscheidende innere Konflikt besteht. Es ist der Konflikt zwischen drei Prinzipien im Wesen und Leben des Menschen: dem Prinzip des Gedankens, dem Prinzip des Wortes und dem Prinzip der Handlung. Der Ursprung allen Konflikts zwischen mir und meinen Mitmenschen ist, daß ich nicht sage, was ich meine, und daß ich nicht tue, was ich sage. Denn dadurch verwirrt und vergiftet sich immer wieder und immer mehr die Situation zwischen mir und dem andern, und ich in meiner inneren Zerfallenheit bin gar nicht mehr fähig sie zu meistern, sondern entgegen all meinen Illusionen bin ich ihr willenloser Sklave geworden. Mit unserm Widerspruch, mit unserer Lüge päppeln wir die Konfliktsituationen auf und geben ihnen Macht über uns, bis sie uns versklaven. Von hier führt kein anderer Ausgang als durch die *Erkenntnis* der Wende: Alles hangt an mir, und durch den *Willen* der Wende: Ich will mich zurechtschaffen.

Damit der Mensch aber dieses Große vermöge, muß er erst von

all dem Drum und Dran seines Lebens zu seinem Selbst gelangen, er muß sich selber finden, nicht das selbstverständliche Ich des egozentrischen Individuums, sondern das tiefe Selbst der mit der Welt lebenden Person. Und auch dem steht all unsre Gewohnheit entgegen.

Ich will den Abschnitt mit einem alten Scherz beschließen, der im Munde eines Zaddiks erneuert worden ist.

Rabbi Chanoch erzählte:»Es gab einmal einen Toren, den man den Golem nannte, so töricht war er. Am Morgen beim Aufstehen fiel es ihm immer so schwer, seine Kleider zusammenzusuchen, daß er am Abend, dran denkend, oft Scheu trug schlafen zu gehen. Eines Abends faßte er sich schließlich ein Herz, nahm Zettel und Stift zur Hand und verzeichnete beim Auskleiden, wo er jedes Stück hinlegte. Am Morgen zog er wohlgemut den Zettel hervor und las: ›die Mütze‹ – hier war sie, er setzte sie auf, ›die Hosen‹ – da lagen sie, er fuhr hinein, und so fort, bis er alles anhatte. ›Ja aber, wo bin ich denn?‹, fragte er sich nun ganz bang, ›wo bin ich nur geblieben?‹ Umsonst suchte und suchte er, er konnte sich nicht finden.«»So geht es auch uns«, sagte der Rabbi.

SICH MIT SICH NICHT BEFASSEN

Als Rabbi Chajim von Zans seinen Sohn der Tochter des Rabbi
Elieser vermählt hatte, trat er am Tag nach der Hochzeit beim
Brautvater ein und sagte:»Schwäher, Ihr seid mir nahe gekom-
men, und ich darf Euch sagen, was mein Herz peinigt. Seht,
Haupt- und Barthaar sind mir weiß geworden, und noch habe
ich nicht Buße getan!«»Ach, Schwäher«, erwiderte ihm Rabbi
Elieser,»Ihr habt nur Euch im Sinn. Vergeßt Euch und habt die
Welt im Sinn!«

Was hier gesagt wird, widerspricht dem Anschein nach allem,
was ich hier bisher aus der Lehre des Chassidismus mitgeteilt
habe. Wir haben gehört, jeder solle sich auf sich selbst besinnen,
er solle seinen besonderen Weg erwählen, er solle sein Wesen
zur Einheit bringen, er solle bei sich selbst beginnen; nun aber
wird uns gesagt, man solle sich selber vergessen. Aber man muß
nur genauer hinhorchen, dann stimmt dies nicht bloß mit dem
andern überein, sondern es fügt sich als notwendiges Glied, als
notwendiges Stadium an seiner Stelle ins Ganze. Man braucht
nur eine Frage zu fragen:»Wozu?« Wozu soll ich mich auf mich
selbst besinnen, wozu meinen besonderen Weg erwählen, wozu
mein Wesen zur Einheit bringen? Die Antwort lautet: Nicht um
meinetwillen. Darum hieß es auch das vorige Mal: bei sich selbst
beginnen. Bei sich beginnen, aber nicht bei sich enden; von sich
ausgehen, aber nicht auf sich abzielen; sich erfassen, aber sich
nicht mit sich befassen.

Wir sehen einen Zaddik, einen weisen, frommen, hilfreichen
Mann, in den Tagen des Alters sich Vorwürfe machen, daß er
noch nicht die wahre Umkehr vollzogen habe. Hinter der Antwort steht offenbar die Ansicht, daß er seine Sünden weit über-
schätze und die bisher schon getane Buße weit unterschätze. Aber
was gesagt wird, geht darüber hinaus. Es sagt ganz allgemein:
»Du sollst dich nicht immerzu mit dem quälen, was du falsch
gemacht hast, sondern die Seelenkraft, die du auf solche Selbst-
vorwürfe verwendest, sollst du der Tätigkeit an der Welt zuwenden, für die du bestimmt bist. Nicht mit dir sollst du dich
befassen, sondern mit der Welt.«

Man muß zunächst recht verstehen, was hier in bezug auf die

Umkehr gesagt wird. Die Umkehr steht bekanntlich im Mittelpunkt der jüdischen Auffassung vom Weg des Menschen. Sie vermag den Menschen von innen zu erneuern und seinen Ort in der Welt Gottes zu wandeln, so daß der Umkehrende über den vollkommenen Zaddik, der den Abgrund der Sünde nicht kennt, erhöht wird. Aber Umkehr bedeutet hier etwas weit Größeres als Reue und Bußehandlungen; sie bedeutet, daß der Mensch, der sich im Wirrsal der Selbstsucht verlaufen hat, wo er immer sich selber sich zum Ziel setzte, durch eine Wendung seines ganzen Wesens einen Weg zu Gott finde; und das heißt: den Weg zur Erfüllung der besonderen Aufgabe, für die Gott ihn, diesen besonderen Menschen, bestimmt hat. Die Reue kann nur der Antrieb zu dieser tätigen Wendung sein; wer sich aber weiter und weiter mit der Reue plagt, wer sich damit peinigt, daß die Werke seiner Buße nicht hinlänglich seien, der entzieht der Wendung die beste Kraft. Mit kühnen starken Worten hat der Gerer Rabbi in einer Predigt am Versöhnungstag vor der Selbstpeinigung gewarnt. »Wer ein Übel, das er getan hat«, sagte er, »immerzu beredet und besinnt, hört nicht auf, das Gemeine, das er getan hat, zu denken, und was man denkt, darin liegt man, mit der Seele liegt man ganz und gar darin, was man denkt – so liegt er doch in der Gemeinheit: der wird gewiß nicht umkehren können, denn sein Geist wird grob und sein Herz stockig werden, und es mag auch noch die Schwermut über ihn kommen. Was willst du? Rühr' her den Kot, rühr' hin den Kot, bleibt's doch immer Kot. Ja gesündigt, nicht gesündigt, was hat man im Himmel davon? In der Zeit, wo ich darüber grüble, kann ich doch Perlen reihen, dem Himmel zur Freude. Darum heißt es: ›Weiche vom Bösen und tue das Gute‹ – wende dich von dem Bösen ganz weg, sinne ihm nicht nach und tue das Gute. Unrechtes hast du getan? Tue Rechtes ihm entgegen.« Aber die Lehre unserer Erzählung geht darüber hinaus. Wer sich unablässig damit peinigt, daß er noch nicht hinreichend Buße getan habe, dem ist es wesentlich um das Heil seiner Seele, also um sein persönliches Los in der Ewigkeit zu tun. Der Chassidismus zieht nur eine Folgerung aus der Lehre des Judentums überhaupt, wenn er diese Zielsetzung ablehnt. Dies ist ja einer der Hauptpunkte, an denen sich das Christentum immer wieder vom Judentum geschieden hat: daß es für jeden Menschen sein eignes Seelenheil zum höchsten Ziele machte. Für das Judentum ist jede menschliche Seele ein dienendes Glied in der Schöpfung Gottes, die durch das Werk des Menschen zum Reiche Gottes werden soll; so ist denn keiner Seele ein Ziel in ihr selbst, in ihrem eigenen Heil gesetzt. Wohl soll jede sich erkennen, sich läutern, sich vollenden, aber nicht um ihrer selber willen, wie nicht um ihres irdischen Glücks, so auch nicht um ihrer himmlischen Seligkeit willen, sondern um des Werks willen, das sie an der Welt Gottes vollbringen soll. Man soll sich vergessen und die Welt im Sinn haben. Das Abzielen auf das eigene Seelenheil gilt hier nur als die sublimste Gestalt des Abzielens auf sich selbst. Dies ist es, was der Chassidismus aufs intensivste ablehnt, und ganz besonders für den Menschen, der sein Selbst gefunden und ausgebildet hat. Rabbi Bunam lehrte: »Es steht geschrieben: ›Da nahm Korah.‹ Was nahm er denn? Sich selber wollte er nehmen – darum konnte nichts mehr taugen, was er tat.« Daher stellte er dem ewigen Korah den ewigen Mose entgegen, den »Demütigen«, den Menschen, der mit dem, was er tut, nicht sich meint. »In jedem Geschlecht«, sagte er, »kehren die Seele Moses und die Seele Korahs wieder. Und wenn einmal die Seele Korahs sich willig der Seele Moses unterwirft, wird Korah erlöst.« So sieht Rabbi Bunam gleichsam die Geschichte des Menschengeschlechts auf dem Weg zur Erlösung als einen Vorgang zwischen diesen beiden Menschenarten, dem Hochmütigen, der, und sei es in der erhabensten Form, sich selbst meint, und dem Demütigen, der bei allem die Welt meint. Erst wenn der Hochmut sich der Demut beugt, wird er erlöst; und erst wenn er erlöst wird, kann die Welt erlöst werden. Nach Rabbi Bunams Tod sagte einer seiner Schüler, eben der Rabbi von Ger, aus dessen Predigt am Versöhnungstag ich einige Sätze angeführt habe: »Rabbi Bunam hatte die Schlüssel aller Firmamente. Und warum auch nicht? Der Mensch, der nicht sich meint, dem gibt man alle Schlüssel.« Und der größte von Rabbi Bunams Schülern, unter allen Zaddikim die eigentlich tragische Gestalt, Rabbi Mendel von Kozk, sprach einmal zur versammelten Gemeinde: »Was verlange ich denn von euch! Drei Dinge nur: aus sich nicht herausschielen, in den andern nicht hineinschielen, und sich nicht meinen.« Das bedeutet: erstens, jeder soll seine eigene Seele in ihrer eigenen Art und an ihrem eigenen Ort bewahren und heiligen, nicht aber fremde Art und fremden Ort neiden; zweitens, jeder soll das Geheimnis der Seele seines Mitmenschen ehren und nicht mit frecher Neugier in es eindringen und es gebrauchen; und drittens, jeder soll, im Leben mit sich selbst und im Leben mit der Welt, sich hüten auf sich abzuzielen.

Den Jünglingen, die zum erstenmal zu ihm kamen, pflegte Rabbi Bunam die Geschichte von Eisik Sohn Jekels in Krakau zu erzählen. Dem war nach Jahren schwerer Not, die sein Gottvertrauen nicht erschüttert hatten, im Traum befohlen worden, in Prag unter der Brücke, die zum Königsschloß führt, nach einem Schatz zu suchen. Als der Traum zum drittenmal wiederkehrte, machte sich Eisik auf und wanderte nach Prag. Aber an der Brücke standen Tag und Nacht Wachtposten, und er getraute sich nicht zu graben. Doch kam er an jedem Morgen zur Brücke und umkreiste sie bis zum Abend. Endlich fragte ihn der Hauptmann der Wache, auf sein Treiben aufmerksam geworden, freundlich, ob er hier etwas suche oder auf jemand warte. Eisik erzählte, welcher Traum ihn aus fernem Land hergeführt habe. Der Hauptmann lachte: »Und da bist du armer Kerl mit deinen zerfetzten Sohlen einem Traum zu Gefallen hergepilgert! Ja, wer den Träumen traut! Da hätte ich mich ja auch auf die Beine machen müssen, als es mir einmal im Traum befahl, nach Krakau zu wandern und in der Stube eines Juden, Eisik Sohn Jekels sollte er heißen, unterm Ofen nach einem Schatz zu graben. Eisik Sohn Jekels! Ich kann's mir vorstellen, wie ich drüben, wo die eine Hälfte der Juden Eisik und die andre Jekel heißt, alle Häuser aufreiße!« Und er lachte wieder. Eisik verneigte sich, wanderte heim, grub den Schatz aus und baute das Bethaus, das Reb Eisik Reb Jekels Schul heißt.

»Merke dir diese Geschichte«, pflegte Rabbi Bunam hinzuzufügen, »und nimm auf, was sie dir sagt: daß es etwas gibt, was du nirgends in der Welt, auch nicht beim Zaddik, finden kannst, und daß es doch einen Ort gibt, wo du es finden kannst.«

Auch dies ist eine uralte Geschichte, uns aus verschiedenen volkstümlichen Literaturen bekannt, aber von chassidischem Munde wahrhaft neu erzählt. Sie ist nicht bloß äußerlich in die jüdische Welt verpflanzt, sie ist von der chassidischen Melodie, in der sie erzählt worden ist, umgeschmolzen worden, und auch dies ist noch nicht das Entscheidende: das Entscheidende ist, daß sie wie durchsichtig geworden ist, und eine chassidische Wahrheit scheint aus ihr hervor. Es ist ihr nicht eine »Moral« angehängt worden, vielmehr hat der Weise, der sie neu erzählt hat, endlich ihren wirklichen Sinn entdeckt und offenbar gemacht. Es gibt etwas, was man an einem einzigen Ort in der Welt finden kann. Es ist ein großer Schatz, man kann ihn die Erfüllung des Daseins nennen. Und der Ort, an dem dieser Schatz zu finden ist, ist der Ort, wo man steht.

Die meisten von uns gelangen nur in seltenen Augenblicken zum vollständigen Bewußtsein der Tatsache, daß wir die Erfüllung des Daseins nicht zu kosten bekommen haben, daß unser Leben am wahren erfüllten Dasein nicht teilhat, daß es gleichsam am wahren Dasein vorbei gelebt wird. Dennoch fühlen wir den Mangel immerzu, in irgendeinem Maße bemühen wir uns, irgendwo das zu finden, was uns fehlt. Irgendwo in irgendeinem Bezirk der Welt oder des Geistes, nur nicht da, wo wir stehen, da, wo wir hingestellt worden sind – gerade da und nirgendwo anders aber ist der Schatz zu finden. Die Umwelt, die ich als die natürliche erfahre, die Situation, die mir schicksalhaft zugeteilt ist, was mir Tag um Tag begegnet, was mich Tag um Tag anfordert, hier ist meine wesentliche Aufgabe und hier die Erfüllung des Daseins, die mir offen steht. – Von einem talmudischen Lehrmeister ist überliefert, die Bahnen des Himmels seien ihm erhellt gewesen wie die Straßen seiner Heimatstadt Nehardea. Der Chassidismus kehrt den Spruch um: größer ist es, wenn einem die Straßen der Heimatstadt erhellt sind wie die Bahnen des Himmels. Denn hier, wo wir stehen, gilt es das verborgene göttliche Leben aufleuchten zu lassen.

Und hätten wir Macht über die Enden der Erde, wir würden an erfülltem Dasein nicht erlangen, was uns die stille hingegebene Beziehung zur lebendigen Nähe geben kann. Und wüßten wir um die Geheimnisse der oberen Welten, wir hätten nicht so viel wirklichen Anteil am wahren Dasein, als wenn wir im Gang unsres Alltags ein uns obliegendes Werk mit heiliger Intention verrichten. Unterm Herd unsres Hauses ist unser Schatz vergraben. Der Baalschem lehrt, daß keine Begegnung mit einem Wesen oder einem Ding im Gang unsres Lebens einer geheimen Bedeutung enträt. Die Menschen, mit denen wir leben oder je und je zusammentreffen, die Tiere, die uns in unsrer Wirtschaft helfen, der Boden, den wir bebauen, die Naturstoffe, die wir verarbeiten, die

Geräte, deren wir uns bedienen, alles birgt eine heimliche Seelen-substanz, die auf uns angewiesen ist, um zu ihrer reinen Gestalt, zu ihrer Vollendung zu gelangen. Vernachlässigen wir diese uns auf unseren Weg geschickte Seelensubstanz, sind wir nur auf die jeweiligen Zwecke bedacht ohne eine echte Beziehung zu den Wesen und Dingen zu entfalten, an deren Leben wir teilnehmen sollen wie sie an dem unsern, dann versäumen wir selber das wahre erfüllte Dasein. Diese Lehre ist meiner Überzeugung nach in ihrem Kerne wahr. Die höchste Kultur der Seele bleibt im Grunde dürr und unfruchtbar, wenn nicht Tag um Tag diesen kleinen Begegnungen, denen wir geben, was ihnen zukommt, Wasser des Lebens entquillen und in die Seele rinnen, ebenso wie die gewaltigste Macht zuinnerst Ohnmacht ist, wenn sie nicht in einem geheimen Bunde steht mit diesen zugleich demütigen und hilfreichen Berührungen mit fremdem und doch nahem Sein.

Manche Religionen sprechen unserem Aufenthalt auf Erden den Charakter des wahren Lebens ab. Entweder lehren sie, daß alles, was uns hier erscheint, nur Schein sei, hinter den wir zu dringen haben, oder, daß es nur ein Vorhof zur wahren Welt sei, ein Vor-hof, den wir zu durchlaufen haben, ohne seiner sonderlich zu achten. Anders das Judentum. Was ein Mensch jetzt und hier in Heiligkeit tut, ist nicht weniger wichtig, nicht weniger wahr als das Leben der kommenden Welt. Diese Lehre hat im Chassidis-mus die stärkste Ausgestaltung empfangen.

Rabbi Chanoch von Alexander sprach:»Auch die Völker der Erde glauben, daß zwei Welten sind; ›in jener Welt‹, sagen sie. Der Unterschied ist dies: sie meinen, die zwei seien voneinander ab-gehoben und abgeschnitten, Israel aber bekennt, daß beide Wel-ten in Wahrheit eine sind und in aller Wirklichkeit eine werden sollen.«

In ihrer innersten Wahrheit sind beide Welten eine einzige. Sie sind nur gleichsam auseinander getreten. Aber sie sollen wieder die Einheit werden, die sie in ihrer innersten Wahrheit sind. Und dazu ist der Mensch erschaffen, daß er die beiden Welten eine. Er wirkt an dieser Einheit durch ein heiliges Leben mit der Welt, in die er gestellt ist, an dem Orte, an dem er steht.

Man sprach einmal vor Rabbi Pinchas von Korez von dem großen Elend der Bedürftigen. In Gram versunken hörte er zu. Dann hob er den Kopf. »Laßt uns«, rief er, »Gott in die Welt ziehen, und alles wird gestillt sein.« Aber kann man denn das, Gott in die Welt ziehen? Ist das nicht eine überhebliche und vermessene Vorstellung? Wie wagt der Erdenwurm daran zu rühren, was einzig in Gottes Gnade ruht: wieviel von sich er seiner Schöpfung vergönnt!

Wieder steht hier jüdische Lehre denen anderer Religionen entgegen und wieder am tiefsten ausgeprägt im Chassidismus. Eben dies, so glauben wir, ist Gottes Gnade, daß er sich vom Menschen gewinnen lassen will, daß er sich ihm gleichsam in die Hände gibt. Gott will zu seiner Welt kommen, aber er will zu ihr durch den Menschen kommen. Dies ist das Mysterium unseres Daseins, die übermenschliche Chance des Menschengeschlechts.

Rabbi Mendel von Kozk überraschte einst einige gelehrte Männer, die bei ihm zu Gast waren, mit der Frage: »Wo wohnt Gott?« Sie lachten über ihn: »Wie redet Ihr! Ist doch die Welt seiner Herrlichkeit voll!« Er aber beantwortete die eigene Frage: »Gott wohnt, wo man ihn einläßt.«

Das ist es, worauf es letzten Endes ankommt: Gott einlassen. Man kann ihn aber nur da einlassen, wo man steht, wo man wirklich steht, da wo man lebt, wo man ein wahres Leben lebt. Pflegen wir heiligen Umgang mit der uns anvertrauten kleinen Welt, helfen wir in dem Bezirk der Schöpfung, mit der wir leben, der heiligen Seelensubstanz zur Vollendung zu gelangen, dann stiften wir an diesem unserem Ort eine Stätte für Gottes Einwohnung, dann lassen wir Gott ein.

DIE CHASSIDISCHE BOTSCHAFT

VORWORT

Dieses Buch ist im Laufe vieler Jahre als das langsam wachsende Ergebnis einer langen Forschungs- und Deutungsarbeit an dem großen Schrifttum der chassidischen Lehre und Legende entstanden.

Der erste Abschnitt ist zuerst als Geleitwort zu meiner Publikation »Die chassidischen Bücher« (1927) erschienen, der vierte als der Hauptteil der Einleitung zu »Der große Maggid und seine Nachfolge« (1921), der fünfte geht auf einen Vortrag zurück, den ich 1934 auf einer der Eranos-Tagungen in Ascona gehalten habe; den Rest habe ich in den Jahren 1940–1943 in Jerusalem – zunächst in hebräischer Sprache – abgefaßt, und zwar schon als Kapitel eines Buches, dessen Komposition sich jenen früheren, die ich zum Teil bearbeitet und gekürzt hatte, einfügte. Die hebräische Buchausgabe ist 1944 veröffentlicht worden. Mit zwei anderen meiner Bücher, »Die Erzählungen der Chassidim« und »Gog und Magog. Eine Chronik«, bildet dies eine Lebens- und Werkeinheit. Unter den dreien ist es dasjenige, in dem ich die Botschaft an die Menschenwelt, die der Chassidismus nicht sein wollte, aber war und ist, unmittelbar als Botschaft ausspreche. Ich spreche sie als solche gegen seinen Willen aus, weil die Welt ihrer heute sehr bedarf.

I

Dreiundzwanzig Jahre, ehe der Baal-schem-tow geboren wurde, starben, in kurzem Abstand, zwei denkwürdige Juden; beide gehörten der jüdischen Gemeinschaft nicht mehr an, der eine, der Philosoph Baruch Spinoza, durch den Bannspruch der Synagoge, der andre, der »Messias« Sabbatai Zwi, durch den Übertritt zum Islam. Diese beiden Männer bezeichnen eine spätexilische Katastrophe des Judentums, Spinoza die im Geist und in der Einwirkung auf die Völkerwelt, Sabbatai Zwi die im Leben und in der inneren Struktur. Wohl ist Spinoza ohne geschichtserheblichen Einfluß auf das Judentum geblieben, aber er gehört doch in dessen Geschichtsgang, und auf eine wesentliche Weise; denn wie Sabbatais Abfall die historische Infragestellung des jüdischen Messianismus bedeutet, so Spinozas Lehre die historische Infragestellung des jüdischen Gottesglaubens. Beide führen damit einen Prozeß zum Abschluß, der mit einer einzigen geschichtlichen Erscheinung, mit der Jesu, angehoben hatte. Beiden gibt ein neuer Prozeß die Erwiderung und Berichtigung, der mit einer einzigen geschichtlichen Erscheinung, mit der des Baal-schem-tow, anhebt.

Die große Tat Israels ist nicht, daß es den einen wirklichen Gott lehrte, der Ursprung und Ziel alles Wesens ist, sondern daß es die Anredbarkeit dieses Gottes als Wirklichkeit zeigte, das Dusagen zu ihm, das Mit-ihm-Angesicht-in-Angesicht-stehn, den Umgang mit ihm. Freilich gibt es überall, wo es den Menschen gibt, auch das Gebet, und so ist es wohl von je gewesen; aber erst Israel hat das Leben als ein Angesprochenwerden und Antworten, Ansprechen und Antwortempfangen verstanden, vielmehr eben gelebt. Freilich wollen auf allen Menschheitsstufen Mysterienkulte in einen, scheinbar so viel intimeren, Verkehr mit der Gottheit einführen; aber wie überall, wo es um Ausnahmezustände statt um den gelebten All-Tag geht, ist hier in dem als das Göttliche Empfundenen nur das menschgeborne Gebild einer Teilerscheinung des wirklichen Gottes, der Ursprung und Ziel alles Wesens ist, zu gewahren.

Gott in aller Konkretheit als Sprecher, die Schöpfung als Spra-

che: Anruf ins Nichts und Antwort der Dinge durch ihr Erstehn,
die Schöpfungssprache dauernd im Leben aller Kreaturen, das
Leben jedes Geschöpfs als Zwiegespräch, die Welt als Wort, – das
kundzugeben war Israel da. Es lehrte, es zeigte: der wirkliche
Gott ist der anredbare, weil anredende, Gott.
Jesus – wohl nicht der tatsächliche Mensch Jesus, aber das Jesus-
gebild, wie es in die Seele der Völker trat und sie änderte – ließ
Gott nur noch im Anschluß an ihn, den Christus, anredbar sein;
das Menschenwort nur noch von ihm als dem Logos mitgetragen
zu dem hindringen können, der Ursprung und Ziel alles Wesens
ist; der »Weg« zum Vater ging nur noch durch ihn. In dieser Ab-
wandlung empfingen die Völker die Lehre Israels vom anredbaren
Gott. Es ergab sich, daß sie an seiner Stelle den Christus anreden
lernten.
Spinoza unterwand sich, Gott seine Anredbarkeit zu nehmen.
Man meine nicht, sein deus sive natura sei »ein anderer Gott«
gewesen. Er selber meinte keinen andern als den er als Knabe
angeredet hatte, den eben, der Ursprung und Ziel alles Wesens
ist; er wollte ihn nur vom Makel der Anredbarkeit reinigen. Der
Anredbare war ihm nicht rein, nicht groß, nicht göttlich genug.
Der fundamentale Irrtum Spinozas war, daß er in der Lehre Israels nur eine Lehre vom Personsein Gottes gegeben wähnte und
sich gegen sie als eine Minderung der Göttlichkeit stellte. Aber
die Wahrheit der Lehre ist das *Auch*personsein Gottes, und sie ist
aller unpersonhaften, unanredbaren »Reinheit« Gottes gegenüber eine Mehrung der Göttlichkeit. Salomo, der den Tempel
baute, weiß, daß Gott alle Himmel nicht zulangen und er sich
doch eine Wohnung inmitten der ihn Anredenden kürt, daß er
also beides ist, so der Schranken- und Namenlose als der Vater,
der seine Kinder ihn anrufen lehrt; Spinoza weiß nur: Person
oder Nichtperson, er stürzt Person als einen Götzen und verkündet die aus sich seiende Substanz, zu der Du zu sagen Tollheit
oder schlechte Lyrik wäre.
Wie wenig auch das spätexilische Judentum von ihm erfuhr: damit ist etwas vom Judentum aus in die Völker hinein geschehen,
und was geschah, ist von seiner Herkunft nicht abzulösen. Etwas
vom Innersten Israels war, wie auch abgewandelt, einst durchs
Christentum in die Völkerwelt eingedrungen; es ist großer Sinn,

daß nur ein Jude es hinwegtun lehren konnte; ein Jude hat es getan. Spinoza half dem Geist der Geistigen unter den Völkern, sich von jenem Eingedrungnen zu befreien; die Tendenz des abendländischen Geistes zum monologischen Leben wurde durch ihn entscheidend befördert – und damit die Krisis des Geistes überhaupt, als der in der Luft des monologischen Lebens glorreich verdorren muß.

Der Baal-schem-tow hat von Spinoza vermutlich nichts gewußt; dennoch hat er ihm die Erwiderung gegeben. In der Wahrheit der Geschichte kann einer erwidern, ohne gehört zu haben; er meint, was er sagt, nicht als Erwiderung, aber es ist eine. Und daß die Erwiderung des Baalschem nicht zur Kenntnis der Geister gelangte, welche die Rede Spinozas vernahmen, auch das beeinträchtigt nicht ihre Bedeutung; in der Wahrheit der Geschichte gilt auch das unbekannt Gebliebene.

Um diesen ersten Erwiderungscharakter der chassidischen Botschaft deutlich zu machen, muß ich auf ein Grundmotiv Spinozas hinweisen, das mit jenem einer »Reinigung« Gottes eng verknüpft ist, aber einer noch tieferen Schicht des Geistwesens anzugehören scheint.

Der wirkliche Umgang des Menschen mit Gott hat an der Welt nicht bloß seinen Ort, sondern auch seinen Gegenstand. Gott redet zum Menschen in den Dingen und Wesen, die er ihm ins Leben schickt; der Mensch antwortet durch seine Handlung an eben diesen Dingen und Wesen. Aller spezifische Gottesdienst ist seinem Sinn nach nur die immer erneute Bereitung und Heiligung zu diesem Umgang mit Gott an der Welt. Aber es ist eine Urgefahr, wohl die äußerste Gefahr und Versuchung des Menschen, daß sich von der menschlichen Seite des Umgangs etwas ablöst und verselbständigt, sich rundet, sich scheinhaft zur Gegenseitigkeit ergänzt, sich an die Stelle des wirklichen Umgangs setzt. Die Urgefahr des Menschen ist die »Religion«. Das sich so Verselbständigende können die Formen sein, in denen der Mensch die Welt Gott zuheiligte, das »Kultisch-sakramentale«; nun sind sie nicht mehr Weihung des gelebten All-Tags, sondern seine Ablösung; Weltleben und Gottesdienst laufen unverbindlich nebeneinander her; aber der »Gott« dieses Dienstes ist nicht mehr Gott, es ist der bildsame Schein – der wirkliche Partner des Um-

SPINOZA, SABBATAI ZWI UND DER BAALSCHEM 745

gangs ist nicht mehr da, die Gebärden des Verkehrs schlagen in die leere Luft. Oder das sich Verselbständigende können die seelischen Begleitumstände des Umgangs sein, die Andacht, die Ausrichtung, die Versenkung, die Verzückung; was in die Bewährung an der Fülle des Lebens zu münden bestimmt und angewiesen war, wird von ihr abgeschnitten; die Seele will nur noch mit Gott zu tun haben, als wollte er, daß man die Liebe zu ihm an ihm und nicht an seiner Welt ausübe; nun meint die Seele, die Welt sei zwischen ihr und Gott entschwunden, aber mit der Welt ist Gott selber entschwunden, nur sie allein, die Seele, ist da, was sie Gott nennt ist nur ein Gebild in ihr, was sie als Dialog führt ist ein Monolog mit verteilten Rollen, der wirkliche Partner des Umgangs ist nicht mehr da. Spinoza lebte in einer Zeit, in der die seelische und die kultische Verselbständigung sich wieder einmal zusammentaten. Seiner Gottentfremdung innegeworden, suchte das Abendland nicht etwa, seinem Weltleben die Richtung auf Gott zu geben, sondern einen weltfreien Verkehr in mystischer und sakramentaler Exaltation mit ihm anzuknüpfen; jene reizvolle Fiktivität des Barock ist der künstlerische Niederschlag dieses Unterfangens. Es ist aus Spinozas geistiger Haltung zu erkennen, daß solcher vorgebliche Verkehr für ihn das eigentlich Unreine war. Nicht außer der Welt, sondern nur in ihr selber kann der Mensch das Göttliche finden: diese These setzt Spinoza der seiner Zeit geläufig gewordenen Zweiteilung des Lebens entgegen. Das tut er aus einem urjüdischen Antrieb; aus dem gleichen ist einst der Protest der Propheten gegen den verselbständigten Opferkult entstanden. Aber sein Angriff schwingt über dessen rechtmäßigen Gegenstand hinaus; mit dem weltfreien Verkehr wird ihm aller personhafte Verkehr mit Gott unglaubhaft; die Einsicht, daß Gott nicht neben der unreduzierten Lebenswirklichkeit her angeredet werden kann, weil er eben in ihr anredet, verkehrt sich ihm in die Ansicht, es gebe keine Rede zwischen Gott und dem Menschen; aus dem Ort der Begegnung mit Gott wird ihm die Welt zum Ort Gottes.

Daß die chassidische Botschaft, obgleich ihre Sprecher und Hörer nichts von Spinoza wußten, als eine Erwiderung an ihn verstanden werden darf, kommt daher, daß sie das Bekenntnis Israels auf eine neue Weise aussprach, und zwar auf eine, durch die es

zur Erwiderung wurde. Von alters her bekannte Israel, daß nicht
die Welt Gottes Ort, sondern Gott »der Ort der Welt« ist, und
daß er doch ihr »einwohnt«. Der Chassidismus sprach diesen Ur-
satz neu aus, nämlich ganz praktisch. Durch die Welteinwohnung
Gottes wird die Welt – allgemein-religiös gesprochen – zum Sakrament; sie könnte es nicht, wenn sie Gottes Ort wäre: nur eben
dies, daß der ihr überseiende Gott ihr doch einwohnt, macht sie
zum Sakrament. Aber das ist keine objektive Aussage, die unabhängig vom gelebten Leben der Menschenperson zu Recht bestünde, noch weniger freilich eine in der Subjektivität allein be-
schloßne; sondern in der konkreten Berührung mit dem Menschen wird die Welt je und je sakramental. Das heißt: in der
konkreten Berührung ihrer Dinge und Wesen mit diesem Menschen, dir, mir. Die Dinge und Wesen, in denen allen Funken des
Göttlichen wohnen, werden diesem Menschen zugereicht, daß er
in der Berührung mit ihnen die Funken erlöse. Dieses, daß einem
die Dinge und Wesen so in ihrer sakramentalen Möglichkeit zugereicht werden, ist das Dasein des Menschen in der Welt. Das ist
also nicht wie die Spinozas eine jenseits des gelebten Lebens und
des zu sterbenden Todes, meines und deines, beharrende Welt,
sondern es ist das Weltkonkretum dieses Personaugenblicks, bereit, Sakrament zu sein, bereit, wirkliches Erlösungsgeschehen zu
tragen. Es ist das Zugereichte, das Zugefügte, das Angebotene; es
ist das, worin Gott mich anredet und worin er die Antwort von
mir empfangen will.
Draußen bleibt das Selbstgenügen der Seele, die ihren verspon-
nenen Selbstverkehr mit dem wahren Zwiegespräch im All-Licht
verwechselt; Gott setzt sich nicht über seine Schöpfung hinweg.
Draußen aber bleibt auch die metaphysische Konstruktion des
Geistes, der meint, ins Sein sehen zu können, indem er von der
gelebten Situation absieht, und von Gott reden zu können wähnt,
als säße der seiner Begriffsbildung Modell und bärge sich nicht
vielmehr im »Drum und Dran« eben dieses denkerischen Augenblicks, durch keinen Begriff abzubildendes Geheimnis, und doch
im Konkretum der Situation erscheinend, ansprechend, sich er-
bietend – und im metaphysischen Absehn antwortlos verworfen.
In dieser Grundhaltung, dem tätigen Annehmen Gottes in den

Dingen, ist die chassidische Botschaft ein Vollzug und eine Ausweitung der vorzeitlichen Weisung Israels. Ein Vollzug; jenes »Werdet heilig, denn heilig bin ich« erweist sich ja in allem Bereich der Weisung als ein Gebot nicht einer Abheiligung des Menschen von den Dingen hinweg, sondern einer Zuheiligung der Dinge durch den Menschen, als seines Dienstes an der Schöpfung. Aber doch auch eine Ausweitung. So ist etwa das Opfer im alten Israel das kultische Geschwister des Mahls, das ohne es nicht bestehen kann, die Darheiligung eines Teils eben derselben organischen Materie, deren Rest dem Menschen zur Ernährung zufällt; aber im chassidischen Leben ist das Essen selber sakramentaler Dienst geworden: an tierischem und pflanzlichem Wesen geschieht durch die geheiligte Aufnahme zur Speise die funkenemporhebende Erlösung der Kreatur. Greift hier noch die gebotene Scheidung zwischen reinen und unreinen Tieren abgrenzend und beschränkend ein, so wird in der Erstreckung der Heiligung auf allen Gebrauch die Abtrennung eines grundsätzlich der Heiligung entzogenen Bezirks der Natur grundsätzlich überwunden: alles, was der Menschenperson zum Gebrauch zugeteilt ist, von Vieh und Baum zu Acker und Gerät, birgt Funken, die durch diesen Menschen erhoben werden wollen, die im heiligen Gebrauch von diesem Menschen erhoben werden; und noch Begegnungen mit fremden Dingen und Wesen in der Fremde meinen heilige Tat. Aber nicht bloß durch die Welt geht keine grundsätzliche Scheidung mehr: auch durch die Seele des Menschen. Wie die Dinge und Wesen, mit denen einer zu schaffen bekommt, ihm zugereicht worden sind, so auch, was an Vorstellungen, an Gedanken, an Wünschen mit dem Anschein der Fremdheit in die Seele fällt. In all dem schwingen Funken, die durch den Menschen erlöst werden wollen. Nichts ist ja an sich unheilig, nichts an sich böse; was wir das Böse nennen, ist nur das richtungslose Stürzen und Stürmen der erlösungsbedürftigen Funken, die »Leidenschaft« – also ebendieselbe Kraft, die, wenn sie mit Richtung, der Einen Richtung, begabt worden ist, das in Wahrheit Gute, den wahren Dienst, die Heiligung hervorbringt. So gibt es denn in der Seele des Menschen nicht mehr qualitativ gesondert das Weltliche und das Geistliche nebeneinander, es gibt nur noch die Kraft und die Richtung. Wer sein Leben zwischen Gott und Welt teilt, indem er

der Welt »das Ihre« gibt, um Gott »das Seine« zu retten, der
verweigert Gott den geheischten Dienst, das richtungverleihende
Wirken an aller Kraft, die Heiligung des Alltags an der Welt
und der Seele. In der chassidischen Botschaft ist die Trennung von »Leben in
Gott« und »Leben in der Welt«, das Urübel aller »Religion«, in
echter, konkreter Einheit überwunden. Aber auch der falschen
Überwindung durch die abstrakte Aufhebung des Unterschieds
zwischen Gott und Welt ist hier die Erwiderung gegeben. Unter
vollkommener Wahrung der Weltentrücktheit und Weltüberle-
genheit des doch welteinwohnenden Gottes ist hier die breschen-
lose Ganzheit des Menschenlebens in ihren Sinn eingesetzt: ein
Empfangen der Welt von Gott und ein Handeln an der Welt um
Gottes willen zu sein. Empfangend und handelnd weltverbunden
steht der Mensch, vielmehr nicht »der«, sondern dieser bestimmte
Mensch, du, ich, unmittelbar vor Gott.

Dieses, die Lehre von der Weltverbundenheit des Menschen in
Gottes Angesicht, die Erwiderung des Chassidismus an Spinoza,
war das eine, wodurch er so übermächtig in mein Leben griff. Ich
ahnte ja früh, wie ich mich auch dagegen wehrte, daß mir unausweichlich bestimmt sei, die Welt zu lieben.

2

Und das andre – aber es ist im Grunde kein andres, sondern das
gleiche.

Was ist es um die Erlösungsbedürftigkeit der Welt? Aber was ist
es um die Welteinwohnung Gottes, »des, der bei ihnen wohnt inmitten ihrer Makel«? Es ist im Grunde die gleiche Frage. Der
Makel der Geschöpflichkeit und ihre Erlösungsbedürftigkeit sind
eins; daß Gott ihr einwohnt und daß Gott sie erlösen will, auch
diese sind eins.

Der Makel der Geschöpflichkeit und nicht bloß des Menschen;
die Welteinwohnung und nicht bloß die Seeleneinwohnung Gottes; von hier ist auszugehn, um zu erfassen, was die chassidische Botschaft von der Erlösung sagt.

Was wir »das Böse« nennen, ist nicht bloß im Menschen, es ist als
»das Übel« an der Welt, es ist der Makel der Schöpfung. Aber

dieser Makel ist nicht ein Wesen, nicht eine existente Eigenschaft der Dinge. Es ist nur ihr Nicht-Standhalten, Nicht-Richtung-finden, Sich-nicht-entscheiden. Gott hat eine Welt erschaffen und hat die erschaffne sehr gut geheißen, – woher kommt da das Übel? Gott hat eine Welt erschaffen und hat ihre Vollendung gefeiert, – woher kommt da das Unvollendete?

Die Gnosis aller Zeiten stellt der guten Gottesmacht eine andre Urmacht entgegen, die das Böse wirke; als den Kampf zwischen beiden will sie die Geschichte, als dessen siegreiche Austragung die Erlösung der Welt erscheinen lassen. Wir aber wissen, was von dem namenlosen Propheten, dessen Worte im zweiten Teil des Buches Jesaja stehen, verkündet worden ist: daß, wie Licht und Finsternis, so das Gute und das Böse Gott selber erschaffen hat. Kein Unerschaffnes besteht ihm entgegen.

Dann wäre das Böse, das Übel, also doch ein Wesen, eine existente Eigenschaft? Aber auch die Finsternis ist ja kein Wesen, sondern der Abgrund des Licht-Ermangelns und des Ringens um das Licht; und eben als solcher von Gott erschaffen.

Die Bibel läßt das Böse durch ein Tun der ersten Menschen in die Schöpfung eindringen; aber sie kennt eine eben diese Tat einflüsternde, also böse, außermenschliche Kreatur, die »Schlange«. Die kabbalistische Lehre, die der Chassidismus sich eingebaut hat, verlegt das Eindringen in den Schöpfungsvorgang selber zurück. Der Feuerstrom der schöpferischen Gnade schüttet sich über die ersterschaffnen Urgestaltungen, die »Gefäße«, in seiner Fülle hin; sie aber halten ihm nicht stand, sie »zerbrechen« – der Strom zersprüht zur Unendlichkeit der »Funken«, die »Schalen« umwachsen sie, der Mangel, der Makel, das Übel ist in die Welt gekommen. Nun haftet in der vollendeten Schöpfung die unvollendete; eine leidende, eine erlösungsbedürftige Welt liegt zu Gottes Füßen. Er aber beläßt sie nicht einsam im Abgrund ihres Ringens; den Funken seiner Schöpfungsbrunst nach, die in die Dinge fielen, steigt seine Herrlichkeit selber zur Welt nieder, geht ein in sie, ins »Exil«, wohnt ihr ein, wohnt bei den trüben, den leidenden Geschöpfen, inmitten ihrer Makel, – begehrend, sie zu erlösen.

Wenn die Kabbala es auch nicht ausdrücklich sagt, so schließt doch unverkennbar diese Lehre die Konzeption ein, daß schon jenen Urgefäßen, wie den ersten Menschen, eine Eigenbewegung, eine Selbständigkeit und Freiheit zugeteilt war, sei es nur eben die Freiheit, dem Gnadenstrom standzuhalten oder nicht standzuhalten. Als ein Nichtstandhalten stellt sich ja auch die Sünde der ersten Menschen dar: alles ist ihnen gewährt, die ganze Gnadenfülle, auch der Baum des Lebens ist ihnen nicht verboten, nur eben die Kenntnis des Beschränkenden, des Verhältnisses von ursprünglicher Reinheit und gewordenem Makel in der Schöpfung, nur eben das Geheimnis des Urmangels, das Geheimnis von »Gut und Böse« hat Gott sich vorbehalten; sie aber halten der Fülle nicht stand, sie folgen der Einflüsterung vom Element der Beschränkung her. Nicht etwa, daß sie sich gegen Gott auflehnten, sie entscheiden sich nicht gegen ihn, sondern sie entscheiden sich nur eben nicht für ihn. Es ist keine rebellische, es ist eine ratlos, richtungslos, »willenlos« lässige Bewegung, dieses »Handausstrecken«. Sie tun es nicht, sie haben es getan. Man sieht das richtungslose Stürmen und Stürzen der erlösungsbedürftigen Funken in ihnen, Lockung, Wirbel und unentschiedenes Tun. Und so »erkennen« sie das Beschränkende, freilich eben als Menschen, wie Menschen erkennen, wie Adam hernach sein Weib »erkennt«, erkennen die Beschränkung, sich mit ihr vermischend, erkennen »Gut-und-Böse«, dieses Gut-und-Böse in sich aufnehmend, wie die gepflückte und gegessene Frucht.

Ein Nichtstandhalten also – wir wissen darum, wir, an denen sich Tag und Tag die Situation der ersten Menschen, immer wieder erstmalig, wiederholt, wir wissen um dieses leidende Handeln, das nichts als ein Hinauslangen aus dem richtungslosen Wirbel ist, wissen um das Stürmen und Stürzen und Sichverfangen der Funken, wir wissen, daß, die da sich regt, unsre Bosheit, unsre Erlösungsbedürftigkeit und Erlösungssucht ist. Und vielleicht wissen wir auch, von jenen heimlichen unausdenkbaren Augenblicken her, das Andre, jenen zartesten Durchbruch, das Richtungempfangen, das Sichentscheiden, die Kehre der verkreisten Weltbewegung auf Gott zu. Hier erfahren wir, unmittelbar, daß uns Eigenbewegung, Selbständigkeit, Freiheit zugeteilt ist. Wie es auch mit außermenschlicher Geschöpflichkeit sich verhalte, vom Menschen wissen wir, daß er durch sein Erschaffensein ins Leben eingesetzt ist als einer, der nicht etwa in einer flüchtigen Selbst-täuschung, sondern in der Wirklichkeit beides vermag: Gott zu wählen und Gott zu verwerfen. Sein Fallenkönnen bedeutet sein Steigenkönnen; daß er der Welt zur Verderbnis wirken kann, be-deutet, daß er ihr zur Erlösung wirken kann. Dieses konkrete Hereingenommensein des Menschen in die Mäch-tigkeit bleibt, wie punktuell auch manche Religion und Theologie es verstehen will (etwa als die bloße Fähigkeit, zu glauben oder den Glauben zu versagen), der Kern des religiösen Lebens, weil es eben der Kern des Menschenlebens überhaupt ist. Wie punk-tuell es auch verstanden werde, die Tatsache bleibt, daß die Er-schaffung dieses Geschöpfs Mensch die geheimnisvolle Aussparung einer mitbestimmenden Kraft, eines Ausgangsorts von Gesche-hen, eines Anfangens bedeutet. Nicht einmalig stand, sondern allmalig steht es dieser Kreatur frei, Gott zu wählen oder ihn zu verwerfen, vielmehr unerwählt zu lassen. Heißt das, daß Gott sich eines Quentleins seiner Bestimmungsmacht begeben habe? Das fragen wir nur, wenn wir Gott den Gesetzen unserer Logik unterzuordnen beflissen sind. Aber die Augenblicke des Durch-bruchs, in denen wir unmittelbar erfuhren, daß wir frei sind, und doch unmittelbar nun wissen, daß uns Gottes Hand getragen hat, lehren uns von unserm eignen personhaften Leben aus uns dem Geheimnis nähern, darin jenes und dieses, Wirklichkeit des Men-schen und Wirklichkeit Gottes, kein Widerspruch mehr sind. Man kann auch anders fragen. Die ersten Menschen standen in der Freiheit, ehe sie von Gott abfielen; heißt das, daß Gott nicht gewollt hat, was sie taten? Wie kann denn etwas geschehen, was Gott nicht will? Keine theologische Argumentation kann uns hier weiterhelfen, nur die entschloßne Einsicht, daß Gottes Gedanken nicht wie unsre Gedanken beschaffen sind, daß sein Wille nicht wie unser Wille begriffen und abgegriffen werden kann. Wir dür-fen sagen, Gott wolle, daß der Mensch ihn erwähle und nicht von ihm abfalle; aber wir müssen dazu auch sagen, Gott wolle, daß seine Schöpfung nicht ein Ende in sich sei, wolle, daß seine Welt ein Weg sei; und weiter: damit dies in Wirklichkeit geschehe, müsse die Kreatur den Weg selber gehen, von sich aus und immer wieder von sich aus, müsse der Abfall so wirklich sein wie die Erlösung, und der Mensch, die Kreatur, in der die Weltbahn sich knote und darstelle, wie er von sich aus real den Abfall vollzieht, so von sich aus real an der Erlösung zu wirken vermögen. Heißt das, Gott könne seine Welt nicht ohne ihre Mitwirkung erlösen? Es heißt, daß Gott eben das nicht können will. Braucht Gott den Menschen zu seinem Werk? Er will ihn brauchen.

Gott will zum Werk an der Vollendung seiner Schöpfung den Menschen brauchen; in diesen Satz ist die Grundlage der jüdischen Erlösungslehre einzufassen. Aber Wille Gottes, das bedeutet, daß dieses »Brauchen« wirkende Wirklichkeit wird: in der geschehenden Geschichte harrt Gott des Menschen.

Nicht zum Schein ist Gott in seiner Welteinwohnung ins Exil gegangen; nicht zum Schein erleidet er in seiner Einwohnung das Schicksal seiner Welt mit. Und nicht zum Schein harrt er, daß von der Welt aus die anfangende Bewegung auf die Erlösung zu geschehe, – anfangend nicht zum Schein. Wie es zugeht, daß dies nicht Schein, sondern Wirklichkeit ist, wie Gott dem Allmächtigen und Allwissenden irgend etwas von seiner Welt aus, sei es Abfall, sei es Umkehr, widerfahren kann, das ist Gottes des Schöpfers und Erlösers Geheimnis, mir nicht geheimnisvoller als daß er ist; und daß er ist, ist mir schier weniger geheimnisvoll als daß ich bin, der ich, auf einer Felsenbank über einem Wasser, dies mit zögernden Fingern schreibe.

Es wäre eitel sinnwidrig zu erwägen, wie groß wohl der Anteil des Menschen an der Erlösung der Welt sei. Es gibt gar keinen Anteil des Menschen und keinen Anteil Gottes; es gibt kein Bishierher und Vondaan; es gibt da nichts Meßbares und Wägbares; im Grunde wäre schon falsch, von einem Zusammenwirken zu sprechen. Das gilt ja von allem Menschenleben und vielleicht von allem Leben der Geschöpflichkeit: es ist sinnwidrig, zu fragen, wie weit mein eignes Handeln reicht und wo Gottes Gnade beginnt; sie grenzen gar nicht aneinander; sondern was mich allein angeht, ehe ich etwas zustande bringe, ist mein Handeln, und was mich allein angeht, wenn es geriet, ist Gottes Gnade; jenes nicht weniger wirklich als diese, und keins von beiden eine Teilursache. Gott und der Mensch teilen sich nicht in das Regiment der Welt; das Wirken des Menschen ist in das Wirken Gottes eingetan und ist doch wirkliches Wirken.

So steht denn der gelebte Augenblick des Menschen in Wahrheit

zwischen Schöpfung und Erlösung, in seiner Gewirktheit an die
Schöpfung, in seiner Wirkensmacht an die Erlösung geknüpft;
vielmehr, er steht nicht zwischen beiden, sondern in beiden zugleich; denn wie die Schöpfung nicht bloß einmalig im Anfang,
sondern auch allmalig in der ganzen Zeit ist, so ist auch die Erlösung nicht bloß einmalig im Ende, sondern auch allmalig in der
ganzen Zeit. Nicht bloß bezogen ist der Augenblick auf beide,
sondern beide einbezogen in ihn. Und wie die Schöpfung nicht
»eigentlich« einst geschehen ist und etwa jetzt nur »fortgesetzt«
würde, so daß alle Schöpfungsakte bis auf diesen, der jetzt geschieht, sich zum Werk der Schöpfung summieren, vielmehr das
Gebetswort, daß Gott alle Tage das Werk der Schöpfung erneut,
vollkommne Wahrheit ist, der Schöpfungsakt also, der jetzt geschieht, ganz anfangsgewaltig, und der schöpferische Augenblick
Gottes nicht in der Zeitfolge nur, sondern in seiner eignen Unbedingtheit steht, – wie solchermaßen im Bereich der Schöpfung,
in dem Gott allein waltet, der Augenblick sich nicht bloß von
irgendwoher, sondern aus sich und in sich begibt, so auch im Bereich der Erlösung, in dem Gott verstattet und verlangt, daß seinem Wirken ein Wirken der Menschenperson unbegreiflich sich
eintue. Nicht bloß auf die Vollendung hin, auch in sich selber ist
der erlöserische Augenblick wirklich. Jeder rührt unmittelbar an
das Geheimnis der Erfüllung; jeder nicht zielgetragen bloß, auch
sinngetragen; jeder in die Zeitfolge, in den großen Weg der Welt
an seinem Ort gefügt und da geltend, aber jeder auch in seinem
Zeugnis versiegelt. Das bedeutet nicht ein mystisches Zeitlos-wer-
den des Nu, sondern dessen Zeitvoll-werden: in dem verschwebenden Bruchteil der Zeit kündigt sich die Fülle der Zeit an, –
Geschehen nicht an der Seele, leibhaftes Geschehen an der Welt,
von der konkreten Begegnung zwischen Gott und Mensch aus. Es
ist »das Niederfließen der Segnung«.
Die chassidische Botschaft hat auch dieses in geheimer und in of-
fenbarer Lehre überlieferte Wissen um den All-Tag der Erlösung
ganz praktisch ausgesprochen. Und sie hat, entgegen dem ungeheuren Apparat der theurgischen Anweisungen, entgegen den
gewaltsamen Anstrengungen der »Bedränger des Endes«, immer
wieder und deutlich herausgehoben: es gibt nicht ein bestimmtes,
aufzeigbares, lehrbares magisierendes Handeln in festgelegten

Formeln und Gebärden, Seelenhaltungen und Seelenspannungen, das auf die Erlösung einwirkte; nur die unterschiedslose Heiligung alles Handelns, nur das Gottzutragen des gewohnten Lebens, wie es sich fügt und schickt, nur die Weihe der natürlichen Weltverbundenheit hat die erlöserische Kraft. Nur aus der Erlösung des Alltags wächst der All-Tag der Erlösung.

Darauf gründet sich die – nicht bloß in der Wahrheit der Geschichte, sondern auch in ihrer Wirklichkeit erfolgte – chassidische Erwiderung auf jene Katastrophe des jüdischen Messianismus, die unter dem Namen des Sabbatai Zwi steht.

Es ist ein Irrtum, den jüdischen Messianismus im Glauben an ein einmaliges endzeitliches Ereignis und an eine einzelne Menschengestalt als Mitte dieses Ereignisses erschöpft zu sehen. Die Gewißheit der mitwirkenden Kraft, welche dem Menschen, den Geschlechtern der Menschen zugeteilt ist, verband die Endzeit mit dem gegenwärtigen Leben. Schon in der Prophetie des ersten Exils erscheint in geheimnisstarker Andeutung die Reihe der »Gottesknechte«, die, von Geschlecht zu Geschlecht erstehend, in Niedrigkeit und Verschmähtheit den Makel der Welt tragen und durchläutern. Im spätern Schrifttum ergänzt sich der Hinweis zu einer heimlichen Perspektivik der Weltgeschichte, darin auch die großen Personen der biblischen Erzählung messianischen Charakter tragen: jeder von ihnen war berufen, jeder versagte in irgendeinem Belang, eines jeden besondre Sünde bedeutete eben sein Versagen vor der messianischen Berufung. So harrt Gott in den Geschlechtern der Menschen des einen, in dem die unerläßliche Bewegung von der Kreatur aus ihre entscheidende Mächtigkeit gewinnt. Mit der Vertiefung des Weltexils, die sich in dem Exil Israels darstellt, sinken die in den Geschlechtern Erscheinenden aus der Offenbarkeit in die Verborgenheit, tun ihre Tat nicht mehr im Licht der kenntlichen Geschichte, sondern im Dunkel eines unzugänglichen persönlichen Leidenswerks, von dem keine oder nur eine entstellende Kunde nach außen gelangt. Aber je leidvoller das Schicksal der Welt wird, das in seiner Welteinwohnung Gott mit erleidet, um so mehr wird auch das Leben dieser Menschen in sich sinnreich und wirkend. Sie sind nicht mehr bloß gleichsam Vorproben der messianischen Gestalt, sondern der endzeitlichen Messianität geht in ihnen eine allzeitliche, über die Zeiten ausgegossene voraus, ohne die die Welt in ihrem Abgefallensein nicht bestehen könnte. Wohl sind sie Versuche von der Kreatur aus, sind Vorläufer, doch aber ist die messianische Kraft selber in ihnen.»Messias Sohn Josefs erscheint von Geschlecht zu Geschlecht.« Das ist der Leidensmessias, der immer wieder um Gottes willen die tödliche Pein erduldet.

Dieses messianische Mysterium steht auf der Verborgenheit; nicht auf einer Geheimhaltung, sondern auf einer echten, faktischen, in die innerste Existenz reichenden Verborgenheit. Die Menschen, durch die es geht, sind die, von denen der namenlose Prophet in der Ichrede sagt, daß Gott sie zum blanken Pfeil spitzt und dann in seinem Köcher versteckt. Ihre Verborgenheit gehört wesenhaft zu ihrem Leidenswerk. Jeder von ihnen kann der Erfüllende sein; keiner von ihnen darf in seinem Selbstwissen etwas anderes sein als ein Knecht Gottes. Mit dem Zerreißen der Verborgenheit würde nicht bloß das Werk aussetzen, ein Gegenwerk würde einsetzen. Messianische Selbstmitteilung ist Zersprengung der Messianität.

Man muß in die Tiefen dieses in keinem Bekenntnis zusammengeschloßnen, aber aus den Zeugnissen erweislichen Glaubens hinabsteigen, um das Verhältnis des Judentums zur Erscheinung Jesu wahrhaft zu verstehn. Was auch seine Erscheinung der Völkerwelt bedeutet (und ihre Bedeutung für die Völkerwelt bleibt für mich der eigentliche Ernst der abendländischen Geschichte), vom Judentum aus gesehn ist er der erste in der Reihe der Menschen, die, aus der Verborgenheit der Gottesknechte, dem wirklichen »Messiasgeheimnis«, tretend, in ihrer Seele und in ihrem Wort sich die Messianität zuerkannten. Daß dieser Erste — wie ich immer wieder erfahre, wenn sich mir die personhaft klangechten Worte zu einer Einheit fügen, deren Sprecher mir schaubar wird — in der Reihe der unvergleichlich Reinste, Rechtmäßigste, mit wirklicher messianischer Kraft Begabteste war, ändert nichts an dem Faktum dieser Erstheit, ja es gehört wohl eben dazu, gehört zu dem furchtbar eindringlichen Wirklichkeitscharakter der ganzen automessianischen Reihe.

Dazu gehört es auch wohl, daß der letzte in der Reihe — jener Sabbatai Zwi, der im gleichen Jahr wie Spinoza starb — der tiefsten Problematik verfiel, aus der redlichen Selbstgewißheit in eine gespielte hinüberglitt und im Abfall endete. Und eben diesem war nicht wie jedem der frühern eine kleine Schar, sondern die Judenheit zugefallen und hatte von ihm Äußerungen, die ihr einst unerträglich waren und ihr gegen die Wahrheit einer Berufung zeugten, als legitime Kundgebung entgegengenommen. Eine im Leidensabgrund zerrüttete Judenheit freilich, aber doch auch die Trägerin einer wirklichen Krisis: der Selbstauflösung des Automessianismus. Immer bis dahin hatte das Volk den Proklamationen der »Meschichim« und seinem eignen Erlösungsdurst widerstanden; nun, da es das eine Mal den Widerstand aufgab, bereitete die Katastrophe nicht bloß diesem einen Ereignis das Ende, sondern der ganzen Ereignisform: dem Begegnen eines Menschen, der den verhängnisvollen Schritt aus der verborgnen Gottesknechtschaft zum messianischen Selbstbewußtsein gemacht hatte, mit einer Schar, die sich vermaß, das Reich Gottes zu beginnen.

Um zu verstehen, wovon geredet wird, ist zu erkennen nötig, daß es hier nicht, wie es unserm Zeitalter als selbstverständlich erscheint, um das Zusammentreffen zweier Selbsttäuschungen, einer persönlichen und einer gruppenhaften, geht, sondern um das zweier realen Überschreitungen einer realen Grenze, an der der Mensch nur im Magnetnadelzittern der bangsten Verantwortung sich zu bewegen vermag. Die Begebenheiten der automessianischen Epoche des jüdischen Erlösungsglaubens (denen auf der christlichen Seite die des Täufertums in seinen verschiedenen Gestalten entsprachen) waren ein Fehlgeschehen, aber ein Fehlgeschehen in der Wirklichkeit zwischen Mensch und Gott. Was die chassidische Botschaft von der Erlösung sagt, erhebt sich gegen die messianistische Selbstunterscheidung eines Menschen von den andern Menschen, einer Zeit von den andern Zeiten, einer Handlung von den andern Handlungen. Allem Menschentum ist die mitwirkende Kraft zugeteilt, alle Zeit ist erlösungsunmittelbar, alles Handeln um Gottes willen darf messianisches Handeln heißen. Aber nur absichtsloses Handeln kann ein Handeln um Gottes willen sein. Die Selbstunterscheidung, die Rückbiegung des Menschen auf einen messianistischen Vorzug dieser Person, dieser Stunde, dieser Handlung zersetzt die Absichtslosigkeit. Die Ganzheit seines Weltlebens Gott zuwenden und es dann in all seinen Augenblicken bis auf den letzten sich auftun und abfolgen lassen, das ist Wirken des Menschen an der Erlösung.

Wir leben in einer unerlösten Welt. Aber aus jedem willkürlos weltverbundnen Menschenleben fällt in sie ein Samen der Erlösung, und die Ernte ist Gottes.

I

Wenn man die Erscheinung des Chassidismus innerhalb der Glaubensgeschichte des Judentums und seine Bedeutung für die allgemeine Religionsgeschichte erfassen will, muß man nicht von seiner Lehre als solcher ausgehen. Die chassidische Lehre, für sich betrachtet, bringt keine neuen geistigen Elemente, sie stellt nur eine – freilich neu ausgearbeitete, neu formulierte und in einer neuen Einheit komponierte – Auswahl dar, einerseits aus der späten Kabbala, andererseits aus volkstümlichen Traditionen, und auch das Kriterium, das diese Auswahl bestimmt hat, ist kein theoretisches. Das, was die Eigentümlichkeit und die Größe des Chassidismus ausmacht, ist nicht eine Lehre, sondern eine Lebenshaltung, und zwar eine gemeindebildende und ihrem Wesen nach gemeindemäßige Lebenshaltung. Das Verhältnis zwischen der Lehre und der Lebenshaltung ist hier aber keineswegs so beschaffen, daß diese als eine Verwirklichung der Lehre anzusehen wäre; eher ist es umgekehrt die neue Lebenshaltung, die nach einem gedanklichen Ausdruck, nach einer theologischen Ausdeutung drängt, und diesem Bedürfnis eben entstammt zum Teil das Kriterium, das die Auswahl der Elemente bestimmt. Daraus erklärt sich auch die Tatsache, das der Begründer der chassidischen Theologie, Bär von Mesritsch, den Stifter der chassidischen Bewegung, den Baalschem, nicht seinen Lehrer nennt, obgleich dieser ihn, wie er erzählt, Geheimnisse und »Einungen«, die Sprache der Vögel und die Schrift der Engel gelehrt hat; neue Theologeme hatte er ihm nicht mitzuteilen, aber einen lebendigen Zusammenhang mit Welt und Überwelt. Der Baalschem gehört zu jenen zentralen Gestalten der Religionsgeschichte, die dadurch gewirkt haben, daß sie in einer besonderen Weise *lebten,* nämlich nicht von einer Lehre aus, sondern auf eine Lehre zu, in solcher Weise, daß ihr Leben als eine Lehre wirkte, als eine noch nicht sprachlich erfaßte Lehre. Das Leben solcher Menschen bedarf eines theologischen Kommentars, zu dem ihre eigenen Worte einen Beitrag darstellen, aber einen oft nur ganz fragmentarischen Beitrag, zuweilen auch nur als eine Art Einleitung zu verwenden sind – denn diese Worte sind ihrer Absicht nach ja keineswegs Deutungen, sondern Äußerungen ihres Lebens. An den uns bekannten Worten des Baalschem, soweit wir sie als getreu überliefert betrachten dürfen, ist nicht ihr objektiver, von ihnen ablösbarer Inhalt bedeutend, sondern ihr Charakter von Hinweisen auf ein Leben. Dazu kommt noch zweierlei. Erstens: daß die ganz persönliche Glaubenshaltung, die das Wesen dieses Lebens ausmacht, gemeindebildend wirkt, wohlgemerkt: nicht bundbildend, nicht einen abgesonderten Orden bildend, der abseits von der Öffentlichkeit eine esoterische Lehre hütet, sondern gemeindebildend, eine Gemeinde von Menschen bildend, die in Familie, Stand, öffentlicher Wirksamkeit verbleiben, die einen enger, die anderen loser mit dem Meister verbunden, alle aber in ihrem eigenen, freien, öffentlichen Leben die Ordnung ausprägend, die sie durch den Umgang mit ihm empfangen haben. Worin freilich dies Entscheidende inbegriffen ist, daß er, der Meister, nicht einsam oder mit einer Schar von Jüngern abgesondert, sondern in der Welt und mit der Welt lebt, und daß eben dies, das Leben in der Welt und mit der Welt, zum innersten Kern seiner Glaubenshaltung gehört. Zweitens: daß innerhalb dieser Gemeinde eine Reihe von Menschen mit derselben Art von Leben erstehen, zum Teil vom Meister unabhängig zu verwandter Lebenshaltung gelangt, aber erst durch ihn den entscheidenden Antrieb, die entscheidende Formung empfangend, verschiedener Stufe, sehr verschiedenen Wesens, aber mit eben derselben Grundeigenschaft begabt, daß die Lehre durch ihr Leben weitergetragen wird, zu dem alles, was sie sagen, nur Randbemerkung ist; jedes einzelne ein Leben, das seinerseits Gemeinde bildet, also ein Leben in der Welt und mit der Welt, und eins, das seinerseits wieder Menschen derselben Art im Geiste erzeugt. Solange beides wirksam bleibt, Gemeindebildung und geistige Zeugung von Schülern, die Gemeinden bilden, also weder Absonderung eintritt, noch die Überlieferung abreißt, dauert die Blüte der chassidischen Bewegung, das ist etwa fünf Generationen über den Baalschem hinaus. Die Gemeinden waren keineswegs Gemeinden von Mustermenschen, und auch ihre Führer waren durchaus nicht, was man im Christentum oder im Buddhismus Heilige nennt, aber die Gemeinden waren Gemeinden, und die Führer waren Führer. Die »Zaddikim« dieser fünf Geschlechter ergeben zusammen eine Schar religiöser Persönlichkeiten von einer Vitalität, einer geistigen Mächtigkeit und einer vielfältigen Eigenart, wie sie meiner Kenntnis nach nirgends in der Religionsgeschichte in einem so knappen Zeitraum beisammen waren. Aber das Wichtigste an ihnen ist, daß jeden von ihnen eine Gemeinde umgab, die ein brüderliches Leben lebte und es dadurch leben konnte, daß ein führender Mensch da war, der sie alle einander näherte, indem er sie miteinander dem näherte, woran sie glaubten. In einem sonst – auch im Osten Europas – religiös nicht sehr produktiven Jahrhundert hat die dunkle polnische und ukrainische Judenheit das Größte hervorgebracht, was es in der Geschichte des Geistes gibt, größer als alles einsame Genie in der Kunst und im Gedanken: eine Gesellschaft, die in ihrem Glauben lebt.

Weil dem so ist, weil der Chassidismus in erster Reihe nicht eine Kategorie der Lehre, sondern eine des Lebens bedeutet, ist unsere Hauptquelle zu seiner Erkenntnis seine Legende, und erst nach ihr kommt seine theoretische Literatur. Diese darf zu einem gewissen Teil als Kommentar zu dem gelebten Leben angesehen werden, jene als der Text, wiewohl ein in äußerster Korruptheit überlieferter, in seiner Reinheit unwiederherstellbarer. Es ist töricht einzuwenden, die Legende übermittle uns nicht die Wirklichkeit des chassidischen Lebens. Natürlich ist die Legende keine Chronik, aber sie ist wahrer als die Chronik für den, der sie zu lesen versteht. Es läßt sich zwar aus ihr nicht der tatsächliche Verlauf der Ereignisse rekonstruieren, aber es läßt sich in ihr trotz ihrer Korruptheit das Lebenselement anschauen, in dem sie sich vollzogen haben, das sie empfing und mit naiver Begeisterung erzählte und wieder erzählte.

Von sekundären literarischen Bearbeitungen abgesehen, die sich als solche dem ersten Blick verraten, waltet in diesem Erzählen keine Willkür. Was die Erzähler treibt, ist ein innerer Zwang, dessen Natur die des chassidischen Lebens, des chassidischen blutwarmen Zusammenhangs von Führer und Gemeinde ist. Auch die kühnsten Wundergeschichten sind zumeist nicht das Produkt kalter Erfindung: der Zaddik hatte Unerhörtes getan, mit unerhörter Macht die Seelen verzaubert, sie erfuhren seine Wirkung als ein Wunder, sie konnten sie nicht anders als in der Sprache des Wunders berichten. Man pflegt des weiteren darauf hinzuweisen, daß manche dieser Geschichten weit älteren Ursprungs sind: manches, was von frühtalmudischen Meistern erzählt wird, finden wir hier als Taten von Zaddikim wieder. Aber auch diese krasse Ungeschichtlichkeit hat ihren Anteil an der Wahrheit. Was in der Überlieferung des Vergangenen der beseligenden Gegenwart verwandt war, wurde von dem naiven Sinn, der diese erlebte, ihr eingeflochten – der Gedanke an Fälschung lag fern, die alten Geschichten waren ja allgemein bekannt, vielmehr entstand von selber das Gerücht, der Rabbi habe nun jenes Bekannte von neuem getan, nicht um den ersten Täter nachzuahmen, sondern in vollkommener Spontaneität, weil es eben bestimmte Grundformen der guten Werke gibt. Wie soll sich zum Beispiel die unbändige Lust, hilflosen Geschöpfen beizustehen, unmittelbarer äußern, als wenn der Rabbi zum Gebet der Gemeinde zu spät kommt, weil er ein weinendes Kind beruhigen mußte, oder die innere Freiheit dem Besitz gegenüber radikaler, als wenn der Rabbi vor dem Schlafengehen alle seine Habe für vogelfrei erklärt, damit den Dieben, die in der Nacht kommen könnten, die Last der Sünde fernbleibe? Man wird aber zumeist finden, daß in der Nacherzählung etwas Neues und Charakteristisches hinzugekommen ist. Das Überlieferte war eben seinem Wesen nach ein Vorgang des individuellen Lebens; in die Atmosphäre des Gemeinschaftslebens übertragen wurde es zu etwas anderem.

2

Man kann die Entstehung des neuen Lebensprinzips, das sich in der chassidischen Bewegung darstellt, nur erfassen, wenn man sich vergegenwärtigt, wie die sabbatianische Katastrophe sich in der polnischen und ukrainischen Judenheit ausgewirkt hat. Von hier aus vollzog sich ein Vierteljahrhundert nach dem Tode Sabbatai Zwis die stärkste Eruption der trotz der großen Enttäuschung noch weiter angestauten Hoffnung, die fast an Nebenerscheinungen der Kreuzzüge erinnernde Wanderung der von Jehuda Chassid geführten Büßerschar nach Palästina. Hier trieb die sabbatianische Zersetzung der Lehre, die G. Scholem mit Recht einen religiösen Nihilismus genannt hat, ihre äußerste Konsequenz in der Gestalt der frankistischen Sekte hervor, wohl

der merkwürdigsten Gestaltung der geistigen Lüge in der neuen
Geschichte. Und hier entstand dieser auch die Gegenbewegung,
der Chassidismus. Unter »Gegenbewegung« verstehe ich nicht
einen äußeren Kampf gegen die äußere Erscheinung, sondern die
aus den Tiefen des organischen Gemeinschaftslebens aufsteigende
Fähigkeit der Gegenkraft, die Bildung neuer, neuartiger Gemein-
schaftszellen den zerfallenden und den Organismus mit Zerfall
bedrohenden entgegen, die Wiedergeburt eines gesunden Glau-
benkönnens in einem an Verkehrung seines Glaubens todesge-
fährlich erkrankten Volk. Daraus ergibt sich schon, daß diese Bewegung ihrem Wesen nach keine Reformation sein kann; sie kann
nicht zu einem früheren unproblematischen Zustand, zu dem Zustand vor der Erkrankung zurückführen wollen; sie setzt bei dem
jetzt gegebenen Widerstreit der Elemente an und erzeugt aus
eben denselben Stoffen, aus denen das innere Gift sich braute, das
innere Gegengift. Dabei ist es nicht unwichtig, daß die entscheidende Entwicklung des Chassidismus sich nicht erst nach der des
Frankismus, sondern gleichzeitig vollzog.

Wir verdanken den Arbeiten Scholems die Kenntnis und das Verständnis der sabbatianischen Theologie, die uns ermöglichen, die
Dialektik der nachsabbatianischen Geistesgeschichte in Bewegung
und Gegenbewegung zu erfassen. Wir kannten das unheimliche
historische Faktum Sabbatai Zwi, die Erscheinung des messianischen Prätendenten, der nach all dem Nein der den Messias erwartenden Volksgeschlechter zu allen seinen Vorgängern das ju-
belnde Ja der Massen empfängt und der nun, als der heilige König gekrönt und angebetet, das Judentum verläßt. Jetzt kennen
wir auch die noch unheimlichere Theologie, die, mit allen Künsten
einer gnostischen Verkehrung der Werte vertraut, den Sinn des
Ereignisses in sein Gegenteil umdeutet: der Messias mußte sich
ganz ins Innere der »Klipa«, der dämonischen Schalengewalt,
begeben, um die darin gebannte Heiligkeit zu befreien – damit
erfüllt er den Zweck des Exils Israels und erlöst Israel und die
Welt in einem. Und nicht genug daran: die heilige Sünde wird
zum Vorbild, man muß sich in die Sünde stürzen, um ihr die
heiligen Funken zu entreißen, und schon gibt es keine Sünde
mehr, mit der Erfüllung des Sinns des neuen, des messianischen
Aeons ist das Joch der alten Thora, die nur für die unerlöste

Welt galt, gebrochen, die neue Offenbarung, die alles gewährende, alles heiligende ist da.

Es ist unverkennbar, daß die Verfremdung des Messianismus, seine Durchtränkung mit Gnosis, die sich in der kabbalistischen Eschatologie vorbereitete, hier ihren Höhepunkt erreicht hat. Im prophetischen Glauben war der Messias der vollendete Mensch, der aus Israel hervortritt und als Gottes Statthalter das dem Menschen vorbehaltene Werk tut; noch in dem Fragment eines judenchristlichen Evangeliums finden wir die Vorstellung eines Gottes, der »in allen Propheten« den Kommenden »erwartet«. In der Apokalyptik und dann in der Kabbala wird dieses dramatische Gegenüber von Gott und Mensch, auf dem der Glaube Israels sich gründet, mehr und mehr aufgehoben, göttliche Emanationen mitteln zwischen Himmel und Erde, es ist eine von ihnen, die als Messias zur Menschenwelt niedersteigt, und schließlich wird zu Sabbatai als zu »dem wahren Gott und König der Welt« gebetet. Es ist nur folgerichtig, wenn er, wie der gnostische Christus, sich in die Hölle dieser Welt begibt und sich ihren Herrschern angleicht, um sie zu bezwingen. Aber die aus der späten Kabbala übernommene Vorstellung der Hervorholung der heiligen Funken aus der Unreinheit ist letztlich doch jüdischen, nicht synkretistischen Ursprungs; daß der Zusammenhang des Menschen mit Gott, der ja »inmitten ihrer Makel wohnt«, alles reinigt und heiligt, daß der Mensch Gott auch mit dem bösen Trieb dienen muß, daß die Erlösung die Scheidung von Reinem und Unreinem, Heiligem und Profanem überwindet und *alles* rein und heilig wird, dürfen wir als autochthonen Besitz jüdischen Glaubens ansehen. Die Stoffe für das Gegengift sind bereit. Die sabbatianische Theologie hat die erlöste Welt vorweggenommen und die Anweisung auf das, was in einer noch unvorstellbaren Weltvollendung Wirklichkeit werden sollte, für den Brauch der Stunde ausgemünzt. Damit hat sie die Thora ausgehöhlt, sie hat ihr die lebendige Substanz entzogen. Denn Thora ist nur da dicht und lebenshaltig, wo dem Menschen ein Weg, als der Weg Gottes, gewiesen wird, und Wegweisung bedeutet in einem von uns vorstellbaren Dasein jeweils Ausschließung all dessen, was nicht dieser Weg ist. Daß in einer Welt der Vollendung *alles* zu Weg wird, kann nur in der messianischen Erwartung und Bereitung recht gefaßt werden; wenn man es als vollzogene Tatsache behandelt, während die Tatsachen der unerlösten Welt mächtiger als alle Theologie uns umringen, steht man wörtlich am Nullpunkt, am Nihil und ist, wenn man ehrlich bleibt, bald fertig. Von hier aus aber ist ein Doppeltes möglich. Das eine kann die vollkommene Lüge: sie kann sich mit gauklerischen Gebärden in der Glocke des Nichts bewegen, als sei es ein Etwas. Das andere kann, wer ein Etwas einsetzt, eine neue Lebenshaltung nämlich. Beide, Jakob Frank und der Baalschem, gehen von der nachsabbatianischen Situation aus, hinter die man nicht mehr zurück kann. Der eine zerschlägt die ausgehöhlte Thora, der andere füllt sie mit Leben.

3

Wenn ich sage: »die vollkommene Lüge«, so meine ich damit keineswegs, man könnte Frank verstehen, wenn man ihn als Betrüger versteht: das wäre eine irreführende Vereinfachung. Unter »Lüge« verstehe ich hier nicht etwas, was der Mensch sagt oder tut, sondern was er ist; dieser Mensch ist nicht ein Lügner, sondern er ist Lüge. Das heißt also nicht, daß er nicht an sich glaube; aber er glaubt an sich in der Weise der Lüge, wie die Lüge an sich glaubt – denn auch die Lüge hat eine Art, an sich zu glauben. Sabbatai glaubt offenbar an etwas Unbedingtes, und er glaubt an sich in Beziehung darauf, darin beruht sein »messianisches Bewußtsein«. Es ist nicht der Glaube überhaupt, sondern der an sich selber, der nicht standhält; daß danach ein Kompromiß zwischen beiden hergestellt wird, ändert nichts an der Tatsache, daß im entscheidenden Augenblick der Ring zersprungen ist: Sabbatai hat sich nicht entschlossen, für die Möglichkeit des Wunders mit der Möglichkeit des Martyriums zu zahlen. Frank, der nicht wie Sabbatai in einer Atmosphäre der asketischen Erlösungssehnsucht, sondern in der eines libertinischen Marranentums aufgewachsen ist, der seine öffentliche Tätigkeit auch nicht mit dem Abfall endigt, sondern mit ihm beginnt, kann gar nicht wie Sabbatai fallen, weil er nicht wie er steht. Er glaubt nicht an etwas Unbedingtes und an sich in Beziehung darauf, sondern er glaubt an nichts, und auch an sich selber vermag er nicht wahrhaft zu glauben, sondern nur in der Weise der Lüge, indem er den Raum des

Nichts mit sich füllt. Wohl bevölkert er zum Schein das Nichts mit Gottesgestalten, Ausgeburten spätgnostischer Phantasie, wie die Drei, die die Welt führen, und der verborgene, auch ihnen unbekannte »Große Bruder«, aber es ist ersichtlich, daß er mit dieser mythologischen Welt nur spielt, in Wirklichkeit hält er sich an nichts als an sich, und er bringt es fertig, ohne daß er irgendeinen Halt hätte, sich an sich zu halten. Darum hat er keine Hemmungen mehr; und seine Hemmungslosigkeit ist seine Magie, mit der er auf die Menschen wirkt, auf die er wirken will. Man darf die Frage nach seinem Wesen nicht so stellen, ob Frank geistig krank oder gesund sei; er hat wirklichen Wahn, den Wahn, der hemmungslos macht, aber er nutzt diesen wirklichen Wahn aus, um auf die Menschen magisch zu wirken – und die magisch zwingende Wirkung auf sie braucht er nicht bloß zu seinen jeweiligen Zwecken, er braucht sie immer mehr, weil der nihilistische Glaube an sich selber, von der Krise der Selbstbesinnung bedroht, sich von fremdem Glauben ernähren muß, um bestehen zu können. Wenn Frank von der Stadt Offenbach aus, um die entgleitende Macht wiederzugewinnen, seinen Anhängern in Polen die Botschaft schickt, Jakob der wahre und lebendige Gott lebe und werde auf ewig leben, hat sich diese Sucht, geglaubt zu werden, um glauben zu können, zum äußersten übersteigert. Wie im Sabbatianismus sich der Messianismus Israels aufhob, so hebt sich hier der sabbatianische, emanationistische Messianismus selber auf: es gibt weder Gott noch seine Emanation mehr, es gibt nur noch die menschliche Person, die das Nichts füllt. Zugleich muß der Mensch, der sich als diese Person konzipiert, unaufhörlich das warme Fleisch und Blut fremden Glaubens an ihn in sich aufnehmen, um selber beharren zu können. Die Jüngerschaft rings um ihn aber, die sich so von ihm verzehren läßt, mit ihren Orgien und Verzückungen, die dämonische Gemeinde des dämonischen Messias, zeigt, mitten im Raum der christlichen Kirche, den Zerfall der Gemeinschaft Israels an. Das starke Leben der jüdischen Gemeinde war vom sabbatianischen Sturzbach überflutet worden; aus diesem taucht hier das Zerrbild, die Gegengemeinde hervor. Diese zugleich entfesselte und ganz an einen Führer, der sie ins Nichts führt, gebundene Schar ist das unüberbietbare Bild der Zersetzung.

4

Der Chassidismus geht ebenso wie der Frankismus von der durch die sabbatianische Katastrophe geschaffenen Situation aus, aber nicht um weiterzugehen. Es gibt kein Weitergehen, es sei denn zu Verderben und Untergang. Was geschehen ist, wird als die Katastrophe erkannt, und zwar nicht als eine innervölkische, innerweltliche, sondern als eine der Verbindung zwischen Gott und Israel, zwischen Gott und dem Menschen. Die Verbindung zwischen Gottheit und Menschheit hat eine schwere Verletzung erfahren, die scheinbar intimste Nähe hat sich als Mißbrauch enthüllt, was als Vollmacht erschien, mündet in Verrat. Das Fehlgeschehen zwischen Oben und Unten wächst noch, die Lüge wird mächtig und gebärdet sich als die neue Wahrheit. Sie droht, die zutiefst verwirrte, haltlos gewordene Judenheit nicht bloß in Wahn und Schuld zu verstricken, nicht bloß ihren Innen- und Außenbau zu untergraben, sondern auch eine Kluft zwischen ihr und Gott aufzureißen, wie sie so tief noch nie bestand. Hier setzt das neue Element ein, das sich in der Lebenshaltung des Baalschem und der Seinen darstellt. Es geht um Heilung nicht des Volkes allein, sondern des erkrankten Zusammenhangs zwischen Himmel und Erde. Es muß dem Übel Einhalt getan werden, ehe es unüberwindlich wird. Aber nicht durch Kampf kann es geschehen, sondern nur durch neue Mittlung und neue Führung. Es ist kein Zufall, daß die Bewegung von Podolien ausging, das von den Tagen Sabbatai Zwis bis um die Zeit der Geburt des Baalschem der Türkei angehörte, dessen Judenheit der nachsabbatianischen Problematik in besonderer Weise ausgesetzt war und wo hernach Frank zuerst Fuß faßte. Von diesem von den Fieberschauern der abgründigen Stunde geschüttelten Volk aus ist der Baalschem zu verstehen. Die Abgeschiedenheit seiner Jugend in der Stille der Karpaten erscheint wie ein Sinnbild des sich konzentrierenden Widerstands gegen die Verführung. Als er hervortritt, ist es, um Heilungen des Leibes und der Seele zu wirken; charakteristisch dafür ist die Erzählung der Sage, wie er den Mann gewann, der seine Lehre ausbauen sollte, den großen Maggid: erst hilft er ihm gegen eine körperliche Krankheit, dann aber zeigt er ihm, daß sein Wissen kein Wissen ist, und nun folgt eine

Manifestation, die der Empfangende in vollkommener Erschütterung der Seele als ein visionsartiges Ereignis erfährt. Solche Gewinnung von Menschen für die neue Lebenshaltung, die Bildung eines übers Land verstreuten und dennoch um ihn geschlossenen Kreises von zugleich weltfreudigen und auf die Nähe Gottes gerichteten Menschen ist sein eigentliches Werk, das in der letzten Zeit seines Lebens und danach dem Treiben der Frankisten gegenübersteht. Daß er an der Disputation der Rabbinen gegen die Sekte teilgenommen hätte, ist nicht bloß unhistorisch, sondern auch innerlich unwahr. Seine wahre Haltung erscheint in der Sage, wo er am Vorabend des Versöhnungstags von dem Gedanken an die Israel drohende Gefahr, mit der mündlichen Thora das ganze Leben in der Überlieferung zu verlieren, so übermannt wird, daß er im Segnen der Gemeinde innehalten muß, sich vor der Lade niederwirft und die Rabbinen anklagt, die das ihnen anvertraute Gut nicht auf die rechte Weise gehütet hätten; tags darauf, während des Schlußgebets, wird er ans Tor des Himmels entrückt, findet da die Gebete eines halben Jahrhunderts, die nicht Eingang gefunden haben, sucht den Messias auf, gelangt mit seiner Hilfe mit den Gebeten hinein, und in einer großen Himmelsfreude wird das Verhängnis überwunden. Dabei ist das Motiv wichtig, daß die Gebete der fünfzig Jahre auf Erden hatten lagern müssen, bis sie durch das gewaltige Beten der Baalschem-Gemeinde an diesem Versöhnungstag ans Himmelstor emporgehoben wurden. Somit konnten die Gebete der rabbinischen Gemeinden in der sabbatianischen Epoche sich nicht von selber erheben und bedurften der Erhebung durch die neue Bewegung. In der Tat steht der Baalschem mit Leben und Lehre nicht bloß gegen den Frankismus, sondern auch gegen das Rabbinentum der Zeit, das er anklagt, daß es durch seine lebensfremde Verwaltung der Thora das Volk aus der Nähe Gottes entfernt und es dadurch zur Aufnahme der falschen Nähe-Botschaft empfänglich gemacht habe. Der Baalschem ist bald nach den Massentaufen der Frankisten gestorben; es wird erzählt, wie er noch kurz vor seinem Tode um die »abgeschnittenen Glieder der Schechina«, der der Welt einwohnenden Gottesglorie, klagte. Die Sage erzählt, er habe eben zufolge jener himmelstürmenden Unternehmung sterben müssen.

Wir lernen aber das Verhältnis des Baalschem zum Sabbatianismus noch tiefer verstehen, wenn wir auf die Andeutungen der Sage über eine Versuchung achten, die von da her ihm genaht sei. In einer merkwürdig zurückhaltenden, offenbar auch Wichtiges verschweigenden Weise wird da berichtet, einst sei ihm Sabbatai Zwi erschienen und habe ihn um Erlösung angegangen. Um dergleichen zu wirken, muß man alle Elemente des eigenen Wesens mit denen des Toten verbinden, wie Elia sich mit allen Gliedern auf den toten Knaben legt; man muß jedes der drei Elemente der eigenen Seele, Lebenshauch, Geist und Seele, mit dem entsprechenden der erlösungsbedürftigen verknüpfen. Der Baalschem wollte die Bitte erfüllen; da er aber von so intimer Nähe des Bösen eine Einwirkung befürchtete, begann er das Werk behutsam zu verrichten, nicht auf einmal, sondern über eine Zeit verteilt. Währenddessen kam Sabbatai einmal, offenbar auf die zwischen ihnen beiden entstandene Vertrautheit bauend, im Schlaf zu ihm und wollte ihn verführen - der Erzähler sagt nicht, wozu, aber es ist nicht schwer, das Verschwiegene zu ergänzen: der falsche Messias will ihn verführen, sich selbst für den Messias zu halten und zu erklären. Der Baalschem aber widersteht ihm und schleudert ihn mit so großer Wucht von sich, daß er bis auf den Boden der Unterwelt stürzt. Der Baalschem sagte danach von ihm, es sei ein heiliger Funke in ihm gewesen, aber der Satan habe ihn in seiner Schlinge, der Schlinge des Hochmuts, gefangen. Mit dieser Erzählung muß man in Verbindung bringen, daß der Baalschem darauf hinzuweisen pflegte, man solle, wenn man vor dem letzten Atemzug die Füße ausstreckt, kein Selbstgefühl empfinden, und daß man ihn, wie es heißt, vor dem Sterben den Psalmvers flüstern hörte: »Der Fuß des Hochmuts komme nicht an mich!«

Der bekannte Historiosoph Spengler hat unter Berufung auf mich in dem Baalschem den Typus eines Messias sehen wollen. Das trifft weder für das Bewußtsein des Mannes noch für seine Existenz zu. Nichts an ihm ist eschatologisch, nichts drückt den Anspruch aus, etwas Letztes, Endgültiges zu sein. Nirgends hören wir aus seinem Munde Worte von der Art jener, die uns bei den »Messiassen«, von der reinsten bis zur unreinsten Ausprägung, von Jesus bis zu Jakob Frank, immer wieder begegnen:

»Ich bin gekommen, um . . .« In verschiedenartigen Begebenheiten läßt die Legende den Baalschem erfahren, daß seine Stunde nicht die Stunde der Erlösung, sondern die einer Erneuerung sei; aber auch in diesen Geschichten tritt er nie als der Eine, Vollendete auf, er versucht nur, der Erlösung zu helfen und sie vorzubereiten, und auch dies umsonst. Einmal heißt es andeutungsweise, dereinst, wenn der Messias komme, werde er, nämlich der wiederkehrende Israel ben Elieser, es sein. In diesem gegenwärtigen Leben aber ist sein Wesen ein anderes und seine Aufgabe eine andere. Alles an ihm steht gegen das »Bedrängen des Endes«, das in Wahn und Lüge ausgeartet ist und durch die rasende Hingabe an Scheingötter das Verhältnis zu Gott in die äußerste Gefahr gebracht hat; alles weist auf die Notwendigkeit hin, jetzt wieder zu einem Anfang, zum Anfang eines wirklichen Lebens für den wirklichen Gott in der wirklichen Welt zu gelangen.

5

Man pflegt den sogenannten Zaddikismus als eine spätere Entartung des Chassidismus zu betrachten; aber was man so nennt, ist nur die Übersteigerung dessen, was schon in der Frühzeit der Bewegung mit aller Deutlichkeit zutage tritt und von ihren Grundlagen nicht wegzudenken ist.

Den Begriff des Zaddiks hat der Chassidismus sowohl im kabbalistischen Schrifttum als in der volkstümlichen Überlieferung vorgefunden, aber er hat ihm einen neuen Inhalt zugebracht. Dort bedeutet er einen in besonderer Weise mit Gott verbundenen, daher nicht bloß seine Geheimnisse schauenden, sondern auch in Vollmacht handelnden Menschen. Hier ist er zu alledem der geworden, der an Gottes Statt die Gemeinde führt, zwischen Gott und der Gemeinde mittelt. Dabei ist unter Gemeinde immer zugleich die bestimmte, begrenzte Gemeinde dieses einzelnen Zaddiks und die Gemeinschaft Israels zu verstehen. Diese stellt sich in jener dar, in der einzelnen Gemeinde das vollständige Volk.

Auch diese Entwicklung eines Sonderfalls zu einer Institution ist von der Krisis aus zu erfassen. Je mehr sich diese verschärfte, um so nachdrücklicher war die Frage nach der neuen Führung gestellt. Die alte rabbinische hatte trotz einzelner energischer Vorstöße die Krisis nicht zu überwinden vermocht, weil sie nur um die Erhaltung der Lehre und nicht um die Erneuerung des Lebens kämpfte. Man sah sie in chassidischen Kreisen schon in den Anfängen der Bewegung etwa so an, wie das Volk eine Regierung ansieht, die gegen eine feindliche Invasion keine Verteidigung vorbereitet hatte und ihr nun nicht Widerstand leisten kann; man mußte eine Gegenregierung aufstellen. Diese bedeutet der Zaddik in seiner neuen chassidischen Ausprägung. Er kann naturgemäß nicht mehr in erster Reihe ein Gelehrter sein. Die Begründer der Bewegung waren zwar sehr darauf bedacht, bedeutende Talmudisten in ihr Lager zu bringen; aber an jedem wird, wie es die Sage von Bär von Mesritsch im Hause des Baalschem erzählt, durch Kritik an seiner bisherigen Lebenshaltung und Einführung in eine andere eine innere Umwandlung vollzogen, bis das, was ihm bisher das Daseinszentrum gewesen ist, zur Peripherie hinrückt und der neue Dienst die Mitte einnimmt. Dieser Dienst ist eine der stärksten Verschmelzungen von Umgang mit Gott und Umgang mit den Menschen, die die Religionsgeschichte kennt: man dient Gott, indem man seiner Kreatur hilft, man hilft der Kreatur, indem man sie zu Gott führt, und diese Führung geht nicht übers Leben hinweg, sondern mitten durchs Leben. Schülerschaft im Hause der Begründer der Bewegung war Erziehung zur Führung.

Der durch die sabbatianische Umwälzung zuinnerst aufgerührte, durch ihren Ausgang in allem, was ihm Halt gewesen war, erschütterte polnische Jude verlangte leidenschaftlich nach Führung, nach einem Menschen, der ihn in Obhut nahm, seinem verwirrten Gemüt Gewißheit, seinem durcheinander geratenen Dasein Ordnung und Gestalt gab, der es ihm wieder ermöglichte, zugleich zu glauben und zu leben. Solche Führer erzog die chassidische Bewegung. Rabbinen, die nur Anweisungen erteilten, wie die Vorschriften des Gesetzes anzuwenden seien, konnten dem neuen Verlangen nicht mehr Genüge tun, aber auch die Predigt über den Sinn der Lehre half nicht. In einer Welt, in der man die Kraft zur Besinnung und Entscheidung nicht mehr aufbrachte, brauchte man einen Menschen, der einem zeigte, wie zu glauben, und sagte, was zu tun ist. Wenn wir die unbedingte Hingabe der Frankisten an Frank beobachten, sehen wir, wie völlig man sich an den verlor, der einem die Verantwortung bis ins Letzte abzunehmen bereit war. Die chassidische Bewegung mußte hier eingreifen. Sie mußte Männer hinstellen, die jeden, der getragen werden wollte, auf ihre starken Schultern nahmen, aber ihn doch auch wieder zu Boden setzten, sobald man ihm zutrauen konnte, selber weiterzugehen. In vollkommenem Gegensatz zu den pseudomessianischen Typen übten diese Männer selber Verantwortung für die ihnen anvertrauten Seelen und ließen auch in diesen den Funken der Verantwortung nicht erlöschen. Wollte Frank wie Sabbatai als eine Erfüllung und Aufhebung der Thora verstanden werden, so war es das höchste Lob, das einem Zaddik gespendet wurde, er sei eine Thora, das heißt: in seiner Beschaffenheit, in seinem alltäglichen Gebaren, in seinen unbetonten, unwillkürlichen, absichtslosen Handlungen und Haltungen, darin »wie er die Sandalen schnüre und löse«, stelle sich das an der Thora dar, was unaussprechlich ist, aber durch menschliche Existenz tradiert werden kann. Diese Männer mittelten zwischen Gott und Mensch, aber sie wiesen die Menschen mit großem Ernst auf das durch keine Mittlung zu ersetzende unmittelbare Verhältnis zu Gott hin.

Ein weiteres wichtiges Kennzeichen ist die Vielheit der Zaddikim. Der messianische Prätendent ist seinem Wesen nach ein Einzelner, das Zaddiktum stellt sich seinem Wesen nach in einer Vielheit gleichzeitig lebender Männer dar, zwischen die die Gemeinschaft gleichsam aufgeteilt wird. Nach einem dem Baalschem zugeschriebenen Wort gibt es wie 36 verborgene, so auch 36 offenbare Zaddikim. Trotz aller Übersteigerungen hält sich kein Zaddik für den einzigen, trotz allem Streit zwischen Gemeinde und Gemeinde, aller Eifersucht zwischen Lehrern und Schülern bleibt diese Aufteilung unumstößlich gültig. Gewiß meinen und sagen Chassidim zuweilen, außer ihrem Rabbi gebe es keinen in der Welt; aber eine Grundanschauung der Ersten wird laut, wenn ein Zaddik dieses Treiben als Götzendienst bezeichnet. »Wie denn soll man sprechen?« fragt er, und antwortet: »Man soll sprechen: ›Unser Rabbi ist für unser Anliegen der Beste.‹« Das bedeutet: jeder Zaddik und seine Chassidim sind einander zubestimmt.

»Ich bin gekommen, der ganzen Welt zu helfen«, sagt Frank. Der Zaddik hat seinen Chassidim zu helfen. Um ihnen aber wahrhaft zu helfen, um sie mit ihrem ganzen Leben zu Gott zu bringen, nicht bloß etwas von ihnen, ihren Gedanken, ihr Gefühl, sondern ihr ganzes Leben, muß er ihr ganzes Leben umfassen, von der Sorge um das Brot bis zur Sorge um die Reinigung der Seele. Er hat ihnen nicht etwas zu leisten, sondern alles. Und weil er alles leisten soll, muß er alles können. »Warum«, so heißt es scherzweise, »nennt man den Zaddik ›der gute Jude‹? Wollte man sagen, er bete gut, so müßte man ihn ›guter Beter‹ nennen, wollte man sagen, er lerne gut, ›guter Lerner‹. Ein ›guter Jude‹ denkt gut und trinkt gut und ißt gut und arbeitet gut und meint gut und alles gut.«

Die Baalschem-Legende versinnbildlicht den vitalen Zusammenhang des Zaddiks mit der Gemeinde, indem sie ihn mit seinen Chassidim tanzen läßt oder erzählt, wie sein Lehrvortrag in ihrer Versammlung jedem einzelnen als an ihn gerichtet und als Rat für sein persönliches Leben erscheint. Aber schon in dem ersten chassidischen Buch finden wir, auf Sprüchen des Baalschem begründet, eine ausgearbeitete Formulierung dieses Zusammenhangs. Dabei wird aufs stärkste die Gegenseitigkeit der Bindung betont. Wohl ist die Gemeinde für sich, was die Erde war, ehe sie mit dem Himmel verbunden wurde: ein Chaos; aber »die Zaddikim dürfen nicht sagen, sie brauchten die Volksmasse nicht«, die Volksmasse gleicht den Trägern der Bundeslade, ohne die sie sich nicht bewegen kann, ob auch in Wahrheit sie es ist, die ihre Träger trägt. Demgegenüber wird an dem vorchassidischen und neben der Bewegung fortdauernden Zustand scharfe Kritik geübt, wo der Gelehrte einerseits und die Volksmasse anderseits zwei einander ferne »Enden« darstellen, die miteinander keinerlei Verbindung eingehen: die Gelehrten müssen ihrer eigenen Mängel inne werden, die sie darauf hinweisen, am Leben der Volksmasse teilzunehmen, dann erst können sie auch sie erheben.

6

Es ist aber keineswegs damit gemeint, daß dem »einfachen Mann« lediglich eine empfangende Funktion zukomme. Vielmehr kann sich nach chassidischer Anschauung gerade bei ihm ein Element von höchster aktiver Bedeutung finden. Auch hier gehen wir am besten vom Frankismus aus. Jakob Frank legt seinen Anhängern Mal um Mal dar, er sei ein »Amhaarez«, ein Unwissender. »Gott hat mich erwählt«, sagt er, »weil ich ein Am-haarez bin.« Die Sache, um die es geht, werde nicht den Weisen und Gelehrten gegeben, sondern »nur solchen Unwissenden wie ich, denn die Weisen schauen zum Himmel auf, obgleich sie dort nichts sehen, wir aber sollen auf die Erde schauen«. In einem schönen Gleichnis, das unter allen seinen Reden den chassidischen Gleichnissen am nächsten steht, erzählt er von der vollkommenen Perle, die keiner der Meister durchlochen konnte, weil keiner es wagte, denn jeder wußte, wie leicht sie dabei zerstört werden kann; ein Geselle, der die Gefahr nicht kennt, unternimmt es in Abwesenheit seines Meisters, und es gelingt ihm.
Gerade hier aber, in der scheinbar größten Annäherung, gibt sich der entscheidende Unterschied zwischen der Welt Franks und der des Baalschem zu erkennen.
Frank rühmt sich seines Unwissens, weil es ihn hemmungslos macht. Er ist durch kein Wissen um die Thora gebunden, er kennt die göttliche Schwere der menschlichen Verantwortung nicht, darum zittert ihm die Hand nicht, wenn er die Perle der Menschenwelt durchbohrt. Er ist eben erwählt, er braucht nicht die Wahrheit zu fragen, was zu tun und was zu lassen sei, er braucht sich nicht zu entscheiden, alles ist entschieden. »Man hat mich erwählt«, sagt er, »weil ich ein Am-haarez bin, als welcher ich mit Gottes Hilfe alles durchbohren und zu allem hinbringen werde.« Später sagt er auch »mit Gottes Hilfe« nicht mehr. Er selbst sei »jener brennende Dornbusch«.
Der Einfältige, den die chassidische Legende preist, hat kein Quentchen Selbstgefühl. Er würde sich verspottet meinen, wenn man ihm sagte, er sei erwählt. Auch er braucht sich nicht zu entscheiden, aber eben weil er schlecht und recht, ohne zu grübeln,

sein Leben lebt, die Welt annimmt wie sie ist und das Gute, das ihm so anvertraut ist, als hätte er es von Ewigkeit her gekannt, mit unbeirrter Seele tut, wo sich ihm die Gelegenheit dazu bietet, verirrt er sich aber einmal, mit starken Schritten den Ausweg sucht und sein Geschick auf Gott wirft. Um Gott ist es ihm zu tun, der ist sein großer Herr und Freund; als Herrn und Freund redet er ihn ständig an, er erzählt ihm alles, als wüßte Gott noch nichts davon, befangen ist er ihm gegenüber nicht. Er kann weder lernen noch »richtig«, das heißt mit »Kawwanoth«, mit geheimen Intentionen, beten. Aber seine tägliche Arbeit tut er eifrig und sagt dabei die Psalmen her, die er auswendig kann; auch das ist Anrede, und es ist ihm gewiß, daß sie gehört wird. Zuweilen aber wird ihm besonders warm ums Herz, da pfeift er zu Gottes Ehre oder tanzt und springt gar, weil er ihm seine Liebe nicht anders bezeigen kann. Und Gott freut sich daran. Er freut sich an ihm. Dieser chassidische Gott versteht sich zu freuen, wie seine Chassidim. Aber mehr noch: es geschieht nach der Legende zuweilen, daß solch ein Mann, der »nicht zu beten versteht«, einmal mitten im Beten der Gemeinde seine Seele mit aller Macht vor Gott ausschüttet und mit der Kraft seines Betens alle schwachen und flügellahmen Gebete mit emporträgt. Auch er hat die verbindende Kraft.

Von einem großen Dulder, Beter und Musikliebhaber unter den Chassidim, Rabbi Israel von Kosnitz, wird erzählt, er habe es besonders gern gesehen, wenn die »einfachen Leute« zu ihm kamen; als seine Schüler ihn nach dem Grunde fragten, sagte er ihnen: »Ich – all meine Mühe und Arbeit geht darauf, einfach zu werden, und sie sind ja einfach.«

Und weil der »einfache Mann« so wichtig ist, kann es – im Gegensatz zur Kabbala – keine chassidische Esoterik geben, solange die Bewegung in ihrer ursprünglichen Kraft und Reinheit ist. Es gibt keinen Verschluß der Geheimnisse; alles ist grundsätzlich allen zugänglich, und alles wird immer wieder so schlicht und bildhaft wiederholt, daß jeder wirklich Glaubende es fassen kann. Man hat mit Recht darauf hingewiesen, wie sehr die chassidische Anerkennung des bisher verachteten Am-haarez als eines religiös gleichberechtigten Mitglieds der Gemeinschaft und die chassidische Bewunderung des schlicht gläubigen Menschen

das Wachstum der Bewegung gefördert haben. Man muß aber
hinzufügen, daß die Bewegung schon in ihren Anfängen in den
breiten Volkskreisen von einer neuen Generation, ja von einem
neuen Menschentypus getragen ist, der mit dem folgenschweren
»Bedrängen des Endes« nichts mehr zu tun haben will und in
der gegebenen Lebensstunde nach Kräften Gott zu dienen unternimmt, und weiter, daß sie bestrebt ist, diesen Typus in den
Augen des Volkes zu erhöhen und so die neue geistige Autorität
der Zaddikim durch eine aus der Volksmasse selbst aufsteigende
religiöse Elite zu ergänzen.

7

Frank hat seine Verherrlichung des eigenen Unwissens damit begründet, daß der bisherige Weg, der des Wissens um Gesetze
und Glaubenslehren, jetzt durch einen neuen ersetzt werde, »der
noch nie, seit Anbeginn der Welt, einem Menschen in den Sinn
kam«. Die alten Worte seien »längst gestorben«, die Gesetze
müßten »wie eine Tonscherbe zerschlagen werden«, alles Vergangene müsse fallen, ehe der neue Bau, der ewig dauern soll,
errichtet wird. »Der euch bekannte Christus hat gesagt, er sei
gekommen, um die Welt aus den Händen des Satans zu befreien,
ich aber bin gekommen, um sie von allen Satzungen und Verordnungen zu befreien, die es bisher gegeben hat. Ich muß all das
vernichten, dann wird sich der Gute Gott offenbaren [das ist,
ganz nach der üblichen gnostischen Auffassung, der verborgene
Gott, der mit dem Weltschöpfer und Weltherrscher nicht identisch
ist].« Daher verlangt Frank von seinen Anhängern, sie sollten
sich »von allen Gesetzen rein baden, wie der Hohepriester sich
rein badete, ehe er das Allerheiligste betrat«, sie sollten alles,
was ihnen von Gesetzen und Glaubenslehren anhaftet, abtun
und Schritt für Schritt ihm nachfolgen. Einmal aber sagt er ein
Wort, das daran erinnert, was man von der Gesinnung der Inhaber des höchsten Grades in der Sekte der Assassinen erzählt,
und das man nach (kürzlich veröffentlichten) Mitteilungen auch
als das eigentliche Glaubensbekenntnis des weltgeschichtlichen
Assassinentumes unserer Tage ansehen darf: »Alle Führer müssen
ohne Religion sein«.

Auch hier geht der Chassidismus von der Situation der Krisis aus und nicht hinter sie zurück. Die Thora als Gesetz im hergebrachten Sinn, das heißt als Summe von Geboten Gottes, die keinen anderen Zweck haben, als die Menschen seinen ihnen unverständlichen Willen erfüllen zu lassen, ist durch den sabbatianischen Antinomismus in Frage gestellt worden. Die chassidische Bewegung kann nicht darauf ausgehen, sie in diesem Sinne wiederherzustellen. Sie kann und will die Thora nur dadurch bewahren, daß sie die scharfe Grenze zwischen der Sphäre der gebotenen und verbotenen Dinge einerseits und der indifferenten Dinge, der »Adiaphora«, anderseits zu einer fließenden macht. Die chassidische Thora-Konzeption ist eine Ausgestaltung des überlieferten Glaubens, daß Gott die von ihm geschaffene Welt durch den Menschen erobern will. Er will sie wahrhaft zu seiner Welt, zu seinem Reich machen, aber durch menschliches Tun. Die Absicht der göttlichen Offenbarung ist, den Menschen zu bilden, der an der Erlösung der Schöpfung wirkt. Damit ist nicht ein einmaliges, messianisches Handeln gemeint, sondern ein Tun des Alltags, das die messianische Vollendung vorbereitet: das eschatologische Fieber der Krisis erscheint hier durch ein Gleichmaß aller Funktionen abgelöst, das aber nicht einfach Gesundheit, sondern Heilung bedeutet. Die »Mizwoth«, die Gebote, bezeichnen den Bereich der Dinge, die dem Menschen bereits ausdrücklich zur Heiligung übergeben sind. Der Chassidismus entwickelt die spätkabbalistische Lehre von den göttlichen Funken, die in die Dinge gefallen sind und von den Menschen »gehoben« werden können. Zu solcher Hebung sind ihnen die Mizwoth anbefohlen. Wer eine Mizwa mit vollkommener Kawwana tut, das heißt wer die Handlung so vollzieht, daß er sein ganzes Dasein in ihr sammelt und in ihr auf Gott richtet, wirkt an der Heiligung der Welt, an ihrer Eroberung für Gott. Aber die Funken, die der Hebung bedürfen, ruhen nicht bloß in den Dingen, auf die die Mizwoth hinweisen. Die Abgrenzung zwischen dem Heiligen, das heißt dem zur Heiligung Angewiesenen, und dem Profanen, dem es an einer solchen spezifischen Anweisung noch fehlt, ist eine vorläufige. Die Thora bezeichnet den bisherigen Umkreis der Offenbarung. Es liegt am Menschen, ob und wie sehr sie sich weiter ausdehnt. »Warum«, so fragt ein

Zaddik, »sprechen wir von ›der Zeit, da die Thora gegeben wird‹ und nicht von ›der Zeit, da die Thora gegeben ward‹? Gott will, daß alles geheiligt werde, bis in der messianischen Zeit keine Scheidung mehr zwischen Heilig und Profan besteht, weil alles heilig geworden ist.« Wieder ist hier der Chassidismus scheinbar in die äußerste Nähe der sabbatianischen Theologie gelangt, wie es nicht anders sein kann, da er ja im höchsten Ernst von der durch sie bezeichneten Situation ausgeht, und wieder ist sein unbedingter Gegensatz zu ihr zu erkennen. In der messianischen Stunde soll nicht die Hinwegräumung der Scheidewand zwischen Gebotenem und Verbotenem verfügt und damit die Thora aufgehoben werden, sondern die messianische Stunde wird die *Vollendung* der Durchheiligung aller Dinge und alles Lebens bezeichnen, und die vollständig gewordene Thora wird das ganze Leben umfassen, ja es wird nichts anderes mehr geben als das Dasein, in das die Thora eingegangen und in dem sie zu Leben geworden ist.

Ein Wort aus der Frühzeit des Chassidismus bemerkt zu dem Spruch »Seid heilig, denn heilig bin ich der Herr euer Gott«, jetzt komme die Heiligkeit Israels von den Mizwoth, wie gebetet wird: »der du uns geheiligt hast durch deine Gebote«, in der Zeit aber, für die nach talmudischer Lehre verheißen ist, daß die Mizwoth aufgehoben werden, werde die Heiligkeit Israels unmittelbar aus der Gottes kommen. Und ein spätes Wort zieht die Folgerung daraus, indem es zum Spruch der Schrift, der das Volk davor warnt sich »Schnitzwerk zu machen, Abgestaltung all dessen, was der Herr dein Gott dir gebot«, erklärt, warum es »gebot« heiße und nicht »verbot«: man soll sich aus keiner Mizwa ein Götzenbild machen, auf das Reich Gottes zu gesehen ist jede in der Schwebe. Anderseits gibt es kein Ding und keinen Vorgang, von denen ich sagen könnte, sie seien nicht das, was von mir geheiligt werden soll; auf dieser Stufe der Glaubenswirklichkeit ist nichts Gleichgültiges mehr zu finden. Wie durch die religiöse Aufnahme des Am-haarez die traditionelle Hierarchie der Personen überwunden wird, so durch die religiöse Aufnahme der Adiaphora die traditionelle Hierarchie der Handlungen. Auch die von der späten Kabbala ausgearbeiteten Kawwanoth des Gebets zur Einung Gottes und seiner Schechina treten zurück für den, der, wie einer der bedeutendsten Denker des Chassidismus von sich sagt,»mit der Diele und der Bank betet«. Die große Kawwana haftet nicht an irgendeiner Auswahl des Vorgeschriebenen; alles kann, mit ihr getan, das Rechte, das Erlösende sein. Jede Handlung kann die sein, auf die es ankommt; entscheidend ist nur die Kraft und Konzentration der Heiligung, mit der ich sie tue. Auf die Frage, was für seinen verstorbenen Lehrer das Wesentliche gewesen sei, antwortete ein Schüler:»Jeweils das, womit er sich grade abgab.«

8

Jakob Frank pflegte von seinem Stern, dem Stern, der, wie er aus der Weissagung Bileams zu zitieren liebte,»aus Jakob hervortrat«, zu sagen, alle verachteten und gemeinen Dinge seien in der Macht dieses Sterns, und nur indem man sich ganz hineinbegebe, könne man zum Heil gelangen. Man müsse die Jakobsleiter, die aus zwei schrägen auf der Erde zusammentreffenden Leitern bestehe, erst bis nach ganz unten hinabsteigen, ehe man aufsteigen könne. Es komme darauf an, sich das fremde Feuer, das Feuer der»Sünde«, so zu eigen zu machen, daß man es Gott darbringen könne; das fremde Feuer, das Aarons Söhne opferten, sei nichts im Vergleich damit, was da zu tun sei. Darum müsse man ganz und gar zu»Edom« eingehen, bei dem die»fremdartigen Handlungen« (eine Bezeichnung, die sich bei den Sabbatianern häufig findet) nicht wie in Israel heimlich, sondern offenbar walten; Jakob dürfe sich nicht begnügen, wie bisher Esaus Ferse zu halten, er müsse ein Leib mit ihm werden. Esau oder Edom ist hier zugleich real zu verstehen, wie Frank durch die Massentaufe der Seinen und durch deren Apologie bekundete, und sinnbildlich: es steht für das Reich der Sünde, in das man zutiefst eindringen müsse, um es zu bewältigen; man muß, wie das sabbatianische Wort lautet, die Klipa in ihrem Hause erobern, muß die Unreinheit mit der Kraft der Heiligkeit füllen, bis sie von innen aufbricht. Die große Festung, so drückt es Frank in einem charakteristischen Gleichnis aus, kann mit allen Belagerungskünsten nicht bezwungen werden, bis ein Amhaarez nachts sich durch den Unratskanal hineinschleicht und sich ihrer bemächtigt.

Der frankistischen Lehre von den »fremdartigen Handlungen«
steht die chassidische von den »fremden Gedanken« gegenüber.
Auch hier geht der Chassidismus von denselben gemeinsamen
Voraussetzungen aus: der Abgrund ist aufgebrochen, es geht für
keinen Menschen mehr an, so zu leben, als ob es das Böse nicht
gäbe. Man kann Gott nicht dienen, indem man dem Bösen nur
ausweicht; man muß sich damit befassen. Der entscheidende
Unterschied besteht hier in der Einsicht, daß in dieser Befassung
das Zerbrechen der »Schale« nicht am Ende, sondern immer
wieder, Mal um Mal, am Anfang steht. Die Funken des Gottes-
lichts bangen in ihrem tiefsten Exil, das wir das Böse nennen,
nach der Befreiung. Sie kommen, mit ihren Schalen beladen,
von denen sie sich nicht trennen können, als »fremde Gedanken«,
als Gelüste zu uns, zu allen Stunden, auch in der des Gebets,
vorzugsweise in ihr, denn sie handeln ja gemeinsam mit den
Klipoth, wie es nicht anders sein kann: die Klipoth haben niemals
so große Begierde, uns zu Fall zu bringen, als wenn wir betend
an Gott hangen, und die Funken der Heiligkeit verlangen nie
so sehr als da nach unserer Tat, weil da unsere erlösende Kraft
am größten ist. Die Verwirklichung ihres Verlangens aber kann
nicht anders geschehen als in der Gestalt der Klipa, in der Gestalt der Versuchung, mit anderem Wort: in der Phantasie. Das
alte Wort, je größer einer sei, um so größer sei sein Trieb, wird
abgewandelt: an der Größe der Versuchung erkennt eine Seele,
wie heilig sie in ihrer Wurzel ist. Die Einbildungskraft ist die
Kraft in uns, die mit den Erscheinungen der Funken in Verbindung steht; und weil diese Erscheinungen aus der Vermischung
von Gut und Böse kommen, kann man von ihr sagen, sie sei der
Baum der Erkenntnis von Gut und Böse. Hier geschieht in jedem
Menschen Entscheidung, und an dieser hängt Erlösung. Darum
sollen wir die fremden Gedanken nicht als etwas Lästiges und
Widerliches von uns schieben und die heiligen Funken verstoßen.
Bedeutet doch ihre Erscheinung eine Erscheinung Gottes in den
ihm scheinbar allerfernsten Dingen, wie geschrieben steht (Jeremia 31, 2): »Aus der Ferne ist der Herr mir erschienen.« Wir
sollen diese Erscheinung willig empfangen und das tun, was sie
von uns verlangt: in der Sphäre unserer Phantasie die reine
Leidenschaft von dem Gegenstand befreien, der sie beschränkt,

und sie auf den schrankenlosen richten; damit zerbrechen wir
die Schale und erlösen den Funken, der in sie gebannt war. Gewiß begibt sich der Mensch, der sich solcherweise mit dem Bösen
einläßt, in eine große Gefahr, und manche Zaddikim haben
davor gewarnt, da es den heiligen Menschen vorbehalten sei,
dieses Wagnis zu bestehen. Aber ihnen wird entgegengehalten,
daß jeder Mensch dazu auf der Welt sei, um Läuterung und
Lösung in der Welt zu üben; um aber der Gefahr standhalten
zu können, solle er täglich sich selber richten: im Feuer solchen
Gerichts werde das innerste Herz immer stärker und die Macht
der Klipa könne ihm nichts anhaben.

Hier, im Bereich der »fremden Gedanken«, muß der Gegenstand, auf den sich in der Phantasie des Menschen das Gelüst
richtet, gleichsam durchsichtig werden, um seine Dämonie zu
verlieren und den Blick auf Gott freizugeben. Anders ist es im
Bereich des natürlichen Daseins des Menschen, seines Lebens
mit der Natur, seiner Arbeit, seiner Freundschaft, seiner Ehe,
seines Einvernehmens mit der Gemeinde: da sollen einem die
Gegenstände der Neigung und der Freude, die eben Wirklichkeit, nicht Möglichkeit sind, in ihrer ganzen Wirklichkeit verbleiben, man darf und soll wahrhaft mit allem leben, aber man
soll in Weihe mit ihm leben, man soll alles, was man in seinem
natürlichen Leben tut, heiligen. Kein Verzicht ist geboten. Man
ißt in Weihe, man schmeckt den Geschmack der Speisen in Weihe,
und der Tisch wird zum Altar. Man arbeitet in Weihe und hebt
die Funken, die sich in allen Geräten bergen. Man geht in Weihe
übers Feld, und die stillen Lieder aller Kräuter, die sie zu Gott
sprechen, gehen in das Lied unserer Seele ein. Man trinkt in Weihe
mit den Gefährten, und es ist, als lernte man mitsammen in der
Thora. Man tanzt in Weihe im Kreis, und ein Glanz umstrahlt
die Gemeinde. Ein Mann ist in Weihe mit seiner Frau vereint,
und die Schechina ruht über ihnen.

Die Liebe zwischen Mann und Frau ist bekanntlich in der Kabbala ein hohes Prinzip des Seins, nicht bloß weil sich die Ver-
bindungen der »Sefiroth«, der Emanationen, und auch die entscheidende Verbindung zwischen Gott und der Schechina in diesem Bilde darstellt, sondern auch weil es um der Erlösung willen als grundwichtig gilt, daß die heiligen Seelen, die ihre irdische

Wanderung noch nicht vollendet haben, durch Zeugung und Geburt verleibt und in die Erdenwelt gezogen werden. Wohl nichts anderes kann uns die Gegensätzlichkeit der Erscheinungen nach der sabbatianischen Krise deutlicher machen, als wenn wir nebeneinanderstellen, was aus jener Konzeption im Frankismus und was im Chassidismus geworden ist. Ich kann hier nur je ein charakteristisches Beispiel geben.

In der von Franks Jüngern aufgezeichneten Chronik seiner Taten wird erzählt, wie Frank während seiner Gefangenschaft in Czenstochau, wo er eine sehr weitgehende Freiheit genoß, an die Frauen seines Kreises, die »Schwestern« genannt wurden, das Ansinnen richtet, in vollkommenem Einvernehmen eine unter ihnen als die Vertreterin aller zu wählen und ihm zu übergeben; er wolle sie zu sich nehmen, und sie werde durch die Geburt einer Tochter gesegnet werden. Seine anwesende Ehefrau, die sich dazu anbot, lehnte er ab, weil es ihr bestimmt sei, Söhne und nicht Töchter zu gebären. Die »Schwestern« konnten nicht zu einem einmütigen Beschluß gelangen, da die Rivalitäten nicht zu überwinden waren, und nach einem heftigen Zank baten sie den »heiligen Herrn«, er möge die Wahl selbst vollziehen. Frank verfiel in einen großen Zorn, der einige Wochen andauerte.

Diesem grotesken Vorgang, dessen spezifisch religiöser Hintergrund aber unverkennbar ist, stelle ich eine kleine Begebenheit gegenüber, die ich den Aufzeichnungen eines Enkels des Rabbi Mordechai von Staschow über das Leben seines Großvaters entnehme. Rabbi Mordechai war zuerst ein Schüler des Rabbi Elimelech von Lisensk und nach dessen Tode ein Schüler des »Sehers« von Lublin. Dieser sagte zu ihm einmal: »Wir wollen dir nun ein paar hundert Juden übergeben, damit du selber eine Gemeinde zu führen hast.« Rabbi Mordechai erwiderte, er wolle sich mit seiner Frau beraten. Als er heimkam und dieser das Anerbieten erzählte, rief sie: »Gemach, gemach, laß uns doch erst selber Juden sein!« Er fuhr nun wieder zum Lubliner, erklärte ihm, er könne seinen Vorschlag nicht annehmen, und führte zur Begründung den Ausspruch der Frau an. Als der Seher dieses gehört hatte, sagte er: »Komm von jetzt ab nicht mehr zu den Feiertagen zu mir, sondern bleibe bei deinem Weibe. Die heiligen Seelen warten auf euch.«

I

Man hat den Chassidismus zuweilen, ebenso wie das Urchristentum, als einen Aufstand des Am-haarez, das heißt des ungelehrten »Landvolks«, der sich nicht mit dem Studium der Lehre abgebenden Schichten des Volkes bezeichnet. Damit sollte gesagt werden, der wesentliche Antrieb der chassidischen Bewegung sei die Auflehnung der von der religiösen Tradition vielfach verächtlich behandelten »unwissenden« Menge gegen diese Stufenleiter der Werte, auf der der Gelehrte, der der Thorakunde Beflissene, den höchsten Rang einnimmt. Das eigentliche Streben der Bewegung wird somit als eins nach dem Umschwung der Werte verstanden, nach einer neuen Rangordnung, in der nicht der die Thora »Wissende«, sondern der in ihr Lebende, der sie in der schlichten Einheit seines Lebens Verwirklichende zu höchst steht; und die schlichte Einheit ist eben öfter beim Am-haarez als bei dem Lamdan, dem gründlich Gelehrten, zu finden. Die Wurzel dieses Strebens nach einem Umschwung der Werte sah man in der Veränderung der sozialen Struktur in der osteuropäischen Judenheit, wie sie sich in eben jener Zeit vollzog, als der Chassidismus zur Welt kam.

Der Wahrheitskern dieser Auffassung ist nicht zu verkennen. Man kann den ungeheuren Einfluß, den der Chassidismus auf die Volksmenge ausgeübt hat, nicht verstehen, wenn man nicht den »demokratischen« Zug an ihm beachtet, die ihm eigene Tendenz, an die Stelle der bestehenden »Aristokratie« des geistigen Besitzes das gleiche Recht aller zu setzen, sich dem absoluten Sein zu nähern. Die Ungleichheit mag in allen Dingen des äußeren Lebens walten: in den innersten Bereich, in die Beziehung zu Gott darf sie nicht eindringen. Von da an ist es leichter, die Wirklichkeit des Unterschieds zwischen Privilegierten und Unprivilegierten zu ertragen, da das schlimmste Vorrecht aufgehoben worden ist. Gewiß kann eine solche Wandlung sich nur dann in der Religionsgeschichte vollziehen, wenn ihr Erschütterungen im Innern der Gemeinschaft vorangegangen sind; aber die wesentliche Frage ist, wie groß der Anteil des sozialen Faktors an diesem allgemeinen Prozeß ist.

Seit man die Bedeutung des sozialen Faktors in der Geistesgeschichte entdeckt hat, neigt man naturgemäß dazu, sein Gewicht
zu überschätzen. Demgegenüber ist die Hauptaufgabe hier, wie
in jeder echten Betrachtung, die Abgrenzung der Bereiche. Nun
ist aber nirgends sonst die Machtgrenze des sozialen Faktors so
deutlich zu bezeichnen wie in der Religionsgeschichte. Durch ihn
ist es bedingt, daß neue Gehalte der Lehre und der Lebensfor-
mung, neue Glaubenssätze und Mythen, neue Symbole und Riten
in einer bestimmten Zeit andere überwachsen und im Leben des
Volkes Eingang finden – ihr Ausmaß und ihr Widerhall hängen
von ihm ab; nicht aber jene Gehalte selber. Die Meinung, religiöse Gebilde stiegen immer neu aus den sozialen »Verhältnissen«
auf, ist ein Irrtum, geeignet, die Welt des Geistes zu verarmen.
Jene beeinflussen den Geltungsbereich der Dinge, nur unter bestimmten gesellschaftlichen Bedingungen vermag das Neue sich
seinen Weg zu bahnen; aber es entsteht aus Berührungen und
Konflikten im Innern der Religion selber. Die wirtschaftliche
Entwicklung liefert hier nur düngende Kräfte; die Samenkräfte
liefert der Geist.

Ganz besonders gilt dies von jener Sphäre des religiösen Lebens,
innerhalb deren der Chassidismus eine der großen geschichtlichen
Erscheinungen ist. Man pflegt diese Sphäre Mystik zu nennen;
aber um der Klarheit willen muß darauf hingewiesen werden,
daß hier nicht von Spekulationen, von der menschlichen Erfahrung abgelöst, die Rede ist, Spekulationen etwa über die emana-
torische Beziehung zwischen Gott und Welt, sondern es ist
hier die Rede von einer Lehre, die in der menschlichen Erfahrung
gründet, und der es einzig um das Geschehen zwischen dem Menschen und Gott zu tun ist. Zwar bedient sich diese Lehre jener
Spekulation, und es mag sein, daß sie sich stets weiter ihrer bedienen wird, wie es der Chassidismus tut, aber nur um sie immer
wieder an das menschliche Dasein und die persönliche Aufgabe
des Menschen zu binden, um sie daran, an Dasein und Aufgabe,
zu bewähren. Mystik in diesem Sinn weist auf den Bereich der
Person hin und baut hier auf, wiewohl sie in ihren extremen
Gestaltungen die Aufhebung der Person, ihr Aufgehen im göttlichen Sein als das letzte Ziel verkündigt. Es ist dies jedoch nicht
dahin zu verstehen, als habe man sich mit dieser Mystik eben in

ihrer Vereinzelung zu befassen, weil sie »persönlich« sei. Der Mystiker betritt den Raum seiner mystischen Erfahrung, die bestimmt ist, die Grundlage seiner Lehre zu werden, nicht aus einem neutralen Weltraum, sondern aus dem Lebensraum einer konkreten Religion, in dem er daheim ist und in den er immer wieder heimkehrt; ja, auch seine Erfahrung selbst ist in nicht geringem Maße von den Überlieferungen und Lebensordnungen dieser Religion geprägt. Sogar wenn er sich von der Dogmatik seiner Religion loszusagen scheint, bleibt er mit ihrer Vitalität verbunden. Die Mystik ist eine geschichtliche Erscheinung. Dies tritt am stärksten hervor, wo sie zur »Bewegung« wird, das heißt, wo die Lehre und die Lebensweise der Mystiker über den Kreis ihrer Schulen hinaus wirken, das Volk ergreifen, ihm Beispiel und Vorbild geben und tiefgehende Wandlungen im Volksglauben und in der Volksseele hervorrufen. Fragen wir nun nach dem Charakter der geschichtlichen Situation, in der der Funke der mystischen Existenz ins Volk überspringt, dann finden wir zumeist, daß es die Zeit einer mehr oder minder offenkundigen inneren Krise der Religion ist. Wenn die überlieferten Gehalte und Ordnungen einer Religion in ihrer Gültigkeit, in ihrer Glaubenswirklichkeit erschüttert werden, ob infolge zunehmender Entartung oder infolge außergewöhnlicher Ereignisse, wenn also die Erwiderung dieser Religion auf die Problematik des menschlichen Daseins, des Daseins des Einzelnen und des Daseins des Volkes, fragwürdig wird, dann erhebt sich nicht selten die Mystik gegen die sich ausbreitenden Zweifel, gegen die ausbrechende Verzweiflung. Sie bildet die Grundmotive der mystischen Spekulation zu Lebensmotiven um, nicht bloß in den Darlegungen der Lehre, sondern vor allem im Leben selber, auf dem Boden des Religionszusammenhangs, aus dem sie entstanden war, und so führt sie dieser Religion eine Fülle neuer Lebenskraft zu. Sie stärkt die erschütterten Ordnungen, sie spendet den fraglich gewordenen Aussagen neuen Inhalt und macht sie wieder glaubwürdig, sie gießt einen neuen Sinn in die ihres Sinns entleerten Formen und erneuert sie von innen, sie gibt der Religion ihre bindende Mächtigkeit wieder. Die Tatsache, daß das Volk die Mystik solchermaßen empfängt, ist durch soziale Momente bedingt, durch soziale Änderungen, durch soziale Bestrebungen, aber was die Mystik dem Volke

gibt, ist nicht vom Sozialen aus zu erfassen; die Lebenskraft, die
sie der Religion schenkt, hat ihre Quelle in der inneren religiösen
Dynamik selber, der bildnerische Saft in ihr steigt aus jenen Wur-
zelschichten auf, in denen sich Glaubenssubstanz zersetzt und erneuert.
So verhält es sich mit dem Chassidismus.

2

Der sabbatianisch-frankistische Umsturz, dessen zweiter Teil, das
Satyrspiel, bitterer als der erste, die Tragödie, war, brachte das
Judentum nicht lediglich, wie man zu sagen pflegt, an den Rand
des Abgrunds, sondern ließ es bereits einen Fuß in den gähnenden
Schlund selber heben. Daß die zentrale Schar der Besessenen den
Glaubenswechsel faktisch vollzog, dort zum Islam, in der Bedrängnis und insgeheim, hier zum Christentum, öffentlich und
prunkvoll, beidemal aber indem der Vorgang gleichsam zur heiligen Handlung im Dienste des Gottes Israels erhoben wurde, das
war nur ein Zeichen der Vergiftung, die ins Innerste des Volks-
leibs eingedrungen war. Man darf den ungeheuren Prozeß, der
sich über hundert Jahre erstreckte, nicht als eine äußere Katastrophe allein ansehen, von deren Stätte die besonders Betroffenen sich nach außerhalb des Lagers begeben, die übrigen aber, die
die Erschütterung nur zum Teil erfaßte, in die gewohnte Bahn
ihres Lebens gewissermaßen an demselben Punkt zurückkehren. Der Zersetzungsstoff ist, ohne daß es verspürt wurde, auch
in die fernsten Glieder des Volkes eingedrungen, die anscheinend
von dem Vorgang gar nicht berührt worden waren, und sogar
wer das Übel ingrimmig bekämpfte, mußte in der dunklen Tiefe
der eigenen Seele, im Wirrsal der Träume seinen Angriffen standhalten. Damit, daß jener Teil des Volkskörpers, an dem die Seu-
che in Beulen ausgebrochen war, vom Ganzen abgetrennt wurde,
war noch kein Heil geschaffen: man kann das mächtige Gift nur
durch ein mächtiges Gegengift bezwingen. Worauf es am meisten
ankommt, ist, ob dieses von früher her in den innersten Geweben
des Organismus bereitet und bereitgestellt worden ist, so daß es
nur zu seiner vollen Stärke entfaltet und aktiviert zu werden
braucht, und ob die entfaltende und aktivierende Kraft in der

Gestalt neuer Führer, einer neuen Führung vorhanden ist. Trifft beides zusammen, dann gerät die Heilung. Man kann jenes Gift nicht wie ein chemisches mit einem Namen oder einer Formel bezeichnen. Wollen wir es indirekt beschreiben, so können wir das am ehesten, wenn wir von der Begier reden, die Wirklichkeit zu überrennen. Statt von der Wirklichkeit aus zu leben, die grausamer Widersprüche voll ist, aber eben deshalb das wirklich Große, nämlich die stille Arbeit an der Überwindung der Widersprüche erweckt, ergibt man sich der Illusion, berauscht sich an ihr, unterwirft ihr das Leben, und in ebendem Maße, in dem man dies tut, wird der Kern des Daseins brennend und unfruchtbar zugleich, er wird zugleich ganz erregt und an der bewegenden Kraft gelähmt. Diese Begier, die Wirklichkeit zu überrennen, führte dazu, daß man handelte und lehrte, als bestünde ein Zustand der Vollendung, der messianischen Vollkommenheit, der in Wahrheit nicht bestand; sie führte zu einem Verhalten, das die Ordnungen aufhob und die Werte verstümmelte. Man irrt durchaus, wenn man hier von einem Übereifer des Glaubens redet: der wirkliche Glaube, auch der eiferndste, ist nicht »blind«, er sieht die Wirklichkeit und macht sich nichts vor, er hört nur auch darauf, was über dieser Wirklichkeit ist, was ihn beauftragt und ermächtigt, sie zu ändern. Wird aber eine Scheinwelt an Stelle der tatsächlichen gesetzt, dann herrscht der Aberglaube, der tödliche Gefahren birgt.

Auch dieses mächtige Gift konnte nur durch ein mächtiges Gegengift bezwungen werden, und das kann bei einem Einzelnen oder einem Volk, die sich der Illusion ergeben haben, nur durch eine erneuerte Beziehung zur Wirklichkeit geschehen. »Erneuert« bedeutet hier zwar einen Gegensatz zu »alt«, denn es ist ein eitles Bemühen, dergleichen von früheren Zuständen aus bewirken zu wollen, statt von dem aus, in dem man sich befindet, und man kann das Heil für eine geschichtliche Stunde nur von ihren eigenen, vorher nicht vorhanden gewesenen Voraussetzungen aus suchen; aber es bedeutet auch etwas ganz anderes als »neu«, denn die zur Herstellung des Heilmittels erforderlichen Stoffe selber lassen sich nicht herstellen, sie müssen bereit sein. Worauf es ankommt, ist die Wiederverknüpfung mit dem Gewesenen und der Umschwung in einem; der Wiedereintritt in die Überlieferung, aber eine Überlieferung, die umgestaltet worden ist. Das ist es, was sich hier, im Chassidismus, begab. Die von ihm gestiftete erneuerte Beziehung zur Wirklichkeit mischt er aus den fortsprudelnden Quellen, den offenbaren und den verborgenen; aber was er da holte, ist in seinen Händen neu geworden. Ein Heilmittel ist es gewesen; aber das ist nicht so zu verstehen, als ob es aus einer *Absicht* der Heilung entstanden wäre. Heilmittel dieser Art, die in die Weite und in die Tiefe wirken, entstehen nie aus einer bloßen Absicht; sie sind das Erzeugnis eines persönlichen *Daseins*, in dem das Heil, die erneuerte Beziehung zur Wirklichkeit sich verkörpert. Das Dasein ist nicht auf diese Wirkung gerichtet, es ist nur eben, wie es ist, und darum wirkt es, was es wirkt. Und wohl deutet es sich selber in einer Lehre aus, wie man einen überlieferten Text ausdeutet, aber es intendiert damit nicht sich selber, sondern die Wahrheit. Beide zusammen, das Dasein und die es ausdeutende Lehre, bringen das Heilmittel zur Wirkung. Sie erwecken ein Vertrauen, das nicht mehr von einer Illusion, sondern von der Wirklichkeit gespeist wird, ein Vertrauen zum Menschen, und von da her zum Leben, und von da her zu Gott.

Das persönliche Dasein, das solche Wirkung übt, kann nur ein »naives« sein, das heißt, ein Dasein, das ganz auf seinen Gegenstand gerichtet ist; es kann nicht ein »reflexives« sein, das heißt eins, das sich mit seinem eigenen Problem befaßt. Es kann aber auch kein theoretisches sein, das heißt eins, das den Gegenstand, auf den es gerichtet ist, dadurch erfassen will, daß es von der Wirklichkeit abstrahiert oder mystisch-kontemplativ hinter die Wirklichkeit zu dringen sucht. Es kann nur ein vitales Dasein sein, das unmittelbar mit der Wirklichkeit lebt und in diesem schlichten Leben mit der Wirklichkeit denkt, was es denkt, und betrachtet, was es betrachtet: nicht mehr und nicht weniger, als was ihm die Konkretheit dieses Lebens darbietet. Diese Naivität, Vitalität, Schlichtheit und Unmittelbarkeit bilden den persönlichen Kern, um den sich die Grundlagen der neuen Bewegung ansetzen. Er wirkt als Vorbild der erneuerten Beziehung zur Wirklichkeit. Er zieht alle ihm verwandte Art unter dem gemeinen Volke an. Er begründet den neuen Führertypus. Die Erscheinung des Baal-schem-tow ist die grundlegende Tatsache des Chassidismus.

In unserer Zeit, die geradezu leidenschaftlich bestrebt ist, die Gestalt zu zerbröckeln, pflegt man solche Erscheinungen zu untersuchen, bis von der Wirklichkeit der persönlichen Substanz so wenig wie möglich übriggeblieben ist. So neigt man dazu, an Stelle jener Ersten, die der Überlieferung lieb sind, Schüler zu setzen, die zum Unterschied von ihnen eine in sich zusammenhängende Lehre hinterlassen haben. Die Auffassung, die in Sabbatai Zwi nur ein an sich unwichtiges Gefäß erblickt, das durch hochbegabte Anhänger gleichsam mit persönlichem Inhalt gefüllt und so vor eine leicht zu berückende Menge gestellt worden ist, mag freilich gerechtfertigt sein: zum Reich der Illusion paßt solch ein Aufblasen des Nichts zur zentralen Herrlichkeit. Versucht man dagegen, die Gestalt des Baal-schem-tow zu einer propagandistischen Ausschmückung dessen verschrumpfen zu lassen, was die Großen des chassidischen Gedankens, angeblich die eigentlichen Begründer der Bewegung, mitsamt ihren Schülern geschaffen haben, dann verfehlt man das Wesen einer Bewegung dieser Art von Grund aus. Sie beginnt mit der Beziehung einer kleinen Gemeinschaft zu einem führenden und lehrenden Mann; die *Wirklichkeit* dieses Menschen und nicht sein Schein ist es, was die Gemeinschaft konstituiert; von hier aus steigt in sich stetig erweiternden Kreisen die erneuerte Beziehung des Volkes zur Wirklichkeit auf. Denn wie der Einzelne, so kann auch die Gesamtheit eine wahre Beziehung zur Wirklichkeit nur durch die Beziehung zur Wirklichkeit eines Menschen gewinnen: die Scheinwelt verflüchtigt sich, das Sein selber wird offenbar, und man darf ihm vertrauen.

Mögen nun die zuverlässigen Nachrichten über das Leben des Baal-schem-tow nur gering sein, wir besitzen eine getreue Überlieferung, die uns sagt, daß Menschen hoher geistiger Stufen, Große der offenbaren und der geheimen Lehre, sich ihm neigten und ihm dienten. Was die Sage erzählt, daß einer von ihnen den schwersten Problemen die Lösung fand, als er seinem Gebete lauschte, daß ein zweiter während des Gebets des Baal-schemtow in ein Weinen ausbrach, mit dem eine völlige Lebenswandlung anhob, daß einem Dritten die Geisteskraft schwand, als er seine schlichten Worte hörte und er sich ganz dem wunderbaren Manne untertan machte – all dies wird uns im wesentlichen durch Aufzeichnungen der Schüler selber bestätigt. Die Schriften eines von ihnen, Jakob Josef von Polnoe, den wir den Xenophon des Baal-schem-tow nennen dürfen (einen Platon hatte er nicht: der eine, der dazu befähigt war, Dow Bär, der Maggid von Mesritsch, führt zwar in seinen Lehrreden etliche Aussprüche des Meisters an, aber er äußert fast nichts über seine Person), sind ein starkes Zeugnis der Verehrung, die der Gelehrte für den Mann der unmittelbaren Erleuchtung hegte, ein Zeugnis der völligen Änderung der Wertskala: nicht mehr der Scharfsinnige und in der religiösen Wissenschaft Bewanderte und nicht der abgeschiedene und der Kontemplation ergebene Asket, sondern der Reine und Einheitliche, der mitten in der Welt mit Gott wandelt, der am Leben des Volkes teilnimmt und es zu Gott erhebt, der gilt nun als der vorbildliche Mensch.

Auch wir selber vermögen etwas von jener Wirkung der Wirklichkeit zu spüren, wenn wir in den Worten des Baal-schem-tow lesen. Wohl besitzen wir von seinen Lehren nur, was die Schüler anführen, Bruchstücke, deren Mehrzahl gewiß verändert wiedergegeben sind, mit Zusätzen der Schüler vermengt, so daß es uns zunächst aussichtslos erscheint, die Stimme des Meisters aus dem Stimmengewirr ringsum herauszuhören. Dennoch gelingt es uns in einem gewissen Maße, und gerade weil es so viele und so verschiedene Überlieferer sind: wir lösen gleichsam all die Vielfältigkeit ab und vor uns bleibt etwas Einfaches und Einheitliches, nicht ein großer, zusammenhängender Vortrag, auch nicht genug, um einen solchen zu rekonstruieren, wenn er etwa doch einmal bestanden haben sollte, aber auf jeden Fall das Wort eines Menschen, ein Wort von eignem Ton und eignem Lebenssinn. Wir horchen, horchen, und da läßt sich eine überraschende Direktheit vernehmen, jene, die nur dann in die Welt der Rede eingeht, wenn ein Mensch, nachdem er den Becher der geistigen Enttäuschungen ausgeschlürft hat, es wagt, der Wirklichkeit Angesicht zu Angesicht standzuhalten.

Lauschet etwa einem Spruch wie diesem, der mich in jungen Jahren zu einem Chassid des Baal-schem-tow gemacht hat: »Er ergreife die Eigenschaft des Eifers gar sehr, er stehe mit Eifer vom

Schlafe auf, denn er ist geheiligt worden und ist ein anderer Mensch worden, und er ist würdig, zu zeugen, und ist worden nach der Eigenschaft des Heiligen, gesegnet sei Er, der Welten zeugte.« Zwar lehnt sich der Spruch an manche Äußerungen von Kabbalisten an, dennoch: wer hat vor dem Baal-schem-tow, wer außer ihm so zu uns gesprochen? Ich sage: zu uns, denn dies ist das Entscheidende: wer ihn gehört hat, empfindet es, als wende sich die Rede an ihn. Die Sage, die erzählt, unter den Hörern einer Lehrrede vom Munde des Baal-schem-tow hätte jeder sie verstanden, als sei sie zu ihm gesprochen worden, zur Antwort auf seine Nöte, seine Zweifel und das ruhlose Fragen seines innersten Lebens, diese Sage berichtet gewiß die Wahrheit. Ebendie Wahrheit verspüren wir auch jetzt noch. Das ist nicht eine Lehre, die hoch über unserem Dasein in sich beschlossen ist und unserer Erkenntnis nur einen Strahl von den oberen Welten übermittelt, aber auch nicht eine Unterweisung allein, die unserer Seele die Pfade des Aufstiegs zeigt: Hilfe ist sie unserem konkreten Leben – unser Leben selber erhebt sich durch die sich an uns wendende Rede, wenn wir auf sie hören. Wirklichkeit ruft Wirklichkeit an; die Wirklichkeit eines Menschen, der im Umgang mit der Wirklichkeit des Seins in ihrer Fülle gelebt hat, erweckt in uns die Wirklichkeit und steht uns bei, im Umgang mit der Wirklichkeit des Seins in ihrer Fülle zu leben. Und hier gelten die Worte des Baal-schem-tow in der Deutung Rabbi Jakob Josefs: »Schöpfen die Schüler nicht aus dem Quell, dann wird der Meister schwerzüngig genannt.«

3

Die sabbatianisch-frankistische Krise war vor allem andern eine Krise der Lehre.

Die Thora, die Lehre Israels, ist eine Lehre der Unterscheidung. Wie die Schöpfung auf Scheidung begründet ist: im Raum – zwischen den obern und den untern Wassern, in der Zeit – zwischen Tag und Nacht und so fort, und am Ende der Schöpfung steht der Mensch, auch er in Mann und Weib getrennt, so ist dem Menschen in der Offenbarung geboten, zu unterscheiden: zwischen Gott und Götzen, zwischen wahren und falschen Propheten, zwischen Rein und Unrein, zwischen Gut und Böse, zwischen Heilig und

Profan, zusammenfassend: zwischen dem, was Gott entspricht, und dem, was ihm nicht entspricht. Für eine unbestimmte Vielheit ist da kein Platz, in allem waltet das Prinzip polarer Zweiheit. Aber anders als die kosmischen Scheidungen, die beide Pole mit der gleichen Bejahung umfassen, sind die Scheidungen der Offenbarung entweder mit den stärksten Betonungen von Ja und Nein, von Wohlgefallen und Verwerfung ausgerüstet, so die »ethische« Scheidung zwischen den beiden Wegen von Gut und Böse, oder aber die Vollkommenheit sammelt sich an dem einen Ende und läßt einen weiten Raum für alles, was außerhalb ihrer ist, so die »kultische« Scheidung zwischen Heilig und Profan. Und das Schicksal des Menschen, sein Schicksal im genausten Sinn, das des Einzelnen und das der Gesamtheit, hangt an der rechten Unterscheidung. Das kommt im Bereich des Heiligen zum Ausdruck in der Überlieferung, wer unbefugt mit dessen Symbolen in Berührung kommt, habe sein Leben verwirkt, im Bereich von Gut und Böse kommt es zum Ausdruck in der Ansage, Gott habe vor das Volk »das Leben und das Gute und den Tod und das Böse« gegeben. Hier vermischen sich die Ordnungen der Schöpfung, zu denen Leben und Tod gehören, mit den Ordnungen der Offenbarung. Zusammen damit wird an diesem Punkt ganz deutlich, daß die Unterscheidung, die in der Thora gelehrt wird, Entscheidung bedeutet, eine Entscheidung, in der der Mensch über sich selbst entscheidet.

Aber mit der Entwicklung des dritten Bereichs, der zu Schöpfung und Offenbarung hinzutritt, des Bereichs des »Endes der Tage«, erhebt sich das Problem, ob die dem Menschen auferlegte Unterscheidung auf ewig gültig ist. Steht eine messianische Vollendung der Schöpfung zu erwarten, eine Vollendung, in der auch der Mensch, und der Mensch insbesondere, zu seiner Vollkommenheit gerät, so gibt es doch dann in der Wirklichkeit keinen Raum mehr für die in der Thora festgesetzten Scheidungen. Wenn am Ende der Tage, wie es die späteren Propheten geschaut haben, die Lehre den Menschen ins Herz geschrieben wird und sie Gott unmittelbar erkennen, dann wird mit der Drohung der Sünde auch die ganze Reihe der Vorstellungen von Scheideweg und Entscheidung aufgehoben; die Unterscheidung zwischen Gut und Böse muß dann ihre konkrete Bedeutung verlieren. Mehr noch: wenn die

Israel auferlegte Aufgabe, heilig zu werden, weil sein Gott heilig ist, in der kommenden Zeit zur Erfüllung gelangt, so ist damit auch die Unterscheidung zwischen Heilig und Profan aufgehoben; denn wer heilig ward, kann dann nichts mehr von dem, was bislang profan war, anders als in Heiligkeit tun; der ganze Bereich des Profanen wird vom Bereich des Heiligen verschlungen. In der messianischen Perspektive erscheinen die wesentlichen Unterscheidungen der Thora als vorläufig und vergänglich. Was der vollkommene Mensch tut, was er lebt, entspricht als solches Gott. Von diesem Menschen wird nichts mehr gefordert, er ist alles »Sollens« ledig; denn alles Gesollte ist hier schon getan, der Mensch ist, wie er ist, er lebt, wie er lebt, und darin hat er seine Vollendung.

Die sabbatianische Bewegung, die diese Anschauung schon fertig vorfand, folgert aus der Tatsache des gekommenen Messias, die Voraussetzungen seien bereits in Erfüllung gegangen. Sie wähnt – in den Tagen ihrer Entstehung zweifellos mit jenem Maße des Glaubens, das auch dem Aberglauben gegeben ist, und später mit der Anstrengung, zu einem ähnlichen Zustand auf dem Weg einer gewollten Verzückung zu gelangen –, die Stunde der Vollendung sei da. Aber sie begnügt sich nicht damit, dem Begriff der Sünde den negativen Charakter zu nehmen, die Sünde also zu etwas Neutralem zu machen; sie erhebt sie zur Heiligkeit, indem sie die in Heiligkeit getane Sünde den Weg zur messianischen Welt bahnen läßt. Wer in Heiligkeit etwas tut, was bisher als Sünde galt, erobert dieses Stück des Seins für die Vollkommenheit. Er dringt in die »Schale« ein und füllt sie mit Heiligkeit, bis sie platzt. Das Werk der Erlösung ist nur zu vollbringen, wenn die erlösende Kraft in das Böse selber eingeht, sich seiner bemächtigt, es verwandelt, es erlöst. Das geschieht dadurch, daß der Mensch das Böse tut, ohne es als ein Böses zu tun. Es besteht hier somit ein Gegensatz zwischen der Handlung und der Absicht, aber dieser Gegensatz wird durch die Heiligkeit aufgehoben: da dieser Mensch heilig ist, ist alles, was er tut, heilig.

Von Zeit zu Zeit sind in den geschichtlichen Religionen solche »gnostische« Tendenzen erwachsen, und stets haben sie sich darauf gestützt, der Mensch sei in der Gestalt von dem und jenem zu seiner Vollkommenheit und Heiligkeit gelangt. Immer lag ihnen dies eine zugrunde, daß die Person, über die der Geist geraten ist, dadurch sowohl in ihrer eigenen Anschauung als in der Anschauung anderer in den vollkommenen Menschen verwandelt erschien und daß man ihre innere Fülle und Wirrnis durch Attribute aus der Sphäre der Heiligkeit verklärte. Im Judentum kam das messianische Pathos hinzu, der begeisterte Glaube an die Abhängigkeit der Erlösung von Volk und Welt von dem Manne, der als der vollkommene Mensch erscheint, und von seinen Taten. Darum dringt hier die Problematik bis ins Innerste des Volkslebens. Die Lehre Israels ist eine Lehre der Unterscheidung; nunmehr gab es nichts mehr zu unterscheiden. Die Lehre Israels bedeutet das Aufeinanderabgestimmtsein der Unterscheidung Gut-Böse und der Unterscheidung Heilig-Profan; nunmehr hat das Feuer des »Heiligen« die Substanz von Gut und Böse verzehrt. Wir könnten darin einen Sieg des Religiösen über das Ethische erblicken, wenn es nicht auf einer Illusion beruhte: mit der Aufdeckung der Illusion mußte dem scheinbar siegreichen religiösen Prinzip der Boden entzogen werden, ohne daß das überwundene ethische wieder zu seinem Rechte käme.

Die Krisis der Thora war schon in der Tatsache der Illusion latent vorhanden; sie brach aus, sowie diese durchschaut wurde. Zwar blieben auch dann viele von den Männern der Thora an ihrem Platz, als wäre nichts geschehen; aber ihr Wort hatte keine seelenbezwingende Kraft mehr. Der Kernbestand des Volkes war in seiner Glaubenswirklichkeit erschüttert. Daß die messianische Hoffnung versagt hat, bringt noch keine innere Katastrophe mit sich; enttäuscht, erschöpft, ausgehöhlt, kehren die Leute doch zu ihrer unmessianischen Lebensweise zurück, und die überlieferten Ordnungen helfen dem Menschen sein Leben zu leben. Nicht so, wenn diese Ordnungen selber fraglich geworden sind. Das jüdische Volk hatte den Leiden des Exils deshalb standgehalten, weil es gewiß war, an der Thora den rechten Weg zu besitzen, einen Weg, der, mochte es auch zuweilen davon abweichen, es doch dahin bringt, wohin es kommen soll – wenn man nur zwischen dem rechten Weg und den Irrwegen zu unterscheiden weiß. Dieses Wissen schien von ihm genommen in den Tagen der Illusion, da man handelte, als sei man am Ziel angelangt und es bedürfe

DIE CHASSIDISCHE BOTSCHAFT

keines Weges mehr. Die Thora war dem Leben der Triebe bändigend und auslesend gegenübergetreten; sie hatte geboten, auch im natürlichen Bereich der Profanität dem Heiligen nah zu bleiben. Jetzt aber schien es, als durchbräche die Heiligkeit selbst alle Zäune und ließe sich mitten im Verbotenen, im Unreinen nieder. Wohl zerstob die ursprüngliche Illusion, die dem von ihr Ergriffenen vorspiegelte, die Tage des Messias seien gekommen, die Thora sei aufgehoben und an ihre Stelle sei der unmittelbare Genuß des Göttlichen in allen Dingen getreten; aber nun erstanden zunächst subtile Hilfskonstruktionen, und nach ihnen erhob sich eine neue, nun völlig unbändige Illusion. Auch wer sich ihr widersetzte, war in den Verstecken seiner Seele von ihr berührt. In der äußeren Welt erfaßte der Rausch nur die Kreise der Sektierer; aber in der Heimlichkeit erlagen ihr die Gemüter. Die Seele, deren Bande gelöst waren, erkühnte sich, Gott als ihr Eigentum in der Natur, in ihrer eigenen Natur zu finden. Sie weigerte sich, in die vormessianische Zeit zurückzukehren. Und konnte man nicht mehr an die vorhandene Vollkommenheit glauben, so gaukelte man sie sich mit allerhand Künsten vor. Dies sind die Tage, in denen man noch die Gebote erfüllt, aber mit einer von der eigenen Handlung wegschielenden Seele. Es sind die Tage, in denen das Böse herrscht, das die Thora im Sinne hat: das Eindringen des Chaos in den Kosmos der Offenbarung. Es sind die Tage der Versuchungen, die zu beschwören die Thora in den Herzen nicht mehr stark genug ist, denn hinter der dämonischen Maske meint man das Antlitz der Gottesfreiheit zu entdecken; man läßt sich von den Versuchungen nicht betören, aber man verjagt sie auch nicht. Besonders zudringlich sind sie während des Betens; da wird jede Vorstellung zur Versuchung. Sie benehmen sich, als ob sie zu Haus wären, und versprechen dem Menschen einen anderen Gott als den, den er anruft. Die Bereiche sind umgestürzt, alles greift in alles über, und die Möglichkeit ist mächtiger als die Wirklichkeit.

Es war not, daß die Lehre des Baalschem an diesem Punkte einsetze und die Heilung bringe, und sie tat es.

4

Die Sage erzählt, in den Tagen des Baal-schem-tow sei ein Mann um der wunderbaren Eigenschaften seines Geistes willen berühmt geworden. Die Chassidim fragten ihren Meister, ob es für sie angemessen sei, zu jenem Mann zu fahren und ihn zu prüfen. »Fahrt nur«, sagte er. Wieder fragten sie: »Woran sollen wir erkennen, ob er ein wirklicher Zaddik ist?«»Verlanget von ihm einen Rat«, antwortete der Baal-schem-tow, »wie die ›fremden Gedanken‹ zu verjagen sind. Gibt er euch einen Rat, so wißt ihr, daß es ein nichtiger Mann ist. Denn um dieses muß der Mensch bis zu seinem letzten Augenblick ringen, und eben das ist der Dienst des Menschen in der Welt.« Die fremden Gedanken, die den Menschen in den Stunden des Betens und Lernens anwandeln, um seinen Sinn abzulenken und ihn zu verführen, daß er die Dinge begehre, die sie ihm vor den inneren Blick heben, – groß ist ihre Bestimmung im Zusammenhang des Lebens, und wir dürfen nicht wollen, daß sie uns völlig verlassen. In unserer Sprache: die Phantasie – denn von ihr ist die Rede –, die uns von der Wahrheit hinwegziehen will, ist ein notwendiges Element in deren Dienst. Nicht wegstoßen sollen wir ihre Fülle, die unserem Herzen nachstellt, sondern sie in das wirkliche Dasein aufnehmen und einfügen; nur in der Kraft solches Tuns werden wir zu jener Einheit gelangen, die nicht von der Welt absieht, sondern sie umfängt. Dazu aber müssen wir das Schwerste vollziehen: die Verwandlung. Wir sollen das Element, das sich unser bemächtigen will, in Substanz des wahren Lebens verwandeln. Um dies recht zu verstehen, müssen wir vor allem etwas Wesentliches erfassen: die »fremden Gedanken«, ihr Kommen zum Menschen und ihr Wirken an ihm sind in den Augen des Baal-schem-tow nicht, was wir ein psychologisches Phänomen nennen, sondern ein Phänomen, das der kosmischen Sphäre angehört und sogar über sie hinausreicht. In jedem von ihnen weilt ein Funke, der aus der urfrühen Umwälzung der oberen Welten, aus dem »Zerbrechen der Gefäße« in der Sprache der Kabbala, stammt. Sie sind »klare Lichter«, »die in die Tiefen gesunken sind und schmutzige Kleider angetan haben«. Von diesem seinem Kerker aus bangt der Funke danach, erlöst zu werden, und diese seine Bangnis ist die treibende Kraft, die die »fremden Gedanken« zum Menschen bringt. Gelingt es diesem, den reinen Funken aus der dämonischen »Schale« zu befreien, so hilft er ihm, zu seinem göttlichen Ursprung zurückzukehren. So hat der Baal-schem-tow den Schriftvers gedeutet, der der schönen Frau gebietet, die ein Mann in ihrer Gefangenschaft sah und nach ihr verlangte und sie sich zum Weibe nahm: »Sie tue das Gewand ihrer Gefangenschaft von sich.« Man soll den fremden Gedanken nicht so annehmen, wie er erscheint, in seinen befleckten Kleidern, sondern man tue sie von ihm ab, dann geht sein Licht wie das Morgenrot auf. Recht eigentlich ist es ja die göttliche Wesenheit selber, die sich in den »fremden Gedanken« birgt und will, daß man sie in ihnen finde, zu ihr durchbreche und sie befreie; Gott selber tritt uns an und fordert uns an.

Was wir als Phantasie bezeichnen, ist somit kein freies Spiel der Seele, sondern jeweils eine faktische Begegnung mit faktischen Elementen des Seins, die außerhalb von uns sind, und worauf es ankommt, ist, sich den uns erscheinenden Phantasiegebilden nicht hinzugeben, sondern den Kern von der Schale zu trennen und jene Elemente selber zu erlösen. Was wir lediglich in unserer Seele zu wirken vermeinen, wirken wir in Wahrheit am Schicksal der Welt. Wer daran nicht glaubt, nimmt »das Joch des Himmelreichs« nicht vollkommen auf sich, denn er verkürzt die Wirklichkeit Gottes. Wer das Joch des Himmelreichs vollkommen auf sich nimmt, weiß jedesmal: »Nicht umsonst ist dieser Gedanke zu mir gekommen, sondern damit ich ihn erhebe, und wenn nicht jetzt, wann denn?«

Von hier aus gewinnen wir eine Einsicht in die Beziehung zwischen Gut und Böse, die durchaus verschieden ist von der gewohnten nur-ethischen Anschauung. In der Einsicht, die wir gewinnen, ist die Lehre des Talmuds, man müsse Gott mit beiden Trieben dienen, das heißt, alle in den Begierden ausbrechende Kraft in den Dienst einströmen lassen, mit der Lehre der Kabbala von den gefallenen Funken verschmolzen. Die Schechina umfaßt beides, das »Gute« und das »Böse«, aber das Böse nicht als selbständige Substanz, sondern als »Thron des Guten«, als »die unterste Stufe des völlig Guten«, als die Kraft, die in die Irre greift und die nur der Richtung auf Gott zu bedarf, um

»gut« zu werden. Es ist der Dornbusch, der, vom göttlichen Feuer erfaßt, zur Offenbarung Gottes wird.

Der »Böse Trieb« »verstellt sich als ein Diener, der sich gegen seinen Herrn auflehnt«; in Wahrheit aber ist er treu und erfüllt seinen Auftrag. Alle Versuchungen kommen von Gott, der sich in die »bösen« Kräfte kleidet. Aber es sind wirkliche Versuchungen: der schicksalhafte Ernst der Wahl, das Pathos des immer wiederkehrenden Scheidewegs zu Leben und Tod sind im Gedanken des Baal-schem-tow nicht weniger deutlich als zu irgendeiner Zeit, nur daß das Böse und das Gute nicht mehr wie zwei verschiedene Qualitäten voneinander gesondert sind, sondern wie der ungeformte und der geformte Stoff, nicht mehr wie Links und Rechts, sondern wie Unten und Oben, wie Dornbusch und Feuer. Es ist am Menschen, den Dornbusch ganz vom Feuer durchdringen zu lassen. Es ist an ihm, die Begierde der Versuchung selber an Gott zu binden. Es ist an ihm, die Liebe zu einem schönen Wesen so zu erheben, daß sie Liebe zum Quell, aller Schönheit wird, dem Quell der das Schöne schön macht: so kehrt die Liebe aus dem Exile heim. Es ist am Menschen, die Furcht, die ihn vor einer menschlichen oder kosmischen Macht ergreift, zur Furcht vor der Macht des Allmächtigen zu erheben, der Furcht, die sich in jene gekleidet hatte: alsbald besteht die Furcht nicht mehr als Angst, sondern als Bewunderung und Verehrung. Es ist am Menschen, die glühende Masse des Zornes zum Gotteseifer umzuschmieden.

Die Sünde ist das Irregreifen der Kraft, aber die irregreifende Kraft selber ist von Gott. »Die Schechina ist von oben bis unten, bis zum Ende aller Stufen, und dies ist das Geheimnis des Spruchs ›Und du belebst sie alle‹. Sogar wenn ein Mensch eine Sünde begeht, kleidet sich die Schechina in ihn. Denn ohne dies wäre in ihm keine Kraft, zu handeln und ein Glied zu rühren. ... Und dies ist gleichsam das Exil der Schechina.« Bedienen wir uns der Kraft der Schechina, um das Böse zu tun, dann treiben wir sie selber ins Exil.

Da dem so ist, da die Sünde nur der irregehende Ausbruch einer großen Kraft ist, die von der Schechina kommt, können wir das Geheimnis der Lust verstehen, die der Sündigende empfindet, aber auch das Mysterium der Umkehr. Denn wer gesündigt hat,

ist noch nicht verloren. Hast du durch deine Sünde die Funken
verstoßen, so hast du ihnen noch nicht den Aufstieg versperrt:
es ist in deinem Vermögen, sie zu erheben, durch deine Umkehr.
Das ist's, was von Gott gesagt wird, daß er »die Verfehlung
trägt«: er trägt und erhebt sie in die obere Welt. Darum ist der
Frevler, der voller Begier und zur Umkehr befähigt ist, Gott
lieber als der anscheinend Gerechte, der alle äußeren Gebote ohne
die wahre Hingabe des Herzens, ohne das »Anhaften« erfüllt
und vor dem, da er sich als vollkommen ansieht, die Tore der
Umkehr verriegelt sind. Aber auch unter den wirklichen Gerechten gibt es zwei Gattungen. Man erkennt sie an ihrer Beziehung
zum Bösen Trieb. Der eine benimmt sich wie ein Mensch, der
nachts merkt, daß ein Dieb sich in seinen Laden eingeschlichen
hat, und aufschreit: der Dieb entflieht und alles ist, als sei es
nicht gewesen. Der andere gleicht einem, der den Dieb nicht
stört, sondern ihn sich nähern läßt, bis er ihn packen und fesseln kann. Der erste verjagt das Böse, der zweite verwandelt es
in Gutes; und von diesem gilt der Spruch: »Wer ist ein Held?
Wer seinen Trieb bändigt.« Er nötigt den Bösen Trieb, ihn zu
lehren, und er lernt von ihm. Den Schriftvers »Von jedermann,
den sein Herz willigt, sollt ihr meine Hebe nehmen« deutete der
Baalschem so: Jedermann erkenne und ergreife die Eigenschaft,
mit der er Gott zu dienen hat, daraus, wonach er Verlangen
trägt.
Dies ist das eine Gegengift, das der Chassidismus gebracht hat.
Der Sabbatianismus hatte die Illusion erzeugt, man könne das
Böse erlösen, indem man es tut, ohne es als das Böse zu tun. Das
ist eine Illusion, denn alles, was der Mensch tut, wirkt auf seine
Seele zurück, auch wenn er wähnt, sie schwebe über der Tat.
Der Chassidismus hat demgegenüber die Tatsache aufgerichtet,
daß man der richtungslosen Kraft, die in der Begierde ausbricht,
die Richtung auf die Wahrheit geben, daß man die blinde Kraft
sehend machen kann. Damit ist die Lehre der Unterscheidung
erneuert in einer Zeit, in der die Unterscheidung zwischen Gut
und Böse fraglich geworden war.
Die Psychoanalyse unserer Tage hat die chassidische Anschauung
in der Form der Theorie von der »Sublimierung der Libido«
wieder aufgenommen, wonach man die Anreize von ihrem un-

mittelbaren Gegenstand ablenken und sie in die Bereiche des
Geistes übertragen, also gleichsam ihre Energieform verwandeln
kann. Alles ist hier auf psychische Vorgänge allein beschränkt,
wogegen der Chassidismus immer wieder die faktische Berührung
mit anderen Wesenheiten lehrt. Die »Sublimierung« begibt sich
im Innern des Menschen, die »Erhebung der Funken« begibt sich
zwischen dem Menschen und der Welt.

5

Daß das Wesen der chassidischen Botschaft darin bestand, eine
erneuerte Beziehung zur Wirklichkeit zu stiften, tritt noch stärker in einer anderen Grundanschauung hervor, die mit der ersten
verknüpft ist, aber den Seelenbereich in weiterem Maße als sie
überschreitet.
Die Funkenlehre der späteren Kabbala ist in den Händen des
Baal-schem-tow zu einer ethischen Lehre geworden und hat sich
zu einem Auftrag erweitert, der das ganze Leben des Menschen
umfaßt. In alle Dinge der Welt sind in der Urzeit des Seins, in
der Zeit, da Gott Welten baute und niederriß, Funken gefallen.
In einer stofflichen Schale, in einem Mineral, in einer Pflanze,
in einem Tier ist der Funke verborgen, eine vollständige men-
schenähnliche Gestalt, in sich zusammengekrümmt, den Kopf
auf den Schenkeln, ohne Hände und Füße bewegen zu können,
embryohaft. Eine Erlösung gibt es für ihn nur durch den Menschen. Den Menschen liegt es ob, die Funken aus den Dingen
und Wesen zu läutern, denen man im Alltag begegnet, und sie
zu immer höheren Stufen, zu immer höheren Geburten zu erheben, von Mineral zu Pflanze, von Pflanze zu Tier, von Tier
zu Mensch, bis der heilige Funke zu seinem Ursprung zurückkehren kann. Dies vollbringen, das ist, wie wenn du einen Königssohn aus dem Gefängnis befreist.
Der Dienst des Menschen an den Funken begibt sich im Leben
des Alltags; der Mensch vermag ihn mit allem, was er tut, zu
verrichten, auch mit den profansten körperlichen Handlungen,
die ihn mit Dingen und Wesen in Berührung bringen, denn auch
die profanste Handlung kann in Heiligkeit getan werden, und
wer sie in Heiligkeit tut, erhebt die Funken. In den Kleidern, die

du anziehst, in den Geräten, die du verwendest, in den Speisen, die du issest, in dem Haustier, das sich für dich müht, in allem sind Funken verborgen, die nach Erlösung bangen, und gehst du mit den Dingen und Wesen mit Sorgfalt, Wohlwollen und Treue um, erlösest du sie. Gott gibt dir die Kleider und Speisen, die zur Wurzel deiner Seele gehören, damit du die Funken in ihnen erlösest. Man kann ihm mit allen Handlungen dienen, und er will, daß man ihm mit allen diene. Deshalb heißt es[1] »Ihn erkenne auf allen deinen Wegen.« Wie der in den Boden gesäte Same daraus die Kräfte zieht und aus ihnen die Frucht macht, so zieht der Mensch, der den Dienst vollbringt, aus allen Dingen, die zur Wurzel seiner Seele gehören, die Funken und erhebt sie zu Gott.

Vielfach führen die Schüler die Deutung des Baal-schem-tow zu dem wunderlichen aggadischen Spruch an, der von dem Urvater Henoch erzählt, er sei ein Schuhflicker gewesen und habe mit jedem Stich seiner Ahle, der Oberleder und Sohle zusammennähte, Gott und seine Schechina verbunden. Der Baal-schem-tow zog den Schriftvers[2] heran: »Alles, was deine Hand zu tun findet, tu es mit deiner Kraft.« Alles, was du tust, so deutet es der Baal-schem-tow, tu es mit der Kraft deiner Seele und deines Gedankens, den Heiligen, gepriesen sei Er, mit seiner Schechina zu verbinden. Damit ist Zwiefaches gesagt. Zum ersten: alles, was der Mensch tut, soll er mit seinem ganzen Wesen tun. Und um die Ansicht auszuschalten, damit seien die Werte des Geistes allein gemeint, sagt der Baal-schem-tow ausdrücklich: »Daß er die Tat, die er tut, mit all seinen Gliedern tue.« Es geht also um das ganze geistig-leibliche Wesen, das durch die Ausbreitung des Geistes in allen Gliedern zur vollkommenen Einheit wird; mit diesem geeinten geistig-leiblichen Wesen, mit dieser geeinten Kraft soll der Mensch tun, was er tut. Und zum zweiten: es liegt dem Menschen ob, alles, was er tut, mit der Intention auf die Einung der höchsten göttlichen Wesenheit mit ihrer Schechina, die der Welt einwohnt, zu tun. Nirgends aber wird hier, wie in aller asketischen Lehre, die die Wirklichkeit zu überwinden strebt, darauf hingedeutet, das einwohnende Prinzip würde sich

---

[1] Sprüche 3, 10.   [2] Prediger 9, 10.

aus der Welt ziehen, sondern die Einung der Getrennten bedeutet gerade die Einung Gottes mit der Welt, die als Welt bestehen bleibt, nur daß sie nun, eben als Welt, erlöst ist. In jeder Bewegung, die er vollzieht, in jedem Wort, das er ausspricht, soll der Mensch sein Wesen auf die Einung ausrichten; und die Bedeutung davon für das konkrete Leben drückt ein Schülersschüler des Baal-schem-tow in einem klaren Beispiel, zweifellos im Geiste des Meisters aus: »In den Geschäften ist sein Sinn in Liebe und Freundlichkeit den Menschenwesen zugetan.« Derselbe Schüler beschließt anderwärts die Darlegung dieser Lehre mit Worten, die ihre zentrale Wichtigkeit besonders hervorheben: »Denn glaubst du nicht daran, daß in allen Dingen Wirklichkeit Gottes ist, und du kannst mittels alljedes, das in der Welt west, Einungen einen, mit allen Arbeiten und Geschäften und Essen und Trinken, du aber glaubst nicht und tust es nicht, und du siehst es als übel an und fliehst davor, dann ist notwendigerweise [hier kommt die Deutung der Fortsetzung jenes Verses aus Ecclesiastes ›Alles, was deine Hand zu tun findet, tu es mit deiner Kraft‹] ›nichts‹, ›denn kein Tun ist, noch Berechnung, noch Erkenntnis, noch Weisheit im Gruftreich, wohin du gehn mußt‹.«

Damit ist der entscheidende Schritt zur Erneuerung der Beziehung zur Wirklichkeit getan. Nur auf dem Weg des wahren Umgangs mit den Dingen und Wesen gelangt der Mensch zum wahren Leben, aber auch nur auf diesem Weg kann er an der Erlösung der Welt tätig teilnehmen. Der Baal-schem-tow sah, wie gesagt, sogar in der Einbildungskraft eine Art von Begegnung, für die es besondere Aufgaben gibt; erst recht ist das Dasein in der Wirklichkeit erkennbar als eine ununterbrochene Kette von Begegnungen, von denen jede die Person anfordert für das von dieser zu Vollbringende, gerade von ihr und gerade in dieser Stunde. Der Illusion der angeblich erreichten Vollkommenheit, wie sie in der Wirrnis der falschen Messianität waltete, steht hier das Leben des Alltags, das seine Erfüllung gefunden hat, als das wahre Wunder gegenüber.

Und damit ist die Krisis der Thora überwunden. Die Lehre von den »fremden Gedanken«, die die Spekulation der Kabbala in ein lebendiges und volkstümliches Ethos verwandelte, hat die Unterscheidung von Gut und Böse erneuert, aber so, daß sie

nun auf die in der Epoche aufgestiegene Problematik einging und ihr Antwort gab. Sie begnügte sich nicht mehr mit Vorstößen gegen die Sünde, wie sie zur vorsabbatianischen Zeit paßten; sie nahm in sich die neue Erfahrung auf, die Erfahrung der Entzückung von der Sünde aus, und bejahte die Kräfte der Begierde, ja forderte sie geradezu, um sie auf ihr wahres Ziel zu richten. Die Lehre von »Henoch dem Schuhflicker« ging von jener Spekulation aus, aber sie ging weiter. So grundlegend auch im Judentum die Unterscheidung von Heilig und Profan war, es erwachte doch immer wieder der Wunsch, dem Heiligen Wirkung und Einfluß auch im Bereich des Profanen zu verleihen und so die Brücke zu schlagen. Dieser Wunsch ging nun in Erfüllung. Nichts in der Welt ist dem Heiligen ganz fremd, jegliches Ding kann ihm zum Gefäße werden. Die sabbatianische Theologie predigte die Eroberung der Sünde durch das Heilige; nun tut sich der dämonische Charakter dieser Predigt auf von dem schlichten chassidischen Gebot aus, das in das Herz des schlicht gläubigen Menschen einzog, dem Gebot, alles, was einer tut, mit seinem ganzen Wesen zu tun. Denn die Sünde ist eben dies, was man seiner Art nach nicht mit dem ganzen Wesen tun kann: es ist möglich, den Widerspruch in der Seele zum Schweigen zu bringen, aber es ist nicht möglich, ihn auszutilgen. Jetzt dagegen erfolgt wahrhaft in der Lehre des Baal-schem-tow die Eroberung des Bereichs des Profanen, des Bereichs der erlaubten Dinge, der Adiaphora, durch das Heilige. Dort wurde die Sünde heiliggesprochen; hier gilt es, den Umgang mit allen Dingen und Wesen im Leben des Alltags zu heiligen.
Der erste Aufstand des Am-haarez, die Bewegung des Urchristentums, war zu den Toren des Judentums hinaus gestürmt. Sein zweiter Aufstand, der chassidische, verblieb in den Grenzen Israels. Denn zum Unterschied vom ersten, der forderte, man solle leben als wäre das Gottesreich schon angebrochen, bejahte der Chassidismus die natürliche Wirklichkeit der noch unmessianischen Stunde, als den Stoff, an dem die Heiligung geschieht, und damit bejahte sie auch das Volk als solches, den großen unheiligen Leib, der bestimmt ist geheiligt zu werden.

Geist

Bewegungen, die eine Erneuerung der Gesellschaft anstreben, meinen damit zumeist, daß der vorgefundenen Ordnung die Axt an die Wurzel zu legen sei; sie setzen dem Gewordenen, das sie verwerfen, ein von Grund aus andersartiges Erzeugnis des wollenden Gedankens gegenüber. Nicht so die religiösen Bewegungen, die auf eine Erneuerung der Seele ausgehn. Mag das Prinzip, das von einer echten religiösen Bewegung vertreten wird, dem herrschenden religiösen Status der Umwelt noch so entgegengesetzt sein: die Bewegung empfindet und äußert diesen Gegensatz nicht als einen Gegensatz zum wesenhaften Urbestand der Überlieferung, sie fühlt und erklärt sich vielmehr berufen, diesen Urbestand von seiner gegenwärtigen Trübung zu reinigen, ihn wiederherzustellen, »wiederzubringen«. Von diesem gleichen Ausgang aber können die religiösen Bewegungen in ihrem Verhältnis zum geltenden Glauben sehr verschieden fortschreiten. Entweder das altneue Prinzip setzt seine eigene Botschaft als die verdunkelte und nun ans Licht gerettete Urwahrheit, in dem zur Wiederbringung »gekommenen« zentralen Menschen dargestellt, ja geradezu mit ihm identisch, dem Spätstand der Überlieferung leibhaft entgegen und für ihren Urstand ein; dann vollzieht sich bald die völlige Wandlung und Scheidung; solche Bewegungen dürfen als die stifterischen bezeichnet werden. Oder das Prinzip geht lediglich auf einen älteren Stand der Überlieferung, auf das »reine Wort« zurück, das es zu befreien hat und dessen Entstellung es bekämpft; dann vollzieht sich eine Teilscheidung, so daß die mythisch-dogmatischen und magisch-kultischen Fundamente zumeist unberührt bleiben und ungeachtet der organisatorischen Trennung die geistige Einheit im wesentlichen fortdauert; diese Bewegungen heißen die reformatorischen. Oder auch das Prinzip nimmt die Überlieferung ihrem gegenwärtigen Stande nach in ungeschmälerter Geltung hin; deren Lehren und Satzungen werden in ihrem vollen gegenwärtigen Ausmaß ohne Prüfung ihrer geschichtlichen Beglaubigung und

ohne Vergleich mit einer ursprünglicheren Gestalt anerkannt;
aber das Prinzip schafft eine neue *Beleuchtung* der Lehren und
Satzungen, es läßt sie in seinem Licht eine neue Beseeltheit,
einen neuen Sinn gewinnen, es erneuert sie in ihrer Vitalität,
ohne sie in ihrer Materie zu verändern. Hier vollzieht sich keine
Scheidung, obgleich auch hier der Kampf zwischen dem Alten
und dem Jungen entbrennen muß und die heftigsten Formen
annehmen kann: die neue Gemeinschaft bleibt innerhalb der angestammten und versucht sie von innen zu durchdringen – ein
Messen zweier Kräfte, der bewegenden und der beharrenden,
das sich bald auf den Boden der neuen Gemeinschaft selbst überträgt und zwischen deren Mitgliedern, ja im Herzen jedes einzelnen sich fortsetzt; naturgemäß werden die Kampfbedingun-
gen immer günstiger für die Kraft der Trägheit. Zu den Bewegungen solcher Art gehört die chassidische, die, um die Mitte des
achtzehnten Jahrhunderts von Podolien und Wolhynien ausgehend, um die Jahrhundertwende die Judenheit des ganzen polnischen Reichs sowie Nordostungarns und der Moldau in wesentlichen Teilen ergriffen hatte und um die Mitte des neunzehnten
zu einem im Geist erstarrten, aber zahlenmäßig mächtigen Gebilde geworden war, das auch heute noch fortbesteht.

Alle echten religiösen Bewegungen wollen nicht etwa dem Menschen die Lösung des Weltgeheimnisses darbieten, sondern ihn
ausrüsten, aus der Kraft des Geheimnisses zu leben; sie wollen
ihn nicht über Gottes Wesen belehren, sondern ihm den Weg weisen, auf dem ihm Gott begegnen kann. Aber unter ihnen ist es
jener dritten Art, von der ich sprach, ganz besonders nicht um
ein allgültiges Wissen des Seins und Sollens, nur um das Jetzt
und Hier der menschlichen Person, den ewigneuen Schoß der
ewigen Wahrheit, zu tun. Darum eben können diese Bewegungen
einen Zusammenhang allgemeiner Glaubenssätze und Vorschriften von dem gleichzeitigen Stand der Tradition unverändert
übernehmen; ihr eigener Beitrag kann nicht kodifiziert werden,
er ist nicht Gegenstand einer dauernden Erkenntnis oder Ver-
pflichtung, nur Licht für das schauende Auge, Kraft für die wirkende Hand, immer neu erscheinend. Besonders deutlich gibt sich
dies am Chassidismus kund. Von oberstem Belang ist ihm nicht,
was von je war, sondern was je und je geschieht; und hinwieder

nicht, was dem Menschen widerfährt, sondern was er tut; und nicht das Außerordentliche, das er tut, sondern das Gewöhnliche; und mehr noch als was er tut, wie er es tut. Unter allen Bewegungen seiner Art hat wohl keine so wie der Chassidismus das unendliche Ethos des Augenblicks verkündet.

Zwei Überlieferungen vereinigt hat der Chassidismus übernommen, ohne ihnen wesentlich anderes hinzuzufügen als ein neues Licht und eine neue Kraft: eine Überlieferung religiösen Gesetzes – nach der vedischen Opferlehre der riesenhafteste Aufbau geistlichen Sollens –, die rituale Formung des Judentums; und eine Überlieferung religiöser Wissenschaft – der Gnosis an Bildgewalt nachstehend, an Systematik überlegen –, die Kabbala. Individual verbunden waren diese zwei Überlieferungsreihen naturgemäß in jedem Kabbalisten, aber die eigentliche Verschmelzung zu einer Realität des Lebens und der Gemeinschaft haben sie erst im Chassidismus erfahren.

Die Verschmelzung geschah durch das altneue *Prinzip*, das er vertrat: das Prinzip der Verantwortung des Menschen für das Schicksal Gottes in der Welt. Verantwortung, nicht in einem bedingten, moralischen, sondern in einem unbedingten, transzendentalen Sinn, heimlicher, unerforschlicher Wert der menschlichen Handlung, Einfluß des handelnden Menschen auf die Geschicke des Alls, ja auf dessen lenkende Kräfte – das ist eine uralte Idee im Judentum. »Die Gerechten mehren die Macht der oberen Herrschaft.« Es gibt eine unserer Erfahrung entrückte, nur unserer Ahnung zugängliche Kausalität der Tat.

Diese Idee gestaltet sich in der Entwicklung der Kabbala zu der zentralen und tragenden aus, als die sie im Chassidismus hervortritt: durch die kabbalistische Anschauung von Gottes Schicksal in der Welt.

Mythisch lebendig in Auswirkungen iranischer Religiosität, begrifflicher umrissen in mannigfacher Gnosis erscheint uns die Konzeption der in der Stoffwelt gefangenen Gottseele, die erlöst werden soll. Der gottentstrahlte Lichtglanz, der in die Finsternis gesunken ist, die Sophia, die in die Gewalt der niederen weltbeherrschenden Mächte geriet, die »Mutter«, die durch alle Leiden der Dinglichkeit schreiten muß, – immer ist es ein zwischen dem Urguten und dem Urbösen mittelndes Wesen, dessen Schicksal erzählt wird: ein preisgegebenes Wesen und doch ein Gottwesen, von seinem Ursprung abgetrennt und doch nicht abgetrennt; denn die Scheidung heißt Zeit und die Vereinigung Ewigkeit. Die Kabbala hat die Konzeption der eingebannten Gottseele aufgenommen, aber sie im Feuer der jüdischen Einheitsidee, die eine Urzweiheit ausschließt, umgeprägt. Das Schicksal der Glorie Gottes, der »Einwohnung« (Schechina), widerfährt ihr nun nicht mehr von ihrem Gegensatz, nicht von den Mächten der gottfremden oder gottfeindlichen Materie, sondern von der Notwendigkeit des Urwillens selber; es gehört in den Sinn der Weltschöpfung.

Wie ist Welt möglich? Das ist die Grundfrage der Kabbala, wie es die Grundfrage aller Gnosis war. Wie kann die Welt sein, da doch Gott ist? Da Gott unendlich ist, wie kann es etwas außer ihm geben? Da er ewig ist, wie kann Zeit bestehen? Da er vollkommen ist, wie konnte das Mangelhafte werden? Da er unbedingt ist, was soll das Bedingte?

Die Kabbala[1] antwortet: Gott schränkte sich zur Welt ein, weil er, zweiheits- und beziehungslose Einheit, die Beziehung hervortreten lassen wollte; weil er erkannt, geliebt, gewollt werden wollte; weil er seinem ureinen Sein, in dem das Denken und das Gedachte eins sind, die Anderheit entsteigen lassen wollte, die zur Einheit strebt. So entstrahlten ihm die Sphären: Sonderung, Schöpfung, Gestaltung, Fertigung, die Welten der Ideen, der Kräfte, der Formen, der Stoffe, die Reiche des Genius, des Geistes, der Seele, des Lebens; so ward, in ihnen aufgebaut, das All, dessen »Ort« Gott ist und dessen Kern er ist. Der Sinn der Emanation ist nach einem chassidischen Wort »nicht, wie die Kreaturen vermeinen, daß die oberen Welten über den unteren wären, sondern die Welt der Fertigung ist dies, was unserm stofflichen Auge erscheint; aber ergründest du es tiefer und enthüllst du es der Stofflichkeit, so ist eben dies die Welt der Gestaltung, und enthüllst du es weiter, so ist es die Welt der Schöpfung, und ergründest du sein Wesen noch tiefer, so ist es die

---

[1] Ich berücksichtige hier Entwicklung und Abwandlungen der kabbalistischen Anschauung nicht, sondern nur ihren Grundgehalt, der für den Chassidismus bestimmend wurde.

Welt der Sonderung, bis zum Schrankenlosen, gesegnet sei Er.«
Die raumzeitliche Sinnenwelt ist nur die äußerste Hülle Gottes.
Es gibt kein Böses an sich; das Mangelhafte ist nur Hülle und
Haft eines Vollkommneren. Alles Weltsein ist somit zwar nicht bloßer Schein, wohl aber
ein System immer dichterer Verhüllungen. Und doch ist es eben
dieses System, worin sich Gottes Schicksal vollzieht. Gott hat
nicht, schicksallos, eine schicksalerfahrende Welt gemacht: er
selber, insofern er sie aus sich entsandt, sich in sie gehüllt hat,
ihr einwohnt, er selber in seiner Schechina hat sein Schicksal an
der Welt.

Warum aber war dem Urwillen nicht durch die reine Sphäre der
Sonderung, die Welt der Ideen, genug getan, wo er, der erkannt
werden wollte, von Angesicht zu Angesicht erkannt werden
konnte? Warum mußte der Akt über sie hinaus immer »nied-
rere«, fernere, schalenhaftere Bereiche hervorbringen, bis zu
dieser zähen, trüben, beladenen Welt, in der wir Kreaturen,
wir Dinge hausen? Warum durften wir nicht lichtätherhafter Genius bleiben, mußten hintereinander mit feuerhaftem Geist, was-
serhafter Seele, erdhaftem Körperleben bemakelt und durchsetzt
werden?
Auf alle solche Fragen antwortet die Kabbala nur: Gott schränkte
sich zur Welt ein. Und es ist geantwortet. Gott wollte erkannt,
geliebt, gewollt werden, das heißt: Gott wollte eine freibeste-
hende, in Freiheit erkennende, in Freiheit liebende, in Freiheit wollende Anderheit: *er gab sie frei.* Dies bedeutet der
Begriff Zimzum, Einschränkung. Aber indem eine dem ewigen
Sein enthobene Macht ihrer Freiheit überlassen wurde, war ihr
die Grenze durch nichts mehr als durch die eigene Auswirkung gesetzt; sie flutete über ihre gottnahe Reinheit hinaus.
Werden brach aus dem Sein, es geschah, was die Kabbala »das
Mysterium des Zerbrechens der Gefäße« nennt. Sphäre reckte
sich aus Sphäre, Welt klomm über Welt hinweg, Schale schoß an
Schale, bis an die Grenze der Wandlungen. Hier, im Reich der
im Raum gedehnten, in der Zeit verharrenden Materie, am Rand
des Gewordenseins, in der Letztheit der Sinnendinge bricht sich
die Gotteswelle. Gottes ist die Welle, die sich hier bricht. Licht-
funken des gottunmittelbaren Urwesens, des geniushaften Adam

Kadmon, sind, als das Licht aus der obersten in die unteren Sphären stürzte und sie sprengte, in die Kerkerhaft der Dinge gefallen. Gottes Schechina stieg von Sphäre zu Sphäre nieder, wanderte von Welt zu Welt, bannte sich in Schale um Schale ein, bis in ihr äußerstes Exil: uns. In unserer Welt erfüllt sich das Schicksal Gottes.

Unsere Welt aber ist in Wahrheit die Welt des Menschen. In altindischer Religion begegnet uns der Mythus vom »Allopfer«, der Opferung des Urmenschen, aus dessen Teilen die Welten erschaffen werden. Die Vorstellung des menschhaften Urwesens, das vergehen oder sich erniedern muß, damit die Weltenscheidung geschehe, kehrt in vorderasiatischen Mysterienriten und Kultliedern, Kosmogonien und Apokalypsen wieder. Der Kabbala steht im Anfang des Weltwerdens der Adam Kadmon als Gestalt Gottes und Urbild des Alls, Gotteslicht seine Substanz, Gottesname sein Leben, die noch ruhenden Sphärenelemente seine Glieder, alle Gegensätze in ihm wie Rechts und Links verbunden. Das Auseinandertreten seiner Teile ist das Werden der Welt, auch es eine Opferung. Aber an deren Ende, am Rand des Gewordenseins, Ergebnis aller Brechungen und Trübungen des Urlichts, aus dem Wuchern aller Sphären gewachsen, alle Gegensätze in ihm wie Mann und Weib zerfallen, steht wieder der Mensch, das Mischwerk der Elemente, dieser irdische, geeinzelte, benannte, stoffwechselnde, unzählbar geborene und gestorbene Mensch. In ihm hat sich die ihrer Freiheit überlassene Anderheit zum Letzten ausgewirkt, in ihm sich versammelt, und er, das späteste, beladenste der Geschöpfe, hat unter allen das volle Erbe der Freiheit empfangen. Hier erst, in diesem Kind des Lichts und der Fäulnis, ist das rechtmäßige Subjekt des Aktes erstanden, in dem Gott erkannt, geliebt, gewollt werden will. Hier ist die Bewegung zu Ende, von hier aus erst kann »der Jordan aufwärts fließen«. Hier geschieht die Entscheidung.

In anderen Lehren konnte die Gottseele, vom Himmel zur Erde gesandt oder zur Erde entlassen, vom Himmel wieder heimgerufen oder heimbefreit werden, Schöpfung und Erlösung in gleicher Richtung, von »oben« nach »unten« geschehen; nicht in einer Lehre, die, wie die jüdische, so ganz auf die doppelgerichtete Beziehung von Menschen-Ich und Gott-Du, auf die Realität der Gegenseitigkeit, auf die *Begegnung* gestellt war. Hier ist der Mensch, dieser elende Mensch, seinem Ursinn nach der Helfer Gottes. Um seines, des »Wählenden«, des Gottwählenkönnenden willen ist die Welt erschaffen worden. Ihre Schalen sind dazu da, daß er durch sie in den Kern dringe. Die Sphären sind auseinandergewichen, daß er sie einander nähere. Seiner harrt die Kreatur. Gott harrt seiner. Von ihm, von »unten« muß der Antrieb zur Erlösung ausgehen. Die Gnade ist Gottes *Antwort*. Keine der oberen Welten, erst diese niederste ist befähigt, den Anstoß zur Verwandlung in den Olam ha-Tikkum, die Welt der Vollendung, in der »die Gestalt der Schechina aus der Verborgenheit tritt«, zu geben. Denn Gott hat sich zur Welt beschränkt, er hat sie freigegeben; nun steht das Schicksal auf ihrer Freiheit. Das ist das Mysterium des Menschen.

In der Geschichte des Menschen wiederholt sich die Geschichte der Welt. Das Freigewordene übergreift sich. Dem »Zerbrechen der Gefäße« entspricht der Sündenfall. Beide sind Zeichen des notwendigen Wegs. Innerhalb des kosmischen Exils der Schechina steht das irdische, in das sie durch das Versagen des Menschen getrieben wurde, mit ihm aus dem Paradies ins Irrsal gehend. Und noch einmal wiederholt sich die Geschichte der Welt in der Israels: seinem Abfall folgt Mal um Mal – nicht als Strafe, sondern als Wirkung – die Verbannung, in die die Schechina mit ihm geht, bis zur letzten, wo nunmehr, in der tiefsten Erniedrigung, »alles an der Umkehr hangt«. Diese Verknüpfung einer kosmischen Konzeption mit einer geschichtlichen, von der Kabbala nach altjüdischen Überlieferungen vollzogen, trug sicherlich dazu bei, die Anschauung des Emanationssystems unmittelbarer und gefühlhafter zu machen; zugleich aber wurden Sinn und Aufgabe des Menschen eingeengt. Alle Eschatologie ist ja stets in Gefahr, durch Vermengung absoluter mit historischen Kategorien das Überzeitliche ans Zeitliche hinzugeben, zumal in einer Epoche, wo die eschatologische Schau durch Konstruktion ersetzt wird. Die Verendlichung des Ziels verendlicht das Mittel: wird die Innerlichkeit des Messianismus, Weltumkehr und Weltverwandlung, vergessen, so entsteht leicht

eine theurgische Praxis, die die Erlösung durch formelhafte Prozeduren herbeiführen will. Diese Praxis erhebt sich über sich
hinaus in jenen gewaltigen und ins Leere wuchtenden Überspan-
nungen der Askese, die die letzte, vorchassidische Phase der Kabbala kennzeichnen und deren Nachwirkungen in den Chassidismus hineinreichen, aber von seiner antiasketischen Tendenz
überwunden werden. Zumeist jedoch steht der großen kosmogonischen Vision des sphärenumfassenden Urmenschen ein klei-
nes Erlösungsschema gegenüber. Was der Chassidismus im Verhältnis zur Kabbala anstrebt, ist
die Entschematisierung des Mysteriums. Das altneue Prinzip,
das er vertritt, ist, geläutert wiederhergestellt, das der kosmisch-
metakosmischen Macht und Verantwortung des Menschen.»Alle
Welten hangen an seinen Werken, alle schauen aus und bangen
nach der Lehre und der Guttat des Menschen.« Dieses Prinzip,
kraft dessen reiner Intensität der Chassidismus zur religiösen
Bewegung wird, ist kein neues Lehrelement, wie er überhaupt
keine neuen Lehrelemente enthält; es ist nur hier, unter Zurück-
drängung (nicht Vertilgung) der ihm vielfältig anhaftenden Ge-
waltsamkeiten, Formelgläubigkeiten und Mystosophien, zur
Mitte einer Lebensform und einer Gemeinschaft geworden. Der
eschatologische Antrieb erstirbt nicht, das Verlangen nach der
messianischen Erlösung findet zuweilen einen noch persönlicheren
Ausdruck in beschwörendem Wort und stürmendem Unterfangen; aber die Arbeit um des Endes willen ordnet sich der steten
Wirkung auf die inneren Welten durch die Heiligung alles Tuns
unter; in der Stille reifen Ahnungen eines zeitlosen Heils, das der
Augenblick erschließt; nicht mehr eine angesetzte Handlung, sondern die Weihung alles Handelns wird entscheidend; und wie das
Geheimnis gegenwärtiger Erfüllung sich stärkend und erhellend
der Bereitung der kommenden Dinge gesellt, erhebt sich über
der Asketik, wie über einer abgestreiften Verpuppung, die be-
flügelte Freude.
Der Chassidismus will »Gott in dieser niedern, untersten Welt
offenbaren, in allen Dingen und zumal in dem Menschen, daß an
ihm kein Glied und keine Bewegung ist, in der nicht Gottes
Kraft verborgen wäre, und keine, mit der er nicht Einungen
vollbringen könnte«. Auf die Frage, was das erste im Dienst

sei, antwortete der Baalschem: »Für den geistigen Menschen ist das erste: Liebe ohne Kasteiung; für die andern ist das erste: sehen lernen, daß in aller Leiblichkeit ein heiliges Leben ist und daß man alle zu dieser ihrer Wurzel zurückführen und heiligen kann.«

Man braucht nicht zu fasten, da doch, wer in der Weihe ißt, die gefallenen Funken erlöst, die in die Speise gebannt sind und ihr Duft und Geschmack verleihen; selbst Haman wurde, als er bei Esther zu Gast war, von der Heiligkeit des Mahles berührt, und von Abraham heißt es, er habe »über« den von ihm bewirteten Engeln gestanden: weil er die ihnen fremde Weihe des Essens kannte. Man braucht nicht der ehelichen Liebe zu entbehren, da doch – wie schon der Talmud lehrt – wo ein Mann und ein Weib in heiliger Einheit beisammen sind, die Schechina über ihnen ruht; nach dem Tode seiner Frau wollte der Baalschem sich nicht trösten lassen und sprach: »Ich hatte gehofft, im Wetter wie Elia gen Himmel zu fahren, nun aber ist es mir genommen, denn ich bin nur noch die Hälfte eines Leibs.« Man soll sich nicht kasteien; »wer seinem Körper Schaden zufügt, fügt seiner Seele Schaden zu«, und die asketische Ekstase ist »von der anderen Seite«, nicht göttlicher, sondern dämonischer Art. Man soll den »bösen Trieb«, die Leidenschaft in sich nicht ertöten, sondern *mit ihr* Gott dienen; sie ist die Kraft, die vom Menschen die Richtung empfangen soll (»Du hast den Trieb böse gemacht«, sagt Gott schon im Midrasch zum Menschen); die »fremden Gedanken«, die Gelüste, die zum Menschen kommen, sind reine Ideen, die im »Zerbrechen der Gefäße« verdarben und nun durch den Menschen wieder erhoben zu werden begehren. »Noch die edelste Bitternis rührt an die Schwermut, aber noch die gemeinste Freude wächst aus der Heiligkeit.« Man kann zum Kern der Frucht nicht anders als durch die Schale kommen. Ein Zaddik führte das Wort eines talmudischen Weisen an: »Die Wege am Firmament sind mir erhellt wie die Wege der Stadt Nehardea« und kehrte es um: Die Straßen der Stadt sollen einem leuchten wie die Bahnen des Himmels; denn »man kann zu Gott nicht anders kommen als durch die Natur«.

»Henoch war ein Schuhflicker. Mit jedem Stich seiner Ahle, der Oberleder und Sohle zusammennähte, verband er Gott und seine Schechina.«

Dieser wunderliche Beitrag zur Legende des Urvaters, der göttlicher Gemeinschaft genoß, von der Erde hinweggenommen wurde und die Verwandlung in den demiurgisch gewaltigen Metatron, den feuerleibigen »Fürsten des Angesichts«, erfuhr, wird in der chassidischen Lehre gern variiert. Denn in seinem erdnahen Bilde spricht er das ihr Wesentliche aus: daß der Mensch auf das Ewige einwirkt, und dies nicht durch besondere Werke, sondern durch die Intention all seines Werks. Es ist die Lehre von der Heiligung des Alltags. Es gilt nicht ein neues, seiner Materie nach sakrales oder mystisches Tun zu gewinnen; es gilt, das einem Zugewiesene, das Gewohnte und Selbstverständliche in seiner Wahrheit und in seinem Sinn, und das heißt in der Wahrheit und dem Sinn aller Tat, zu tun.

Auch die Werke sind Schalen; wer sie mit der rechten Weihe vollbringt, umfängt im Kern das Schrankenlose.

Von hier aus wird verständlich, daß der Chassidismus keinen Anreiz hatte, irgendein Stück aus der Fügung des überlieferten Gesetzes zu brechen, da es der chassidischen Lehre nach keins geben konnte, das nicht mit Intention zu erfüllen oder in seiner Intention zu entdecken war. Aber es wird auch verständlich, wie eben hierdurch die beharrende Kraft der bewegenden und erneuernden insgeheim überlegen blieb und schließlich innerhalb des Chassidismus selbst ihr obsiegte.

Ohnehin hat es keine Lehre so schwer, ihre reine Kraft zu bewahren, wie eine, die den Sinn des Lebens auf die wirkende Wirklichkeit des Jetzt und Hier stellt und nicht duldet, daß der Mensch vor der anstrengenden Unendlichkeit des Augenblicks in ein gleichmäßig geltendes System des Seins und Sollens flüchte; die Trägheit erweist sich bald stärker und zwingt die Lehre um. Aber in der kurzen Zeit ihrer Reinheit hat diese eine unsterbliche Fülle des echten und rückhaltlosen Lebens erzeugt.

Leib

Eine Lehre, die hoch über das kodifizierbare Was des Tuns das nicht festzulegende Wie stellt, wird ihr Eigentliches nicht durch die Schrift übergeben können; immer wieder wird es sich durch das Leben, von Führer zu Gemeinde, vornehmlich aber von Lehrer zu Schüler mitteilen. Nicht als ob die Lehre in einen allen zugänglichen und einen esoterischen Bereich getrennt wäre; es widerspräche ihrem Sinn, dem Werk am Menschen, wenn sie ein Geheimfach mit hieratischer Inschrift bärge. Vielmehr ist das Geheimnis, das übergeben wird, eben das, was auch das dauernde Wort verkündet, nur daß es seiner Natur nach, als ein Wie, durch das Wort nur angedeutet, in seiner substantiellen Wahrheit aber nur durch die Bewährung dargelegt werden kann.

»Was ist das«, sagt daher ein ›verborgener Zaddik‹ von den Rabbinen, die ›Thora sagen‹, das ist Worte der Schrift auslegen, »daß sie Thora sagen? Der Mensch soll achten, daß all seine Führung eine Thora sei und er selbst eine Thora.« Und ein andermal heißt es: »Der Weise sinne darauf, daß er selbst eine vollkommene Lehre sei und alle seine Taten Körper der Unterweisung; oder, wo ihm dies nicht gewährt ist, daß er eine Übertragung und Auslegung der Lehre sei und durch jede seiner Bewegungen die Lehre sich ausbreite.« Wie ein sakramentaler Ausdruck dieser Grundeinsicht erscheint es, wenn der Zaddik von Apta den zu Boden gefallenen Gürtel des siebzehnjährigen Rabbi Israel, des nachmaligen Rižiners, aufhebt, ihn damit umgürtet und spricht, er vollziehe die heilige Handlung der Gelila: der Einfaltung der Thorarolle.

Die Menschen, in denen sich das Thora-Sein erfüllt, heißen Zaddikim, »die Gerechten«, die Rechtmäßigen, die Bewährten. Sie tragen die chassidische Lehre, nicht allein als deren Apostel, sondern als deren wirkende Wirklichkeit. Sie sind die Lehre.

Um die eigentümliche Bedeutung des Zaddiks im Unterschied etwa von dem russischen Starez, wie ihn mit der verklärenden Treue des großen Dichters Dostojewskij dargestellt hat, zu erfassen, vergegenwärtige man sich den fundamentalen Unterschied zwischen der Geschichtsauffassung des Judentums und der des Christentums (oder der einer anderen Erlöser-Religion, zum Bei-

spiel des Buddhismus). Nicht die Konzeption der Erlösung selbst
ist das Scheidende: die lebte schon im prophetischen Messianismus und wurde vom nachexilischen Judentum zum Kern seiner
Weltansicht ausgebildet. Aber den Erlöserreligionen ist die Erlösung ein – seinem Wesen nach der Geschichte transzendentes,
dennoch in ihr lokalisiertes – Faktum, dem Judentum ist sie ein
reiner Ausblick; für jene hat die Geschichtszeit (»der gegenwärtige Äon«) eine Zäsur, eine absolute Mitte, in der sie gleichsam
aufbricht, bis auf den Grund gespalten wird und eben dadurch
den hinfort unerschütterlichen Halt gewinnt, für das Judentum
muß sie ohne eine solche zentrale Verfestigung, ganz ihrer nirgends innehaltenden Strömung überlassen, auf das »Ende« hin-
streben. So hat sich denn im Christentum (wie im Buddhismus)
das Entscheidende ereignet und kann nunmehr nur noch »nach-
geahmt«, nur noch im Anschluß erneut, nur noch wiederholt werden; im Judentum ereignet sich das Entscheidende allezeit, das
heißt: es ereignet sich jetzt und hier. Vor der blühenden Schick-
salsfülle des Jetzt und Hier verblaßt sogar scheinbar der Horizont der »letzten Dinge«: zeitlich projiziert erscheint das Gottesreich am Gesichtskreis der absoluten Zukunft, wo Himmel und
Erde sich berühren, zeitlos gegenwärtig offenbart es sich je und je
im Augenblick, wo aus dem Wesensakt des wahrhaften Menschen
die Einung Gottes und seiner Schechina geschieht. Wohl war es
ein christlicher, abendländischer Seher, der seiner Kirche den
Satz entgegenhob: »Der edle Mensch ist jener eingeborene Sohn
Gottes, den der Vater ewiglich zeugt«[2]; aber in keiner der christlichen Ketzergemeinschaften, die damit Ernst machen wollten,
konnte er zum eindeutigen Leben gedeihen. Im Chassidismus erstand – als schwache, von Anbeginn zur Entartung verurteilte,
dennoch unvergängliche Wirklichkeit – der jüdische Bruder-
spruch, in dem an Stelle der »Zeugung«, der ungebrochen nieder-
strömenden Gnade, die Begegnung des göttlichen Wirkens mit
dem menschlichen steht, in dem aber das »ewiglich« mit gleicher
Kraft ertönt.
Der Zaddik ist nicht ein Priester oder Mönch, der ein einst voll-
zogenes Heilswerk in sich erneut oder seinem Geschlecht über-

---

[2] Einer der vom Papst 1329 verdammten Sätze Meister Eckharts.

mittelt, sondern der Mensch, der der allmenschlichen, allzeitlichen Heilsaufgabe gesammelter als die andern zugewandt ist, dessen Kräfte geläutert und geeinigt sich auf das eine Obliegende richten. Er ist seiner Idee nach der Mensch, in dem die transzendentale Verantwortung aus einem Bewußtseinsvorgang zur organischen Existenz wird. Er ist der zu seiner Wahrheit vollendete Mensch, das rechtmäßige Subjekt des Akts, in dem Gott erkannt, geliebt, gewollt werden will. In ihm verwirklicht der »untere«, irdische Mensch sein Urbild, den kosmischen Urmenschen, der die Sphären umfaßt. Er ist die Wende der großen Flut, in ihm kehrt die Welt zu ihrem Ursprung um. Er ist »kein Knecht der Zeit, sondern über ihr«. Er trägt den untern Segen empor und den obern herab; er zieht den heiligen Geist auf die Menschen nieder. Das Sein des Zaddiks wirkt in die oberen Bereiche. Er muß mit seinem Feuer – so sagt einmal in einem derben und anschaulichen Scherzwort ein Zaddik vom andern – »die großen Töpfe kochen«. An ihm erneuert sich die Welt, deren »Grund« er ist (so wird das Wort vom »Gerechten«, Sprüche Salomos 10, 25 gedeutet). »Der Zaddik heißt Grund, weil er unablässig mit seinem Wirken den Erguß der Fülle über die Welt erweckt. Und vollendet sich aus ihm, daß all sein Tun nur darauf geht, die Schechina mit Gott zu vereinen, dann kommt über seine Seele ein Gnadenstrom von der heiligen Fülle, der sich aus dem Licht der Gotteseinheit ergießt, und er wird wie eine neue Kreatur und wie ein Kindlein, das eben geboren wurde. Das ist es, was geschrieben steht: ›Und dem Sem wurde geboren auch er . . .‹[3] Denn wessen alle Werke Gott allein gelten, der zeugt sich selber in der Erneuerung des Lichtes seiner Seele.«

Ein wahrhafter Mensch ist wichtiger als ein Engel, weil dieser ein »Stehender«, er aber ein »Wandelnder« ist: er schreitet vor, dringt durch, steigt auf – er vollzieht die entscheidende, erneuernde Bewegung der Welt. Die stete Erneuerung ist das eigentliche Lebensprinzip des Zaddiks. In ihm sammelt und hebt sich der Werdensvorgang der Schöpfung zu schöpferischem Sinn, dem echten, der ganz frei von Willkür und Eigensucht, der eben nichts anderes als die Umkehr der Schöpfung zum Schöpfer ist. Der Zaddik

---

[3] Deutende Übertragung von Genesis 10, 21.

schaut unablässig die körperhafte Erneuerung im All unmittelbar und »wird in jedem Augenblick von der Erneuerung der Kreatur bewegt«; sein Wesen antwortet mit der des Geistes. Und wie die körperhafte Erneuerung in der Natur stets mit einem Versinken, einer Auflösung, einem Schlaf der Elemente zusammenhängt, so gibt es kein wahres geistiges Werden ohne Entwerden. »Denn die Zaddikim«, sagt Rabbi Sussja, »die in ihrem Dienst immer wieder von Heiligtum zu Heiligtum und von Welt zu Welt gehen, müssen zuvorderst ihr Leben von sich werfen, um einen neuen Geist zu empfangen, daß eine neue Erleuchtung sie immer wieder überschwebe; und dies ist das Mysterium des Schlafs.« Der sinnbildliche Akt dieses Vorgangs der tiefen Innerlichkeit ist das Tauchbad. Urzeitliches Symbol der Wiedergeburt (die wahrhaft nur ist, wenn sie Tod und Auferstehung umschließt), aus alten Überlieferungen, insbesondere der Essäer und »Morgentäufer«, in die kabbalistische Praxis aufgenommen, wird es von den Zaddikim mit einer hohen und freudigen Leidenschaft geübt, die nicht asketischer Art ist. Von manchen wird erzählt, wie sie im strengsten Winterfrost das Eis der Ströme zerschlugen, um ins fließende Wasser zu tauchen; und der Sinn dieser Inbrunst wird an dem Wort eines Chassids offenbart, man könnte das Tauchbad durch einen geistigen Akt, den der »Abstreifung der Leiblichkeit«, ersetzen. Was sich hier in der Handlung äußert, ist Bereitschaft und Bereitung, in die »Beschaffenheit des Nichts« einzukehren, an der allein die göttliche Erneuerung sich auswirken kann.

In dieser immer neuen Übung der »empfangenden Macht« des Zaddiks vollzieht sich die immer neue Weihung seiner tätigen Macht. Mit verjüngter Kraft gerüstet, geht er immer wieder an sein Werk – an sein Tagewerk: an das tausendfältige Werk der »Einung«, des Jichud.

Jichud bedeutet zunächst, wie die Einheit Gottes, so das Bekenntnis zu ihr, das dem Juden die Zentralsonne nicht allein seines religiösen, sondern seines Lebenssystems überhaupt ist. Aber auch schon dieses Bekenntnis stellt nicht eine passive Anerkennung, sondern einen Akt dar. Es ist keineswegs die Äußerung eines Subjekts über ein Objekt; es ist gar kein »subjektiver«, sondern ein subjektiv-objektiver, ein Begegnungs-Vorgang, es ist die dynamische Gestalt der Gotteseinheit selber. Dieser aktive Charakter des Jichud wächst in der Kabbala, reift im Chassidismus. Der Mensch *wirkt* die Einheit Gottes, das heißt: durch ihn vollzieht sich die Einheit des Werdens, die Gotteseinheit der Schöpfung – die freilich ihrem Wesen nach immer nur Vereinigung des Getrennten sein kann, welche die dauernde Geschiedenheit überwölbt und in der die Ureinheit des ungeschiedenen Seins ihr kosmisches Gegenbild findet: die Einheit ohne Vielheit in der Einung der Vielheit.

Es ist von grundlegender Wichtigkeit, den eigentümlichen Begriff des Jichud gegen den der *magischen* Handlung abzuheben. Der magische Akt bedeutet die Einwirkung eines Subjekts auf ein Objekt, des zauberkundigen Menschen auf eine – göttliche oder dämonische, persönliche oder unpersönliche, in der Dingwelt erscheinende oder hinter ihr verborgene –»Macht«; also eine konstitutive Zweiheit von Elementen, von denen das eine, das menschliche, seiner Grundbeschaffenheit nach das schwächere ist, aber kraft seines magischen Vermögens das stärkere, das zwingende wird; es zwingt das andere, das göttliche oder dämonische, in Menschendienst, in Menschenabsicht, in Menschenwerk; der Mensch, von dem der Akt ausgeht, ist auch dessen Ziel und Ende; der magische Akt ist ein in sich kehrender, ein isolierter, kreisartiger Kausalprozeß. Der Jichud bedeutet nicht die Einwirkung eines Subjekts auf ein Objekt, sondern die Auswirkung des Objektiven in einer Subjektivität und durch sie: des Seienden im Werdenden und durch es; freilich eine wahrhafte, strenge und vollkommene Auswirkung, so daß das Werdende nicht bewegtes Werkzeug, sondern ein freigelassener, freier, aus Freiheit wirkender Beweger ist; die Weltgeschichte ist nicht Gottes Spiel, sondern Gottes Schicksal. Der Jichud bedeutet die ewig neue Bindung der auseinanderstrebenden Sphären, die ewig neue Vermählung der »Majestät« mit dem »Reich« – durch den Menschen; das im Menschen lebende göttliche Element bewegt sich aus ihm zu Gottes Dienst, zu Gottes Absicht, zu Gottes Werk. Gott, in dessen Namen und Schöpfungsgebot der freie Jichud geschieht, ist sein Ziel und Ende, er selber nicht in sich, sondern in Gott kehrend, nicht isoliert, sondern mit dem Weltprozeß verschlungen, kein Kreis, sondern der Rückschwung der ausgesandten Gotteskraft.

Aus dieser Unterscheidung ergibt sich, warum Magie eine qualitativ besondere Handlung, die die besondere Wirkung hervorzubringen hat, einschließen muß: Gebärden und Reden einer eigenen, andern Menschen und andern Momenten fremden Art, Jichud dagegen keine besondere Formel oder Prozedur ist, sondern gar nichts andres als das gewohnte Leben des Menschen, nur gesammelt und auf die Einung als Ziel gerichtet. Wohl ist manche kabbalistische Tradition der Buchstabengeheimnisse, der Wendungen und Fügungen der Gottesnamen vom Chassidismus in sein System der »Kawwanoth«, der Intentionen aufgenommen und geübt worden; aber dieser magische Bestandteil hat nie das Zentrum des chassidischen Lebens berührt. In diesem Zentrum steht nicht geheime Formelkunde, sondern Allweihe: kein Tun ist seinem Wesen nach verurteilt, »profan« zu bleiben, jedes wird Dienst und Wirken am Göttlichen, wenn es auf die Einung gerichtet, das heißt in seiner inneren Weihe offenbart wird. Von dieser alldurchdringenden Macht des Jichud ist das Leben des Zaddiks getragen.

Von dem Zaddik von Berditschew wird erzählt, wie er in seiner Jugend, bei seinem Freund, dem Nikolsburger Rabbi zu Gast, allgemeines Ärgernis erregte, weil er, in den Gebetmantel gehüllt und doppelte Phylakterien auf der Stirn, in die Küche ging und die Zubereitung der Speisen erfragte, und weil er sodann im Bethaus mit dem weltlichsten Mann sich in ein Gespräch über allerlei müßig scheinende Dinge einließ: Entweihung des heiligen Gewandes, Entweihung des heiligen Ortes und der heiligen Stunde wurde ihm zur Last gelegt; aber der Meister sprach: »Was ich nur drei Stunden im Tag vermag, vermag dieser da den ganzen Tag: seinen Geist gesammelt zu hegen, daß er auch mit der als eitel geltenden Rede erhabene Einungen stiftet.« Heiligung des Weltlichen ist der zentrale Antrieb des Zaddiks. Sein Mahl ist ein Opfer, sein Tisch ein Altar. Alle seine Gänge führen zum Heil. Von einem wird erzählt, daß er in jungen Jahren Tag um Tag in die Dörfer ging und mit den Bauern Handel trieb; und je und je, wenn er heimgekommen war und das Nachmittagsgebet sprach, fühlte er alle seine Glieder von einem seligen Feuer durchzogen; er fragte seinen älteren Bruder, der auch sein Lehrer war, was dies sei, denn er fürchtete, es könnte ihm vom Bösen kom-

men und sein Dienst sei falsch; der Bruder antwortete:»Wenn du
in heiligem Sinnen übers Feld gehst, heften sich alle Seelenfunken
aus Stein, Gewächs und Tier dir ein und läutern sich in dir zu
einem reinen Feuer.« Diese Weihe des Alltags ist über aller Magie. Als in den Tagen
des Rabbi Pinchas von Korez das ganz auf Buchstaben-Kawwa-
noth aufgebaute Gebetbuch Rabbi Jizchak Lurjas, des Meisters der
theurgischen Kabbala, zur Veröffentlichung gelangte, erbaten sich
die Schüler des Zaddiks von ihm die Erlaubnis, daraus zu beten;
nach einiger Zeit aber kamen sie wieder zu ihm und klagten, sie
hätten, seit sie aus dem Buch beteten, von der Empfindung kräftigen Lebens in ihrem Gebet viel eingebüßt; Rabbi Pinchas antwortete ihnen:»Ihr habt all eure Kraft und alle Zielstrebigkeit
eures Gedankens in die Kawwanoth der heiligen Namen und der
Letternverschlingungen eingetan und seid von dem Wesen abgewichen: sein Herz ganz zu machen und es Gott zu einen – darum
habt ihr Leben und Gefühl der Heiligkeit verloren.« Alle Formeln und Künste sind Stückwerk, die wahre Einung hebt sich über
sie alle hinaus.»Wer in seinem Gebet«, sagt der Baalschem,»alle
Kawwanoth anwendet, die er kennt, der wirkt eben nur, was er
kennt. Wer aber das Wort in großer Verbundenheit spricht, dem
geht in jedes Wort alle Kawwana von selber ein.« Es kommt
nicht auf das Erlernbare, es kommt auf die Hingabe ans Unbekannte an.

Ein Zaddik sprach:»Merke wohl, daß das Wort Kabbala von
kabel, aufnehmen, und das Wort Kawwana von kawwen, ausrichten, stammt. Denn der Endsinn aller Weisheit der Kabbala
ist: das Joch des Gottesreichs auf sich nehmen, und der Endsinn
aller Kunst der Kawwanoth ist: sein Herz auf Gott richten. Wenn
einer sagt: ›Gott ist mein und ich bin sein‹ – wie geht da nicht
die Seele aus seinem Leib?« Sowie er dies gesprochen hatte, fiel er
in eine tiefe Ohnmacht, aus der man ihn erst nach langer Mühe
erweckte.

Es wird hier deutlich, daß Jichud ein Wagnis, das Wagnis bedeutet. Gotteseinung soll in den Welten geschehen, der Mensch soll
aus seiner Einung Gottes Einung wirken – ans Göttliche muß das
Menschliche, Erdenheil, Erdenverstand, Erdenleben, gewagt werden. Am mächtigsten gibt sich dies im Beten kund. Von einem

Zaddik wird erzählt, daß er an jedem Tag, ehe er zum Beten ging, sein Haus wie zum Sterben bestellte. Ein andrer lehrte seine Schüler, wie sie beten sollten: »Wer das Wort ›Herr‹ spricht und dabei im Sinn hat, noch das Wort ›der Welt‹ zu sprechen, das ist keine Sprache. Sondern in der Weile, da er ›Herr‹ sagt, sei in seinem Sinn, daß er sich ganz dem Herrn darreicht, mag seine Seele ausgehn im Herrn und er nicht mehr das Wort ›Welt‹ aussprechen und ihm genug sein, daß er ›Herr‹ sagen konnte. Dies ist das Wesen des Gebets.« Der Baal-schem-tow hat die ekstatischen Bewegungen des Chassids, der mit dem ganzen Leibe betet, den Bewegungen eines Ertrinkenden verglichen.

Wie schon von einzelnen Meistern des Talmuds, wird auch von einigen Zaddikim erzählt, wie die Verzückung des Gebets ihren Leib gewaltig regierte und zu Gebärden hinriß, die die menschliche Gewöhnungswelt überschwangen. Um manchen war in solchen Augenblicken eine Ferne wie um einen heilig Rasenden. Aber all dies ist nur ein Ereignis der Schwelle und nicht des Eingangs, es ist das ringende Wagnis und nicht die Erfüllung. Rabbi Jehuda Löb erzählt, wie er einst am Hüttenfest in der Laubhütte den wie von einer geheimnisvollen Angst getriebenen Bewegungen des großen Zaddiks von Lublin vor dem Segensspruch zusah. Alles Volk starrte darauf und geriet selber in zitternde Furcht, Rabbi Jehuda Löb aber blieb sitzen und wartete bis zum Segensspruch; da stand er auf, sah auf den nun regungslos erhobenen Meister und vernahm den göttlichen Segen; so hatte Mose einst nicht des Donnergetöses und des rauchenden Bergs geachtet, den das Volk zitternd umstand, und war der unbewegten Wolke genaht.

Je unwillkürlicher das Gebet ist, je unmittelbarer es aus der naturhaften Tiefe des Menschen, aus der kosmischen Spontaneität dessen hervorbricht, der das Abbild des sphärenumfassenden Urmenschen trägt, um so wirklicher ist es. Von einem Schülersschüler des Lubliner Zaddiks, Rabbi Mendel von Kozk, wohl der letzten großen Gestalt des Chassidismus, wird hervorgehoben, daß er ohne Mühe und Aufwand betete, wie einer sich mit seinem Gefährten bespricht, und doch nach dem Gebet verwandelt war, als käme er aus einer andern Welt, und kaum die Seinen wiedererkannte; »denn das Wesen des Gesprächs geht aus der Wurzel der

Seele ohne Absicht hervor; wie einer, dessen Seele mit einem sehr tiefen Gegenstand befaßt ist, zuweilen aus seinem Munde Worte zwischen sich und sich selber gehn läßt, ohne Absicht, und er selbst merkt nichts von seiner Rede, und all dies, weil sie aus der Wurzel der Seele hervorgeht, und die ganze Seele ist in die Rede gehüllt, die in vollkommner Einheit aufsteigt.« Hier, im wahrhaften Gebet, erscheint der Ursinn des Jichud am reinsten: daß er kein »subjektiver« Vorgang, sondern die dynamische Gestalt der Gotteseinheit selber ist. »Die Leute meinen«, sagt Rabbi Pinchaz von Korez, »sie beteten vor Gott. Aber dem ist nicht so. Denn das Gebet selber ist Wesensstand der Gottheit.«

Solcherart ist der einsame Dienst des Zaddiks. Aber der ist es nicht wahrhaft, der sich daran genügen läßt. Die Gottverbundenheit des Menschen bewährt und erfüllt sich an der Menschenwelt.

Rabbi Chajim von Zans wurde einmal nach dem Minchagebet von einem zudringlichen Menschen mit einem Anliegen behelligt. Als er nicht ablassen wollte, fuhr ihn der Zaddik an. Von einem Freund, der dabei zugegen war, nach dem Grund seines Zorns befragt, antwortete er, wer Mincha bete, stehe der Welt der Ursonderung gegenüber; wie sollte er nicht zürnen, wenn er von ihr komme und nun mit den kleinen Sorgen der kleinen Leute überfallen werde? Darauf sprach jener: »Nachdem die Schrift von der ersten Sinai-Kundgebung Gottes an Mose erzählt hat, heißt es: ›Mose schritt vom Berg hinab zum Volk.‹ Raschi bemerkt dazu: ›Dies belehrt uns, daß Mose sich vom Berg aus nicht seinen Geschäften, sondern dem Volke zuwandte.‹ Wie ist das zu verstehen? Was für Geschäfte hatte denn Mose in der Wüste, auf die er verzichtete, um zum Volk zu gehen? Es ist aber so zu verstehn: Als Mose vom Berge niederstieg, haftete er noch an den oberen Welten und vollbrachte sein hohes Werk an ihnen, die Sphäre des Gerichts mit dem Element des Erbarmens zu durchdringen. Das waren Moses Geschäfte. Und doch, als er zum Volk herabstieg, ließ er von seinem hohen Werke ab, machte sich von den obern Welten los und wandte sich dem Volk zu; er vernahm all ihre kleinen Sorgen, speicherte alle Beschwernis der Herzen ganz Israels in sich auf und trug sie alsdann im Gebet empor.«

Als Rabbi Chajim dies hörte, schwichtigte und vertiefte sich sein Sinn, er rief den Mann, den er angefahren hatte, zurück, um sein Anliegen entgegenzunehmen, und fast die ganze Nacht durch empfing er die Klagen und Bitten der versammelten Chassidim. »Oben« und »unten« – die entscheidende Wichtigkeit kommt dem »Unten« zu. Hier, am Rand des Gewordenseins, entscheidet sich das äonische Schicksal. Die Menschenwelt ist die Welt der Bewährung.

»Sei nicht böse vor dir selber«, das heißt, wähne dich nicht unerlösbar, steht in den »Vätersprüchen« geschrieben. Aber Rabbi Baruch, der Enkel des Baalschem, deutete das Wort anders: »Jeder Mensch ist berufen, etwas in der Welt zur Vollendung zu bringen. Eines jeden bedarf die Welt. Aber es gibt Menschen, die sitzen beständig in ihren Kammern eingeschlossen und lernen, sie treten nicht aus dem Haus, sich mit andern zu unterreden; deswegen werden sie böse genannt. Denn wenn sie sich mit den andern unterredeten, würden sie etwas von dem ihnen Zugewiesenen zur Vollendung bringen. Dies bedeutet es: sei nicht böse ›vor dir selber‹, gemeint ist: sei nicht böse damit, daß du vor dir selber verweilst und nicht zu den Menschen ausgehst; sei nicht böse durch Einsamkeit.«

Menschenliebe ist nicht die Erfüllung eines außerweltlichen Gebots, sie ist Werk an der Vollendung, sie hilft, daß die Gestalt der Schechina aus der Verborgenheit trete, sie arbeitet am »Wagen«: an dem kosmischen Träger der befreiten Glorie. Darum steht geschrieben: »Halte lieb deinen Genossen dir gleich: *ich bin der Herr.*« Auf der Liebe gründet sich das Reich.

Darum pflegte Rabbi Rafael von Berschad, Rabbi Pinchas' Lieblingsschüler, immer davor zu warnen, im Verkehr mit den Mitmenschen »abgemessen« zu sein: Überfluß an Liebe tut not, um ihren Mangel in der Welt auszufüllen.

Drei Kreise sind es, an denen sich die Liebe des Zaddiks bewährt. Der eine, weiteste umfaßt die vielen, die aus der Ferne zum Zaddik kommen, teils um – zumal an hohen Festen – einige Tage in seiner Nähe, »im Schatten seiner Heiligkeit« zu weilen, teils um von ihm für ihre Leibes- und Seelennöte Hilfe zu erlangen. In diesen Wallfahrern ist etwas von dem treuen und zuversichtlichen

Geist, in dem die Palästinenser einst dreimal im Jahr zum Heiligtum nach Jerusalem zogen, um sich im Opfer vom Übel zu lösen und mit dem Göttlichen zu verbinden:»der Zaddik ist an des Altars Stelle«. Freilich stehen auf den Bittzetteln, die sie darreichen, zumeist recht äußerliche Mängel und Gebrechen verzeichnet; aber deren Heilung rührt zugleich das Innerlichste auf und bewegt es zu umwandelnder Besinnung. Zum Verständnis des Phänomens allgemeiner Art, das dieser eigentümlichen Wirkung des Zaddiks zugrunde liegt und sich in seiner Tatsächlichkeit nicht anstreiten läßt, tragen die Begriffe»Wunder« und »Suggestion« gleich wenig bei. Der erste verflüchtigt die Irrationalität des Phänomens, der zweite verflacht seine Rationalisierbarkeit. Es als die Einwirkung des Göttlichen auf das Menschliche erklären wollen, gibt eine viel zu vage, als die Einwirkung des »stärkeren« Willens auf den»schwächeren« eine viel zu enge Perspektive. Am ehesten kann man seiner Tiefendimension wohl gerecht werden, wenn man sich vergegenwärtigt, daß das Verhältnis einer Seele zu ihrem organischen Leben von dem Grad ihrer Ganzheit und Einheit abhängt. Je dissoziierter, um so preisgegebener, je geschloßner, um so übermächtiger ist sie seinen Krankheiten und Anwandlungen; nicht als ob sie den Leib besiegte, sondern indem sie durch ihre Einheit die seine immer wieder rettet und schützt. Jäh und deutlich waltet diese Kraft, wo sich an einer zersprengten Seele in einem elementaren Augenblick ein Zusammenschießen und Ganzwerden vollzieht; da geschieht plötzlich und allsichtbar, was sonst nur im vegetativen Dunkel wächst, die»Heilung«. Durch nichts andres kann dieser Prozeß so schlicht und unmittelbar bewirkt werden wie durch die fassende, umschließend erschütternde, den Vorgang der Kristallwerdung fördernde, psychosynthetische Kundgebung einer ganzen, geeinten Seele. Sie»suggeriert« nicht, sie schafft in der Mitseele, von der sie angerufen wird, Halt und Mitte, und um so wahrhafter und vollkommner, je mehr sie dafür Sorge trägt, daß die anrufende Seele nicht von ihr abhängig bleibe: der Helfer stellt Halt und Mitte her, nicht indem er sein eignes Bild in die wiederaufzubauende Seele einstellt, sondern indem er sie durch ihn wie durch ein Glas in das Wesen schauen und nun das Wesen in sich selber entdecken und es zum Kern der lebendigen Einheit ermächtigen läßt. Nur die Größten der Zaddikim haben dieser Aufgabe genug getan; sie stehen in der Reihe der Gotteshelfer. Der zweite, mittlere Kreis umfaßt die Ortsgemeinde des Zaddiks. Diese stellt im allgemeinen nur einen Teil der Judengemeinde des Orts dar, deren Rest aus »Widersachern« (Mithnagdim) und Indifferenten besteht und deren offizielles geistliches Oberhaupt der »Raw« ist; innerhalb ihrer als einer »Zwangsgemeinde« steht die chassidische als eine freie, eine »Wahlgemeinde«, mit dem Zaddik, dem »Rabbi« an der Spitze (immerhin haben etliche Zaddikim in von Chassidim beherrschten Gemeinden auch die Funktionen des Raw ausgeübt und seinen Titel getragen). Diesem Unterschied entspricht der zwischen der Legitimation des Raw und der des Rabbi; zum Raw befähigt die erprobte Kenntnis des Gesetzes in seinem talmudischen Wurzelbau und der ganzen Fülle seiner rabbinischen Verzweigungen, zum Rabbi das spontan anerkannte Führertum der Seelen, Tiefe der »Gottesfurcht«, das ist des zentralen Gefühls der Gegenwart Gottes, und Inbrunst des »Herzensdienstes«, das ist der Gestaltung des ganzen Lebens zum aktiven Gebet. Damit soll freilich keineswegs gesagt sein, daß diese Eigenschaften nur unter den Zaddikim und nicht auch unter den Rabbinen zu finden gewesen wären, ebensowenig wie daß nicht manchem unter jenen ein umfassendes und selbständig weiterbauendes halachisches (Gesetzes-) Wissen eignete; der größte unter den Gegnern des Chassidismus, Rabbi Elija von Wilna war ein Erklärer des Buches Sohar, des Grundwerks der Kabbala, und der bedeutendste Systematiker des Chassidismus, Rabbi Schnëur Salman, der Verfasser eines ritualen Gesetzeskodex; und wenn man beider überlieferte Lebensgeschichte nebeneinanderhält, so hat nicht die zweite, sondern die erste den mystisch-legendären Charakter. Man muß sich hüten, die in der Betrachtung der inneren Historie unumgängliche Antithetik pragmatisch statt dialektisch aufzufassen; die geistige Bewegung vollzieht sich in der Gegensätzlichkeit, aber sie verkörpert sich nicht in ihr. Mit dieser Einschränkung darf die chassidische Gemeinde als die soziale Darstellung des Prinzips der Freiwilligkeit, der Zaddik als der Vertreter des autonomen Führertums angesehen werden. Die stärkste Kundgebung beider und ihrer Einheit ist das gemeinsame Beten; es ist der gleichmäßig wiederkehrende und doch stets neue sinnbildliche Akt der Einung von Zaddik und Gemeinde. Der dumpfe, übervolle Saal des Bet-ha-Midrasch[4], wo nachts die armen Wandrer schliefen und frühmorgens der scharfe Talmuddisput erscholl, atmet nun die Luft des Mysteriums. Auch wo der Zaddik in einem abgesonderten Raum betet, ist er mit seiner Gemeinde zu Einem Wesen verbunden.

Der dritte, engste Kreis ist der der Schüler, von denen zumeist etliche in die häusliche Gemeinschaft des Zaddiks aufgenommen werden. Dieser ist der eigentliche Bereich der Übergabe, der Mitteilung der Lehre von Geschlecht zu Geschlecht.

Jeder der drei Kreise hat seine Einheit in der Kraft der *Wechselwirkung*. Von den »Fahrenden« sagte Rabbi Pinchas: »Oftmals, wenn einer zu mir kommt, sich Rats zu erfragen, höre ich, wie er selber die Antwort spricht.« Von der Gemeinde, vornehmlich der betenden, hat der Baalschem das Gleichnis vom Vogelnest gesagt, das aus dem Wipfel des sehr hohen Baums zu holen einer viele Leute hinstellte, immer einen auf die Schultern des andern, er selber stand zu oberst; wie, wenn auch nur einem von ihnen die Zeit zu lang würde! Aber am größten stellt sich die Macht der Gegenseitigkeit im dritten Kreise dar.

Einige Schüler des Rabbi Nachum von Tschernobil saßen einst in einer unfernen Stadt beim »Geleitmahl der Königin«, das nach Sabbatausgang die Frommen noch einmal vereinigt, und besprachen sich von der Rechenschaft, die die Seele sich in der innersten Selbstbesinnung abzulegen hat. Da kam es über sie in ihrer Furcht und Demut, daß ihnen schien, ihrer aller Leben sei verworfen und vertan, und sie sagten einander, es gäbe keine Hoffnung mehr für sie, wenn dieses eine ihnen nicht Trost und Zuversicht wäre, daß sie sich dem großen Zaddik Rabbi Nachum anschließen durften. Da standen sie aus gemeinsamem Antrieb auf und begaben sich auf den Weg nach Tschernobil. Zur gleichen Zeit saß Rabbi Nachum in seinem Hause und legte die Rechenschaft der Seele ab. Da erschien auch ihm in seiner Furcht und Demut, sein Leben sei verworfen und vertan und all seine Zuversicht nur dieses eine, daß jene gotteseifrigen Männer sich ihm angeschlossen

---

[4] Allgemeines Bet- und Lehrhaus.

hätten. Er trat in die Tür und schaute nach dem Wohnort der Schüler hinüber; und als er eine Weile gestanden hatte, sah er sie kommen. »In diesem Augenblick«, fügte der Enkel des Zaddiks hinzu, wenn er die Begebenheit erzählte, »schloß sich der Ring.«

Wie hier der gegenseitige Wert, so kommt in einer andern Geschichte die gegenseitige Wirkung zum Ausdruck. Rabbi Sussja saß einst an einem der Tage der Einkehr, zwischen Neujahr und Versöhnungstag, auf seinem Stuhl, und die Chassidim standen um ihn vom Morgen bis zum Abend. Er hatte Augen und Herz zum Himmel erhoben und sich von allen leiblichen Banden gelöst. Über seinem Anblick erwachte in einem der Schüler der Antrieb zur Umkehr, und die Tränen überstürzten ihm das Gesicht; und wie an einer brennenden Kohle die Nachbarinnen erglimmen, so kam über Mann um Mann die Flamme der Umkehr. Da sah der Zaddik um sich und sah sie alle an. Wieder hob er die Augen und sprach zu Gott: »Wahrlich, Herr der Welt, es ist die rechte Frist, zu dir umzukehren; aber du weißt ja, daß ich nicht die Kraft habe, Buße zu tun – so nimm meine Liebe und meine Scham als Buße an!«

Diese Art der Wirkung ist es, auf die ich als auf die überworthafte Übergabe des Geheimnisses hingewiesen habe.

Immer wieder heißt es im chassidischen Schrifttum, man solle »von allen Gliedern des Zaddiks lernen«. Den reinigenden und erneuernden Einfluß übt vor allem die Unwillkürlichkeit seines Soseins aus; die bewußte Äußerung, vor allem die des Wortes, begleitet sie nur. Auch am Wort ist die Essenz des Unabsichtlichen die entscheidende.

»Von Ackererde mache mir einen Altar ...« heißt es in der Schrift; »machst du mir aber einen Altar von Steinen, einbaue die nicht behauen, denn hast du dein Eisen über ihm geschwungen, hast du ihn entweiht.« Der Altar aus Erde, so legt der Rižiner aus, das ist der, Gott über alles gefällige, Altar aus Schweigen; machst du aber einen Altar aus Worten, so haue sie nicht zu.

Der Zaddik scheut die »schöne«, die absichtliche Menschenrede. Ein gelehrter Mann, der einst Sabbatgast an Rabbi Baruchs Tisch war, sagte zu ihm: »Laßt uns nun Worte der Lehre hören; Ihr redet so schön!« »Ehe daß ich schön rede«, antwortete der Enkel des Baalschem,»möge ich stumm werden!« und sprach nicht weiter.

Beim heiligsten der Sabbatmahle, der »dritten Mahlzeit«, spricht der Zaddik die Lehre zumeist nur spärlich und stockend, immer wieder von schweigsamer Versenkung unterbrochen; ein leises Lied, von Geheimnis schwingend, geht voraus, ein seliger Chorgesang folgt. Sooft in der dämmrigen Stube das Schweigen einkehrt, bringt es ein Sausen der Ewigkeit mit.

Die drei Kreise, an denen sich die Liebe des Zaddiks bewährt – die zu- und abströmende Menge der Hilfesuchenden, die im Raum und Lebenszusammenhang gebundene Gemeinde, der starke Seelenring der Schüler – zeigen die Kräfte auf, aus denen sich die Vitalität der chassidischen Bewegung aufbaute. Ihr geistiger Aufbau war auf der Übergabe des Lehrkerns von Lehrer zu Schülern begründet, aber nicht als ob diesen etwas nicht allen Zugängliches übermittelt würde, sondern weil in der Atmosphäre der Meister, in dem unwillkürlichen Wirken ihres Seins das unaussagbare Wie schwang und zeugend niederfuhr. Aber ebendasselbe, nur unverdichteter und vermengter, teilte sich im Wort des Rats und der Unterweisung dem Volke mit, formte sich in Brauch und brüderlichem Leben der Gemeinde aus. Diese Stufenlosigkeit seines Lehrguts, diese seine antihierarchische Stellungnahme, sicherte dem Chassidismus seine volkstümliche Macht. Wie er den Vorrang des Besitzes wohl nicht von außen aufhob, aber von innen entwertete, indem er Reiche und Arme als vor Gott und dem Zaddik gleiche Glieder einer Gemeinschaft gegenseitiger äußerer und innerer Hilfe, einer Liebesgemeinschaft zusammenschloß, so überwand er, in seinen höchsten Momenten völlig, den weitaus stärkeren, im Judentum urstarken, Vorrang der Gelehrsamkeit, der talmudischen, aber auch der kabbalistischen. Der »geistige«, der hirntätige Mensch ist seiner Art nach dem Göttlichen nicht näher, ja er ist ihm, solang er die Vielfältigkeit und Vieldeutigkeit seines Lebens nicht zur Einheit gesammelt, die Gewaltsamkeit seiner Mühe nicht zur Gelassenheit bewältigt hat, ferner als der Einfältige, der mit bäurischer Vertraulichkeit seine Sache auf den Himmel stellt.

Diese Verbindung von Lehreinheit und Volkstümlichkeit ist durch den Grundgehalt der chassidischen Lehre, die Heiligung alles Weltlichen, ermöglicht. Es gibt innerhalb der Menschenwelt keine Scheidung zwischen Hohem und Niederm; jedem ist das Höchste offen, jedes Leben hat seinen Zugang zur Wesenheit, jede Art ihr ewiges Recht, von jedem Ding führt ein Weg zu Gott, und jeder Weg, der zu Gott führt, ist *der* Weg.

SINNBILDLICHE UND SAKRAMENTALE EXISTENZ

1. Die sinnbildliche Existenz in der Welt der Prophetie

Die menschliche Existenz ist in ihrem Verhältnis zu Symbolen und Sakramenten nicht bloß der Raum, in dem sie erscheinen, und nicht bloß der Stoff, dem sie sich antun. Die reale Existenz einer menschlichen Person kann selber Sinnbild, selber Sakrament sein. Es gehört nicht zum Wesen des Symbols, über den konkreten Jeweiligkeiten zeitlos zu schweben. Sein allmaliges Erscheinenkönnen stammt stets aus der unvorgeahnten Einmaligkeit, Erstmaligkeit eines Erschienenseins. Das Symbol zieht seine Dauer aus einer Vergänglichkeit. Gewiß ist am Rande der gelebten Welt zu erkennen, alles Vergängliche sei »nur« ein Gleichnis; aber wenn wir in ihr leben, erfahren wir, daß nur das Vergängliche Gleichnis werden kann. Zum Bild des ungebrochenen Sinns, zu seiner eigentlichen Aussprache, der gegenüber alles, was wir Sprache nennen, nur Berechnung ist, taugt erstmalig stets nichts anderes als der geborene sterbliche Leib – alles andere ist nur Wiederholung, Vereinfachung, Nachbildung. Das Geistige mit seinen zeitlosen Werken ist geschlossen, es weist nicht über sich hinaus; der zeitverhaftete Leib, er allein, kann durchscheinend werden, in seiner verfliegenden Gebärde. Der Bund, den das Absolute, über das Allgemeine – die »Idee« – hinweg, mit dem Konkreten schließt, wählt sich immer wieder ein Zeichen, flüchtiger als der Regenbogen des Noahbundes: Bewegung menschlicher Gestalt, Haltung oder Handlung. Und dieses Zeichen dauert. Wohl kann es an unmittelbarer Geltung, an »Glaubhaftigkeit« einbüßen, aber es kann auch aus neuer, neu vollziehender menschlicher Existenz sich erneuern. Alles Symbol ist stets in Gefahr, aus einem ins Leben geschickten wirklichen Zeichen ein geistiges und unverbindliches Gebild, alles Sakrament, aus einem leibhaften Vorgang zwischen Oben und Unten ein flächiges Erlebnis auf der »religiösen« Ebene zu werden. Nur durch den Menschen, der sich hergibt, wird die Kraft des Ursprungs zu wieder gegenwärtigem Bestehen errettet.

Plato unterscheidet im Timaios (72B) die »Manteis«, Wahrsager, die er als »Manentes«, Rasende, versteht, die vom Gott Verzückten und ein von ihm Empfangenes im rätselhaften Laut »Weissagenden«, und die »Prophetai«, die »Verkündenden«, die das Lautgeheimnis deuten und in die Menschensprache übertragen. Das passive Element jener tritt nur zurück, und das wesentliche Verhältnis bleibt das gleiche, wenn Pindar[1] der Muse das »Weissagen«, dem Dichter das »Künden« zuweist: sie gibt ihm ihren Urklang ein, er faßt ihn in Wort und Vers; sie selber aber äußert nicht sich, sondern den Gott, von dem sie, eine übermenschliche Pythia, besessen ist, ihren Herrn Apollon. Und auch der dient – so bekennt er es bei Aischylos[2] – als Mantis und Prophetes zugleich einem Höheren, Zeus, der ihn mit Kunde begabt; er sagt sie heraus, aber den seine Sage ergreift, Muse oder Pythia, dem ist nicht Wort, nur Geheimnis inne, das er ausraunt, nicht ausspricht, bis endlich dessen Hörer, der »prophetische« Dolmetsch, es verkündet.

Die Manteia, die Wahrsagung, ist dem Griechen noch nicht die »fertige« Rede. Sie bricht hervor, ungefaßt und dem nichtprophetischen Menschen unfaßbar, und wird erst vom Prophetes gefaßt und zum Logos geformt. Der Prophet übersetzt, aber aus einer Sprache, die für das Ohr des Nichtberufenen keine ist. Wo ein Mensch beide Ämter vereinigt, müssen wir annehmen, daß er jeweils erst Mantis und dann Prophetes ist; an die Stelle der personalen Differenzierung tritt eine zuständliche, eine Wandlung in der Person. Die Zweiheit bleibt.

Anders der biblische Nabi. Schon dies ist nicht unwichtig, daß der Begriff hier nicht auch profan verwendet wird, wie im Griechischen, wo man auch den Ausleger einer Philosophie, ja auch den Ausrufer im Kampfspiel Prophetes nennen kann, als einen, der etwas herauszusagen, öffentlich zu verkünden hat. Den Nabi gibt es nur in der Beziehung zwischen Gottheit und Menschheit, als den Mittler der Sprache, den »Träger des Wortes in der Vertikalen«[3], und zwar nicht bloß von oben nach unten, den Bringer göttlicher Botschaft, sondern auch von unten nach oben: als »Kün-

---

[1] Fragment 150.
[2] Eumeniden v. 17 ff. (vgl. 615 ff.).
[3] Buber, Königtum Gottes, 8. Kap.; siehe »Werke« Bd. 2.

der« soll Abraham für den Philisterkönig »sich mittlerisch einsetzen« (das ist die Grundbedeutung des hebräischen Terminus
für »beten«), als »Künderin« singt Miriam, singt Debora ihr
dankendes Siegeslied. Dem Nabi liegt ob, sprechend Gespräch
zwischen Gottheit und Menschheit sich erfüllen zu lassen. Der
Gott wählt sich »im Mutterleib« (Jeremia 1, 5) diesen Sendling,
damit der mahnende und verheißende Urruf durch ihn das Ohr
des Empfängers treffe, aber auch, damit in ihm der Schrei des geschöpflichen Herzens sich sammle und durch ihn emporgehoben
werde. Gewiß, die göttliche Absicht geht nicht auf die Mittlung,
sondern auf die Unmittelbarkeit; aber der Mittler ist der Weg zu
ihr, – zu der ersehnten Zeit, da alles Gottesvolk zu Kündern und
Geistträgern wird (Numeri 11, 29).

Am deutlichsten wird der biblische Nabi-Begriff an einer Stelle
(Exodus 7, 1), wo er gleichnishaft gebraucht wird: wo zwei Menschen in eben das Verhältnis wie das des Elohim, der Gottmacht,
und des Nabi, ihres Künders, zueinander gestellt werden. »Sieh«,
sagt da Gott zu Mose, »ich gebe dich dem Pharao zu einem
Elohim, / und Aron, dein Bruder, soll dein Nabi sein.« Das
Gleichnis läßt hier die beiden, Elohim, die einwehende Gewalt,
und Nabi, das aussprechende Wesen, in ihrem Gegenüber unverkennbar erscheinen. Wie intim dieses Gegenüber gemeint ist,
sagt an einem früheren Stadium der Erzählung eine Parallel-
stelle (4, 16): »Er also rede für dich zum Volk, / und so sei's: / er
werde dir zu einem Mund und du werdest ihm zu einem Elohim.«
Nabi eines Elohim sein heißt also sein »Mund« sein. Sein Mund,
nicht sein Sprachrohr: der Nabi trägt nicht eine fertige, schon
vernehmlich gewesene Rede weiter, er lautet vielmehr eine heimliche, im Menschensinn vorwortliche, im Gottessinn urwortliche,
eine lautlose aus, wie der Mund einer Person die heimliche, lautlose Rede ihrer Innerlichkeit auslautet. Diese Grundanschauung
gewinnt ihr volles Pathos, wo der Gott von seiner Beziehung
zum Nabi in ebendiesem Bilde redet und die biblische Distanz
zwischen Gott und Mensch nur noch dadurch wahrt, daß er nicht
»mein Mund«, sondern »wie mein Mund« sagt. In einer kritischen Stunde hat Jeremia Gott um Rache an seinen Verfolgern
angefleht (15, 15). Der ihm Antwortende geht nicht bloß auf das
Anliegen, mit dem der Prophet seinem Amt untreu wurde, nicht

ein: er bedeutet ihn (V. 19 f.), erst wenn er von dem allzumenschlichen Weg, auf den er sich verlaufen habe, auf den Gottesweg zurückfinde, werde er ihn wiedereinsetzen und »vor seinem Antlitz« stehen lassen: »Bringst du das Echte hervor / des Gemeinen entledigt, / wie mein Mund sollst du werden.«

Es ist entscheidend wichtig, zu beachten, daß der Gott hier nicht aussagt, sich des Menschenmundes wie eines eignen bedienen zu wollen: *die ganze menschliche Person* soll ihm wie ein Mund sein. Das ist der griechische Prophetes nicht, er kann es nicht sein. Sein Mund »sagt heraus«, nicht seine Person. Aber auch der Mantis ist es nicht und kann es nicht sein. Seine Person, ergriffen und besessen vom Gott, äußert, aber sie sagt nicht heraus. Solang einer als Mantis fungiert, bleibt er den Empfängern unverständlich; sowie er zum eignen Prophetes wird, ist er nur noch der Redner eines von ihm abgehobenen Wortes.

In der biblischen Glaubenswelt stehen eben dem Gott nicht zwei, einer unmittelbar und einer mittelbar, gegenüber, sondern einer; eben der, dem der göttliche »Geistbraus« sich einweht, um »sich mit ihm zu bekleiden« (Richter 6, 34), eben dieses ist, nicht mit seinen Sprachwerkzeugen allein, vielmehr mit seinem ganzen Wesen und Leben, Sprecher der ihn durchwehenden heimlichen Stimme, jenes »verschwebenden Schweigens« (1 Könige 19, 12).

»Pythia und deutender priesterlicher Dichter waren hier nicht getrennt: der israelitische Prophet war beides in einer Person« (Max Weber). Für das prophetische Wort der Bibel zum Unterschied von dem des delphischen Orakels bedeutet das, daß die entstehende Rede und die fertige Rede biblisch identisch sind, wogegen hellenisch ein ekstatisches Lallen erst in geordnete Rede übertragen werden muß. Die aus dem biblischen Künder hervorbrechende Rede ist schon die worthaft geprägte, rhythmisch gegliederte, die »objektive«. Und doch ist sie nicht ein von seinem Sprecher ablösbares Wort, das er nur »im Munde führt«: die ganze personhafte Gesprochenheit gehört dazu, der ganze sprechende Menschenleib, der in sich beseelte und nun von der Ruach, dem Pneuma begeistete, die ganze Existenz dieses Menschen gehört dazu, der ganze Mensch ist Mund.

Hier gibt es keine Scheidung zwischen einer Passion des »mainesthai«, der Besessenheit und Verzückung, und einer Aktion des

»proeipein«, der bewältigenden, bildnerischen Rede. Die Form
der Rede wird hier nicht »angenommen«, sie wird im Urantrieb
der Auslautung geboren, – weshalb ja zum Beispiel auch alle me-
trische Schematik hier immer wieder in der Hand des Forschers
versagen muß, weil das »bereitliegende« Metrum vom einmali-
gen Strom der Prophetie jeweils überstürzt ist. Der von der
Ruach ergriffene und zum Wort genötigte Mensch stammelt
nicht, ehe er spricht; unter dem »Zufassen der Hand« noch
spricht er, eine rhythmisch strenge, dennoch aus der stürzenden
Fülle des Augenblicks durchflutete Rede. Auch die These einer
»Entwicklung« vom »primitiven Ekstatiker« zum »Wortprophe-
ten« führt irre: jener tritt biblisch nie anders als in Verbindung
mit diesem auf, und wir lesen wohl von wildem, »rasendem« –
doch nicht musiklosem – Gebaren, aber nicht von unartikuliertem
Lallen oder Schreien, wir lernen die Stimme des Nabi nur als
Wort, sein Wort nur als Spruch kennen. Auch in der Geschichtszeit sind Passion und Aktion hier nicht verteilt, sondern eins.
Es geht um eine einzige, umfassende Funktion, und die ungeteilte Person ist not, um die unteilbare Funktion herzugeben.
Damit das Wesen prophetischer Existenz recht erfaßt werde,
muß man aber noch die Absicht der Prophetie betrachten.
Beide, das griechische Orakelwort und das biblische Nabi-Wort,
sind situationsgebunden. Aber das Orakel antwortet auf eine
von auskunftheischender Gesandtschaft als Frage vorgetragene
Situation, der gottgesandte Nabi spricht ungefragt in die biographische oder geschichtliche Situation hinein. Die Antwort des
Orakels ist Vorhersage einer unabänderlichen Zukunft, der Einspruch des Nabi meint die Unentschiedenheit und Entscheidungsmächtigkeit der Stunde. Dort ist das Künftige auf eine Rolle
geschrieben, deren Abrollen das Geschehen der Geschichte ausmacht; hier ist nichts festgeschrieben, überm freien Schwingen
der menschlichen Erwiderungen auf die antretenden Begebenheiten
hält der Gott geheimnisvoll die schützenden Hände: seine Macht,
die größer und geheimnisvoller als die dogmatische formelhafte
»Allmacht« ist, vermag dem Augenblick der Kreatur eine Mächtigkeit auszusparen.
Bei Herodot (I, 91) verkündigt die Pythia, dem verhängten Geschick auszuweichen sei auch einem Gott unmöglich. Das para-

digmatische Buch Jona erzählt, Gott habe der sündigen Stadt
Ninive durch einen Nabi den Untergang ansagen lassen, nicht
etwa einen bedingten und abwendbaren:»Noch vierzig Tage,
und Ninive wird umgestürzt!« lautet der prophetische Ruf[4];
Ninive aber habe die Umkehr vollzogen, und nun sei auch der
Gott »umgekehrt«. Diese Gegenseitigkeit der Umkehr war der
geheime, Jona selber unbekannte (und hernach unliebsame) Sinn
der Botschaft gewesen. Es ist daher rechtmäßige Auslegung biblischen Glaubens, wenn die jüdische Tradition von den Propheten
berichtete[5], sie hätten »nur auf die Umkehrenden hin« prophezeit.
Der Nabi redet zu den Menschen einer Situation auf die gegenwärtige Entscheidungsmächtigkeit dieser Menschen hin. Seine
Rede ist nicht bloß situationsbezogen: ihre Situationsbezogenheit
reicht bis auf den geheimnishaften Grund der Existenz in der
Schöpfung. Und eben weil sie so die Stunde meint und ihr entspricht, bleibt sie für die Geschlechter und für die Völker gültig.
Die Prophetie gründet sich auf die Realität der geschehenden
Geschichte. Gegen alle mantische Historiosophie, gegen alles Be-
scheidwissen um die Zukunft, ob dialektischer, ob gnostischer
Herkunft, steht hier die Einsicht in das echte Dasein des geschen-
henden, so vielfältig bestimmten und doch selber in der Einfalt
seiner Entscheidungen real bestimmenden Augenblicks.
Der Entscheidungsmächtigkeit des Augenblicks aber kann das
gesprochene Wort allein nicht genugtun. Um ihr gewachsen zu
sein, um ihr in der uneingeschränkten Wirklichkeit zu begegnen,
bedarf das Wort der Ergänzung durch die Gewalt der zeichen-
haften Haltung und Handlung. Erst gemeinsam mit ihr vermag
es die Entscheidungsmächtigkeit darzustellen und aufzurufen.
Nicht das Wort für sich wirkt auf die Wirklichkeit zu, nur das
in eine ganze menschliche Existenz gefügte, aus der ganzen erscheinende, die ganze begleitende Wort.
Zeichen kann biblisch einen Erweis oder eine Bekräftigung mit
umfassen; seinem Wesen nach ist es keins von beiden. Ein Beispiel
für viele mag das darlegen. Auf den Einwand Moses »Wer bin
ich, daß ich zu Pharao gehe, / daß ich die Söhne Israels aus Ägyp-

---

[4] 3, 4.
[5] Babyl. Talmud, Berachoth 34 b.

ten führe!« antwortet Gott (Exodus 3, 12):»Wohl, ich werde dasein bei dir, / und dies ist dir das Zeichen, daß ich selber dich schicke: / hast du das Volk aus Ägypten geführt, / an diesem Berg werdet ihr Gotte dienstbar.« Als Beglaubigung ist dieses »Zeichen« nicht zu verstehen. Aber Zeichen bedeutet biblisch eben etwas anderes: Verleiblichung. Der biblische Mensch, und mit ihm der biblische Gott, verlangt danach, daß der Geist sich vollkommener, eigentlicher als im Wort ausspreche, daß er sich verleibliche. Von dem Menschen auf Gott zu geäußert heißt dieses Verlangen in biblischer Sprache: ein Zeichen fordern, also Leiblichkeit der Botschaft fordern. Von Gott auf den Menschen zu geäußert heißt das Verlangen: einen Menschen »versuchen«, also aus ihm herausholen, was in ihm steckt, ihn zur Darstellung bringen; so versucht Gott den Abraham (Genesis 22), indem er gnadenreichgrausam dessen innerer Hingabe die äußerste Möglichkeit der Verleiblichung schenkt. Aber Gott will auch, daß der Mensch von ihm die Verleiblichung des Geistes begehre; wer ein Zeichen von ihm fordert, wird bestätigt; wer eins, das er dem Menschen anbietet, nicht annehmen will, bekundet damit nicht Glauben, sondern Unglauben (Jesaja 7, 11–13). Die Sendung an Mose aus dem brennenden Dornbusch verleiblicht sich im »Zeichen«, da das aus dem Dienst in Ägypten geführte Volk an den brennenden Berg[6] gekommen ist und nun dem Gotte dienstbar wird, der es »auf Adlersflügeln« zu sich gebracht hat (Exodus 19, 4).

Das Zeichen ist nicht übersetzbar, nicht durch Wort ersetzbar, man kann in keinem Zeichenbuch nachschlagen, was ein Zeichen bedeutet; aber das gesprochene Wort vollendet sich im Zeichen zu seiner Leiblichkeit. Das gesprochene Wort selbst gehört mit dazu, aber eben in seinem Gesprochenwerden: als Teil einer leibhaften Haltung und Handlung.

Nur das Vergängliche kann Gleichnis werden. Beide, Zeichen und Gleichnis, sind nicht auflösbar, aus beiden ist nicht eine Aussage zu machen, beide sprechen aus, was nicht anders als so auszusprechen ist – Leib und Bild lassen sich nicht umschreiben, Leib wie Bild gibt erst die *Tiefe* des Wortes her; und leibliches Zeichen ist kein Erweis, wie bildhaftes Gleichnis kein Vergleich ist.

---

[6] Im Hebräischen liegt ein unübersetzbares Wortspiel von sne, Dornbusch, und Sinai vor.

Die Prophezeiung des Nabi, die keine Wahrsagerei, sondern
deren genaues Gegenteil ist, intendiert ein Geschehen, dessen
Eintreffen oder Ausbleiben am Entweder-Oder des Augenblicks
hangt. Solcherweise intendiertes Geschehen aber läßt sich nur
durch zeichenhaftes Geschehen adäquat aussprechen. Der Ent-
scheidungsfülle und Entscheidungsmächtigkeit des Augenblicks
als eines Ursprungs von Geschehen kann daher nur ein zeichenhaftes Geschehen, eine »sinnbildliche Handlung« gerecht werden.
Von da aus sind all jene Zeichenhandlungen der biblischen Propheten zu verstehen, von so flüchtigen, wie wenn Jeremia vor
den Ältesten einen Schöpfkrug zerbricht oder Ezechiel zwei Hölzer zusammenfügt, bis zu so lebensmäßig eingreifenden, wie
wenn Hosea eine Dirne heiratet und den Kindern aus dieser
Ehe Unheilsnamen gibt. An einem unüberbietbar harten Beispiel wie dieses letzte kann unmittelbar verdeutlicht werden,
daß es nicht um praktische Metapher, sondern um leibliche Darstellung im genausten Sinne geht. Was hier in der Menschenwelt dargestellt werden soll, ist die Ehe zwischen dem Gott und
der Hure Israel. »Geh hin«, spricht die Stimme in ihrer ersten
Kundgebung zum Nabi, »nimm dir ein hurerisches Weib und
Kinder der Hurerei, / *denn* verhurt hurt das Land, von des
Herrn Nachfolge ab.« Unüberbietbar hart sagt dieses »denn«,
wie der Gott das gelebte Leben seines eben berufenen Künders
zur Zeichengabe, zur leiblichen Darstellung einer Erfahrung des
Gottes, seiner Erfahrung mit Israel, beansprucht. Es ist heilige
Handlung von einem furchtbaren Ernst, es ist ein reales Sakral-
drama, was hier geschieht. Erzählung der Ehe und unvermittelt
identifizierendes Gotteswort greifen schauererregend ineinander.
Eben noch war die Namengebung der »Kinder der Hurerei«, das
ist: der ehelichen Kinder Hoseas und der Dirne, berichtet worden – »Ihr-wird-Erbarmen-nicht« heißt eine Tochter (»*denn* nicht
weiter erbarme ich mich noch / des Hauses Israel, / daß ichs ihnen
trüge, trüge«), »Nicht-mein-Volk« ein Sohn (»*denn* ihr seid
nicht mein Volk, / und ich, für euch bin ich nicht da«) –, da redet
plötzlich (2, 4) die Gottesstimme in diesen Kindern die Kinder
Israel an: »Bestreitet eure Mutter, bestreitet! / Denn sie ist nicht
mein Weib / und ich bin nicht ihr Mann! / Sie tue ab ihre Huren-
zeichen / vom Angesicht sich, / ihre Buhlerinnenmale ab / zwischen

ihren Brüsten!« Wir bekommen hier am schärfsten zu spüren, in welche Tiefen der Wirklichkeit das Dasein des »Zeichens« hineinreicht. Der Nabi handelt nicht bloß zeichenhaft, er lebt zeichenhaft. Nicht was er tut, ist letztlich das Zeichen, sondern indem er es tut, ist er selber das Zeichen. Aber ihre höchste Steigerung und Klärung zugleich gewinnt die sinnbildliche Existenz des Propheten bei Jesaja (8, 11–22). Es ist eine Zeit der großen Verwirrung, in der sich die künftige Katastrophe des Volkes anmeldet; Wahrheit und Lüge sind so vermischt, daß die Seele sie kaum noch zu scheiden, daß sie kaum noch zu erkennen vermag, was das Rechte ist; Gott selber wird, verkannt, mißverstanden, mißbraucht, »zum Klappnetz und zum Schnepper / für den Siedler Jerusalems«. Wohl gibt es auch für diese Situation, über die kommende Katastrophe hinausweisend, eine tröstliche Verkündigung (sie steht in unserem Jesajabuch Kapitel 9, 1–6). Aber sie jetzt aussprechen hieße, auch sie der Verkennung, dem Mißverstand, dem Mißbrauch preisgeben. Darum sagt Jesaja, als das Wort der Stunde (8, 15): »Es gilt, die Bezeugung einzuschnüren, / die Weisung zu versiegeln / in meinen Lehrlingen.« Wie man eine Urkunde verschnürte und siegelte, so tut ers mit der Verkündigung, die er seinen Jüngern eingibt: sie selber stellen nun die versiegelte Urkunde dar, die erst erbrochen werden soll, wenn mitten in der Katastrophe an das vergeblich zum Orakel seiner »zirpenden, murmelnden« »Elben« (V.19) laufende Volk der Ruf ergeht (V. 20): »Zur Weisung hin! / zur Bezeugung hin!« Auf jene Zeit, da der Gott, der jetzt »sein Antlitz dem Hause Jakobs verbirgt« (V. 17), sich des zu ihm umkehrenden »Restes« erbarmen wird, will der Prophet in der nahenden »Bangnis und Verfinsterung« (V. 22), mitten in der Menge, »die kein Morgenrot hat« (V. 20), »harren«, er und die »Lehrlinge« und seine leiblichen Kinder, deren einem er, offenbar auf Gottes Geheiß, den Verkündigungsnamen »Rest-kehrt-um« gegeben hat. Und dieses Harren spricht er so aus (V. 18): »Wohlan, / ich und die Kinder, die der Herr mir gab, / sind zu Zeichen und zu Erweisen in Israel da, / von dem Herrn der Heerscharen aus, / der auf dem Berge Zion einwohnt.« Diese Menschen, der Kern jenes »heiligen Restes«, sind als Zeichen da, sie leben ihr eigenständiges Leben zugleich als Zeichen dar. Dieser ganze zeichenhafte Mensch ist »Mund Gottes«. Durch sein sinnbildliches Dasein wird gesagt, was jetzt zu sagen ist. Das ist etwas anderes als manches, was man Symbol nennt. Aber kein Symbol, in keiner zeitlosen Höhe, kann je anders Wirklichkeit gewinnen und wiedergewinnen, als indem es sich in solch einer menschlichen Existenz verleiblicht.

2. Die sakramentale Existenz in der Welt des Chassidismus

Symbol ist Erscheinung des Sinns, Erscheinen, Scheinendwerden des Sinns in der Gestalt der Leiblichkeit. Der Bund des Absoluten mit dem Konkreten erweist sich im Symbol. Aber Sakrament ist Bindung des Sinns an den Leib, Vollzug der Bindung, Gebunden-, Eingebunden-, Verbundenwerden. Der Bund des Absoluten mit dem Konkreten ereignet sich im Sakrament. Erscheinung, als Vorgang gefaßt, ist von einfacher Richtung, sie begibt sich von »oben« nach »unten«, das Erscheinende geht in die tragende Leiblichkeit ein. Bindung ist von zwiefacher Richtung, das Obere bindet sich an das Untere und das Untere bindet sich an das Obere, das Obere bindet das Untere und das Untere bindet das Obere, aneinander binden sich, einander binden Sinn und Leib. Wo der Bund sich erweist, ist es wie Spiegelbild eines Unsichtbaren; wo der Bund sich ereignet, ist es wie Hand in Hand. Hand in Hand wird Bund geschlossen und wird er erneut.

Daß Göttliches und Menschliches sich miteinander verbinden, ohne miteinander zu verschmelzen, ein gelebtes Jenseits von Transzendenz und Immanenz ist die führende Bedeutung von Sakrament. Auch wenn es aber etwa nur zwei Menschen sind, die sich einander sakramental – zu Ehe, zu Brüderschaft – weihen, vollzieht sich heimlich jener andere Bund, der zwischen dem Absoluten und dem Konkreten; denn die Weihe kommt nicht aus der Macht der menschlichen Partner, sondern aus der der ewigen Flügel, die beide überschatten. Alle Unbedingtheit, in die Menschen miteinander eingehn, hat ihre Kraft aus der Gegenwart des Unbedingten.

Man hat mit Recht das Sakrament »die dynamischste aller ritualen Formen« genannt[7]. Aber an dieser seiner Dynamik ist das Wichtigste, daß sie ihrer Eigentlichkeit beraubt ist, wenn sie nicht mehr eine elementare, lebenbeanspruchende und lebenbestimmende Erfahrung des *Anderen,* der Anderheit, als eines Entgegenkommenden und Herzuwirkenden einschließt. Daß der Mensch in der sakramentalen Weihe weder bloß etwas »begeht« noch gar bloß etwas »erlebt«, daß er im Kern seiner Ganzheit angefaßt und angefordert wird und nicht weniger als seine Ganzheit braucht, um es zu bestehen, das macht die Dreidimensionalität des Vorgangs, die Realität seiner Tiefendimension aus. Die kirchliche oder sonstige sakrale Konvention verflacht das Ereignis zur Gebärde, die mystische Schwärmerei preßt es zu einem überschwenglich innigen Punkt zusammen.

Zu allem Sakrament gehört eine natürliche, dem natürlichen Gang des Lebens entnommene Tätigkeit, die darin geweiht wird, und eine stoffliche oder leibliche Anderheit, mit der man in heiligen Kontakt kommt, – in einen Kontakt, darin ihre geheime Kraft an einem wirkend wird.

Der »primitive« Mensch ist ein naiver Pansakramentalist. Alles ist ihm voller sakramentaler Substanz, alles, jedes Ding und jede Funktion, ist immerzu bereit, ihm sakramental aufzuleuchten. Er kennt keine Auswahl der Gegenstände und Tätigkeiten, nur der Methoden und der günstigen Stunden. »Es« ist überall, man muß es nur einfangen können. Dafür gibt es wohl Regeln und Rhythmen, aber auch die erwirbt man nur, wenn man sich dranwagt, und der schon Wissend-könnende muß sich immer neu dem gefährlich anfassenden und anfordernden Kontakt aussetzen.

Die Krisis alles primitiven Menschentums ist die Entdeckung des grundsätzlich Nichtheiligen, Asakramentalen, das den Methoden widersteht und keine »Stunde« hat, eines Gebiets, das sich immer mehr vergrößert. In manchen Stammesgemeinschaften, die wir noch als primitiv zu bezeichnen pflegen, ist, wenn auch zuweilen nur an einzelnen, randhaften Individuen, diese kritische Phase zu beobachten, in der sich die Welt zu neutralisieren, sich dem

---

[7] R. R. Marett, Sacraments of Simple Folk (Oxford 1933), S. 9.

heiligen Kontakt zu versagen droht. Das meinen wohl zum Beispiel die Ba-ila von Nord-Rhodesien, wenn sie von ihrem Gott sagen: »Leza ist alt geworden« oder »Leza ist heute nicht mehr das, was er sein sollte[8].« Was wir Religion im engeren Sinn nennen, ist vielleicht jeweils in solchen Krisen entstanden. Alle geschichtliche Religion ist *Auslese* der sakramentalen Stoffe und Handlungen. Durch die Scheidung des Heiligen vom preisgegebenen Profanen wird das Sakrament gerettet. Die Weihe der Verbundenheit wird gegenständlich-funktionell konzentriert. Damit aber tritt das Sakrament in eine neue, schwerere Problematik. Denn im Wirklichkeitsernst ihres Anliegens kann eine konkrete Religion sich nur dann bewähren, wenn sie dem Gläubigen mit dem »Glauben« nicht weniger als den Wesenseinsatz der Person zumutet. Das auf die Scheidung des Heiligen vom Profanen gegründete Sakrament in seiner konzentrierten Gewalt jedoch verleitet leicht dazu, sich im bloßen »objektiven« Vollzug ohne persönliche Hergabe, im opus operatum, gesichert zu fühlen und sich dem Angefaßt- und Angefordertwerden der eigenen Ganzheit zu entziehen. In dem Maße aber, wie ihm die Lebenssubstanz der Gläubigen zuzuwachsen aufhört, verliert das Sakrament an Tiefe, an dreidimensionaler Realität, an Leiblichkeit. So etwa, wenn in dem sakramentalen Opfer des biblischen Israel die zentrale Intention der Selbstdarbringung, in der man sich durch das Tier nur eben vertreten lassen darf, vor der Sicherheit der objektiv geleisteten ritualen Sühnung verblaßt[9]. Oder wenn die biblische Königssalbung, die den mit dem Dauerauftrag des Statthaltertums Gottes Betrauten in die lebensmäßige Verantwortung zu diesem stellt[10], in den abendländischen Krönungsriten zu einer pompösen Bestätigung der Eigenmacht entartet.

Wo die innere Krisis eines Sakramentalismus den Urgehalt einer Religion, den ursprünglichen Wirklichkeitsernst ihres Anliegens in Frage stellt, kann ein Versuch der Wiederbildung, eine Reformation gedeihen. Auch sie will die Weihe der Verbundenheit

---

[8] E. W. Smith und A. M. Dale, The Ila-Speaking Peoples of Northern Rhodesia II 200 f.

[9] Vgl. Buber, Königtum Gottes, Abschnitt »Der Glaube Israels«; siehe »Werke« Bd. 2.

[10] Vgl. mein unvollendet gebliebenes Buch »Der Gesalbte«; siehe »Werke« Bd. 2.

retten: indem sie die Präsenz des Menschen erneut ernst nimmt. (Im Abendmahlsstreit zwischen Luther und Zwingli um die Art der göttlichen Präsenz geht es heimlich auch um die menschliche; Luther spürt, worauf Zwingli nicht achtet: daß durch die nur symbolische Gegenwart der Mensch nicht zu seiner ganzen Gegenwart angefaßt und angefordert wird.) Das Prinzip der Auslese der sakramentalen Stoffe und Handlungen wird von den Reformationen dabei nicht angetastet; nur Sektierer rütteln mitunter daran, ohne daß es ihnen gelänge, es zu überwinden und zu ersetzen. Es hat den Anschein, als könnte der Mensch, der durch die Entdeckung des grundsätzlich Nichtheiligen gegangen ist, nie mehr ein heiliges Verhältnis zur ganzen Welt gewinnen, als sei die Reduktion des Glaubenslebens auf eine Sphäre die unaufgebbare Mitte aller Religion, weil sie aufgeben das Bollwerk gegen den Pantheismus abtragen hieße, der die konkrete Religion mit Auflösung bedroht. »Allein bestehend«, sagt der Südseesänger[11] von seinem Gott Taaroa oder Tangaroa, »wandelt er sich zur Welt. Die Angel, in denen sie sich dreht, ist Taaroa, ihre Tragblöcke er, Taaroa ist der Urkörner Sand.« Die konkrete Religion muß fürchten, das Bild des Herrn, das ewige Gegenüber der Glaubensbeziehung, zum Sand der Urkörner zerrinnen zu lassen.

Es hat aber eine große religiöse Bewegung gegeben, die einen neuen Pansakramentalismus entwarf. Nicht ein Zurückgehen hinter jene kritische Entdeckung – der Weg dahin ist verschlossen, und wer den Rückgang versucht, gerät in Wahnsinn oder in bloße Literatur –, sondern ein Vordringen zu einer neuen Umfassung. Diese reduktionslose Umfassung weiß, daß die sakramentale Substanz in der Gesamtheit der Dinge und Funktionen nicht vorfindbar und nicht handhabbar ist, aber sie glaubt, daß sie in jedem Gegenstand und in jeder Handlung zu erwecken und zu erlösen ist, – nicht durch irgendwie zu erwerbende Methoden, aber durch die erfüllende Gegenwärtigkeit des ganzen, ganz hingegebenen Menschen, durch sakramentale Existenz.

Die große Bewegung, von der ich spreche, die chassidische, muß in die Religionsgeschichte eingehen als ein unvergleichlicher Ver-

---

[11] I. A. Moerenhout, Voyages aux îles du Grand Océan (Paris 1837) I 419. (Die Übersetzung Bastians in seiner »Heiligen Sage der Polynesier« ist allzu frei.)

such, das sakramentale Leben des Menschen aus dem Verderben der Geläufigkeit zu retten.

Für den chassidischen Pansakramentalismus ist nicht, wie für den primitiven, das Heilige in den Dingen eine Macht, deren man sich bemächtigen, eine Gewalt, die man bewältigen kann, sondern es ist in ihnen angelegt, funkenhaft ihnen eingetan, und erwartet die Lösung und Erfüllung von dem Menschen, der sich hergibt. Der Mensch der sakramentalen Existenz ist kein Magier; er wagt sich nicht bloß dran, er gibt sich wirklich und schlechthin her, und er übt keine Macht, sondern einen Dienst, den Dienst. Er gibt sich im Dienst her; das heißt: jeweils. Auf die Frage, was (im sakramentalen Sinn) wichtig sei, wird geantwortet: »Womit man sich gerade abgibt.« Das Jeweilige aber, wenn es in seiner Jeweiligkeit, Einzigkeit, antretenden Situatiosmäßigkeit ernstgenommen wird, erweist sich als das Unvorwegnehmbare, der Vorsorge Entzogene. Dem Menschen der sakramentalen Existenz frommen keinerlei erworbene Regeln und Rhythmen, keine überlieferten Methoden der Wirkung, nichts »Gewußtes«, nichts »Gekonntes«; er hat immer wieder den unvorhergesehenen, unvorhersehbaren Augenblick zu bestehen, immer wieder im anflutenden Augenblick einem begegnenden Ding oder Wesen Erlösung, Erfüllung zu reichen. Und er kann keine Auslese vornehmen, keine Scheidung; denn es ist nicht an ihm, zu bestimmen, was ihm zu begegnen hat und was nicht; und es gibt ja das Nichtheilige nicht, es gibt nur das noch nicht Geheiligte, noch nicht zu seiner Heiligkeit Erlöste, das er heiligen soll.

Man versteht die chassidische Bewegung gewöhnlich als den Aufstand des »Gefühls« gegen einen religiösen Rationalismus, der die Lehre von der göttlichen Transzendenz übersteigert und verstarrt, und gegen einen Ritualismus, der die Praxis der Gebotsübung verselbständigt und verflacht. Aber was in dieser Entgegensetzung wirkt, ist mit dem Gefühlsbegriff nicht zu erfassen; es ist der Aufschwung einer echten Einheitsschau und eines leidenschaftlichen Ganzheitsverlangens. Dem Bekämpften tritt hier nicht lediglich ein unterdrücktes Gemütsleben, das sein Recht fordert, entgegen, vielmehr ein größer gewordenes Gottesbild und ein stärker gewordener Verwirklichungswille. Die Grenzziehung zwischen Gott und Welt in der Lehre und die Grenzziehung zwischen dem Heiligen und dem Profanen im Leben befriedigen jenes doppelte Gewachsensein nicht mehr, und zwar deshalb nicht, weil beide Grenzziehungen statisch, fest, zeitlos sind, weil sie dem jeweiligen wirklichen Geschehen keinen Einfluß einräumen. Das größer gewordene Gottesbild erfordert eine dynamischere, labilere Grenze zwischen Gott und Welt, denn es meint ein Wissen um eine sich ergießen wollende und doch auch sich beschränkende Kraft, um eine widerstrebende und doch auch sich lockernde Substanz. Und der größer gewordene Verwirklichungswille erfordert eine dynamischere, labilere Grenze zwischen heiligem und profanem Bereich, denn er vermag nicht die Erlösung, für die ein Einswerden beider Bereiche verheißen ist, gattungsmäßig der messianischen Zeit zu überlassen, er muß tätig dem Augenblick gönnen, was immer ihm rechtmäßig zufallen kann. Bei alledem muß freilich geschichtlich noch beachtet werden, daß bereits drin in jener »rabbinischen« Welt, der der Kampf galt, alle Elemente des »Neuen« lebendig waren, nach Herrschaft rangen und Raum gewannen. Um dies zu verstehen, muß man wissen, was allzuwenig erkannt worden ist: daß im Judentum stets eine Tendenz zu sakramentalem Leben mächtig war. Daß – was sich entgegen anderen Auffassungen beweisen läßt – es kaum ein christliches Sakrament gibt, das nicht eine sakramentale oder halbsakramentale jüdische Vorgestalt hatte, ist hierfür nicht entscheidend, wohl aber, daß stets, auch in der talmudischen Epoche, Meister von unverkennbar sakramentaler Existenzform erscheinen, Menschen also, in deren Dasein, in deren ganzer Lebenshaltung, in deren Erfahrungen und Handlungen die Weihe der Verbundenheit sich darstellt und auswirkt. Die geschichtliche Reihe solcher Personen ist nahezu ununterbrochen. Der »Zaddik« der chassidischen Frühzeit, der klassische Zaddik, ist nur eine besonders klare, theoretisch umrissene Ausprägung des gleichen, aus biblischer Welt stammenden und in eine künftige weisenden Urtypus.

In einer noch wichtigeren Wesensschicht aber ist der chassidische Pansakramentalismus zu erfassen, wenn man das Verhältnis der Bewegung zur Kabbala betrachtet. Der Chassidismus hat die Kabbala nicht, wie den Rabbinismus, bekämpft; er wollte sie fortsetzen und vollenden; er hat ihre Begrifflichkeit, vielfach ihren Stil, in manchem auch ihre Lehrmethodik übernommen; und die kabbalistischen Werke chassidischer Autoren entfernen sich nicht aus den Geleisen der späten Kabbala. Auch theurgische Praxis von kabbalistischer Prägung taucht mehrmals in der Geschichte des Chassidismus auf, zuweilen in wunderlich anachronistischer Weise. Dennoch sagt er in seiner Eigentlichkeit, in seiner Aktualität den Grundprinzipien der Kabbala ab; wo er von seinem wahren Gegenstand, von dem Leben in der Verbundenheit, handelt, redet er von ganz anderswo her, und in wesentlichen Punkten in einem – nirgends ausgesprochenen, vielleicht nirgends bewußten, und doch offenkundigen – Gegensatz zur kabbalistischen Lehre und Haltung; und, schwerwiegender noch: was er in einem legendären Schrifttum, dessengleichen ich an Umfang, Mannigfaltigkeit, Vitalität und volkstümlich wildem Reiz nicht kenne, von seinen zentralen Menschen, von all den vielen Zaddikim zu erzählen weiß, das ist fast durchaus ein ganz anderes Wesen, eine ganz andere Existenz als die des Kabbalistentums, weltoffen, weltfromm, weltverliebt.

Ein äußerlich scheinender, aber bedeutsamer Gegensatz zunächst: die Kabbala ist Esoterik. Was sie sagt, birgt ein Ungesagtes. Das Letztgemeinte ist nur dem Kundigen, dem Geweihten erschlossen. Auch hinsichtlich des Zugangs zur Wirklichkeit Gottes geht ein Schnitt durch die Menschheit. Das kann der Chassidismus nicht dulden: *hier,* am Zugang, darf es keine Scheidung mehr geben, hier steht die Bruderschaft der Vaterssöhne, allen oder keinem gilt das Geheimnis, keinem oder allen ist das Herz der Ewigkeit erschlossen. Was einem wissenden Teil der Menschen vorbehalten, was den Einfältigen vorenthalten ist, kann nicht die lebende Wahrheit sein. Die chassidische Legende preist in herzhaftem, liebreichem Ton den einfältigen Menschen. Er hat eine einige Seele; wo Einigkeit der Seele ist, da will Gottes Einheit wohnen. Sakramentale Verbundenheit heißt Leben der Einheit mit der Einheit.

Ihrem Ursprung, aber auch ihrem immer wieder durchbrechenden Wesen nach ist die Kabbala eine Gnosis, und zwar zum Unterschied von fast aller anderen eine antidualistische.

Die Herkunft aller Gnosis ist – mit der in diesem Zusammenhang notwendigen Vereinfachung ausgedrückt – die zur Verzweiflung an der Welt gesteigerte Urfrage, wie der in jedem Lebens- und Geschichtsablauf als unüberwindlich erfahrene Widerspruch, die ätzende Essenz des Daseins in der Welt, mit dem Sein Gottes zu vereinbaren sei. Diese Steigerung der Frage ist eine nachalttestamentliche; jede echte Gnosis entsteht in einem vom Alten Testament angerührten Kulturbereich, fast jede als eine, unmittelbar oder mittelbar ausdrückliche, Auflehnung gegen es. Die biblische Einheitserfahrung – Eine entscheidende Macht, Ein überlegener Partner des Menschen – begegnete der sich aus schmerzlichen Tiefen meldenden Widerspruchserfahrung durch den Hinweis auf die Geheimnishaftigkeit des Geheimnisses: die Bestimmung des als Widerspruch oder Widersinn Erscheinenden ist unübersteigliche Schranke der Erkenntnis (Hiob), aber im gelebten Leidensmysterium ahnbar (Deuterojesaja); gerade hier erhebt sich die stärkste Äußerung sakramentaler Existenz, in der das Leid selber zum Sakrament wird (Jes. 53). Aber das apokalyptische jüdische Schrifttum bewältigt die Frage nicht mehr; die Esra-Apokalypse (»IV. Buch Esra«) etwa kennt den gläubigen Umgang mit dem Geheimnis nicht mehr, nur noch die nähelose Unterwerfung, die zugleich der Verzicht auf die Welt, das Zerrinnen des sakramentalen Lebens ist. Hier nun greift, Steine der zerfallenen Riesenbauten altorientalischer Religionen zum seltsamsten Neubau nur eben verwendend, die Gnosis ein. Sie deutet die Problematik der Welt als eine Problematik der Gottheit: sei es, daß dem guten Gott ein – böses oder nur schlechtes – negatives Prinzip entgegensteht, sei es, daß dem Guten selber brüchige oder verführbare Gewalten entstammen, die in die Sphäre des Übels fallen und als Weltseele das Schicksal des Widerspruchs tragen, bis sie wieder aufsteigen dürfen. Dabei wird immer, mehr oder weniger massiv, zuweilen nur eben als »Räume des Schattens und der Leere« (Valentinus) gekennzeichnet, das Andere, das Widerstreitende oder doch Widerstehende, die Gegenmacht oder Gegenwelt vorausgesetzt. Diesem Anderen die Selbständigkeit zu nehmen, auch es in die Dynamik der göttlichen Einheit einzubeziehen ist das Unterfangen der Kabbala. Die Kabbala gestaltet, gnostische und neuplatonische Schemata verquickt benützend, eine talmudische Lehre ins Ungeheure aus. Es ist die der apokalyptischen Resignation entgegentretende

Lehre von den göttlichen Attributen oder Wesenheiten der Strenge und der Gnade und ihrem dialektischen Verkehr, in dem das Drama des Weltprozesses als ein innergöttliches erscheint. Diese duale Dialektik, die es real und doch nicht dualistisch zu fassen gilt, wird von der Kabbala vervielfältigt im Verkehr der »Sefiroth«, der göttlichen Urzahlen oder Urglänze, miteinander, der Mächte und Ordnungen, die sie aus dem ewig verborgenen Insich Gottes, das »Ohneende« genannt wird, durch eine »Beschränkung« und eine »Entsonderung« hervorgehen läßt, in Gott bleibend und doch die Welt gründend. Ihre Stufung setzt sich in die Weltschichten, bis in die unterste, körperhafte »Schalen«-Welt, hinein fort; die Dynamik ihrer Hüllungen und Enthüllungen, Ergüsse und Stauungen, Bindungen und Lösungen erzeugt die Problematik des kosmischen und kreatürlichen Seins. Wie die präkosmischen Katastrophen des »Sterbens der Urkönige« oder des »Zerbrechens der Gefäße« mit ihren kosmischen Nachwirkungen, so ist auch alle innerweltliche Hemmung und Störung bis in die dämonischen Gewalten hin, die die Menschenseele befallen, aus Abschnürungen, Gewichtsverschiebungen, Überströmungen im Bereich der Äonen hervorgegangen. Und doch kann gerade von dieser unserer Welt aus an der Überwindung der Problematik gewirkt werden: durch die sakramentale Tat des Menschen, der betend und handelnd die elementaren Geheimnisse der Gottesnamen und ihre Verschlingungen intendiert, geschieht Dienst an der Einung der Gotteskräfte, in der die zweite, die vollendete Einheit des Seienden sich bereitet. Auch die kabbalistische Versöhnung der Einheitserfahrung und der Widerspruchserfahrung ist letztlich, wie die biblische, eine sakramentale.

Zwiefältig aber meldet sich Verwahrung, ungeäußert, doch stark in ihrer Tatsächlichkeit, im Chassidismus gegen die Kabbala an.

Die eine richtet sich gegen die Schematisierung des Mysteriums. Der Kabbala ist es, wie aller Gnosis, zentral, den Widerspruch des Seins zu durchschauen und sich ihm zu entheben; dem Chassidismus ist es zentral, den Widerspruch gläubig auszuhalten und so ihn selber zu erlösen. Die Kabbala entwirft eine Landkarte der Urgeheimnisse, auf der auch die Ursprünge des Widerspruchs ihren Platz haben; der Chassidismus, mag er auch, insofern er »Kabbala treibt«, ihr Bild der Überwelt bewahren, weil er es eben durch kein anderes zu ersetzen vermag, ist in seinem eigensten Bezirk agnostisch, es geht ihm nicht um objektive, formulierbare, schematisierbare Erkenntnis, sondern um die vitale, um das biblische »Erkennen« in der Wechselseitigkeit der Wesensbeziehung zu Gott. Gewiß »bestreiten gerade die Klassiker der Kabbala immer wieder, daß die Entfaltung der in Gott liegenden Güte ins Endliche hin, die in ihren, Theologie und Kosmogonie bis zur Ununterscheidbarkeit verbindenden Lehren dargestellt sind, ein objektiver Prozeß sei, das heißt ein Prozeß, wie er von Gott aus erscheine«[12]. Aber das ist nur ein ausgeklammerter metaphysisch-erkenntnistheoretischer Grundsatz ohne Anwendungstendenz, er geht nirgends in das System selber ein, der ganze kabbalistische Systembau ist von dem Prinzip einer fast nie innehaltenden, fast nie erschauernden, fast nie sich hinwerfenden Sicherheit bestimmt. Gerade im Innehalten aber, im Sich-bestürzen-lassen, im Tiefenwissen um die Hinfälligkeit alles Bescheidwissens, um die Inkongruenz aller gehabten Wahrheit, in der »heiligen Unsicherheit« hat die chassidische Frömmigkeit ihr eigentliches Leben. Darin ist auch jene ihre Liebe zum »Unwissenden« gegründet. Worauf kommt es an? Man mag »in den oberen Welten herumklettern« – plötzlich berührt es einen, und alles ist verweht, und im unendlichen ungegliederten Dunkel steht man vor der ewigen Gegenwart. Nur die wehrlos entgegengestreckte Hand des Ungesicherten lähmt der Blitz nicht. Wir sind in die Welt des Widerspruchs geschickt; wenn wir ihr in Sphären entschweben, wo er uns durchschaubar dünkt, entziehen wir uns der Sendung. Es geht gegen Glauben und Humor unseres Daseins (der Chassidismus ist gläubig und humorvoll), zu vermeinen, es gebe eine Seinsschicht, in die wir uns nur zu erheben brauchten, um »hinter« die Problematik zu kommen. Der Widersinn ist mir gegeben, ihn mit meinem Leben auszuhalten und auszutragen; dies, Aushalten und Austragen des Widersinns, ist der von mir erfahrbare Sinn. Die andere chassidische Verwahrung gegen die Kabbala wendet sich gegen die Magisierung des Mysteriums. Magie ist nicht etwa

---

[12] Scholem, Artikel »Kabbala« in der Encyclopaedia Judaica IX.

identisch mit dem Glauben an die Wirkungstranszendenz des Menschen, das heißt an den Einfluß des menschlichen Wesens und des menschlichen Lebens über den kausalitätslogisch erfaßbaren Bereich hinaus, sondern sie ist innerhalb dieses Glaubens die Meinung, es gebe bestimmte tradierbare, tradierte, innere und äußere Handlungen und Haltungen, durch deren Vollzug die geglaubte Wirkung erzielt werde. Magie (die innerhalb wie außerhalb des Sakramentalismus bestehen kann) ist also, wo sie mit Gnosis verknüpft erscheint, einfach deren andere Seite: ihre Überschaubarkeit der Mittel – nunmehr: der Mittel gegen den Widerspruch des Seins – gehört mit der gnostischen Durchschaubarkeit des Widerspruchs zusammen. In der Kabbala können diese tradierten magischen Methoden im Zusammenhang mit sehr verschiedenen Lebenstätigkeiten angewandt werden; es sind die »Kawwanoth«, die Intentionen, die, aus dem reichen Vorrat der Namen- und Buchstabenmystik schöpfend, mit dem, was sie an Buchstaben und Namen wirken, in die Wesenheiten selber wirken wollen. Und wieder: wie in seiner Lehre der Chassidismus die kabbalistisch-gnostischen Schemata peripher bewahrt und zentral vernachlässigt, so kennt er in seiner Praxis wohl noch die erlernbaren Intentionsweisen, ja allerlei kabbalistisch-magisches Material bis zu Heilssprüchen und Amuletten, aber seine Eigentümlichkeit behauptet sich im faktischen, nicht selten auch im programmatischen Gegensatz dazu. Gegen die wißbaren Kawwanoth – so und so ist zu meditieren, dies und dies zu besinnen – erhebt sich die eine lebensweite Kawwana des Gott und seinem Erlösungswerk hingegebenen Menschen. Wie der Chassidismus die Scheidung zwischen dem Heiligen und dem Profanen zu überwinden strebt, so auch die Heraushebung feststehender Intentionsprozeduren aus der Fülle lebendigen Tuns. Nicht dadurch, daß der Mensch irgendeine Handlung mit einer vorgewußten mystischen Methodik begleitet, sondern dadurch, daß er diese Handlung mit der auf Gott gerichteten Ganzheit seines Wesens vollbringt, übt er in Wahrheit Kawwana. Das Vorwißbare ist nicht geeignet, den Kerngehalt der Tat abzugeben; denn nicht mit urheberisch auftretender Willkür, sondern im Zusammenhang mit dem uns Antretenden und als unsere Gegenbewegung allein ist die sakramentale Tat zu tun. Das uns Antretende aber ist unvorwißbar; Gott und der Augenblick sind unvorwißbar, und der Augenblick ist Gottes Gewand; darum können wir uns wohl immer wieder auf die Tat vorbereiten, aber wir können die Tat nicht vorbereiten. Die Substanz der Tat wird uns immer wieder geliefert, vielmehr, sie wird uns angeboten: durch das, was uns widerfährt, was uns begegnet – durch alles, was uns begegnet. Alles will geheiligt, eingeheiligt werden, alles Weltliche in seiner Weltlichkeit: es will nicht entweltlicht, es will in seiner Weltlichkeit in die Kawwana der Erlösung eingeheiligt werden – alles will Sakrament werden. Die Kreatur sucht, die Dinge suchen uns auf unseren Wegen auf; was uns in den Weg tritt, braucht uns zu seinem Weg. »Mit der Diele und mit der Bank« soll man beten, sie wollen zu uns, alles will zu uns, alles will durch uns zu Gott. Was sollen uns, wenn es sie gibt, die oberen Welten! Unser ist, »in dieser niedern Welt, der Welt der Körperlichkeit, das verborgene Gottesleben aufleuchten zu lassen«.

I

Es ist immer mißlich, wenn man die Mystik, wie irgendeine andere religiöse Lehre, ihrem Gegenstand oder obersten Prinzip nach definieren will; man gewinnt dann nur einen zugleich abstrakten und etwas unbestimmten Begriff oder Satz, darin gerade das nicht erfaßt ist, was uns die Mystik in ihren geschichtlichen Erscheinungen zu einer so eigentümlichen und merkwürdigen Sonderart des Religiösen macht. Man tut besser daran, von der Seelenerfahrung auszugehen, die den Mystikern offenbar gemeinsam ist, da sie alle sich auf sie in irgendeiner Weise beziehen, wenn auch zuweilen nur verhüllt, ja in so objektivem Ausdruck, daß das persönliche Substrat, eben die Erfahrung, nicht in unsere Wahrnehmung tritt; auch da gibt es Momente, wo der strenge Ton der gegenständlichen Aussage unversehens von einer übermächtigen Erinnerung durchzittert wird. Jene Erfahrung nun mag man zwar eine Erfahrung der Einheit nennen; aber wieder werden wir damit nur etwas Abstraktes und Unbestimmtes in Händen haben, wenn wir etwa an eine Kontemplation der Einheit denken, in der zwar der Kontemplierende zurücktritt, seine Grundsituation aber, die er in irgendeinem Maße auch mitten in der Erfahrung verspürt, die Grundsituation all unsrer menschlichen Betrachtung bleibt, die Getrenntheit des Seins in ein Betrachtendes und ein Betrachtetes. Zu solch einem Mißverständnis gibt insbesondere einer der Größten unter den Mystikern, Plotin, starken Anlaß, wenn er jene Erfahrung, als echter Grieche, auch noch in der Spätzeit der Vermischung aller geistigen Elemente, in optischer Sprache, im Bilde einer Anschauung des Lichtes durch das Auge nämlich berichtet. Auch bei Plotin wird uns bei tieferer Aufmerksamkeit deutlich, daß dies nur eins, wenn auch das dünnste der Gewänder ist, in die sich die mystische Erfahrung kleidet, um sich offenbaren zu können, vielmehr, um ihrem Träger zu ermöglichen, das, was er erfuhr, in den Zusammenhang seines Erlebens und sodann in den seines Erkennens einzufangen. In Wahrheit ist das Entscheidende innerhalb jener Erfahrung noch nicht dies, daß die Vielheit der Erscheinungen zusammenstürzt in das Eine, das Spiel der Farben der Unbedingtheit des weißen Lichtes Platz macht, sondern daß das Betrachtertum des Betrachtenden ausgelöscht wird; nicht die Aufhebung der phänomenalen Vielheit, sondern die der konstruktiven Zweiheit, der Zweiheit von erfahrendem Ich und erfahrenem Gegenstand, ist das Entscheidende, das der Mystik im genauen Sinn Eigentümliche. Und zwar kann von Mystik im genauen Sinn nur da die Rede sein, wo es nicht um Menschen eines frühen, der klaren Sonderung von Subjekt und Objekt vorausliegenden Dämmerzustands geht, sondern um solche, denen die Grundsituation selbstverständlich geworden ist: ein in sich geschlossenes Ich und eine in sich geschlossene Welt einander gegenüber. Daß diese fundamentale, wenn auch vom Menschengeist erst allmählich erkannte Zweiheit in bestimmten Augenblicken des persönlichen Lebens zugunsten einer überwältigenden Einheitserfahrung aufgehoben wird, ist das, was jenes immer wiederkehrende tiefe Staunen erregt, das wir bei allen Mystikern, wenn auch in verschiedenen Graden der Äußerung, wiederfinden.

Dazu kommt aber in aller Mystik, die auf dem Boden der sogenannten »theistischen« Religionen gewachsen ist, noch etwas hinzu, dem eine besondere, spezifisch religiöse Bedeutung zuzusprechen ist. Der Mystiker weiß hier um einen nahen persönlichen Umgang mit Gott, und dieser Umgang hat zwar eine Vereinigung mit Gott zum Ziel, eine Vereinigung, die nicht selten in Bildern des irdischen Eros empfunden und dargestellt wird, aber in diesem wie in jedem Umgang zwischen Wesen und Wesen ist eben doch die Zweiheit dieser Wesen die elementare Voraussetzung dessen, was sich zwischen ihnen begibt. Es ist nicht die Zweiheit von Subjekt und Objekt, das heißt: keines ist dem andern ein bloßer Gegenstand der Betrachtung, der selber an der Beziehung nicht teilhat, sondern es ist die Zweiheit von Ich und Du, die beide in die Gegenseitigkeit der Beziehung eintreten. Gott mag noch so absolut gefaßt werden, er ist hier eben doch nicht das Ganze, sondern das Gegenüber, er ist das diesem Menschen Gegenüberstehende, er ist das, was dieser Mensch nicht ist, und ist nicht, was dieser Mensch ist; gerade darauf kann das Verlangen nach der Vereinigung sich gründen. Mit andern Worten: in diesem nahen Umgang, den der Mystiker erfährt, ist Gott, so Unendliches er auch umfaßt, doch Person und bleibt Person; und auch wenn der Mystiker in ihm aufgehen will, meint er keinen anderen, als den er im Umgang erfuhr, eben diese Person. Das Ich des Mystikers will sich im Du Gottes auflösen, aber dieses Du Gottes, oder, nachdem das Ich des Mystikers in ihm aufgegangen ist, dieses absolute Ich Gottes ist unvergänglich. Das »Ich bin« des Menschen soll entschwinden, damit das »Ich bin« Gottes allein bestehe. »Zwischen mir und dir«, heißt es in einem Spruche des al-Hallâdsch, des großen Märtyrers der islamischen Mystik, »gibt es ein ›ich bin‹, das mich peinigt. Ah! Hebe durch dein ›Ich bin‹ mein ›Ich bin‹ zwischen uns beiden hinweg.« Nie denkt der Mystiker daran, die Personhaftigkeit dieses göttlichen »Ich bin« in Frage zu stellen. »Ich rufe dich«, sagt al-Hallâdsch, »...nein, du bist es, der mich zu dir ruft! Wie hätte ich dich angesprochen ›Du bist es‹, hättest du mir nicht zugeflüstert: ›Ich bin es‹.« Das Ich des offenbarenden Gottes, das Ich des Gottes, der dem Mystiker seinen Umgang gewährt, und das Ich Gottes, in dem das Menschliche aufgeht, sind identisch. Im Bereich des Umgangs bleibt der Mystiker, was er im Bereich der Offenbarung war, Theist.

Anders verhält es sich, wenn die Mystik, über den Bereich des erfahrenen Umgangs hinaustretend, es wagt, sich mit Gott zu befassen, wie er an sich, das heißt, außerhalb der Beziehung zum Menschen, ja außerhalb des Verhältnisses zur erschaffenen Welt, überhaupt ist. Zwar weiß sie wohl, daß, wie auch Meister Eckhart es ausdrückt, niemand von Gott sagen kann, was er ist. Aber ihre Konzeption der absoluten Einheit, einer Einheit also, der nichts mehr gegenüberstehen kann, ist so stark, daß auch der höchste Begriff der Person gegen sie zurücktreten muß. Die Einheit, die sich zu etwas verhält, das nicht sie selbst ist, ist nicht die vollkommene Einheit; die vollkommene Einheit aber kann nicht mehr personhaft sein. Damit will die auf dem Boden einer theistischen Religion erwachsene Mystik keinesfalls Gott die Personhaftigkeit absprechen; wohl aber drängt es sie, jene vollkommene Einheit, der nichts mehr gegenübersteht, auch noch über den Gott der Offenbarung zu erheben und zwischen der im reinen Sein verharrenden Gottheit und dem wirkenden Gott zu unterscheiden. Vollkommene Einheit *ist* nur, sie wirkt nicht. »Nie hat die Gottheit«, sagt Eckhart, »dies oder das gewirkt, sondern Gott erst schafft alle Dinge.« Dahin, in jenes Ursein vor der Schöpfung, in jene Einheit über aller Zweiheit strebt letzthin der Mystiker zurück; er will werden, wie er vor der Schöpfung war.

Nicht immer spannt die theistische Mystik ihre Konzeption der Einheit so ins Äußerste, daß sie eben damit eine Zweiheit in Gottes Sein selber setzt. Die islamische Mystik vermeidet es dadurch, daß sie das Attribut des Wirkens in eine abstrakte Höhe zu heben sucht, wo es sich mit der vollkommenen Einheit verträgt; freilich gelingt ihr das nur zum Schein, indem sie nämlich das monotheistische Traditionsgut, das vom wirkenden Gotte handelt, gleichsam mystisch verklärt, ohne daß in die mystische Sphäre selbst etwas von dem Wirken des Wirkenden eindränge – jenes ist auf die Welt intendiert, diese im wesentlichen akosmisch, jenes zeigt Gottes Handeln in der Menschengemeinschaft, diese weiß von ihm nur, insofern er mit der Seele verkehrt: so erkauft die islamische Mystik um den Preis einer Zweiteilung des religiösen Lebens eine fragwürdige Einheit Gottes. Kühner und folgerichtiger geht hier die christliche Mystik auf der Höhe ihrer Theologie vor. Mit unüberbietbarer Schärfe setzt sie die Spannung in das Göttliche selber ein. »Gott und Gottheit«, sagt Eckhart, »sind unterschieden wie Himmel und Erde ... Gott wird und entwird.«»Gott« also wird hier das Göttliche genannt, insofern es aus der vollkommenen Einheit, der nichts gegenübersteht, sich in Schöpfung und Offenbarung zum Gegenüber der Welt und dadurch zum Teilnehmer an ihrem Werden und Entwerden gemacht hat. Denn »Gott« gibt es nur für eine Welt: indem das Göttliche eben ihr, der Welt, zum Gotte wird; wenn Welt wird, wird Gott, ist keine Welt, entwird Gott, und wieder ist nur noch Gottheit.

Man sieht wohl schon daraus, daß es ein schwerer Irrtum wäre, der Mystik die Auffassung zuzuschreiben, der Unterschied zwischen Gottheit und Gott sei nur ein perspektivischer, das heißt, er bestehe nicht an sich, sondern nur vom Gesichtspunkt der Welt aus. Eine solche Auffassung würde vor allem die geschichtliche Offenbarung entwirklichen. Das liegt der echten theistischen Mystik fern. Sie sieht den Unterschied vielmehr als einen in Gottes Wesen selber begründeten und sich von ihm aus vollziehenden. So weit ist die christliche Mystik in Eckhart – wie vor ihr die indische in Šankara – vorgedrungen; weiter hat sie nicht vorzudringen versucht. Und doch ist damit nur ein Rätsel, das uns an der Grenze des menschlichen Seins, da, wo es sich mit dem göttlichen berührt, entgegentrat, in das göttliche Sein selber versetzt und damit zunächst weiterer Nachforschung entzogen worden. Nicht für immer; denn es gibt in der Geschichte der späteren Mystik doch einen, wenn auch nur fragmentarischen, anscheinend im Ansatz steckengebliebenen Versuch, noch weiter vorzudringen und auch hier noch »Warum« zu fragen. Die Frage läßt sich vorläufig so formulieren: Warum ist Gott Person geworden? Daß der Chassidismus (soviel ich sehe, er allein) den Versuch unternommen hat, diese Frage – oder vielmehr, wie sich noch zeigen wird, eine ihr verwandte – zu beantworten, bezeugen Andeutungen seines größten Denkers, des Maggids von Mesritsch, die wir den Aufzeichnungen von Schülern zu entnehmen und in einem gewissen Maße zusammenzufassen vermögen. Es ist hier einer der wenigen Punkte, in denen die chassidische Theologie über die der späteren Kabbala, in deren Spuren sie auch hier wandelt, doch, wenn auch nur tastend, hinausführt.

2

Der Gedanke einer Selbstbeschränkung Gottes im Urakt der Schöpfung ist, wie dargelegt, ein Grundgedanke der Kabbala. Er ergibt sich gleichsam von selber, sowie an die Stelle der Vorstellung einer Erschaffung aller Dinge aus einem Gott gegenüberstehenden »Nichts« die Vorstellung einer Emanierung der Welten aus Gott getreten ist. Welt, und sei es auch die höchste, ist ihrem Wesen nach beschränkt; sie ist dadurch beschränkt, daß es, tatsächlich oder potentiell, ein anderes gibt, das sie nicht ist. Aber eben deshalb beschränkt schon der erste Akt der Emanation Gott selber. Wohl bleibt er in sich selbst der Schrankenlose, aber indem nun nicht mehr bloß er selber, sondern auch Welt da ist, sei es auch nur in der Gestalt des ersten Urpunkts, indem Gott in sich selber das Beschränkte möglich und wirklich macht, beschränkt er sich. Nicht also daß er selber durch Welt und Welten beschränkt würde oder beschränkt werden könnte, da er ja in sich selber von keinem andern berührt und begrenzt werden kann; aber dadurch, daß er das Beschränkte »ausgespart«, hat, hat er da, wo nun das Beschränkte ist, und insofern es ist, Selbstbeschränkung vollzogen. (Natürlich ist, was hier unbeschränkt und beschränkt genannt wird, nicht mit Begriffen räumlicher Unendlichkeit und Endlichkeit zu verwechseln, da der Raum als solcher erst in der Schöpfung gesetzt wird; und ebenso ist die in der Menschensprache unvermeidliche Verwendung der Zeitform in dem, was über den Schöpfungsakt ausgesagt wird, nicht dahin zu verstehen, daß er sich in der Zeit begeben habe, die vielmehr erst durch ihn gesetzt ist: die Selbstbeschränkung geht in Wahrheit nicht in der Zeit, sondern in der Ewigkeit vor sich.)

Es ist aber von großer Bedeutung, welches Motiv die spätere Kabbala für den Urakt der göttlichen Selbstbeschränkung angibt: es steigt – wie Chaim Vital es in dem berühmten Anfang seines »Baums des Lebens« ausdrückt – in Gottes Willen auf, die Welt zu schaffen, um seinen Geschöpfen wohlzutun. Damit Gott seine Güte auswirken könne, muß es etwas anderes als er selbst, etwas außer ihm geben, dem er wohltue. Wir sehen hier deutlich den grundlegenden Unterschied gegen die Lehre Spinozas. Dieser mußte von Gott alles Personhafte fernhalten; die Liebe dieses Gottes, in welcher sein Wesen mit Notwendigkeit gipfelte, konnte nicht die Liebe zu einem anderen, sondern nur die All-Liebe des Unbeschränkten zu sich selber sein. Die Kabbala scheut sich nicht, schon in der »Gottheit« etwas zu finden, was erst im Handeln »Gottes« zur vollen Auswirkung gelangt: die Güte; und zu dieser Auswirkung bedarf es eines anderen, das der Güte bedarf. Schon die »Gottheit« will sich aus Güte hergeben, sie verlangt nach einem Empfänger für ihr »Licht«. Und so setzt sich die Selbstbeschränkung fort, denn die Welt ist nicht imstande, die Fülle des göttlichen Lichts zu empfangen, und »seiner großen Liebe wegen«, wie der Maggid von Mesritsch sagt, beschränkt Gott seine Leuchtkraft weiter. So aber eben wird »Gottheit« zu »Gott«, wobei im Chassidismus wie schon vor ihm gerade die erste mit dem Tetragrammaton bezeichnet wird, das ursprünglich der weitaus persönlichere von beiden Namen ist; immer stärker bricht in ihm das reine »Sein« durch. »Man empfängt«, sagt der Maggid, »das Licht der Sonne nur durch einen Vorhang, so vermochte man nicht die Leuchtkraft des ›Seins‹[1] zu empfangen, es

---

[1] Das »Sein«, HaWaJaH, wird hier mit Jhwh, dem »Seienden« (traditionell Adonai, d. i. der Herr, ausgesprochen und demgemäß übertragen) gleichgesetzt.

sei denn durch Elohim.« Auch dies ist kein neues Bild; aber es steht in einem neuen Zusammenhang, der es neu macht. Die Gottheit emaniert eine Welt, um das an ihr selber, was Person ist, die persönliche Güte, das persönliche Gebenwollen, zur Auswirkung zu bringen; und damit diese Welt das, was sie von sich selber geben will, empfangen könne, wird die Gottheit ihr vollends zu Gott. Der Maggid geht so weit, die Selbstbeschränkung selbst mit dem Namen »Gott« zu bezeichnen und die Anfangsworte der Schrift »Im Anfang schuf (er) Gott« in den Spuren der Kabbala dahin zu deuten, die Gottheit habe »im Anfang« sich zu Gott umgeschaffen.

Wenn aber, der Überlieferung der Geheimlehre gemäß, der in der Natur wirkende, sich zu ihr beschränkende Gott Elohim genannt wird, wie ist es dann vom Chassidismus aus zu verstehen, daß die Schrift den offenbarenden, den an Israel handelnden Gott mit dem Urnamen der Gottheit, dem Tetragrammaton, bezeichnet? Nicht bloß die Schöpfung –, auch die Offenbarung ist ein Niederstieg der Gottheit. Aber sie ist keine wirkliche Selbstbeschränkung: hier handelt der nicht in die Welten Eingegangene, der uneingeschränkte Gott, der Träger des schrankenlosen Lichts, die Gottheit, das reine Sein; und eben sie, die absolute Gottheit, handelt als Person. Um dies zu verstehen, muß man sich die Bedeutung vergegenwärtigen, die innerhalb der Weltschöpfung der Erschaffung des Menschen und innerhalb des Menschengeschlechts dem Volke Israel und innerhalb Israels dem Zaddik zukommt. Daß die Welten das schrankenlose Licht nicht zu empfangen vermochten und Gott es deshalb beschränkte, bedeutet keineswegs, daß er darauf verzichtete, ihm den Empfänger zu gewinnen. Um ihn zu gewinnen, erschafft er den Menschen, der durch seine Sünde es verscherzt, der Empfänger des schrankenlosen Lichts zu werden; und nun läßt er mitten im Menschengeschlecht Israel entstehen. Um ihm das Licht als Wort zu geben, »steigt JHWH zum Berge Sinai nieder«. Diese Handlung aus Liebe, sagt der Maggid von Mesritsch, ist in der Tat ein Niederstieg Gottes. Was er aber dem Volke Israel als Thora offenbart, das ist in seinem Wesen das schrankenlose Licht selber. Israel gelobt sich ihm an, aber auch es vermag es nicht wahrhaft und völlig zu empfangen. Nun harrt Gott mit seinem verborgenen schrankenlosen Licht des

Empfängers. Gott will, daß Israel zu Zaddikim, das heißt, zu Empfängern, werde, denn »mehr als das Kalb saugen will, will die Kuh säugen«. Daher übt Gott in jedem Geschlecht eine nicht faktische, sondern nur erscheinungsmäßige und nur vorläufige Beschränkung der Leuchtkraft. Er handelt dabei wie ein Vater, der, damit sein kleiner Sohn ihn mehr und mehr und endlich ganz verstehen lerne, damit beginnt, den eigenen Verstand zum Schein zu beschränken und sich um des Kindes willen zum Kind zu machen. In unzähligen Varianten kehrt dieses Gleichnis in den Äußerungen des Maggids wieder, um deutlich zu machen, wie sich diese zweite, pädagogische Selbstbeschränkung zur ersten, kosmogonischen verhält. Und Gottes Absicht gelingt: der Zaddik ersteht. Er dringt durch alle Welten zu Gott vor, empfängt sein Licht, geht in der Einheit des Seins auf. Als Mensch ist der Zaddik, was jeder Mensch als solcher ist, *dam*, Blut, indem er aber dem anhaftet, der *alufo-schel-olam*, der Fürst der Welt ist, und so das göttliche Prinzip sich mit seinem Blut verbindet, wird aus dem Buchstaben *alef* und dem Wort *dam* erst wahrhaft Adam: der wahre Mensch, der Empfänger des schrankenlosen Lichts ist erstanden.

Wie wir aber gesehen haben, geht hier die Scheidung nicht, wie in der indischen und christlichen Mystik, zwischen einer überpersönlichen, nicht-wirkenden Gottheit und einem persönlichen, wirkenden Gott vor sich, und doch werden wir nicht hinter diese zurück, sondern von den Voraussetzungen der jüdischen Tradition und insbesondre der Kabbala aus an einem höchst bedeutsamen Punkte über sie hinaus geführt. Es wird nämlich eine Scheidung innerhalb des göttlichen Wirkens vollzogen, indem das Sich-Mitteilen Gottes an seinen Empfänger, das Offenbaren, von allem sonstigen, allem naturhaften Wirken Gottes gesondert wird: der sich mitteilt, ist nicht der Gott in der Selbstbeschränkung, dessen Akt die Welten setzt, der Elohim, sondern die schrankenlose Urgottheit selber. Die Mitteilung bedient sich zwar auf ihrem Wege der Beschränkung, bis sie, nunmehr von aller Not der Beschränkung befreit, zu ihrem wahren Empfänger gelangt, aber das Sich-Mitteilende selber hat sich hierbei nicht eingeschränkt, nicht wie dort in Welt und Welten umgewandelt, sondern jeweils seine Leuchtkraft beschränkend, um den Empfänger zu gewinnen, ist es doch in sich selber ungewandelt verblieben, ohne eine Spur von Welt an sich zu lassen. Wir stehen hier vor einem paradoxen Wirken, das der urgöttlichen Unbedingtheit keinen Abbruch tut. Die Scheidung geht hier nicht, wie in der Mystik von Šankara und Eckhart, zwischen einer in sich ruhenden »Gottheit« und einem wirkenden persönlichen Gott vor sich, sondern nahezu umgekehrt zwischen der durch das Tetragrammaton bezeichneten Urgottheit, die sich unmittelbar mitteilen will, und um dies zu tun die Beschränkung zum Elohim, die Schöpfung vollzieht, und diesem, der in der ganzen Fülle der Natur im weitesten Sinn, in allen Welten wirkt, was gewirkt wird, schafft, belebt, beseelt. Der Empfänger JHWH's entsteht durch Elohim; aber es ist JHWH selber, der ihn führt, bis er wahrhaft zum Empfänger geworden ist, und diese Führung ist wieder nichts anderes als Mitteilung, indirekte, aber immer direkter werdende Mitteilung. Von beiden ist Elohim die unpersönliche Gottesgestalt, man mag ihn, wenn man will, Spinozas natura naturans vergleichen; aber hier steht vor und über dieser die Urgottheit, das »Sein«, und sie ist beides zugleich, die vollkommene Einheit und die schrankenlose Person. »Esse est Deus«, sagt Eckhart, und das kann auch hier gesagt werden, aber hier schließt das Sein die Person ein, nämlich die Person im paradoxen Sinn, die schrankenlose, die absolute Person. Nicht der Zimzum, die Selbstbeschränkung, sondern die schrankenlose Urgottheit selber, das Sein, spricht das »Ich« der Offenbarung.

Die Frage, von der wir ausgegangen waren, die Frage, bei der die indische und christliche Mystik stehengeblieben ist und über die hinaus der Chassidismus weiter vorgedrungen ist, ist demnach nicht so zu formulieren, wie wir es zunächst von den Voraussetzungen jener beiden aus getan haben: »Warum ist Gott Person geworden?«, sondern sie hat sich uns zur Doppelfrage aufgespalten. Die erste lautet etwa: »Warum ist die schrankenlose Gottheit zu dem eingeschränkt durch die Welten wandelnden und in ihrer Beschränktheit sein Schöpfungswerk wirkenden Gott geworden?« Und die zweite: »Warum ist die schrankenlose Gottheit aus einer absoluten Person, der nichts gegenübersteht, zu einer geworden, der ein Empfänger gegenübersteht?« Auf die erste gab die Kabbala die Antwort: Aus Güte. Auf die zweite antwortet der Chassidismus: Aus Verlangen nach dem Empfänger, dem sie, die Gottheit, ihr Licht schenken könnte. Beide Antworten sind eine. Die Tatsache des Weges Gottes ist aus der Tatsache seines Willens zu verstehen, Liebe zu erweisen.

Daraus, daß die schrankenlose Urgottheit selber der Gott der Offenbarung ist, ist auch eine, mit äußerster Bildkraft in den Sprüchen des Maggids zum Ausdruck gelangende chassidische Grundanschauung zu verstehen, die man nicht selten als »pantheistisch« mißverstanden hat (wie ja überhaupt im Gebiet der lebendigen Religion solche vereinfachenden Kategorien zumeist Mißverständnisse sind). Ich meine die Anschauung, die die Konzeption der Gegenwart Gottes in uns zu sinnenhafter Vollständigkeit ausgestaltet hat[2]. Zwiefach ist der Mensch von göttlicher Macht oder Substanz heimgesucht: als Geschöpf von der schöpferischen Elohimkraft, die ihm seine Kraft verleiht, und als Person von der Niederlassung der Schechina, die ihn, wenn sie kommt, über sich selber erhebt. Die erste Art ist konstitutiv und beständig, die zweite gnadenhaft und unvorhersehbar; kann man jene dem Grundwasser vergleichen, das die Tiefen der Erde durchzieht und von da aus den Boden feucht und fruchtbar erhält, so diese dem befruchtenden Regen, der »zur Erde niedergeht und das Getreide sprießen läßt«. Von der Schöpferkraft Gottes, die die Schöpfung faßt und trägt, sind wir von allen Seiten umgeben; aber wir sind auch selber von ihr, die in die Schöpfung eingegangen ist, durchdrungen: »Wir gehen im Schöpfer, gesegnet sei Er, und wir vermögen ohne seinen Erguß und seine Lebenskraft keine Bewegung zu tun.« Durch ihn leben wir im genauesten Sinn, weil er in uns lebt: Gott »wohnt inmitten der Glieder des Menschen vom Haupt bis zur Fußsohle«. Was wir tun, tun wir aus der Kraft Gottes; nur der Gebrauch, die Richtung, das, was wir aus der Gotteskraft machen, ist in unseren Willen gelegt; wir können sie ins Gemeine niederziehen, und wir können, ihres Wesens und Ursprungs eingedenk, sie auf den Himmel richten. Und wenn ein Mensch mit der gesammelten Kraft seiner Seele sich zum Himmel wendet und die bloße geschöpfliche Kraft nicht zureicht, um die Hingabe seines ganzen Selbst nach oben zu tragen,

---

[2] Ich sehe im folgenden von der »Funken«-Lehre ab, die ein Stromgebiet für sich ist und in anderen Abschnitten dieses Buches behandelt wird.

dann kleidet sich, sowie er nur gesprochen hat: »Herr, öffne meine Lippen«, die Schechina, die mit uns im Exile weilt, in ihn und redet selber die Worte und schwingt sich in ihnen ihrem »Gatten« zu. Aber auch da müssen wir streng bedacht sein, daß unser menschliches Element der Gemeinschaft mit der Schechina gewachsen sei und sie nicht herabziehe; denn wohl hebt sie uns im Wort »von Tempelhalle zu Tempelhalle«, aber in jeder richtet man uns.

Hier schon wird es deutlich, daß Gott nicht als Elohim, sondern als JHWH, also in seinem Urwesen, von uns fordert, was er von uns fordert. Die Gottheit als vollkommene Einheit, der Gott vor und über der Schöpfung, ist zugleich der gebietende Gott. Denn er eben ist der Gütige, der die Welten schafft, um seine Güte auszuwirken; er ist der große Liebende, der den Menschen in die Welt gesetzt hat, um ihn lieben zu können, – es gibt aber keine vollkommene Liebe ohne Gegenseitigkeit, und er, der Urgott, verlangt danach, daß der Mensch ihn liebe. Alles ergibt sich daraus, alle Lehre, alle »Sittlichkeit«, im innersten Kerne wird von oben nichts gewollt und nichts gefordert als Liebe zu Gott. Alles ergibt sich aus ihr; denn man kann Gott nicht in Wahrheit lieben, ohne die Welt zu lieben, in die er seine Kraft versenkt hat und über der seine Schechina ruht. Menschen, die einander in heiliger Liebe lieben, tragen einander auf die Liebe zu, mit der Gott seine Welt liebt.

Im Chassidismus – und in ihm allein, soweit ich sehe, in der Geschichte des Menschengeistes – ist die Mystik Ethos geworden. Hier ist die mystische Ureinheit, in der die Seele aufgehen will, keine andere Gottgestalt als der Forderer der Forderung, und die mystische Seele kann nicht wirklich werden, wenn sie nicht eins ist mit der sittlichen.

Die uralte Auseinandersetzung zwischen Religion und Ethik, die sich bis in unsere Tage hinein fortsetzt, hat zwei Grundformen, je nachdem die eine oder die andere Seite einen Vorstoß unternimmt. Der Vorstoß der Ethik vollzieht sich im allgemeinen im Zeichen der Frage: Heteronomie oder Autonomie? Der Vorstoß der Religion hat im allgemeinen zum Ziel, ihren Primat zu behaupten. Eine gerechte Entscheidung zwischen beiden scheint mir, wie so oft, nicht anders möglich zu sein, als daß man beiden recht und beiden unrecht gibt, wobei natürlich die Bezirke von Recht und Unrecht genau gegeneinander abzugrenzen sind.

Soll man, fragt die Ethik, das Gute tun, weil es die Götter gebieten, oder weil es das Gute ist? Wogegen die Religion ihrerseits die Frage stellt: Soll man denn überhaupt vor allem das Gute tun, oder das, was Gott von einem will? Die erste Frage scheidet offenbar lediglich zwischen zwei Motivationen desselben sittlichen Handelns und will wissen, welches die richtige sei. Die zweite Frage hingegen scheidet, wiewohl es der Religion grundwichtig ist, daß die Motivation »um Gottes willen« obwalte, im wesentlichen zwischen zwei Arten von Handlungen und will wissen, welche die überlegene sei. Mit anderen Worten: die erste Frage läßt es dahingestellt sein, ob dem Inhalt der Handlungen nach nicht eine völlige Harmonie zwischen Religion und Ethik möglich sei, die zweite zielt auf einen möglichen Konflikt zwischen beiden ab und will für diesen Fall der ersten den Vorrang sichern. Beide Fragen gehen, aufs Letzte geprüft, von einer falschen Konzeption sowohl der Religion wie der Ethik aus.

Der Mensch glaubt entweder an einen gebietenden und fordernden Gott oder er glaubt nicht an einen solchen (diese Unterscheidung, nicht die zwischen »Gläubigen« und »Ungläubigen« ist für uns hier maßgebend). Für den, der nicht so glaubt, hat die Ethik selbstverständlich schlechthin recht: er soll und kann das Gute nur tun, weil es das Gute ist. Sie hat schlechthin recht, wenn sie den guten, aber nicht an einen gebietenden und fordernden Gott glaubenden Menschen gegen die religiöse Position stellt: selbstverständlich sind gute Handlungen nicht weniger gut, wenn sie aus eigener Einsicht, eignem Gefühlsantrieb oder eigner Gewissensprüfung getan werden. Darüber hinaus aber beginnt in der Existenz dieses Menschen die Problematik. Ist er ein religiöser Mensch, so besteht zwischen seinem isolierten ethischen und seinem isolierten religiösen Leben keine Verbindung im strengen Sinn, sie stehen unter verschiedenem Gesetz, sein Leben hat keine elementare Ganzheit. Noch anders verhält es sich mit dem areligiösen Menschen: er kann nicht bloß in jeder anderen Hinsicht vortrefflich sein, er kann sogar die Ganzheit des persönlichen Lebens haben, die jenem fehlt, aber er hat es nicht mit der Ganzheit des Seins zu tun, das heißt, sein Leben als solches ist der Ganzheit des Seins gegenüber isoliert. Dies freilich ist ein Punkt, den nur der religiöse, nicht der areligiöse Mensch verstehen kann: hier ist die Grenze der begrifflichen Verständigung zwischen beiden, und es muß dem Areligiösen unbenommen bleiben, die Kritik als eine illusionäre abzulehnen. In beiden Fällen hat aber die Ethik mit ihrem Postulat der Autonomie recht.

Wie nun aber, wenn von dem Menschen die Rede ist, der an einen gebietenden und fordernden Gott glaubt? Nehmen wir zunächst eine Art vorweg, die für unsere Zeit spezifisch wichtig ist. Der Mensch, der nicht den Glauben hat, er wisse durch eine Überlieferung zuverlässig, was Gott ihm für sein Leben gebietet, sondern die ihm überlieferte Offenbarung als eine Verschmelzung von Göttlichem und Menschlichem ansieht, innerhalb deren der menschliche Anteil im Laufe des Überlieferns wächst, der göttliche aber jeweils nur in Stunden persönlicher Erleuchtung und nur für bestimmte biographische Situationen sich unmittelbar als der göttliche kundtut, – dieser Mensch lebt recht eigentlich in »Furcht und Zittern«. Grundsätzlich gibt es zwar für ihn das Problem von Autonomie und Heteronomie nicht, denn er weiß: wäre er in vollkommener Eintracht mit seinem Gott, dann würde eben das, was dessen Wille ist, in seinem eignen Herzen entbrennen, und es gäbe keinen Unterschied mehr zwischen »Von dorther« und »Von daher«; aber faktisch ist sein Leben erfüllt von einer Zweiheit, die jener irgendwie entspricht. Wohl vernimmt er aus allen Dingen und Vorgängen eine göttliche Anforderung seiner Person, aber im allgemeinen ist ihm damit keineswegs eine Anweisung gegeben, was er in dieser Stunde, in dieser Lage für

Gott zu tun habe; vielmehr wird an ihn zumeist gewissermaßen eine Frage gerichtet, die er mit seinem Tun und Lassen auszufüllen hat. Was er nun von sich aus faßt, beschließt, entscheidet, das schöpft er aus seinem »Gewissen«, aus der Urwachheit seiner Seele, in einer Tiefe am Einheitsquell der Person, wo Selbst und Welt und beider Verhältnis zueinander, wie es an diesem Tage ist, geprüft und geklärt werden. Aber bei noch so gewaltiger Konzentration der innersten Kräfte hat das Gewissen zuweilen keine Sicherheit; dieser Mensch weiß ja, daß er nicht objektiv zuverlässig wissen kann, ob das, was er nun vorhat, die rechte Antwort auf die ihm gestellte Frage, die rechte Ausfüllung des gezogenen Kreises ist. Wohl gibt es die Stunden, in denen er wie aus Vollmacht handelt, aber auch jene, in denen er die völlige Verlassenheit erfährt, und zwischen beiden verläuft das Leben. Er muß sich helfen lassen: von dem überlieferten »Wort Gottes«, sich ihm öffnend, daß das göttliche Element darin ihm in die Seele schlagen könne, und von allem guten hilfreichen Geist, der vom Geiste Gottes berührt ist. Über alles aber muß er sich von Gott selber Hilfe erheischen, indem er im Gebet ihm all die Frucht des Gewissens darbringt, daß er sie annehme oder verwerfe. Und wie, wenn alles erschöpft ist und er auch dann noch keine Sicherheit gewinnt? Nun, so lebt er diese Stunde eben im Wagnis, in Furcht und Zittern ab.

Stellen wir jetzt diesem Einsamen und Ausgesetzten gegenüber, als das äußerste Beispiel einer religiösen Sicherheit, an deren Horizont scheinbar nie ein Schatten des Autonomieproblems erscheinen kann, eine religiöse Gemeinschaft (hier hat es keinen Sinn mehr, an einen Einzelnen zu denken), die in der unerschütterten und allem Anschein nach unerschütterlichen Gewißheit lebt, welche ihr die in ihr lebendige Überlieferung verleiht, einer Gewißheit, die zu einer höheren Natur und zu einer erhabenen Selbstverständlichkeit geworden ist. Innerhalb eines als Ganzes religiös bestimmten Lebens grenzen sich für die Menschen dieser Gemeinschaft dennoch eine religiöse Sphäre im engeren Sinne, Kult und Ritual umfassend, und eine ethische Sphäre gegeneinander ab. Gemeinsam ist beiden, daß ihre Gesetze und Regeln von der göttlichen Autorität sich herleiten und das Handeln ihnen gemäß oder ihnen entgegen unter göttlicher Sanktion steht. Und doch regt sich sogar in dem im engeren Sinn religiösen Bereich immer wieder eine Tendenz, die uns, wie fern sie auch inhaltlich der Tendenz zur sittlichen Autonomie ist, doch in einer bestimmten Weise an sie erinnert. Man will die gottesdienstlichen Bräuche und die gebotenen Lebensformen nicht bloß deshalb beobachten, weil sie anbefohlen sind, man will der Innerlichkeit des eignen Glaubensverhältnisses Ausdruck in ihnen verleihen, man will sie als ihrer Intention nach und ihrem Gehalte nach religiöse Akte, als in sich religiöse Akte tun; und der Charakter des Gebotenseins kann dabei als Motiv so weit zurücktreten, daß daran vor allem dies empfunden wird, der Gebietende habe den Menschen Wege gewiesen, ihr eigenes religiöses Bedürfnis, das nach der Gottesnähe und der Bereitschaft für Gott, auszudrücken und zu befriedigen. In dem andern, dem ethischen Bereich macht sich eine entsprechende Tendenz in verschiedener Weise, aber zuweilen mit nicht weniger starken Akzenten geltend. Es ist geboten, die Eltern zu ehren; aber dem ehrfürchtigen Menschen betätigt sich darin ein Innerstes vom Grunde des Lebens her. Es ist verboten, lügenhaftes Zeugnis abzulegen; aber dem aufrichtigen Menschen ist Wahrheit nicht bloß das Siegel Gottes, sondern auch der Hort seiner eigenen Seele. Es ist geboten, den Mitmenschen zu lieben; aber ist Liebe echt, wenn sie nicht im Herzen aufbricht? Von oben und von innen zugleich: daß eben das, was von oben geboten ist, von innen als Verlangen und Regung der Seele aufquelle, – dahin geht letztlich die Tendenz. In dem Maße, in dem das in unendlicher Ferne und Majestät über dem Menschen strahlende Gottesfeuer sich in der innersten Zelle seines Selbst entzündet, in dem Maße also, in dem das »Ebenbild« zu konkreter Wirklichkeit wird, hebt sich auch innerhalb der in der lebendigen Gewißheit der Überlieferung lebenden Gemeinschaft die Differenz von Heteronomie und Autonomie in einer höheren Einheit auf. Erst auf dieser Stufe, wo das religiöse Prinzip das ethische, ohne es in seiner Eigenkraft zu beeinträchtigen, sich einverleibt hat, ist sein Primat unbestreitbar.

Dies ist aber keineswegs die höchste Stufe. Denn hier sind ja doch noch innerhalb des Gesamtlebens der religiösen Gemeinschaft die beiden Bereiche, das Religiöse im engeren Sinn und das Ethische, gattungsmäßig voneinander getrennt, beide zwar sich von Gottes Gebot ableitend und auf es bezogen, aber jenes doch, wenn nicht in allen seinen Teilen, so doch als Ganzes, den Vorrang beansprucht. Wenn aber eine schwere innere Krise die Grundfesten – eben die Gewißheit, es sei Gottes Wille, daß die Menschen so und nicht anders leben – unterhöhlt hat und in der Gemeinschaft eine Bewegung sich erhebt, um die Krise zu überwinden und wieder ein klares, eindeutiges Leben im Angesicht Gottes zu begründen, dann hält die Scheidung zwischen Ethischem und Religiösem nicht vor. Für die neue Bewegung müssen die ethischen Handlungen ihrem Wesen und ihrer Wirkung nach religiöse Handlungen werden, nicht also bloß als von Gott geboten der Religion angehörig, sondern unablöslicher Bestandteil ihrer Keimsubstanz und durchaus nicht geringeren Ranges als deren Rest, ja von solcher Bedeutung, daß dieser Rest, das »Religiöse im engeren Sinne«, nicht ohne sie bestehen könnte. Die Urintention der religiösen Gemeinschaft, die Verwirklichung der »Heiligkeit« in der ganzen Breite und Fülle des Gesamtlebens, soll nun erfüllt werden, mit ihrer Erfüllung wird begonnen. Das »Ethische« ist nun nicht mehr eine von der religiösen Instanz gedeckte und sanktionierte Sache zwischen den Menschen, sondern sie ist, nicht minder als das Religiöse im engeren Sinne, eine Sache zwischen den Menschen und Gott. Beide Arten von Handlungen, die ritualen und die sittlichen, sind ihrem Sinn nach auf Gott selber gerichtet, durch beide erhält sich die Verbindung mit ihm, beide wirken auf die Einheit zwischen den göttlichen Kräften und Gestalten ein. Das isolierte Religiöse ist hier ebenso dahingeschwunden wie das isolierte Ethische. Du kannst Gott nicht wahrhaft lieben, wenn du nicht die Menschen liebst, und du kannst die Menschen nicht wahrhaft lieben, wenn du Gott nicht liebst.

Das ist die Stufe, die der Chassidismus erreicht hat, wenn auch das von ihm begründete neue Leben fragmentarisch und flüchtig blieb. Man soll, sagt Kierkegaard, nur mit Gott wesentlich verkehren. Man kann, sagt der Chassidismus, mit Gott nicht in Wahrheit wesentlich verkehren, wenn man nicht mit den Menschen wesentlich verkehrt.

2

Für eine geistige Bewegung, die nicht die Durchsetzung eines
Gedankens, sondern die Erneuerung des Lebens anstrebt, ist es
charakteristisch, wie sich ihr Menschenideal zu den einzelnen allgemein geschätzten und gepriesenen menschlichen Eigenschaften
verhält. Die chassidische Haltung wird durch die Aussprüche
dreier Zaddikim beleuchtet, Aussprüche, die einander verwandt
sind und von denen doch jeder einen besonderen Ton hat und
einen besonderen Beitrag leistet, ja die überdies, nebeneinander
betrachtet, eine deutliche Entwicklungslinie aufzeigen. Es handelt sich um die Beurteilung dreier Eigenschaften: der Klugheit,
der Frömmigkeit und der Güte. Rabbi Pinchas von Korez, ein
Mann der ersten Generation, von großer Unmittelbarkeit in der
Anschauung und der Sprache, begnügt sich, eine Wertskala der
drei aufzurichten. »Fromm sein«, sagt er, »habe ich lieber als
klug sein, aber lieber als Klugsein und Frommsein habe ich Gut-
sein.« Auf den ersten Blick sieht es aus, als würde hier das Ethische über das Religiöse gestellt; aber prüft man die verwendeten
(im Original jiddischen) Begriffe genauer dem sonstigen Sprach-
gebrauch nach, dann merkt man, daß hier mit »fromm« die religiöse Spezialisierung, also das isolierte Religiöse gemeint ist, wogegen »gut« den Menschen bezeichnet, der sich liebend zur Welt
verhält, indem er den Willen Gottes an dessen Geschöpfen zu
erfüllen sucht. Das isolierte Religiöse war eben dem Chassidismus
in seiner Umgebung bekannt, in der Gestalt von Frömmlern,
die sich nur um ihre Beziehung zu Gott selber kümmerten; das
isolierte Ethische aber gab es in dieser Umgebung nicht, und man
zog es daher gar nicht in Betracht. Weiter als dieser Spruch geht
ein knappes Wort, aus der Schule von Karlin stammend, deren
Blütezeit in die dritte und vierte Generation der Bewegung
fällt. Er lautet: »Klugheit ohne Herz ist gar nichts. Fromm ist
falsch.« Was hier »Herz« genannt wird, ist im Grunde offenbar
nichts anderes als jene »Güte«, ohne die alle intellektuellen Vorzüge nichtig sind. Der zweite Teil des Spruches fällt durch seine
Schärfe auf. Was er sagen will, ist klar: eine unmittelbare Beziehung zu Gott, die keine unmittelbare Beziehung zur Welt einschließt, ist, wenn es nicht Täuschung ist, Selbsttäuschung; wenn

du dich von der Welt abwendest, um dich Gott zuzuwenden, bist du nicht der Wirklichkeit Gottes, sondern nur deinem Gottgedanken zugewandt; das isolierte Religiöse ist in Wahrheit auch das Religiöse nicht. Nun aber kommt der dritte Spruch und legt die Verkehrtheit aller isolierten Eigenschaften bloß, indem er beachtenswerterweise auch an der isolierten Güte Kritik übt; denn wir sind nun in der sechsten Generation, die Aufklärungsbewegung hat inzwischen dem östlichen Judentum auch eine Form der isolierten Ethik gebracht, und überdies hat der Urheber des Spruchs, der weise Rabbi Bunam, auf seinen Auslandsreisen wohl auch andere Formen davon kennengelernt. Der Spruch lautet: »Wenn jemand bloß gut ist, ist er ein Buhler; wenn er bloß fromm ist, ist er ein Dieb; wenn er bloß klug ist, ist er ein Ungläubiger. Nur wenn in einem alle diese Eigenschaften beisammen sind, vermag er Gott in Vollständigkeit zu dienen.« Wer sich in einer unbestimmten Liebe ohne Ordnung und Gestalt an die Menschen hergibt, ohne von Glauben und Weisheit zugleich, durch Weisheit aus dem Glauben Sinn und Zusammenhang für seine Liebe zu empfangen, der wird sich leicht, wie ein Buhler, an den und jenen verlieren. Wer sich auf ein Gefühlsverhältnis zu Gott beschränken will, ohne die lebendige Welt um sich zu sehen und ohne das Leben zu erkennen, der bestiehlt die Menschen um was ihnen gebührt, und warum nicht auch um was ihnen gehört? Und wer nur seinen Geist übt und auf nichts anderes bedacht ist, wer mit Gott und Welt nur durch die äußeren Bande der hergebrachten Religion und der hergebrachten Moral verknüpft ist, aber weder Frömmigkeit noch Güte kennt, der wird bald auch den notdürftigen Halt verlieren, den jene äußeren Bande verleihen. Alles Isolierte führt irre. Nur die Ganzheit ist zuverlässig und leitet den Menschen zum Heil.

Soweit in diesen Sprüchen eine Wertskala aufgerichtet wurde, war das Ethische obenan: wer nur »gut« ist, kann eher erwerben was ihm noch fehlt, als wer nur fromm oder gar nur klug ist. Eine ähnliche Bewertung des Ethischen, wenn auch von einer anderen Seite aus, tritt uns entgegen, wo nicht mehr die Eigenschaften als solche, sondern der Platz von Gottesliebe und der von Nächstenliebe in der Entwicklung der wahrhaft religiösen Person erörtert werden. Hier wird es völlig deutlich, daß die

wahre Menschenliebe in den Augen des Chassidismus gar keine
abgelöst-ethische Haltung mehr, sondern eine religiöse im eigentlichsten Sinne ist, ja daß in der Entwicklung der Person das Religiöse gerade auf ihr am ehesten sich aufbauen kann. Ein Zaddik
fragte einen seiner Schüler:»Wenn ein Jude am Morgen vom
Lager aufsteht und hat im Augenblick zwischen zwei Wegen zu
wählen, Gottesliebe und Nächstenliebe, was geht dem andern
voraus?« Der Schüler wußte es nicht. Da erklärte er:»Im Gebetbuch ist vermerkt: ›Vor dem Beten soll man den Vers sagen: ‚Sei
liebend zu deinem Genossen, dir gleich!‘‹ Die wahre Gottesliebe
ist, mit der Menschenliebe anzufangen. Und wenn dir einer sagt,
er habe Liebe zu Gott und habe keine Liebe zu den Menschen,
wisse, er lügt.« Es ist zu beachten, daß trotz jenes Spruchs, der
auch die bloße Güte verdammt, doch nirgends, soweit ich sehe,
gesagt wird, es könne niemand Liebe zu den Menschen ohne Liebe
zu Gott empfinden: immer wird jene als die Grundlage angesehen. Einem Enkel des»heiligen Juden«, einem Zaddik der siebenten Generation, trug ein Händler eine Klage über einen anderen vor, der ein Geschäft neben dem seinen aufgetan habe
und ihm seinen Erwerb verkürze.»Weshalb«, sagte der Zaddik,
»bindest du dich so an dein Geschäft, von dem du dich ernährst?
Es kommt doch darauf an zu dem zu beten, der dein Ernährer
und Erhalter ist! Weißt du aber etwa nicht, wo er wohnt, nun
denn, es steht geschrieben: ›Sei liebend zu deinem Genossen, dir
gleich, ich bin der Herr‹. Liebe ihn nur, deinen Genossen, und
wolle, daß auch er habe, wessen er bedarf, – dort, in dieser Liebe
wirst du den Herrn finden.« Während anderswo in der Schrift geboten wird Gott zu lieben und sodann den Gastsassen, weil Gott
ihn liebt, wird hier der umgekehrte Weg gewiesen. Gewiß sind
beide zusammen die Wahrheit: denn jede der beiden Lieben in
ihrer Wahrheit fordert die andre zu ihrer Ergänzung und treibt
die andre hervor; aber wichtig ist, daß im Chassidismus es der
Weg von der Welt zu Gott ist, auf den immer wieder als auf den
für die persönliche Entwicklung maßgebenden hingewiesen wird.
Einen Schritt weiter zum Verständnis dieser Tatsache führt uns
das Wort eines Schülers des Lubliner»Sehers«, also eines Zaddiks der vierten Generation. Es ist ein naiv anmutender Ausspruch, aber in seiner Naivität birgt sich eine tiefe Wahrheit.

Auch er hebt mit dem Schriftvers an: ›Sei liebend zu deinem Genossen, dir gleich, ich bin der Herr‹. »Denn«, fährt er fort, »wie
wenn man das Kind erst die Buchstaben und die Vokale lehrt und
dann, sie zum Wort zu verbinden, so ist ja jeder in Israel ein
Buchstab der Lehre und seine Seele ein Gottesteil von oben, und wer
einen aus Israel liebt, erlangt einen Gottesteil, und wenn er
gewürdigt wird, noch einen und noch einen zu lieben, erlangt
er mehr, und wenn er der Liebe zu ganz Israel gewürdigt wird,
erlangt er den Allmächtigen, den Gott der Welt, den Herrn.«
Der eigentliche Sinn des Spruchs geht an seinem Schlusse auf:
nur wer Mensch um Mensch lieben lernt, erreicht in seinem Gottes-
verhältnis Gott als Gott der Welt. Wer die Welt nicht liebt, kann
in seinem Verhältnis zu Gott nur einen gleichsam einsamen Gott
oder den Gott seiner eigenen Seele meinen; den Gott des Alls,
den Gott, der seine Welt liebt, lernt er erst in dem Maße meinen,
in dem er selber die Welt lieben lernt. So darf man denn als
den für die Entwicklung der Person entscheidenden Weg den
von der Menschenliebe zur Gottesliebe ansehn, nicht in dem
Sinn, als ob man ihn und nicht den andern zu gehen hätte, vielmehr muß der lebendige Mensch des Glaubens beide zu wiederholten Malen gehen, immer wieder wird seine Liebe eng, einmal
nach der einen, einmal nach der andern Seite, immer wieder muß
sie sich weiten und erneuern, – aber das erzieherisch Entscheidende ist der Weg von »unten« nach »oben«. Einer kam zu einem
Zaddik und fragte: »Ich habe gehört, Ihr gäbet wirksame Heilmittel aus. So gebt mir denn ein Mittel um Gottesfurcht zu erlangen.« Der Zaddik antwortete: »Zur Erlangung von Gottesfurcht habe ich kein Mittel, wohl aber zur Erlangung von
Gottesliebe.« »Das ist ja eine noch höhere Stufe«, rief jener,
»gebt das Mittel nur her!« »Das Mittel«, sagte der Zaddik, »um
Liebe zu Gott zu erlangen, ist Liebe zu Israel. Wer in Wahrheit
Liebe zu Israel hat, kann leicht dazu kommen, Gott zu lieben.«
Wie nah hier auch das »Ethische« in seiner grundlegenden Wichtigkeit für das »Religiöse« diesem gekommen ist, so ist doch noch
eine Differenz der Qualitäten und Gebiete geblieben. Auch sie
muß überbrückt werden. Und sie wird überbrückt.
Ein Zaddik der dritten Generation, einer der größten aus der
Schule des Maggids von Mesritsch, Rabbi Schmelke von Nikols-

burg, wurde von einem Schüler gefragt:»Wie kann ich das
Gebot ›Sei liebend zu deinem Genossen, dir gleich‹ erfüllen, wenn
mein Genosse mir Übles tut?« Er antwortete:»Zuweilen schlägt
einer aus Versehen sich selber. Soll er da einen Stock nehmen und
sich zur Strafe verprügeln? Du bist doch Eine Seele mit deinem
Gefährten, und wenn er dir Übles tut, weil er das nicht weiß,
wirst du, der es weiß, ihm vergelten und dir selber Leid zufügen?« Jener aber fragte weiter:»Und wenn ich einen sehe, der
gegen Gott böse ist, – wie kann ich den lieben?«»Die Seele jedes
Menschen«, antwortete der Zaddik,»ist ein Gottesteil von oben.
So sollst du dich Gottes erbarmen, wenn einer seiner heiligen
Funken sich in den ›Schalen‹ verfangen hat.« Hier ist der entscheidende Schritt getan. Wie das Ursein der Gottheit verbunden ist mit all ihren in die Welt ausgestreuten Seelenfunken,
so ist, was wir an unseren Mitmenschen tun, verbunden mit dem,
was wir auf Gott zu tun. Die»ethischen« Handlungen sind
nach Sinn und Wesen ebensosehr religiöse Handlungen wie es
die»religiösen« sind. Und fragt man nach der Wirkung:»Solange«, schreibt einer der ernstesten chassidischen Denker, Rabbi
Josef von Olesk, auch er ein Schüler des Maggids von Mesritsch,
»grundloser Haß besteht, daß einer den andern nicht freundlichen Angesichts betrachtet, bewirkt es das Verbergen des oberen Angesichts. Wenn aber Liebe offenen Angesichts waltet, dann
wird sich's erfüllen, daß die Glorie des Herrn sich offenbart und
alles Fleisch mitsammen sie sehen«. Die Erlösung hangt an der
Einung der Menschenwelt, denn diese Einung ist die Einung der
Gottessubstanz, die in die Welt geworfen ist. Die echte sittliche
Tat wird an Gott getan.
So ist es denn selbstverständlich, daß die»ethischen« Handlungen den»religiösen« gleichgestellt werden, wie wenn der»Seher«
von Lublin, als er einem armen Wanderer nicht bloß selber die
Speisen aufgetragen, sondern danach auch selber die Eßgeräte
hinausgetragen hat, auf die Frage, warum er sich auch damit
selbst bemühe, antwortet:»Gehörte doch auch das Hinaustragen
der Geräte aus dem Allerheiligsten zum Dienst des Hohenpriesters!« Kann man dies immer noch als bloße Parallelisierung und
Gleichnisrede verstehen, so spricht sich die innigste Einheit beider
Gebiete und der beiden gemeinsame religiöse Charakter in einem

fast derben Scherzwort des Rabbi Mordechai von Neshiž, eines
der frühen Zaddikim, aus. Er hatte in seiner Jugend Geschäfte
getrieben und pflegte alljährlich von dem Erwerb jeder Handelsreise etwas zurückzulegen, um am Ende des Jahres einen schönen
Ethrog[1] kaufen zu können. Auf dem Weg in die Stadt, wo er
sich diesen aussuchen wollte, begegnete er einem Wasserfahrer,
der weinte und klagte, weil ihm sein einziges Pferd umgekom-
men war. Der Rabbi gab ihm das für den heiligen Zweck zu-
sammengesparte Geld her, damit er sich ein anderes Pferd kaufe.
Und als man ihn fragte, ob es ihm denn nicht schwer geworden
sei, solchen Verzicht zu üben: »Was macht es aus«, sagte er, »alle
Welt spricht den Segen über den Ethrog, und ich spreche den
Segen über das gekaufte Pferd!«
Ein Gott, der so wahrhaft an dem Schicksal seiner Schöpfung
teilnimmt, daß er sich um ihretwillen von seiner Schechina trennt
und die Wiedervereinigung mit ihr von der Einung der Schöpfung abhängig macht, kann – so lehrt der Chassidismus – nicht
dulden, daß der Mensch in seinem Leben und Handeln grundsätzlich zwischen Oben und Unten scheide.

3

Es ist hier noch an etlichen Sprüchen und Geschichten zu zeigen,
wie diese Integration des Ethischen ins Religiöse ihren Ausdruck
findet in der Übung der Menschenliebe im Leben des wahren
Chassids. Manches darunter klingt an Älteres an, aber es geht
hier nicht um das Einzelne, sondern um die Fülle und Kraft
des Ganzen, die ohnegleichen ist.
Wir gehen von der Anschauung aus, die wir in jenem Gleichnis
des Rabbi Schmelke von dem, der sich selber schlägt, gefunden
haben. Es ist ein Prinzip der Identifizierung, nicht unwert, dem
indischen tat twam asi zur Seite gestellt zu werden. Auf den
Baal-schem-tow selber geht ein Spruch zurück, der sich wieder
an das Gebot anschließt, den Genossen als »dir gleich« zu lieben:
»Denn jedermann in Israel hat seine Wurzel in der Einheit, und
daher darf man ihn nicht ›mit beiden Händen‹ wegstoßen, denn
wer seinen Gefährten wegstößt, stößt sich selber weg: wer ein

---

[1] Eine Zitrusfrucht, über der am Laubhüttenfest der Segen gesprochen wird.

Quentchen der Einheit wegstößt, das ist, als stieße er die ganze weg.«Ich setze zur Veranschaulichung ein kräftig volkstümliches Gleichnis daneben, das aus der Schule des Rabbi Jechiel Michal von Zloczow stammt. Wieder beklagt sich einer bei einem Zaddik – diesmal ist es ein Scherzbold, der auch seine heftigen Ermahnungen in Scherze kleidet, Rabbi Meïr von Primischlan –, daß ein anderer ihn um seinen Erwerb bringe.»Hast du schon«, sagte der Zaddik,»ein Pferd im Bach trinken sehn? Es schlägt mit den Hufen aus. Weshalb wohl? Es sieht sein Spiegelbild und meint, das sei ein andres Pferd, das ihm sein Wasser wegtrinken will. Dir aber kommt es zu, es zu wissen: das ist kein andrer als du selber, du selber stehst dir im Wege!«

Die hochgespannte Forderung der Identifizierung verträgt sich im Chassidismus durchaus mit der Einsicht in den besondern Charakter des Verhältnisses jedes Menschen zu sich selbst, aber auch die diesem Verhältnis eigentümliche Problematik wird klar erkannt. Gerade von dieser Problematik aus werden dem Liebesgebot neue Seiten abgewonnen. Ich führe zwei Sprüche an, die scheinbar in einem gewissen Gegensatz zueinander stehen, in Wahrheit aber einander ergänzen. Der Baal-schem-tow erklärt das Gebot so:»Es liegt dir ob, deinen Gefährten zu lieben, wie du dich selbst liebst. Und wer kennt wie du deine vielen Mängel? Wie du dich dennoch zu lieben vermagst, so liebe deinen Genossen, so viele Mängel du auch an ihm siehst.« Ein Zaddik der fünften Generation aber sprach von sich selbst:»Wie kann ich das Liebesgebot erfüllen, da ich doch mich selber nicht liebe und mich nicht anzublicken vermag? Was tue ich? Ich vollziehe die Umkehr so sehr, bis ich mich wieder anzublicken vermag. Eben so soll ich an meinem Gefährten tun.« Hier stehen zwei Menschen verschiedener Stufe einander gegenüber. Der eine läßt sich durch die Kenntnis seiner eigenen inneren Gebrechen nicht davon abhalten, seiner Person die anscheinend dem Menschen natürliche liebevolle Aufmerksamkeit zuzuwenden; dem andern ist der Anblick der eigenen Seele, wie sie ist, ein unübersteigliches Hindernis, sich selber zu lieben; er kann es nur überwinden, indem er sich reinigt, sich wandelt, indem er»umkehrt« – übrigens ein für die Verschmelzung des Ethischen und des Religiösen schon in einer frühen Entwicklungsgeschichte der jüdischen Überlieferung höchst charakteristischer Begriff. Bedeutet das, daß er das Unvollkommene überhaupt nicht zu lieben vermag und also auch seine Mitmenschen nicht, bis auch sie die Umkehr vollzogen haben? Aber es ist ja doch offenbar, daß er eben aus Liebe den anderen hilft umzukehren, sie darin belehrt und berät. Vielmehr ist die tiefere Bedeutung des Spruchs die, daß der Zaddik, der sich durch wahre Zuwendung zu Gott dazu bringt, sich selber in Gott, das heißt in der Vollkommenheit, zu lieben, dem Menschen, der sich ihm anvertraut, dazu verhelfen kann, sich selbst ebenso, also in Wahrheit zu lieben, statt wie gewohnt in der trügerischen Perspektive der Selbstsucht.

Schon hier beginnt die Liebe aus dem Bereich des persönlichen Verhältnisses zwischen Mensch und Mensch in das Verhältnis zur Gemeinschaft hinüberzutreten. Was der Zaddik an jedem Einzelnen wirkt, wirkt er im Zusammenhang des Ganzen. »Dies aber ist die Machweise des Leuchters«, führt ein Meister des Leidens und des Gebets in der vierten Generation, der Kosnitzer Maggid, aus den Vorschriften für die Herstellung der Geräte für das heilige Zelt[2] an, »ein Goldgetriebe bis zu seinem Schaft, bis zu seinem Blust«. Und er legt aus: »Der Zaddik soll sich an die Gesamtheit Israels heften, und auch an die Abtrünnigen, ›daß kein Verstoßner von ihm verstoßen sei‹[3] – vom Anfang bis zum Ende, bis zum Alleruntersten, alles ein einziges Getriebe und völlige Einung, und an allen geschehe die Zurechtmachung, denn alle sind sie ein Gottesteil von oben.« Jede »Zurechtmachung«, die der Zaddik am Einzelnen übt, übt er an der Gesamtheit Israels, die, erst sie, der wahre Leuchter ist, der zum Himmel aufstrahlt und die Erde erhellt.

Von dieser Konzeption der Gesamtheit aus, die im chassidischen Schrifttum in unzähligen Lehren, Gleichnissen und persönlichen Beispielen wiederkehrt, ist eine eigentümliche Anschauung zu verstehen, die in aller Klarheit schon in den ersten Generationen auftaucht und später nicht weiter ausgebaut worden ist. Es ist der Gedanke des »Mehrliebens«. Er hat, vom Baalschem ausgehend, dann bei Rabbi Pinchas von Korez und in seiner Schule Fuß gefaßt. Vom Baalschem wird berichtet, er habe einem Chas-

---

[2] Numeri 8, 4.   [3] 2 Samuel 14, 4.

sid, dessen Sohn unter die Gottesleugner geraten war, geboten, ihn mehr als bisher zu lieben, und dieses Mehr an Liebe habe dann in der Tat den Jüngling zur Gemeinschaft zurückgebracht. Und auf Rabbi Pinchas geht die Lehre zurück: »Wenn dich einer verachtet und dir Leid zufügt, sollst du dich stark machen und ihn mehr als zuvor lieben. Durch solche Liebe bringst du ihn zur Umkehr. Darum soll man auch die Bösen lieben, nur ihre bösen Taten soll man hassen.« Und Rabbi Pinchas' echtester Schüler, der Mann, von dem erzählt wird, der Tod sei über ihn in einer Nacht gekommen, als er am Boden lag und sich weder entschließen konnte, gegen einen andern vor Gericht auszusagen, noch auch die Unwahrheit zu sprechen, und keine andre Lösung sah als den Tod, Rabbi Rafael von Berschad, pflegte zu lehren: »Wenn einer sieht, daß sein Gefährte ihn haßt, soll er ihn mehr lieben. Und der Sinn davon ist: die Gesamtheit Israels ist ein Wagen für die Heiligkeit, und wenn Liebe und Einheit zwischen ihnen ist, dann ruht die Schechina und alle Heiligkeit über ihnen, ist aber, was Gott verhüte, eine Spaltung, dann wird ein Riß und eine offene Stelle, und die Heiligkeit fällt in die ›Schalen‹ hinab.« Wenn also an dem einen Ort zu wenig geliebt wird, muß man an einem andern um so mehr lieben, um Ausgleich zu schaffen und die Ganzheit des ›Wagens‹ wiederherzustellen. Die untere Welt trägt das Göttliche nur, wenn sie als Ganzheit zusammenhält, und jeder kann an seiner Stelle dazu beitragen, daß die Ganzheit sich erhalte. Und dasselbe Prinzip des Mehr-liebens wirkt bis in die Intimität des zwischenmenschlichen Lebens hinein. Ein Schüler des Rabbi Rafael erzählt: »Auf der Reise im Sommer rief mich der Rabbi, ich solle mich zu ihm in seinen Wagen setzen. Ich sagte: ›Ich fürchte mich, ich könnte es Euch eng machen.‹ Da sagte er mir in einer Weise besonderer Zuneigung: ›Laßt uns einander mehr lieben, dann wird uns weit sein.‹« Das Gefühl des Beengtseins in der Menschenwelt hat seinen Ursprung in unzulänglicher Liebe. Worauf es ankommt aber, das ist keine allgemeine, unpersönliche Liebe; ganz konkret, ganz direkt, ganz effektiv muß sie sein. Kein anderes Beispiel sagt wohl so deutlich, was gemeint ist, wie jene allbekannte Geschichte, die aus dem Munde eines großen Liebenden und Helfers, Rabbi Mosche Löb von Sasow, überliefert ist. Er soll selber erzählt haben (ich wähle

unter den verschiedenen umlaufenden Varianten die volkstümlichste und vollständigste), er sei unter Bauern in einer Dorf-
schänke gesessen und habe ihren Gesprächen gelauscht. Da habe
er gehört, wie einer den andern fragte:»Liebst du mich denn?«
Und jener habe geantwortet:»Nun freilich, ich liebe dich sehr.«
Aber der erste habe ihn traurig angesehen und ihm solche Redeweise verwiesen:»Wie kannst du sagen, du liebtest mich? Weißt
du denn, woran es mir fehlt?« Und da habe der andre geschwiegen, und schweigend seien sie einander gegenübergesessen, denn
da war nichts mehr zu sagen. Wer wahrhaft liebt, weiß aus der
Tiefe seiner Identität mit dem anderen, vom Wurzelgrunde des
andern Seins aus weiß er, woran es dem Freunde ermangelt.
Das erst heißt Liebe.

Und wie gelangt man dazu? Man muß – so hat der Baalschem
in einem schlecht erhaltenen Gleichnis im Anschluß an den Vers
der Sprüche Salomos »Wie im Wasser Antlitz zu Antlitz, so das
Herz des Menschen zum Menschen« gelehrt – sich zum Gefährten hin- und niederbeugen, wie wenn einer seinem Spiegelbild im
Wasser näherkommen will und sich zu ihm hin- und nieder-
beugt, und auch es kommt ihm entgegen, bis sein Haupt ans
Wasser rührt und er nichts mehr sieht, denn beide sind das
eine geworden, das sie sind; so kommt das Herz des Menschen
zum Menschen, und nicht dieses eine zu diesem andern allein,
sondern alle zu allen. So habe Mose, der »Demütige«, sich
bis zur »Fläche des Bodens« niedergebeugt und in die Herzen
Israels sei Liebe zueinander eingezogen. Von einer andern Seite
aus, und ebenfalls unter Berufung auf die Demut Moses, stellt
es ein früher Zaddik der dritten Generation dar. Jeder Mensch,
so lehrt er, war Mose wichtiger als er selbst. »Und dies war
sein Dienst, auch Israel auf diese Stufe zu bringen, daß jeder
seinen Gefährten liebe, indem er in seinen eignen Augen nied-
rer sei und jener ihm überlegen . . . Und dies ist es, was geschrieben steht: ›Als Mose seine Hand erhob‹, das heißt, seine
Kraft und Stufe, die die Eigenschaft der wahren Demut war,
dann war auch in Israel die Eigenschaft der Demut, und da
betrachtete jeder den Vorzug des andern und die eigne Niedrigkeit und liebte den Gefährten in vollkommner Liebe, und dadurch besiegten sie Amalek«, das ist die Gewalt des Bösen.

Und wieder geht das Ethische ganz in das Religiöse ein. Der »heilige Jude« und seine Freunde liebten es, den Zusammenhang zweier Juden, die gleich auf gleich beieinander stehen und einander in fröhlicher Liebe zutrinken, mit dem Zusammenhang zweier »Jud«-Buchstaben zu vergleichen, die wie Pünktchen sind, stellt man sie aber nebeneinander, dann drücken sie den Gottesnamen aus; stellst du hingegen zwei solche Pünktlein übereinander, dann bedeuten sie nur eine Unterbrechung. Wo zwei gleich auf gleich beieinander und einander ohne Vorbehalt zugetan sind, ist Gott.

Dieser großen Bedeutung des Gleich-auf-gleich-seins gegenüber verblassen die Wertunterschiede zwischen den Menschen. Nicht allein, daß in jedem ein Gottesteil von oben ist, in jedem ist ein ihm eigentümlicher, nirgendwo sonst auffindbarer. »In jedermann«, sagt Rabbi Pinchas, »ist Kostbares, das es in keinem anderen gibt.« Die Einzigkeit und Unersetzlichkeit jeder Menschenseele ist eine Grundlehre des Chassidismus. Gott meint mit seiner Schöpfung eine Unendlichkeit von Einzigkeiten, und innerhalb ihrer meint er jeden Einzelnen ohne Ausnahme einer Eigenschaft nach, einer besonderen Fähigkeit nach, einem Werte nach, den kein andrer besitzt; jedem kommt in seinen Augen ein eigentümlicher Belang zu, in dem kein andrer mit ihm wetteifern kann, und jedem ist er im Hinblick auf dieses in ihm verborgene Kostbare in besondrer Liebe zugetan. Gewiß, es gibt Große und Kleine, an Lehre Reiche und an Lehre Arme, mit Tugenden Geschmückte und der Tugend bar Scheinende, Gottergebene und in sich selbst Verkrochene, aber auch den als töricht und als frevelhaft Verschrieenen versagt Gott sich nicht. Rabbi Pinchas vergleicht dies einem Fürsten, der außer seinen herrlichen Palästen auch allerhand winzige, versteckte Landhäuser in Wäldern und Dörfern zu eigen hat, die er zuweilen aufsucht, um zu jagen oder sich zu erholen. Und es ist nicht zu sagen, die großen Paläste seien zu Recht da und die kleinen Landhäuser seien nicht zu Recht da, »denn was dieser Geringe wirkt, kann dieser Wichtige nicht wirken«. »So auch der Gerechte. Gewiß, seine Tugend und sein Dienst sind unermeßlich groß, und dennoch kann er nicht wirken, was der Böse in einer Stunde wirkt, da er betet und etwas zu Ehren Gottes tut.«

So soll auch der Mensch, der in Gottes Wegen wandeln will, nicht
aus relativen Unterschieden absolute machen. Das Wort der
Mischna »Verachte keinen Menschen«, erstreckt der Kosnitzer
Maggid, der jenes Gleichnis des Rabbi Pinchas anführt, nicht
bloß auf Unwissende, sondern auch auf die Bösen und Gemeinen.
Denn, wie die Mischna sagt[4], »es gibt keinen Menschen, der nicht
seine Stunde hätte«. »Auch der Böse hat seine besondere Stunde,
wo er sich dem Schöpfer zuwendet«, und spräche er zu ihm »auch
nur ein einziges Wort in Vollkommenheit«; »denn nicht als Chaos
hat er ihn erschaffen«. Wäre nicht auch im Leben des Bösesten dieser Augenblick, er wäre gar nicht geschaffen worden. Und nach
diesem Augenblick, nach diesem einen heiligen Wort, nach dieser
einen heiligen Handlung schaut Gott aus. Wie dürfte der Mensch
das vergessen! Er darf mit seiner Bereitschaft der Liebe und Hilfe
nicht wählerisch sein, wo Gott es nicht ist. Vom Sasower Rabbi
wird erzählt, um Mitternacht, als er ins Studium der Lehre versenkt war, habe ein betrunkener Bauer an sein Fenster geklopft
und Einlaß verlangt. Erst verdroß den Zaddik die Störung, dann
aber besann er sich: »Wenn Gott ihn in seiner Welt verträgt, ist es
doch not, daß er da sei, da muß doch auch ich ihn in meiner Welt
vertragen.« Er ließ ihn ein und bereitete ihm ein Lager. Ein andermal warf man ihm vor, daß er einem übel berufenen Mann alles
Geld gegeben hätte, das er hatte. »Auch ich bin nicht gut«, sagte
er, »und Gott gibt mir, was ich brauche.«
Gott verschwendet seine Liebe auch an den Bösesten, wie dürfte
der Mensch die seine mit strenger Buchhaltung nach Ehre und Verdienst verwalten! Einmal waren die polnischen Rabbiner zu-
sammengetreten, um über die zu Gericht zu sitzen, die den jüdischen Sitten abspenstig geworden sind. Ehe sie aber das Urteil
der Scheidung zwischen ›Joch-Abwerfern‹ und den Getreuen
in die Welt sandten, beschlossen sie, von Rabbi Wolf von Zbaraž,
auch er einer der großen Liebenden, seine Zustimmung zu erbitten. »Liebe ich euch denn mehr, als ich sie liebe?«, gab er zur
Antwort. Die Verhandlung wurde nicht fortgesetzt.
»Der vollkommene Zaddik«, lehrt der Baal-schem-tow, »in
dem selber kein Böses ist, sieht an keinem etwas Böses.« So wird

[4] Aboth IV, 3.

von Rabbi Sussja, dem großen Ekstatiker und »Gottesgaukler«, berichtet, sogar wenn einer in seiner Gegenwart etwas Böses tat, habe er an ihm nur das Gute gesehen. Nach der Legende hatte er diese Stufe erlangt, weil einmal, nachdem er im Beisein seines Lehrers, des Maggids von Mesritsch, einen vielfältigen Sünder angefahren hatte, wie er sich denn nicht schäme, vor den heiligen Mann zu treten, dieser ihn gesegnet hatte, hinfort nur das Gute an allen zu erblicken. Nach einer anderen Erzählung verhielt es sich mit ihm so, daß er alle Sünden anderer als seine eigenen wahrnahm und sie sich selber vorhielt.

Für den, der kein vollkommener Zaddik ist, gibt der Baal-schem-tow die ergänzende Lehre: »Widerfährt es einem, daß er etwas Sündhaftes sieht oder davon hört, merke er darauf, daß in ihm selber ein Quentchen dieser Sünde ist, und lasse es sich angelegen sein, sich selber zurechtzumachen... Dann wird auch der Böse die Umkehr vollziehen, wenn du ihn mit in die Einheit einbeziehst, da doch alle Ein Mensch sind. Und dann wirkst du dazu, daß es nach dem Spruch[5] ›und mache das Gute‹ gehe, denn du machst aus dem Bösen das Gute.« Jüdische Glaubens-weisheit begegnet sich hier, von ganz andrer Seite her, mit uralter chinesischer: Wer sich selber mit dem Sinn des Seins in Einklang bringt, bringt die Welt mit ihm in Einklang. Aber hier, in dem chassidischen Spruch, steht, was in all den taoistischen fehlt: Man muß den andern in die Einheit einbeziehen, dann wirkt man auf ihn zum Guten ein.

Hüten muß man sich vor diesem ewigen Unterscheiden zwischen sich und den andern, vor dieser Hoffart des Unterscheidens, vor dem Trug des Unterscheidens, vor dieser ganzen triumphalen Scheinwelt, die auf der selbstzufriednen Unterschiedlichkeit steht. Nichts verstört so die Einheit der Gotteswelt, das Vorge-fühl der Ewigkeit, wie dieser sich breitmachende Unterschied zwi-schen mir und den andern, als hätte ich wirklich dies und das vor dem und dem voraus. Das äußerste im Gebiet der Sprache, was im Chassidismus gegen diese Hochflut des falschen Unter-scheidens geäußert worden ist, ist, was Rabbi Rafael sprach, als er sich dem Tode nahe wähnte: »Man muß nun alle guten

---

[5] Psalm 34, 15; das hebräische Verb kann sowohl »tun« wie »machen« bedeuten.

Werke beiseitelegen, damit keine Herzenstrennung von irgendeinem Juden mehr sei.« Es gibt aber noch eine Kategorie von Menschen, die zu lieben uns besonders schwer fällt; das sind unsre Feinde. Wie es sich mit dieser Liebe verhält, hat ein anderer großer Zaddik, ebenfalls einer der ersten, Rabbi Jechiel Michal von Zloczow, gleicherweise vor seinem Tode, ausgesprochen. Er befahl seinen Söhnen an, sie sollten für die Feinde beten, daß es denen wohlergehe. »Und meint ihr«, fügte er hinzu, »das sei kein Dienst Gottes? Mehr als alles Gebet ist dies ein Dienst Gottes.« Hier hat die Integration des Ethischen in das Religiöse ihren Gipfel erreicht.

4

Der Chassidismus ist eine der großen Glaubensbewegungen, die unmittelbar zeigen, daß die Menschenseele als Ganzes, in sich geeint, in der Kommunikation mit der Ganzheit des Seins leben kann, und zwar nicht bloß einzelne Seelen, sondern eine zur Gemeinschaft verbundene Vielheit von Seelen. Die scheinbar mit Notwendigkeit voneinander getrennten Bereiche erkennen in den hohen Stunden solcher Bewegungen die Unrechtmäßigkeit ihrer gegenseitigen Abgrenzung und schmelzen ineinander. Die klare Flamme der menschlichen Einheit umfaßt alle Kräfte und steigt zur göttlichen Einheit empor. Die Einung des ethischen und des religiösen Bereichs, wie sie sich im Chassidismus, wenn auch nur in kurzer Blüte, exemplarisch vollzogen hat, bringt hervor, was wir in unsrer Menschenwelt Heiligkeit nennen. Wir können Heiligkeit als menschliche Eigenschaft kaum anders als durch solche Einung kennen. Es ist wichtig, daß man sie kennen lerne.

DER ORT DES CHASSIDISMUS IN DER
RELIGIONSGESCHICHTE

Die Ermittlung des Ortes, den der Chassidismus in der Religionsgeschichte einnimmt, hat nicht zur Aufgabe, seine historischen Zusammenhänge, die Einflüsse, die auf ihn einwirkten, und die Einflüsse, die er ausübte, aufzudecken, sondern darzulegen, welche besondere religiöse Art hier ihre historische Gestalt gefunden hat. Wir sprechen von der historischen Gestalt einer religiösen Art, wenn es nicht um persönliches Denken und persönliches Erlebnis allein geht, sondern um eine Gemeinschaftsbewegung, die in mehreren Generationen erwächst, und um ein Gemeinschaftsleben, das sich in mehreren Generationen ausbildet. Um die besondere religiöse Art zu erfassen, die sich in einer historischen Erscheinung darstellt, müssen wir erforschen, zu welchem historischen Typus diese Erscheinung gehört, aber wir müssen sodann auch bis zu den Grenzen der Typologie vordringen und die spezifische Differenz feststellen. Unsere Methode ist somit notwendigerweise eine vergleichende, aber in anderem Sinn als die bekannte der vergleichenden Religionsgeschichte. Zwar können auch wir damit beginnen, nämlich in Texten und in Riten Motive bloßzulegen, die ihnen und den Texten und Riten anderer Religionskreise, sei es geschichtlicher, sei es ethnologisch-folkloristischer, gemeinsam sind. Aber die Heraushebung solcher Motive ist für uns nicht Aufgabe und Ergebnis der Forschung, sondern ihr Ausgangspunkt. Was uns obliegt, ist aufzuzeigen, auf wie verschiedene Weise in der Religionsgeschichte verschiedene Typen das gleiche Motiv gestalten, und darüber hinaus, auf wie verschiedene Weise innerhalb des gleichen Typus verschiedene Erscheinungen das gleiche Motiv gestalten, welche Bedeutung hier und welche da das Motiv angenommen hat. Und auf diesem Weg liegt es uns ob, zu einer deutlichen Determination erstens der Typen und sodann der einzelnen geschichtlichen Erscheinungen zu gelangen. Nicht das Motiv selber ist uns hier wesentlich, sondern wir wollen wissen, weshalb das Motiv in eine bestimmte Ordnung aufgenommen worden ist und welche Wandlung sich durch diese Aufnahme in ihm vollzogen hat.

Zur kritischen Erläuterung der Aufgabe beginne ich mit einer Erzählung, an der man zwar mit aller Klarheit erweisen kann, wie ein bestimmtes Motiv verschiedenen Religionsbereichen gemeinsam ist, an der wir aber dennoch zugleich erkennen, daß die Konstatierung dieser Gemeinsamkeit allein keinen erheblichen Fortschritt bedeutet.

Von Rabbi Ahron von Karlin, einem Lieblingsschüler des Maggids von Mesritsch, der früh gestorben ist, wird erzählt: Ein Mitschüler kam auf dem Heimweg von Mesritsch um Mitternacht nach Karlin, und es verlangte ihn, seinen Freund zu begrüßen. Sogleich ging er zu dessen Haus und pochte an das erleuchtete Fenster. »Wer bist du?«, fragte es von innen, und gewiß, daß Ahron ihn an der Stimme erkennen würde, antwortete er: »Ich.« Keine Erwiderung kam, und die Tür ging nicht auf, ob er auch wieder und wieder klopfte. Zuletzt rief er: »Ahron, warum öffnest du mir nicht?« Da vernahm er von innen: »Wer ist es, der sich erkühnt, Ich zu sagen, wie es Gott allein zukommt!« Er sprach in seinem Herzen: »So habe ich denn nicht ausgelernt«, und kehrte alsbald zum Maggid zurück.

Diese Erzählung kennen wir, und zwar in einer vollständigeren Fassung, aus dem Schrifttum der sufischen Sekte des Islam, nämlich aus dem ersten Teil der mystischen Gleichnissammlung »Mesnewi« des persischen Dichters Dschelal-el-din Rûmi. Hier wird nicht der Name eines der großen Sufis genannt, sondern alles bleibt in der Anonymität. Ein Mann klopft an die Tür seines Freundes. Der fragt: »Wer ist's?« Er antwortet: »Ich.« Der Freund schickt ihn hinweg. Ein volles Jahr brennt in ihm der Gram der Trennung, dann kommt er wieder und klopft von neuem. Auf die Frage des Freundes: »Wer ist's?« erwidert er: »Du.« Und sogleich öffnet sich ihm die Kammer, in der nicht Raum für zwei »Ich«, das Gottes (des »Freundes«) und das des Menschen, ist.

Zweifellos stammt das Wort nicht von Dschelal-el-din Rûmi. Nach der Ansicht von Massignon und Paul Kraus ist seine Quelle ein Ausspruch des mystischen Märtyrers al-Hallâdsch, den Solami anführt. Da verwirft Gott den Getreuen, der antwortet: »Ich bin's«, aber er nimmt ihn an, da er wiederkehrt und nun die Antwort gibt: »Nein, du bist's, mein Herr!« Und in jenem Augenblick wird sein Verlangen nach Gott zu Gottes Verlangen nach ihm[1].

Es ist wohl möglich, daß das Vorkommen des Motivs – in fragmentarischer Form – im Chassidismus auf sufischen Einfluß, vielleicht über die Türkei in der sabbatianischen Zeit, zurückzuführen ist. Beweisen läßt es sich meines Wissens nicht. Für uns ist hier die Frage unwichtig. Denn wir haben vor uns keine innere Verbindung zwischen Sufismus und Chassidismus allein, die eine besondere Nähe zwischen ihnen bezeugte. Wir finden Parallelen nicht bloß in der indischen Bhakti-Mystik und in der rheinischen Klostermystik des Mittelalters, sondern auch in einem mystischen System, das zum Unterschied von ihnen allen kein theistisches Gepräge trägt, dem ostasiatischen Zen-Buddhismus, der uns noch weiter beschäftigen wird. Da wird erzählt, wie ein Mönch von einer anderen buddhistischen Sekte sich auf den Rat eines Zen-Mönchs in dessen Kloster in die innere Betrachtung versenkt. Im Morgengrauen hört er ein Flötenspiel, gerät in Verzückung, läuft zur Zelle seines Bekannten und klopft an die Tür. Auf die Frage »Wer ist's?«, antwortet er: »Ich.« Da fährt ihn jener an: »Warum besäufst du dich und schnaubst die ganze Nacht auf der Gasse?« Tags darauf kommt der Mann zur »rechten Haltung« und spricht sie in diesen Versen aus: »Nun habe ich auf meinem Kissen keinen eitlen Traum mehr, ich lasse den Flötenspieler blasen, welche Weise er will.« In der Symbolsprache des Zen bedeutet dies, daß er das Ich nicht mehr dem Sein gegenüberstellt, sondern die Einheit erfährt.

Wir dürfen das Motiv als ein der Mystik überhaupt gemeinsames ansehen, in dem ihre Tendenz, die Scheidung zwischen Ich und Du aufzuheben, um die Einheit zu erfahren, einen bildhaften Ausdruck gefunden hat. Die Vergleichung hat uns in typologischer Hinsicht nicht über den allgemeinen Bereich hinausgeführt.

Wir kommen der Erkenntnis des dem Chassidismus Eigentümlichen weit näher, wenn wir einige seiner Legenden mit Legenden des Zen vergleichen, also gerade jener Sekte, oder richtiger einer von jenen Sekten innerhalb des Mahayana, die sich den

---

[1] Die von Nicholson in seinem Kommentar zum »Mesnewi« herangezogenen Sprüche sind weniger analog.

in ihm aufgekommenen theistischen Elementen völlig fernhielten. So erweist sich hier, daß es bei einer Vergleichung geschichtlicher Erscheinungen im Gebiet der Mystik nicht immer gut ist, mit einem zentralen religiösen Gehalt zu beginnen; es kann fruchtbarer sein, vom Leben selbst, von der Beziehung zur konkreten Wirklichkeit auszugehen und erst zuletzt nach dem zentralen Gehalt zu fragen, der freilich auch auf den Bereich der Konkretheit einen bestimmenden Einfluß ausübt.

Zen (im Sanskrit dhyana, das heißt Versenkung, Kontemplation) ist der Name einer der Abarten des späteren Buddhismus, die in China im sechsten, in Japan im zwölften Jahrhundert Fuß gefaßt hat. Ihr wichtigstes Merkmal ist, daß sie alle direkte Äußerung über transzendente Gegenstände ablehnt. Über Buddha selber ist überliefert, er habe sich geweigert, über den Bereich der Transzendenz zu reden, und dies damit begründet, daß solche Rede nicht dazu fromme, den Pfad der Erlösung zu finden. Die Zen-Schule entwickelte daraus die Lehre, daß man das Absolute als solches nicht einmal denken, geschweige denn äußern könne. In einer besonders autoritären Schrift des Mahayana, der Lankavatara Sutra, heißt es: »Begriffe und Urteile hangen aneinander, sie vermögen nicht die höchste Wirklichkeit zu sagen.« Dies entspricht völlig dem Spruch Lao-tses: »Das Tao, das man sagen kann, ist nicht das ewige Tao.« Manchen Formulierungen des Zen ist der Einfluß der taoistischen Lehre anzumerken, die Wahrheit sei oberhalb der Gegensätzlichkeit. Alle begriffliche Aussage unterwirft ihren Gegenstand dem Satz vom Widerspruch, sie bringt ihn auf die Ebene der Dialektik herab, wo es möglich ist, jeder These eine Antithese entgegenzustellen, und die absolute Wahrheit so in eine relative umgewandelt wird. Darum lehnt es die Zen-Schule sogar ab, den Begriffsgegensatz des klassischen Buddhismus, den zwischen Samsara, dem »Strom« des unablässigen Werdens, und Nirwana, dem Versiegen des Stroms, anzuerkennen: in Wahrheit sind beide eins. »Die höchste Wahrheit«, heißt es in einem frühen Zen-Text, »ist nicht schwierig, nur daß sie die Wahl verwirft«, das heißt: den rationalen Zwang, entweder a oder non-a als Wahrheit zu erklären und nicht beide zugleich. Es geht daher nicht an, das Absolute von irgend etwas Allgemeinem aus zu erfassen, wohl aber kann es von dem sinnlich Konkreten aus erfaßt werden, von etwas aus, was wir leben. Die Zen-Lehrer berufen sich auf die Erzählung, Buddha habe, als er die vollkommene Lehre predigen wollte, eine Blume in die Höhe gehoben und habe schweigend gelächelt; nur einer in der versammelten Menge, sein Schüler Kashyapa, habe ihn verstanden und ebenfalls gelächelt. Die Zen-Schule führt ihre Tradition auf Kashyapa zurück, der das Geheimnis von Buddha empfangen habe. Demgemäß kann der Sinn dieser Tradition nicht der sein, geistige Inhalte in begrifflicher Rede zu überliefern. Aber auch alle feststehenden Methoden der Kontemplation erscheinen nur als mehr oder minder fragwürdige Hilfsmittel und nicht als der Weg zur Erlangung der Wahrheit; ja, einzelne bezeichnen sogar alle Kontemplation als Krankheit. Der Lehrer zeigt dem Schüler, der ihn nach der Transzendenz befragt, zum Beispiel seinen Stab, wie um das Konkrete dem Allgemeinen entgegenzustellen. Oder er hebt den Finger. Oder er bricht in den, in der Geschichte der Schule berühmten Schrei »Kwats!« aus. Oder, wenn er doch redet, spricht er einen Vers. Und zuweilen verabreicht er sogar dem Schüler eine Ohrfeige, um ihn auf einmal in die Wirklichkeit hinein zu versetzen, wo sich ihm das allem Ja und Nein überlegene Geheimnis offenbaren wird, das sich nicht anders überliefern läßt, als daß es unter dem Einfluß des Lehrers dem Herzen des Schülers entspringt. »Jedermann«, heißt es, »soll das Herz des Buddha im eignen Herzen finden.« Nicht dadurch, daß der Mensch von der Wirklichkeit absieht, sondern dadurch allein, daß er sich ihr ergibt, kann er zum Heil gelangen. Dementsprechend sind die Zen-Klöster nicht Stätten der Kontemplation für die Einzelnen, sondern genossenschaftliche Siedlungen von Landarbeitern; die Arbeit ist die Grundlage ihres Lebens. Über den Patriarchen, der diese Lebensweise im achten Jahrhundert begründete, wird erzählt, er habe, als ihn die Mönche ersuchten, ihnen die geheime Wahrheit vorzutragen, befohlen, an die Feldarbeit zu gehen, nach der Rückkehr würde er zu ihnen sprechen. Als sie zurückkamen, ging er ihnen entgegen, breitete die Arme aus und zeigte schweigend auf sie selber. Durch die Tätigkeit des ganzen geist-leiblichen Wesens gelangt man zum intimen Umgang mit der konkreten Wirklichkeit, im intimen Umgang mit der konkreten Wirklichkeit wird man fähig, die Wahrheit zu erfassen, und hinwieder führt die Erfassung der Wahrheit zur höchsten Konzentration des Tuns. Daher kommt der bestimmende Einfluß, den das Zen auf die Kriegerkaste der Samurai ausgeübt hat. Die Schwertmeister pflegten, ehe sie in die Schlacht zogen, zu den großen Zen-Lehrern zu kommen und bei ihnen die höchste Konzentration zu lernen. Dort erkannten sie, wie einer von ihnen sagt, daß »die am Leben Haftenden tot sind und die den Tod Herausfordernden leben«.

Ich will nun einige chassidische Erzählungen mit analogen Erzählungen der Zen-Schule vergleichen.

Von Rabbi Schmelke von Nikolsburg wird erzählt, daß einer seiner Schüler ihm klagte, die »fremden Gedanken« störten ihn im Gebet. Der Rabbi hieß ihn zu einem anderen Schüler, Rabbi Abraham Chajim von Zloczow, ziehen, der damals ein Wirtshauspächter war, und einige Zeit bei ihm verbringen. Zwei Wochen lang beobachtete der Schüler die Bräuche des Hausherrn. Er sah jeden Tag, wie er betete und wie er arbeitete, und es fiel ihm nichts Besonderes an ihm auf. Nur am Abend, nachdem alle Gäste fort waren, und am frühen Morgen, ehe sie kamen, wußte er nicht, womit sich Rabbi Abraham Chajim befaßte. Schließlich wagte er es, ihn danach zu fragen. Jener sagte ihm, er putze am Abend alle Geräte, und da sich im Laufe der Nacht Staub dransetze, putze er sie am Morgen von neuem, besonders aber wache er darüber, daß sie kein Rost befalle. Als der Schüler zu Rabbi Schmelke zurückkehrte und ihm all dies erzählte, sagte er: »Nun weißt du, was dir zu wissen nottut.«

Im Schrifttum des Zen finden wir das Motiv in einer eingeschränkteren Fassung. Ein Mönch bittet den Oberen seines Klosters, einen der großen Lehrer des neunten Jahrhunderts, ihm das Geheimnis der Lehre zu offenbaren. Der Lehrer fragt: »Hast du schon gefrühstückt?« »Ja«, antwortet er. »So putze denn die Geräte«, sagt ihm der Lehrer. Und als er dies hört, erfährt der Schüler die innere Erleuchtung.

In der chassidischen Erzählung wird der sinnbildliche Charakter des Vorgangs betont, wogegen er in der Zen-Erzählung verhohlen bleibt, und in der Literatur wird der Sinn des Ausspruchs erörtert; es steht aber fast außer Zweifel, daß auch hier das Putzen der Geräte Symbol einer geistigen Tätigkeit ist. Wir würden jedoch, trotz der Erklärung, die in der chassidischen Erzählung selbst gegeben wird, irren, wenn wir den Gang der Dinge lediglich symbolisch erfaßten. Es ist auch wirklich gemeint, man solle, was man je und je zu tun habe (wie hier das Putzen der Geräte), mit völliger Konzentration, mit Einsammlung alles Seins tun, mit der ganzen Intention und ohne von irgend etwas abzusehen.

Nach dem Tod des Rabbi Mosche von Kobryn fragte der Rabbi von Kozk einen der Schüler des Verstorbenen, was für seinen Lehrer die Hauptsache gewesen sei. Er antwortete:»Immer das, womit er sich gerade befaßte.« Und der Abt eines Zen-Klosters wird gefragt:»Einer der ersten Patriarchen hat gesagt: ›Es gibt einen Spruch, der, verstanden, die Verfehlungen zahlloser Weltzeiten auslöscht‹ – was ist das für ein Spruch?« Er antwortet:»Dicht vor deiner Nase!« Der Schüler fragt wieder:»Was bedeutet das?«»Das ist alles, was ich dir sagen kann«, entgegnet der Lehrer.

Die beiden Antworten, die chassidische und die zenische, sind fast wesensidentisch: der Schlüssel zur Wahrheit ist die nächste Tätigkeit, und dieser Schlüssel öffnet das Tor, wenn man das zu Tuende so tut, daß der Sinn der Handlung hier seine Erfüllung findet.

Der Lehrer ist somit der Mensch, der alles, was er tut, zulänglich tut, und der Kern seiner Lehre ist dies, daß er den Schüler an seinem Leben teilnehmen und so das Geheimnis des Tuns erfassen läßt.

Rabbi Mendel von Rymanow pflegte zu sagen, er habe von allen Gliedern seines Lehrers, des Rabbi Elimelech, Thora gelernt. Das gleiche, nur von der andern Seite her, spricht nun der Zen-Lehrer aus. Als ein Schüler, der ihn bedient, sich bei ihm darüber beschwert, daß er ihn noch nicht in die Weisheit des Geistes eingeführt habe, antwortet er:»Vom Tag deines Kommens an habe ich dich stets in der Weisheit des Geistes unterwiesen.«»Wie das, Meister?«, fragt der Schüler, und der Lehrer erklärt ihm:»Wenn du mir eine Tasse Tee brachtest, habe ich sie nicht aus deiner Hand genommen? Wenn du dich vor mir verneigtest, habe ich deinen Gruß nicht erwidert?« Der Schüler senkt den Kopf, und nun erläutert ihm der Lehrer weiter:»Willst du sehen, blicke geradeaus in das Ding; versuchst du aber darüber zu grübeln, so hast du das Ziel schon verfehlt.« Danach ist die Wahrheit in der Welt des Menschen nicht als Inhalt einer Erkenntnis zu finden, sondern allein als menschliches Dasein. Man besinnt sie nicht, man sagt sie nicht aus, man vernimmt sie nicht, sondern man lebt sie, und man empfängt sie als Leben. Das wird im Zen und im Chassidismus beinah in der gleichen Sprache ausgedrückt. Der »Gesang vom Erleben der Wahrheit« eines Zen-Lehrers um das Jahr 700 beginnt mit dem Vers: »Hast du nie einen Menschen gesehn, der die Wahrheit selber ist?« Eben dasselbe sagt der Chassidismus, wenn er das Wort Davids[2], »Und das ist die Thora des Menschen«, auf den Menschen deutet, der selber eine vollständige Thora geworden ist. Fast in der gleichen Sprache wird hier und hier die heiligste Lehre abgelehnt, wenn sie sich bei jemand nur als ein Inhalt seines Denkens findet. Nach der chassidischen Anschauung ist es gefährlich, »zu viel Chassiduth zu wissen«, weil man dahin kommen kann, mehr zu wissen, als man tut, und einer der Zen-Lehrer wirft seinem Schüler diesen einen Mangel vor, daß er »zu viel Zen habe«; »wenn man über Zen redet«, sagt er, »regt sich der Ekel in mir«.

Hier und hier ehrt man das Schweigen. Und hier und hier hat man damit nicht im Sinn, sich alles Ausdrucks zu enthalten, sondern nur auf alle begriffliche Äußerung dessen zu verzichten, was dem Begriff nicht gegeben ist. Hier und hier wird gesungen, hier und hier bringt man volkstümliche Motive ins Lied und wandelt sie in mystische. Der Zen-Mönch malt auch, und seine Bedeutung in der Entwicklung der ostasiatischen Kunst ist groß. Der Chassid kann nicht malen, aber er tanzt. All dies, Gesang, Malerei und Tanz, meint Äußerung und wird als Äußerung erfaßt. Schweigen ist nicht das Letzte. »Lerne zu schweigen, damit du zu reden weißt«, sagt ein Zaddik, und einer der Zen-Lehrer sagt: »Rede ist Schmähung, aber Schweigen ist Betrug. Jenseits von Rede und Schweigen führt ein steiler Weg.« Es ist jedoch noch ein Zug hinzuzufügen, der Zen und Chassidismus gemeinsam und für beide sehr kennzeichnend ist. In verschiedenen Vari-

---

[2] 2 Samuel 7, 10.

anten wird hier und hier von profanem Gespräch erzählt, das die Meister des Geheimnisses führen, Gespräch, das den fremden Hörer durch seine anscheinend völlige Oberflächlichkeit enttäuscht, dieweil in Wahrheit Wort um Wort gewichtig und verborgener Intention voll ist. Sowohl im Zen wie im Chassidismus steht die Beziehung zwischen Lehrer und Schüler im Mittelpunkt. Wie es offenbar kein anderes Volk mehr gibt, in dem die leibliche Verbundenheit der Generationen eine solche Bedeutung erlangt hat wie in China und Israel, so kenne ich keine andere religiöse Bewegung mehr, die in solchem Maße wie Zen und Chassidismus ihre Anschauung vom Geiste mit dem Begriff der geistigen Fortpflanzung verknüpft hat. In beiden verehrt man paradoxerweise die menschliche Wahrheit nicht in der Gestalt eines Besitzes, sondern in der einer Bewegung, nicht als ein Feuer, das auf dem Herde brennt, sondern, um in der Sprache unserer Zeit zu reden, als den elektrischen Funken, der sich in der Berührung der Ströme entzündet. Hier und hier ist der höchste Gegenstand der Legende das Geschehen zwischen Lehrer und Schüler. Im Zen ist dies sogar beinah der einzige Gegenstand, wogegen im Chassidismus, der sich eben nicht in Brüderschaften Abgesonderter darstellt, die Gemeinde einen großen Raum einnimmt; freilich ist auch sie gewissermaßen aus potentiellen Schülern, aus gelegentlichen Schülern zusammengesetzt, aus Menschen, die fragen, Deutung suchen, lauschen, und die Mal um Mal etwas lernen, das zu lernen sie nicht beabsichtigt hatten.

Doch ist dies auch der Punkt, wo die Wege am anschaulichsten auseinandergehen. Ich will je eine typische Erzählung aus beiden Bewegungen anführen.

Zu einem der Zen-Lehrer des zehnten Jahrhunderts kommt ein Jüngling aus fernem Land. Der Lehrer schließt das Tor vor ihm. Jener klopft und wird nach Person und Begehren gefragt. »Ich bin befähigt«, sagt er, »auf den Grund meines Daseins zu schauen, und ich begehre Unterweisung zu empfangen.« Der Lehrer öffnet das Tor, blickt den Gast an und schließt es erneut vor ihm. Nach einiger Zeit kehrt der Jüngling zurück und der Vorgang wiederholt sich. Beim dritten Mal drängt sich der Ankömmling hinein, der Lehrer packt ihn an der Brust und ruft:

»Sprich!« Da jener zögert, fährt er ihn an: »Du Tölpel!« und stößt ihn hinaus. Das Tor dreht sich in der Angel, ein Fuß des Schülers verfängt sich darin und bricht. Er schreit auf, und in eben dem Augenblick erfährt er die innere Erleuchtung. Er hat später eine eigene Schule gegründet.

Auch im Chassidismus hören wir von der »strengen« Methode, nämlich in der Beziehung zum Sünder, der umkehren soll. Aber in der Beziehung des Lehrers zum fragenden Schüler ist sie hier nicht bekannt. Charakteristisch für diese Beziehung ist die folgende Begebenheit. Einer der Schüler des Rabbi Bunam, Rabbi Chanoch, erzählt, er habe sich ein ganzes Jahr danach gesehnt, in das Haus seines Lehrers zu kommen und sich mit ihm zu unterreden. Jedesmal aber, wenn er ans Haus trat, brachte er den Mut dazu nicht auf. Einmal, als er auf dem Feld umherging und weinte, kam das Verlangen mit besondrer Kraft über ihn und zwang ihn, sogleich zum Rabbi zu laufen. Der fragte ihn: »Warum weinst du?« Chanoch antwortete: »Bin ich doch ein Geschöpf in der Welt, und bin mit Augen und Herz und allen Gliedern erschaffen, und ich weiß nicht: wozu bin ich erschaffen und was tauge ich in der Welt?« »Närrchen«, sagte Rabbi Bunam, »auch ich gehe so umher. Du wirst heute mit mir zu Abend essen.«

Wir würden irren, meinten wir, der Unterschied sei hier im wesentlichen ein psychologischer, etwa der Unterschied zwischen Hochmut und Demut – obzwar die Demut im Chassidismus als eine der Haupttugenden gilt, wogegen sie im Zen nicht erwähnt wird. Der entscheidende Unterschied ist von anderer Art. Ich will ihn daran erläutern, wie hier und wie hier ein vielverbreitetes Motiv bearbeitet wird, das wir zuerst in einem altägyptischen, später von Herodot nacherzählten Märchen finden und das in vielen Volksliteraturen wiederkehrt. Es ist das Motiv des Meisterdiebs. Von einem Chassid des Maggids von Kosnitz wird erzählt, er sei auf dessen Rat zum Meisterdieb geworden und dennoch ein redlicher Mensch geblieben; die Erzählung meldet seine Listen und seine Erfolge. Aber die chassidische Überlieferung geht noch weiter. Aus dem Munde einiger Zaddikim hören wir Scherzworte, in denen sie als Muster für den Dienst Gottes den verwegenen Dieb hinstellen, der in seinen Unternehmungen sein Leben einsetzt und, was ihm einmal nicht gerät, wieder und wieder versucht. Das Geschäft des großen Diebs erscheint hier geradezu als Sinnbild der Konzentration im Dienste Gottes. Beachtenswert ist dabei, daß zuweilen der Dieb und der Säugling zusammengestellt werden: von diesen beiden Wesen, dem unmoralischen und dem amoralischen, ist die höchste Eigenschaft, die der inneren Einheit, zu lernen. Eine völlig verschiedene Symbolik des Diebstreibens findet sich im Zen. Ein Lehrer vom Ende des elften Jahrhunderts erzählt in seiner Predigt von einem alten Meisterdieb, der seinen Sohn, auf dessen Bitte, seine Kunst zu lehren unternimmt. Er geht mit ihm nachts in das Haus eines reichen Mannes, bricht zusammen mit ihm in das Haus ein und befiehlt ihm, in eine große Truhe zu steigen und die kostbarsten Gegenstände darin zu bergen. Als der Sohn in der Truhe niederkauert, drückt der Vater den Deckel nieder, riegelt ihn zu, geht aus dem Zimmer, alarmiert die Hausgenossen und entfernt sich. Der Sohn muß all seinen Verstand aufbieten, um sich zu retten. Schließlich tritt er ingrimmig vor den Vater. Der hört die ganze Geschichte gelassen an, dann sagt er: »Du hast nun die Kunst erlernt.« So hält es der Zen-Lehrer mit seinen Schülern. Er erleichtert nichts, er vermittelt nie, er nötigt sie, ihr Leben dranzuwagen und so durch sich selber das zu erlangen, was man nur durch sich selber zu erlangen vermag. Wir haben gesehen, wie die Wahrheit sowohl dem Chassidismus wie dem Zen nicht als Inhalt und Besitz, sondern als menschliches Dasein und als Bewegung zwischen den Generationen erscheint; aber diese Bewegung von Dasein zu Dasein bedeutet im Chassidismus Übergabe, im Zen bedeutet sie Anregung.

Dieser Unterschied dringt jedoch tief vor, über den Bereich des Erzieherischen, des Verhältnisses zwischen den Generationen hinaus.

In einem dem ersten Patriarchen des Zen, Bodhidharma, zugeschriebenen Buch lesen wir: »Willst du den Buddha suchen, schau in dein eignes Wesen; denn dieses Wesen ist der Buddha selber«. Die Botschaft, die er brachte, als er um 520 aus dem Westen nach China kam, faßt sich in diesen Versen zusammen: »Besondre Überlieferung jenseits der Schriften, kein Haften an Wörtern und Zeichen, gerades Hinzeigen auf die Seele des Menschen, Schauen in

die eigne Natur und Erlangung des Buddhastands.« Der Sinn
geht nicht dahin, der Einzelne habe nur ums eigne Heil zu sorgen.
In dem vierfachen Gelübde, das dreimal nach jedem Vortrag der
Zen-Lehrer wiederholt wird, lautet zwar der letzte Vers:»Unzugänglich ist der Pfad des Buddhatums –, ich gelobe ihn zu erreichen«, aber der erste Vers besagt:»Zahllos sind die fühlenden
Wesen – ich gelobe sie alle zu retten.« Und diese Rettung bedeutet ja wieder, jedem zu helfen, in seine Natur zu schauen. Wenn
das Lied eines späten Zen-Lehrers, eines Zeitgenossen des Baal-
schem-tow, mit den Worten endet:»Diese Erde selber ist das
reine Land des Lotos, und dieser Leib da ist der Leib des Buddha«,
so weist zwar der erste der beiden Verse auf die Wichtigkeit des
Umgangs mit der konkreten Wirklichkeit der Dinge hin, aber der
eigentliche Weg zum Unbedingten wird nur in der Beziehung des
Menschen zu sich selbst gesehen. Der historische Buddha, der bekanntlich im Mahayana zu einem Gotteswesen wurde, das zur
Erde niedersteigt, wird hier gänzlich zur Seite gerückt durch diese
Buddha-Beschaffenheit, die in allen Seelen ruht und die jedermann in seinem Innern zu entdecken und zu verwirklichen vermag. Sogar der Name Buddha ist hier zuweilen verpönt, weil er
die Menschen von der persönlichen Aufgabe zum geschichtlichen
Gedächtnis ablenkt – im Gegensatz zu andern Mahayana-Sekten,
die es für einen Weg zum Heil ansehen, unzählige Male einen der
Namen Buddhas zu wiederholen.»Wer den Namen Buddha aussprach«, heißt es in einer Zen-Schrift,»soll sich den Mund spü-
len.« Auf Bildern von Malern der Zen-Schule sehen wir Bodhidharma, wie er die heiligen Schriften zerreißt und von sich schleudert. Ein anderer Patriarch heizt mit dem Holzbild Buddhas seinen Ofen. Es bestehen sogar Bedenken, sich Buddha vorzustellen.
Die Buddha-Vorstellung wird als eine Kette bezeichnet, die geistige Goldschmiede geschmiedet haben.»Wir«, so heißt es weiter,
»tragen sie nicht.« Zen ist eine religiöse Erscheinung, die sich von
ihren geschichtlichen Voraussetzungen losgemacht hat. Der Buddhismus, ursprünglich eine historisch abgezirkelte Religion, die
sich im Mahayana sogar zur Offenbarungsreligion wandelte, wird
hier zu einer Mystik der menschlichen Person, einer Mystik
außerhalb der Geschichte, an kein einmaliges Ereignis mehr gebunden.

Ganz anders verhält es sich mit dem Chassidismus. Wie sehr auch die Emanationslehre der Kabbala die Anschauung von der Beziehung zwischen Gott und *Welt* veränderte, die Anschauung von der Beziehung zwischen Gott und der *Menschenseele* ist im Wesentlichen geblieben, wie sie war. Wohl hören wir im Chassidismus immer wieder, Gott sei die Substanz unsres Gebets, aber wir hören nicht, er sei unsre Substanz. Die Gotteskraft bereitet unsre Kehle zu, das lautere Gebet zu sprechen, aber der aussprechende Mund ist nicht göttlich. Der elementare Dialog ist nicht zum Monolog, die Zwiesprache von Gott und Mensch nicht zum Gespräch des Menschen mit seiner Seele geworden, und sie konnte dazu nicht werden, weil hier von urher alle Existenz des Glaubens an der Wesensähnlichkeit des göttlichen Führers und der von ihm geführten Schar hing, einer Wesensähnlichkeit, die sich nicht zur Wesensgleichheit wandeln konnte, ohne an der unbedingten Überlegenheit dieser Führung Zweifel zu erregen. Von hier stammen alle Grundsätze: das Ebenbild Gottes, das Gehen in seinen Wegen, die heilige Volksordnung. Zwar gewährt die Mystik hier der Seele des Einzelnen, die sich von der Gesellschaft abscheidet, die Gegenwart Gottes in flammender Intimität zu verspüren, aber auch in der Verzückung bleibt die Situation wie sie war, auch das Verhältnis der intimsten Gegenseitigkeit bleibt Verhältnis, unerschüttert bleibt die Beziehung zu einem Wesen, das mit unsrer Wesenheit nicht zu identifizieren ist. Auch die Ekstase vermag sich nicht in solchem Maße nach innen zu wenden, daß sie in der Innerlichkeit volle Befriedigung und Vollendung fände. Mehr noch: die Abgeschiedenheit des Einzelnen von der Gesellschaft kann sich im Bereich der Religion nicht in solchem Maße vollziehen, daß die Mystik sich von der Geschichte befreite. Auch die persönlichste Mystik ruht hier im Schatten der geschichtlichen Offenbarung. Nie ist dieser Gott in den Augen der Seele in solchem Maße zu ihrem Gott, zum Seelengott geworden, daß er aufhörte, der Gott des Sinai zu sein. Und wohl ist der wahre Zaddik eine Thora, aber er ist es gerade, weil *die* Thora sich in ihm verkörpert hat. In jener Deutung des Schriftworts »Und das ist die Thora des Menschen«, die ich erwähnt habe, heißt es: »Wenn der Mensch sich an all seinen Gliedern heiligt und sich, Geist an Geist, an die Thora heftet, wird er selber eine vollkommene Thora«.

Auch die persönlichste Lehre entsteht aus der Verbundenheit mit der geschichtlichen. In Israel ist alle Religion Geschichte, die mystische Religion mit eingeschlossen. Auch hier sei ein Beispiel angeführt. Im Zen und noch deutlicher vor ihm im Taoismus, der es, wie gesagt, sehr beeinflußt hat, finden wir zuweilen die Frage, ob wir nicht träumen, daß wir leben. Tschuang-Tse, der große taoistische Dichter und Lehrer, fragt sich selber, nachdem er geträumt hat, er sei ein Schmetterling: »Jetzt weiß ich nicht: war ich eben ein Mensch, der träumt, er sei ein Schmetterling, oder bin ich nun ein Schmetterling, der träumt, er sei ein Mensch?« Eine Antwort wird hier nicht gegeben; im Zen hingegen antwortet man auf solche Fragen mit einer Ohrfeige, die sich etwa durch den Ruf: »Erwache!« übersetzen läßt. Nicht so der Chassidismus. Ein Zaddik wird von seinem Sohn gefragt: »Wenn es Tote gibt, die in der Welt des Wirrsals einhergehen und sich einbilden, sie setzten ihr gewohntes Leben fort, vielleicht weile auch ich in der Welt des Wirrsals?« Der Vater erwidert ihm: »Wenn ein Mensch weiß, daß es eine Welt des Wirrsals gibt, so ist das ihm ein Zeichen, daß er nicht in der Welt des Wirrsals weilt.« Eine noch charakteristischere Antwort jedoch hat ein anderer Zaddik, der einer der unsern benachbarten Generation angehört, einem Schüler auf dessen Frage gegeben, woher wir wüßten, daß wir nicht in der Welt des Wirrsals weilen. Die Antwort lautet: »Wenn ein Mensch im Bethaus gerufen wird, an der Vorlesung der Thora vor der heiligen Lade teilzunehmen, ist ihm das ein Zeichen, daß er nicht in der Welt des Wahns weilt.« Die Thora ist das Maß der Wirklichkeit.

Von der Feststellung dieses fundamentalen Unterschieds aus haben wir nun von neuem zu betrachten, was uns am deutlichsten als Zen und Chassidismus gemeinsam erschien, das positive Verhältnis zum Konkreten. Wir haben gesehen, daß in beiden der lernende und werdende Mensch auf die Dinge, auf das sinnliche Sein, auf das Handeln in der Welt hingewiesen wird. Aber der Antrieb dazu ist in beiden von Grund aus verschieden. Im Zen dient der intensive Hinweis auf das Konkrete dazu, den auf die Erkenntnis der Transzendenz gerichteten Geist vom diskursiven Denken abzulenken. Der Hinweis ist, wiewohl gegen die übliche Dialektik gerichtet, selber von dialektischer Art; nicht auf die

Dinge selbst kommt es hier an, sondern auf ihre Nichtbegrifflich-
keit als Sinnbild des allen Begriffen überlegenen Absoluten. Nicht
so im Chassidismus. Hier sind die Dinge selbst Gegenstand der
religiösen Befassung, denn sie sind Wohnstätten der heiligen
Funken, die der Mensch erheben soll. Die Dinge sind hier wichtig
nicht als Darstellungen der nichtbegrifflichen Wahrheit, sondern
als Exile göttlicher Wesenheit. Damit, daß der Mensch sich mit
ihnen in der rechten Weise befaßt, kommt er in Berührung mit
dem Schicksal der göttlichen Wesenheit in der Welt und hilft an
der Erlösung. Sein Handeln an den Dingen ist nicht wie das Handeln eines Zen-Mönchs etwas, das das Schauen in die eigene Natur
nur begleitet, sondern es ist von selbständigem religiösem Sinn
durchdrungen. Der Realismus des Zen ist dialektisch, er meint
Aufhebung; der chassidische Realismus ist messianisch, er meint
Erfüllung. Wie er in seiner Verbundenheit mit der Offenbarung
auf die Vergangenheit achtet, so achtet er in seiner Verbundenheit
mit der Erlösung auf die Zukunft – beides im Gegensatz zum Zen,
für den nur dem *Augenblick* eine unbedingte Wirklichkeit zukommt, da er die Möglichkeit der inneren Erleuchtung ist, und
vor dem Augenblick verschwindet die Dimension der Zeit. Der
Chassidismus ist, soweit ich sehe, die einzige Mystik, in der *die
Zeit* geheiligt wird.

Unter allen Erscheinungen der Religionsgeschichte ist der Chassidismus diejenige, in der in voller Klarheit zwei Linien zusammentreffen, von denen man anzunehmen pflegt, es gebe ihrem
Wesen nach keine Begegnung zwischen ihnen: die Linie der inneren Erleuchtung und die Linie der Offenbarung, die des Augenblicks jenseits der Zeit und die der Geschichtszeit. Der Chassidismus sprengt den geläufigen Begriff der Mystik. Glaube und Mystik sind nicht zwei Welten, obgleich in ihnen immer wieder die
Tendenz, zu zwei selbständigen Welten zu werden, die Oberhand
gewinnt. Die Mystik ist das Gebiet am Grenzrand des Glaubens,
das Gebiet, in dem die Seele Atem holt zwischen Wort und Wort.

RABBI NACHMAN VON BRATZLAW

Rabbi Nachman ben Ssimcha (1772–1810) wird nach dem Hauptorte seines Wirkens Rabbi Nachman von Bratzlaw genannt. Er sann darauf, »der Krone den alten Glanz wiederzugeben«. Der Zorn wider die Tempelschänder brannte in ihm: »Dem bösen Geiste«, pflegte er zu sagen, »kommt es schwer an, sich mit der ganzen Welt zu mühen, um sie vom wahren Wege abzuleiten; darum setzt er einen Zaddik dahin und einen Zaddik dorthin.« Er wollte nicht »ein Führer sein wie die Führer, zu denen die Chassidim fahren und wissen nicht, warum sie fahren«. Er hatte einen großen Traum vom Zaddik, der »die Seele des Volkes« ist. Diesem Traum opferte er alles Glück und alle Hoffnung seines persönlichen Lebens hin. In ihn legte er all sein Ringen und alle seine Gewalten. Um seinetwillen war er arm und von Feinden umgeben bis an sein Ende. Aus ihm fand er, jung und vor dem Vollbringen, seinen Tod. Und weil er so ganz in seinem Traum lebte, verschmähte er es, seine Lehre niederzuschreiben, so daß wir, wie von dem ersten Meister des Chassidismus, auch von diesem späten keine wahrhafte und unmittelbare Botschaft besitzen und uns nur aus den fragmentarischen Berichten seiner Schüler, die seine Reden, Gespräche und Erzählungen aufzeichneten und sein Leben schilderten, nach mancherlei Ausscheidung, Vergleichung und Ergänzung ein unvollständiges Bild seiner Wirklichkeit zu machen vermögen.

Rabbi Nachman war ein Urenkel des Baalschem und wurde in der Stadt des Baalschem, Mesbiž, geboren. Seine Kindheit wird als ein angespanntes Suchen und Ringen geschildert. Er achtete des Gebotes nicht, in Freude zu dienen, quälte sich ab, fastete und mied die Ruhe, um der Gesichte teilhaftig zu werden. Die Tradition des ekstatischen Lebens, die in seinem Hause mächtig war, beherrschte den Knaben, und er konnte den langsamen, schweren, von Tag und Nacht gegliederten, von den Geschäften der Stunde bestimmten Gang des Daseins nicht ertragen. Auch der Gottesdienst der Gemeinde brachte ihm keine Linderung. So lief er in den Nächten an irgend einen menschenleeren Ort und redete zu Gott in der Volkssprache, in jenem zärtlich derben, schwermütigen und bitteren Idiom, das der Europäer Jargon nennt. Aber Gott antwortete ihm nicht. Da schien es ihm, »man achte seiner nicht, ja man entferne ihn vom Dienste, man wolle ihn ganz und gar nicht«, und der Sturm der Verzweiflung kam über ihn und schüttelte ihn, bis an der tiefsten Verzweiflung die Ekstase sich entzündete und der Knabe die ersten Schauer der Verzückung empfand. Er selbst erzählte einmal in späten Jahren von einem solchen Erlebnis. Er hatte den Sabbat in großer Weihe empfangen wollen, war nach Mitternacht in das Tauchbad gegangen und war in Bereitschaft der Seele zur Heiligung ins Wasser getaucht. Dann war er nach Hause gekehrt und hatte die Sabbatkleider angetan. So ging er nun in das Bethaus und wandelte in dem einsamen, dunkeln Raum hin und her, alle Kräfte gespannt im Willen, die obere Seele, die am Sabbat in den Menschen hinabsteigt, zu empfangen. Er band alle Sinne in einen und ballte alle Wucht seines Mutes zusammen, um etwas zu schauen, denn nun *mußte* ihm die Offenbarung werden. Aber er sah nichts. Er wollte vergehen um zu schauen, aber er sah nichts. Indessen kamen die ersten Beter in das Haus, begaben sich an ihre Plätze und begannen das Hohelied zu sprechen, ohne den Knaben zu bemerken. Da kroch er an einen Betständer, legte sich unter den Ständer und lehnte den Kopf an dessen Fuß, und die Tränen kamen ihm. So weinte er ganz leise, ohne innezuhalten und ohne aufzuschauen, Stunden und Stunden, bis seine Augen geschwollen waren von dem vielen Weinen und der Abend anbrach. Da öffnete er die Augen, die das Weinen geschlossen hatte, und die Kerzenflammen des Bethauses schlugen ihm entgegen wie ein großes Licht, und seine Seele wurde ruhig an dem Lichte. So litt er oft um Gott und wollte nicht ablassen. Aber vor den Leuten hielt er sein Leben und seinen Willen geheim; er stellte allerhand Listen an, um sein Fasten zu verbergen, und wenn er auf die Straße ging, trieb er alle Art von Kindereien, Scherze und Streiche, bis es keinem Menschen in den Sinn kam, daß es den Knaben nach Gottes Dienste verlangte. Aber das Joch des Dienstes war ihm nicht immer leicht: er hatte ein fröhliches, starkes Gemüt und einen frischen Sinn für die Schönheit der Welt. Erst später gelang es ihm, gerade darauf die Weihe zu stellen und in Freude zu dienen. Damals aber schien ihm die Welt noch ein Außen, das ihn hinderte, zu Gott zu kommen. Um im Kampfe zu bestehen, dachte er an jedem Morgen, nur dieser eine Tag sei ihm noch gegeben; und in der Nacht lief er auf das Grab des Urgroßvaters, daß der ihm beistehe. So flossen die Zeiten dieser Kindheit dahin. Mit vierzehn Jahren wurde er dem Brauche der damaligen Judenheit gemäß verheiratet und ließ sich in dem Dorfe nieder, wo sein Schwiegervater wohnte. Hier kam er zum ersten Mal der Natur nah, und sie griff ihm ans innere Herz. Den Juden, der nach einer in der Enge der Stadt verlebten Kindheit in Jünglingsjahren in das freie Land hinauskommt, erfaßt eine namenlose, dem Nichtjuden unbekannte Gewalt. Ihm hat eine tausendjährige Vererbung der Naturfremdheit die Seele in Banden gehalten. Und nun ihn, wie in einem zauberhaften Reiche, statt der fahlgelben Mauern der Gasse Waldgrün und Waldblüte umgibt, stürzen auf einmal die Mauern seines Geistesghettos nieder, die die Macht des Vegetativen berührt hat. Selten wohl hat sich dieses Erleben in so eindringlichem Einflusse kundgegeben, wie bei Nachman. Der Hang zur Askese weicht von ihm, der innere Streit endet, er braucht sich um die Offenbarung nicht mehr zu mühen, leicht und froh findet er seinen Gott in allen Dingen. Das Boot, auf dem er, des Ruderns unkundig aber vertrauensvoll, auf den Fluß hinausfährt, führt ihn zu Gott, dessen Stimme er im Schilfe hört; und das Pferd, das ihn, ihm zu seinem Staunen gehorchend, in den Wald trägt, bringt ihn Gott näher, der von allen Bäumen ihn anblickt und mit dem jedes Kraut auf du und du ist. In allen Berghängen und in allen versteckten kleinen Tälern der Gegend ist er heimisch, und jedes ist ihm eine andere Art, zu Gott zu kommen. Damals bildete sich in ihm die Lehre von dem Dienste in der Natur aus, die er später immer wieder und in immer neuem Preise seinen Schülern verkündete. »Wenn der Mensch gewürdigt wird«, redete er zu ihnen, »die Gesänge der Kräuter zu vernehmen, wie jedes Kraut sein Lied zu Gott spricht, wie schön und süß ist es, ihr Singen zu hören! Und daher tut es gar gut, in ihrer Mitte Gott zu dienen in einsamem Wandeln über das Feld hin zwischen den Gewächsen der Erde und seine Rede auszuschütten vor Gott in Wahrhaftigkeit. Alle Rede des Feldes geht dann in deine ein und steigert ihre Kraft. Du trinkst mit jedem Atemzug die Luft des Paradieses, und kehrst du heim, ist die Welt erneuert in deinen Augen.« Die Liebe zu allem Lebendigen und Wachsenden war innig stark in ihm. Als er einmal, in der letzten Zeit seines Lebens, in einem Hause schlief, das aus jungen Bäumen gebaut war, träumte es ihm, er liege inmitten von Toten. Am Morgen klagte er es dem Besitzer und klagte ihn an. »Denn wenn man einen Baum vor seiner Zeit abhaut, ist es, als hätte man eine Seele gemordet.«

Von dem Dorfe kam er in ein Städtchen, wo er etwelche in der chassidischen Lehre zu unterweisen und unter den Frommen bekannt zu werden begann. Die Versuchung, wie die Zaddikim der Zeit zu sein und in Ruhm, Gewinn und Eitelkeit zu leben, trat an ihn heran, aber er widerstand ihr. Der Niedergang des Chassidismus bedrückte seine Seele. Er vermißte die Fortführung der Lehre; die Fackel, die von Hand zu Hand gehen sollte, war in lässigen Fingern erloschen. So stieg Nachman aus der Trauer der Wille auf, die Überlieferung zu erneuern und aus ihr »ein Ding zu machen, das ewigen Bestand hat«. Was die Kabbala nie gewesen war, sollte werden: die Lehre sollte von Mund zu Ohr gehen und wieder von Mund zu Ohr, sich stetig aus dem Bereich der noch ungeborenen Worte erweiternd, getragen von einer unaufhörlich sich ergänzenden Schar der Boten, in jedem Geschlechte die Geister erweckend, die Welt verjüngend, »die Wildnis der Herzen in eine Wohnstätte Gottes wandelnd«. Aber er erkannte, daß er zu solchem Lehren die Kraft nicht aus den Büchern, sondern nur aus wirklichem Leben mit den Menschen schöpfen konnte. So näherte er sich dem Volke, nahm all sein Leid und seine Sehnsucht in sich auf, mochte ganz mit ihm zusammenwachsen. »Im Anfang«, erzählte er später, »begehrte ich von Gott, daß ich den Schmerz und die Nöte Israels leiden möge. Denn zuzeiten kam einer zu mir und sagte mir seinen Schmerz, und ich litt den Schmerz nicht. Und ich betete, daß ich den Schmerz Israels leide. Jetzt aber, wenn mir einer seinen Schmerz sagt, fühle ich seinen Schmerz mehr als er. Denn er kann andere Gedanken denken und den Schmerz vergessen, ich aber nicht.« So lebte er mit dem Volk, wie der Baalschem und seine Jünger es getan hatten, und fand darin seine Weihe.

Aber bevor er viele zu lehren begann, wollte er den Segen des Heiligen Landes empfangen, das das Herz der Welt ist. Er wollte die Gräber der Meister in der geheimen Lehre schauen und die

Stimmen hören, die über der Stätte der Propheten schweben. Der Baalschem hatte nicht nach Palästina kommen können; Zeichen und Erscheinungen hatten ihn, wie die Legende erzählt, knapp vor dem Ziele umkehren heißen. Rabbi Nachman kam schon die Abreise schwer an; er war arm und wußte sich keine Hilfe, als seinen Hausstand aufzugeben, Frau und Kinder in Dienst oder in barmherzige Pflege zu Fremden zu tun und alles Gerät seiner Wohnung zu verkaufen, um die Kosten der Fahrt aufzubringen; doch erleichterten ihm die Frommen der Gegend, die von seinem Entschlusse hörten, die Ausführung, indem sie eine Geldsumme zusammenschossen und ihm übergaben. Die Seinen baten ihn, von der Reise abzulassen, aber er sagte immer nur:»Mein größerer Teil ist schon dort.« So trat er mit einem der Frommen, der ihn zu bedienen sich erbötig machte, 1798 die Fahrt an. Von dieser Reise datierte Nachman sein eigentliches Leben.»Alles, was ich vor Erez Israel (dem Lande Israel) wußte, ist gar nichts«, pflegte er zu sagen und verbot, irgend eine seiner früheren Lehren niedergeschrieben zu erhalten. Palästina wurde für ihn eine Vision, die ihn nicht verließ;»mein Ort«, sagte er,»ist nur Erez Israel, und wohin ich auch fahre, ich fahre nach Erez Israel.« Und noch in späten Tagen der Krankheit und Müdigkeit versicherte er:»Ich lebe nur noch davon, daß ich in Erez Israel war.«

Bald nach seiner Rückkehr ließ er sich in Bratzlaw nieder. Aber schon bevor er hinkam, hatten einige Zaddikim, die ihn seiner Anschauungen wegen haßten, einen heftigen Kampf gegen ihn entfacht, der bis an sein Lebensende dauerte und wilde Feindseligkeiten erzeugte; auch nach seinem Tode bekriegten die Gemeinden der anderen die seine und wollten von keinem Frieden wissen. Er selbst wunderte sich über den Streit nicht.»Wie sollten sie nicht wider uns streiten?« sagte er oft.»Wir sind gar nicht von der Welt des Jetzt, und deshalb kann uns die Welt nicht ertragen.« Es fiel ihm nicht ein, die Feindschaft zu erwidern.»Die ganze Welt ist voll des Streits, jedes Land und jede Stadt und jedes Haus. Aber wer in sein Herz die Wirklichkeit aufnimmt, daß der Mensch an jedem Tage stirbt, denn er muß jeden Tag ein Stück von sich seinem Tode abgeben, wie soll der noch seine Tage mit Streit verbringen können!« Er wurde nicht müde, in seinen Widersachern Gutes zu finden und sie zu rechtfertigen.

»Bin ich es denn«, fragt er, »den sie hassen? Sie haben sich einen Menschen ausgeschnitzt und streiten wider ihn.« Und er wiederholte das Gleichnis des Baalschem: Einmal standen Spielleute da und spielten, und eine große Schar bewegte sich im Reigen nach der Stimme der Musik. Da kam ein Tauber heran, der nichts von Tanz und Klängen wußte, verwunderte sich und dachte in seinem Herzen: »Wie närrisch sind doch diese Leute: die einen schlagen mit ihren Fingern an allerlei Geräte und die andern drehen sich hin und her.« So rechtfertigte Rabbi Nachman seine Feinde. Ja, er sah ihr Wüten als einen Segen an: »Alle Worte des Lästerns und aller Grimm der Feindschaft wider den Echten und Schweigsamen sind wie Steine, die gegen ihn geworfen werden, und er baut aus ihnen sein Haus.«

In Bratzlaw begann er viele zu lehren, und viele versammelten sich um ihn. Das Lehren war für ihn ein Mysterium und sein eigenes Tun voll des Geheimnisses. Die Mitteilung war ihm nicht ein gewöhnlicher Vorgang, über den man nicht nachzusinnen braucht, weil er einem so vertraut und geläufig ist, sondern seltsam und wunderbar wie etwas Neuerschaffenes. Man fühlt sein Staunen über den Weg des Wortes, wenn er sagt: »Das Wort bewegt eine Luft und diese die nächste, bis es zum Menschen gelangt, der empfängt das Wort des Genossen und empfängt seine Seele darin und wird darin erweckt.« Die Rede, die nur einen Sinneseindruck rasch und unzulänglich hersagt, verschmäht er, und die Frommen, »die sogleich kundgeben, was sie sehen, und können es nicht festhalten«, gelten ihm weniger als jene, »deren Wurzel in der Weite ist und die bei sich fassen können, was sie sehen«. Aber das Wort, das aus dem Seelengrund aufsteigt, ist ihm ein hohes Ding, in seiner wirkenden Lebendigkeit nicht mehr das Werk der Seele, sondern die Seele selbst. Er sagt kein Wort der Belehrung, das nicht durch vieles Leiden gegangen ist; jedes ist »in Tränen gewaschen«. Das Wort bildet sich spät in ihm; die Lehre ist bei ihm zuerst Ereignis und wird dann erst Gedanke, das ist Wort; »ich habe in mir«, sagte er, »Lehren ohne Kleider, und es ist mir gar schwer, bis sie sich einkleiden«. Immer ist in ihm eine Bangigkeit des Wortes, die ihm die Kehle zusammenpreßt, und bevor er den ersten Laut einer Lehre spricht, ist es ihm, als müsse seine Seele ausgehn. Erst das Wirken seiner Worte beruhigt ihn. Er be-

trachtet es und verwundert sich darüber:»Zuweilen gehen meine
Worte wie ein Schweigen in den Hörenden ein und ruhen in ihm
und wirken spät, wie langsame Arznei; zuweilen wirken meine
Worte erst gar nicht in dem Menschen, dem ich sie sage, aber
wenn er sie dann zu einem andern spricht, kehren sie zu ihm zurück und gehen in sein Herz ein in große Tiefe und tun ihr Werk
in Vollkommenheit.« Dieses zweite Grundverhältnis, das Empfangen von dem eigenen Wort, das namentlich für den Juden und
seine motorische Anlage charakteristisch ist, scheint Rabbi Nachman auch an sich selbst erlebt zu haben; er stellt es einmal im
Bilde des Lichtreflexes dar:»Wenn einer zu seinem Gefährten
redet, entsteht ein einfaches Licht und ein wiederkehrendes Licht.
Mitunter aber geschieht es, daß dieses ohne jenes wird, denn
manchmal empfängt sein Gefährte nicht von ihm, er aber empfängt Erweckung von seinem Gefährten, wenn durch den Schlag
der Worte, die aus seinem Munde gingen, das Licht zu ihm zurückkehrt und er erweckt wird.« Das Entscheidende freilich ist
für Nachman, seiner Auffassung des Wortes gemäß, nicht die
Wirkung auf den Sprechenden, sondern die auf den Hörenden.
Diese Wirkung gipfelt darin, daß das Verhältnis sich wandelt
und der Hörende zum Sprechenden wird, ja sogar so, daß *er* das
Letzte ausspricht: die Seele des Schülers soll so in ihren Tiefen
berufen werden, daß aus ihr und nicht aus der des Meisters das
Wort geboren wird, das den obersten Sinn der Lehre kündet und
so das Gespräch in sich erfüllt.»Wenn ich mit einem zu reden
beginne, will ich von *ihm* die höchsten Worte hören.«
Er war fünf Jahre in Bratzlaw, als er der Schwindsucht verfiel,
wohl unter dem Einfluß der Kämpfe und Verfolgungen, von
denen er in der Seele unberührt blieb, denen er aber im Körper
nicht standhalten konnte. Es wurde ihm bald offenbar, daß er
sterben müsse, aber sein Tod war ihm nie ein Gegenstand der
Angst und überhaupt kein erhebliches Ereignis gewesen.»Wer
das wahre Wissen erlangt, das Gottwissen, dem ist keine Scheidung zwischen Leben und Tod, denn er hangt an Gott und umfängt ihn und lebt das ewige Leben wie er.« Er empfand den
Tod vielmehr als ein Aufsteigen zu einem neuen Stadium der
großen Wanderung, zu einer vollkommeneren Gestalt des Gesamtlebens; und weil er glaubte, in diesem Menschenkörper zu keiner

höheren Stufe der Vollendung mehr kommen zu können als der, die er erreicht hatte, sehnte er sich nach der dunkeln Schwelle. »Ich möchte schon gern das Hemdlein ausziehn«, sagte er zu seinen Schülern in dem letzten Jahr. Als er nun erkannte, daß der Tod ihm nah kam, wollte er nicht mehr in Bratzlaw bleiben, wo er gelehrt und gewirkt hatte, sondern beschloß nach Uman zu übersiedeln, um dort zu sterben und dort begraben zu werden. In Uman waren wenige Jahre vor seiner Geburt, 1768, die Banden der Hajdamaken eingedrungen, denen die von den Juden und den Polen gemeinsam verteidigte Festung durch Hinterlist und Verrat zugefallen war, hatten die ganze Judenschaft hingemordet und die Leichen in Haufen über die Stadtmauer geworfen. Es war Rabbi Nachmans Glaube, eine Folge seiner von der späten Kabbala übernommenen und weiter ausgebildeten Seelenwanderungslehre, daß von den vielen Tausenden, die zu Uman vor ihrer Zeit erschlagen worden waren, eine große Schar von Seelen an den Ort ihres Todes gebunden sei und nicht emporsteigen könne, bis eine Seele zu ihnen käme, der die Macht gegeben sei, sie zu heben; er fühlte in sich die Berufung, die Harrenden zu erlösen, und wollte daher an ihrer Stätte sterben und sein Grab neben dem ihren haben, daß über den Gräbern das Werk sich vollziehe. Als er nach Uman kam, wohnte er in einem Haus, dessen Fenster auf den Friedhof, »das Haus des Lebens«, wie die Juden ihn nennen, gingen; da stand er oft im Fenster und sah voll Freude auf den Gräbergarten nieder. Manchmal befiel ihn eine Schwermut, aber nicht ums Sterben, sondern um die Arbeit seines Lebens, die die Frucht nicht trug, die er geträumt hatte. Er dachte, ob er nicht besser daran getan hätte, die Welt abzuwerfen und sich einen Ort zu erwählen, um da allein zu sitzen, daß das Joch der Welt nicht auf ihm sei. Wenn er einst nicht begonnen hätte mit dem Führen von Menschen, meinte er da, hätte er vielleicht seine Vollendung erreicht und seine wahre Tat getan. Das Lehren und Erziehen, das er so verherrlicht hatte, schien ihm in solchen Augenblicken wie ein Unrecht, fast wie eine Sünde. Denn das Wesen des Dienstes in jedem Ding sei doch, daß der Mensch seiner eignen Wahl überlassen werde. Auch schien es ihm da, daß er wenig gewirkt hätte, und er empfand, wie schwer es sei, einen Menschen frei zu machen. Es sei schwerer, *einem* Gerechten, solang er noch im Körper ist, beim Dienst zu helfen und ihn zu erheben, als tausend Tausenden von Bösen, die schon im Geiste sind, zu helfen und sie zu erheben, das heißt, ihre Seelen zu erlösen; denn bei einem *Herrn der Wahl* sei es gar schwer, etwas zu erwirken. In den letzten Tagen aber fiel alle Sorge und Bekümmerung von ihm ab. Er bereitete sich. »Sieh«, sagte er einmal, »uns entgegen kommt ein gar großer und erhabener Berg. Aber ich weiß nicht: gehen wir zum Berg, oder geht der Berg zu uns?« So starb er im Frieden. Ein Schüler schreibt: »Das Angesicht des Toten war wie das Angesicht des Lebenden, da er in seiner Stube umherwandelte und dachte.«

Rabbi Nachman hatte sein Werk nicht gewirkt. Er war der Zaddik gewesen, den er meinte: »die Seele des Volkes«, aber das Volk war nicht sein geworden. Er hatte den Niedergang der Lehre nicht aufhalten können. Sie war die Blüte der Exilseele; sie verdarb aber auch am Exil. Die Juden waren nicht stark und nicht rein genug, sie zu bewahren. Es ist uns nicht gegeben zu wissen, ob ihr eine Auferstehung gewährt ist. Aber das innere Schicksal des Judentums scheint mir daran zu hangen, ob – gleichviel, in dieser Gestalt oder einer anderen – sein Pathos wieder zur Tat wird.

Die Welt

Die Welt ist wie ein kreisender Würfel, und alles kehrt sich, und es wandelt sich der Mensch zum Engel und der Engel zum Menschen und das Haupt zum Fuß und der Fuß zum Haupt, so kehren sich und kreisen alle Dinge und wandeln sich, dieses in jenes und jenes in dieses, das oberste zu unterst und das unterste zu oberst. Denn in der Wurzel ist alles eines, und in dem Wandel und dem Wiederkehren der Dinge ist die Erlösung beschlossen.

Weltschauen [1]

Wie die Hand, vors Auge gehalten, den größten Berg verdeckt, so deckt das kleine irdische Leben dem Blick die ungeheuern Lichter und Geheimnisse, deren die Welt voll ist, und wer es vor seinen Augen wegziehen kann, wie man eine Hand wegzieht, der schaut das große Leuchten des Welteninnern.

Gott und Mensch

Alle Nöte des Menschen kommen aus ihm selbst, denn das Licht Gottes ergießt sich ewig über ihn, aber der Mensch macht sich durch sein allzu körperliches Leben einen Schatten, so daß das Licht Gottes nicht zu ihm gelangen kann.

Glaube

Glaube ist ein gar starkes Ding, und durch den Glauben und die Einfalt ohne alles Klügeln wird einer gewürdigt, zur Stufe der Gnade zu kommen, die höher ist sogar als die heilige Weisheit: ihm wird überreiche und mächtige Gnade in Gott beschieden in seligem Schweigen, bis er die Gewalt des Schweigens nicht mehr tragen kann und aufschreit aus der Fülle seiner Seele.

---

[1] Im Namen des Baalschem.

Das Gebet

Es schreie ein jeder zu Gott und erhebe sein Herz zu ihm, als
hinge er an einem Haar und der Sturmwind brauste bis zum Herzen des Himmels, bis daß er nicht wüßte, was er tun solle, und
beinahe keine Zeit mehr hätte zu schreien. Und in Wahrheit ist
ihm kein Rat und keine Zuflucht als einsam zu werden und seine
Augen und sein Herz zu Gott zu erheben und zu ihm zu schreien.
Dieses tue man zu jeder Zeit; denn der Mensch ist in der Welt
in großer Gefahr.

Zwei Sprachen

Es gibt Menschen, die die Worte des Gebets zu sprechen vermögen in Wahrheit, so daß die Worte leuchten wie ein Edelstein,
der aus sich selber leuchtet. Und es gibt Menschen, deren Worte
nur wie ein Fenster sind, das kein Licht aus sich selber hat, das
dem Lichte nur Eingang gibt und aus ihm erstrahlt.

Innen und außen

Der Mensch ängstet sich vor Dingen, die ihm nichts antun können, und er weiß es, und er gelüstet nach Dingen, die ihm nicht
fruchten können, und er weiß es; aber in Wahrheit ist es ein
Ding im Menschen selbst, vor dem er sich ängstet, und es ist ein
Ding im Menschen selbst, nach dem er gelüstet.

Zweierlei Menschengeist

Es gibt zweierlei Geist, der ist wie rückwärts und vorwärts. Es
gibt einen Geist, den der Mensch im Gang der Zeiten erlangt.
Aber es gibt einen Geist, der über den Menschen kommt in großer
Fülle, in großer Eile, schneller als ein Augenblick, denn er ist
über der Zeit, und es bedarf keiner Zeit zu diesem Geist.

Denken und Sprechen

Alle Gedanken des Menschen sind sprechende Bewegung, auch
wenn er es nicht weiß.

Wahrheit und Dialektik

Das Obsiegen erträgt die Wahrheit nicht, und wenn man vor deinen Augen ein wahres Ding ausbreitet, verstößest du es wegen des Obsiegens. Wer da die Wahrheit in ihr selber will, treibe den Geist des Obsiegens hinweg; dann erst bereite er sich, die Wahrheit zu schauen.

Zweck der Welt

Die Welt ist nur um der Wahl und des Wählenden willen geschaffen worden. Der Mensch, der Herr der Wahl, soll sagen: Die ganze Welt ist nur um meinetwillen erschaffen worden. Daher soll jeder Mensch achten, zu jeder Zeit und an jedem Ort den Mangel der Welt zu füllen.

Freude

Durch die Freude wird der Sinn seßhaft, aber durch die Schwermut geht er ins Exil.

Vollendung

Sich zur Einheit vollenden, bis man vollendet ist nach der Schöpfung wie man vor der Schöpfung war, daß man ganz eins sei, ganz gut, ganz heilig, wie vor der Schöpfung. Man muß sich an jedem Tag erneuern, um sich zu vollenden.

Der Trieb

Der böse Trieb ist wie einer, der unter den Menschen umherläuft, und seine Hand ist geschlossen, und niemand weiß, was in ihr ist. Und er geht zu jedem und fragt: »Was halte ich wohl in meiner Hand?« Und jeden dünkt es, als sei das in der Hand, was er zu innerst begehrt. Und alle laufen jenem nach. Und dann öffnet er seine Hand, und es ist nichts darin.

Man kann Gott mit dem bösen Triebe dienen, wenn man sein Entbrennen und seine begehrende Glut zu Gott lenkt. Und ohne bösen Trieb ist kein vollkommener Dienst.

Der böse Trieb wandelt sich in dem Gerechten in einen heiligen
Engel, ein Wesen der Macht und des Schicksals.

Aufstieg

Für des Menschen Aufstieg ist keine Grenze, und jedem ist das
Höchste offen. Hier waltet allein deine Wahl.

Sich selbst richten

Wenn ein Mensch sich selbst nicht richtet, richten ihn alle Dinge,
und alle Dinge werden zu Boten Gottes.

Wille und Hindernis

Es gibt kein Hindernis, das man nicht zerbrechen kann, denn
das Hindernis ist nur des Willens wegen da, und in Wahrheit sind
keine Hindernisse als nur im Geist.

Zwischen Menschen

Es gibt Menschen, die leiden furchtbare Not und können nicht
erzählen, was in ihrem Herzen ist, und sie gehen einher, voll der
Not. Kommt ihnen da einer entgegen mit lachendem Angesicht,
er vermag sie zu beleben mit seiner Freude. Und das ist kein
geringes Ding, einen Menschen beleben.

Im Verborgenen

Es gibt Menschen, die im Offenbaren gar keine Herrschaft haben,
aber im Verborgenen regieren sie das Geschlecht.

Das Reich Gottes

Die nicht in der Einsamkeit wandeln, werden verwirrt sein, wenn
der Messias kommt und man sie ruft; aber wir werden sein wie
ein Mensch nach dem Schlaf, dessen Sinn ruhig und gelassen ist.

Die Wanderung der Seelen

Gott tut nicht zweimal das gleiche Ding. Wenn eine Seele wiederkehrt, wird ein anderer Geist ihr Genosse. Wenn eine Seele auf die Welt kommt, beginnt ihre Tat aus den heimlichen Welten emporzusteigen. Es gibt nackte Seelen, die nicht in den Körper eingehen können, und über sie ist großes Erbarmen, mehr als über jene, die gelebt haben. Denn diese waren im Körper und haben gezeugt und gewirkt, jene aber können nicht nach oben steigen, und auch nach unten können sie nicht hin, sich mit dem Körper zu bekleiden. Es gibt Wanderungen auf der Welt, die sich noch nicht offenbart haben. Die Gerechten müssen unstet und flüchtig sein, weil es vertriebene Seelen gibt, die nur dadurch emporsteigen können. Und wenn ein Gerechter sich wehrt und nicht wandern will, wird er unstet und flüchtig in seinem Haus. Es gibt Steine wie Seelen, die sind hingeworfen auf den Gassen. Aber wenn einst die neuen Häuser gebaut werden, dann fügt man ihnen die heiligen Steine ein.

DIE ERZÄHLUNGEN

In den letzten Jahren seines Lebens erzählte Rabbi Nachman seinen Schülern mehrere Märchen und Geschichten. Es war immer irgend ein äußerer Anlaß, der ihn zum Erzählen brachte. Einige dieser Anlässe sind uns überliefert. Einmal berichtete ihm einer seiner Schüler, was er gerade von dem Krieg der Franzosen gehört hatte, der in jener Zeit war. »Und wir waren erstaunt über die große Erhebung, mit der jener (Napoleon) erhoben worden war und aus einem Niedern (wörtlich: Knecht) ein Kaiser wurde. Und wir sprachen mit *ihm* davon. Und er sagte: ›Wer weiß, welche Seele sein ist, denn es kann sein, daß er vertauscht wurde. Denn in dem Quellschloß der Wandlungen werden zuweilen die Seelen vertauscht.‹ Und sogleich begann er uns die Geschichte zu erzählen von dem Königssohn und dem Sohn der Magd, die vertauscht wurden.«

Ein andermal kam ein Synagogen-Vorsänger zu ihm, und dessen Kleid war zerrissen. Da sprach er zu ihm: »Bist du denn nicht ein Meister des Gebets, durch das der Segen herniedergebracht wird? Und du sollst in zerrissenem Gewande gehen!« Damals erzählte er die Geschichte von dem Meister des Gebets.

Ein andermal wieder hatte ein Schüler einem anderen geschrieben, er möge fröhlich sein. Als der Meister von dem Briefe hörte, sagte er: »Was wisset ihr, wie man sich zu freuen vermag inmitten der Schwermut? Ich will euch erzählen, wie man sich einst gefreut hat.« Und er begann die Geschichte von den sieben Bettlern, die letzte der Geschichten und die er nicht vollendet hat.

Der Antrieb zum Erzählen war für Rabbi Nachman jenes Gefühl, daß seine Lehren »keine Kleider haben«. Die Geschichten sollten die Kleider der Lehren sein. Sie sollten »erwecken«. Er wollte eine mystische Idee oder eine Lebenswahrheit in das Herz der Schüler pflanzen. Aber ohne daß er es im Sinn hatte, gestaltete sich die Erzählung in seinem Mund, wuchs über den Zweck hinaus und trieb ihr Blütengerank, bis sie keine Lehre mehr war, sondern ein Märchen oder eine Legende. Verloren haben die Geschichten ihren symbolischen Charakter deshalb nicht, aber er ist stiller und innerlicher geworden.

Rabbi Nachman fand eine Tradition jüdischer Volksmärchen vor und knüpfte an sie an. Aber er ist der erste und bisher einzige wirkliche Märchendichter unter den Juden. Alles Frühere war anonyme Schöpfung; hier zum erstenmal ist Person, persönliche Intention und persönliche Gestaltung.

Die Geschichten wurden von seinen Schülern, namentlich von seinem Lieblingsschüler, Natan von Nicmirow, der sein eigentlicher Apostel war, aus dem Gedächtnis niedergeschrieben. Natan pflegte zwar die einzelnen Geschichten, damit er sie nicht vergesse, sogleich nach dem Hören zwei andern zu erzählen, und erst dann nach Hause zu gehen, um sie niederzuschreiben; doch scheint er mit der Niederschrift oft länger gewartet zu haben, denn von manchen Dingen gibt er selbst zu, er habe sie vergessen, von anderen gar, er habe sie nicht »zu ihrer Zeit« niedergeschrieben. Bei den Lehrworten kann man erkennen, welche unmittelbar aufgezeichnet wurden; sie zeigen den Geist und die Sprache des Meisters. Von den Geschichten kann das nicht gelten. Einen ebenbürtigen Schüler, der das Vergessene im Sinn des Erzählers hätte ergänzen können, besaß Rabbi Nachman nicht; und er selbst sah sich wohl hier und da einmal die Niederschrift der Lehrworte an, niemals aber die der Erzählungen. So gilt vor allem von ihnen, was zwei frühe Geschichtsschreiber des Chassidismus von den Niederschriften der Schüler sagen.»Sie schrieben Dinge, die er nie gesagt hatte«, meint der eine, und der andere urteilt:»Sie glichen das Wort, das er gesprochen hatte, ihrem eignen Gedanken an.«

Dreizehn der Geschichten sind nach dem Tode des Meisters, 1815, in dem jiddischen Original mit hebräischer Übertragung veröffentlicht worden.

In Rabbi Nachman von Bratzlaw hat sich, mit seinem Wissen und ohne es, alles eingesammelt und verdichtet, was die Geschlechter der Diaspora vom Lande Israel gefühlt, geträumt und gedacht haben. Man kann, wenn man das Verhältnis der chassidischen Bewegung zu Palästina darlegen will, es an keinem andern so wie an ihm zeigen: alles strömt in ihm zusammen und alles findet in seinem Leben und in seinem Wort den exemplarischen Ausdruck. Zugleich aber spüren wir hier darin etwas anderes, etwas Neues, das uns mit unseren eigenen Fragen und Kämpfen in einer seltsamen Weise zusammenzuhängen scheint. Das Verhältnis der chassidischen Bewegung zum Lande Israel ist nicht in eine Formel zu fassen. Man kann ihm nur von ihrem Verhältnis zum Messianismus aus gerecht werden, und diesem wieder nur von der Reaktion aus, die auf das sabbatianische Stürmertum folgte. Hier war die messianische Leidenschaft über alle Ufer gestiegen, man hatte die Vollendung der Schöpfung, die Erneuerung aller Dinge, die Vermählung von Himmel und Erde mit Augen zu sehen und mit Händen zu greifen gemeint, in einer verwandelten Welt erschien das Gesetz als aufgehoben und was unter ihm als Sünde gegolten hatte nicht etwa bloß freigegeben, sondern geheiligt. Der Zusammenbruch des sabbatianischen Wagnisses bedeutete für die Judenheit, deren Seele von seinem feurigen Anhauch entzündet worden war, die Gefahr der inneren Vernichtung. Unmittelbar zu spüren bekam man diese Gefahr, als der unheimliche Epigone Sabbatais, Jakob Frank – eins der interessantesten Beispiele für die Wirkung, die in nach Selbsttäuschung begierigen Zeiten ein in hemmungsloser Selbsttäuschung lebender Mann auszuüben vermag –, im polnischen Judentum Scharen in seine Gefolgschaft und ins Chaos hinriß. Gegen diese drohende Zersetzung steht der Baal-schem-tow auf; er ist der Gegenspieler der faszinierenden Lüge. Als solcher muß er und müssen seine Schüler den schwer erkrankten Messianismus zu entgiften suchen. Die fieberhafte Überspannung der Stunde muß einem zugleich begeisterten und besonnenen Dienst am Zusammenhang der Zeiten weichen, an Stelle der Entfesse-

lung der Triebe tritt die Sublimierung (was an diesem Begriff
der modernen Psychologie berechtigt ist, ist hier schon in der
klarsten und nachdrücklichsten Gestalt ausgesprochen), und die
verwegenen Inkarnationsphantasien werden durch die stille Erfahrung eines Umgangs mit dem Göttlichen im Alltag ver-
scheucht. Damit wandelt sich naturgemäß auch die Beziehung
zu Palästina. Ohne an der mystischen Leuchtkraft einzubüßen,
die schon von talmudischer Zeit her ihm anhaftete und in der
Kabbala sich mächtig entfaltet hatte, wird das Land doch des
Gewebes einer schnellfertigen Magie entkleidet, das es in der
Stürmerzeit umsponnen hatte. Wohl erwartet man von der Berührung mit dem Heiligen Land die Bereitung der Erlösung,
wohl heißt die Legende den Baal-schem-tow von einer Begegnung, die sich nur dort vollziehen kann, das Höchste erhoffen,
aber dem »Bedrängen des Endes« hat zumindest der frühe, klassische Chassidismus ein Ende gemacht, und die Schüler und
Schülersschüler des Stifters, die sich allein oder mit einer ganzen
Gemeinde in Palästina niederlassen, sinnen offenkundig nicht auf
das einmalige Wunder, sondern auf den Fortgang der Geschlechter. Das Geheimnis ist geblieben, aber es hat in der Strenge des
Lebens und seiner Aufgaben Wohnung genommen.
Von hier aus ist schon die Haltung des Stifters selber zu Palästina
zu verstehen. Authentisch wissen wir von ihr, wie überhaupt
von seinem Leben, nicht viel; aber aus dem bekannten Brief
an seinen Schwager, der sich dort niedergelassen hatte, geht hervor, daß er lange im Sinne trug, ins Heilige Land zu reisen, und
auch damals, etwa acht Jahre vor seinem Tode, die Hoffnung
darauf nicht aufgegeben hatte. Äußerungen von Schülern deuten
darauf hin, daß er die Reise auch wirklich einmal unternahm.
Warum er sie aufgab, ist uns nicht bekannt. »Man hat ihn vom
Himmel her verhindert«, sagt die Legende, und daß sie es sagt,
gibt zu erkennen, daß hier eine Frage fühlbar wurde, auf die die
Erzähler die Antwort zu finden versuchten; wobei wir darauf
zu achten haben, daß das Erzählen dieser Legende, so viel Apo-
kryphes auch sich später daran geheftet haben mag, schon unter
den Jüngern und in der eigenen Familie des Baal-schem-tow im
dritten Geschlecht, das ihn selbst noch gekannt hatte, beginnt.
Die mannigfaltigen Versuche der Legende sind kennzeichnend.

Schon in seiner Jugend, als er mit seinem Weibe in einer Hütte am Hang des Karpatengebirges lebte, Lehm grub und ihn in das nahe Städtchen zum Verkauf fuhr, soll ihm eine Räuberschar, deren Streitigkeiten er zu schlichten pflegte, angeboten haben, ihn durch Höhlen und unterirdische Gänge nach Palästina zu führen; als er aber unterwegs mit ihnen einen tiefen Sumpf überschreiten wollte, sei ihm das kreisende Schwert der Cheruben erschienen, und er habe umkehren müssen. In einem weit späteren Zeitpunkt (denn nicht bloß seine Tochter, sondern nach einer andern Fassung auch deren Söhne hätten ihn begleitet) ist er der Sage nach bis nach Stambul gelangt; hier warnt ihn entweder eine Traumerscheinung und heißt ihn umkehren, oder er begibt sich mit den Seinen zu Schiff, da aber bricht ein großer Sturm aus, und nun gehen wieder die Erzählungen auseinander: nach der einen stürzt aus dem zerschellenden Schiff die Tochter des Baalschem ins Meer, der Satan erscheint und bietet ihm seine Hilfe an, er aber widersteht der Versuchung und beschließt heimzukehren, und sogleich ist alle Gefahr überwunden; nach einer andern kommt er mit einem Schüler auf eine Insel, wo sie gefangengenommen werden, beide sind mit einer Betäubung geschlagen, in der sie sogar die Worte des Gebets vergessen haben, schließlich besinnt sich der Schüler, daß er noch das Alphabet weiß, er spricht es dem Meister vor, der spricht es »mit mächtiger Begeisterung« nach, und sogleich naht die Befreiung, und sie kehren heim; ähnlich geht es in anderen Fassungen zu. Überall in der Legende waltet unverkennbar die Tendenz, vor magischen Absichten im Zusammenhang mit Palästina zu warnen: solang die Stunde der Erlösung nicht gekommen ist, versucht auch der berufene Mensch vergeblich sie zu beschwören. Das ist eine Tendenz, die im späteren Chassidismus wieder aufgegeben oder um die vielmehr heftig gerungen wird; die Baalschem-Legende ist von ihr noch unverkennbar bestimmt.

Es waren nahezu vierzig Jahre seit dem Tode des Baal-schem-tow vergangen, als sein Urenkel Nachman sich zur Reise ins Heilige Land rüstete. Er war damals sechsundzwanzigjährig. Hier sind wir nicht auf die Legende angewiesen: nach seinen eigenen Mitteilungen hat sein Schüler und Apostel Natan Schritt um Schritt aufgezeichnet; wir stehen hier auf dem Boden eines einzigartigen biographischen Interesses, das zwar manchen Vorgang legendär deutet, aber keinen umdichtet.

Vorher, ehe er noch etwas von seiner Absicht bekanntgibt, ja anscheinend ehe sie noch zum Entschluß erwachsen ist, besucht er seine Eltern in Mesbiž (Miedzyboż), das einst der Wohnort des Baal-schem-tow gewesen war und worin er selber seine Kindheit verbracht hatte. Hier begibt sich etwas Seltsames. Einst, als Knabe, pflegte er nachts ans Grab des Ahnen zu laufen und ihn zu bitten, daß er ihm helfe, sich Gott zu nähern. Jetzt aber, da ihn die Mutter fragt, wann er hingehen wolle, antwortet er: »Wenn mein Urgroßvater mit mir zusammentreffen will, mag er hierher kommen.« Man hört die Scheu heraus, der Baal-schem-tow, den man, als er selber nach Palästina fahren wollte, »vom Himmel her verhindert« hatte, könnte seiner Absicht widersprechen. Aber in der Nacht erscheint ihm der Ahn, und am Morgen weiß es die Mutter, ohne daß er es ihr zu sagen braucht. Später erzählt er nur, er habe von der Erscheinung erfahren, daß er in die Stadt Kamieniec fahren solle. Über seinen Aufenthalt in Kamieniec wird berichtet, er habe in der Stadt, in der Juden das Wohnen verboten war, allein die Nacht zugebracht, und danach sei das Verbot aufgehoben worden. Er selbst sagte später, wer wisse, warum das Land Israel zuerst in der Hand der Kanaanäer war und dann erst in die Hand Israels kam (»die Schale mußte der Frucht vorangehn«, heißt es in einer seiner Lehrreden), der wisse auch, warum er in Kamieniec war, ehe er ins Land Israel fuhr. Es war also eine sinnbildliche Handlung, daß er die Nacht in der judenlosen Stadt verweilte, ehe er sich in das Israel verheißene Land begab, und eben diese Handlung verstand er als vom Baal-schem-tow ihm geboten. Ehe er sich nach Miedzyboż begab, hatte er geäußert, er wisse selber noch nicht, wohin er fahre. Damit, daß ihn der Ahn nach Kamieniec geschickt hat, hat er ihm den Weg gewiesen.

Heimgekehrt spricht er am Sabbat eine Lehrrede über den Psalmvers (63, 9): »Meine Seele hat an dich sich geheftet, mich hat deine Rechte gehalten.« Die Rede ist uns nicht erhalten, aber ihre Grundstimmung können wir ahnen: der, an den seine Seele von Kind auf sich geheftet hatte (wir wissen von dem stürmischen Werben des Knaben um Gott), hat nun die Hand ausgestreckt, um ihn zu halten. Um dieselbe Zeit aber stirbt ihm eine kleine Tochter, und auch dies bringt er in Verbindung mit dem Neuen, das angehoben hat; auch dies gehört in den strengen Zusammenhang der zugleich ganz faktischen und ganz symbolischen Vorgänge. Am Rüsttag des Passahfestes sagt er, aus dem Tauchbad kommend, zu seinem Begleiter: »In diesem Jahr werde ich gewiß im Heiligen Lande sein.« Die Lehrrede, die er am Fest hält, geht von dem Psalmvers (77, 20) aus: »Durch das Meer hin ist dein Weg, dein Steig durch die vielen Wasser, doch nicht werden deine Tapfen erkannt.« Da wissen sie alle, was er vorhat. Umsonst versucht seine Frau ihn von seinem Plan abzubringen. Wovon soll, während er fort ist, die Familie sich ernähren? Verwandte sollen sie versorgen, gibt er zur Antwort, oder sie sollen in Dienst bei Fremden treten. Er achtet des Weinens rings um ihn nicht: was immer komme, er müsse fahren, – sein Großteil sei schon dort und die Minderheit habe der Mehrheit nachzufolgen. Er wisse, daß Hindernisse ohne Zahl sich ihm in den Weg stellen werden, aber solang ein Lebensatem in ihm sei, werde er seine Seele einsetzen und fahren. Auf jedem Schritt der Reise, erzählte er später, habe ich die Seele eingesetzt. In der Lehre Rabbi Nachmans, wie sie uns aus späteren Jahren bewahrt ist, begegnen wir immer wieder im Zusammenhang mit Palästina den »Hindernissen«. Diese Hindernisse haben, so wird hier gelehrt, eine große Bedeutung. Sie sind dem Menschen, dessen Sehnsucht und Bestimmung ihn ins Heilige Land treiben, in den Weg gestellt, damit er sie bezwinge. Denn durch sie wird sein Wille erregt und erhoben, und nun erst ist er würdig, die Heiligkeit des Landes zu empfangen. Wer wahrhaft Jude sein, das heißt: von Stufe zu Stufe steigen will, muß die Hindernisse »zerbrechen«. Um aber in diesem Kampf zu siegen, bedarf es der »heiligen Dreistigkeit«, eben jener, an der Gott seine Freude hat, denn daß Gott sich Israels berühmt, das liegt an der heiligen Dreistigkeit und Hartnäckigkeit des israelitischen Mannes, um deren willen er die Thora empfangen hat. Dieser Kampf ist letztlich ein innerer; denn die bösen Gewalten häufen die Hindernisse, um den Verstand zu verwirren, und im Grunde ist die Seele allein der Ort der Hindernisse. Je größer aber ein Mensch ist, desto größer sind die Hindernisse vor ihm, denn ein

um so größerer Kampf wird von ihm erfordert, um ihn auf die
höhere Stufe zu bringen.

Nachdem Nachman seinen Beschluß bekanntgegeben hat, scheint
er mit Fragen bestürmt worden zu sein, was seine Gründe seien.
Es sind uns verschiedene Antworten bewahrt, so etwa, es sei
ihm darum zu tun, die Gebote, denen einzig in Palästina nachzukommen ist, mit den andern zusammenzuschließen und zunächst hier in Gedanken, dann aber dort mit der Tat zu erfüllen;
oder auch, er wolle, nachdem er sich nunmehr hier die »untere
Weisheit« angeeignet habe, dort die »obere Weisheit« erlangen,
die nur dort erlangt werden kann. Das entscheidende Motiv ist
aber offenbar, den Kontakt mit einer Heiligkeit zu gewinnen,
die einzig dort daheim ist, einen Kontakt, durch den man befähigt und ermächtigt wird, zuerst drüben, dann auch hüben
geheimnisvolles Werk zu wirken und die Höhe der eigenen Bestimmung zu erreichen. Man darf nicht, so hat er seinen Schülern später, lange nach der Heimkehr, erklärt, wenn man an die
Größe des Heiligen Landes denkt, sich eine geistige Wesenheit
vorstellen, etwas womit man auch hier in Berührung kommen
kann; »ich meine«, sagte er, »dieses Land Israel ganz einfach
mit diesen Häusern und Wohnungen«. Hier ist bei Nachman
eine betonte Konkretheit der Empfindung, wie sie bei den Früheren kaum zu finden ist. Eben das ganze konkrete Palästina ist
das heilige. Diese Heiligkeit ist freilich nicht von außen zu erkennen. In späteren Jahren erzählt Rabbi Nachman, was er
dort von namhaften Menschen hörte, die vor unferner Zeit ein-
gewandert waren. Sie sagten ihm, sie hätten, ehe sie hinkamen,
sich gar nicht zu vergegenwärtigen vermocht, daß das Land Israel
wirklich in der Welt steht. Nach allem, was in den Büchern von
seiner Heiligkeit geschrieben ist, hätten sie sich vorgestellt, es
sei »eine ganz andere Welt«. Als sie aber hinkamen, sahen sie:
das Land befindet sich wirklich in dieser Welt, es ist in seiner Erscheinung nicht wesensverschieden von den Ländern, aus denen
sie gekommen waren, sein Staub ist wie der Staub in aller Welt.
Und doch ist das Land durch und durch heilig. So verhält es sich
mit dem wahren Zaddik, der ebenfalls wie alle Menschen aussieht. In Wahrheit ist das Land durchaus von den übrigen Ländern geschieden und sogar der Himmel darüber ist ein anderer

als anderswo. Es ist wie beim wahren Zaddik: nur wer an die Heiligkeit glaubt, erkennt und empfängt sie.

Als man Nachman durch kein anderes Bedenken von dem Entschluß abbringen konnte, machte man geltend, er habe doch kein Geld zu reisen.»Ich will sogleich reisen«, antwortete er,»wie es auch sein mag, sei es auch ohne Geld. Wer sich meiner erbarmen wird, wird mir etwas geben.« Seine Verwandten brachten nun, da sie sahen, daß er nicht zurückzuhalten war, durch Sammlungen den nötigen Betrag zusammen, und eine Woche nach dem Passahfest reiste Nachman mit einem Begleiter ab. Als er unterwegs am Sabbat in einem Ort übernachtete, erschien ihm im Traum Rabbi Mendel von Witebsk, der zwanzig Jahre früher mit dreihundert Getreuen nach Palästina gezogen und vor zehn Jahren, zu Beginn eben dieses Monats, dort gestorben war. Als Knabe hatte er noch den Baalschem besucht. Er hat dessen Kampf gegen den Fiebermessianismus sowohl vor seiner Fahrt ins Heilige Land als dort fortgesetzt; darin stimmen die Erzählungen von ihm und seine eigenen Äußerungen überein. Es wird erzählt, als er in Jerusalem weilte, habe ein törichter Mann, ohne bemerkt zu werden, den Ölberg bestiegen und in die Schofarposaune gestoßen, wie für den Anbruch der Erlösung verkündigt ist; das Volk lief in Scharen zusammen, als aber Rabbi Mendel davon hörte, öffnete er das Fenster, sah in die Luft der Welt hinaus und sprach:»Da ist nichts Neues geschehen.« Mit der gleichen heiligen Nüchternheit gibt sein Gefährte Rabbi Abraham von Kaliski den Daheimgebliebenen, die ihn befragen, Auskunft über die vielen»Wandlungen, Umwälzungen, Begebenheiten und Zeitenfolgen«, die über jeden Einzelnen im Lande hingehen müssen,»bis er sich ihm eingliedert und an dessen Steinen Gefallen hat und dessen Staube wohlwill und die Ruinen im Lande Israel liebt... bis vorüber sind die Tage der Aufnahme, seines Aufgenommenwerdens in das Leben... Jeder, der zum Heiligtum kommt, muß von neuem im Mutterleib getragen, gesäugt werden, ein Kleinkind sein und so fort, bis er unmittelbar ins Antlitz des Landes sieht und seine Seele mit dessen Seele verbunden ist.« Rabbi Mendel selbst schreibt an die Daheimgebliebenen: »Meine Geliebten, meine Freunde und Genossen, wisset treulich, daß ich in vollkommener Klarheit weiß: alle Leiden, die in die-

sen drei Jahren über uns ergangen sind, sind Leiden des Landes
Israel«, das heißt, sie gehören zu den Leiden, die nach der talmudischen Überlieferung notwendig sind, um das Land zu erwerben; sie sind somit von ebender Art, von der die »Hindernisse« sind, die Rabbi Nachman deutet. Dies also ist der Mann,
der ihm in der ersten Nacht seiner Wanderung erscheint. Er eröffnet ihm, daß auf einer Seefahrt der Gottesname »Du« anzurufen ist: der bezwingt die Wogen, wie es im Psalm (89, 10)
heißt: »Du überwaltest den Hochmut des Meers – wann seine Wogen steigen, du bist's, der sie schwichtigt.«
Das Fest der Offenbarung bringt er, auf der Fahrt nach Odessa,
in Cherson zu. Eine Lehrrede, die er hier spricht, knüpft sichtlich
an die Mitteilung an, die er im Traum empfing; sie geht vom
Psalmvers (107, 29) aus: »Er bannt den Sturm zum Schweigen,
gestillt sind ihre Wogen.« In der Vornacht des Festes, nachdem
er wie üblich gewacht hat, geht er mit einem Begleiter ins Tauchbad. Unterwegs fragt er ihn Mal um Mal, ob er den Schall
nicht höre, der Mann verneint es, schließlich sagt Nachman: »Es
wird wohl von einer Musikkapelle kommen.« Aber der Mann
versteht: der Rabbi hat den Donnerschall vom Sinai gehört.
Der Seeweg über Odessa ist von den Juden bis dahin als gefährlich gemieden worden. Er unternimmt ihn, und von da an erscheint
der Weg allen sicher. So ist es in seinem Leben, wie uns erzählt
wird, häufig zugegangen: er reißt sozusagen den Dingen, die er
als erster zu bestehen wagt, die Giftzähne aus.
Sowie das Schiff auf hoher See ist, bricht ein Gewitter aus, das
Wasser überschwemmt den Bord. In dem großen Sturm sieht
Nachman einen vor kurzem in seiner Heimatgegend verstorbenen Jüngling auf sich zukommen und hört ihn bitten, daß er
seiner Seele die Erlösung bringe. Das ist die erste von sehr vielen
Seelen, die ihm so erscheinen.
In Stambul mehrt sich Mühsal und Beschwer. Nachman verbietet seinem Begleiter zu sagen, wer er sei. Er hat nicht bloß
von den türkischen Behörden zu leiden – es ist die Zeit der
ägyptischen Expedition Napoleons, und die Spionenfurcht ist
groß –, sondern auch von Juden erfährt er Verdächtigungen und
Kränkungen, aber er bleibt bei seiner Verstellung, erträgt den
Schimpf nicht bloß, sondern fordert ihn geradezu heraus und

legt es auf ihn an. Wenn er damals, sagt er in späterer Zeit seinen Schülern, nicht all die Erniedrigung erfahren hätte, dann wäre er in Stambul verblieben, das heißt, er hätte dort sterben müssen. »Ehe man zur Größe kommt«, sagt er, »muß man erst in die Kleinheit sinken. Das Land Israel aber ist die größte Größe, darum muß man, ehe man zu ihm aufsteigt, in die kleinste Kleinheit sinken. Deshalb hat der Baal-schem-tow nicht hinkommen können, denn er vermochte nicht in solche Kleinheit niederzusteigen.« Er aber, Nachman, macht sich klein. Er geht in Stambul bloßfüßig herum, im Hängerock aus Rockfutter ohne Gürtel, ohne Hut über dem Käppchen, und treibt allerhand Narrenstreiche; so veranstaltet er mit etlichen andern Kriegsspiele, wo die eine Partei die Franzosen und die andere die von ihnen Angegriffenen darstellt. Dieses sich klein Machen und sich als Narr Gebärden, das uns an buddhistische, sufische und franziskanische Legenden erinnert, setzt sich in ihm so fest, daß es ihm später, in Palästina selbst, schwer wird, sich davon zu befreien.

In Stambul bricht die Pest aus. Lange Zeit kann er nicht weiterreisen. Wegen der nahenden Franzosengefahr verbietet die jüdische Gemeinde allen in- und ausländischen Juden, die Stadt zur See zu verlassen. Nachman widersetzt sich dem Verbot und veranlaßt viele, mit ihm zu fahren. Unterwegs bricht wieder ein großes Gewitter aus, und das Schiff ist bedroht. Alle weinen und beten, er aber bleibt sitzen und schweigt. Die Leute befragen und bedrängen ihn vergebens; erst antwortet er nicht, dann fährt er sie an: »Schweigt doch auch ihr! Sowie ihr still seid, wird auch das Meer sich stillen.« Und so geschieht es. Nach weiteren Beschwernissen – das Trinkwasser geht aus – kommt das Schiff nach Jaffa. Rabbi Nachman hat im Sinn, von hier nach Jerusalem zu ziehen, denn die Heilige Stadt ist das Ziel seiner Wünsche: er erklärt ausdrücklich, er wolle weder nach Safed noch nach Tiberias, wo sich die chassidischen Gruppen niedergelassen haben. Aber die Hafenbehörden haben ihn seines auffallenden Aussehens halber im Verdacht, daß er ein französischer Spion sei, und verbieten ihm an Land zu gehen. Es sind zwei Tage vor dem hohen Fest des Neuen Jahrs. Der Kapitän beabsichtigt, einige Tage vor Jaffa zu bleiben, aber des unruhigen Wellengangs wegen kann das Schiff nicht ankern. Dem verwunderten Kapitän teilen auf seine

Fragen die Weisen der sefardischen Judenheit mit, einer mündlichen Überlieferung nach sei an diesem Orte einst der Prophet Jona ins Meer geworfen worden; sie meinen, daher werde zuweilen ein Schiff verhindert, hier vor Anker zu liegen. Sie fahren nach Haifa weiter und ankern am Abend danach am Fuß des Karmel, der Höhle des Propheten Elia gegenüber. Am Morgen wird noch auf dem Schiff gebetet, dann gehen die Juden an Land, Rabbi Nachman unter ihnen.

Er erzählt in späterer Zeit seinen Schülern, sowie er im Lande vier Ellen weit gegangen sei, habe er schon alles gewirkt, was er angestrebt hatte. In diesem Bericht wird der Glaube an die Macht der *Berührung* mit der Heiligkeit dieser Erde besonders deutlich. Was er meint, wird durch eine andre Äußerung über das Erlangte erläutert, die er bald nach der Rückkehr aus Palästina gemacht hat und die mit jener über den Zusammenschluß der Gebote, die für das Heilige Land allein bestimmt sind, mit den andern zu vergleichen ist. Er habe nun, sagte er, die ganze Thora auf alle Weisen erfüllt, »denn ich habe die Erfüllung der ganzen Thora erlangt, und hätte man mich sogar an die Ismaeliter in ferne Länder verkauft, wo es keine Juden gibt, und dort hätte man mich Vieh weiden lassen, und sogar wenn ich dann nicht mehr gewußt hätte, wann Sabbat und Festtage sind, und hätte weder Gebetmantel noch Gebetriemen mehr gehabt, und kein Gebot mehr mir zuhanden, ich hätte doch die ganze Thora zu erfüllen vermocht.«

Nachmittags – es ist der Vortag des Neuen Jahrs – gehen sie ins Tauchbad und danach ins Bethaus, wo sie bis zum Abend verweilen. »Heil dir«, sagt Nachman in die Herberge zurückgekehrt zum Begleiter, »daß du gewürdigt worden bist mit mir hier zu sein.« Er läßt sich von ihm die Namen all der Chassidim vorlesen, die sich ihm daheim angeschlossen hatten und ihm Zettel mit ihren Namen und den Namen ihrer Mütter mitgaben, daß er ihrer im Heiligen Lande gedenke, und er gedenkt jedes Einzelnen in seiner großen Freude.

Aber am Morgen danach hat sich sein Gefühl gewendet. Eine namenlose Sorge ist in ihm erwacht, sein Herz ist ihm wie zerschlagen, und er redet mit keinem Menschen. Sogleich nach dem Fest denkt er an die Heimfahrt. Er will nicht einmal mehr nach

Jerusalem, er will nach Polen zurück. Aus Safed und Tiberias
kommen Einladungen der Zaddikim, die von seinem Kommen
gehört haben, das Hüttenfest mit ihnen zu verbringen, aber er
achtet dessen nicht und bleibt, wie über den Versöhnungstag,
so auch über das Hüttenfest in Haifa.

Und nun ereignet sich etwas, was an sich wohl nicht eben merkwürdig ist, aber durch die Art, wie erst Nachman selber, später
seine Schüler, denen er es erzählt, es aufnehmen, merkwürdig
wird. Ein junger Araber ist Tag um Tag, wenn der Rabbi beim
Mittag- und beim Abendessen saß, in die Herberge gekommen,
hat sich zu ihm gesetzt und so freundlich wie nachdrücklich auf
ihn eingeredet, dazwischen klopfte er ihm auf die Schulter und
bezeigte ihm sein Wohlwollen auf alle erdenkliche Weise. Von
den Reden verstand Nachman natürlich kein Wort, und die
Liebesbekundungen waren ihm unbehaglich genug, aber er
äußerte keine Ungeduld und blieb sitzen, als hörte er zu. Eines
Tags aber kommt der Araber wieder, bewaffnet und zornig,
und schreit heftig auf den Rabbi ein, der natürlich wieder kein
Wort versteht. Erst nachdem jener schließlich abgezogen ist, erfährt er, der Araber habe ihn aufgefordert, mit ihm zu fechten.
Man verbirgt Nachman in der Wohnung eines andern Zaddiks.
Der Araber kommt wieder in die Herberge und ist außer sich,
als er hört, daß der Gesuchte sich ihm entzogen hat. »Gott weiß«,
erklärt er feierlich, »daß ich ihn sehr liebe. Ich will ihm Esel
und mein eignes Pferd geben, damit er mit einer Karawane nach
Tiberias ziehen kann.« Nun kehrt Nachman in die Herberge zurück. Der arabische Jüngling kommt wieder, sagt aber nun kein
Wort mehr, sondern lacht den Rabbi nur Mal um Mal an. Anscheinend erfüllt er auch sein Versprechen. Offenbar ist es ihm
– so können wir uns die erzählten Vorgänge erklären – um nichts
anderes zu tun gewesen als die Tiere zu vermieten; da der Rabbi
ihm zuzuhören schien, fühlte er sich dadurch gekränkt, daß er
auf sein so oft wiederholtes Angebot nicht einging; schließlich
klärte sich der Sachverhalt auf, und wenn er Nachman ansah,
mußte er lachen. Vom Rabbi ist uns die Äußerung überliefert,
er habe mehr unter der Liebe des Arabers als unter seinem Zorn
zu leiden gehabt. Darüber hinaus aber scheint er manche Andeutung über die geheimnisvolle Gefahr gemacht zu haben, die hinter

dieser Begebenheit stand, und die Schüler glaubten ihn dahin zu
verstehen, der Araber sei der Satan in eigner Person gewesen.
Wir gewinnen hier einen besonderen Einblick in die symbolisch-
legendäre Art, in der Nachman sein Leben erlebt und in der seine
Schüler es aus seinem Bericht erfahren und nun zu der Erzählung
verarbeiten, die auf uns gekommen ist. Der arabische Eselver-
mieter wird zur satanischen Verkörperung der »Hindernisse«.
Die dem Konflikt vorausgehende Schwermut des Rabbis findet
so ihre Erklärung.
Indessen läßt sich Nachman zur Fahrt nach Tiberias bewegen, wo
er zunächst – wieder ein Vorgang von sinnbildlicher Bedeutung –
erkrankt. Sodann erfahren wir von einem Denunzianten, dessen
Anschläge er zunichte macht. Besuche in einigen Grabhöhlen der
heiligen Menschen werden mit leicht legendären Zügen erzählt.
So soll er eine Höhle mit dem Grab eines heiligen Kindes besucht
haben, die bisher einer angeblich drin hausenden Schlange wegen
gemieden worden war; als er kam, war keine darin, von da an
haben alle die Höhle besucht. Auch hier erscheint Nachman als
der Erste, der Bahnbrecher.
Ein Großer der tiberianischen Judenheit bedrängt ihn, ihm die
verborgene Absicht seines Kommens nach Palästina zu eröffnen;
es sei ihm doch offenbar um eine geheime Handlung im Dienste
Gottes zu tun, er möge ihm sagen, was sie sei, und er werde ihm
mit all seiner Kraft beistehn. Als Nachman sich weigert, bittet er
ihn, ihm doch etwas von seiner Lehre kundzutun. Aber sowie der
Rabbi das Geheimnis der vier Himmelsrichtungen im Lande Israel
mitzuteilen beginnt, stürzt ihm Blut aus der Kehle und er muß
abbrechen, denn »man stimmt vom Himmel her nicht zu«.
In Tiberias bricht die Pest aus. Nachman begibt sich durch eine
Höhle auf unterirdischen Wegen und unter manchen Gefahren
nach Safed. Bei seinen Versuchen, Schiffsplätze zur Heimfahrt zu
finden, gerät er mit seinem Begleiter auf ein türkisches Kriegs-
schiff, das sie für ein Handelsschiff halten. Zu spät entdecken sie
ihren Irrtum. Unter schweren Entbehrungen und allerhand Aben-
teuern kommen sie nach Rhodos, wo sie das Passahfest feiern.
Von dort reisen sie über Stambul und die Walachei nach Hause.
Hier spricht der Rabbi am Sabbat bei der heiligen Dritten Mahlzeit über den Vers des Propheten Jesaja (43, 2): »Wenn du durchs

Wasser ziehst, ich mit dir.« »Diese Lehrrede schließt in der uns bewahrten Fassung mit den Worten:»Ich mit dir – sieh zu, daß du das Gerät werdest, das Ich genannt ist.« Das ist es, was er in dieser Stunde von sich aussagen will: daß er auf seiner Fahrt übers Wasser das Gerät mit Namen Ich geworden ist.

Von da aus ist zu verstehen, was er fortan, in der Zeit – nicht viel mehr als ein Jahrzehnt –, die ihm noch zum Leben blieb und in der er seine Lehre und seine Dichtung aufbaute, immer wieder, wenn auch nur in Andeutungen, den Schülern davon berichtet, was er im Heiligen Lande erworben hatte. So erzählt er, ehe er die Reise antrat, habe er den ruhigen Schlaf nicht gekannt, denn jeweils umstellten ihn die »sechshunderttausend« Buchstaben der Thora, als wäre die Thora wieder in eine unbewältigte Fülle von Buchstaben zerfallen; seit Palästina aber gibt es diese Störung nicht mehr, er hat das Ganze so, daß es nie zerfällt und zum Chaos wird. Oder: in seiner Jugend wurde er oft vom Jähzorn übermannt, und er kämpfte dagegen an; aber eine schlimme Eigenschaft brechen heißt noch nicht sie wahrhaft überwinden, man muß vielmehr die ganze Kraft der Leidenschaft, die in ihr treibt, in das Gute einwandeln: dies – also nicht mehr bloß nicht hassen, sondern den vordem hassenswert Scheinenden mit der ganzen vordem in den Haß eingegangenen Mächtigkeit lieben – habe er erst im Lande Israel erlangt. Und so ist es denn auch mit der Lehre. Zwischen den Lehren, die von außerhalb Palästinas stammen, und denen, die aus ihm stammen, ist, sagt er, ein Abstand wie zwischen West und Ost. Nur die Lehrreden, die er nach der Rückkehr gesprochen hat, heißt er in ein Buch aufnehmen, die früheren nicht.

Noch tiefer ins Verständnis der Wandlung, die er dem Lande zu verdanken hatte, führen Äußerungen, die er neun Wochen vor seinem Tode, am Vorabend des Sabbat nach dem Trauertag des Neunten Ab, getan hat. Kurz vorher war er in eine neue, seine letzte Wohnung gezogen, wo er vom Fenster auf einen Garten und darüber hinaus auf den Friedhof sah – dort waren die Gräber der einst bei dem großen Kosakengemetzel umgekommenen Tausende –, er sah immer wieder hin und sprach davon, wie gut es sein würde, unter den Märtyrern zu liegen. Dies nun war seine erste Lehrrede in der neuen Wohnung. Viele Chassidim, von den längst Vertrauten bis zu denen, die sich ihm jetzt eben angeschlossen hatten, waren versammelt, als er eintrat und die Weihe über den Wein vollzog. Man sah, daß er sehr schwach war und kaum die Kraft zu reden hatte. Hernach ging er nicht wie gewöhnlich in seine Stube zurück, sondern blieb am Tisch sitzen. Sehr matt begann er zu sprechen.» Was kommt ihr zu mir gefahren?« sagte er,»ich weiß doch jetzt nichts, ich bin doch jetzt ein Einfältiger.« Das wiederholte er Mal um Mal. Dann aber fügte er hinzu, er halte sich nur noch dadurch am Leben, daß er im Lande Israel war. Und sowie er dies gesagt hatte, erregte sich die Lehre in ihm, die Begeisterung erhob ihn, und er begann davon zu sprechen, daß von einem solchen Stand der Einfalt des Zaddiks aus doch allen Einfältigen in der Welt Lebenskraft zuströme, denn alles ist miteinander verbunden. Der Quell dieser Lebenskraft aber ist in dem Land, das noch vor der Offenbarung, ehe noch Israel mit der offenbarten Thora es betrat, die» Schatzkammer der unverdienten Gabe«, das Land der Gnade war. Von da aus erhielt sich die Welt in der Zeit zwischen Schöpfung und Offenbarung, hier war damals die Lehre verborgen, die Zehnworte vom Sinai in den zehn Worten, mit denen die Welt erschaffen wurde, und dies ist die Lehre, in der die Väter im Lande lebten. Man nennt sie Derech Erez, der Weg der Erde, das heißt das rechte Leben außerhalb der Offenbarung, und in Wahrheit ist sie der Weg zur Erde, zum Lande nämlich. Weil die Kraft der zehn Worte der Schöpfung im Lande verborgen ist und die Väter in dieser Kraft gelebt haben, konnte Israel, dem Gott als» seinem Volke«» die Kraft seiner Taten ansagte« (Psalm 111, 6), mit den offenbarten Zehnworten in das Land gelangen. So ist die Landnahme Israels die Begegnung und Verbindung von Schöpfung und Offenbarung. Damit sie bereitet werde, mußte Kanaan erst in den Händen der Heiden sein, ehe es Israel zufiel; aber eben darum können die Völker nicht zu Israel sagen:» Räuber seid ihr, daß ihr ein Land erobert habt, das nicht euch gehört.« Freilich ist dem nur so lange so, als Israel es verdient, so lange, als es mit der Heiligkeit der offenbarten Thora, die es erfüllt, die erschaffene Erde heiligt und in seinem Lande bleiben darf; sowie Israel ins Exil muß, tritt das Land wieder in den Stand der verborgenen Lehre, der zehn Schöpfungsworte allein, der unverdienten Gaben, der reinen Gnade. Aus dieser

Kraft des Landes lebt der Zaddik, wenn er in den Stand der Einfalt fällt, und daraus strömt ihm die Lebenskraft zu, die von ihm zu allen Einfältigen der Welt, nicht Israels allein, sondern aller Völker hinfließt. Darum eben muß er zuweilen für eine Zeit in diesen Stand der Einfalt fallen. So ruht denn auch im tiefsten Sinken der Sinn der Erhebung. Und so ist es in irgendeinem Maße und in irgendeiner Weise für alle Menschen, für die Geistigen und für die Schlichten: keinem ist der Quell der Lebenskraft entzogen, es sei denn, er entziehe sich ihm selber. Darum ist dies das Wichtigste: man darf nicht verzweifeln! »Verzweiflung gibt es nicht!« rief Rabbi Nachman. »Man darf nicht verzweifeln! Ich beschwöre euch, verzweifelt nicht!« Eine große Freude hatte sich in ihm entzündet. Er hieß, ehe man vorm Mahl die Hände wusch, das Lied »Lob will ich singen« anstimmen, das sonst erst nach dem Brotsegen angestimmt wurde und in der letzten Zeit, seit er so schwach war, gar nicht. »Stimm an, Naftali«, sagte er zu einem Schüler. Als der sich schämte und zögerte, rief er: »Was haben wir uns zu schämen! Die ganze Welt ist um unsertwillen erschaffen worden! Naftali, was haben wir uns zu schämen!« Und er selber sang mit. »So haben wir gesehen«, schreibt der Erzähler, »wie sich Gottes Verhohlenheit in Gnade verwandelt. Aus dem Nichtwissen ist der Rabbi zu solcher Offenbarung gelangt. Er selber hat's gesagt, sein Nichtwissen sei merkwürdiger als sein Wissen.«

Rabbi Nachman ist nicht zum zweiten Mal nach Palästina gefahren. Er habe, sagte er drei Jahre vor dem Tod, danach begehrt, nochmals hinzufahren und dort zu sterben, aber er habe sich davor gefürchtet, er könnte unterwegs sterben und dann würde man nicht an sein Grab kommen und sich damit nicht zu schaffen machen. »Ich will«, sagte er ein andermal, »unter euch bleiben.« Aber alles war ihm von Palästina durchdrungen. »Mein Ort«, pflegte er zu sagen, »ist nur das Land Israel. Wohin ich auch fahre, ich fahre nur ins Land Israel.« Wenn er von der Heiligkeit des Landes sprach, geriet er zuweilen in so tiefe Verzückung, daß er dem Sterben nahkam.

Rabbi Nachman von Bratzlaw gehört zu jenen Chassidim, die, wie Rabbi Mendel von Witebsk und seine Gefährten, mit ihrer Niederlassung in Palästina auf die Neubesiedlung des Landes

hindeuten. Er leitet hierin nicht, wie etwa in seiner Märchen-
dichtung, eine neue Periode ein. Aber als der große Erbe, der er
ist, hat er allen Stoff der Überlieferung in seine Verherrlichung
der Heiligkeit des Landes eingeschmolzen und hat ihn neu gestaltet. Im ganzen jüdischen Schrifttum hat niemand sie zugleich
so vielfältig und so einheitlich gepriesen wie er.

Palästina ist nach Rabbi Nachman der Urpunkt der Erdschöp-
fung, und es ist der Quell der kommenden Welt, in der alles gut
sein wird. Es ist die eigentliche Stätte des Lebensgeistes, und auch
die Erneuerung der Welt durch den Geist des Lebens wird von
ihm ausgehen. In ihm ist der Born der Freude, die Vollkommenheit der Weisheit und die Vollkommenheit der Musik der Welt.
In ihm stellt sich der Bund zwischen Himmel und Erde dar. Von
ihm geht die Vollendung des Glaubens aus, denn hier kann man
wie nirgendwo anders in der Welt sich ganz an das unendliche
Licht hergeben und davon erleuchtet werden; von ihm geht die
Zurechtbringung und Vollendung des Rechts in der Welt aus, von
ihm die Überwindung des Zorns und der Grausamkeit. Es ist die
Stätte des Friedens, in dem sich die Gegensätze der Gnade und
der Macht vereinen und die Einheit Gottes sich offenbart, hier
stiftet sich der Friede im Innern des Menschen, »zwischen seinen
Gebeinen«, hier der Friede zwischen Mensch und Mensch, von hier
aus zieht er in die Welt. Rabbi Nachman nimmt die talmudische
Lehre auf, daß alle andern Länder den himmlischen Überfluß
durch Boten, durch die »oberen Fürsten« erhalten, es aber unmittelbar aus Gottes Händen: darum wird es den andern Völkern
so schwer, zur Einheit vorzudringen, Israel aber faßt sich in dem
»Du bist Einer« ein, und vom Lande Israel soll die Einheit über
die Menschenwelt kommen. Daher ist das Land Israel gleichsam
die Schechina, die »Einwohnung« Gottes selber.

Das Land ist das höchste aller Länder, aber es ist auch das nied-
rigste von allen, Kanaan heißt »Unterwerfung«, wie geschrieben
steht: »Und die Demütigen werden das Land erben.« Das höchste
Land unterwirft sich in der tiefsten Demut, und sein Staub lehrt
die Lehre der Demut. Darum wird die Auferstehung der Toten
hier ihre Mitte haben. Darum aber auch hat Israel das Land noch
nicht wiedergewonnen. »Durch die Schuld des Hochmuts sind wir
noch nicht in das Land zurückgekehrt.« Es wird besonders be-

tont: nicht weil jener so viele sind, sondern unsrer Ehrsucht und Hoffart wegen können wir in unser Land nicht gelangen. Das Hindernis ist in uns selber.

Aber der Staub des Landes Israel hat auch eine »ziehende« Kraft: er zieht die Menschen zur Heiligkeit. Es gibt nämlich zwei einander entgegengesetzte Arten und Mächte des Staubes: diesen Staub des Landes Israel, der zur Heiligkeit zieht, und einen unreinen Gegenstaub, einen Staub der Welt, der zur »Anderen Seite« zieht. Dieser Gegenstaub aber gleicht sich dem reinen Staube an und gebärdet sich, als wäre er es, der zur Heiligkeit zieht. »Denn in dieser Welt ist alles vermengt und verwirrt.« In Wahrheit aber ist er nichts als eine bestrickende und verstrickende, eine nötigende Kraft. Dies ist der »Staub der Anderen Seite«. In unserer heutigen Sprache: es gibt eine zwiefältige Macht der Erde über den Menschen. Die Erde kann auf den Menschen, der sich auf ihr niederläßt und ihr dient, einen heiligenden Einfluß ausüben, indem sie ihn an die ihr einwohnende Heiligkeit bindet, und dann wird der Geist des Menschen durch die Kraft der Erde gestützt, gefestigt und getragen; sie kann den Menschen aber auch herabziehen und seine Einbildungskraft gegen den Geist aufwiegeln, sie kann die oberen Gewalten leugnen und verleugnen und sich selber die einzige Macht zusprechen. Reinheit und Unreinheit, heiligende und entheiligende Wirkung stehen auch in der Wesenheit der Erde, wie überall in der Welt, einander gegenüber. Die reine und heiligende Kraft der Erde aber stellt sich im Lande Israel dar.

Die Auferstehung der Toten, haben wir gehört, wird ihre Mitte im Lande Israel haben. Darum hat hier auch das Grab seine Vollkommenheit, hier allein hat die vollkommene Bestattung ihren Ort. Denn es ist ja überliefert, warum über den Menschen der Tod verhängt worden ist: weil in der Ursünde eine Befleckung durch die Schlange in unsre Einbildungskraft eingedrungen ist, von der wir nicht anders als im leiblichen Tode vollkommen geläutert zu werden vermögen. Im rechten Sterben und in der rechten Bestattung löst sich die eingedrungene Unreinheit auf, und in einer erneuerten Welt wird ein neuer Leib erstehen. All dies aber hat seine Vollkommenheit im Lande Israel. Denn die Überwindung der befleckten Einbildungskraft geschieht durch den Glauben, die Kraft des Glaubens aber hat sich in dieses Land eingesenkt und lebt und wirkt darin. Abraham, der Vater des Glaubens, ist es, der zuerst diese heilige Kraft offenbarte, als er sich und den Seinen zum ewigen Besitz die Grabstätte der Höhle Machpela erwarb.

Hier, im Lande Israel, geschieht die Läuterung der Einbildungskraft durch den Glauben. Nicht umsonst klingen die Wörter *adama*, Boden, und *m'dame*, Einbildungskraft, an: von der Erde kommt dieser die Fülle der Elemente zu. Aber auch die Läuterung der Einbildungskraft durch den Glauben kann nicht anders als durch die geheiligte Erde geschehen, und hier, im Lande Israel, ist die geheiligte Erde. Überall sonst sind die Funken des Glaubens in die verwirrte Einbildungskraft gefallen, die die Erde überlagert. Darum heißt es schon von den Vätern (Exodus 13, 17), Gott habe sie aus Ägypten nicht durch das Land der Philister, das nah war, geführt, sondern habe sie umherziehen lassen: um an allen Orten, durch die sie ziehen, sich der Funken des Glaubens anzunehmen und die Einbildungskraft zu läutern. So wird man gewürdigt, dann im Lande Israel die Vollkommenheit der geläuterten Einbildungskraft und die Vollendung des Glaubens zu empfangen.

Aber all dies, sowohl die Bedeutung der Heiligkeit des Landes als die Schwierigkeiten, die sich vor dem Menschen erheben, der zu ihr gelangen will, sind noch tiefer zu erfassen.

Weil hier, im Lande Israel, der Glaube die Stätte seiner Vollkommenheit hat, weil hier in Wahrheit »das Tor des Himmels« ist, in dem die Obern und die Untern einander begegnen, und man kann von außen nach innen eingehen, und die draußen stehn, schließen sich mit denen drinnen zusammen, darum geht »die Vollendung aller Welten und die Vollendung aller Seelen« von hier aus. Denn diese Vollendung wächst eben daraus, daß Menschen sich ganz hergeben und aufgeben an das Licht des Schrankenlosen, dies aber kann nirgendwo anders ganz geschehen als hier allein, nirgendwo anders kann man so mit dem ganzen Wesen das Licht auffangen und darin aufgehn. Dazu jedoch tut not, daß erst die Gefäße vollendet werden, um das Licht auffangen zu können. Und hinwieder kann doch nur die Heiligkeit des Landes solch eine Vollendung der Gefäße zustande bringen. Darum ist es für den, der zur Heiligkeit des Landes will, so sauer, dahin zu gelangen: dazu bedarf es der Vollendung des Gefäßes, und dazu wieder bedarf es der Heiligkeit des Landes. Jenes hängt an diesem und dieses an jenem. Wo ist in diesem Kreis des Widerspruchs anzusetzen? Darum eben: je größer einer, um so größer die Hindernisse. Und darum eben: wer seine Seele einsetzt, um ins Land zu gelangen, durchbricht den Kreis des Widerspruchs, denn Erleuchtung von der Heiligkeit des Landes strömt ihm, der noch draußen steht, zu und verleiht ihm die Kraft, die Hindernisse, das sind die bösen »Schalengewalten«, zu brechen. Das Gefäß wird vollendet und gibt sich her, Dienst an der Vollendung aller Welten und aller Seelen geschieht.

Als die Söhne Israels die Thora annahmen und ins Land kamen, durften sie dessen Heiligkeit aus der Verborgenheit ins Offenbare heben. Als sie sich gegen seine offenbar gewordene Heiligkeit vergingen, indem sie das ihnen Offenbarte nicht erfüllten, und endlich aus dem Lande gehen mußten, ist seine Heiligkeit wieder in die Verborgenheit gesunken, und seither lebt und wirkt sie darin. »Noch besteht das Land Israel in seiner Heiligkeit aus der Kraft der verborgenen Thora und der unverdienten Gnade. Und darum schauen wir zu aller Zeit aus, in unser Land zurückzukehren. Denn wir wissen: auch jetzt ist das ganze Land unser, nur daß dies in großer Verborgenheit ist.«

Hat auch die »Andere Seite« Israel sein Land geraubt, es ruft mit der Kraft des Gebets seinen Einspruch aus. Es ruft: »Das Land ist unser, denn es ist unser Erbteil.« Und solang es seinen Einspruch ausruft, ist nach göttlichem Gesetz die Besitzergreifung der Anderen Seite keine Besitzergreifung. Aber wie ist das Land wiederzugewinnen? Jedermann aus Israel hat Anteil am Land, jedermann aus Israel kann Anteil an seiner Erlösung haben. In dem Maße, in dem er sich selber reinigt und heiligt, wird er gewürdigt, einen Teil des Landes zu fassen und zu erobern. Nur nach und nach kann die Heiligkeit des Landes erobert werden. Weil dies aber mit dem ganzen Leben, mit allen Handlungen und in allen Bereichen geschehen muß, geziemt es dem Menschen zuweilen, sich aus dem Lernen der Thora zurückzuziehen und sich mit dem »Weg der Erde« zu befassen, wie die Weisen sagen.

Wer aber gewürdigt worden ist, im Lande Israel zu siedeln,

soll zu jeder Zeit der großen Strahlung und Erleuchtung gedenken, die von dem Land in den Tagen der Urzeit ausgegangen ist, und soll daran denken, daß die Heiligkeit ewig ist. Und wenn ihre erleuchtende Kraft geschwunden scheint, bleibt doch eine heilige Spur. Auf sie schauend hofft und harrt Israel zu jeder Zeit, daß »neues Licht über Zion leuchte«.

Ein geringes, erniedrigtes Land ist dieses Land – und die Hoffnung der Welt ist in ihm eingefaßt. Wer in ihm in Wahrheit siedelt, so daß er mit der Heiligkeit des Landes Umgang hat und ihr hilft die Erlösung der Welt zu bereiten, dem strömt in sein dürftig scheinendes Leben die Herrlichkeit der oberen Sphären ein, die nach der Vereinung mit den untern Verlangen tragen. Er ißt »Brot mit Salz«, wie es die Weisen als den »Weg der Lehre« anempfehlen, aber dieses Brot ist ja doch eben das Brot des Landes, und die Gnade des Glaubens ist ihm eingeerntet, eingedroschen, eingemahlen und eingebacken. »Im Lande Israel ist das Brot so geschmackskräftig, daß aller Wohlgeschmack aller Speisen der Welt in ihm eingefaßt ist. Wie geschrieben steht (Deuteronomium 8, 9): ›Nicht in Kärglichkeit sollst du Brot essen, nichts von allem wird dir mangeln.‹«

In einem seiner Märchen erzählt Rabbi Nachman von einem einfältigen Schuster, der zum Mittagsmahl trockenes Brot ißt als eine würzige Suppe, dann als einen saftigen Braten und es zum Abschluß als köstlichen Kuchen genießt: ihm mangelt's an nichts. Täuscht ihn seine Phantasie über die Kargheit seines Daseins hinweg oder befähigt ihn nicht vielmehr sein Glaube, in der Gottesspeise zu schmecken, was in ihr verborgen ist? Nachman, der wie alle echten Meister der chassidischen Lehre immer wieder die Weisheit der Einfalt preist, weist darauf hin, daß auch der Erzvater Jakob, dem das Land Kanaan zu eigen gegeben worden ist (er ist unter den Vätern der eigentliche Empfänger, weil keiner seiner Söhne ausgeschaltet werden muß, sondern sie mitsammen schon das Volk Israel darstellen), ein »einfältiger Mann« genannt wird. Vom Land Israel selber sagt Rabbi Nachman, es stelle die Einfalt dar. Das aber heißt, daß es die wahre Weisheit darstellt. Denn es ist die wahre Weisheit, im Brot allen Wohlgeschmack der Welt zu kosten, und es ist die wahre Weisheit, in dem armen kargen Ländchen das Tor des Himmels zu erkennen.

DER CHASSIDISMUS
UND DER ABENDLÄNDISCHE MENSCH

Es sind zwei Menschengeschlechter her, daß ich begonnen habe, das Abendland mit jener im 18. Jahrhundert entstandenen, aber in unsere Zeit hineinreichenden religiösen Bewegung bekannt zu machen, die die chassidische heißt. Wenn ich heute, berichtend und erläuternd, von dieser Arbeit als von einem Ganzen rede, so geschieht das nicht um des persönlichen Werkes willen, mit dem ich nie etwas anderes im Sinn hatte, als was ein braver Handwerker im Sinn hat, wenn er eine Bestellung nach seinem besten Können ausführt. Es geschieht vielmehr um dessen willen, worauf diese meine Arbeit hinweisen sollte und soll. Manches daran ist verschiedentlich mißverstanden worden und bedarf der Klärung.

Bestellung, sagte ich – aber ist dieser Vergleich erlaubt? Gab es da einen Besteller? Nein, den gab es gewiß nicht; niemand eröffnete mir, er brauche das, was ich dann gemacht habe. Und doch, ein literarischer Vorsatz ist es auch nicht gewesen. Da war etwas, das mich anheischte, ja mich geradezu wie ein verwendbares Gerät anfaßte. Was war das? Etwa gar der Chassidismus selber? Der wars gewiß nicht; der wollte ausschließlich in den Grenzen der jüdischen Überlieferung wirken und außerhalb ihrer keinen angehen. Es war – so möchte ich es doch auszudrücken wagen – etwas, was im Chassidismus steckte und in die Welt hinaus wollte oder vielmehr sollte. Ihm dazu zu verhelfen, war ich nicht ungeeignet.

Nun war ich damals freilich noch ein unfertiger Mensch, der sogenannte Zeitgeist hatte noch Macht über mich, und meiner Bereitschaft, für eine mir durch schriftliche und mündliche Überlieferung erschlossene große Glaubenswirklichkeit Zeugnis abzulegen, heftete sich etwas von der damals verbreiteten Neigung an, fremdländische religiöse Zusammenhänge einer Leserschaft vorzuführen, die zwischen Wißbegier und Neugier schwankte. Überdies verstand ich dem inneren Zug zum Nachdichten des erzählerischen Materials noch nicht Einhalt zu tun; wohl trug ich keine unzugehörigen Motive hinein, doch horchte ich nicht aufmerksam genug auf den zwar rohen und ungelenken, aber volkstümlich lebendigen Ton, der aus diesem Material zu vernehmen war. Hier wirkte in mir immerhin auch eine natürliche Reaktion auf die Haltung der meisten jüdischen Historiker des 19. Jahrhunderts zum Chassidismus, in dem sie nichts anderes fanden als wüsten Aberglauben; das Bedürfnis, dieser Verkennung gegenüber die Reinheit und Höhe chassidischen Geistes aufzuzeigen, verführte mich dazu, das volkstümlich Vitale allzu wenig zu beachten. So kann ich heute jene frühen Versuche wohl als Werk noch einigermaßen bejahen, als Erfüllung der mir gestellten Aufgabe jedoch tun sie mir längst nicht mehr genug. Die Darstellung der chassidischen Lehre, die ich darin gab, war zuverlässig; wo ich aber der legendären Tradition nacherzählte, tat ich es eben doch als der abendländische Autor, der ich war.

Erst im Lauf des Jahrzehnts, das auf die ersten Veröffentlichungen folgte, ist diese Autorschaft, wiewohl deren Selbständigkeit naturgemäß wuchs, ein Dienst geworden.

Seit im Jahr vor dem ersten Weltkrieg das Herannahen der Katastrophe mir spürbar wurde, hatte ich zu erfahren angefangen, was mir hernach, bald nach Kriegsende, fulminanterweise zur Gewißheit wurde: daß der menschliche Geist entweder existenzverbindlich oder, auch beim erstaunlichsten Kaliber, vor der entscheidenden Instanz nichtig ist. Es handelte sich dabei nicht um eine philosophische Überzeugung, nicht um das, was man heute als Existentialismus zu bezeichnen pflegt; es handelte sich um den unwiderstehlich gewordenen Anspruch der Existenz selbst. Die Erkenntnis, die damals in mir groß wurde, die des Menschenlebens als der Möglichkeit eines Dialogs mit dem Seienden, war nur der denkerische Ausdruck eben jener Gewißheit oder eben dieses Anspruchs.

Zur gleichen Zeit aber und in einer eigentümlichen Osmose damit hatte sich mein Verhältnis zum Chassidismus gewandelt. Zwar wußte ich von Anbeginn, daß er nicht eine Lehre war, die von ihren Anhängern in dem oder jenem Maße verwirklicht wurde, sondern eine Art von Leben, zu der die Lehre den unerläßlichen Kommentar abgab. Jetzt aber zeigte es sich mit überwältigender Deutlichkeit, daß in der Aufgabe, die mich angefordert hatte, dieses Leben auf eine geheimnisvolle Weise involviert war. Gewiß, ich konnte kein Chassid werden; es wäre eine unerlaubte Kostümierung gewesen, hätte ich die chassidische Lebens-

weise angenommen, der ich eine ganz andere Beziehung zur
jüdischen Tradition hatte und im innersten Wesen zwischen dem
mir Gebotenen und dem mir nicht Gebotenen unterscheiden
mußte. Es galt vielmehr, in mein eigenes Dasein so viel als ich
vermochte aufzunehmen von dem, was mir da vorgelebt worden
war, und das heißt: von der Realisierung jenes Dialogs mit dem
Seienden, dessen Möglichkeit mein Denken mir gewiesen hatte.

Durch diese Wandlungen ist im Werk die besondere Form entstanden, in der ich nun zumeist den roh und gestaltlos überlieferten Stoff nacherzählt habe. Es ist, wie mir scheint, eine
gültige Literaturform, die ich als legendäre Anekdote bezeichne.
Sie hat sich nicht aus literarischen Voraussetzungen auf dem Weg
literarischer Versuche entwickelt, sondern aus der schlichten Notwendigkeit, einer objektiven Wirklichkeit den ihr zukommenden
sprachlichen Ausdruck zu verschaffen. Es war die Wirklichkeit
exemplarischen, als exemplarisch berichteten Lebens einer großen
Reihe von Häuptern chassidischer Gemeinden, und sie war nicht
biographisch-zusammenhängend berichtet, sondern eben in einer
ungeheuren Reihe von Exempeln, begrenzten Vorgängen, in denen auch gesprochen, aber nicht selten nur getan, nur gelebt
wurde; auch das stumme Geschehen jedoch sprach, es sagte das
Exemplarische. Und zwar sagte es dies nicht didaktisch, am Vorgang hing keine »Moral«, sondern dieser redete, wie eben ein
Lebensvorgang redet, und war ein Spruch dabei, so wirkte auch der
wie ein Lebensvorgang. Da aber das Ganze in krasser Form-
losigkeit auf uns gekommen war, lag es dem neuen Erzähler ob,
den reinen Vorgang zu rekonstruieren, nicht weniger, aber auch
nicht mehr. So erwuchs die Gestalt der legendären Anekdote.
Anekdote heißt sie, weil eine jede einen in sich geschlossenen Vorgang mitteilt, und legendär, weil ihr das Stammeln der begeisterten Zeugen zugrunde liegt, die bezeugen, was ihnen widerfuhr,
sowohl das von ihnen Begriffene wie das ihnen Unbegreifliche;
denn der legitim Begeisterte hat ein redliches Gedächtnis, das
dennoch alle Phantasie zu überflügeln vermag.

Diese Form hat mir ermöglicht, das chassidische Leben so darzustellen, daß es zugleich als Wirklichkeit sichtbar und als Lehre
vernehmlich wird. Auch wo ich die Theorie reden lassen mußte,
konnte ich sie auf das Leben rückbeziehen.

Mehr und mehr aber wurde ich einer Tatsache inne, die mir grundwichtig geworden ist: daß nämlich der Kern dieses Lebens gerade heute, wo von der chassidischen Gemeinschaft selbst das meiste den Kräften des Verfalls oder Zerfalls ausgeliefert ist, und gerade auf das heutige Abendland in einer besondern Weise zu wirken befähigt ist. Nach dem Auf- und Niederstieg jenes Lebens im polnischen, ukrainischen, litauischen Ghetto ist dessen Kern in eine Gegenwärtigkeit eingegangen, die zwar nur noch Erinnern, nur noch Hinweis im Geiste ist, doch aber in dieser Erscheinung etwas zu leisten vermag, was der damaligen Realität urfremd war. Es kommt von hier eine Antwort auf die in unserem Zeitalter offenkundig gewordene Krisis des abendländischen Menschen – eine Teilantwort nur, aber keine ideologische, sondern eine unmittelbar aus der Wirklichkeit stammende und wirklichkeitsgeladene. Jenes Leben war einst als die Erwiderung urjüdischen Glaubens auf die letztlich unfruchtbare Exaltation der pseudomessianischen Bewegungen des 17. und 18. Jahrhunderts entstanden, auf jene Exaltation, die, wie Göttliches und Menschliches, so auch Erlösung und Entfesselung vermengte; es hatte jener heilbringerischen Konfusion eine Heiligung des Alltags entgegengestellt, darin die Dämonien überwunden werden, indem sie verwandelt werden. Nun aber mag sein geistiges Nachleben berufen sein, in die Krisis des modernen Menschen sein Wort zu sprechen.

2

Das Wichtigste am Chassidismus ist heute wie damals die starke und sowohl im persönlichen Dasein als in dem der Gemeinden bewährte Tendenz, die fundamentale Scheidung zwischen dem Heiligen und dem Profanen immer mehr zu überwinden.

Diese Scheidung ist in die Grundlagen jeder Religion aufgenommen. Überall wird da der Fülle der Dinge, Eigenschaften und Handlungen, die der Allgemeinheit zugehören, das Geweihte enthoben und entsondert, und dieses bildet nun in seiner Gesamtheit ein geschlossenes Heiligtum, in das die diffuse Profanheit keinen Eingang finden kann.

In der Geschichte des Menschen ist die Auswirkung dieser Scheidung eine zwiespältige. Der Religion wird dadurch ein Bezirk gesichert, dessen Unantastbarkeit ihr immer wieder von den Vertretern des Staates und der Gesellschaft gewährleistet wird. Aber zugleich wird dadurch den Bekennern der Religionen ermöglicht, die wesentliche Betätigung ihres Glaubensverhältnisses auf diesen Bezirk zu beschränken, ohne daß dem Heiligen im übrigen persönlichen Leben und insbesondere in dessen öffentlicher Sphäre eine entsprechende Macht eingeräumt würde.

Im Judentum scheint auf den ersten Anblick die Grenze zwischen beiden Bereichen äußerst scharf gezogen zu sein, weil den von außen Kommenden der große Block des Rituals wie etwas ganz für sich Bestehendes anmutet; auch drinnen zeugt manches dafür. Man braucht aber dagegen nur zu beachten, wie viele Handlungen des Alltags durch Segenssprüche eingeleitet werden, um zu erkennen, wie tief hier die Heiligung in das an sich Ungeweihte hineinreicht. Segnet einer Gott nicht bloß allmorgendlich beim Erwachen dafür, daß er ihn hat erwachen lassen, sondern auch, wenn er etwa ein neues Haus oder Kleid oder Gerät in Gebrauch nimmt, dafür, daß er bis zu dieser Stunde am Leben erhalten worden ist, so wird hier die gewohnte Tatsache des irdischen Fortbestehens bei jeder sich bietenden Gelegenheit eingeheiligt und damit auch diese Gelegenheit selber. Fortschreitend bildet sich aber die Anschauung aus, die Scheidung zwischen den Bereichen sei nur eine vorläufige. Nach dieser Anschauung stecken die Anordnungen des religiösen Gesetzes nur das schon für die Heiligung beanspruchte Gebiet ab, das Gebiet, in dem sich die Bereitung und Erziehung für das Heiligwerden alles Handelns vollzieht; in der messianischen Welt soll alles heilig geworden sein. Diese Tendenz gelangt im Chassidismus zu einer höchst realistischen Vollendung. Das Profane wird nunmehr nur noch als ein Vorstadium des Heiligen angesehen; es ist das noch nicht Geheiligte. Das menschliche Leben ist aber dazu bestimmt, in all seiner natürlichen, d. h. schöpfungsmäßigen Struktur geheiligt zu werden. »Gott wohnt, wo man ihn einläßt«, sagt ein chassidischer Spruch; die Heiligung des Menschen bedeutet dieses Einlassen. Im Grunde ist somit in unserer Welt das Heilige nichts anderes als das dem Göttlichen Offene, wie das Profane nichts anderes ist als das sich ihm vorerst noch Verschließende, und Heiligung ist Erschließung.

Hier muß einem Mißverständnis vorgebeugt werden. Man schreibt dem Judentum gern einen »religiösen Aktivismus« zu, der die Wirklichkeit der Gnade nicht kenne und eitel Selbstheiligung oder gar Selbsterlösung betreibe. In Wahrheit wird im Judentum, wie das Verhältnis zwischen menschlicher Freiheit und göttlichem Allwissen, so auch das zwischen Menschentat und Gottesgnade als Mysterium gehütet, das letztlich mit dem Geheimnis des Verhältnisses zwischen Gott und Mensch gleichzusetzen ist. Der Mensch kann sich zwar nicht in die Hand nehmen, um sich zu heiligen: er ist nie in seiner eignen Hand; aber es gibt etwas ihm schöpfungsmäßig Vorbehaltenes, das eben ihm überantwortet und von eben ihm erwartet wird – man nennt es die Wahl oder das Beginnen. Das Sein der Schöpfung meint eine stets erneute Situation der Wahl. Heiligung ist ein Vorgang, der im Grunde des Menschen anhebt, da, wo das Wählen, das Sich-entscheiden, das Beginnen sich ereignet. Der Mensch, der so beginnt, tritt in die Heiligung ein. Das aber kann er nur, wenn er eben als Mensch beginnt und sich keine übermenschliche Heiligkeit anmaßt. Die echte Heiligung eines Menschen ist die Heiligung *des Menschlichen* in ihm. Darum ist das biblische Gebot »Heilige Menschen sollt ihr mir sein« chassidisch so gedeutet worden: »*Menschlich* heilig sollt ihr mir sein.«

In dem Leben, wie der Chassidismus es meint und verkündet, gibt es demgemäß keinen Wesensunterschied mehr zwischen heiligen und profanen Räumen, zwischen heiligen und profanen Zeiten, zwischen heiligen und profanen Handlungen, zwischen heiligen und profanen Gesprächen. An jedem Ort, zu jeder Stunde, in jedem Tun, in jeder Rede, kann das Heilige erwachen.

Als ein Beispiel, das sich zu sinnbildlicher Höhe erhebt, führe ich die Geschichte vom Schlaf des Rabbi Schmelke an. Er pflegte, damit sein Studium in den heiligen Büchern nicht allzu lange Unterbrechung erleide, nicht anders als sitzend zu schlafen, den Kopf auf dem Arm; zwischen den Fingern aber hielt er ein brennendes Licht, das ihn wecken sollte, sowie die Flamme seine Hand berührte. Als Rabbi Elimelech ihn besuchte und die noch eingesperrte Macht seiner Heiligkeit erkannte, bereitete er ihm sorgsam ein Ruhebett und bewog ihn mit vieler Überredung, sich für ein Weilchen darauf auszustrecken. Dann schloß und verhüllte er das Fenster. Rabbi Schmelke erwachte erst am hellen Morgen. Er merkte, wie lang er geschlafen hatte, aber es reute ihn nicht, denn er empfand eine ungekannte, sonnenhafte Klarheit. Er ging ins Bethaus und betete der Gemeinde vor, wie es sein Brauch war. Der Gemeinde aber schien es, sie hätte ihn noch nie gehört, so bezwang und befreite alle die Macht seiner Heiligkeit. Als er den Gesang vom Schilfmeer sprach, mußten sie – so wird erzählt – den Saum ihrer Kaftane raffen, weil sie fürchteten, die rechts und links sich bäumenden Wellen könnten ihn netzen.

Hier ist auch der antiasketische Charakter der chassidischen Lehre zum Ausdruck gekommen. Es bedarf keiner Abtötung der »Triebe«, denn alles natürliche Leben kann geheiligt werden: man kann es mit heiliger Intention erfüllen. Die chassidische Lehre erläutert diese Intention gern im Anschluß an den kabbalistischen Mythos von den heiligen Funken: beim »Zerbrechen der Weltgefäße«, die in der Vorschöpfung dem schöpferischen Überfluß nicht standzuhalten vermochten, sind Funken in alle Dinge gefallen und sind nun in sie gebannt, bis je und je ein Mensch mit einem Ding in Heiligkeit umgeht, und so die Funken, die es birgt, befreit. »Alles, was der Mensch zu eigen hat«, sagt der Stifter des Chassidismus, der Baalschem, »birgt Funken, die der Wurzel seiner Seele zugehören und von ihm zu ihrem Ursprung erhoben werden wollen.« Und weiter heißt es: »Darum soll man sich seiner Geräte und all seines Besitzes erbarmen; man soll sich der heiligen Funken erbarmen.« Auch in der Speise wohnen heilige Funken, und das Essen kann daher heiliger sein als das Fasten; dieses ist nur Bereitung zur Heiligung, jenes vermag Heiligung selber zu sein.

Was der Chassidismus hier mythisch ausspricht, ist ein zentrales Wissen, das nur bildhaft, nicht begrifflich mitteilbar ist. Er ist aber keineswegs ausschließlich an diese eine mythische Tradition gebunden. Dieselbe Weisung wird in einem ganz anderen, biblisch fundierten Bilde geäußert. »Alle Kreatur, Gewächs und Getier«, heißt es da, »bringt sich dem Menschen dar, durch den Menschen aber werden alle Gott dargebracht. Wenn der Mensch sich mit all seinen Gliedern Gott zum Opfer reinigt und heiligt, reinigt und heiligt er die Kreatur.« Hier wird die Anschauung noch deutlicher, der Mensch sei als ein kosmischer Mittler bestellt, dazu berufen, durch heiligen Kontakt mit den Dingen eine heilige Realität in ihnen zu erwecken.

Nicht solcherweise traditionellen, sondern ganz persönlichen Ausdruck gewinnt der gleiche Grundgedanke in dem uns erhaltenen Gespräch eines großen Zaddiks mit seinem Sohn. Er fragt den Sohn: »Womit betest du?« Der Sohn versteht den Sinn der Frage: auf welche Betrachtung er sein Gebet gründe. Er erwidert: »Mit dem Spruch: ›Jeglicher Hochwuchs, vor dir neige er sich‹.« Dann fragt er den Vater: »Und womit betest du?« Der Vater antwortet: »Mit der Diele und mit der Bank.« Das ist keine Metapher, das Wort »mit« ist jetzt ganz unmittelbar gemeint: der Rabbi schließt sich betend mit der Diele, auf der er steht, und mit der Bank, auf die er sich dann setzt, zusammen – sie, die Dinge, die zwar von Menschenhand gemacht sind, aber doch wie alles ihren Ursprung in Gott haben, helfen ihm beten, und er, ja, er hilft ihnen beten, er hebt sie, die Holzdiele und die Holzbank, ihrem Ursprung, dem Ursprung entgegen, er »erhebt« sie.

Dieses »Erheben« ist aber keineswegs als eine Entweltlichung der Dinge oder Vergeistigung der Welt zu verstehen, wiewohl in der chassidischen Theorie auch manches dieser Art zu finden ist; das Leben, von dem ich sprach, das exemplarische Leben hat sich eben stärker erwiesen als der Gedanke, und in dem Maße, als die Lehre der Kommentar dieses Lebens wurde, hat sie sich ihm anpassen müssen. Um was es hier letztlich geht, ist in einer anderen Erzählung naiv und gültig gesagt. Von einem Zaddik wird berichtet, man habe einmal vor ihm von dem großen Elend des Menschenvolkes gesprochen. In Gram versunken hörte er zu. Dann hob er den Kopf. »Laßt uns«, rief er, »Gott in die Welt ziehn, und alles wird gestillt sein.« Man darf den kühnen Spruch nicht so verstehen, als ob darin ein vermessener »Aktivismus« zu Worte käme. Er stammt vielmehr aus demselben Geiste wie jener vorher angeführte: »Gott wohnt, wo man ihn einläßt.« Gott will – das ist der Sinn davon – in der Welt wohnen, aber erst wenn sie ihn einlassen will. Laßt uns, sagt der chassidische Rabbi zur Welt, Gott die Wohnstatt erstellen, in die er einzu-

ziehen begehrt, wenn sie von uns aus ihrem eignen Willen erstellt
wird, – lassen wir Gott ein! Die Heiligung der Welt wird dieses Einlassen sein. Die Gnade aber will der Welt helfen, sich zu
heiligen. Mit all dem ist jedoch nicht etwa vorausgesetzt, daß Gott seiner
Schöpfung nicht einwohne. Das würde ja jenem gewichtigen Vers
der Schrift widersprechen, in dem es von Gott heißt, er nehme
Wohnung »bei ihnen inmitten ihrer Makel«, ein Vers, der freilich nicht von einem dauernden Wohnen – das würde anders bezeichnet werden –, sondern eben von einem jeweiligen Wohnung-
nehmen spricht. Auch die nachbiblische, später von der Mystik
vielfältig mythisch ausgestaltete und dem Chassidismus tief vertraute Vorstellung von der Schechina, der göttlichen »Einwohnung«, einer Hypostase oder Emanation, die sich dem aus dem
Paradies verbannten Menschengeschlecht oder dem aus seinem
Lande vertriebenen Israel beigesellt und mit ihm über die Erde
wandert, auch sie meint nur die göttliche Teilnahme an dem
Schicksal seiner sündigen und leidenden Schöpfung: das Werk
der »Stillung« dieses Leids, von dem die chassidische Erzählung
redet, ist nicht mehr geschichtlicher Art. Hier bricht, wie immer
wieder im Chassidismus, die eschatologische Konzeption in die
gelebte Stunde ein und durchdringt sie.
Wir haben also innerhalb des chassidischen Lebens und der
chassidischen Lehre zwischen zweierlei »Einlassen« Gottes zu
unterscheiden. Das sei an zwei, wieder andersartigen, Sprüchen
verdeutlicht.
Der eine schließt sich der Vorstellung der Schechina an. Den
Psalmvers »Ein Gast bin ich auf Erden, verhehle mir nicht deine
Gebote« hat ein Zaddik so ausgelegt: »Du bist wie ich ein Gast
auf Erden und hast deiner Einwohnung keine Ruhestatt: so entziehe dich mir nicht, sondern enthülle mir deine Gebote, daß ich
dein Freund werden kann.« Dem Menschen, der sich und seine
Welt heiligen will, hilft Gott mit seiner Nähe.
Um recht zu verstehen, welche Daseinsweise hier gemeint ist,
tun wir gut, ein anderes Wort desselben Zaddiks neben dieses
zu stellen: »Die Funken, die von der Urschöpfung her in die
Hüllschalen gefallen waren und sich in Steine, Gewächse und
Tiere verwandelten, sie alle steigen durch die Weihe des From-

men, der in Heiligkeit an ihnen arbeitet, in Heiligkeit sich ihrer bedient, in Heiligkeit sie verzehrt, zu ihrem Quell empor.« So ist der Mensch beschaffen, der sich einen Gast auf Erden nennt. Der zweite Spruch stammt von einem späteren Zaddik. Er lautet: »Auch die Völker der Erde glauben, daß zwei Welten sind; ›in jener Welt‹, sagen sie. Der Unterschied ist dies: Sie meinen, die zwei seien voneinander abgehoben und abgeschnitten, Israel aber bekennt, daß beide Welten in ihrem Grunde eine sind und daß sie in ihrer Wirklichkeit eine werden sollen.« Erst beide Sprüche zusammen stellen uns den chassidischen Glaubensurstand dar.

3

An dem zentralen Beispiel der chassidischen Überwindung der Distanz zwischen dem Heiligen und dem Profanen läßt sich andeutungsweise erläutern, was darunter zu verstehen ist, der Chassidismus habe in die Krisis des abendländischen Menschen sein Wort zu sprechen.

Diese Krisis ist schon vor hundert Jahren von Kierkegaard als eine nie vorher erschienene In-Frage-Stellung des Menschen als Menschen erkannt worden, aber erst in unserem Geschlecht hat man sich ernstlich damit zu befassen angefangen, daß in dieser Krisis etwas sich zu entscheiden anschickt, das aufs engste mit einer Entscheidung unser selbst zusammenhängt.

Man hat die Krisis von verschiedenen Teilaspekten aus kausal zu erklären unternommen, so Marx von der durch die wirtschaftlichen und technischen Umwälzungen verursachten radikalen »Entfremdung« des Menschen her und die Psychoanalytiker von dessen individualer oder gar kollektiver Neurotisierung her; aber weder einer dieser Erklärungsversuche noch alle miteinander ergeben ein zureichendes Verständnis dessen, was uns angetreten hat. Wir müssen die versehrte Ganzheit des Menschen als Lebenslast auf uns nehmen, um über alle bloße Symptomatik hinaus den eigentlichen Schaden zu erfassen, von dem her jenen Momenten die Stärke kam, zu wirken, wie sie gewirkt haben. Diejenigen, die statt dessen die grausame Problematik als einen an Interessantheit nicht zu überbietenden Gegenstand beschauen, abschildern und etwa auch zu rühmen wissen, arbeiten, zuweilen mit hoher Begabung, an der massiven Entscheidungslosigkeit mit, deren wahrer Name die Entscheidung für das Nichts ist. Ein besonders bedrohlicher Zug der Krisis ist die säkularisierte Form der radikalen Scheidung zwischen dem Heiligen und dem Profanen. Das Heilige ist sehr vielen ein realitätsbarer Begriff von nur noch historischem oder gar nur noch ethnologischem Belange geworden; aber sein Charakter der Abgeschiedenheit ist einem Erben zugefallen. Man kennt das Heilige nicht mehr von Angesicht; aber seinen Erben, das »Geistige«, meint man zu kennen und zu pflegen, ohne daß man ihm freilich das Recht zubilligte, das Leben irgend zu bestimmen. Der Geist ist abgehegt, und sein Anspruch an das persönliche Dasein ist durch einen umfänglichen Apparat abgewehrt; man kann seiner nun genießen, ohne faschöse Folgen befürchten zu müssen. Man hat Ideen, man hat sie eben und zeigt sie zur eignen und mitunter auch zu fremder Zufriedenheit vor; man nimmt sie anscheinend grimmig ernst; aber dabei muß es sein Bewenden haben. Man läßt sie auf goldenen Stühlen thronen, an die ihre Glieder gefesselt sind. Kein Frömmlertum hat je diesen Konzentrationsgrad der Unechtheit erreicht. Nun erst ist man das Heilige und das Gebot der Heiligung gründlich losgeworden.

All diesem Verhalten des heutigen Menschen stellt der Chassidismus die simple Wahrheit entgegen, daß die Heillosigkeit unserer Welt in ihrem Widerstand gegen den Einzug des Heiligen in das gelebte Leben begründet ist. Der Geist wird nicht im Hirn gesponnen, er west von je, und das Leben kann ihn in die menschliche Wirklichkeit aufnehmen. Ein Leben, das nicht zu verwirklichen sucht, was der Lebende im Grunde seiner Selbstbesinnung als das Rechte meint oder ahnt, ist nicht bloß des Geistes unwert, auch lebenswert ist es nicht.

Besonders schwerwiegend innerhalb der säkularisierten Scheidung zwischen Oben und Unten ist die Erkrankung des Kontakts mit den Dingen und Wesen. Das Denken der Zeit weiß über die Dinge und Wesen Aufschlußreiches zu sagen, aber dem Leben scheint das große Gefühl, daß die Beziehungen zu den Dingen und Wesen das Mark des Daseins sind, fremd geworden zu sein. Die chassidische Lehre von dem heiligen Umgang mit allem Sei-

enden widerspricht dieser Zersetzung der lebendigen Begegnungs-
kraft als dem fortschreitenden Ausweichen des Menschen vor der
Begegnung mit Gott in der Welt.

4

Ich habe die Botschaft des Chassidismus nicht in dichte Begrifflichkeit umgesetzt; ich war bestrebt, wie seine epische Essenz,
so auch seine mythische zu bewahren. Dem Postulat der Stunde,
Religion zu entmythisieren, vermag ich nicht beizupflichten;
denn der Mythos ist nicht die nachträgliche Einkleidung einer
Glaubenswahrheit, er ist das unwillkürliche Erzeugnis bildnerischen Sehens und bildnerischen Erinnerns des Überwältigenden,
und Begriffliches ist da nicht auszuschmelzen. Keine Lehrpredigt
kann den Mythos ersetzen; wohl aber kann es Lehrpredigt geben, die ihn zu erneuern vermöchte, indem sie ihn unverletzt
in die Gegenwärtigkeit trägt. Damit das möglich werde, muß
freilich der Mythos, wo er gnostisches Wesen angenommen hat,
d. h., wo er dazu verwendet worden ist, die Geheimnisse tran-
szendenten Seins als Wißbarkeiten darzustellen, dieses Wesens
oder Unwesens entledigt und seiner Ursprünglichkeit zurückerstattet werden. Solche Erstattung und Erneuerung hat der
Chassidismus an den von Gnosis durchsetzten Mythen vollbracht,
die er von der Kabbala übernahm. Meine Übermittlung chassidischer Botschaft ist keine spekulative Theologie; wo hier Mythos
vernehmbar wird, ist es ein in das gelebte Leben von sieben Generationen eingegangener, als dessen nachgeborener Dolmetsch
ich fungiere.
In dieser Gestalt habe ich in einer langen Arbeit die chassidische
Lebenslehre dem abendländischen Menschen von heute zuzuführen versucht. Es ist mir mehrfach nahegelegt worden, diese
Lehre von ihrer, wie man gern sagt, »konfessionellen Beschränktheit« zu befreien und als eine ungebundene Menschheitslehre zu
verkündigen. Das Einschlagen eines solchen »allgemeinen« Wegs
wäre für mich die pure Willkür gewesen. Um das Vernommene
in die Welt zu sprechen, bin ich nicht gehalten, auf die Straße zu
treten, ich darf in der Tür meines angestammten Hauses stehenbleiben; auch das hier gesprochene Wort geht nicht verloren.

Das chassidische Wort sagt, die Welten könnten ihre Bestimmung, zu einer zu werden, dadurch erfüllen, daß das Leben des Menschen eins wird. Aber wie läßt sich das verstehen? Ist doch eine vollkommene Einheit lebendigen Seins nirgendwo anders denkbar als in Gott selber. Das Bekenntnis Israels zur Einheit Gottes sagt ja nicht bloß, daß es außer ihm keinen Gott gibt, sondern auch, daß er allein die Einheit ist. Hier muß der Dolmetsch einsetzen. Kann der Mensch »menschlich heilig«, d. h. als Mensch, im Maße und in der Art des Menschen heilig werden, und zwar, wie geschrieben steht, »mir«, d. h. im Angesicht Gottes, dann kann er auch, der einzelne Mensch kann, im Maße seines persönlichen Vermögens und in der Art seiner persönlichen Möglichkeit, im Angesicht Gottes eins werden. Der Mensch kann dem Göttlichen nicht nahekommen, indem er über das Menschliche hinauslangt; er kann ihm nahekommen, indem er der Mensch wird, der zu werden er, dieser einzelne Mensch da, erschaffen ist. Dies erscheint mir als der ewige Kern des chassidischen Lebens und der chassidischen Lehre.

CHRISTUS, CHASSIDISMUS, GNOSIS

In dem im Septemberheft 1954 des »Merkur« erschienenen Aufsatz von Rudolf Pannwitz über den Chassidismus ist neben einem eindringlichen Verständnis etliches nicht weniger gründliche Mißverständnis zu finden, das einigermaßen zu klären geboten ist.

I

Pannwitz meint, es gehe mir um eine Auseinandersetzung zwischen jüdischer und christlicher Religion, und zwar »zu ungunsten des Christentums«. Nein, es geht mir nicht darum und es geht überhaupt nicht um Auseinandersetzungen solcher Art. Die Religionen sind Gehäuse, in die der Geist des Menschen geschickt ist, damit er nicht ausbreche und seine Welt zersprenge. Jede von ihnen hat ihren Ursprung in einer Sonderoffenbarung und ihr Ziel in der Aufhebung aller Sonderung. In Mythos und Ritus stellt sie der Allgemeinheit ihr Geheimnis dar und behält es doch dem vor, der drinnen in ihr lebt. Deshalb ist es stets ein seins- und sinnwidriges Unternehmen, wenn einer wertend und abwertend die eigene Religion mit einer andern vergleicht: seinen vom Adyton aus erfahrbaren Tempelbau mit dem Außenaspekt des fremden, wie er sich dem aufmerksamen Betrachter bietet. Man darf nur die entsprechenden Bauglieder nach Struktur, Funktion und Zusammenhang miteinander vergleichen, redlich, aber niemals abschätzend: weil deren inneres Verhältnis zu dem unsichtbar bleibenden Sanctissimum verhohlen ist.

Nein, es geht mir und es geht überhaupt um eine, um die entscheidende Auseinandersetzung innerhalb des Judentums, innerhalb des Christentums, und so fort. Weil es überall wesentlich die eine ist, ist es mir, gebunden und frei wie ich bin, erlaubt zu reden wie ich rede.

Die Auseinandersetzung, die ich meine und an der ich mitwirke, ist die zwischen der Devotio und der Gnosis, eben der, die Pannwitz mit Recht die »ewige« nennt, »die tausend Stufen und Formen hat«.

Gnosis bedeutet im Faktischen, d. h. in der jeweiligen Tatsächlichkeit des gelebten Lebens eines Gnostikers, wie sie sich auch noch in der spiritualsten seiner Äußerungen kundgibt, ein wisserisches Verhältnis zum Divinum, wisserisch vermöge einer anscheinend nie wankenden Sicherheit, im Selbst die zulängliche Divinität zu besitzen. »Wisserisch« ist eine kritische Wortbildung; in meiner Schrift-Übertragung werden die das Geheime einflüsternden Geister in getreuer Wortwiedergabe »die Wisserischen« genannt. Für den rechten Gnostiker gibt es das Unwißbare nicht; in hohen Zeiten der Gnosis zeichnet er die Landkarte des siebenten Himmels und berichtet die Geschicke des Absoluten von Uranbeginn, in andern senkt er die Mysterien in die unanfechtbare Psychik ein. All das involviert naturgemäß keinerlei Verbindlichkeit, es sei denn die, das eigne Selbst von allem zu befreien, was seiner pneumatischen Souveränität Abbruch tut. Es steht ihm, dem gnostischen Selbst, denn auch nichts höheren Rechtes gegenüber, nichts, das von ihm fordern, es heimsuchen, es erlösen könnte: die gnostische Erlösung kommt aus der Freiwerdung der Weltseele im Selbst. In den mannigfachen Abarten birgt sich das gleiche Urmotiv der wisserischen Selbstherrlichkeit am All. Sie hat auch eine Liebe: die in ihrem Anspruch das All beschläft.

Devotio bedeutet den uneingeschränkten, mit dem Leben der sterblichen Stunden geübten Dienst an dem als Gegenüber und immer wieder als Gegenüber vergegenwärtigten Divinum, mit dem man keineswegs, wie Pannwitz rügend vermerkt, »auf du und du zu stehen« sich vermißt, zu dem man aber, in der Sprache der gesamten ihm im Alltag zugewandten *vita humana*, du zu sagen, das heißt, zu ihm im frei dienenden Gegenüber zu stehen wagt. Die große unerschöpfliche Voraussetzung ist, daß der so Dienende niemals und nirgends sein Selbst als *das* Selbst versteht, – daß er sich vielmehr bis in die innerste Tiefe der Versenkung noch immer und immer wieder als *dieses* Selbst dem unendlichen Selbst gegenüber kennt und so zu ihm sich verhält. Noch präziser: daß er in allem Dienst den leiblichen Tod, die treue Sterblichkeit als die menschlichste aller Präsenzen an der Hand hält und eben so Mal um Mal dem Ewigen gegenübertritt.

Man fragt diesen Menschen: »Was soll das heißen, Gott als dein Gegenüber zu determinieren? Das ist ja ein schnöder Anthropomorphismus! Ertrags doch, daß Gott dir über die Schulter schaut!« Es sollte nicht schwer sein zu verstehen, daß dieser

Mensch nur sich selber, und sich nur praktisch und auf die Praxis hinweisend determiniert. Sein Herr mag ihm zu allen Seiten sein, – indem er seinem Herrn dient, ist dieser ihm gegenüber. Der Gnostiker kann nicht dienen und will es nicht können. Der Mensch der Devotio, der »Angelobung«, befaßt sich nicht mit den Mysterien seines Herrn, der ihm jeweils von sich zuteilt, was er ihm zuteilt. Die Gnosis ist eine Großmacht in der Geschichte des Menschengeistes. Von der Macht der Devotio ist auf der Fläche der Geschichte nicht viel zu entdecken; ihre höchste Machtprobe ist das Martyrium, – *devotio* nannten ja die Römer die Selbstopferung des Feldherrn um des Sieges willen. Die »Auseinandersetzung« zwischen beiden ist zumeist pures Dasein. Mitunter nur, in Augenblicken einer besonderen Gefahr, muß sie worthaft werden.

2

Pannwitz macht mir zum Vorwurf, ich »zerspaltete« das »Kontinuum des Christentums«, indem ich das an ihm, was »Gnosis und Mysterium« ist, »nicht nur von dem jüdischen Christus, sondern auch von dem *Stifter* Christus« trennte. Das ist eine Behauptung, die der Klärung bedarf, ehe sie berichtigt wird. Niemand kann das Kontinuum einer Religion zerspalten. Das Kontinuum einer Religion, sofern man es nicht in einem Fürsichsein (mit dem ich mich nicht beschäftige), sondern in der menschlichen Wirklichkeit betrachtet, ist ein geschichtliches. Das heißt, ihre innere Dialektik, deren Austragungen und Ausgleiche, Wandlungen und Wiederkünfte, all das gehört wesenhaft dazu. Aus dieser vitalen Dialektik errichtet sich das Kontinuum und stellt sich immer wieder her; Rezeptionen wechseln mit Ausstoßungen und Schismen mit Wiederbegegnungen, die geschichtliche Identität, das reale Kontinuum erhält sich in und aus alledem, wie der Organismus in und aus den ungeheuren Innenkämpfen, die zu seinem Leben wesenhaft gehören, solang es eben währt. Aber ein Betrachter, dem es auch in seinem Betrachten um den Bestand der Glaubenswirklichkeit geht, weil er um sie als um den einzigen Brückenbau über dem Chasma des Seins bangt, darf nicht um der geschichtlichen Konsistenz des Kontinuums willen dem vollen Anblick des Urgegensatzes zwischen Gnosis und Devotio in dessen geschichtlichen Erscheinungen ausweichen; denn jene Stunden und diese haben miteinander zu schaffen. Insbesondere aber darf der solchermaßen »interessierte« Betrachter sich diesen Anblick nicht durch die gewaltigen Unternehmungen der Gnosis verkürzen lassen, die die Gegensätzlichkeit gern dadurch verwischt, daß sie das Geschichtlich-biographische aus seiner Kontingenz ins Spirituale hinweghebt. Wen meint Pannwitz mit dem »Stifter Christus«, den er von dem »jüdischen Christus« zu unterscheiden weiß? Man sollte meinen: den Mann, der die christliche Religion gestiftet hat, – wobei vorauszusetzen wäre, daß Jesus von Nazareth dieser Mann war. Aber ersichtlich hat Pannwitz gar kein wirkliches Menschenwesen im Sinn, sondern das von der johanneischen Gnosis entworfene Bild, das seit damals einem großen Teil der Christenheit als das ihres Stifters gilt. Unter dem »jüdischen Christus« hingegen haben wir doch wohl das Erinnerungsbild jener zu verstehen, in denen das Gedächtnis ihres Meisters fortlebte, und dieses Bild eben soweit es sich uns in den literarischen Zeugnissen erschließt. Wenn ich von dem Glaubensgehalt und der Glaubensweise Jesu zu handeln habe, steht es mir zu, mich an dieses und nicht an jenes Bild zu halten, ja letztlich an kein Bild – auch die Erinnerung mythisiert, und die sich überliefernde gar –, sondern an die eine, immer neu wiedererkennbare Stimme, die aus einer Reihe unzweifelhaft echter Sprüche zu meinem aufgetanen Ohre redet: die Umrisse des Sprechers mögen unbestimmt sein, die Stimme ist bestimmt genug. Mir ist das an diesem Sprecher wichtig, was ihm offenbar selber wichtig war: das Weilen in der Unmittelbarkeit zu Gott, die große Devotio. Die Botschaft, als deren Bringer er sprach, die von dem »genahten«, dem ganz nah ans Irdische herangekommenen »Königtum Gottes«[1], dem sich die Devotio des Menschen entgegenheben soll, redet nicht, wie die gnostischen Apokalyptiker, von einem »Untergang des Äons«, son-

---

[1] In der Rückübersetzung wird eindeutig klar, daß kein »Himmelreich« gemeint ist. »Himmel« ist hier keine Bezeichnung einer Überwelt, sondern ein dem Israel jener Zeit besonders geläufiger Gottesname.

dern von dessen Eingang unter die Hand, die sich niederstreckt, ihn zu regieren. Pannwitz weiß von einem »Christus«, Christus schlechthin, der »viele Gnosis aufgenommen« habe. Jesus von Nazareth ist das nicht. Er enthüllt nicht, wie die Gnostiker, Mysterien des Pleromas; er zeigt auf die Pforte, die im Hier offen steht, und er nennt sie *emuna*, Vertrauen, wie die Propheten sie genannt haben. Der seine Jünger »Unser Vater« beten lehrte, wird sich als »autarke Seele« nicht ausweisen können. Er hat auch im Kosmos Atheos des modernen Gnostikers nicht, und darin erst recht nicht, wo er sein Haupt hinlege.

Um was es Pannwitz zu tun ist und um was nicht, erscheint unverkennbar in dem Satz, »Christus« habe seinen Opfertod »als einmalige und endgültige Verkörperung des vorderasiatischen heiligen Osterdramas vorgeführt«. Aus dem Entschluß des Mannes, das geahnte und schon verspürte Leiden auf sich zu nehmen und, wenn es in den Martertod münden müßte, auch diesen noch – der prophetischen Ansage für die Gottesknechte in all ihren »Toden« (Jesaja 53,9)[2] gemäß – als Opfer für die »Vielen« darzubringen, wird hier der Wille zu einer »Vorführung« gemacht. Auch ich weiß um das vielgestaltige Mysteriendrama von göttlichem Sterben und Auferstehen, das so großen Anteil an der Vergottung des »Auferstandenen« hatte; aber das wirkliche Selbstopfer wird eben dargebracht und nicht vorgeführt, es lebt im Herzen des sich zu opfern Bereiten nicht auf ein Drama bezogen, das der Verkörperung harrt, sondern auf die Vielen, für die er sich opfern will, es ist kein ins Leben transponiertes Dromenon, sondern die erfüllte Devotio.

Ich halte den Mythos für unentbehrlich; aber für zentral halte ich nicht ihn, sondern den Menschen und immer wieder den Menschen: der Mythos muß sich am Menschen bewähren und nicht der Mensch am Mythos. Doch habe ich mich, im Gegensatz zu Pannwitz' Behauptung, über das Christentum auch da, wo in ihm der Mythos den Menschen zu verschlingen droht, nicht abwertend geäußert. Ich spreche von dem Heil, »das durch den Christusglauben zu den Menschen der Völker gekommen ist: sie haben

---

[2] Vgl. Buber, Zwei Glaubensweisen, 107; »Werke« Bd. 1, 730. Buber, Der Glaube der Propheten, 325 f. »Werke« Bd. 2.

einen Gott erlangt, der in den Stunden, da ihnen die Welt zerbrach, nicht versagte, ja mehr noch, der ihnen in Stunden, da sie sich der Schuld verfallen fanden, die Sühne gewährte. Das ist ein weit Größeres, als was ein angestammter Gott oder Göttersohn der abendländischen Völker für dieses späte Zeitalter zu tun vermocht hätte.«[3] Nicht die das Unaussprechliche zur Sprache bringende Mythisierung der Wirklichkeit ist vom Übel, sondern die Gnostizisierung des Mythos, die ihn aus seinem geschichtlich-biographischen Wurzelgrund reißt. Glaubensgebundener Mythos und existentielle Verantwortung gehen zusammen; glaubensloser Mythos und existentielle Verantwortung gehen nicht zusammen.

Nun aber wirft mir Pannwitz vor, ich gäbe Jesus »die Schuld«, aus der Verborgenheit der Gottesknechte getreten zu sein. So sei zunächst die von mir dem Nachwort zu meiner Erzählung »Gog und Magog«, auf das er Bezug nimmt, um zwei Jahrzehnte vorausgeschickte Erläuterung angeführt:[4] »Was auch seine (Jesu) Erscheinung der Völkerwelt bedeutet (und ihre Bedeutung für die Völkerwelt bleibt für mich der eigentliche Ernst der abendländischen Geschichte), vom Judentum aus gesehn ist er der erste in der Reihe der Menschen, die, aus der Verborgenheit der Gottesknechte, dem wirklichen ›Messiasgeheimnis‹, tretend, in ihrer Seele und in ihrem Wort sich die Messianität zuerkannten. Daß dieser Erste – wie ich immer wieder erfahre, wenn sich mir die personhaft klangechten Worte zu einer Einheit fügen, dessen Sprecher mir schaubar wird – in der Reihe der unvergleichlich Reinste, Rechtmäßigste, mit wirklicher messianischer Kraft Begabteste war, ändert nichts an dem Faktum dieser Erstheit, ja es gehört wohl eben dazu.« Eine »Schuld« besagt all dies keineswegs. Wie die andern jeweils »im Dunkel des Gottesköchers« hausenden »Knechte« oder Gottespfeile, weiß auch Jesus nicht zweifelsfrei, ob er zum Herausgenommenwerden, zum Abgeschossenwerden bestimmt ist; mehr noch, er weiß nicht einmal das zweifelsfrei, ob er sich nicht dazu anbieten muß, wenn es rechtmäßig geschehen soll; und als »Messias Sohn Josefs« erscheinen schließt ja nach jüdischer Lehre das Martyrium ein. Wenn er nun, in einer Stunde,

---

[3] Zwei Glaubensweisen, 136; »Werke« Bd. 1, 750 f.
[4] S. oben S. 755.

in der die Frage aus ihrer Tiefe aufsteigt[5], die Menschen, auf die er dafür angewiesen ist, »Schüler« genannt, befragt, wer er ihrer Einsicht nach sei (dergleichen braucht der Gnostiker freilich nie zu tun, weil ihm ja das Selbst zureicht) und die Antwort erhält, die er erhält, dann geschieht eben von ihm aus, was geschieht, die »Bedrängung des Endes«, und es geschieht in der höchsten Unschuld.

Pannwitz scheint jedoch auch, wie aus ähnlichem Mißverstehen andere vor ihm, als Dünkel zu beanstanden, daß ich, wie ich ausdrücklich bekannte[6], Jesus »von Jugend auf als meinen großen Bruder empfunden« habe. So sei denn auch dazu die Erläuterung gegeben, die ich, das Verständnis meiner Leser überschätzend, für überflüssig hielt: die Juden, die es vom Grund aus, vom Urbund aus sind, die »Erzjuden«, zu denen ich mich zu zählen wage, sind »Brüder« Jesu. Auch dies habe ich zwei Jahrzehnte früher vorweg ausgesprochen: »daß wir Juden ihn (Jesus) von innen her auf eine Weise kennen, eben in den Antrieben und Regungen seines Judenwesens, die den ihm untergebenen Völkern unzugänglich bleibt«[7].

3

War es in der Geschichte der christlichen Stiftung so, daß die Gnosis auf den wurzelechten Wildschößling der Devotio ihr fremdes Zuchtprodukt pfropfte, so ist in der Religiosität des Judentums auf dem Boden der europäischen Diaspora ganz anderes zwischen beiden vorgegangen.

Pannwitz sieht in der Kabbala nicht mit Unrecht eine große jüdische Ausgestaltung der Gnosis; aber seine Darstellung legt die Meinung nah, der Chassidismus sei einfach aus der Kabbala gewachsen, er sei einfach deren Eintritt ins breite Volksleben, also gleichsam eine angewandte Gnosis. Dem ist jedoch nicht so.

In meinem ersten Buch über den Chassidismus (»Die Geschichten des Rabbi Nachman«, 1906) schrieb ich, er sei die Ethos gewordene Kabbala. Das ist zwar keine zulängliche Beschreibung des Tatbestands, aber ein zutreffender Hinweis auf ihn. Man muß

---

[5] Vgl. Zwei Glaubensweisen 28 ff.; »Werke« Bd. 1, 671 ff.
[6] Zwei Glaubensweisen, 11; »Werke« Bd. 1, 657.
[7] Zwiesprache (1930); »Werke« Bd. 1, 178.

nur verstehen, was das bedeutet, wenn eine Gnosis Ethos wird:
es ist die wahre religiöse Revolution, die nur als Werk der Devotio möglich ist. Um in der durch eine verkehrte, wahngetra-
gene religiöse Revolution, den Sabbatianismus, entstandenen Krisis des Glaubenslebens den Ausweg, den neuen Weg zu finden,
aus der Heiligsprechung der Sünde den Weg in die Heiligung des
Alltags, greift der Chassidismus auf die Kabbala zurück, wie es
der gnostische[8] Sabbatianismus getan hatte. Aber die chassidische
Bewegung übernimmt von der Kabbala nur das, was sie für die
theologische Fundierung eines begeisterten und unexaltierten Lebens in der Verantwortung – Verantwortung jedes Einzelnen für
das ihm anvertraute Stück Welt – braucht. Gnostische Theologeme, die so übernommen werden, verwandeln sich, ihr Boden
und ihr Luftraum verwandeln sich mit ihnen. Aus Spiritualien,
die im Unverbindlichen thronen, wird die Kernsubstanz der Be-
währungen. Das Pneuma hat sich in den Gnaden einer Inbrunst
niedergelassen, die den an der Kreatur geübten Gottesdienst befeuert. Damit ist alles anders geworden. An die Stelle esoterisch
geregelter Meditationen ist die unvorschreibbare, immer wieder
dem Augenblick entspringende Begabung jeder Handlung mit
Intentionskraft getreten. Nicht in der Abgeschiedenheit von Asketen und Asketenschulen stellt sich nun das Heilige dar, sondern
in dem sich Aneinanderfreuen der Meister und ihrer Gemeinden.
Und – was in den Kreisen der alten Kabbala undenkbar gewesen
wäre – der »Einfältige«, das heißt, der von Natur in sich einige
Mensch der ursprünglichen Devotio, der wie der rabbinischen
Wissenschaft so auch des Geheimwissens entbehrt, aber beider
entraten kann, weil er einig den einigen Dienst lebt, ist zu Ehren
gekommen. Wo der mystische Wirbel kreiste, dehnt sich nun der
Weg des Menschen.
Die Devotio hat im Chassidismus die Gnosis absorbiert und über-
wunden. Solches hat immer wieder geschehen müssen, wenn die
Brücke über dem Chasma des Seins nicht einstürzen sollte.

---

8 Pannwitz' Bezeichnung »ahrimanischer Naturalismus« kann wohl nur durch eine
Unkenntnis der echt gnostischen Theologie des Sabbatianismus erklärt werden, die die
Forschungen G. Scholems uns erschlossen haben.

MEIN WEG ZUM CHASSIDISMUS

Das hebräische Wort »Chassid« bedeutet: ein Frommer. Es gab im nachexilischen Judentum immer wieder Gemeinschaften, die den Namen Chassidim, Fromme, trugen: von jenen, über die das erste Buch der Makkabäer als über eine der Lehre treugebliebene, für sie kämpfende Schar berichtet, und jenen, von denen die Mischna sagt, wer spreche: »Was mein ist, ist dein, und was dein ist, ist mein«, wer sich selber also kein Eigentum zuspreche, sei ein Chassid, bis zu jenen »Chassidim«, deren anderthalbtausend im Jahr 1700 unter steten Kasteiungen in das Heilige Land ziehen, um das messianische Reich herbeizubringen, und dort untergehen, und endlich der von Israel ben Elieser, dem »Baal-Schem«, um die Mitte des 18. Jahrhunderts begründeten Gemeinschaft, die nach einer kurzen, an denkwürdigen Gestalten reichen Blütezeit der Entartung verfiel, aber heute noch einen großen Teil der östlichen Judenheit umfaßt. Ihnen allen ist es gemeinsam, daß sie mit ihrer Frömmigkeit, mit ihrer Beziehung zum Göttlichen im irdischen Leben Ernst machen wollen; daß sie sich nicht mit gepredigter Gotteslehre und geübtem Gottesdienst begnügen, sondern das Miteinanderleben der Menschen auf der Grundlage der göttlichen Wahrheit aufzurichten versuchen. Besonders deutlich ist dies bei der zuletzt genannten Gemeinschaft, die ich hier im Sinn habe.

Der zuweilen von aufklärerischer Gesinnung bestimmte Historiker Graetz (1817–1891) weiß diesen »Neuchassidäern« nichts anderes als »den wüstesten Wahnglauben« nachzusagen. Aber ein Zeitgenosse und Freund von Graetz, Moses Heß (1812–1875), der Begründer des modernen Zionismus, sprach das tief erkennende Wort aus, der Chassidismus bilde innerhalb des lebendigen jüdischen Geistes den Übergang »aus dem mittelalterlichen Judentum zu einem regenerierten, welches erst in der Entstehung begriffen ist«; seine Folgen seien »unberechenbar, wenn sich die nationale Bewegung seiner bemächtigt«.

In der Tat, nirgends in den letzten Jahrhunderten hat sich die Seelenkraft des Judentums so kundgegeben wie im Chassidismus. Die alte Kraft lebt in ihm, die einst, wie Jakob den Engel, mit starken Armen das Unsterbliche auf der Erde festhielt, auf daß es sich im sterblichen Leben erfülle. Zugleich aber gibt sich darin eine neue Freiheit kund. Ohne daß am Gesetz, am Ritus, an der überlieferten Lebensnorm ein Jota geändert würde, ersteht das Altgewohnte in einem jungen Licht und Sinn. Dem äußern Anschein nach noch mittelalterlich gebunden, ist das chassidische Judentum in seiner innern Wahrheit schon der Regeneration erschlossen, und die Entartung dieser großen religiösen Bewegung konnte den geistesgeschichtlichen Prozeß, der mit ihr begonnen hat, nur aufhalten, nicht abbrechen. Es ist hier nicht der Ort, die Lehre des Chassidismus darzulegen. Sie läßt sich in einem Satz zusammenfassen: Gott ist in jedem Ding zu schauen und durch jede reine Tat zu erreichen. Diese Einsicht ist aber keineswegs, wie man vermeint hat, der pantheistischen Weltanschauung gleichzusetzen. Für die chassidische Lehre ist die ganze Welt nur ein Wort aus Gottes Mund; und dennoch ist das geringste Ding in der Welt würdig, daß Gott sich aus ihm dem Menschen, der ihn wahrhaft sucht, offenbare; denn kein Ding kann ohne einen göttlichen Funken bestehen, und diesen Funken kann jeder zu jeder Zeit und durch jede, auch die gewöhnlichste Handlung entdecken und erlösen, wenn er sie nur in Reinheit, ganz auf Gott gerichtet und gesammelt, vollbringt. Darum gilt es nicht, in einzelnen Stunden nur und mit bestimmten Worten und Gebärden Gott zu dienen, sondern mit dem ganzen Leben, mit dem ganzen Alltag, mit der ganzen Weltlichkeit. Nicht darin besteht das Heil des Menschen, daß er sich vom Weltlichen fernhalte, sondern daß er es heilige, es dem göttlichen Sinn weihe: seine Arbeit und seine Speise, seine Ruhe und seine Wanderschaft, den Aufbau der Familie und den Aufbau der Gesellschaft. Daß er die große Gottesliebe an allen Kreaturen, ja an allen Dingen bewähre. Nie hat in Europa eine große Volksgemeinde – nicht ein Orden Abgeschiedener, nicht eine Bruderschaft Auserwählter, sondern eine Volksgemeinde in all ihrer geistigen und sozialen Vielfältigkeit, in all ihrer Gemischtheit – so das ganze Leben als eine Einheit auf das innerlich Erkannte gestellt. Hier ist keine Trennung zwischen Glauben und Werken, zwischen Wahrheit und Bewährung, in heutiger Sprache zwischen Moral und Politik; hier ist alles Ein Reich, Ein Geist, Eine Wirklichkeit.

In meiner Kindheit (ich kam in sehr frühen Jahren von Wien, wo ich geboren bin, nach Galizien und wuchs hier bei meinen Groß-

eltern auf) brachte ich jeden Sommer auf einem Gut in der Bukowina zu. Da nahm mich mein Vater zuweilen in das nahe Städtchen Sadagora mit. Sadagora ist der Sitz einer Dynastie von
»Zaddikim« (Zaddik: Gerechter, Bewährter, Vollkommener), das
ist von chassidischen Rabbis. Die »Gebildeten« reden von »Wun-
derrabbis« und glauben Bescheid zu wissen. Aber sie wissen, wie
es nun einmal den »Gebildeten« in solchen Dingen geht, nur um
die äußerste Oberfläche Bescheid. Wohl ist die legendäre Größe
der Ahnen in den Enkeln geschwunden, und etliche bemühen sich,
durch allerhand kleine Magie ihre Macht zu bewahren; aber all
ihr Treiben vermag das angeborene Leuchten ihrer Stirn nicht zu
verdunkeln, die angeborene Erhabenheit ihrer Gestalt nicht zu
verzerren: ihr unwillkürlicher Adel spricht zwingender als all
ihre Willkür. Und wohl lebt in der heutigen Gemeinde nicht
mehr jener hohe Glaube der ersten Chassidim, die im Zaddik den
vollkommenen Menschen ehrten, in dem das Unsterbliche seine
sterbliche Erfüllung findet; vielmehr wenden sich die Heutigen
an ihn vornehmlich als an den Mittler, durch dessen Fürsprache
sie Stillung ihres Bedürfens zu erlangen hoffen; aber es ist immer noch, ihrem niedern Wollen entrückt, ein Schauer urtiefer
Ehrfurcht, der sie ergreift, wenn der »Rebbe« im stummen Gebet
steht oder beim dritten Sabbatmahl in zögernder Rede das Geheimnis der Thora deutet. Auch in diesen Abgearteten glüht noch,
im ungekannten Grund ihrer Seelen, das Wort des Rabbi Eleasar
fort, um des vollkommenen Menschen (»Zaddik«) willen, und
sei es um eines einzigen willen, sei die Welt erschaffen worden;
»denn es heißt: ›Und Gott sah das Licht, daß es gut war‹, ›gut‹
aber meint nichts anderes als den Vollkommenen« (Talmud Babli,
Joma 38 b).
Dies habe ich damals, als Kind, in dem schmutzigen Städtchen
Sadagora von der »finstern« chassidischen Masse, der ich zusah,
erfahren – wie ein Kind solche Dinge erfährt, nicht als Gedanken, sondern als Bild und Gefühl: daß es der Welt um den vollkommenen Menschen zu tun ist und daß der vollkommene Mensch
kein anderer ist als der wahrhafte Helfer. Wohl wird der Zaddik
jetzt wesentlich um Hilfe in recht irdischen Nöten angegangen;
aber ist er nicht trotzdem der Möglichkeit nach immer noch, als
was er einst gedacht und eingesetzt worden ist: der Helfer im

Geist, der Lehrer des Weltsinns, der Führer zu den göttlichen Funken? Wohl ist die ihm anvertraute Macht von den Gläubigen mißdeutet, von ihm selber mißbraucht worden; aber ist sie nicht im Grunde eine legitime, *die* legitime Macht, diese Macht der hilfreichen Seele über die bedürftigen, liegt in ihr nicht der Keim künftiger Ordnungen? Irgendwie, nach kindlicher Art, dämmerten diese Fragen schon damals in mir auf. Und ich konnte vergleichen: nach der einen Seite hin mit dem Bezirkshauptmann, dessen Macht auf eitel Zwanggewohnheit ruhte; nach der andern hin mit dem Rabbiner, der ein rechtschaffener und gottesfürchtiger Mann, aber ein Angestellter des »Kultusvorstands« war. Hier jedoch war ein anderes, ein Unvergleichliches; hier war, erniedrigt, doch unversehrt, der lebendige Doppelkern des Menschentums: wahrhafte Gemeinde und wahrhafte Führerschaft. Uraltes, Urkünftiges war hier, Verlorenes, Ersehntes, Wiederkehrendes. Der Palast des Rebbe, in seiner effektvollen Pracht, stieß mich ab. Das Bethaus der Chassidim mit seinen verzückten Betern befremdete mich. Aber als ich den Rebbe durch die Reihen der Harrenden schreiten sah, empfand ich: »Führer«, und als ich die Chassidim mit der Thora tanzen sah, empfand ich: »Gemeinde«. Damals ging mir eine Ahnung davon auf, daß gemeinsame Ehrfurcht und gemeinsame Seelenfreude die Grundlagen der echten Menschengemeinschaft sind.

Im Knabenalter begann mir diese frühe Ahnung ins Unbewußte zu entgleiten. Ich brachte nun die Sommer in einer andern Gegend zu und war zuletzt nah daran, die chassidischen Eindrücke meiner Kindheit zu vergessen. Doch kam ich nach mehreren Jahren wiederholt auf ein neuerworbenes Gut meines Vaters, in der Nähe von Czortkow, einem Städtchen, das die Residenz einer Seitenlinie der gleichen Zaddikim-Dynastie ist. Wie in Sadagora heute noch das überlieferte Gedächtnis des großen »Rižiners« (so genannt, weil er aus Ružyn bei Berditschew, bei der russischen Regierung als »König der Juden« verdächtigt, fliehen mußte und nach mancherlei Irrfahrten sich in Sadagora niederließ), so ist in Czortkow heute noch die unmittelbare Erinnerung an seinen Sohn David Mosche lebendig. Leider nahm ich damals nichts von ihm auf. Überhaupt waren meine Eindrücke diesmal blasser und flüchtiger. Das mochte daran liegen, daß ich inzwischen von der

gärenden Geistigkeit ergriffen worden war, die den entscheidenden Jugendjahren oft eigentümlich ist und dem natürlichen
Schauen und Erfahren des Kindes ein Ende macht. Durch diese
Geistigkeit war ich den Chassidim fremd geworden; sie hatte mir
die naive Verbundenheit mit ihrem Wesen geraubt; ich dünkte
mich kraft meines Denkens ihrer Welt entrückt, ja, ich gestehe,
daß ich sie nicht wesentlich anders betrachtete, als Graetz es tut:
von der Höhe des vernunftbegabten Menschen aus. Ich sah nun
nichts mehr von ihrem Leben, auch wenn ich dicht daran vorbeiging: weil ich nicht sehen wollte.

Immerhin vernahm ich damals, ohne ihm Beachtung zu schenken,
zum erstenmal den Namen, der mir nach vielen Jahren die köst-
lichste Entdeckung bedeuten sollte: den Namen »Bescht«. Dieser
Name ist aus den Anfangsbuchstaben der drei Worte Baal Schem
Tow (Meister vom Guten Namen) zusammengesetzt und bezeichnet den Stifter des Chassidismus, Rabbi Israel ben Elieser. Einer
der Meierhöfe jenes Gutes meines Vaters hieß Tluste-Dorf; in
dem dazugehörigen Flecken Tluste-Stadt (inzwischen aus den
Frontberichten der russischen Heeresleitung bekannt geworden,
da er längere Zeit umkämpft wurde) hatte der Baalschem als
Kleinkinderlehrer gelebt, hier war ihm nach dem Bericht der
Sage in der Nacht, da er das dreiunddreißigste Jahr vollendete,
im Traum verkündet worden, die Zeit sei erfüllt.

Aber nicht den Chassidim allein war ich damals entfremdet, sondern dem ganzen Judentum.
Ich hatte meine Kindheit, die Zeit bis zu meinem vierzehnten
Jahr, im Hause meines Großvaters, des Midraschforschers, verbracht. Der Midrasch war die Welt, in der Salomon Buber lebte,
mit einer wunderbaren Sammlung der Seele, mit einer wunderbaren Intensität der Arbeit lebte. Text um Text gab er die Midraschim heraus, diese keinem andern Schrifttum vergleichbaren, an
Sagen, Sprüchen und edlen Gleichnissen überreichen Bücher der
Bibeldeutung, in denen sich, zerstreut in tausend Fragmenten,
eine zweite Bibel, die Bibel des Exils, verbirgt. Ohne sich je die
philologische Methode des Abendlandes angeeignet zu haben, bearbeitete er die Handschriften mit der Zuverlässigkeit des modernen Gelehrten und zugleich mit der Wissenspräsenz des talmudi-

schen Meisters, der zu jedem Satz, jedem Wort alles irgend Bezügliche der gesamten Literatur unmittelbar bereit hat, nicht als Material des Gedächtnisses allein, sondern als einen organischen Besitz der ganzen Person. Die geistige Leidenschaft, die sich in seiner unablässigen Arbeit bekundete, verband sich der unberührbaren, unbeirrbaren Kindlichkeit einer reinen Menschennatur und einem elementaren Judenwesen. Wenn er (wie häufig, wenn fremdsprachige Gäste aus fernen Ländern ihn besuchten) hebräisch sprach, klang es wie die Rede eines aus der Verbannung heimgekehrten Fürsten. Er machte sich keine Gedanken über das Judentum, aber es wohnte in ihm.

Solang ich bei ihm lebte, war ich in den Wurzeln gefestigt, ob auch manche Fragen und Zweifel an mir rüttelten. Bald nachdem ich sein Haus verließ, nahm mich der Wirbel des Zeitalters hin. Bis in mein zwanzigstes Jahr, in geringerem Maße auch noch darüber hinaus, war mein Geist in stetiger und vielfältiger Bewegung, in einem von mannigfaltigen Einflüssen bestimmten, immer neue Gestalt annehmenden Wechsel von Spannungen und Lösungen, aber ohne Zentrum und ohne wachsende Substanz: es war wahrhaftig der »Olam ha-tohu«, die »Welt des Wirrsals«, die mythische Wohnstätte der schweifenden Seelen, worin ich lebte – in beweglicher Fülle des Geistes, aber wie ohne Judentum, so auch ohne Menschlichkeit und ohne die Gegenwart des Göttlichen.

Den ersten Anstoß zu meiner Befreiung gab der Zionismus. Ich kann hier nur andeuten, was er für mich bedeutete: die Wiederherstellung des Zusammenhangs, die erneute Einwurzelung in die Gemeinschaft. Keiner bedarf der rettenden Verbindung mit einem Volkstum so sehr wie der vom geistigen Suchen ergriffene, vom Intellekt in die Lüfte entführte Jüngling; unter den Jünglingen dieser Art und dieses Schicksals aber keiner so sehr wie der jüdische. Die andern bewahrt die von Jahrtausenden ererbte, zutiefst eingeborene Bindung an heimatliche Erde und volkstümliche Überlieferung vor der Auflösung; der Jude, auch der mit einem seit gestern erworbenen Naturgefühl und einem ausgebildeten Verständnis etwa für deutsche Volkskunst und Sitte, ist von ihr unmittelbar bedroht, ist ihr, wofern er nicht zu seiner Gemeinschaft heimfindet, preisgegeben. Und der blinkendste Reichtum an Intellektualität, die üppigste Scheinproduktivität (nur der Verbundene kann wahrhaft produktiv sein) vermögen den Aufgelösten nicht für die heiligen Insignien des Menschentums, Wurzelhaftigkeit, Verbundenheit, Ganzheit zu entschädigen. Daß mich der Zionismus erfaßte und dem Judentum neu angelobte, war, ich wiederhole es, nur der erste Schritt. Das nationale Bekenntnis allein verwandelt den jüdischen Menschen nicht; er kann mit ihm ebenso seelenarm, wenn auch wohl nicht ebenso haltlos sein wie ohne es. Wem es aber nicht ein Genügen, sondern ein Aufschwung, nicht eine Einfahrt in den Hafen, sondern die Ausfahrt aufs offene Meer ist, den vermag es wohl der Verwandlung zuzuführen. So ist es mir ergangen. Ich bekannte mich zum Judentum, ehe ich es recht eigentlich kannte. So wurde denn dies, nach einigem Umhertappen, mein zweiter Schritt: das Erkennenwollen. Erkennen – damit meine ich nicht eine Aufspeicherung anthropologischer, historischer, soziologischer Kenntnisse, so wichtig diese auch sind; ich meine das unmittelbare Erkennen, das Aug-in-Auge-Erkennen des Volkstums in seinen schöpferischen Urkunden. Auf diesem Weg kam ich zum Chassidismus. Ich hatte mein Hebräisch, das dem Knaben ans Herz gewachsen war, in der Welt des Wirrsals vernachlässigt. Nun erwarb ich es mir neu. Ich begann, es in seinem Wesen zu erfassen, das wohl in keine andere, zumindest in keine abendländische Sprache adäquat übertragen werden kann. Und ich las – las, erst immer wieder von spröder, ungestalter Materie abgestoßen, allmählich die Fremdheit überwindend, das Eigne entdeckend, das Selbst anschauend, mit wachsender Andacht. Bis ich eines Tages ein Büchlein aufschlug, das »Zewaath Ribesch« – das ist: das Vermächtnis des Rabbi Israel Baalschem – betitelt war und die Worte mir entgegenblitzten: »Er ergreife die Eigenschaft des Eifers gar sehr. Er erhebe sich im Eifer von seinem Schlaf, denn er ist geheiligt und ein andrer Mensch worden und ist würdig zu zeugen und ist worden nach der Eigenschaft des Heiligen, gesegnet sei Er, als er Welten erzeugte.« Da war es, daß ich, im Nu überwältigt, die chassidische Seele erfuhr. Urjüdisches ging mir auf, im Dunkel des Exils zu neubewußter Äußerung aufgeblüht: die Gottesebenbildlichkeit des Menschen als Tat, als Werden, als

Aufgabe gefaßt. Und dieses Urjüdische war ein Urmenschliches, der Gehalt menschlichster Religiosität. Das Judentum als Religiosität, als »Frömmigkeit«, als Chassiduth ging mir da auf. Das Bild aus meiner Kindheit, die Erinnerung an den Zaddik und seine Gemeinde stieg empor und leuchtete mir: ich erkannte die Idee des vollkommenen Menschen. Zugleich wurde ich des Berufs inne, sie der Welt zu verkünden. Erst aber kam die Zeit des Studiums. Ich zog mich, sechsundzwanzigjährig, für fünf Jahre von der Tätigkeit in der zionistischen Bewegung, vom Artikelschreiben und Redenhalten, in die Stille zurück, ich sammelte, nicht ohne Mühe, das verstreute, zum Teil verschollene Schrifttum, und ich versenkte mich darein, Geheimnisland um Geheimnisland entdeckend.

Zur ersten Mitteilung, zur »Schriftstellerei«, kam es auf eine wunderliche Art. Unter all den Büchern, den Sammlungen von Lehrsprüchen der Zaddikim und den Sammlungen von Legenden aus ihrem Leben, war auch ein ganz eigentümliches, von den andern verschiedenes, dazu wohl das volkstümlichste von allen: die »Ssippure Maassijot«, die »Erzählungen der Begebenheiten«, Geschichten des Rabbi Nachman von Bratzlaw, eines Urenkels des Baalschem, die er seinen Schülern vortrug und die einer von ihnen nach seinem Tode niederschrieb und veröffentlichte. Es waren dies zum Teil reine Märchen, vornehmlich orientalischen nachgebildet, zum andern Teil Schöpfungen einer besondern Art, sinnbildliche, zuweilen leicht allegorisierende Erzählungen. Ihnen allen war ein nicht eigentlich »lehrhafter«, wohl aber lehrender Zug gemeinsam; Rabbi Nachman selbst hatte sie die Kleider seiner Lehren genannt, und von Schülerhand war ein umfangreicher Kommentar dazu entstanden. Aber an ihnen allen haftete offenbar auch die Entstellung, die des Inhalts durch allerlei utilitaristische und vulgärrationalistische Einschläge, die der Form durch Verwirrung der Linien und Trübung der reinen Farben, wie man sie sich aus weniger betroffenen Teilen erschließen konnte. Fast unwillkürlich begann ich zu übersetzen, ein paar der eigentlichen Märchen, also der unoriginalen Stücke des Buches; wenn ich dabei an Leser dachte, so waren es keine andern als Kinder. Als ich fertig war, schien mir, was vor mir lag, dürftiger, als

ich vermeint hatte, den verwandten Geschichten aus Tausend-
undeiner Nacht durchaus unebenbürtig. Als ich eine von ihnen
gedruckt sah[1], war ich vollends enttäuscht. So konnte es nicht
geraten: in der fremdsprachlichen Wiedergabe wurde die Entstellung nur noch sichtbarer, die Urform nur noch verdunkelter.
Ich merkte, durch Übertragung ließ sich da Reinheit nicht wahren, geschweige denn gewinnen – ich mußte die Geschichten,
die ich in mich aufgenommen hatte, aus mir heraus erzählen, wie
ein rechter Maler die Linien des Modells in sich aufnimmt und
aus dem formenden Gedächtnis das echte Bild zustande bringt.
Ich begann, noch scheu und unbeholfen, mit der »Geschichte von
dem Stier und dem Widder«. Ich ging, freier und sicherer wer-
dend, zur »Geschichte von dem Klugen und dem Einfältigen«,
dann zu der »von dem Königssohn und dem Sohn der Magd«
über. Die »Geschichte von dem Rabbi und seinem Sohn« war
die erste, die mir unversehens zum eignen Werk gedieh. In den
beiden letzten, der »Geschichte vom Meister des Gebets« und
der »von den sieben Bettlern«, erlebte ich, auch in den Stücken,
die ich völlig neu einfügte, meine Einheit mit dem Geiste Nachmans. Ich hatte eine wahre Treue gefunden: zulänglicher als die
unmittelbaren Jünger empfing und vollzog ich den Auftrag, ein
später Sendling in fremdem Sprachreich. Noch stärker erfuhr ich
meine eingeborene innere Verbindung mit der chassidischen Wahrheit an dem zweiten Buch, der »Legende des Baalschem« (1908),
die aus einer Auswahl der überlieferten Sagenmotive, welche ich
den Volksbüchern, später auch dem Volksmund selber entnahm,
den innern Vorgang im Leben des Meisters aufzubauen sucht.
Auch hier hatte ich, kurze Zeit nach der Niederschrift der ersten
Nachman-Märchen, zu übersetzen begonnen. Auch hier widerfuhr mir die Enttäuschung. Die vorgefundenen Geschichten waren zumeist roh und plump aufgezeichnet; sie wurden in der
Übertragung nicht geflügelter[2]. So kam ich auch hier zum eignen

---

[1] In einem Sammelbuch für Kinder, »Heim der Jugend«, mit Bildern von Hermann
Struck; in mein Buch »Die Geschichten des Rabbi Nachman« (1906) sind diese Märchen nicht aufgenommen worden.
[2] Eine dieser (immerhin schon etwas freien) Übertragungen, »Der Zukunftsbrief«, ist
in der Wochenschrift »Die Welt« erschienen, aber in das Buch nicht aufgenommen
worden.

Erzählen in wachsender Selbständigkeit; aber je größer die Selbständigkeit wurde, um so tiefer erlebte ich die Treue. Und darum durfte ich, obgleich der weitaus größte Teil des Buches eigengesetzliche Dichtung aus überlieferten Motiven ist, von der Legende als rechtschaffnem Bericht meiner Erfahrung sagen:»Ich trage in mir das Blut und den Geist derer, die sie schufen, und aus Blut und Geist ist sie in mir neu geworden.«
Ich habe seither, mehrere Jahre nach der Vollendung der beiden Bücher, eine andere, adäquatere Art künstlerischer Treue zur volkstümlichen chassidischen Erzählung gefunden. Aber dies gehört nicht mehr in den Zusammenhang dieser Mitteilungen, die meinen Weg zum Chassidismus zum Gegenstand haben.

Wohl aber gehört noch in diesen Zusammenhang eine humoristische und sinnreiche Begebenheit, die sich 1910 oder 1911 ereignete, und zwar wieder in der Bukowina, unweit von Sadagora, in der Landeshauptstadt Czernowitz. Nach einem Vortrag, den ich dort gehalten hatte (es war die dritte meiner»Drei Reden über das Judentum«), ging ich mit einigen Mitgliedern der Verbindung, die den Abend veranstaltet hatte, in ein Kaffeehaus, um, wie es mir lieb ist, der Rede vor vielen, deren Form keine Gegenrede gestattet, ein Gespräch mit wenigen folgen zu lassen, wo die Anschauung sich im Eingehen auf Einwand und Frage unmittelbarer darlegt und Persönliches auf Persönliches wirkt. Wir erörterten gerade ein moralphilosophisches Thema, als an unseren Tisch ein gutgewachsener, bürgerlich blickender Jude in mittleren Jahren trat und mich begrüßte. Meinen wohl ein wenig fremden Gegengruß beantwortete er durch die eines leichten Vorwurfs nicht entbehrenden Worte:»Herr Doktor! Sie erkennen mich nicht?« Als ich verneinen mußte, stellte er sich mir als M., den Bruder eines früheren Ökonomen meines Vaters, vor. Ich forderte ihn auf, sich zu uns zu setzen, ließ mich über seine Lebensumstände unterrichten und nahm sodann das Gespräch mit den jungen Leuten wieder auf. M. lauschte der Erörterung, die eben eine Wendung zu etwas abstrakten Formulierungen genommen hatte, mit gespannter Aufmerksamkeit. Es war offenbar, daß er kein Wort verstand; die Andacht, mit der er jedes aufnahm, glich der von Gläubigen, die den Inhalt einer Litanei nicht zu kennen brauchen, da ihnen die Fügung der Laute und Töne allein alles gibt, dessen sie bedürfen, und mehr, als irgendein Inhalt vermöchte. Nach einer Weile fragte ich ihn dennoch, ob er mir vielleicht etwas zu sagen hätte; ich würde gern mit ihm beiseite gehen und seine Angelegenheit besprechen. Er wehrte heftig ab. Das Gespräch setzte wieder ein und mit ihm M.s Lauschen. Als eine weitere halbe Stunde verstrichen war, befragte ich ihn von neuem, ob er nicht etwa einen Wunsch habe, den ich ihm erfüllen könnte; er dürfe auf mich rechnen. Nein, nein, er habe keinen Wunsch, versicherte er. Es war spät geworden; aber ich fühlte mich, wie es einem in solchen Stunden lebhafter Wechselwirkung geschieht, nicht müde, vielmehr frischer als zuvor, und beschloß, mit den jungen Leuten einen Spaziergang zu machen. In diesem Augenblick näherte M. sich mir mit einer unsäglich schüchternen Gebärde. »Herr Doktor«, sagte er, »ich möchte Sie etwas fragen.« Ich bat die Studenten zu warten und setzte mich mit ihm an einen Tisch. Er schwieg. »Fragen Sie nur, Herr M.«, sprach ich ihm zu, »ich will Ihnen gern, so gut ich kann, Auskunft geben.« »Herr Doktor«, sagte er, »ich habe eine Tochter.« Er hielt inne; dann fuhr er fort: »Und ich habe auch einen jungen Mann für meine Tochter.« Wieder eine Pause. »Es ist ein Jurist. Er hat die Prüfungen mit Auszeichnung bestanden.« Er hielt wieder inne, diesmal etwas länger. Ich sah ihn aufmunternd an; ich vermutete, er wolle mich ersuchen, mich für den präsumtiven Eidam irgendwie zu verwenden. »Herr Doktor«, fragte er, »ist das ein ordentlicher Mensch?« Ich war überrascht, fühlte aber, daß ich eine Antwort nicht verweigern durfte. »Nun, Herr M.«, erklärte ich, »nach dem, was Sie sagen, ist wohl anzunehmen, daß er fleißig und tüchtig ist.« Doch er fragte weiter. »Herr Doktor«, sagte er, »ist er aber auch ein ›guter Kopf‹?« – »Das ist schon schwerer zu beantworten«, erwiderte ich; »aber immerhin wird er's mit Fleiß allein nicht geschafft haben, er dürfte also wohl auch was im Kopf haben.« Noch einmal hielt M. inne; dann fragte er, offenbar als Letztes: »Herr Doktor, soll er nun zum Gericht oder zu einem Advokaten gehen?« – »Darüber kann ich Ihnen nicht Auskunft geben«, antwortete ich; »ich kenne ja den jungen Mann nicht, und auch wenn ich ihn kennte, würde ich ihn in diesem Punkte kaum zu beraten vermögen.« Da aber sah mich M. mit einem fast schwermütig verzichtenden, halb klagenden, halb begreifenden Blick an und sprach in einem unbeschreiblichen, aus Betrübnis und Demut gemischten Ton: »Herr Doktor, Sie *wollen* nicht sagen – nun, ich danke Ihnen dafür, was Sie mir gesagt haben.«

Diese humoristische und sinnreiche Begebenheit, die scheinbar mit dem Chassidismus nichts zu schaffen hat, hat mir doch einen neuen und bedeutsamen Einblick in ihn gewährt. Als Kind hatte ich ein Bild des Zaddiks empfangen und in der Erscheinung der befleckten Wirklichkeit die reine Idee, die Idee des wahrhaften Führers einer wahrhaften Gemeinde zu ahnen bekommen. Zwischen Jugend und Mannesalter war mir dann aus der Erkenntnis der chassidischen Lehre diese Idee als die des vollkommenen, Gott in der Welt verwirklichenden Menschen aufgegangen. Jetzt aber erblickte ich im Schein des scherzhaften Ereignisses die führende Funktion dieses Menschen in meiner inneren Erfahrung. Ich, wahrlich kein Zaddik, kein in Gott gesicherter, sondern ein vor Gott gefährdeter, ein immer neu um Gottes Licht ringender und immer neu an Gottes Abgründen vergehender Mensch, erfuhr, nach Trivialem befragt und Triviales entgegnend, dennoch den wahren Zaddik, den nach Offenbarendem Befragten und Offenbarendes Entgegnenden, von innen – damals zum erstenmal. Ich erfuhr ihn in dem Grundverhalten seiner Seele zur Welt: in seiner Verantwortung.

Jeder Mensch hat eine unendliche Sphäre der Verantwortung, der Verantwortung vor dem Unendlichen. Er bewegt sich, er redet, er blickt, und jede seiner Bewegungen, jedes seiner Worte, jeder seiner Blicke schlägt Wellen ins Geschehen der Welt; er vermag nicht zu erkennen, wie starke und wie weithin reichende. Jeder Mensch bestimmt mit all seinem Sein und Tun das Schicksal der Welt in einem ihm und allen unkenntlichen Maße; denn die Ursächlichkeit, die wir wahrnehmen können, ist ja nur ein winziger Ausschnitt aus dem unausdenklich vielfältigen unsichtbaren Wirken aller auf alle. So ist jede Menschenhandlung ein Gefäß der unendlichen Verantwortung. Aber es gibt Menschen, an die die unendliche Verantwortung in einer besonderen, besonders aktiven Form allstündlich herantritt. Ich meine nicht die Herrscher und Staatsmänner, die das äußere Geschick großer

Gemeinwesen zu bestimmen haben; umfänglich ist der Kreis ihrer Wirkung, aber um wirken zu können, wenden sie sich von dem einzelnen, ungeheuer bedrohten Leben, das sie mit tausendfältiger Frage anblickt, dem Allgemeinen zu, das sie blicklos dünkt. Ich meine jene, die dem tausendfältig fragenden Blick des einzelnen Lebens standhalten, die dem zitternden Mund der bedürftigen Kreatur, der Mal um Mal von ihnen Entscheidung heischt, getreulich Antwort geben; ich meine die Zaddikim, ich meine den wahren Zaddik. Das ist der Mensch, der die Tiefe der Verantwortung allstündlich mit dem Senkblei seines Wortes mißt. Er spricht – und weiß, daß seine Rede Schicksal ist. Er hat nicht über Länder und Völker zu entscheiden, sondern immer wieder nur über den kleinen und großen Gang eines einzelnen, so endlichen und doch so unbegrenzten Lebens. Die Menschen kommen zu ihm, und jeder begehrt seinen Ausspruch, seine Hilfe. Und mögen es auch leibliche und halbleibliche Nöte sein, die sie ihm zuführen, in seiner Welteinsicht besteht nichts Leibliches, das nicht verklärt, besteht kein Stoff, der nicht zum Geist erhoben werden kann. Und dies ist es, was er an allen tut: *er erhebt ihre Not, ehe er sie stillt.* So ist er der Helfer im Geist, der Lehrer des Weltsinns, der Führer zu den göttlichen Funken. Um ihn, um den vollkommenen Menschen, um den wahrhaften Helfer ist es der Welt zu tun; ihm harrt sie entgegen, harrt sie immer wieder entgegen.

ZUR DARSTELLUNG DES CHASSIDISMUS

Gekürzter Text einer Erwiderung auf die kritischen Bemerkungen von Rivkah
Schatz-Uffenheimer, einer Schülerin von G. Scholem. Diese Erwiderung ist in dem
meiner Philosophie gewidmeten Band der Reihe »Philosophen des XX. Jahrhunderts«
(W. Kohlhammer, Stuttgart 1963) entnommen, der auch die erwähnte Kritik enthält.

Es ist darauf hingewiesen worden, meine Darstellung des Chassidismus sei keine historische Arbeit, denn sie behandle die chassidische Lehre nicht in ihrer Vollständigkeit und berücksichtige nicht die Gegensätze, die zwischen den verschiedenen Strömungen der chassidischen Bewegung gewaltet haben. Das Gewebe, als das mein Werk angesehen wird, sei »aus selektiven Fäden gewirkt«. Ich stimme dieser Ansicht bei, wenn auch freilich nicht den Folgerungen, die daraus gezogen werden.

Seit ich in meiner Beschäftigung mit dem Gegenstand zu einem gründlichen Quellenstudium gelangt bin, d. i. etwa seit 1910 (die früheren Arbeiten waren nicht hinreichend fundiert), habe ich mir nicht vorgesetzt, eine historisch oder hermeneutisch umfassende Darstellung des Chassidismus zu geben. Schon damals wuchs in mir das Bewußtsein, daß meine Aufgabe ihrem Wesen nach eine selektive war. Zugleich aber gewann ich eine immer festere Gewißheit, daß das Prinzip der Selektion, das hier waltete, nicht einer subjektiven Vorliebe entsprungen war. In dieser Hinsicht ist meine Arbeit am Chassidismus wesentlich gleicher Art wie meine Arbeit am Judentum überhaupt. Von Leben und Lehre des Judentums habe ich das behandelt, was meiner Einsicht nach seine eigentliche Wahrheit und das für seine Funktion in der bisherigen und künftigen Geschichte des Menschengeistes das Entscheidende ist. Diese meine Haltung schließt selbstverständlich von ihren Grundlagen an eine Wertung ein; aber das ist eine Wertung, die – daran hat mich in all der Zeit kein Zweifel angerührt – ihren Ursprung in dem unerschütterlichen Kernbestand der Werte hat. Seit ich zur Reife der Einsicht, des Einblicks gelangt bin, habe ich kein Sieb gehandhabt; ich war ein Sieb geworden.

Wenn dem aber so ist, muß der Charakter dieser siebenden Tätigkeit objektiv gekennzeichnet werden können, d. h. es muß in diesem Falle erklärt werden können, warum das Aufgenommene zu Recht aufgenommen wurde, das Unaufgenommene zu Recht unaufgenommen verblieb. Es ist nicht schwierig, dies zu erklären und damit das objektive Kriterium der Selektion deutlich zu machen.

G. Scholem hat nachdrücklich darauf hingewiesen[1], daß der

---

[1] G. Scholem, Die jüdische Mystik in ihren Hauptströmungen (1957) 371 ff.

Chassidismus keine neue, in irgendeinem wesentlichen Punkte über die kabbalistische Überlieferung hinausgehende mystische Doktrin hervorgebracht hat. »Die Lehre ist hier ganz in Persönlichkeit verwandelt.« In der Tat ist der Chassidismus, auf seine Theorie hin betrachtet, ein erlauchtes Epigonentum. Aber auf das persönliche Leben seiner Führer hin betrachtet, wie wir es aus der beispiellosen Fülle von Aufzeichnungen ihrer Jünger, nach Ausscheidung des lediglich Legendären, zu rekonstruieren vermögen, bedeutet es das Aufbrechen einer mächtigen Ursprünglichkeit gläubigen Lebens, dem wir in der Religionsgeschichte nur sehr Weniges an die Seite zu stellen vermögen. Als »Erweckungsbewegung« hat Scholem[2] die chassidische Bewegung bezeichnet. Aber wo hätte es je eine Erweckungsbewegung von solcher über sieben Generationen sich erstreckenden Mächtigkeit der individuellen Lebensführung und des gemeindlichen Enthusiasmus gegeben? Vergleichen läßt sich, soweit ich sehe, jenem Teil des chassidischen Schrifttums, der vom Leben der Meister erzählt, nur das des Zen-Buddhismus und das des Sufismus (kaum das des Franziskanertums); aber in keiner von diesen Bewegungen finden wir eine Dauerstärke der Vitalität und eine Umfassung des menschlichen Alltags wie hier. Und dazu kommt, daß hier und nur hier es nicht das Leben von Mönchen ist, das berichtet wird, sondern das Leben von verehelichten, kinderzeugenden geistigen Führern, die an der Spitze von aus Familien zusammengesetzten Gemeinden stehen. Hier wie dort herrscht die Hingabe an das Göttliche und die Heiligung des gelebten Lebens durch diese Hingabe; aber dort wurde sie von einer asketischen Einschränkung der Existenz getragen, auch wo ein helfender und lehrender Umgang mit dem Volk gewahrt wird, im Chassidismus aber erstreckt sich die Heiligung grundsätzlich auf das natürliche und gesellschaftliche Leben. Hier allein tritt der ganze Mensch, wie Gott ihn erschaffen hat, in die Heiligung ein.

Mit Recht hat Scholem die Dwekuth, das »Haften« der Seele an Gott, als das zentrale Anliegen der chassidischen Lehre bezeichnet. Nur daß diese Konzeption der jüdischen Überlieferung hier zu einer zwiefachen Entfaltung gelangt ist. Bei den Zaddikim, die

---

[2] A. a. O. S. 377.

– wenn auch, wie gesagt, ohne Erfolg – die kabbalistische Lehre auszugestalten versuchen, herrscht die uns schon aus der Gnosis bekannte Ansicht vor, man müsse sich aus der »fleischlichen« Wirklichkeit des Menschenlebens in das »Nichts« des reinen Geistes erheben, um zum Kontakt mit Gott zu gelangen, der ja schon in der Bibel »der Herr der Geister in allem Fleisch« genannt wird. Aber ihr steht – ohne daß eine Auseinandersetzung zwischen beiden stattfände – die Ansicht gegenüber, dieses »ständige Bei-Gott-Sein«, wie es Scholem im Anschluß an den 73. Psalm nennt, werde vielmehr dadurch erreicht, daß der Mensch alles von ihm Gelebte Gott zuweihe. Antwortet doch schon der Talmud (b. Keth. 111) auf die Frage, wie es denn dem Menschen möglich sein sollte, an der Schechina zu haften: »Durch gute Taten«, und das heißt, im Sinne der talmudischen Zwei-Triebe-Lehre, wonach man Gott mit beiden geeinten Trieben, dem guten und dem bösen geeint, dienen soll: indem man das, was man tut, mit der rechten Kawwana, mit der Zuweihung an Gott tut und es so heiligt.

Die erste dieser beiden Anschauungen, die von der Vergeistigung, finden wir im Chassidismus zuerst bei seinem größten Denker, dem Maggid von Mesritsch, die zweite, die von der Heiligung alles Lebens, finden wir zuerst bei dessen Lehrer, dem Baalschem-tow.

Der Baalschem legt diese seine Lehre mit Vorliebe im Anschluß an zwei biblische Sprüche dar: »Auf all deinen Wegen erkenne ihn« (Sprüche Salomos 3, 6) und »Alles, was deine Hand zu tun findet, tue mit deiner Kraft« (Prediger 9, 10). Den ersten Spruch deutet er: »Sogar in allen leiblichen Dingen, die er tut, ist not, daß es ein Dienst an einem hohen Bedürfen sei... alles um des Himmels willen.« Und den zweiten: »Daß er die Tat, die er tut, mit allen seinen Gliedern tue, der Erkenntnis gemäß, und dadurch gibt es Ausbreitung der Erkenntnis in alle seine Glieder.« Ganz erfüllen kann dieses Geheiß freilich nur »der vollkommene Mensch«. »Der vollkommene Mensch«, sagt der Baalschem, »vermag höchste Einungen zu vollziehen« (d. h. Gott mit seiner im Exil der Welt weilenden Schechina zu vereinigen), »sogar mit seinen leiblichen Handlungen, so Essen, Trinken, Beischlaf, und Unterredungen über leibliche Dinge mit seinem Gefährten ... wie es heißt: Und Adam erkannte sein Weib Chawa.«

Unter den dem Baalschem nahestehenden Zaddikim ist es vor allem Rabbi Jechiel Michal von Zloczow, der diese Lehre ausgebaut hat, wiewohl er sich nach dem Tode des Meisters dem großen Maggid anschloß. Das Wort der Schrift »Seid fruchtbar und mehret euch« legt er so aus: »Seid fruchtbar, aber nicht wie die Tiere, seid mehr als sie, geht aufrechten Wuchses und haftet an Gott, wie der Zweig an der Wurzel haftet, und eure Begattung sei ihm geweiht.«

Das Angeführte ist wohl des Beweises genug, daß die innere Dialektik von Vergeistigung und Heiligung, auf die ich hinzeige, nicht etwa einer späteren Entwicklung der chassidischen Bewegung angehört, sondern schon mit ihrer Stiftung auftritt, und zwar solcherweise, daß die Lehre von der Heiligung die Anfangsthese und die von der Vergeistigung die auf sie folgende, offenbar der stärker gewordenen Aufnahme der kabbalistischen Tradition entstammende ist.

Eine unmittelbare Wirkung des geheiligten Menschenlebens auf die göttliche Sphäre wird freilich schon in der ersten These dem Zaddik vorbehalten. Aber immer wieder, in Sprüchen, Gleichnissen und Erzählungen, weiß der Baalschem und wissen mehrere seiner Jünger den einfältigen, unwissenden Mann zu rühmen, dessen Lebenskräfte in einer ursprünglichen Einheit verbunden sind und Gott eben mit dieser Einheit dienen. Auch in dieser niedern, ganz ungeistigen Gestalt wirkt das ungeteilte Dasein des Menschen auf das obere Geschehen.

Zu einer eigentlichen Kritik der kabbalistischen Vergeistigungslehre kommt es jedoch erst spät, und auch nur wie beiläufig. Eine neue, in sich zusammenhängende Doktrin, von der aus man jene hätte frontal angreifen können, ist ja eben nicht entstanden, nur eben eine neue Art von Leben, die sich immer wieder mit der rezipierten Lehre verständigen muß.

In dieser kritischen Äußerung, die uns aus dem Mund eines Zaddiks der fünften Generation bekannt ist, geht es um die Restitution des ursprünglichen Sinns des Gebets als des Sprechens des Menschen zu Gott.

An Stelle der biblischen Unmittelbarkeit von dem rein personhaften Sein des betenden Menschen zu dem nicht rein personhaften, aber dem Beter personhaft gegenüberstehenden Sein Gottes hat die Kabbala eine sich an die Form des Gebetes haltende Meditation gesetzt, deren Gegenstand die innere Struktur der Gottheit, die Konfigurationen der »Sefiroth« und die zwischen ihnen waltende Dynamik waren. Dem Wortlaut des Gebets nach ist Gott noch der Partner des Dialogs zwischen Himmel und Erde, der hinzugekommenen Theosophie nach aber ist er das nicht mehr, er ist das Objekt eines ekstatischen Betrachtens und Handelns geworden. Dieser Wandlung entspricht, daß die überlieferte Liturgie, unter Beibehaltung des Wortlauts, von einem Netz von »Kawwanoth«, von »Intentionen« bedeckt wird, die den Beter zur Versenkung in die Wörter und Buchstaben und im engsten Zusammenhang damit zum Vollzug vorgeschriebener Mutationen, insbesondre immer neuer Umvokalisierungen des Tetragrammatons, anleiten. Die chassidische Bewegung hat das so gestaltete kabbalistische Gebetbuch unbedenklich übernommen; der Baalschem selber hat es sanktioniert. Die bei solcher Sachlage unvermeidliche Zweiteilung der Beter in das schlichte Volk, das im Wort die Not der Herzen stillte, und die »höheren Menschen«, die der meditatorischen oder theurgischen Aufgabe oblagen, drohte bald das fundamentale Gemeinsamkeitsgefühl zwischen dem Zaddik und seinen Chassidim anzutasten. Von den großen Betern der dritten Generation sucht einer, Rabbi Schmelke von Nikolsburg, den Riß dadurch zu kitten, daß er die Gemeinde zum Beten um die Heimkehr der Schechina aus ihrem Exil und zur opfergleichen Hingabe der Seelen erhebt, aber ein anderer, Rabbi Levi Jizchak von Berditschew, geht auch betend ganz und gar in die volkstümliche Grundhaltung des freien Dialogs ein; der dritte hingegen, Rabbi Schlomo von Karlin, sieht sein eignes Beten, offenkundig eben nur das Beten des Zaddiks, als ein nur von ihm zu vollziehendes Wagnis an (»vielleicht werde ich auch diesmal noch nicht sterben«). Es ist zu verstehen, daß es ein Schülersschüler dieses Zaddiks, Rabbi Mosche von Kobryn, ist, der jene Warnung ausspricht, auf die ich hinweise. Von einem Verfasser kabbalistischer Schriften über die geheimen Kawwanoth des Gebets befragt, antwortet er: »Merke wohl, daß das Wort *kabbala* von *kabbel*, annehmen, aufnehmen, und das Wort *kawwana* von *kawwen*, auf etwas richten, stammt. Denn der Endsinn der Weisheit der Kabbala ist: das Joch des Gotteswillens auf sich nehmen,

und der Endsinn aller Kunst der Kawwanoth ist: sein Herz auf
Gott richten.« Das ursprüngliche, das von dem Urglauben Israels
gemeinte Leben in der haftenden Hingabe an den Herrn des Lebens lehnt sich gegen die Hypertrophie der mystisch-magischen
Doktrin auf. Worauf es ankommt, ist: was immer mir geschieht,
aus den Händen Gottes zu empfangen und, was immer ich tue, in
der Ausrichtung auf Gott zu tun. Die Einsicht des Baalschem in
die dem Menschen erreichbare und sein ganzes Leben zu umfassen vermögende wechselseitige Unmittelbarkeit der Beziehung zu
Gott hat hier beim Schülersschüler einen semasiologischen Ausdruck gewonnen, indem er von dem späten, spezifizierenden Be-
deutungswandel der Worte auf ihren schlichten Grundsinn zurückgreift. Daß es hier aber gar nicht mehr um eine zwar das
Leben betreffende, aber doch noch über ihm schwebende Sache des
Geistes, sondern durchaus um eine Sache des Lebens selber geht,
dafür darf als zwingender Beleg die Antwort angeführt werden,
die ein Schüler eben jenes Zaddiks nach dessen Tode auf die Frage,
was für seinen Lehrer das Wichtigste gewesen sei, erteilte; sie lautet: »Womit er sich gerade abgab.« Der Umgang mit Gott im gelebten Alltag, das Annehmen und das Zuweihen des jetzt und hier
sich Ereignenden, ist je und je das Wichtigste. Von den zwei Elementen wird das aktive besonders betont. »Ihr sollt«, wird gesagt,
»ein Altar für Gott werden.« Auf diesem Altar soll *alles* dargebracht werden, der vom Baalschem vollzogenen Ausgestaltung
der kabbalistischen Lehre von den in allen Dingen gegenwärtigen
und der Erlösung harrenden heiligen Funken gemäß.
Es trifft nicht zu, was mir entgegengehalten wird, meine »Schau
des Chassidismus« lasse sich in dem Worte zusammenfassen, hier
werde »die Kluft zwischen Gott und Welt geschlossen«. Nicht geschlossen wird sie, sondern überbrückt, und zwar mit der paradoxen Anweisung an den Menschen, je und je die unsichtbare
Brücke zu betreten und sie eben hierdurch wirklich zu machen.
Denn dazu ist der Mensch erschaffen und dazu die Dinge dieser
Welt, die jedem einzelnen zugehören und, wie der Baalschem
sagt, »mit aller Macht begehren, ihm nahezukommen, damit die
Funken der Heiligkeit, die in ihnen sind, durch ihn erhoben werden«, das heißt: durch ihn Gott zugebracht werden. Darum soll
man, wie es in einem andern Spruch des Baalschem heißt, »sich

seiner Geräte und all seines Besitzes erbarmen«. Jede Handlung soll »auf den Himmel zu« geschehen. Wir wissen aus überlieferten Äußerungen des Baalschem in der Ichform, daß er alles Leibliche ohne Ausnahme in die Sphäre der Intention einbezog. Darum wird in der zweifellos der Lehre des Meisters getreueren Polnaer Tradition das Verhältnis zwischen Leib und Seele dem zwischen Mann und Weib verglichen, von denen jedes nur die Hälfte eines Wesens und, um zur Erfüllung des Lebens zu gelangen, auf die andre Hälfte angewiesen sei. Ist das nicht des »Realismus« genug? Und von einem »Nichten« des Konkreten ist in *dieser* Linie des Chassidismus – die mit seinem Anfang beginnt – nichts zu finden. Die Wesen und Dinge, an denen wir diesen Dienst tun, sollen ja ungemindert bestehen bleiben; die »heiligen Funken«, die »erhoben werden«, müssen ihnen damit nicht entzogen werden. Gewiß gibt es nach der Lehre des Baalschem auch eine solche Art, sie zu »befreien«, daß sie auf die Wanderung »von Gestein zu Gewächs, von Gewächs zu Getier, von Getier zu redendem Wesen« gebracht werden; wenn er aber sagt, alles, was der Mensch zu eigen habe, seine Diener, seine Tiere, seine Geräte, alles berge Funken, »die der Wurzel seiner Seele zugehören und von ihm erhoben werden sollen«, und darum »begehrten sie mit aller Macht, ihm nahezukommen«, so ist doch wohl offenbar, daß hier keinerlei Annihilierung, sondern Weihung, Heiligung, Wandlung – Wandlung ohne Aufhebung der Konkretheit – gemeint ist. Darum kann der Baalschem in diese seine Lehre auch die Sünde einbeziehen (freilich in einem der sabbatianischen Theologie geradezu entgegengesetzten Sinn). »Und was sind das für Funken«, fragt er, »die in der Sünde wohnen?« Und er antwortet: »Es ist die Umkehr. In der Stunde, da du ob der Sünde Umkehr tust, hebst du die Funken, die in ihr waren, in die obere Welt.« Das ist kein Nichten: es ist ein Brückenschlagen.

Vielleicht noch deutlicher hat ein großer Zaddik, der eher ein Genosse als ein Schüler des Baalschem zu nennen ist, Rabbi Pinchas von Korez, das Eigentliche zum Ausdruck gebracht, wenn er sagt, es gebe weder Worte noch Handlungen, die in sich eitel sind, man mache sie nur zu eitlen Worten und Handlungen, wenn man sie eitel redet und eitel tut.

Daß, wie mir gegenüber behauptet wird, »die Frage, vor die der
Chassidismus gestellt war«, darin bestanden habe, »daß das Leben ihm in Tun einerseits und Ausrichtung andererseits zerfiel«,
trifft demnach nicht zu.

Nicht »der Chassidismus« war vor diese
Frage gestellt, sondern seine spiritualistische Ausprägung, die freilich in der Schule des Maggids von Mesritsch und damit in der Doktrin, die ja hier ausgebaut worden ist, die Oberhand gewann.
Nur hier ist es möglich, vom »sinnlichen Schein« zu sprechen. Wo
immer aber die neue Art zu leben stärker wird als die der kabbalistischen Tradition hörige Doktrin, da erweist sich die Akzepta-
tion des Konkreten um seiner Heiligung willen als »Entscheidung« und nicht als »Problem«. Die innere Dialektik der chassidischen Bewegung ist die zwischen einem im Bereich der »geistigen« Menschen verbleibenden unoriginalen Kabbalistik und
einem unerhört neuen, weil Volksgeschlecht um Volksgeschlecht
ergreifenden Leben mit der Welt.

Das ist die Grundlage meiner Selektion. Ich habe gewählt, was ich
gewählt habe, vielmehr: ich habe es durch mein Herz wie durch
ein Sieb gehen lassen, weil hier ein Weg ist, ein nur eben zu ah-
nender, aber ein Weg. Ich habe das Mal um Mal mit einer, wie
mir scheint, hinreichenden Deutlichkeit ausgesprochen, wann immer ich in diesem Zusammenhang von mir zu reden hatte[3].

Daß ich dahin mißverstanden werden konnte, es gehe mir
letztlich, wie etwa Fichte, um »ein Tun um seiner selbst willen«,
habe ich freilich nicht vorausgesehen. Es schien mir klar genug,
daß es mir um ein Tun um der Wiederherstellung der Unmittelbarkeit zwischen Gott und Mensch willen, um der Überwindung
der Gottesfinsternis willen geht.

Darum hat sich die Selektion notwendigerweise auf die zu Unrecht verachteten »Anekdoten« – Geschichten von gelebtem Leben – und »Aphorismen« – Sprüche, in denen sich gelebtes Leben
dokumentiert – gerichtet.

Die »Anekdoten« erzählen vom Leben der Zaddikim, und die
»Aphorismen«, die dem Mund von Zaddikim abgelauscht sind,
sprechen den Sinn dieses ihres Lebens mit großer Prägnanz aus.
Die zentrale Bedeutung des Zaddiks ist kein Gegenstand der in-

---

[3] Zuletzt am Schluß des Nachworts zu »Gog und Magog«, siehe unten S. 1261.

neren Dialektik; sie ist vom Anbeginn der Bewegung das Gemeinsame und Tragende, und zwar nicht als Theorem, sondern als Faktum, das von der Lehre interpretiert wird.

Unter den großen Zaddikim sind aber deutlich zwei Arten zu unterscheiden: der Zaddik, der wesentlich Lehrer und dessen entscheidende Wirkung die auf die Schüler ist, und der Zaddik, der wesentlich Helfer und dessen entscheidende Wirkung die aufs Volk ist. Das ist kein sekundärer Unterschied, sondern einer, in dem die innere Dialektik zum Ausdruck kommt: die erste Art gehört mehr auf die Seite der Vergeistigung, die zweite mehr auf die andere, die der Verwirklichung. In der Person des Baalschem sind noch beide vereinigt, nach ihm gehen sie auseinander. Für die Geschichte der Bewegung sind die großen Lehrer und Schulhäupter bestimmend gewesen, wie der Maggid von Mesritsch, R. Elimelech von Lisensk, der »Seher« von Lublin; das volkstümliche Leben der Bewegung konzentriert sich in Gestalten wie der Berditschewer, R. Sussja, R. Mosche Löb von Sasow. Sie sind das schlechthin Einzigartige am Chassidismus. Das Verhältnis zu den Schülern hat etwa auch im Schrifttum des Zen-Buddhismus exemplarische Gestalt angenommen, das zum unwissenden Volk, zur Gasse nirgends in der Welt so wie hier. Einen besonders charakteristischen Zug der Zaddikim der zweiten Art, der aber ihnen und dem Baalschem gemeinsam ist, sehe ich in jenem eigentümlichen Gefühl der Wesensverwandtschaft, das hier den hohen Menschen, der die Einheit gefunden hat, zu dem Einfältigen zieht, der auf niederer Geistesstufe sich Gott lebensmäßig hingibt. Was der Baalschem zu seinen Chassidim von dem treuen Strumpfwirker sagt – »Heute habt ihr den Grundstein gesehen, der das Heiligtum trägt, bis der Erlöser gekommen ist« – ist, wenn auch nicht in der Lehre, sondern in der Legende erhalten, ein primär wichtiger Ausspruch. Nicht umsonst ist ein ganzer Kranz verwandter Geschichten vom Baalschem überliefert. Die sagenhaften unter ihnen ergänzen die unverkennbar authentischen.

Vollends unverständlich ist mir, wie man meine Äußerung, die chassidische Botschaft von der Erlösung erhebe sich gegen die messianistische *Selbst*unterscheidung eines Menschen von dem anderen Menschen, dahin interpretieren kann, ich sähe im Chassidismus den »Vertreter einer atomistischen Ideologie«. Ich habe in meinen Schriften immer wieder darauf hingewiesen, was es bedeutet, wenn ein Mensch aus der Verborgenheit des »Köchers«, in den Gott ihn als »blanken Pfeil« versenkt hat (Jesaja 49, 2), eigenmächtig hervortritt und sich und seinen Handlungen die erlöserische Funktion zuspricht. Der Chassidismus ist eine gegen die Automessianistik gerichtete Bewegung. Man braucht nur an Stelle des Wortes »Selbstunterscheidung« das Wort »Unterscheidung« zu setzen, und schon ergibt sich, ich hielte den Chassidismus für eine »im Grunde antimessianische« Weltanschauung.

Was ich in Wahrheit als den großen chassidischen Beitrag zum Glauben an die Erlösbarkeit der Welt erkannt habe, ist dies, daß jeder Mensch an ihrer Erlösung wirken, aber keiner sie bewirken kann. Dies ist gemeinsame chassidische Einsicht. In der inneren Dialektik der Bewegung aber stehen einander zwei Grundanschauungen gegenüber. Die eine behauptet, der Mensch könne an der Erlösung der Welt wirken, indem er magisch auf die göttlichen Konfigurationen einwirkt, die andere erklärt dem gegenüber, nur dadurch könne der Mensch an der Erlösung der Welt wirken, daß er mit seinem ganzen Wesen sich auf Gott zu bewegt, zu ihm »umkehrt« und alles, was er von nun an tut, auf Gott zu tut. Damit steigert er, in einem der Kraft seiner Bewegung entsprechenden Maße, die Erlösbarkeit der Welt: er »nähert« sie der himmlischen Einwirkung.

Das ist das Grundthema meines Buches »Gog und Magog«, der einzigen größeren Erzählung, die ich geschrieben habe. Ich mußte sie schreiben, weil ich versuchen mußte, die innere Dialektik, die mir sichtbar und spürbar war, dem heutigen Menschen sichtbar und spürbar zu machen.

Hier sei etwas zur Klärung seines Gegenstands beigetragen. Der »Metaphysik« des Sehers von Lublin, oder vielmehr seinen magischen Unternehmungen, die darauf hinauslaufen, die im napoleonischen Völkerkampf tätige Dämonie aufs höchste zu steigern, bis sie an der Pforte des Himmels rüttelt und Gott welterlösend hervortritt, stellt der »heilige Jude«, ohne die kabbalistische Grundlehre aufzugeben, im wesentlichen die schlichte menschliche »Existenz« entgegen. Er hat es nicht mit dem weltgeschichtlichen Gog zu tun, aus dessen Kriegen, die die Menschenwelt zum Chaos wandeln, der Messias hervorgehen soll, und den es deshalb ins äußerste zu treiben gelte, sondern mit dem dunkeln Gog in unserer eigenen Brust. Ihn durch die »Umkehr«, also durch die Richtungsänderung der unentbehrlichen Leidenschaft, in eine lichte, unmittelbar an der Erlösung wirkende Kraft zu wandeln, das ist es, wozu er aufruft. Man sollte diese Botschaft nicht durch Zusammenstellung mit dem oder jenem modernen Gedankengebild zu entwerten suchen. Sie »anthropozentrisch« zu nennen, erscheint mir nicht sinnreich; sie ist vielmehr bipolar. Der »heilige Jude« greift damit auf den schon innerhalb der Prophetie Israels hörbaren Ruf zurück, erst müßten wir »umkehren«, ehe Gott von dem »Entflammen seines Zorns« »umkehrt«, und auf die in der inneren Dialektik des talmudischen Zeitalters vernehmbare Lehre, alle eschatologischen Kombinationen seien dahin und es komme nunmehr auf die menschliche Umkehr allein an. In der Lehre des Baalschem hat sie ihren mystischen Ausdruck in dem geheimnisschweren Spruch gefunden: »An euch ist der Anbeginn. Denn wenn zuerst in dem Weibe die Gewalt der Zeugung sich regt, wird ein männliches Kind geboren.«

Daß es dem »heiligen Juden« in der aktivsten Phase seines Lebens um eben diese Bewegung nach oben zu tun war, geht eindeutig aus dem von Rabbi Schlomo von Radomsk zuverlässig tradierten Spruch hervor: »Kehret um, kehret eilig in der Umkehr um, denn die Zeit ist kurz und es ist keine Muße zu weiterer Seelenwanderung mehr, denn die Erlösung ist nah.« Daß dies in der Tat der Kernspruch der Predigt war, die er auf seiner »großen Fahrt« durch die galizischen Städtchen Mal um Mal, wenn auch anscheinend in verschiedenen Fassungen, wiederholte, hatte sich dort noch in meiner Jugend in mündlichen Erzählungen erhalten. Der Sinn des Rufs ist offenbar dieser, der Mensch müsse *jetzt* die entscheidende Bewegung vollziehen, ohne sich darauf zu verlassen, daß seine Seele noch Zeit habe, vorher zu höheren Lebensformen aufzusteigen, denn jetzt habe sich die Sphäre der Erlösung unserer Welt genähert, und es tue nunmehr not, sie unverzüglich an uns zu ziehen.

Wer es aber wagt, im höchsten, unbefangenen Ernst jene Kontroverse zwischen »Metaphysik« und »Existenz« in die Problematik unserer eigenen Weltstunde zu übertragen, wird erkennen, daß alle magisierende Gnosis den Versuch einer Flucht vor dem Geheiß unserer menschlichen Wirklichkeit in die Finsternis überm Abgrund bedeutet.

NOCH EINIGES
ZUR DARSTELLUNG DES CHASSIDISMUS

Diese ergänzenden Bemerkungen sind durch einen englisch und deutsch (in »Commentary«, Oktober 1961, und »Neue Zürcher Zeitung«, Mai 1962) veröffentlichten kritischen Aufsatz G. Scholems veranlaßt.

Ein spätes Geschlecht vermag auf zweierlei Weise das zerfallene und von Schutt bedeckte große Glaubensgut eines früheren Zeitalters ans Licht zu heben.

Die eine Weise ist vom Verlangen nach wissenschaftlicher Erkenntnis – einer Erkenntnis, die so umfassend und exakt wie möglich sein soll – bestimmt. Man macht jene Erscheinung des religiösen Lebens zum Gegenstand der Forschung, man ediert und interpretiert die Texte ihrer Lehren, man ist bestrebt, ihre Ursprünge und Bedingtheiten, die Phasen ihrer Entwicklung und die Verzweigungen ihrer Schulen zu erforschen. Aus solcher Arbeit, wenn sie mit der dem berufenen Gelehrten eigenen Verbindung von Selbständigkeit und Treue geleistet wird, erwächst nicht der Religionswissenschaft allein hoher Gewinn: ihre Ergebnisse können auch zu Elementen des Unterrichts und der Volksbildung für künftige Geschlechter werden. Eine wesentliche Voraussetzung für diese Art des Ans-Licht-Hebens ist die Vollständigkeit im Sinn des seiner Aufgabe botmäßigen Historikers, der zwar zwischen wichtigen, unmittelbar zu behandelnden, und unwichtigen, im Hintergrund zu belassenden Fakten unterscheiden muß, in diesen Unterscheidungen und Entscheidungen aber streng gebunden ist an objektive, in seiner Wissenschaft gültige Kriterien: was solcherart sich ihm als wichtig erweist, das hat er eben so umfassend und so exakt als möglich darzustellen.

Wesenhaft verschiedenen Charakters ist die andere Weise, ein großes verschüttetes Gut des Glaubenslebens, eine Bewegung, die einst weite Volksschichten ergriff und vitalisierte, ans Licht zu heben. Sie entstammt dem Willen, von der Kraft jenes Lebens, dessen Überlieferung sich, wenn auch nicht in allem mit gleicher Treue, erhalten hat, der eigenen Zeit das zu übermitteln, was ihr helfen kann, ihre Glaubensnot zu überwinden und die zerrissene Bindung an das Unbedingte zu erneuen. Die bloße Wiederbekanntmachung einer vergessenen oder mißkannten Lehre vermag das nicht zu leisten, auch nicht wenn diese neu interpretiert wird; man muß auf die einstige Wirklichkeit eines mit dieser Lehre geschichtlich zusammenhängenden Lebens hinzeigen können, das einst von Einzelnen und den von ihnen gestifteten und geleisteten Gemeinden gelebt worden ist.

Daraus ergibt sich zweierlei.

Zum ersten: Es ist zwar die zulängliche Erkenntnis jenes einstigen Vorgangs in all seinen geistigen und geschichtlichen Zusammenhängen unerläßliche Voraussetzung, damit eine echte Erneuerung stattfinden könne, aber in dem Werk der Übermittlung an die eigene Zeit geht es nicht um eine vollständige Darstellung, sondern um eine Auslese der Phänomene, in denen jenes vitale und vitalisierende Element Gestalt gewonnen hat. Demgemäß tritt hier an die Stelle dessen, was man die Objektivität des Forschers zu nennen pflegt, die Zuverlässigkeit des Wählenden seiner besonderen Aufgabe gegenüber. Handelt er in Treuen ihr gegenüber, so ist er nicht von einem außerhalb ihrer liegenden Kriterium aus zu beurteilen; denn was von da her gesehen als »Subjektivität« erscheinen mag, kann sich, von der Aufgabe her betrachtet, früher oder später als ein notwendiges Moment in dem Prozeß einer Erneuerung erweisen.

Und zum zweiten: Man darf von einem solch einer Aufgabe treu und zuverlässig Dienenden nicht fordern, daß er von den überlieferten Berichten über jenes einstige Leben hinweg sich der Lehre zuwende, auf die sich Stifter und Jünger beriefen. Sogar in jenen höchsten Stunden der Religionsgeschichte, um die es hier nicht geht, ist nicht eine für sich erfaßbare Lehre das Primäre, sondern ein Ereignis, das zugleich Leben und Wort ist. Erst recht aber ist jene Forderung in dem Bereich abzulehnen, von dem ich hier rede, dann nämlich, wenn das Leben auf eine weit früher entstandene Lehre zurückgreift, um seine Legitimität zu begründen. Nie erzeugt eine alte Lehre als solche in einem späteren Zeitalter eine neue Lebensweise, sondern dieses Neue entsteht in der Sphäre personhafter und gemeindlicher Existenz, in der es ungeachtet des Beharrens in überlieferten Formen eine tiefgreifende Wandlung bedeutet. In dieser seiner Entstehung, und zuweilen mehr noch in den darauffolgenden Entwicklungsstadien assimiliert das Neue sich einer alten Lehre und beruft sich auf sie, ja erblickt in ihr seinen eigenen Ursprung. Gewiß, Elemente dieser Lehre scheinen sich schon im Leben des Stifters mit seinen eigenen Glaubenserfahrungen unlöslich verschmolzen zu haben, aber eben in einer für ihn und für die mit ihm anhebende Lebensweise charakteristischen Modifikation. In den nachfolgenden Generatio-

nen der Schüler und Schülersschüler tritt diese Modifikation jeweils
da zurück, wo die epigonisch gewordene Doktrin vorherrscht,
kann aber schon in der nächsten Generation erneute Vitalität und
Mächtigkeit gewinnen.

So ist es, wie sich im einzelnen zeigen ließe, mit dem Chassidismus
und seinem Verhältnis zur Kabbala (vornehmlich zu der späteren,
»lurjanischen«) beschaffen. Wer, seiner besonderen Aufgabe getreu,
»selektiv« vorzugehen gehalten ist, weiß genau, was er in sein
Werk einzubeziehen und was er dem den Gesetzen der historischen
Vollständigkeit folgenden Forscher unumstreitbar zu überlassen
hat.

2

Man beanstandet, daß meine Darstellung und Deutung des Chassidismus so sehr auf dessen legendärem Schrifttum beruht und
daß sie die theoretische Literatur vernachlässigt, die lange vor
jenem bestanden habe, nämlich in der Zeit, »in der der Chassidismus tatsächlich produktiv war«; der Ausdruck seiner Produktivität sei eben die theoretische Literatur gewesen, wogegen das legendäre Schrifttum zum weitaus größten Teil fast fünfzig Jahre nach
der Periode der theoretischen Produktivität entstanden sei.

Um die Behauptung der Spätheit des legendärischen Ausdrucks im
Chassidismus nachzuprüfen, ist es, wie man bald verstehen wird,
unerläßlich, die religionsgeschichtliche und literargeschichtliche
Kategorie, der dieser Ausdruck angehört, genauer zu erfassen.
Ich bezeichne diese Kategorie als legendäre Anekdote. Es handelt
sich um kurze und ganz kurze Geschichtchen, die sich fast durchweg um den Ausspruch eines Meisters der »mystischen« Lehre
aufbauen: die Begebenheit wird erzählt, aus deren Anlaß der
Ausspruch getan worden ist.

Es gibt in der Religionsgeschichte, soweit ich sehe, nur drei große
Beispiele für die volle Ausbildung dieser Kategorie: die legendäre
Literatur des Sufismus, die des Zen-Buddhismus und die des Chas-
sidismus[1].

---

[1] Das franziskanische Legendenschrifttum, das in diesem Zusammenhang nicht unerwähnt bleiben darf, gehört seiner Entstehungsweise nach nicht hierher. Eher könnten gewisse taoistische Texte in Betracht gezogen werden; aber diese Literatur steht
wesentlich mehr im Zeichen des Gleichnisses als in dem der Anekdote.

Sowohl im Sufismus wie im Zen, obgleich beide bedeutende theoretische Werke hervorgebracht haben, steht die legendäre Erzählung im Mittelpunkt des religionsgeschichtlichen Prozesses. Hier sei unmißverständlich betont, daß ich keineswegs von der Geschichte der Mystik als solcher, sondern lediglich von einer bestimmten Art von Erscheinungen innerhalb ihrer rede. Allgemeineren Äußerungen dieser Art, mit denen man etwa die meine zusammenstellen möchte, kann ich nicht beipflichten. Wenn z.B. Tor Andrae[2] erklärt, die Gefahr, daß die Theologie nicht zum Verständnis der Religionen führe, scheine ihm niemals näher zu liegen, als wenn es sich um die Mystik handelt, vermisse ich eine Spezifizierung. Wer wird eine Wertvergleichung der klassischen taoistischen Erzählungen mit den unter dem Namen Laotses überlieferten Texten oder so kühnen Erzeugnisse der deutschen Klostermystik wie die Geschichte von Schwester Katrei mit einer Predigt Meister Eckharts wagen? An diesen Beispielen wird offenbar, daß hier zwischen zwei Gattungen der Mystik zu unterscheiden ist. Der, auf die ich hinweise, gehören jene geschichtlichen Erscheinungen an, deren Eigentümlichkeit in der Sphäre des *Realisierungsmodus,* somit in der der *Begebenheit* am unmittelbarsten zu erkennen ist.

Vergleichen wir zwei repräsentative Gestalten der islamischen Mystik wie den für die Evolution der Doktrin maßgebenden Theologen al-Dschunaid und den seines Identitätsbekenntnisses wegen als Ketzer verdammten und hingerichteten al-Halladsch, die Zeitgenossen waren. Von dem ersten hat sich manche von ihm niedergeschriebene Lehre erhalten, der zweite hat sich, außer in seiner Dichtung, nicht anders als mündlich geäußert; und diese mündlichen Äußerungen kennen wir aus seiner überlieferten Lebensgeschichte, die von Aussprüchen durchsetzt ist. Es kann kein Zweifel daran bestehen, bei welchem von beiden wir den originalen Beitrag des Sufismus zu suchen haben. Und nicht anders verhält es sich mit dessen früherer und mit dessen späterer Periode. In der Sprache heutiger Philosophie ausgedrückt: worum es den Sufis geht, die ihnen eigentümliche Gottesbeziehung ist so wesentlich eine existentielle und an diese Existentialität gebunden, daß

---

keine theoretische Erörterung ihr gerecht werden kann. Und wir besitzen ja Zeugnisse von Sufis, die vor der hier lauernden Gefahr, andeutend oder auch offen, warnen. Eins von ihnen besagt, wenn Gott seinem Diener wohlgesonnen sei, öffne er ihm die Pforten zu Taten und verschließe ihm die Pforten der Erörterung. In ganz anderer, erheblich schwieriger zu erfassenden Gestalt besteht ein ähnliches Grundverhältnis im Zen. Ohne Verbindung mit den als grundlegend übernommenen Lehrschriften entwickelt sich hier die dem Zen schlechthin eigentümliche Literaturgattung, das »Koan«, – ein gewöhnlich mit »Beispiel« wiedergegebenes Wort, das aber genauer als »Kundgebung« zu verstehen ist. Es sind dies im wesentlichen knappe Berichte von Begegnungen, eingerahmt von einleitenden »Hinweisen«, begleitenden »Erläuterungen«, dichterisch sublimierenden »Gesängen« u. a. Gemeinsam ist ihnen, daß im Verlauf der »Kundgebung« ein direkt oder indirekt gestelltes Grundproblem sich als sprachlich, ja gedanklich unlösbar, als Paradox erweist, dem kein Lehrsatz gewachsen ist, wohl aber eine die gesamte Begriffssphäre aufhebende Wesenshaltung der menschlichen Person. Besonders charakteristisch sind die Berichte über Begegnungen zwischen einem Lehrer und einem Schüler, in der dieser auf seine Frage entweder eine allem Anschein nach absurde Antwort oder auch als einzige Erwiderung einen Schrei von besonderer, hergebrachter Art zu hören bekommt oder aber geschlagen, weggestoßen, verjagt wird. Und immer wieder lesen wir, daß gerade im Augenblick des radikalen Abgelehntwerdens der Schüler die »Erleuchtung« empfängt, die eben nur dem Geheimnis der unumschreibbaren Situation entspringt, welche eben doch irgendwie, eben so wie es hier geschieht, berichtet, sozusagen erzählt wird.

In beiden, im Sufismus und im Zen, erschließt sich uns der innerste Kern, das an jedem, was innerhalb der Geschichte der Mystik eben nur einmal uns entgegentritt, in der erzählten Begebenheit, – dort in den Legenden von dem bis zur »Einung« führenden Umgang der Meister mit Gott, hier im Koan, das Mal um Mal darauf hindeutet, wie Wahrheit geschieht[3]. Die Wesenshaltung, die

---

[3] Von dem ersten Drittel einer alten Sammlung von Koans, die etwa zwei Jahrhunderte nach ihrem Abschluß als »die vornehmste Schrift der Lehre unseres Glaubens« bezeichnet worden ist, liegt jetzt eine deutsche Übertragung von Wilhelm Gundert

hier gemeint ist, hat die Ablehnung aller »wählerischen Wahl«, auch der eines theoretischen Ja vor einem theoretischen Nein oder umgekehrt, zur Voraussetzung. Die dritte Erscheinungsform der legendären Anekdote in der Geschichte der Mystik ist die chassidische. In allen dreien stehen inmitten einer berichteten Situation persönliche Äußerungen. Im Sufismus sind es Äußerungen eines der Meister in dessen Umgang mit Gott oder von diesem Umgang zeugend; im Zen sind es Äußerungen eines der Meister im Umgang mit einem Schüler, die in diesem die entscheidende Wandlung, das Aufgeschlossensein für die Lebenswahrheit, bewirken; im Chassidismus sind es Äußerungen eines der Meister, verschieden nach Art, Empfänger und Zusammenhang: Äußerungen zu Schülern, zu Mitgliedern der Gemeinde, zu Fremden, aber auch an Gott gerichtete Sprüche werden berichtet. Unvergleichlich stärker als in Sufismus und Zen ist hier der erzieherische Charakter der Anekdote ausgebildet. Es ist oft ein mehrgliedriger Vorgang, der erzählt wird; aber fast immer gipfelt er in einer Äußerung oder klärt sich doch in einer. Eine Ausnahme machen die »Wundergeschichten«; aber auch das erzählte Wunder stellt oft eine, eben nur in dieser Gestalt gewährte, Äußerung, eine getane Lehre dar.

3

Den drei mystischen Bewegungen, die ich hier im typologischen Zusammenhang nebeneinander stelle, ist gemeinsam, daß – zum Unterschied von der Theorie, die (mit einer charakteristischen Ausnahme, der des Stifters des Chassidismus, der die Mündlichkeit zuzeiten radikal der Schriftlichkeit vorgezogen zu haben scheint) von ihren Denkern niedergeschrieben oder auch ihren Schülern zur Niederschrift überlassen wird – die Legende sich mündlich verdichtet, mündlich ausbildet und später erst aufgezeichnet wird[4].

---

vor (Meister Yüan-wu's Niederschrift von der Smaragdenen Felswand, Carl Hanser Verlag, München 1960), deren Studium einen unmittelbaren Einblick in die Natur des Koan gewährt.

[4] Auch in dieser Hinsicht ist der Hergang in dem – eben nicht in diesem Sinn »mystischen« – Franziskanertum, das wie gesagt typologisch nicht hierher gehört, ein anderer: die Legende wird von Ordens wegen verfaßt und redigiert.

Aus der Literatur des Sufismus sei hier als ein besonders prägnantes Beispiel die Lebensgeschichte des (oben erwähnten) al-Halladsch angeführt. Der Mann, der auf Grund der mündlichen Erzählung seines Sohns sie niederschrieb, hat noch mehr als ein Jahrhundert nach dem Tode des Märtyrers gelebt. Nicht erheblich anders sind, soweit unsre Kenntnis reicht, die um Aussprüche gruppierten legendären Biographien anderer sufischen Meister dieser »mit dem Leben bezeugenden« Art, in denen sich die Gestalt des »vollkommenen Menschen« darstellte, zu der literarischen Form gelangt, die auf uns gekommen ist.

In ganz andrer Weise, und doch letztlich in der gleichen Bahn vollzieht sich der Prozeß, von dem ich spreche, im Zen. Der ursprüngliche, der feste Kern der Koan-Literatur ist der schon in der Frühzeit »von Mund zu Mund gehende« Bericht von einer Situation zwischen Angehörigen des Zen-Buddhismus und von dem dort und damals Gesprochenen. Das ist jene »Wolke von Zeugen«, von der wir hören. Im Lauf von Generationen zeichnet immer wieder ein Klosterbruder eine ihm besonders wichtige »Kundgebung« auf, allmählich entstehen erst kleine, dann größere Zusammenschlüsse; mit der Gewinnung der »literarischen« Gestalt kommen, schon von Verfassern verfaßt, die Erläuterungen, die Gesänge hinzu, bis, Jahrhunderte nach den Anfängen der Berichtstradition, eine Schrift vorgelegt werden kann. Charakteristischerweise hat ein Späterer diesen Weg als das »Zen der Anekdotenbetrachtung« herabzusetzen versucht.

Die gleiche strukturelle Zweiheit finden wir im Chassidismus wieder, ja sie wird hier besonders deutlich. Die kohärente Doktrin wird ganz überwiegend von ihren Denkern selbst niedergeschrieben oder von ihnen ihren Schülern zur Niederschrift übermittelt. Die in Aussprüchen zentrierenden Begebenheiten hingegen, die man von den Meistern naturgemäß großenteils schon bei ihren Lebzeiten berichtet, gehen von Mund zu Ohr und werden erst nach einiger Zeit aufgezeichnet. Wir haben hier vor uns ein spätes, aber nachdrückliches Beispiel für das Bestreben einer oralen Tradition dieser Art, den Lebensgeist des Lehrspruchs dadurch zu erhalten, daß sein Zusammenhang mit den Situationen gewahrt wird, denen er wie der Funke dem Stahl entsprang. Wo immer man in der menschlichen Glaubensgeschichte darauf ausgeht, den *faktischen* Charakter des gesprochenen Wortes den kommenden Geschlechtern unverletzt zu übermitteln, wo immer man es vor der Gefahr der »objektiven« Verbegrifflichung retten will, beläßt man es in dem Geschehen, das es gebar, man tradiert es eben als Bestandteil eines personhaften Vorgangs, von diesem unablösbar. Das aber vermag naturgemäß nichts so sehr wie die Mündlichkeit, die je und je durch Ton und Gebärde unterstützt wird. Freilich droht im Gang der Weitergabe allerhand Unursprüngliches in die Erzählung einzudringen, und sobald dies wahrgenommen wird, stellt sich bald, um weiterer Verderbnis vorzubeugen, der Wille zur Niederschrift ein, dem etwas früher oder später der zur Sammlung des Zueinandergehörigen folgt. Im Chassidismus sucht man nach der Möglichkeit, die Namen früher Tradenten den einzelnen Legenden voranzusetzen.

Die späte Niederschrift, die späte Sammlung, gar die späte Veröffentlichung von Zyklen mystischer Legenden hat daher keinerlei Beweiskraft für die Behauptung ihrer Fragwürdigkeit als Quelle.

Die grundlegende Sammlung von Baalschem-Legenden z. B. ist 55 Jahre nach seinem Tode im Druck erschienen. Was will das für die Frage nach ihrer »Entstehung« besagen? –

Die Geschichte der spezifischen Zuverlässigkeit mündlicher Überlieferung in der Religionsgeschichte ist (trotz wichtiger Feststellungen, die mir vorliegen) noch nicht hinreichend erfaßt.

GOG UND MAGOG

Eine Chronik

Die Kriege Gogs und Magogs
werden um Gott geführt.

Rabbi Loewe ben Bezalel von Prag

ERSTER TEIL

Der Seher

Der Schloßhügel im Nordosten der polnischen Stadt Lublin war einst von Morästen umgeben. Niemand dachte daran, in dem unwirtlichen Gelände zu siedeln. Da kam es, vor etwa vier Jahrhunderten, den in Lublin Handel treibenden Juden, denen das Wohnen im Stadtbereich verboten war, in den Sinn, hier draußen Boden zu erwerben. Rund um den Hügel wurde Platz um Platz trockengelegt, an Bet- und Lehrhaus reihten sich bald erst die Wohnhäuser der großen, dann die der kleineren und kleinsten Juden, sie drängten, schmiegten, klebten sich an den Hügel, und schließlich ragte das uralte Schloß mit Turm und Kirche in seinen festen Zinnenmauern aus einem dichten Gewirr von Judengassen, Judengäßchen und Judengewölben hervor. Wenn du durch die Hauptstraße dieser Judenstadt, die »Breite« Gasse, gehst, kommst du an ein Haus, das sich von außen durch nichts von seinen Nachbarn unterscheidet. Betrittst du aber, durch den engen halbdunklen Flur, den Hof, um den es wie sie alle errichtet ist, steht ein niedrigerer, aber weiträumiger Bau vor dir, mit einem Holzdach gedeckt, und du merkst sogleich, an der langen Reihe der großen, trüben Fenster, daß Menschen hier nicht wohnen, sondern sich zu versammeln pflegen. Du öffnest die Tür und blickst in einen Saal mit fleckigen Wänden und einer verräucherten Balkendecke. In dem größeren Haus, in dessen erstem Stockwerk, über dem sich nur noch eine Mansarde erhebt, hat zur Zeit der napoleonischen Kriege »der Seher«, Rabbi Jaakob Jizchak, gewohnt und der Hofbau war seine »Klaus«, in der er mit den Seinen betete und lernte. An Gottesdienst und Studium der Hauptsynagoge nahmen sie nicht teil: sie waren »Chassidim«, »Fromme«, und wie die vielen andern chassidischen Gemeinden fest um ihren Kern, den Rabbi, geschart, von der offiziellen Ordnung ferngehalten und sich von ihr fernhaltend; aus dieser Ferne aber warben und kämpften sie um die Seelen der heranwachsenden Geschlechter.

Er wurde »der Seher« genannt, weil er sah. Man erzählte sich, er habe, als er geboren wurde, die Macht gehabt, von einem Ende

der Welt bis zum andern zu schauen, wie es dem Menschen bestimmt war, als Gott am ersten Schöpfungstag, ehe noch Gestirn
am Himmel war, das ursprüngliche Licht erschuf, das er dann, als
der Mensch verdarb, in seiner Schatzkammer barg, auf daß es
dereinst den Erlösten leuchte. Das Kind sei aber von der Fülle
des Bösen so bestürzt worden, daß es bat, man möge die Gabe
von ihm nehmen und es nur eine Strecke weit rings um sich sehen
lassen. Von seinem zwölften Jahre ab habe Jaakob Jizchak auch
dies nicht mehr ertragen können: sieben Jahre lang habe er seine
Augen mit einem Tuch verhüllt und sie nur zum Beten und Lernen freigegeben; in den sieben Jahren seien ihm die Augen
schwach und kurzsichtig geworden. Mit diesem verkümmerten
Blick, hinter dem aber die schauende Seele ungeschwächt verharrte, sah er auf die Stirn eines jeden von den Unzähligen, die
mit Bitten um das Wunder – Arme um Wendung ihrer Not,
Kranke um Genesung, Unfruchtbare um Kinder, Sünder um
Läuterung – zu ihm gefahren kamen; danach brachte er den über-
reichten Bittzettel, auf dem der Name des Besuchers mit dem
seiner Mutter und sein Anliegen verzeichnet waren, dicht an die
Augen, von denen das rechte etwas größer war als das linke, und
las die wenigen Worte wieder und wieder, erforschte sie und gab
den Zettel dem »Gabbai«, dem Verweser seines Hauswesens, der den
Empfang leitete und vermittelte, zur Verwahrung zurück. Und
dann merkte man an den plötzlich ganz veränderten Augen, an
der seltsam vergrößerten Pupille, daß er schaute. Worauf? Im weiten Raum gab es in diesem Augenblick nichts mehr, was seinen Blick
aufzufangen vermochte. Er schaute, so heißt es, mit den Augen,
»die in seiner Macht waren«, in die Tiefe der Zeit und sah den
Stammbaum der Seele, deren Gehäuse, der Körper des Bittstel-
lers, vor ihm stand. Er sah bis in ihre Wurzeln im ersten Menschen
hinein – etwa ob sie von Kains oder Abels Seite aufgesprossen
war, sah, wie oft sie auf ihrer Wanderschaft einen Menschenleib
betreten und was sie jedes Mal an dem großen Werk, das sie zu
vollbringen hat, beschädigt, was zurechtgemacht hatte.

Man meine aber nicht, weil hier vom Erschrecken vor der Fülle
des Bösen und von der Scheidung der Seelen je nach ihrer Abkunft von Abel oder Kain erzählt worden ist, der Seher habe sich
von den sündigen Menschen abgewandt und sich mit ihnen nicht

abgeben wollen. Im Gegenteil, es war offenkundig, daß ihn kaum etwas auf Erden so heftig anging wie der Sünder. Wenn man sich bei ihm über Missetäter beschwerte, die ihr übles Wesen nicht verhehlten, pflegte er zu sagen, er liebe den Bösewicht, der wisse daß er böse sei, mehr als den Gerechten, der wisse daß er gerecht sei. Der Spruch gibt sich erst ganz zu erkennen, wenn man bedenkt, daß »Gerechter«, Zaddik, der eigentliche Titel eines Rabbi der Chassidim ist. Zuweilen fügte denn auch Rabbi Jaakob Jizchak noch hinzu: »Es gibt auch manchen (er sagte nicht ›manchen Zaddik‹, aber man hörte es so), der böse ist und weiß nicht, daß er es ist. Das sind die, von denen es heißt: ›Noch an der Pforte der Hölle kennt er die Umkehr nicht‹, denn so einer bildet sich ein, man führe ihn in die Hölle, um etliche Seelen aus ihr zu retten, – ist er aber erst einmal drin, dann lassen sie ihn nicht mehr raus!« Und er wiederholte mit einem knappen Auflachen: »Dann lassen sie ihn nicht mehr raus!« Aber er ging noch weiter in seiner »Liebe«: er machte kein Hehl daraus, daß ein glühender Gegner des chassidischen Wegs seinem Herzen näher stand als ein gelassener Anhänger, denn jener könne, wenn ihn der Geist erst einmal packe, ein glühender Chassid werden, von diesem aber sei nichts zu erhoffen. Da wurde es also deutlich, wie sehr es dem Rabbi an der »Glut«, an der Leidenschaft, ja geradezu daran lag, was man den bösen Trieb nennt und ohne das es bekanntlich keine Fruchtbarkeit gibt, keine leibliche und keine geistige. Immerhin versäumte er nicht darauf hinzuweisen, daß es mit der Fruchtbarkeit allein nicht getan sei, sondern daß es auch darauf ankomme, was man zur Welt bringt. Nicht einmal bei dem Lob der Leidenschaft blieb der Seher jedoch stehen. Unter den Geschichten, die sich von ihm noch heute die Chassidim mit demselben geheimnisvollen Kopfschütteln wie dazumal erzählen, ist die wunderlichste wohl die von dem großen Sünder, der immer Zugang zum Zaddik hatte und mit dem dieser sich immer wieder gern und lang unterhielt, und als die Leute kamen und vorzubringen wagten: »Rabbi, wie duldet Ihr solch einen Menschen in Eurer Gegenwart!«, bekamen sie zur Antwort: »Ich weiß, was ihr wißt. Aber was kann ich tun? Ich liebe die Freude und hasse die Trübsal. Und dieser Mann ist ein so großer Sünder: sogar unmittelbar nach der sündigen Handlung, wo doch sonst alle, und

sei es auch nur ein Weilchen, zu bereuen pflegen, sei es auch nur
um sich alsbald wieder ihrer Torheit zu ergeben, widersteht er der
Schwermut und bereut nicht. Und die Freude zieht mich an.« In
der Tat, Rabbi Jaakob Jizchak haßte die Schwermut. Man erzählt sich, er habe einst auf einer Reise in einem neuen, frisch für
ihn hergerichteten Bett nicht einschlafen können, weil der Schreiner, ein gottesfürchtiger Mann, es in den neun Tagen gezimmert
hatte, in denen man um die Zerstörung des Tempels trauert, und
seine Trübsal den Liegenden wie mit tausend Stacheln peinigte.
So war es denn natürlich, daß ihm die Trübsal bedenklicher als
die Sünde wurde. Einmal klagte ihm ein Mann, wie sehr er unter
der Heimsuchung der bösen Gelüste zu leiden habe und wie er
darüber in eine tiefe Schwermut verfalle.»Halte dir die Schwermut fern«, sagte der Rabbi, nachdem er ihm mit Rat und Weisung das Herz gestärkt hatte,»sie schadet dem Dienste Gottes
mehr als die Sünde. Um was der Satan sich so müht, ist nicht die
Sünde des Menschen, sondern seine Schwermut darüber, daß er
wieder gesündigt hat und von der Sünde nicht loskommt. Da hat
er die arme Seele im Netz der Verzweiflung eingefangen.«
Es ist aber hier ein Wort hinzuzufügen, das er einem Schüler im
Zwiegespräch anvertraute und das dieser uns überliefert hat.»Es
nimmt mich wunder«, sagte er,»wie das zugeht: es kommen zu
mir Menschen im Stande der Schwermut, und wenn sie von mir
fortziehn sind sie aufgehellt, und ich selber bin doch...« Hier
wollte er, den ersten Lauten nach zu schließen, das Wort»schwermütig« aussprechen, hielt aber sogleich inne und sagte:»und ich
selber bin doch schwarz und leuchte nicht.«

Mitternacht

Es war im Herbst des Jahres 1793, wenige Tage nach dem Fest
der Freude an der Lehre. Rabbi Jaakob Jizchak hatte es diesmal,
zum Staunen und zur Bekümmerung der Vertrauten, nicht wie
sonst immer in einer großen, fast fessellosen Fröhlichkeit, sondern wie ein Leidender gefeiert, der eine vergnügte Miene auf-
setzt, damit man sein Leid nicht merke, und sogar als er mit der
Schriftrolle tanzte, merkten sie, daß sein Schritt schwer war.

Wie allnächtlich war der Rabbi auch diesmal vor Mitternacht aufgestanden, da dem wahren Frommen geboten ist, um diese Zeit dem Heiligtum nachzuklagen und in der Lehre zu forschen. Wissen doch die Kenner der heimlichen Weisheit, daß bei Nachtanbruch die Dämonen als Hunde und Esel durch die Welt zu schweifen beginnen. Bald dringt die »Andere Seite« vor und sucht einen Weg zum König der Welt. Die Menschen liegen in ihren Betten und kosten inmitten ihres Schlafs einen Vorgeschmack des Todes. Wenn aber der Nordwind um Mitternacht erwacht, das ist, wenn das Böse gewaltig wird – wie geschrieben steht: »Von Norden her eröffnet sich das Böse« –, ist ein heiliger Aufruhr in der Welt. Wer zu dieser Zeit um das Exil der Schechina klagt und danach sich mit der Lehre befaßt, durch den werden die üblen Wesen in den Abgrund geworfen und er darf dem Heiligen, gesegnet sei Er, nahen. Davon erzählt das »Buch des Glanzes« im Bilde eines Königs, der um die Truhe, die seine edelsten Kleinodien barg, eine giftige Schlange legte, um unbefugte Augen fernzuhalten, seinem Freunde aber vertraute er an, wie er die Schlange unschädlich machen und die Schätze nach Herzenslust betrachten könne. Darum ist es gut, noch vor Mitternacht aufzustehn.

Wie allnächtlich setzte sich der Seher auch diesmal bloßfüßig um Mitternacht auf den Boden neben den Türpfosten, an dem die Kapsel mit dem Gottesnamen haftet, und streute Asche vom Herd auf seine Stirn. Nachdem er Hymnen der Klage und des Hilferufs gesprochen hatte, stand er vom Boden auf und rief die Worte des Propheten: »Schüttle dir den Staub ab, steh auf, Gefangne, Jerusalem!« Daran schloß sich wieder das Flehen der Psalmen.

Es ist vorgeschrieben, die Mitternachtsklage mit Weinen und Wehruf zu sprechen, und so sprach sie auch der Seher Nacht um Nacht, aber wenn er auf Worte kam wie »mit der Stimme Jubels und Danks, im Rauschen des Festreihns«, oder »jene knicken ein, fallen, wir aber, wir erstehn und überdauern«, pflegte er so laut aufzujubeln, daß die Freude über die Trauer triumphierte. Diesmal war es anders. Die stolzen Worte sprach er müde vor sich hin, und als er zu Ende war, seufzte er tief auf. Ehe er mit dem Forschen in der Lehre begann, sagte er wie oft auch diesmal leise: »Herr

der Welt, vielleicht bin ich von jenen, von denen geschrieben steht:
›Was hast du meine Gesetze aufzuzählen?‹« Das Weinen überkam
ihn und es dauerte lang, bis er das »Buch des Glanzes« aufschlagen
konnte, um in jenen Stellen zu forschen, die von der Mitternacht
handeln. Nach dem Lernen tat er, was er immer tat, wenn er alles
für diese Stunde Gebotene vollendet hatte. Er setzte sich auf
einen Schemel, so daß er die Knie weit vorschieben mußte, stützte
die Ellenbogen auf sie, legte den Kopf in die Hände und schloß
die Augen so fest, daß die unteren Lider den Druck verspürten.
Wie immer, erschien ihm zunächst eine blutfarbne Fläche, dann
aber zerriß sie mitten durch, das Licht flutete erst milchig,
dann in noch reinerem Weiß ein, nun war nichts mehr da als
das weiße Licht. »Warum hast du mir das getan?«, sagte Jaakob
Jizchak.

Genau vor einem Jahre hatte er in dieser Nachtzeit gebetet, man
möge ihm kundtun, wer würdig wäre, nach seinem Tode an seiner Stelle die Gemeinde zu führen. Er lauschte. »Jaakob Jizchak«,
sagte die vertraute Stimme. Er glaubte sich angerufen. »Hier bin
ich«, antwortete er. Die Stimme schwieg. So brachte er wieder
vor: »Tu mir kund, wen ich einsetzen darf.« »Jaakob Jizchak«,
sagte die Stimme. Er saß bis in die Morgendämmerung auf dem
Schemel, hörte nichts mehr und fragte auch nicht mehr. Am nächsten Morgen nach dem Frühgebet in der Klaus trat der Seher entgegen seiner Gepflogenheit aus der Seitenkammer, in der er, den
Blicken der Versammelten entzogen, am Gebet teilnahm, in den
großen Raum. Im Nu waren die Schüler um ihn geschart. Er hob
langsam die Hand, wollte zu sprechen beginnen – da entstand am
Eingang ein Getümmel, durch die hinausströmende Menge drängte
sich ein allen fremder Mann, in einen Gebetmantel gehüllt, den er
offenbar schon auf der Straße angehabt hatte, und lief auf den
Rabbi zu. Man hielt ihn für einen der Bittsteller, die dem Rabbi
auflauerten, um »in günstiger Stunde« ihre Nöte vorzutragen,
und wollte ihn warten heißen, aber der Rabbi winkte ab. Als der
Mann dicht vor ihm stand, betrachtete er prüfend die Erscheinung. Man sah jetzt, daß es ein noch junger Mensch war, ja seine
Hände waren noch rot und schlenkrig wie die eines Knaben, aber
sein Mund war ein fertiger Mund. Auf den sah nun der Rabbi
und alle mit ihm. Der Mann war mit zurückgeworfenem Kopfe

gelaufen und hielt ihn noch immer so, die Schläfenlocken flatter-
ten noch leise, die Nase schnaufte in jähen Stößen, aber die dünnen und fast fahlen Lippen waren hart aufeinandergepreßt, und
man konnte sich der Empfindung nicht erwehren, als füge jede
der Gefährtin einen Schmerz zu. Nun aber riß er, ehe noch der
Rabbi ihn angeredet hatte, den Mund auf und rief, mit einem Ton,
wie ihn ein eherner Mörser, der einen Sprung bekommen hat, von
sich gibt, wenn du ihm mit dem Stößel an die Wand fährst:
»Rabbi, nehmt mich zum Schüler an!« Es klang nicht wie Bitte,
sondern wie eine Forderung, geradezu wie die Forderung eines
Gläubigers an einen Schuldner, nur daß es eben eine geborstene
Stimme war. »Wer bist du?«, fragte der Rabbi. »Jaakob Jizchak
Sohn der Matel«, antwortete der Ankömmling. Alle erschraken.
Matel hatte die Mutter des Rabbi geheißen. Der Rabbi selber war
erblaßt. Eine Weile waren seine Augen verändert, wie in den
Stunden, in denen er in die Tiefe der Zeit schaute, dann aber ver-
störte sich sein Blick, die Lider zuckten, er holte, was er sehr sel-
ten tat, die Brille aus der Tasche und setzte sie auf. »Du bist angenommen«, sagte er.

Das Jahr, das seit diesem Vorfall verstrichen war, war eine unablässige Pein gewesen. Der neue Schüler benahm sich nicht anders als wie ein Gläubiger, der im Hause des Schuldners die
Schuldsumme »abwohnt«. Den Mitschülern begegnete er mit
Herablassung; sowie er eines von ihnen ansichtig wurde, spielte
ihm ein spöttisches Lächeln um die dünnen Lippen, das er aber
alsbald wegwischte. Die Unzähligen, die täglich aus allen Welt-
richtungen gefahren kamen und vor dem Haus oder im Vorraum
warteten, beobachtete er, an die Tür gelehnt, mit den zusammen-
gekniffenen, grautrüben Augen und trug sie gleichsam in ein
abgegriffenes Schreibbuch ein. Dem Rabbi, der all das sah, nahte
er nie anders als diensteifrig und beflissen, er versäumte nie, ihn
zu fragen, ob er einen Befehl für ihn habe; aber in den Lehrstun-
den, in denen er sich durch Beschlagenheit und Scharfsinn aus-
zeichnete, stellte er Fragen von der Art jener, durch deren Beantwortung auch der größte Meister in immer aussichtslosere verwickelt wird. Doch führte er dieses Fragespiel immer nur bis zu
einem gewissen Punkte durch, wo er dann unversehens abbrach
und nach einem Stöhnen der Bewunderung laut flüsterte: »Es ist

so wie der Rabbi sagt.« Das Schlimmste war, wenn er, in beinah regelmäßigen Zwischenräumen, sich ein Sondergespräch bei dem Lehrer erbat und ihm dann, mit der Begründung, bei ihm Hilfe für die Anfechtungen seiner Seele zu suchen, aus seinem Leben berichtete. Dem Rabbi erschien das, als erzählte man ihm Begebenheiten seiner eigenen Jugend, aber jede in einer gräßlichen Verzerrung: was er als ein schelmisches Kindergesicht in der Erinnerung hatte, schnitt hier eine tückische Fratze, und in den ebensten Weg hatten sich Löcher um Löcher gebohrt. Sowie jedoch der Erzähler merkte, wie sich die Miene seines Zuhörers veränderte, bekannte er:»Ja, Rabbi, ich bin ein großer Sünder!« In solcher Weise war das Jahr verstrichen. An seinem letzten Tag aber, am Tag vor dieser Nacht, in der Rabbi Jaakob Jizchak sich auf all dies besann, war um die Zeit vor dem Nachmittagsgebet, das man bei den Lubliner Chassidim später als anderswo sagte, der Schüler, ohne sich durch den Gabbai anmelden zu lassen, in die Stube des Rabbi getreten, der am Tisch saß und beim Licht zweier Kerzen schrieb, und hatte sich vor ihn hingestellt. Der Rabbi achtete seiner nicht und schrieb weiter.»Rabbi!« sagte der Schüler. Der Rabbi hob die buschigen schwarzen Brauen und schrieb schweigend weiter.»Rabbi!« sagte der Schüler,»wann werdet Ihr ihnen ankündigen, wie es mit mir sein soll?«Der Rabbi legte die Feder sorgsam hin, daß kein Fleck entstehe, und sah auf. »Geh!« sagte er.»Wie, was!«, stammelte der andre, und jetzt war es eine zittrige Fistelstimme, die zwischen seinen Lippen hervordrang.»Ich, ich, gehen?«»Geh!« sagte der Rabbi und erhob sich. Sein Kopf mit der tiefen senkrechten Stirnfurche stand mächtig gegen den Verstummten, der mit einknickenden Knien zurückwich. Der Rabbi folgte ihm zur Tür.»Du mußt sogleich dein Bündel schnüren und hinwegwandern«, sagte er.»Ich, ich will mich nur noch von den Genossen verabschieden«, brachte jener vor.»Du hast keinen Genossen«, sagte der Rabbi.

Auf all dies, auf dieses ganze Jahr mitsamt diesem letzten Tag, besann er sich nun, auf dem Schemel sitzend, mit den fest geschlossenen Augen in das weiße Licht starrend, in einem einzigen Nu wie auf ein einziges Ereignis.»Warum hast du mir das getan?« fragte er. Keine Antwort kam. Und plötzlich mußte Jaakob Jizchak lachen, weil er»Warum?« gefragt hatte. Er lachte, fiel lachend vom Schemel und lag lange Stunden auf seinem Angesicht, mit ausgestreckten Gliedern, bis in die Morgendämmerung.

Der Fuhrmann

Der nächste Tag war ein Freitag. Der Freitag ist bekanntlich kein Tag für sich, sondern Trabant und Herold des nach ihm kommenden. In Lublin waren die Schüler schon nach dem Morgengebet mit dem Herrichten des Lehrhauses für den Sabbat beschäftigt; der Staub der Woche wurde von den Bänken gewischt und vom Boden gescheuert. Da trat der Rabbi ein. Man sah ihm sogleich an, daß er, obgleich er schon um Sonnenaufgang im Tauchbad gewesen war, nun zum zweitenmal getaucht hatte; die Feuchtheit seines Haares war kaum zu erkennen, aber seine Füße hoben sich noch immer, wie wenn einer aus dem Wasser steigt. Er ging auf die Jünglinge zu und tat, was er früher Tag um Tag zu tun pflegte, nun aber schon lange unterlassen hatte: er ließ sich von allen nacheinander ihre eben gesäuberten Pfeifen reichen, rauchte aus jeder einige starke Züge und gab sie dem Besitzer zurück. Die Schüler hatten alle in ihrer Arbeit eingehalten; sie standen und staunten ihn an.

Nachher ging er ins Wohnhaus und befahl dem Gabbai, mit dem Vorlassen der von nah und fern gekommenen Chassidim, von denen viele schon eine Reihe von Tagen warteten – denn er hatte in der letzten Zeit keinen Fremden sehen wollen –, zu beginnen. Er begnügte sich heute nicht damit, nachdem er jedesmal den Spruch »zur Einung des Heiligen, gesegnet sei Er, und Seiner Schechina« gesagt hatte, Gesicht und Bittzettel zu betrachten, er ließ die Leute frei reden, der Bescheid, den er schließlich gab, war jedesmal klar und schlicht, wenn auch mancher den Hörer überraschen mochte. Einem Pächter, der ihm klagte, daß er den Zins nicht aufbringen könne, riet er, das Gütchen auf Abzahlung zu kaufen; die nächste Ernte würde so reich sein und die Preise so steigen, daß er nichts zu fürchten brauche. Als ein andrer berichtete, er werde von Zweifeln geplagt und könne sie nicht zum Verstummen bringen, empfahl er ihm, nachts das Fenster seiner Schlafkammer offen zu lassen, denn eine Luft, die sich nicht erneut, mache die

Seele stockig. Man führte ihm einen am Geist gestörten Knaben
vor; statt ihn, wie es in solchen Fällen üblich war, mit gewaltsamen Beschwörungen zu ducken, ließ er sich, nachdem er mit
ihm allein geblieben war, in ein weitläufiges Gespräch mit ihm
ein, man hörte aus dem Nebenzimmer den Knaben zuerst widerwillig brummen, dann wie verwundert aufschreien, endlich anscheinend eine Geschichte erzählen, die nur zuweilen von seinem
Lachen und dem des Rabbi unterbrochen wurde; nach einer
Stunde rief dieser die Anverwandten wieder herein und wies sie
an, das Kind täglich um diese Zeit in sein Haus zu bringen und
im übrigen es ungestört treiben zu lassen was es wolle, es werde
gewiß nichts Schädliches unternehmen, – worauf der Knabe wieder in ein helles Gelächter ausbrach und laut versicherte: »Ich
schade nicht.«

Schon seit einer Weile hatte man von der Straße her einen wachsenden Lärm vernommen, aber der Rabbi war mit seinem Ge-
genstande allzusehr befaßt, als daß er darauf geachtet hätte. Jetzt
drangen die Rufe »David!«, »Rabbi David!«, »Rabbi David Lelower!« an sein Ohr. Er trat hinaus. Vor der Tür hatte sich ein
Haufen Chassidim um eine kleine Gruppe versammelt, die offenbar vor kurzem von außerhalb gekommen war. Inmitten war ein
mit zwei kräftigen Schimmeln bespannter langer Leiterwagen zu
sehen, davor der Fuhrmann, dem ein auffallend stämmiger Bursche die Peitsche abgenommen hatte und ihn am Kragen festhielt,
mit einem nachlässigen Griff, der aber reichlich genügte, um es
jenem unmöglich zu machen, sich auf den Wagen zu setzen und
davonzujagen, wozu er ersichtlich große Lust hatte. Dem Fuhrmann gegenüber stand, von Schülern umdrängt, die immer noch
»Rabbi David!« riefen, in die Hände klatschten und hochspran-
gen, ein Mann, der näher an fünfzig als an vierzig sein mochte,
einen reinlichen, aber mehrfach geflickten, mit einem Strohbund
gegürteten Langrock und in die dichten, noch in jugendlichem
Kastanienbraun leuchtenden Locken gedrückt statt des geläufigen
Pelzhuts eine etwas abgeschabte Tuchmütze trug; auch seine Wangen waren noch von einer jugendlichen Frische und ebenso wie
das Kinn, die Augenhöhlen und die Stirn ganz runzellos. Bisher
hatte er nachdrücklich, aber gar nicht heftig auf den Fuhrmann
eingeredet; sowie er jetzt des Zaddiks ansichtig wurde, wandte

er sich ihm zu und verneigte sich. Alle, die mit ihm gekommen waren, verneigten sich zugleich, der stämmige Bursche, ohne den Kragen des Fuhrmanns loszulassen; die Nahstehenden, die sich an der ungewöhnlichen Gestalt nicht sattsehen konnten, nahmen mit Verwunderung wahr, wie ihm, obgleich er auch kein Jüngling mehr war, – er mochte zwanzig Jahre weniger zählen als Rabbi David – beim Anblick des Lubliners ein Erröten über Gesicht und Nacken zog. Nach dem Gruß sprach David sogleich den Zaddik an. »Rabbi«, rief er, »was ist mit diesem Mann anzufangen? Er schlägt seine Pferde! Wie kann man ein Pferd schlagen? Während wir zu Euch fahren, sind immer mehr und mehr Chassidim mit Ranzen und Säcken auf den Wagen gekommen. Schließlich habe ich dem nicht mehr zusehen können, wie die Tiere das schwere Fuhrwerk geduldig zogen, und ich gebe den Leuten einen Wink: ›Brüder, steigen wir ein Weilchen aus!‹ Sogleich sind alle ausgestiegen, haben nur die Ranzen liegen lassen, und wir sind hinter dem Wagen hergezogen. Nun sollte man meinen, die Pferde hätten den Schritt beschleunigt. Weit gefehlt! Sie paßten ihn unserem langsamen an. Pferde sind kluge Tiere, wache Tiere, sie verstehen. Was glaubt Ihr aber, daß da geschehen ist? Dieser Fuhrmann da ist zornig geworden. Statt sich zu freuen, daß man seinen kostbaren Besitz schont, wird er zornig und schlägt auf die Pferde ein. ›Was tust du da!‹, rufe ich. ›Weißt du nicht, daß die Thora verbietet, lebendige Wesen zu quälen?‹ ›Es gehört sich‹, sagt er, ›daß die Reisenden im Wagen sitzen!‹ ›Wir werden dir‹, sage ich, ›von dem Fahrgeld nichts abziehen.‹ ›Es gehört sich!‹, schreit er. ›Warum aber‹, frage ich, ›schlägst du die Pferde?‹ ›Es sind meine Pferde‹, gibt er zur Antwort. ›Das ist kein Grund sie zu schlagen‹, sage ich. ›Es sind unvernünftige Tiere‹, sagt er. Nun mußte man sie sehen, wie sie die Ohren rührten und hinhorchten, – sie wußten wohl, daß es um sie ging. ›Meinst du etwa‹, sagte ich, ›sie ziehen den Wagen, weil sie Angst vor deinen Hieben haben? Sie ziehen ihn, weil sie ihn ziehen wollen.‹ Und was sagt er darauf? ›Ich kann und will mit Euch nicht disputieren‹, sagt er und schlägt wieder auf die Pferde ein. Und da –« Nun aber fiel ihm der Fuhrmann ins Wort. »Heiliger Rabbi«, rief er, »erbarmt Euch meiner und laßt mich ein Wort dazwischen sagen!« »Was meinst du dazu, David?«, fragte der Rabbi. »Laßt

ihn nur reden, Rabbi!«, antwortete der Lelower. »Rede, Chajkel!«, sagte der Rabbi, der alle Fuhrleute weit und breit mit
Namen kannte. So begann Chajkel zu reden, ohne daß der Griff
an seinem Kragen sich lockerte, während David von Lelow die
breite Mütze abnahm, so daß er im bloßen Käppchen dastand,
und mit der anderen Hand Gerste aus einer tiefen Tasche holte,
die Mütze damit füllte und den Pferden hinhielt.
»Rabbi«, sagte Chajkel, »weiß ich denn nicht, wer er ist? Ich bin
nicht aus Lelow, aber komme ich nicht Woche um Woche nach
Lelow? Und höre ich nicht jedesmal, wenn ich hinkomme, von
ihm reden? Von wem denn sollen die Lelower reden wenn nicht
von ihm? Ich weiß doch, daß er selber ein Zaddik ist, wenn er
auch nur als Euer Schüler gelten will, aber verrückt ist er doch!
Kommen nicht zu ihm Chassidim gelaufen, schreiben Zettelchen
aus und wären selig, wenn er ihnen erlaubte, ihm ein ›Lösegeld‹
zu überreichen? Aber er erlaubt es keinem! Und wovon lebt er
mit seinem Weib und all den großen und kleinen Kinderchen?
Da steht er in seinem Lädchen und verkauft immer nur so viel,
um für den Tag versorgt zu sein. ›Wollt Ihr nicht lieber dort
rechts bei der Witwe kaufen‹, sagt er zu dem Kunden, ›oder da
drüben bei dem frommen Mann, der weit rechtschaffener ist als
ich?‹ Und wenn er den Käufer los ist, setzt er sich hin und lernt.
Seht doch, die Peitsche da, die er mir hat wegnehmen lassen,
habe ich bei ihm gekauft. Und was sagt er mir, wie ich sie ausgesucht habe? ›Diese Peitsche‹, sagt er, ›ist nur zum Knallen und
nicht zum Schlagen gemacht.‹ Ist das nicht die Rede eines Verrückten? Nun hört aber weiter, was sich auf dieser Fahrt zugetragen hat! Hätten wir nicht schon gestern mittags hier eintreffen
müssen? Sind wir doch schon am Tag nach dem Fest der Thorafreude, am Montag aus Lelow gefahren! Aber sowie wir in
irgendein Städtchen kamen, ließ dieser verrückte Zaddik halten.
Dann versammelte er alle Kinder um sich und verteilte nicht nur
Zuckerwerk unter sie und schenkte jedem ein Pfeifchen – das
wäre noch angegangen –, sondern stopfte sie auch rudelweise in
meinen Wagen und ließ sie durch den ganzen Ort fahren und
pfeifen. Aber nicht genug daran! Wann immer wir durch ein
Dorf kamen, wo ein einzelner Jude wohnte, überall sagte er,
er habe da einen Bruder, den er besuchen müsse, sei es um nach

seinem Befinden zu fragen, weil er das vorige Mal krank gewesen sei, oder um sich zu erkundigen, ob eine Tochter, für die
beim vorigen Aufenthalt gerade ein Mann gesucht wurde, indessen wohl vermählt sei, und dergleichen mehr, und überall
mußte ich stehen und warten. Nun ja, ganz Israel sind Brüder!
Aber schließlich packt einen eben doch die Wut! Und wen sollte
ich schlagen, wenn nicht die Pferde?«
»Ist das wahr, David, was der Mann erzählt?«, fragte der Rabbi.
»Das mit den Kindern mag ja noch hingehn, aber ist das wahr,
daß er in den Dörfern warten mußte, weil du in jedem einen
Bruder wohnen hattest?«
»Gewiß ist es wahr«, erwiderte der Lelower, »und ich will Euch
berichten, Rabbi, wie das gekommen ist. Als ich zum ersten Mal
zu Eurem und meinem Lehrer, dem großen Rabbi Elimelech, nach
Lisensk fuhr, wollte er mich, wie ihr ja wißt, zuerst nicht empfangen, weil ihm die Kasteiungen zuwider waren, die ich in
meiner Jugend getrieben hatte. Sogar als ich mich im Lehrhaus
hinter dem Ofen versteckt hatte, hieß er mich hinausweisen. Den
ganzen Sabbat harrte ich vergebens auf ein Wort von ihm. Erst
als ich tags darauf wieder wagte, mich in sein Haus zu begeben,
kam er mir entgegen und begrüßte mich freudig. Nun aber will
ich Euch berichten, was sich inzwischen mit mir ereignet hatte.
In der Morgenfrühe des Sonntags hatte ich nach einer Nacht
ohne Schlaf keine andere Hoffnung mehr, als daß ich mich ganz
neu eine lange Zeit bereiten mußte, um von Rabbi Elimelech aufgenommen zu werden. So machte ich mich unverzüglich auf den
Heimweg. Im ersten Dorf, durch das ich kam, erblickte mich
ein Jude, der zum Fenster seines Hauses heraussah, und rief mich
an: ›Bleibt doch stehn!‹ Als ich einhielt, sagte er: ›Bedenkt doch!
da habt Ihr einen Bruder unter so vielen Fremden sitzen – wie
tritt man da nicht ein und fragt: ‚Lebst du noch, mein Bruder?'!‹
So trat ich bei ihm ein und wir unterredeten uns über allerhand
Dinge, und danach nahmen wir in einem guten Einvernehmen
Abschied voneinander. Als ich wieder auf der Straße stand, kam
es mir übermächtig in den Sinn: ›Nun will ich es auf mich nehmen, auf jeder Fahrt von jedem Ort, wo ein Jude wohnt, nicht
weiterzuziehn, eh wir einander als Brüder erkannt haben.‹ Und
wie ichs mir gelobte, füllte mir etwas urplötzlich das Herz, jenes

Gefühl nämlich, das man ›Liebe zu Israel‹ nennt und das mir bis dahin fremd geblieben war. Und in einem damit hatte ich urplötzlich eine solche Zuversicht im Herzen, daß ich sogleich umkehrte, zurück nach Lisensk ging und wieder Rabbi Elimelechs Haus betrat, der mir entgegenkam und mich freudig begrüßte. Seither habe ich stets und so auch auf dieser Reise mein Gelübde erfüllt.«

»Wohl«, sagte der Rabbi und schwieg eine Weile. Dann aber fragte er lächelnd: »Ist es aber auch wahr, daß du dem Mann seine Peitsche abgenommen hast?«»Auch das ist wahr«, antwortete David, »er mußte doch daran verhindert werden, weiter zu schlagen. Freilich habe ich sie ihm nicht mit eigenen Händen abgenommen, das hätte ich mit meinen geringen Körperkräften nicht fertiggebracht, sondern ich habe sie ihm durch meinen Freund da abnehmen lassen. Er ist es auch, zu dem ich gesagt habe, weil doch die ganze Sache vor Euch ausgetragen werden sollte: ›Wir müssen darauf achten, daß er uns nicht noch im letzten Augenblick entwische. Darum fasse du ihn, sowie der Wagen hält, am Kragen und halte ihn fest, Jaakob Jizchak, ...‹«

»Was – was hast du zu ihm gesagt?« fragte der Rabbi.

»Nun eben«, antwortete David, »daß er den Mann festhalten solle.«

»Ja, aber was noch?«

David stutzte. »Was noch? Nun eben: ›Jaakob Jizchak‹, habe ich gesagt...«

»Wie? Jaakob Jizchak?«

»Nun freilich, so heißt er, der da.« Und damit zog er ihn hervor, daß er Peitsche und Kragen fahren ließ und, wieder über und über errötend, vor dem Rabbi stand. Alle sahen auf ihn. Er hatte die Schultern breit wie ein Lastträger, aber einen sehr geraden Rücken, und darüber erhob sich ein großer, aber schmaler Kopf, tiefbraunes Haar umgab das schon wieder blasse Gesicht, die Nase schwang sich unmittelbar aus der Stirn hervor, der Mund war sanft. Man mußte ihm auf die großen Hände sehen, auf ihre zarte Haut, auf die schlanken Finger – und auf die unheimliche Kraft, die nicht weniger sichtbar war.

In diesem Augenblick trat aus einer Schar von Bauern, die sich neugierig im Hintergrund versammelt hatten, ein hochgewachsener Mann in weißer Schafsjoppe und weißer Lammfellmütze, ging gleichmäßigen Schritts durch die ihm Platz machenden Chassidim bis dicht an den jungen Jaakob Jizchak, klopfte ihm auf die Schulter und rief auf Polnisch:»Das ist mir mal ein Jud!« Und schon war er nicht mehr zu sehen. Der junge Jaakob Jizchak ist in Lublin von da an nicht anders als »der Jude« und später in der chassidischen Welt nicht anders als »der heilige Jude« genannt worden. Die Jünglinge aber, die sich ihm alsbald anschlossen, waren gewiß, dies sei der Prophet Elia gewesen, der es bekanntlich liebt, im Gewand eines Eingeborenen über Land zu wandeln und die Sprache der Eingeborenen zu reden. Jetzt sprach auch der Rabbi wieder.»Gesegnet die Gekommenen!«, sagte er und reichte David von Lelow die linke Hand. »Gesegnet der Gekommene!«, sagte er und reichte dem jungen Jaakob Jizchak die Rechte. Chajkel hatte sich indessen mit Wagen und Peitsche aus dem Staube gemacht.

David von Lelow erzählt

In der oberen Stube saß David bald danach dem Rabbi gegenüber. Beide rauchten ihre kurzen Pfeifen, sahen einander freundlich an und schwiegen. Endlich fing der Rabbi zu reden an.»Du hast mir niemals erzählt, David«, sagte er,»warum eigentlich du vor sechs Jahren, nach dem Verscheiden unseres Meisters, des großen Rabbi Elimelech, zu mir gefahren kamst und seitdem zu mir fährst.«

»Da ist nicht viel zu erzählen«, sagte David,»und was zu erzählen ist, gereicht mir nicht zum Ruhm.«

»Erzähle nur«, sagte der Rabbi.

»Nun«, sagte David,»ein gutes Stück der Geschichte kann niemand besser kennen als Ihr. Als mich die langen Kasteiungen, immer wieder Fasten von Sabbat zu Sabbat, dazu alle Arten der strengen Pein, nicht bloß ausgemergelt, sondern auch hochmütig und trostlos gemacht hatten, hörte ich, daß es Chassidim auf der Welt gibt. Da dachte ich mir: die muß ich mir ansehen, das sind ja sonderbare Wesen, die meinen, es ohne alle Kasteiung schaffen zu können. Einmal treffe ich auf einen Chassid, der eben von der Fahrt zu seinem Rabbi zurückkehrt, und frage ihn: ›Was hast du von deinem Rabbi gehört?‹ Sagt er: ›Die Erklärung des Schriftworts: Und wüschest du dich mit Lauge...‹ Darauf frage ich ihn: ›Wo ist er zu Hause?‹ ›In Lisensk‹, sagt er. So habe ich mich denn auf den Weg zu Rabbi Elimelech gemacht. Unterwegs hatte ich in der Stadt Lanzut zu übernachten, wo Ihr damals wohntet. Als man mir von Euch berichtete, begab ich mich zu Euch und bat, mich zu herbergen. Was da geschah, brauche ich ja nicht zu erzählen.«

»Erzähle nur«, sagte der Rabbi.

»Nun«, sagte David, »Ihr fragtet mich, warum ich gerade bei Euch Herberge nehmen wolle. Ich antwortete:›Weil ich nach dem, was ich gehört habe, sicher sein kann, daß alle Speisen bei Euch mit der höchsten Treue und Genauigkeit nach den Vorschriften der Thora zubereitet sind.‹ Darauf hießt Ihr den Diener mir zwei Ohrfeigen geben und mich hinausführen.«

»Wohl, wohl«, sagte der Rabbi.

»Da bin ich denn«, sagte David, »nach Lisensk gefahren. Nun, daß er mich nicht hat empfangen wollen, habe ich oft berichtet. Aber eins habe ich auch Euch noch nicht erzählt. Wie ich mich da nämlich im Lehrhaus hinter dem Ofen versteckt hatte, kommt er herein, geht geradeswegs auf den Ofen zu und winkt mir herauszukriechen. Da stehe ich nun vor seinem Angesicht.›Woher bist du?‹, fragt er mich. ›Aus Lelow‹, sage ich. ›Wer ist bei euch‹, fragt er, ›der Mann, der es am treusten und genausten mit allen Vorschriften der Thora hält?‹ Da habe ich geschwiegen, denn ich dachte: ›Was kann ich da erwidern, da ich es doch wahrhaftig selber bin.‹ Er wartete mir nicht lange zu, sondern hieß den Diener mir zwei Ohrfeigen geben und mich hinausführen. Das weitere habe ich Euch ja schon längst berichtet.«

»Da hast du es also gut gehabt«, sagte der Rabbi.

»Habe ich es gut gehabt?« fragte David.

»Ja«, sagte der Rabbi. »Ich weiß aber noch immer nicht, warum du nach dem Verscheiden unseres Lehrers zu mir gekommen bist.«

»Nun«, antwortete David, »doch eben, weil ich auch von Euch zwei Ohrfeigen erhalten hatte.«

»Jetzt verstehe ich's«, sagte der Rabbi. »Ich möchte aber noch etwas von dir erfahren. Du hattest mir doch Botschaft gesandt,

daß du schon zum Hüttenfest kommen würdest. Warum bist
du nicht gekommen?«

»Das war so«, sagte David. »Ich bin damals hergefahren, aber
ich habe mich unterwegs noch mehr als diesmal versäumt, und
so war ich erst bis zu einem Dorf nicht weit von hier gelangt,
als das Fest anbrach. Da ist es mir denn recht bang geworden,
weil es mir nicht gewährt war, an diesem Tag an dem reinen
Tisch in Lublin zu sitzen. Dann aber habe ich meiner Seele so
zugesprochen: ›Wenn die Welt wüßte, wer der Rabbi von Lublin
ist, würden sie doch von den vier Zipfeln der Erde hierher gefahren kommen, und dann würde der Tisch sich bis zu diesem
Dorf ausdehnen, und ich David der Allerkleinste würde sicherlich
hier am Ende des Tisches sitzen, wo ich jetzt sitze. Also sitze ich
am Tisch des Rabbi.‹ Da habe ich denn die zwei Festtage in
großer Freude verbracht und bin dann heimgereist, denn ich
sagte mir: ›Jetzt ist es nicht mehr an der Zeit, nach Lublin zu
fahren.‹ Wie ich aber heimkomme, ist mir da inzwischen mein
Freund zu Besuch gekommen und wartet auf mich in meiner
Stube, der Jaakob Jizchak. Da habe ich denn zu ihm gesagt:
›Nach dem Tag der Thorafreude, Jaakob Jizchak, fahren wir
zusammen nach Lublin.‹«

»Was hat es mit diesem jungen Menschen auf sich?«, fragte der
Rabbi.

»Da ist doch nichts zu erzählen«, sagte David, »das sieht man
doch alles.«

»Erzähle nur, David«, sagte der Rabbi.

»Ich weiß nicht«, sagte David, »wie man von einem anderen
erwachsenen Menschen erzählt. Ich kann außer von mir selber
nur von Kindern erzählen. Aber wenn Ihr wollt, erzähle ich Euch
von seiner Kindheit, so viel als ich davon weiß.«

»Erzähle«, sagte der Rabbi.

»Man sieht ihm wohl nicht an«, erzählte David, »daß er schon
als Knabe ein großer Lerner war.«

»Man sieht«, sagte der Rabbi.

»Es gab in seiner Heimatstadt und weit und breit ringsum keinen
Knaben, der ihm an Kraft der Forschung in der Lehre gleichkam.
Aber niemand wußte davon. Die Leute redeten darüber, wie
doch sein Vater, der ein vortrefflicher Gelehrter war, unglücklich

sei, einen Sohn zu haben, der nicht versteht was er lernt. Im
Lehrhaus hielt er nämlich die Ohren auf, dachte und schwieg.
Ein Freund, der zusammen mit ihm lernte und dem allein er
sich anvertraute, hat mir viel später alles berichtet. Man hat
aber auch von der Inbrunst nichts gewußt, mit der er betete, ja
man hielt ihn auch darin für nachlässig, denn oft fehlte er schon
beim Morgengebet. Nach diesem pflegte man in seiner Heimatstadt das Bethaus zu schließen, er aber kletterte durch Fenster
und Dachluken hinein und betete vor der heiligen Lade. Einmal
überraschte ihn dabei sein Vater, der ihm bis dahin keine Aufmerksamkeit zugewandt hatte. Als er die Tür des Bethauses
öffnete, sah er seinen Sohn vor der Lade liegen. Er trat nicht ein,
sondern schloß lautlos wieder die Tür. Seither beobachtete er
mit Zurückhaltung das Treiben des Kindes. Er merkte, daß es
sich stets von allen Speisen eine reichliche Menge auf den Teller
legte, davon aber den größten Teil heimlich in die Taschen oder
in einen bereitgehaltenen Beutel verschwinden ließ. Er fragte
um und erfuhr, daß der Knabe täglich nach der Hauptmahlzeit ins Armenviertel eilte, wo sich gleichaltrige und ältere Jungen um ihn versammelten; zunächst teilte er Speisen unter sie
aus, nachdem sie sich aber gesättigt hatten, lernte er mit ihnen.
Auch dies bewahrte der Mann im Herzen, ohne sich mit dem Sohn
zu unterreden; er ließ ihn gewähren und befahl nur, ihm von
allen Speisen überreichlich aufzulegen.

Ein Bruder des Vaters lebte als armer Bethausdiener in einem
entlegenen Städtchen. Er war aber einer der sechsunddreißig
verborgenen Zaddikim. – Rabbi, warum heißt es, die Welt stehe
auf diesen Sechsunddreißig? Steht nicht die Welt vielmehr auf
den Offenbaren, die unsere Führer sind?«

»Die Offenbaren selber«, sagte der Rabbi, »stehen auf den Verborgenen. Und auch an ihnen selber, den Offenbaren, ist das,
was andere zu tragen vermag, nicht ihre Offenbarheit, sondern
ihre Verborgenheit. Alles tragende Sein ist verborgen. Aber erzähle nur weiter.«

»Dieser verborgene Zaddik«, sagte David, »besuchte zuweilen
seinen Bruder. Sie gingen dann aus der Stadt aufs Feld und besprachen sich über die Geheimnisse der Thora. Einmal nahmen
sie den Knaben mit, und er ging hinter ihnen her. Sie kamen an

eine Wiese, auf der Schafe weideten. Da sahen sie, daß zwischen
den Tieren ein großer Streit um die Anteile an der Weide ausgebrochen war. Schon gingen die Leitwidder mit den Hörnern
aufeinander los. Weder Hirt noch Hund war zu erblicken. Im
Nu war der Knabe vorgesprungen, in einem Nu nahm er die
Wiese in Besitz und richtete seine Herrschaft auf. Er trennte
die Kämpfer und schlichtete den Streit. Alsbald war jedem
Schaf und jedem Lamm zugeteilt, was es brauchte. Etliche Tiere
aber beeilten sich nun nicht mit dem Fressen, sondern drängten
sich an den Knaben, der ihnen das Fell kraulte und zu ihnen
redete. ›Bruder‹, sagte der Bethausdiener, ›das wird ein Hirt der
Herde.‹«

»Und hat in all der Zeit«, fragte der Rabbi, »die Welt nichts von
ihm erfahren?«

»Nun«, antwortete David, »zur Kindheit gehört das ja nicht
mehr. Freilich, wo hört bei so einem die Kindheit auf? Eins ist
gewiß: er war fast noch ein Kind, als er verheiratet worden ist.
Die Heimatstadt hatte seinem Lerntrieb nicht mehr genügt, er
war in die Fremde gegangen und so ans Lehrhaus nach Apta
gekommen, dem sein früherer Lehrer vorstand. Da wurde er
nun bald bekannt. Unter allen Schülern wußte er am meisten,
was er wußte war lebendig da, was da war verwaltete er selbständig wie keiner. Freilich war nicht bekannt, daß er auch der
geheimen Weisheit oblag, weil er es nur in nächtlicher Heimlichkeit, einsam oder mit einem einzigen Gefährten tat. Den berühmten Jungen hat sich dann ein wohlhabender Bäcker und Schankwirt als Schwiegersohn gesichert. Das heißt, der Mann selbst
trieb eigentlich nur das Bäckergewerbe, der Wirtschaft stand seine
Frau vor, Goldele heißt sie. Sie führte in ihrem mächtigen Gedächtnis genaues Buch über die Geschicke jedes Besuchers; jeder
Neueintretende war so lange verdächtig, bis er mit all seinem
Drum und Dran eingetragen war. Der Jüngling, dem sie die
ältere von ihren beiden Töchtern vermählt hatte, war ihr schon
am Tag nach der Trauung ärgerlich geworden, weil er sich als
unübersichtlich erwies. Was für einen Wert hat ein Mensch, um
den du siebenmal herumgehen kannst, ohne dich in ihm auszu-
kennen? Nicht als ob er sich abgeschlossen hätte, er sah sie immer
freundlich an und gab auf alle Fragen bereitwillig Auskunft,

aber man merkte bald, daß gerade dies das Schlimme war: wenn
einer dir mit Absicht etwas von sich vorenthält, kannst du die
Belagerungsmaschinen vortreiben, nicht aber, wenn er dir alle
Kammern öffnet und in keiner findest du, was du suchst. Nun
kam aber noch etwas besonders Schlimmes heraus. Die Frau
pflegte dem jungen Paar außerhalb der Hauptmahlzeit, die sie
am elterlichen Tisch einnahmen, allerhand gute Sachen zu schik-
ken, nicht bloß das Übliche, sondern auch leckere Backwaren,
edle Weine und dergleichen. Da erfuhr sie, daß der größte Teil
von alledem zu kranken Armen wanderte. Zu Leuten, die für so
feine Dinge gar kein Verständnis haben können! Das war zuviel.
Sie war auf den Schwiegersohn stolz gewesen, weil man von seinen Geistesgaben redete, überdies durfte sie hoffen, mit solchem
Fürsprech auch für Drüben vorgesorgt zu haben. Jetzt aber sah sie,
daß das ein untauglicher Mensch war; bei einem, der alten Wein
unter den Pöbel austeilte, konnte auch die Gelehrsamkeit nicht
die rechte sein. Dazu kam, daß er oft in der Betergemeinde nicht
zu finden war; er hatte sich nämlich in einem Speicher des Schwiegervaters, der voller Stroh und Grünfutter war, ein Eckchen
zurechtgemacht, in dem er mit seiner mächtigen Inbrunst betete,
sobald ihm die ganze Seele zum Gebet bereit war. So wurde
schließlich Jaakob Jizchak, der, auch nachdem man ihn ermahnte,
von seinen üblen Sitten nicht ließ, vom Tisch verwiesen; zu essen
brachte ihm seither seine Frau.

Eines Tags aber erfuhr man etwas, was alle, besonders aber
die Chassidim, in Staunen versetzte. Ihr müßt wissen, daß das
Tauchbad in Apta... Sagt mir, Rabbi, was ist das Geheimnis
des Tauchbads?«

»Wenn du so fragst, hast du dir gewiß schon selber eine Antwort gegeben und willst nur wissen, ob sie mir recht ist. Was
meinst du also davon?«

»Da Ihr es wollt, Rabbi, will ich sagen, was ich meine, aber eine
Antwort ist es nicht. Ich meine nur: man geht hinab, und weiter hinab, und noch weiter hinab, und wenn man schon unten
ist, beugt man sich erst richtig hinab. Das ist alles, was ich
weiß.«

»Und so ist es recht.«

»Aber nun bitte ich Euch, Rabbi, gebt mir die Antwort.«

»Du weißt doch, David, was unsere Weisen sagen, indem sie einen Schriftvers deuten: ›Israels Tauchbad ist Gott‹.«
»Ich weiß noch nicht, Rabbi, was Ihr im Sinn habt.«
»Untertauchen habe ich im Sinn, David, gänzlich untertauchen. Uns ist es nicht gegeben so unterzutauchen, wie die Engel, nachdem sie ihren Dienst getan haben, im Feuerstrom untertauchen und erstehen nicht wieder aus ihm als um ihren Dienst zu tun. Nur in der Zeit, wo er seinen Dienst tut, muß jeder von ihnen da sein als der, der er ist, das heißt: der diesen Dienst tun kann, welchen kein andrer tun kann. Nur im Dienst sind sie nicht Feuerstrom, sondern Personen. Wir aber tauchen nicht in Feuer, wir tauchen in Wasser. Wir werden nicht verzehrt, wir erstehen nicht wieder. Auch untergetaucht sind wir die wir sind. Aber als eben diese untertauchen, bis kein Haar hervorschaut, untergetaucht bleiben, solange wir unter Wasser atmen können, das ist unsere Möglichkeit. Und nun erzähle weiter, David!«
»Das Tauchbad in Apta«, erzählte David, »ist neunzig Stufen tief. An ein Erwärmen des Wassers ist nicht zu denken. Einen großen Teil des Jahres liegt eine Eisschicht darüber, die man jeweils zerschlagen muß, um tauchen zu können. Die Chassidim kommen nie einzeln, sondern in Trüppchen von zehn und mehr. Sie schichten einen Scheiterhaufen und zünden ihn an, um beim Herauskommen aus dem Bad sich dran wärmen zu können. Jaakob Jizchak ist nie mit ihnen gegangen. Er stand stets vor Mitternacht auf und ging allein ins Tauchbad, tauchte ohne Feuer anzumachen, kehrte heim, sprach die Mitternachtsgesänge und forschte stundenlang in der geheimen Lehre. Nun wohnte in der Nähe des Badhauses eine Frau, die nachts Kringel zubereitete, um sie am frühen Morgen feilzubieten. Sie merkte, was da vorging, und stellte von da an allnächtlich ihren Kessel mit siedendem Wasser, in den sie die Kringel zu tun pflegte, ehe sie in den Ofen kamen, vor die Tür des Badhauses, damit der einsame Besucher sich vor dem Heimweg dran wärme. Er verschmähte auch nicht es zu tun, denn er hat sich nie wie ich mit Kasteiungen abgegeben. Lange schwieg die Frau davon, endlich aber berichtete sie einer Nachbarin, und durch die erfuhr es bald der ganze Ort. Die Chassidim behandelten nun Jaakob Jizchak mit Vertraulichkeit wie einen der Ihren, der Schwiegervater aber, ein

schlichter Mann, fiel ihm zu Füßen und bat ihn, er möge ihm vergeben.

Tags darauf hat er die Stadt verlassen und ist dann viele Jahre als Kinderlehrer von Ort zu Ort gezogen. An einem dieser Orte haben mir Kinder von ihm erzählt. Sie sagten zu mir: ›Da ist ein Mann, den du kennen mußt‹. Und so habe ich ihn kennen gelernt.«

»Warum aber«, fragte der Rabbi, »hast du ihn nicht schon früher zu mir gebracht?«

»Das habe ich manches Mal versucht«, antwortete David, »denn ich sah ja, wie sehr es ihn nun, nachdem er gelernt und gelernt hatte, danach verlangte auf den rechten Weg geführt zu werden. Aber er hat mich immer nur angeschwiegen. Das ist ein bockiger Kerl. Es genügt ihm nie, wenn ein andrer was will, es genügt ihm freilich auch nicht, wenn er selber was will, es muß eben beides zusammenkommen. Das Hüttenfest hat der Jaakob Jizchak in meinem Haus gefeiert. Wie ich ihm nun aber, ohne eine Antwort von ihm zu erwarten, sage: ›Fahren wir zusammen nach Lublin!‹, sieht er mir in die Augen. ›Fahren wir!‹, sagt er.«

Der Tisch

In einem Nebenraum der Gastwirtschaft, in dem die Schüler des Sehers oft zu essen pflegten, stand ein langer schmaler ungebeizter Tisch, sehr alt und von tausend Alterszeichen bedeckt, aber stark wie in den Tagen der Jugend. An dem Tisch war nichts Besonderes zu sehen, und doch zog er alle Blicke der Besucher, die an ihm vorbeikamen, auf sich, vielleicht nur weil er so dastand, daß man sich nicht vorstellen konnte, es hätte ihn je noch nicht gegeben oder es würde ihn je nicht mehr geben. Man erzählte sich, jener geheimnisvolle Zaddik, der zu unergründlichen Zwecken dem Lauf der Flüsse nachwanderte, sei, als er entlang dem Ufer der Bystrzyca nach Lublin und in dieses Gasthaus gelangte, stumm vor dem Tisch verweilt, dann habe er die Hände über ihn gehoben und habe gesprochen: »Bleibe stehen, bis Messias kommt!«

Um den Tisch saß jetzt, wie an allen Freitagmittagen – an allen andern Tagen aßen sie im Hause des Rabbi, Sabbats an seinem

Tisch, an Wochentagen für sich – eine kleine Schar von Schülern des Sehers. Es waren vorwiegend Jüngere da. David von Lelow fehlte, weil er heute am Tisch des Rabbi aß, sowie der hagere Jehuda Löb aus Zakilkow, der Älteste unter allen, die in Lublin waren – er war ebenfalls noch Schüler Rabbi Elimelechs gewesen, hatte nach dessen Tod selbst zu »führen« begonnen, es aber bald aufgegeben –, der ein geschworener Feind alles Zechens war und daher nie an diesen Mahlzeiten teilnahm, wo die Genossen einander in Met und Weichselschnaps zutranken. Von denen, die noch bei Elimelech gelernt hatten, waren anwesend, die über die Festtage zum Besuch des Rabbi gekommen waren und sich von Lublin noch nicht trennen konnten, darunter der tiefsinnige Kalman von Krakau, der es sich angelegen sein ließ, die Jüngeren kennen zu lernen, der Treuste von allen, sodann der fromme Mordechai von Stabnitz, der einst den Rabbi nach Lublin gebracht hatte, und der kluge Naftali, der nach Lisensk erst gekommen war, nachdem der Seher seinen Lehrer verlassen und eine eigene Gemeinde gegründet hatte. Auch Mosche Teitelbaum war da, von dem berichtet wird, daß er lange der chassidischen Lehre widerstanden und sich sogar geweigert hatte, sich von Rabbi Elimelech, der ihm Beachtung schenkte, in der geheimen Weisheit unterrichten zu lassen; er war es, von dessen leidenschaftlicher Gegnerschaft einst der Seher erklärt hatte, sie sei ihm lieber als laue Nachfolge, – nun aber war er eine Leuchte der Lehre geworden. Für den jungen Jaakob Jizchak und seinen Jugendfreund Jeschaja, der noch von ihrer beider Heimatstadt her zu ihm hielt und sich ihm nun auf der Fahrt zum Seher angeschlossen hatte, waren Stühle an die Schmalseite gestellt, mit der der Tisch sonst die Wand berührte; jetzt war er, um Platz für die Neuen zu schaffen, etwas abgerückt worden. Jeschaja war noch stiller als sein Freund; er sah aus, als habe er nachts einen Traum nicht zu Ende geträumt und versuche nun vergeblich ihn von jener Stelle aus weiterzuspinnen. Kaum hatten sich die beiden hingesetzt, als ihnen zugerufen wurde: »Nun stellet jeder einen Krug Met auf den Tisch!« Dem wurde, wie es bei Novizen üblich war, sogleich Folge getan. Alsbald aber kam ein zweiter Ruf: »Nun erzählet jeder etwas, was ihm widerfahren ist! Dafür sind bei uns folgende Bedingungen festgesetzt: die Geschichte muß kurz und bündig sein, die Begebenheit muß mit Lublin zu tun haben, und Lublin darf darin nicht vorkommen.«»Ich kann nicht erzählen«, sagte Jeschaja leise.»Das gilt nicht!«, schrien sie,»versuch's nur, und glückt es dir nicht, so wirst du dich in den nächsten Wochen so lange üben müssen, bis du's erlernt hast.«»Ihr werdet von ihm nichts herausholen«, erklärte jetzt Jaakob Jizchak,»aber wenn ich für ihn einspringen darf, will ich gern zwei Geschichten statt einer erzählen.«»Dann würden wir doch«, wandten sie ein,»von seiner Lebensgeschichte nichts erfahren!«»Was ihr«, sagte der»Jude«,»von meiner erfahren werdet, habt ihr auch von seiner erfahren.« Die Erörterung ging hin und her, endlich kam man überein, den Vorschlag unter der Bedingung anzunehmen, daß zur Buße ein dritter Krug Met auf den Tisch gestellt werde.

Jaakob Jizchak besann sich, indem er ein in die Platte gerade vor seinem Sitz geschnittenes Zeichen, anscheinend aus den Anfangsbuchstaben seiner Namen zusammengesetzt, betrachtete; dann erzählte er:

»Die erste Geschichte heißt:›Wie ich bei einem Schmied in die Lehre ging‹. Als ich nämlich in Apta bei meinem Schwiegervater, dem Bäcker, Kostgänger war, sah ich von meiner Stube in eine Schmiede. Wenn ich mich am Morgen mit dem Buch ans Fenster setzte, stand die Esse schon im hellen Feuer, der Blasebalg fauchte und der Schmied schlug, fast ohne zu verschnaufen, auf den Amboß ein.›Dschach! Dschach!‹ – bei diesem Zweiklang habe ich täglich mit dem Lernen begonnen. Aber mit der Zeit konnte ich es nicht ertragen, den Mann, wenn ich kam, immer schon an der Arbeit zu finden. Ich stand etwas früher auf – es nützte nichts, drüben war das Hämmern schon im vollen Gang, und die Funken stoben bis auf die Gasse. Ich stand noch früher auf – es nützte nichts.›Ich kann mich doch von dem Mann mit seinem Händewerk nicht beschämen lassen, mir geht's doch ums ewige Leben!‹, sagte ich zu mir und suchte ihn wieder zu überflügeln, aber umsonst. So ging es eine Weile fort, bis es so früh war, daß ich mir zum Lesen eine Kerze anzünden mußte. Das war mir denn doch zu wunderlich – ich ging hinunter und trat in die Schmiede. Der Mann hielt sogleich inne und fragte nach meinem Begehren. Ich erzählte ihm, wie es mir mit ihm ergangen war, und bat ihn, mir mitzuteilen, wann er zu arbeiten anfange. ›Bis vor einiger Zeit‹, antwortete er, ›tat ich's zur gewöhnlichen Stunde. Wir Schmiede sind Frühaufsteher. Dann aber sah ich, daß Ihr täglich kurz danach ans Fenster kamt und last. Da sagte ich mir, das könne ich mir doch nicht gefallen lassen, daß jemand, der doch nur seinen Kopf anzustrengen braucht, mit mir wetteifert. So bin ich denn früher an den Amboß gegangen, und immer früher, denn es hat mir nichts genützt, gleich wart Ihr auch schon da!‹ ›Du kannst ja aber doch nicht verstehen‹, sprach ich, ›um was es mir geht.‹ ›Das kann ich gewiß nicht verstehen‹, erwiderte er, ›aber könnt Ihr denn verstehen, um was es mir geht?‹ So habe ich gelernt, daß man verstehen lernen muß, um was es dem andern geht.«

»Hoho«, rief ein Schüler, der schon eine Weile vor sich hingebrummt hatte, »du bist wohl einer von denen, die alle und alles verstehen möchten?«

»Das nicht«, antwortete Jaakob Jizchak, »aber seither scheint es mir unziemlich, in Frage zu stellen, ob mich einer versteht, solange ich ihn nicht verstehe.«

»Du hast recht«, sagte jetzt Kalman. »Und du, Simon«, redete er den ersten Sprecher an, »ich habe gehört, du hättest den Kameraden einmal nach reichlichem Zutrinken anvertraut, sogar der Rabbi verstehe dich nicht. Das wundert mich doch.«

»Gut gesprochen, Rabbi Kalman«, bestätigte ein anderer. »Nun aber, Jaakob Jizchak, erzähle deine zweite Geschichte.«

»Meine zweite Geschichte«, sagte Jaakob Jizchak, »ist wohl noch kürzer und noch bündiger als die erste. Sie heißt: ›Wie ich bei einem Bauern in die Lehre ging‹. Als ich nämlich, nachdem ich Apta verlassen hatte, auf der Wanderschaft war, traf ich auf einen riesigen Heuwagen, der umgestürzt war und quer über die Straße lag. Der Bauer, der daneben stand, rief mir zu, ich möchte ihm den Wagen aufrichten helfen. Ich besah mir den: wohl, ich habe kräftige Arme, und auch der Bauer schien was zu vermögen, aber wie sollten zwei Männer die ungeheure Last heben? ›Ich kann nicht‹, sagte ich. Da schnob jener mich an. ›Du kannst‹, rief er, ›aber du willst nicht.‹ Das fuhr mir ins Herz. Bretter waren zur Hand, wir stemmten sie unter den Wagen, hebelten mit all unsrer Kraft, das Gefährt schwankte, hob sich, stand, wir luden das Heu wieder drauf, der Bauer strich den noch immer zitternden und keuchenden Ochsen über die Flanken, sie zogen an. ›Laß mich eine Weile mit dir hinterher gehen‹, sagte ich. ›Geh nur mit, Bruder‹, antwortete er. Wir gingen mitsammen. ›Ich möchte dich etwas fragen‹, sagte ich. ›Frag nur, Bruder‹, antwortete er. ›Wie kam dir in den Sinn‹, fragte ich ihn, ›daß ich nicht will?‹ ›Das kam mir in den Sinn‹, antwortete er, ›weil du gesagt hattest, du könntest nicht. Niemand weiß, ob er etwas kann, eh er's versucht hat.‹ ›Aber wie kam dir in den Sinn‹, fragte ich weiter, ›daß ich kann?‹ ›Das‹, antwortete er, ›kam mir nur so in den Sinn.‹ ›Was heißt denn das, nur so?‹ fragte ich. ›Ach, Bruder‹, sagte er, ›was bist du für ein Presser! Nun gut, es kam mir in den Sinn, weil man dich mir in den Weg geschickt hat.‹ ›Meinst du etwa gar‹, fragte ich, ›dein Wagen sei gestürzt, damit ich dir helfen könne?‹ ›Was denn sonst, Bruder?‹ sagte er.«

»Das sind ja hübsche Geschichten«, wandte Simon ein, »aber du hast nicht alle unsere Bedingungen erfüllt. Was haben denn deine Geschichten mit Lublin zu tun?«

Dem »Juden« entflammten die Augen. »Was habt ihr denn in Lublin gelernt«, rief er, »wenn ihr nicht gelernt habt, daß jeder seinen Weg des Dienstes hat! Hat mir doch Rabbi David erzählt, wie einmal Schüler eines berühmten Zaddiks nach dessen Abscheiden zum Rabbi von Lublin gekommen sind. Als sie am Abend kamen, fanden sie ihn auf der Straße stehend, um die ›Heiligung des Mondes‹ zu sprechen, der eben aus den Wolken gebrochen war. Sie merkten gleich, daß der Brauch nicht ganz dem glich, dessen sie von ihrem Lehrer her gewohnt waren, und stießen einander an. Als sie danach ins Haus des Rabbi traten, begrüßte er sie und sprach: ›Was wäre das für ein Gott, der nur einen einzigen Weg des Dienstes hätte!‹«

Ein anderer Schüler war aufgesprungen und hob nun die Hand. »Was ist's mit dir, Jissachar Bär?«, rief man. »Es ist wahr«, sagte er langsam und feierlich, »es ist wahr. Ich selber habe den Rabbi gebeten, mir den Weg des Dienstes zu weisen. ›Den gibt es nicht‹, hat er mir zur Antwort gegeben, ›es geht nicht an, seinem Genossen zu sagen, welchen Weg er gehen soll. Da ist ein Weg, Gott durch Lernen zu dienen, da einer, ihm durch Gebet zu dienen, und da einer, durch Liebeserweisung an die Mitmenschen, da einer, durch Fasten, und da einer, durch Essen. Alle sind sie rechte Wege zum Dienste Gottes. Aber jedermann soll wohl achten, zu welchem Weg ihn sein Herz zieht, und dann soll er auf diesem mit all seiner Kraft tätig sein.‹« »So ist es, mein Lieber«, sagte Jaakob Jizchak, »der Schmied dient mit seiner Schmiederei.«

»Es sei«, erklärte Simon, »aber was hat deine zweite Geschichte mit Lublin zu tun?«

Der »Jude« war mit einem Schlage, wie er damals beim Anblick des Rabbi errötet war, leichenblaß geworden. »Da redet ihr immerzu«, sagte er, ohne aufzusehen, leise, aber so, daß es stärker zu hören war als ein lauter Ruf, »vom Exil der Schechina, da klagt ihr, daß sie in der Fremde umherirrt, erschöpft hinsinkt, am Boden liegt. Und das ist kein Gerede, es ist ganz wirklich so, ihr könnt ihr auf der Landstraße der Welt begegnen. Aber was tut ihr, wenn ihr ihr begegnet? Streckt ihr ihr die Hand entgegen? Helft ihr ihr vom Staub der Landstraße auf? Und wer sollte ihr aufhelfen, wenn nicht die Männer von Lublin?«

Simon schwieg verdrossen. Mosche Teitelbaum aber beugte sich vor. »Was meinst du damit, was du sagst?«, fragte er in eiferndem Ton. »Wir wissen doch, daß es nur jenen wenigen, die der höchsten Sammlung der Seele fähig sind, vergönnt ist, die Schechina ihrem Quell wieder zu nähern. Und was heißt das, daß wir ihr begegnen? Wir wissen doch, daß sie je und je nur einzelnen Begnadeten erschienen ist, wie etwa Rabbi Levi Jizchak von Berditschew, der sie in der Gerbergasse fand. Und was ist das für eine Landstraße, von der du sagst, daß man ihr darauf begegne?«

Jaakob Jizchak hatte die Augen auf den Punkt des Tisches geheftet, wo sein Namenszeichen stand. Seine Blässe dauerte noch an. »Die Landstraße der Welt«, sagte er, »ist die Straße, auf der wir alle dem leiblichen Tode entgegenwandern. Und die Orte, an denen wir der Schechina begegnen, sind die, wo das Gute und das Böse vermischt sind, sei es außer uns, sei es in uns. In der Pein dieses Exils, die sie erleidet, sieht uns die Schechina an, und ihr Blick bittet uns, daß wir das Gute entmischen. Wenn's auch nur ein Bröcklein des reinen Guten ist, das ans Licht gebracht wird, damit ist ihr Hilfe geworden. Wir aber weichen ihrem Blicke aus, weil wir ›nicht können‹. Das ist bei uns anderen nicht wunderbar – aber Lublin darf doch nicht ausweichen. Lublin darf doch nicht daran zweifeln, daß es kann!«

Am Tisch saß unter den Schülern, ohne mitzutrinken, einer, der zum Neuen Jahr zum erstenmal aus der Ferne nach Lublin gekommen war. Er war einem andern Meister ergeben gewesen, der aber war im vorletzten Sommer während der Straßenkämpfe zwischen Russen und Polen von einer Kosakenkugel getroffen worden, und sein Schüler führte seither eine eigene Gemeinde; trotzdem war er zum Seher gekommen. Er hieß Uri, aber seine Vertrauten nannten ihn den Seraf. Jetzt wandte er sich dem »Juden« zu. »Über Lublin«, sagte er, »kann man erst dann etwas sagen, wenn man es von innen her kennt; was ein Heiligtum ist, weißt du erst, wenn du drin gestanden hast. Wer Lublin kennt, weiß, daß es das Land Israel ist, der Hof dieses Hauses ist Jerusalem, das Lehrhaus ist der Tempelberg, die Stube des Rabbi ist das Allerheiligste, und die Schechina redet aus seiner Kehle.«

»So ist es«, bestätigte Kalman von Krakau. »Wenn ein Mensch sich wie unser Rabbi ganz und gar läutert und seine zweihundertachtundvierzig Glieder und dreihundertfünfundsechzig Adern heiligt, wird er gewürdigt ein Wagen der Schechina zu werden und die Schechina redet aus seiner Kehle.«

Jaakob Jizchak schwieg. Sein Gesicht war nicht mehr blaß, aber seine Hände lagen zu Fäusten geballt auf dem Tisch. Jeschaja an seiner Seite hielt die Augen geschlossen.

Eine Unruhe zog über die Tafelgemeinde. Mehrere Schüler waren aufgestanden, zwei oder drei von ihnen traten jetzt auf einen zu, der bisher die Lippen nicht aufgetan hatte, obgleich er sonst der Redelustigste von allen war, von Scherz und Spott übersprudelnd. »Nun, Naftali!«, flüsterten sie ihm zu. Er wehrte sie ab und starrte weiter, wie schon die ganze Zeit über, den Neuen an, als wolle er sein Bild so in sich aufnehmen, daß er es sich künftig jeden Augenblick in allen Einzelheiten vergegenwärtigen könnte. Nach einer Weile aber begann auch er zu reden. Sein Gesicht zerfiel nicht in spielende Falten und Flächen, wie sonst, wenn er seine Geschichtlein vortrug, sondern blieb ruhig und ganz.

»Wir sind froh«, sagte er, »und weil wir froh sind, sind wir gut zueinander. Und warum sind wir froh? Weil wir hier sind. Und

was ist das, hier? Hier, das ist der Ort, wo das Wunder geschieht.«
»Das Wunder«, sagte Jaakob Jizchak, »ist nicht so wichtig.«
»Was wäre wichtig«, erwiderte Naftali, »wenn nicht das Wunder? Ich will dir ein Wunder des Rabbi erzählen.« Er setzte sich, wie es üblich war, wenn man Wunder des Rabbi erzählte, mit eingeschlagenen Beinen auf den Tisch und berichtete: »Als der Rabbi noch in Lanzut lebte, gab es dort einen Mann, der aus Armut zu großem Reichtum aufgestiegen war. Er besaß viele Häuser, aber teurer als aller Besitz war ihm der Platz im Bethaus, den er erworben hatte, dicht am Platz des Rabbi. Danach drehte sich das Rad über ihm und er verlor alles. Nur den Bethausplatz veräußerte er nicht, sondern antwortete auf alle Angebote: ›Das ist mein Anteil für alle Mühsal meines Lebens.‹ Dann aber kam es so weit, daß er an den Haustüren bettelte und sich betrank, und die angesehenen Bürger schämten sich neben ihm zu sitzen. So kaufte einer von ihnen die vielen kleinen Schuldscheine des Armen auf, lud ihn vors Thoragericht und nötigte ihn, ihm den Platz zu überlassen. Wenn die Leute aber am Sabbatmorgen ins Bethaus kamen, stand der Mann immer schon auf seinem alten Platz, und sie verwiesen ihn nicht davon. Am Vorabend des Versöhnungstags jedoch, als man vor dem Gebet, mit dem man die unbedachten Gelübde löst, die Schriftrolle aus der heiligen Lade holte und alle sich herandrängten um sie zu küssen, nützte der Käufer des Platzes den Augenblick, da der Arme ihn verlassen hatte, und setzte sich darauf. Als jener es merkte, erhob er ein Geschrei, die Menge eilte herzu ihm beizustehn, schon war eine Prügelei im Zug und die Kerzen verloschen. Man beschwichtigte den Streit und die Gemeinde wollte das Abendgebet zu sprechen beginnen, aber der Rabbi rief: ›Im Himmel richtet man über euch.‹ Da brach das Volk in Weinen aus, alle wandten sich allen in vollkommener Liebe zu, und so beteten sie mit bitterer, aber gewandelter Seele. Nach dem Beten sprach der Rabbi zu ihnen: ›Groß ist die Macht der Umkehr. Alle seid ihr zum Leben bestimmt.‹ Und so war es. Von allen, die damals im Bethaus waren, starb keiner im kommenden Jahr.«
»Das Wunder«, wiederholte Jaakob Jizchak, »ist nicht so wichtig.«

»Was denn wäre wichtig?«, fragte Naftali. »Hat doch der Rabbi selber gesagt, daß das Wunder das Weilen der Schechina in unserer Mitte bezeugt!«

»Wichtig«, sagte der »Jude«, »ist das Weinen, wichtig ist die Umkehr, wichtig ist die Liebe. Wichtig ist, daß der Rabbi das Gute entmischt hat und der Schechina aus dem Staub der Landstraße aufgeholfen hat. Das Wunder bezeugt nur, also ist es nicht so wichtig. Was wißt ihr, ob nicht der Rabbi sich hinter all seinen Wundern versteckt, daß man ihn selber nicht zu sehen bekomme!«

Nun aber brach Meïr, Mordechais von Stabnitz jüngerer Bruder, aus. »Genug und übergenug!«, rief er. »Wir brauchen uns nicht von einem hergelaufenen Burschen belehren zu lassen, der nicht zu fassen vermag, wer der Rabbi ist und was Lublin ist.«

Die Wogen der Unruhe schlugen hoch. Fast alle waren nun aufgesprungen und redeten mit heftigen Gebärden auf einander ein. Jetzt hatten sich Simon, Meïr und mehrere andere zu beiden Seiten Naftalis auf den Tisch gesetzt, klopften mit den zinnernen Metbechern darauf und schrien.

Jaakob Jizchak öffnete die Fäuste und preßte die Handflächen auf die Platte. Die Adern der Handrücken zeichneten sich mächtig ab. Über seine rechte Schläfe lief ein Zucken. Plötzlich flog das andere Ende des Tisches in die Höhe. Die hier auf dem Tisch Sitzenden klammerten sich fest und wurden emporgeschwungen, andere weiter unten sprangen ab oder rutschten zu Boden. Jetzt schlug Simon mit dem Kopf an die Decke.

»Heil deiner Kraft!« riefen einige der Stehenden Jaakob Jizchak zu. Der Tisch verharrte einen Augenblick in der steilen Lage, dann begann sich das Ende wieder langsam zu senken, langsam und gleichmäßig, bis das uralte Möbel wieder seinen gewohnten Platz einnahm. Alle waren still. Dann hob Jissachar Bär die Hand. »Es lebe der Jude!« sagte er feierlich, und wiewohl ihn Meïr, der ihn in der Geheimlehre zu unterweisen pflegte, bös ansah, wiederholte er den Spruch.

Unversehens blühte ein Lächeln auf den sanften Lippen des Starken. »Ein Jude zu sein ist schwer!« sagte er. Dann sah er wieder auf den Tisch und fragte: »Wer hat da meine Namenszeichen eingegraben?« Niemand wußte es. »Warum aber wohl«, fragte er weiter, »stehen hier die beiden Buchstaben ›Jud‹ einer über dem andern und nicht neben dem andern?« »Natürlich weil zwei Jud nebeneinander den Gottesnamen bedeuten!« sagte einer. »So will ich euch denn«, kündigte Jaakob Jizchak an, »nun noch eine letzte Geschichte erzählen.« »Erzähle!« rief man ihm zu. Alle saßen wieder friedlich auf ihren Plätzen um den langen schmalen Tisch. Jaakob Jizchak erzählte:

»Wie das ist, wenn Zweie einander freundschaftlich zutrinken und beide fühlen sich einander gleich und keiner meint sich mehr dem andern überlegen, das habe ich erfahren, als ich das Alphabet zu lernen begann. Da sah ich in dem Buch vor mir den Buchstaben Jud, der so sehr einem Punkte ähnelt, und fragte den Lehrer: ›Was ist das für ein Pünktlein?‹ ›Das ist der Buchstabe Jud‹, sagte er. ›Steht so ein Pünktlein‹, fragte ich, ›immer allein oder können auch zwei beisammen stehen?‹ ›Es können auch zwei beisammen stehen‹, sagte er. ›Wie ist es dann aber zu lesen?‹, fragte ich wieder. ›Wenn zwei Juden beisammen stehen‹, sagte er, ›so bedeutet das den Gottesnamen, gesegnet sei Er!‹ Bald darauf sah ich, daß in der Heiligen Schrift am Schlusse jedes Verses zwei Punkte übereinander standen. Ich wußte noch nicht, daß das ein Trennungszeichen war, und hielt auch von diesen beiden Punkten jeden für den Buchstaben Jud. ›Hier‹, sagte ich zum Lehrer, ›steht überall der Gottesname, gesegnet sei Er.‹ ›Nicht doch‹, antwortete der Lehrer, ›merke dir: wenn zwei Juden beieinander stehen, ist das der Gottesname, wenn aber einer über dem andern steht, ist es nicht der Gottesname‹.«

Kalman von Krakau und Mordechai von Stabnitz hießen Met auf den Tisch stellen, und man trank einander zu.

Die Predigt von Gog

Am Tag darauf, dem Sabbat, drängte sich nach dem Nachmittagsgebet in der Klaus eine Menge um die zum heiligen »dritten Mahl« gedeckten Tische. In Lublin pflegte man auch die Gegner, die trotz ihres Gegnertums mit irgend einem Anliegen, einer Bitte um Rat und Hilfe, zum Zaddik gefahren kamen, zu einem der Sabbatmahle zu laden. Als Gegner setzten sie sich an den Tisch, aber es heißt, daß keiner als Gegner aufstand. Sie versuch-

ten, während der Zaddik sprach, mit beiden Händen ihre Gegnerschaft festzuhalten, doch es gelang ihnen nicht. Die Stimme
kam wie ein Gießbach und spülte alles hinweg, was sich ihr in
den Weg stellte. Aber es war nicht die Stimme allein; alles, was
in diesem Raum zu dieser Stunde geschah und nicht geschah,
wirkte mit ihr zusammen.

Die Tische waren so gestellt, daß im Vorderteil der Klaus zwei
von ihnen auf die eine Längswand zuliefen, an die beiden schlossen sich zwei schräg gestellte, die eine Art Giebel bildeten, aber
nicht völlig zusammentrafen, und zwischen diesen stand, gerade
vor der Tür, die zur Kammer des Rabbi führte, ein kleiner Tisch,
an dem er allein saß; niemand saß ihm gegenüber.

Wie immer bei dieser Mahlzeit gab es für jeden nur einen Gang:
Fische. Der Brauch gilt als Geheimnis. In Lublin erklärte man
ihn so: Bekanntlich gehen die Seelen der Gerechten, die ihre Wanderschaft noch nicht vollendet haben, in Fische ein und erlangen
dadurch, daß man diese mit der rechten Andacht verzehrt, die
Erlösung. Da aber mit Anbeginn des Sabbats in jeden Juden eine
»höhere Seele« eingezogen ist und in ihm den ganzen Tag über
wohnt, können die Erlösten, ehe sie nach Sabbatausgang den
Flug zum Himmel antreten, in heiliger Gemeinde verweilen.

Es hatte zu dämmern begonnen. Um die Sitzenden stand dicht
aneinander gedrängt die Menge der Chassidim. Man flüsterte
miteinander, hielt inne, flüsterte wieder, bis dann mit dem Eintritt des Rabbi, der den weißseidenen Sabbatrock trug, eine klare
Stille über dem Raum lag. Der Rabbi sprach den Segen über das
Brot, brach es, kostete, teilte unter die Nächstsitzenden aus. Dann
stand er mit geschlossenen Augen und sang den Eingangsspruch:
»Bereitet das Mahl des vollkommnen Vertrauens, Wonne dem
heiligen König.« Die Bezeichnungen der himmlischen Gäste sprach
er erst leiser, dann hob er wieder die Stimme: »und die Flur der
heiligen Apfelbäume – sie kommen mitzufeiern das Mahl.« Darauf folgte, von allen Chassidim mitgesprochen, die Sonderhymne
der dritten Mahlzeit: »Söhne des Palastes, die ihr euch sehnt...!«
Mit einem außergewöhnlichen Nachdruck erklangen die Verse:
»Nahet mir, schaut meine Macht, dahin sind die strengen Gerichte! Hinausgebannt, nicht dringen ein jene Hunde, die frechen!« Und danach erst, ohne Melodie, einfach wie eine Mittei-

lung, der Psalm:»Der Herr ist mein Hirt, mir mangelts nicht.«
Nach dem Psalm trank der Rabbi aus dem Weinbecher und sprach:
»Da komme ich, das Gebot des dritten Sabbatmahls zu erfüllen,
das Jakob, dem Vater der Schar von siebzig Seelen, entspricht.«
Nun aber erhob er die Stimme und sprach den nächsten Satz wieder mit so starker Betonung, daß alle seine Vertrauten verstanden,
dies sei das Leitwort des heutigen Tags unter allen Sabbaten:
»Durch sein Verdienst werden wir errettet werden aus den Krie-
gen Gogs und Magogs.«
Man aß und trank. Denen, die er erfreuen oder auszeichnen
wollte, sandte der Rabbi ein Stück Fisch von seiner Schüssel. Es
war dies gleichsam ein Sondermahl, das der Empfänger mit dem
Rabbi teilte. Innerhalb des großen Gemeinschaftsopfers, als das
dieses Essen verstanden wurde und an dem der Zaddik der
Hohepriester war, gab es solchermaßen besondere persönliche
Zusammenschlüsse zwischen ihm und den Getreuen. Der junge
Jaakob Jizchak bekam einen Hechtkopf gesandt und errötete
zum drittenmal.
Nach dem Mahl hieß der Rabbi die Hymne singen:»Gott, der
sich unter dem geheimen Baldachine verbirgt!« Bald danach trug
er Kalman von Krakau auf, den Tischsegen zu sprechen. Nach
dem Segen trank er, wie stets nach dieser Mahlzeit, sehr langsam
ein Glas Wein.
Die Dämmerung war nun voll hereingebrochen. Alles war still.
Plötzlich fiel der Rabbi in seinem Sitz nach vorn, daß er mit der
Stirn den Tisch berührte. Alle spürten mehr als sie es sahen, daß
er am ganzen Leibe zitterte. Sie saßen starr und hielten den
Atem an. Niemand wagte sich dem Rabbi zu nähern. Im atem-
losen Schweigen verging eine Weile. Die Dämmerung verdichtete
sich noch. Und wieder plötzlich hob der Rabbi die Stirn.»Das
Lodern des kreisenden Schwertes!« schrie er auf. Wieder schwieg
er und seine Glieder zitterten wieder, aber diesmal konnten es
nur die Nächstsitzenden bemerken. Dann begann er leise und wie
zögernd zu sprechen. Es war, als müsse er Eimer um Eimer aus
dem tiefen Brunnen ziehen.
»Es steht geschrieben«, sagte er,»die Schlange habe zu Eva gesprochen: ›. . . und ihr werdet sein wie Gott, Gut und Böse ken-
nend‹. Hatten denn die ersten Menschen nicht schon vordem Gut

und Böse gekannt? Sie wußten, daß es Gebotenes und Verbotenes gab, also Dinge, von denen der Heilige, gesegnet sei Er, will, daß sie geschehen, und Dinge, von denen er will, daß sie nicht geschehen; sie kannten somit Gut und Böse, wie der Mensch als Mensch sie kennen kann. Die Schlange aber sagt, erst wenn der Mensch wie Gott würde, würde er Gut und Böse kennen. Das ist offenbar ein anderes Kennen als das menschliche. Denn es steht geschrieben: ›der den Frieden macht und das Böse schafft‹. Wenn er es selber schafft, kann es nicht etwas sein, wovon er will, daß es nicht sei. Das muß also ein anderes ›Böse‹ sein als das Adam und Eva gekannt haben. Dieses Böse kann man nur kennen, indem man es schafft. Die Schlange sagt: Ihr werdet Gut und Böse kennen wie einer, der beide schafft, ihr werdet sie kennen nicht als etwas, das ihr tun sollt, und etwas, das ihr nicht tun sollt, sondern als zwei Wesen, die einander so entgegengesetzt sind wie Licht und Finsternis. Sagt die Schlange die Wahrheit oder lügt sie? Gott selber bestätigt danach, daß sie nicht gelogen hat. Aber wahr sind ihre Worte auch nicht. Sie sagt eine lügnerische Wahrheit. Der Heilige, gesegnet sei Er, kennt die Zwei, die er geschaffen hat und schafft, Gut und Böse, wie er Licht und Finsternis kennt, als zwei, die einander an den Enden der Welt gegenüber und entgegen stehen. Aber die ersten Menschen erkennen, sowie sie vom Baum gegessen haben, Gut und Böse in der Vermischung, denn diese Vermischung ist es, was durch ihre Tat geschaffen worden ist. Darum heißt es, daß sich in der Sphäre des Venussterns Gut und Böse vermischen.

Aber was ist das Böse, das Gott schafft? Es ist die Macht, das zu tun, wovon er will, daß es nicht geschehe. Wenn er sie nicht schüfe, könnte niemand ihm zuwiderhandeln. Er aber will, daß sein Geschöpf ihm zuwiderhandeln könne. Er hat es freigesetzt. Er hat ihm die Macht gegeben, so zu handeln, als ob es die Allmacht nicht gäbe. Das Geschöpf meint nicht bloß, es könne so handeln; es kann es wirklich, es hat die Macht. Das ist der wahre Sinn dessen, worauf hingewiesen wird, wenn es heißt, der Ungrund habe sich zur Welt beschränkt. Wir haben gelernt, daß er in sich Raum für die Welt setzte; aber über alles wichtig ist, daß er aus seiner Allmacht echte Macht aussparte, von der jedem Menschen zugeteilt ist; und daß es echte Gottesmacht ist, erweist sich eben in

GOG UND MAGOG 1035

dem Vermögen, sich wider Gott zu erheben. Und ohne die echte Macht, von der jedem Menschen zugeteilt ist, gibt es auch das Gute nicht, denn das Gute ist nur da, wenn es mit dieser ganzen Macht getan wird. Was aber ist das Gute, das Gott schafft? Das ist die Hinwendung zu ihm: wenn der Mensch sich mit der ganzen Macht vom Bösen abwendet, mit der er vermögend war, sich wider Gott zu erheben, ist er ihm zugewandt. Darum besteht die Weltkraft der Umkehr. Sie ist das Licht, das aus der Finsternis bricht. Wie geschrieben steht: ›Der das Licht bildet und die Finsternis schafft‹. Die Finsternis ist geschaffen, und das Licht wird in ihr gebildet und aus ihr geholt. Wie mein erster Lehrer, der Maggid von Mesritsch, sein Andenken sei zum Segen, gesagt hat: ›Wie das Öl in der Olive, so ist die Umkehr in der Sünde verborgen.‹ Aber die Finsternis ist, damit Licht werde. Die Urschlange ist ein Stück der Finsternis. Es wird uns erzählt, wie sie Gottes Absicht für das Menschengeschlecht vereitelt. Wie kann sie das, wenn sie nicht von ihm selber ermächtigt ist? Sie verführt die ersten Menschen, aber wenn sie ihr widerstanden hätten, wäre es eine Versuchung gewesen, und der Versucher ist immer von Gott ermächtigt. Wie denn im Buch Samuel erzählt wird, Gott habe David angereizt das Volk zu zählen, aber im Buch der Chronik heißt es, das habe der Satan getan. Und in dem ›Buch des Hellen‹ lesen wir, es gebe ein Prinzip bei Gott, das ›Böse‹ genannt wird und die Welt verwirrt und in Sünde geraten läßt, und aller böse Trieb der Menschen stamme daraus; das sei die Linke Hand. In dem ›Buch des Glanzes‹ aber wird zu dem Wort unserer Weisen, daß wir dem Heiligen, gesegnet sei Er, mit beiden Trieben, dem guten und dem bösen, dienen sollen, gefragt, wie denn jemand ihm mit dem bösen Trieb dienen könne. Ist es nicht der böse Trieb, der den Menschen verhindert Gott zu nahen um ihm zu dienen? Darauf wird erwidert, daß es der größte Dienst ist, durch die Macht der Liebe den bösen Trieb Gott zu unterwerfen: da erst wird man wahrhaft ein Liebender Gottes. Alle Versuchung geschieht durch seinen Willen. Warum aber wird die Schlange verflucht?«

Inmitten der atemlos lauschenden Menge überkam in diesem Augenblick die Schüler eine besondere Erregung. Eine ähnliche Frage hatte der koboldische Gast, der ein Jahr lang, bis vorgestern, hier geweilt hatte, noch vor wenig mehr als einer Woche, an einem der Zwischentage des Hüttenfestes, in der Lehrstunde dem Rabbi vorgelegt. »Wie ist es zu verstehen«, hatte er gefragt, »daß im Midrasch von der Schlange gesagt ist, sie sei zur Strafe bestimmt gewesen?« Der Rabbi hatte die Frage wie eine lästige Fliege abgewehrt. Jetzt aber –

»Warum wird die Schlange verflucht?« sagte der Rabbi, und nun sprach er noch langsamer als zuvor, aber mit leicht erhobener Stimme. »Weil sie die Wahrheit der Versuchung mit Lüge durchsetzt hat und das Wort Gottes entstellt hat. Gott will, daß in der Versuchung sein Wort und das, was den Menschen anstiftet dawider zu handeln, wahr gegeneinander stehen. Die Wahrheit ist sein Siegel! Er täuscht Abraham nicht, wenn er ihn versucht: er fordert von ihm wirklich das, was ihm teurer als sein eignes Leben ist, er fordert von ihm wirklich die Opferung des verheißenen Sohns, an dem die Erfüllung aller Verheißungen hängt, er fordert wirklich alles – um dem ihn Liebenden, wenn er ihm alles hergegeben hat, alles neu zu schenken. Es ist sein treuer Bote, der mit Jakob auf der von Gott befohlenen Wanderschaft bis zum Aufstieg der Morgenröte ringt und ihn verletzt: erst aus der äußersten Gefahr ersteht die Gnade, die nach all seinen Irrfahrten den Erwählten bestätigt. Gott übt Gnade und Wahrheit, wenn er auf Mose, der sich, von ihm erwählt, in seinem Auftrag nach Ägypten begibt, im Nachtlager stößt und ihn zu töten trachtet: erst als er sich ihm im Blute, als ›Blutbräutigam‹, angelobt hat, gibt er ihn frei. Die große Gnade Gottes ist eine Begnadigung. Er ist furchtbar, furchtbar, furchtbar! Die Furcht ist das Tor zu ihm, es führt kein Weg zu ihm als durch das dunkle Tor. Nur wer durch es gegangen ist, kann ihn wahrhaft lieben, ihn selber und so wie man nur ihn selber lieben kann.«

Der Rabbi senkte wieder die Stimme. »Es steht geschrieben«, sagte er, »›unheimlich ist seine Arbeit‹. Die Urfinsternis, von der wir reden, ist ein schwarzes Feuer. Daraus schöpft er Flammen, dunkel brennende Stücke der Finsternis, und schickt sie auf die Wege der Welt. Jedes Stück fällt in die Seele eines Menschen und brennt alles aus, was ihm widerstehen will. Solch einer zieht dann aus mit seiner Gewalt, und Gewalt von ringsumher strömt ihm zu, bis ein großer schwarzer Feuerstrom über die Länder

zieht und das Leben der Völker versengt. Es ist aber jedem Stück
der Finsternis eine Pflicht und ein Maß auferlegt. Denn es ist dazu ausgeschickt, daß, wenn sie sich über die Erde gelagert hat, in
der Tiefe an dem Ort, auf dem sie am schwersten lastet, der Same
des Lichtes erwache. Da kann das weiße Fünklein in den innersten Kern der Finsternis, wo sich das reine farblose Feuer aus der
Schwärze gezogen hat, überspringen und darin kann das Licht
gebildet und daraus geholt werden. Und so ist jedem ausgeschöpf-
ten Stück die Pflicht und das Maß auferlegt, die Last nicht so zu
übersteigern, daß der erwachende Same des Lichtes erstickt würde. Weil aber die Finsternis sich ängstet vor dem Kommen des
Lichts, überschwillt immer wieder ein ausgeschöpftes Stück die
ihm wie einst der Schlange gesetzte Grenze. Und dann geschieht
ihnen, wie der Schlange geschehen ist. Das ist es, was geschrieben
ist von Sanherib: ›Assyrien, Stecken meines Zorns‹, und dann ist
zu ihm gesagt: ›Ich lege meinen Haken in deine Nase und meinen
Zaum an deine Lippen‹, und was von Nebukadnezar geschrieben
ist: ›der König von Babel, mein Knecht‹, und dann ist zu ihm
gesagt: ›und man vertreibt dich aus der Menschheit, und bei den
Tieren des Feldes ist dein Weilen‹.
Und so wütig auch die Finsternis überschwillt, nie gelingt es ihr,
den Samen des Lichts zu ersticken. Immer neu wird das Licht geboren. Aber immer wieder verzehrt es sich und erlischt. Es erlischt, aber sein Leben geht in die Kraft ein, aus der je und je der
Same des Lichts erwacht. Und die Kraft wächst. Sie ist wund und
weh von all dem Verlöschen der Lichter, aber sie wird stärker
und stärker. Das ist es, was vom Messias erzählt wird, daß er als
aussätziger Bettler an den Toren Roms sitzt und seine Beulen verbindet; er wird aber stärker und stärker, und würde er an den
Toren rütteln, er zerbräche sie; denn der Messias ist das Bild und
Gleichnis jener Kraft. Und das Wachstum seiner Stärke ist vorbehalten für den großen letzten Kampf. Denn auch die Kraft der
Finsternis wächst, und immer dichter und gieriger sind die aus ihr
gehauenen Stücke, die auf die Wege der Welt geschickt werden;
und immer gewaltiger ruft ihre Macht die Gegenkraft des Lichtes
auf. Und es ist geweissagt, daß die Stunde kommt, wo eine ungeheure Flamme des schwarzen Feuers sich über die siebzig Völker
wälzt, sie mit sich reißt und Gott selber zum Kampf herausfor-

dert. Das ist der Mann, der der Gog des Landes Magog genannt ist. Und auch zu ihm spricht der Herr, daß er ihn abkehren und hochtreiben und ihn von der Flanke des Nordens zu den Bergen des Landes Israel bringen wird, wo er fallen soll. Fallen aber wird er von der Hand dessen, dessen Hand zum Zeichen der Vollmacht ausgerüstet wird, wie es in den letzten Worten des Königs David heißt, ›mit Speeres Eisen und Holz‹.

Wir haben gelernt, daß Gottes Handeln in den Kämpfen Gogs und Magogs seinem Handeln in der Befreiung aus Ägypten entspricht und seine Offenbarung an die Völker nach dem Sieg seiner Offenbarung an Israel am Sinai. Die Wege jenes Handelns gehen durch die Finsternis, aber der Weg der Offenbarung geht durch das Licht.«

Im Raum war es dunkel geworden. Durchs Dunkel leuchtete der weiße Rock des Rabbi und über dem kaum sichtbaren Antlitz die große lichte Stirn. Nun senkte er erneut die Stimme. Allen, die seinem Wort zu lauschen gewohnt waren, erschien, als falle es ihm schwer, das auszusprechen, was nun noch zu sagen war, als könne er sich aber dem Zwang, es zu sagen, nicht entziehen.

»Es steht geschrieben«, begann er, »›Wahrlich, du bist ein Gott, der sich verbirgt, Gott Israels, Heiland!‹ Gott Israels ist er als Heiland. Aber Heiland ist er als der Gott, der sich verbirgt. Sein Heil wächst im Verborgenen, und was da geschieht, ist eine ›unheimliche Arbeit‹.

Es heißt im ›Buch des Wunderbaren‹, wenn in dem Gottesnamen ›Schaddai‹ ein Pünktlein, der winzige Buchstabe Jud fehlte, bliebe das Wort ›schod‹, das ist Verheerung. Dieses Pünktlein bewirkt, daß die furchtbare Gewalt Gottes, die in jedem Augenblick die Welt gänzlich verheeren und vernichten könnte, sie zur Erlösung führt. Dieses Pünktlein ist der Urpunkt der Schöpfung. Vor allem Erschaffen hat er über dem Gotteslicht gestanden, das nicht wie das Urlicht der Welt gebildet worden ist, sondern da war. Das Licht der Erlösung wird aus der Finsternis hervorbrechen, aber das Licht Gottes ist vor der Finsternis und über ihr. Darum steht geschrieben: ›Er macht die Finsternis zu seinem Versteck‹, denn wahrlich, er verbirgt und versteckt sich in der Finsternis, und es steht geschrieben: ›Er schlingt das Licht um sich wie ein Tuch‹, denn wahrlich, in Licht hat er sich gekleidet. Das Pünktlein aber ist über dem Licht. Von der Finsternis erfahren wir, wenn wir in das Tor der Furcht treten, und von dem Licht erfahren wir, wenn wir aus dem Tor kommen, aber von dem Pünktlein erfahren wir erst, wenn wir zur Liebe gelangen.« Der Rabbi schwieg. Lange saßen alle schweigend im Dunkel. Dann stimmte David von Lelow die Weise des Erzvaters Jakob an, die uns, wie man sich erzählt, durch den heiligen Baal-schemtow überliefert worden ist: dieser habe sie sich gemerkt, als er einst auf einer der Wanderschaften seiner Seele als Schaf in Jakobs Herde weilte und auf dessen Flötenspiel horchte. Alle Versammelten sangen mit. Schon waren durch die Fenster die ersten Sterne zu sehen. Wieder schwiegen alle eine Weile, bis der Zaddik sich erhob. Mit ihm standen sie und sprachen das Abendgebet. Danach verrichtete er vor der angesteckten Kerze die Bräuche der Scheidung zwischen dem Sabbat und den Werkeltagen. Das Licht, das in dem sonst noch von Schatten bedeckten Raum die eine Gestalt erhellte, ließ die Höhe ihres Wuchses und die Mächtigkeit des rötlichgefärbten Gesichts mehr als je hervortreten. Als der Rabbi im Segensspruch der Scheidung an die Worte kam: »der scheidet zwischen Heiligem und Profanem, zwischen Licht und Finsternis«, sahen die Umstehenden, daß ihm die hellen Tränen über die Wangen rannen. Nach dem Segen sangen alle, wieder nach einer unter dem Namen des Baal-schem-tow erhaltenen Weise, das Lied: »Der scheidet zwischen Heiligem und Profanem, möge unserer Sünden er sich erbarmen.«

Schüler fragen

Nachdem die Gemeinde sich zerstreut hatte, zogen die jüngeren Schüler und einige ältere Arm in Arm im Tanzschritt durch die Gassen der Judenstadt und sangen die Lieder vom Propheten Elia, dem Mann, der über alle guten Botschaften gesetzt ist und der, wie in der Schrift verheißen ward, vor dem großen und furchtbaren Tag des Herrn kommen wird, das Herz der Väter wieder zu den Söhnen und das Herz der Söhne wieder zu den Vätern zu kehren. Aber Mordechai von Stabnitz flüsterte seinem Bruder zu: »Er ist Elia.« Zuletzt machte man vor dem Judentor Halt und tanzte im Kreis.

Später – es war schon Nacht – versammelten sich alle Schüler im
Wohnhaus des Rabbi und saßen mit ihm um einen Tisch zum
»Geleitmahl der Königin«, das auch, ähnlich wie die drei ersten
Sabbatmahlzeiten, die des Vorabends, die des Morgens und des
Nachmittags, nach den Erzvätern benannt sind, das Mahl König
Davids heißt – dem Vernehmen nach, weil Gott David angekündigt hatte, er werde an einem Sabbat sterben, und der König nun
nach jedem Sabbat, an dem er am Leben geblieben war, ein Dankesmahl richtete. Man saß dicht gedrängt um eine Riesenschüssel
frischgekochter Roterübensuppe, »Barschtsch« genannt, mit der
immer wieder die Teller gefüllt wurden und zu der man von dem
warmen, frischgebackenen Brote aß. Dazwischen sangen alle die
fröhlichen heiligen Weisen, die für diese Brückenstunde zwischen
heiliger und profaner Zeit bestimmt sind, um die Königin Sabbat, die Gastin von oben, heimzugeleiten, aber auch um jeder einzelnen königlichen Sabbatseele eine letzte irdische Freude mit-
zugeben; denn noch weilen zu dieser Stunde die »höheren Seelen«
bei ihren Inhabern, ehe sie sich zum Himmelsflug rüsten. Beim
Essen richteten alle die Kraft ihres Gedankens darauf, von dem
über den Sabbatmahlen strahlenden Licht in die Mahlzeiten der
kommenden Woche hinüberzuziehen; aber beim Singen war geboten, nach all der Sammlung des feierlichen Tages sich gleichsam
loszulassen und nur eben zu singen. Auch durfte um diese Zeit
jede Frage, die einem einfiel, dem Rabbi vorgetragen werden,
gleichviel, ob sie ernst oder scherzhaft war; aber es war der
Brauch, die scherzhaften zu bevorzugen. Des weiteren war es jetzt
gestattet, den Rabbi zu bitten, eine Geschichte zu erzählen; es
war nie vorgekommen, daß er nicht willfahrt hätte.
»Rabbi«, riefen sie nun, »erzählt uns doch die Geschichte von
Rabbi Elimelech und dem König David!«
»Die habe ich euch doch schon oft erzählt«, wandte er ein.
»Aber heute«, sagten sie, »gibt es Neue unter uns, die sie noch
nicht gehört haben.«
»Nun wohl«, antwortete er, »so will ich sie noch einmal er-
zählen:
Rabbi Elimelech pflegte diese Mahlzeit nicht hochzuhalten, sondern nur schlecht und recht das Gebot zu erfüllen, indem er sich
an den Tisch setzte und Brotstücke in heißen unversüßten Tee

tunkte. Einst kam zu ihm an einem Freitag nachmittag ein bäurisch gekleideter Mann mit einem Fischranzen und bot ihm in polnischer Sprache und in dem Tonfall, in dem die Bauern der Gegend reden, die Fische zum Kauf an. Der Rabbi schickte ihn zu seiner Frau. Die hieß den Fremden gehen, weil sie schon etliche Stunden zuvor alle Speisen für den Sabbat bereitet habe und keine Fische mehr brauche. Der Mann ließ sich aber nicht abfertigen, sondern erschien wieder beim Rabbi. Es war etwas an ihm, das Rabbi Elimelech veranlaßte, ihn noch einmal zu seiner Frau zu schicken und ihr durch ihn sagen zu lassen, sie solle immerhin etwas kaufen. Sie aber beharrte auf ihrer Weigerung. Der Händler trat zum dritten Mal in die Stube des Rabbi, holte die Fische aus dem Ranzen, warf die zappelnden Tiere auf den Boden und brummte: ›Ihr tätet gut daran, sie für das königliche Geleitmahl zu verwenden!‹ Da hob Rabbi Elimelech die Brauen (er hatte sehr große Brauen und pflegte sie emporzuziehen, wenn er jemand recht ansehen wollte), sah dem Mann schweigend eine Weile in die Augen und sprach langsam: ›Ich habe nicht mehr die Kraft, Euer Mahl mit allen Ehren zu begehen, aber ich will meinen Kindern anbefehlen, es zu tun.‹ Daher kommt es, daß die Söhne Rabbi Elimelechs auch zum Geleitmahl Fische essen.«

»Warum aber«, fragte einer, »lag ihm so viel daran, daß sein Mahl begangen werde?«

»Das kam daher«, antwortete der Rabbi, »daß auch wir dieses Mahl als Dankopfer essen, weil wir noch leben, und daß unser Leben die Brücke zwischen David, der der Gesalbte des Herrn genannt wurde, und Messias, dem ›Gesalbten‹, dem Sohn Davids, ist.«

»Ich möchte etwas erfahren«, sagte jetzt Naftali, »was jenen untersten Knochen der Wirbelsäule, Lebensknöchlein genannt, betrifft, der, als Adam vom Baume aß, keinen Anteil am Genuß hatte, weil das Essen am Freitag geschah, er aber nur von dem Mahl des Sabbatausgangs Genuß hat. Es heißt, eine der Absichten der vierten Mahlzeit sei, ihm seinen Genuß zu verschaffen. Nun ist zwar dieser Barschtsch eine treffliche Speise, aber warum wird für einen so edlen Knochen, der aus der Substanz des Himmels gebildet sein soll, nicht mehr als dies getan?«

»Das wirst du dir gleich selber sagen«, antwortete der Rabbi,

»wenn du dir vergegenwärtigst, was von diesem Knochen noch erzählt wird.«

»Das wissen ja alle«, sagte Naftali, »daß er, wenn der Mensch stirbt, nicht versehrt wird, daß kein Hammer ihn zerschlagen, keine Mühle ihn zermahlen, kein Feuer ihn verbrennen kann, und darum soll in der Auferstehung der neue Leib aus ihm allein erbaut werden. Aber damit ist doch meine Frage nicht beantwortet.«

Der Rabbi lächelte. Dem jungen Jaakob Jizchak griff dieses Lächeln stärker ans Herz als alles, was er bisher an ihm wahrgenommen hatte. »Wie könnte«, sagte der Rabbi lächelnd, »ein Knöchlein solch ein Held sein, wenn es viel brauchte, um zu genießen?«

»Ich möchte aber noch etwas erfahren«, fuhr Naftali fort, »was jenen Vogel Phönix betrifft, der, als Eva allen Tieren von den Früchten anbot, als einziges nichts annehmen wollte, weil er jeweils nur zum Sabbatausgang ißt, und nun vom Todesverhängnis für alles Lebende ausgenommen wurde. Ich wüßte gern, was ihn bewogen hat, immerzu eine Woche lang zu fasten.«

»Vielleicht«, sagte der Rabbi und lächelte noch stärker, daß es dem jungen Jaakob Jizchak das Herz fast zerriß, »hat er nie daran gedacht zu fasten, sondern er ißt nur eben so lange nicht.«

»Fasten oder nicht essen«, meinte Naftali, »das ist doch einerlei, aber warum?«

»Du brauchst dich wieder nur zu besinnen«, erwiderte der Rabbi, »was du sonst noch von ihm weißt.«

»Was ich weiß«, sagte Naftali, »weiß jedes Kind: daß er seither stets in einem fort tausend Jahre lebt, dann schrumpft sein Körper und er wirft alle Federn ab, aber die Kielwurzeln bleiben in ihm, seine Glieder wachsen von neuem, sein Gefieder erneut sich und er lebt wieder in einem fort. Aber was ergibt sich daraus?«

»Er hat offenbar«, antwortete der Rabbi, »immer nur einmal in der Woche so weit an sich selber gedacht, daß er essen mußte, und nun vergehen tausend Jahre, bis er ganz gründlich an sich selber denken muß und darüber schwindet und von neuem anfängt.«

Nun meldete sich Meïr mit einer Frage. »Vor der dritten Sabbatmahlzeit, dem Jakobsmahl«, brachte er vor, »sagen wir, daß wir durch unseres Vaters Jakob Verdienst aus den Kriegen Gogs und Magogs errettet werden. Warum gerade durch sein Verdienst?« »Daß wir«, gab der Rabbi zur Antwort – und nun lächelte er nicht mehr –, »gerade Jakob gegen Gog anrufen, hat seinen Grund in der Geschichte Jakobs. Dadurch, daß er dem Engel Gottes standhielt, wurde er gegen Esaus Waffen gefeit. Wem die himmlische Hand die Hüfte verrenkt hat, der zittert nicht mehr vor der Gewalt der Völkerherren. Und unsere Sabbatfreude an Gott, was meint sie sonst, als daß wir seiner Furchtbarkeit mit unserer Liebe standhalten! Lahm und unantastbar kommen wir aus seinen Händen.«

Der »Jude« konnte jetzt nicht länger an sich halten. »Rabbi«, sagte er mit fast versagender Stimme, »was ist es mit diesem Gog? Es kann ihn doch da draußen nur geben, weil es ihn da drinnen gibt.« Er zeigte auf seine eigene Brust. »Die Finsternis, aus der er geschöpft ist, brauchte nirgendwo anders her genommen zu werden als aus unsern trägen oder tückischen Herzen. Unser Verrat an Gott hat den Gog so groß gepäppelt. Nicht in der Seele, nicht im Volk regiert die Kraft des Lichts.«

»Dreistigkeit!« brüllte Simon, der nach dem ersten Wort des »Juden« zu brummen begonnen hatte. »Er beleidigt den Rabbi!«

Mit einer Handbewegung stellte der Seher die Ruhe wieder her. »Du leidest zu sehr, Jaakob Jizchak«, sagte er. »Man darf sich nicht erlauben, so zu leiden.«

»Was liegt an mir, Rabbi!« stammelte der »Jude«.

Der Rabbi nahm seine rechte Hand fest in die eigene.

»Wir wollen am Tag miteinander von dir reden«, sagte er.

Parallelen

Nach dem Morgengebet am Sonntag spürte der junge Jaakob Jizchak sein Herz mit Macht an die Rippen pochen. »Hast du Angst?« fragte er sich nach seiner Gewohnheit von Kindestagen an, und ein Stimmlein, wahrhaftig wie das eines kleinen Kindes, antwortete: »Ich habe Angst.« »Mir scheint«, vertraute er später seinem Freunde Jeschaja an, »ich hätte mich gern aus dem Staube gemacht wie Chajkel, als ich seinen Kragen losgelassen hatte.

Aber der Rabbi sagte: ›Komm mit‹, und das war stärker, als meine Bärenhand für Chajkel sein mochte.«

Der »Jude« saß nun seinem Lehrer gegenüber. Die Stube war leicht erwärmt, dazu kamen durchs Fenster die kräftigsten Strahlen, die die Herbstsonne herzugeben hatte. Die Bücherwand selber schien Licht zu entsenden.

»Was hattest du im Sinn, Jaakob Jizchak«, fragte der Rabbi, »als du dich entschlossen hast zu mir zu kommen?«

»Rabbi«, antwortete er etwas verlegen, »ich habe mich nicht dazu entschlossen.«

»Wie das?«, sagte der Rabbi.

»Entschluß«, meinte der »Jude«, »das ist doch so wie wenn man einen Anlauf nimmt und springt. Wenn einem aber gesagt wird: ›Spring!‹ und man springt wo man steht, das ist doch kein Entschluß. Freilich, Rabbi David hat es mir oft gesagt, aber da habe ich eben nicht gekonnt, und auf einmal habe ich gekonnt.«

»Warum hast du denn vorher nicht gekonnt?«

»Weil ich mich fürchtete.«

»Wovor?«

»Vor Euch, Rabbi. Vor Eurer Nähe.«

Der Seher schwieg eine Weile. Dann fragte er wieder:

»Und auf einmal hast du dich nicht mehr gefürchtet?«

»Ja.«

»Warum wohl?«

Der »Jude« zögerte. »Vielleicht«, sagte er zögernd, »weil Rabbi David zum ersten Mal nicht wie bis dahin zu mir sagte: ›Fahre nach Lublin!‹ sondern ›Wir fahren nach Lublin.‹ Nicht, daß er nicht schon früher oft mit mir herkommen wollte, nur sagte er es diesmal so, daß ich mich gar nicht mehr mit mir zu befassen brauchte.«

»Aber früher, wo du dich noch fürchtetest, hattest du doch auch schon den Wunsch herzukommen?«

»Gewiß.«

»Und um was ging es dir da?«

»Rabbi«, erwiderte der »Jude«, »das ist leicht zu sagen. Als ich aus meiner Heimatstadt nach Apta kam, lebte da ein heiliger Mann, Rabbi Mosche Löb, der jetzt der Rabbi von Sasow ist.«

»Wahrlich, ein heiliger Mann«, bestätigte der Seher.

»Rabbi Mosche Löb«, fuhr der »Jude« fort, »war mir gewogen und nahm sich meiner an. Es war mit mir damals so, daß ich beim Beten zuweilen wie von Sinnen kam. Der Zaddik merkte das einmal, als er mich irgendwo in der Einsamkeit gefunden hatte, und redete mir herzhaft zu, diesen Weg aufzugeben, denn, so sagte er, wir sind hier unten hingestellt und es gehört sich nicht den Posten zu verlassen. Seither nahm er mich auf seine Wege mit, etwa wenn er über Land zog, um Schuldgefangene auszulösen, oder wenn er den Tag damit begann, die armen Witwen zu besuchen, ihnen einen guten Morgen zu wünschen und sie nach ihrem Bedarf zu fragen und alsbald herbeizuschaffen, was ihnen im Hause fehlte. Dabei hat er sich nie darum bekümmert, ob jemand, dem er half, als fromm und rechtschaffen oder als der Ausbund aller Schlechtigkeit galt. Er vertrug es überhaupt nicht, wenn man einen Menschen böse nannte. ›Ein Mensch tut wohl Böses‹, pflegte er dann zu sagen, ›wenn ihn der böse Trieb überwältigt, aber dadurch wird er doch nicht selber böse, kein Mensch meint das Böse, entweder gerät er hinein, er weiß gar nicht wie, oder aber er hält das Böse für das Gute. Du mußt ihn eben lieben, diesen Menschen, der Böses tut, du mußt ihm liebend helfen, dem Wirbel zu entkommen, in den ihn der Trieb zieht, du mußt ihm liebend erkennen helfen, was oben und was unten ist, anders als liebend wirst du nichts zustandebringen, sondern er wird dich zur Tür hinausschmeißen und er wird recht haben. Nennst du ihn aber böse und hassest oder verachtest du ihn dafür, dann machst du ihn böse, auch wenn du ihm dann helfen willst, erst recht wenn du es willst, du machst ihn böse, denn du machst ihn verschlossen. Erst wenn der Mensch, der Böses tut, sich in der Welt seiner Handlungen verschließt, erst wenn er sich in ihr verschließen läßt, wird er böse.‹«

Der »Jude« hielt inne. Als er merkte, der Rabbi wolle weiter hören, fuhr er fort:

»Ähnlich hat später, wenn ich auf meinen Wanderungen von einer Zeit zur andern nach Lelow kam, Rabbi David zu mir gesprochen. Und ich habe erkannt, daß dies die Wahrheit ist. Aber es ist nicht die ganze Wahrheit. Es ist die Wahrheit für alles, was zwischen mir und meinen Mitmenschen geschieht, denn das ist der Ort, wo der Satan an seine Grenze kommt, weil es die Liebe

wirklich gibt und weil sie keine Grenze hat. Aber es ist mir nicht
genug, um die Wahrheit über das Böse in der Welt zu wissen. Das
Böse in der Welt ist mächtig, das Böse ist der Welt mächtig. Und
was das Böse ist, erfahre ich freilich nicht, wenn ich meinem Mitmenschen begegne, denn entweder kriege ich es dann nur von
außen zu fassen, mit Fremdheit, mit Haß oder Verachtung, und
dann tritt es mir gar nicht in den Blick, oder aber ich überwinde
es mit meiner Liebe, und auch dann tritt es mir nicht in den Blick.
Aber ich erfahre es, wenn ich mir selber begegne. Da drin, wo
keine Fremdheit trennt und keine Liebe rettet, erfahre ich, daß
es etwas gibt, das mich zwingen will, Gott zu verraten, und das
sich dazu der besten Kräfte meiner eignen Seele bedient. Da verstehe ich, daß das Böse der Welt mächtig ist und daß ich seiner
durch das, was ich an meinen Mitmenschen tue, nicht Herr werde,
weil es sich der Liebeskraft selber bedient, um zu vergiften, was
wir heilen. Aber so darf es nicht bleiben!«
Sichtlich schämte sich der »Jude« Dinge zu äußern, die zu äußern
er nicht beabsichtigt hatte, aber nun konnte er nicht mehr innehalten.
»Darum habe ich einmal«, fuhr er fort, »zu Rabbi David gesagt:
›Was kann der Mensch dazu tun, daß die Welt erlöst werde?‹ Und
er hat mir geantwortet: ›Sieh, solang die Brüder zu Josef sprechen: ‚Rechtschaffen sind wir‘, weist er sie im Zorn hinweg. Als
sie aber bekennen: ‚Doch, schuldig sind wir, an unserem Bruder‘,
erbarmt er sich ihrer.‹ Und so wahr dies ist, ich konnte mich damit nicht zufrieden geben, sondern sagte: ›Ja, so ist es. Aber es
ist noch nicht das Ganze. Da ist noch irgendwo ein Geheimnis.
Ich muß zu dem Geheimnis gelangen, zu dem du mich nicht führen kannst. Ich muß dahin gelangen, wo man lernt das Böse zu
hindern, daß es sich des Guten bediene, um das Gute zu zertre-
ten.‹ Und er hat mir geantwortet: ›Dann mußt du eben zu meinem Lehrer nach Lublin gehen. Der hat Umgang mit Gut und
Böse.‹ Als ich das hörte, habe ich mich fürchten müssen. Bis ich
mich eben einmal nicht mehr gefürchtet habe.«
»Siehst du denn aber nicht, Jaakob Jizchak,« sagte der Zaddik,
»daß sich Gott des Bösen bedient?«
»Gott wohl, Rabbi, Gott kann sich aller Dinge bedienen, denn
alle Dinge können ihm nichts anhaben. Aber das Gute … ich

meine nicht das Gute bei Gott, ich meine das Gute, das es auf der Erde gibt, das sterbliche Gute – wenn das versucht, sich des Bösen zu bedienen, geht es in ihm unter. Unmerklich, ohne daß es selber es merkt, löst es sich in ihm auf und ist nicht mehr da.«
»Aber es kommt doch auf Gott allein an!«
»Gewiß kommt es auf Gott allein an, und ich höre ihn auch sprechen: ›Meine Planungen sind nicht eure Planungen‹. Aber ich höre auch, daß er etwas von uns fordert, wovon er will, daß es von uns aus geschehe. Und wenn ich das Böse, das er erträgt, nicht ertragen kann, so merke ich: hier, in dieser meiner Ungeduld, zeigt sich an, was er von mir fordert.«
»Erzähle mir nun aber, Jaakob Jizchak, wann du zuerst erfahren hast, daß es etwas gibt, wie du sagst, das dich zwingen will.«
»Das ist lange her, Rabbi.«
»Erzähle nur.«
Leise und stockend erzählte der »Jude«:
»Als ich die Stadt Apta und Frau und Kinder verlassen habe – sie ist mir dann gestorben –, wohnte ich zunächst bei einem Gutspächter, dessen Kinder ich unterrichtete. Im Haus lebte auch, ich weiß nicht warum, eine verheiratete Tochter. Bei Tisch sah sie mich oft an, nicht etwa freundlich, sondern als wenn sie sich über mich wunderte. Wir sprachen nie miteinander. Eines Nachts, als ich beim Kerzenlicht lernte, trat sie bei mir ein, stand und sah mich schweigend an, nicht etwa dreist, sondern als ob sie sich vor mir niederwerfen wollte und es nicht wagte. Sie war im Nachtgewand und hatte bloße Füße. Ich sah, daß sie sehr schön war, bisher hatte ich es nicht gewußt. Von ihrer Demut ging ein Zwang aus. Ich staunte ihre Schönheit an, dazu kam ein brennendes Mitleid mit dem Geschöpf, zugleich aber drang der Zwang auf mich ein. Und nun bemächtigte sich der Zwang des Staunens und des Mitleidens. Plötzlich merkte ich, daß ich auf die bloßen Füße blickte. ›Nicht zwingen!‹ schrie ich. Die Frau verstand mich anscheinend nicht, sie trat näher. Da bin ich zum offenen Fenster hinausgesprungen und durch die Märznacht weit weg gerannt. Viel später, als ich in einem fernen Orte als Kinderlehrer lebte, kam die Frau zu mir und bat mich weinend ihr zu vergeben, es sei damals etwas über sie geraten, das sie nicht begreife. ›Ich

weiß‹, tröstete ich sie, ›der Zwingherr hat sich mit dir bekleidet, da mußte er zuerst dich zwingen sein Kleid zu werden.‹«

»Warum aber«, fragte der Rabbi, »hast du vorhin gesagt, jene Kraft wolle dich zwingen, Gott zu verraten?«

»Gott«, sagte der »Jude«, »ist doch der Gott der Freiheit. Er, der alle Macht hat mich zu zwingen, zwingt mich nicht. Er hat mir von seiner Freiheit zugeteilt. Ich verrate ihn, wenn ich mich zwingen lasse.«

»Ich habe«, sagte der Rabbi, »als sich mit mir in meiner Jugend etwas Ähnliches begab, erfahren, daß man nicht aus dem Fenster springen muß. An einem eisigen Winterabend auf dem Weg nach Lisensk zu Rabbi Elimelech habe ich mich verirrt. Da sah ich ein erleuchtetes Haus im Walde. Ich trat ein, es war hell und warm. Im Haus war niemand außer einer jungen Frau. Ich hatte bis dahin keine Frau angesehen außer einer, die mir angetraut wurde und der ich fernblieb, weil ich auf ihrer Stirn statt des Ebenbildzeichens ein fremdes erblickte; sie ist dann, nachdem ich mich von ihr trennte, zu den Fremden gegangen. Die Frau im Waldhaus gab mir zu essen und Glühwein zu trinken; dann setzte sie sich zu mir und fragte mich aus: woher ich käme, was ich vorhätte, und zuletzt, wovon mir in der Nacht zuvor geträumt habe. Ich erschrak vor dem Zauber, den ihre Augen und ihre Stimme in mich warfen. Das Erschrecken rührte mir bis an den Grund, wo bisher nichts gewesen war als die dunkle Furcht vor Gott und ein noch scheuer Versuch ihn zu lieben. Wie nun das Erschrecken daran rührte, flammte die Liebe groß auf und erfaßte die ganze Gewalt meiner Seele. Nichts blieb draußen, alle Leidenschaftskraft, die in mir ruhte, wurde vom Feuer eingeschlungen. In diesem Augenblick sah ich auf: da war keine Frau, kein Haus, kein Wald – ich stand auf der Straße, die gradaus nach Lisensk führte.«

»Die Gnade hat mit Euch gespielt, Rabbi«, sagte der »Jude«.

»Wann aber hattest du erkannt«, fragte der Zaddik, »daß Gott der Gott der Freiheit ist?«

»Als ich achtzehn war«, antwortete der junge Jaakob Jizchak, »hielten mich im Lehrhaus von Apta alle für den ersten und man sprach davon, daß ich, wenn der Rabbi, wie er vorhatte, in eine andere Stadt ziehen würde, das Oberhaupt werden solle.

Ich aber wußte, daß ich nur gelernt hatte und daß ich von mir
selber aus den Gott nicht kannte, dessen Lehre die Lehre war,
die ich gelernt hatte. Ich hatte seine Worte gelernt, wohl, auch
gebetet hatte ich zu ihm, sehr gebetet, aber ich kannte ihn nicht.
Nun begriff ich, daß durch das Lernen allein ein Mensch nicht
zum Kennen gelangen kann. Das Beten brachte mich in eine
Nähe, aber es war nicht die Nähe des Kennens. Lange quälte
mich der Mangel. Da bedachte ich einmal, was von unserem
Vater Abraham, der Friede sei über ihm, erzählt wird: wie er
Sonne, Mond und Sterne erforschte, ob sie Gottheit wären, und
Sphäre um Sphäre zu leicht befand, bis er endlich erkannte, daß
oberhalb von Himmel und Erde Der waltet, der die ganze Welt
führt. In diesem Gedanken bin ich drei Monate lang umher-
gegangen, habe überall geforscht und gesucht, und ich habe gefunden, daß der Zwang nach allem langt und alles nach der Freiheit ausschaut. Und plötzlich, trotz all des Forschens und Suchens,
nicht allmählich, sondern unversehens und mit einem Mal ging
mir auf, daß die Freiheit bei Gott ist. Mit einem Mal ging es mir
auf, und zwar als ich im Anfang des Morgengebets die Worte
›Höre Israel‹ sprach. Der Gedanke dieser vollkommenen göttlichen Freiheit schütterte mir so durch mein leibliches Wesen,
daß mir zumute wurde, als spränge mir die Zähne aus dem
Mund und ich könnte den Spruch nicht bis zu seinem Ende, dem
furchtbaren Wort ›Einer‹ sprechen. Erst als ich mir ganz gegenwärtig machte, daß auch mir Lehmklumpen etwas von eben-
dieser Freiheit zugeteilt ist, habe ich weiterbeten können.«
»Auch darin ist es mir ähnlich ergangen«, sagte der Rabbi. »Als
ich das Lernen des Talmuds vollendet hatte, ging ich in fröhlicher Verfassung aus der Stadt und sah mir die Erntefelder an.
Da kam mir ein Student entgegen, der war eines Nachbarn Kind,
aber etliche Jahre älter als ich. ›Was machst du?‹, fragte er. ›Ich
habe den Talmud zu Ende gelernt‹, erwiderte ich ihm. ›Was will
das sagen!‹, erklärte er behaglich, ›ich bin zu seiner Zeit auch
damit fertig geworden, dann aber habe ich umgesattelt, und jetzt
bin ich ein freier Mann und ein freier Denker.‹ Da verstand ich,
daß ich noch nichts ausgerichtet hatte. Ich ging ins Bethaus,
öffnete die Lade, warf mich davor nieder und betete, es möchte
mir der wahre Weg gezeigt werden. Als ich so betete, erschien mir

die Gestalt eines Mannes, die das ganze Haus füllte. Ich aber
fürchtete mich nicht und bot ihm den Gruß, denn ich hatte unseren Vater Abraham erkannt. ›Suche dir einen Lehrer‹, sprach er
zu mir, ›der dich gehen lehrt.‹ So bin ich zu dem Maggid von
Mesritsch, dem Mann Gottes, gekommen, der damals noch in
Rowno war, und habe bei ihm den Weg gehen gelernt.«
»›Den Weg‹, sagt Ihr, Rabbi. Aber kann man ihn hier immer
weiter gehen?«
»Was meinst du mit deiner Frage?«
»Ich meine: wie ist's, wenn man eine Stufe vor sich sieht, die
man, solang man auf dieser Welt lebt und in diesen Körper gebannt ist, nicht erreichen kann? Muß man da nicht Gott bitten,
daß er einen hinweghebe? Und doch ist es gewiß wahr, was
Rabbi Mosche Löb mir gesagt hat: wir sind hier unten hingestellt,
und es gehört sich nicht, den Posten zu verlassen. Hier haben wir
ja gegen das Böse zu kämpfen, hier!«
»Ach, Jaakob Jizchak«, sagte der Rabbi, »was willst du mit
Stufen? Wenn du an Stufen zu denken beginnst, kommst du an
kein Ende. Du weißt doch, wie Rabbi Michal nach seinem Tode
meinem Schüler, dem Rabbi Hirsch von Żydatschow, erschien
und ihm erzählte, daß er drüben von Welt zu Welt aufsteigt, und
jedesmal nimmt sich die Welt, in der er steht, als eine Erde aus,
und jedesmal spannt sich hoch über ihm als Himmel eine Welt,
die er noch nicht kennt, und wieder wird der Himmel zur Erde.
So ist es mit den Stufen. Der Weg aber, Jaakob Jizchak, ist wie
wenn man an einer Landstraße baut. Man schleppt Steine, man
stampft sie ein, man walzt – und natürlich bleibt man dabei nicht
am gleichen Fleck, man kommt weiter: das ist der Weg.«
Er schwieg. Auch der »Jude« schwieg. Nach einer Weile verdunkelte sich das rötliche Gesicht des Sehers und die senkrechte
Falte in der Mitte seiner Stirn war vertieft. Er schwieg noch
immer. Dann begann er zu reden, und jetzt war er es, der zwischen Wort und Wort zögerte, geradezu als prüfe er, ehe er sie
in den Mund nahm, die Worte, ob sie auch brauchbar seien.
»Der Tod aber, Jaakob Jizchak, der Tod …
Lisensk, Rabbi Elimelechs Stadt, liegt unweit eines bewaldeten
Mittelgebirges. Rabbi Elimelech pflegte zuweilen frühmorgens
die Brücke, die den Fluß San quert, zu überschreiten, sich auf

einer der Höhen zu ergehen, die von dieser Seite sanft ansteigt, auf der andern aber steil abfällt, und sich dann auf den baumumstandenen Gipfel an einen Block zu setzen, der die Form eines Kubus hat. Man nennt den Ort Rabbi Melechs Wäldchen, den Block zuoberst Rabbi Melechs Tischlein, und wird sie noch lange so nennen. Alljährlich am 33. Tag der Zählung zwischen Oster- und Pfingstfest, am Fest der Schüler, kommen die Schuljungen da hinauf, tummeln sich und schießen mit ihren Armbrusten über Rabbi Melechs Tisch weg. Es versteht sich von selbst, daß in den Zeiten, da der Zaddik sich dort aufhielt, kein Fuß, weder eines Juden noch eines Polen, sich hinwagte. In anderen Stunden aber gab es unter den Schülern zwei, die, jeder für sich, den Ort besuchten, um der einsamen Betrachtung zu pflegen. Der eine war ich, der andere mein älterer Freund Salke, der mit ständiger Fürsorge mir zugewandt war; er war auf einer früheren Wanderung der Seelen mein Vater gewesen. Einmal saß ich da und sann wieder einmal, wie so oft an dieser Stelle, der wahren Demut und Selbstvernichtung nach. Diesmal aber schwoll die Woge des Wunsches mich herzugeben so über alle Ufer, daß ich mir keinen Rat mehr wußte als mein Leben darzubringen. Ich trat an den Felsrand und wollte mich hinabstürzen. Salke aber war mir unbemerkt gefolgt; er lief auf mich zu, faßte mich am Gürtel und ließ nicht ab mir zuzusprechen, bis er mir den Vorsatz aus der Seele gelöst hatte.«

Seit einer Weile stand der Gabbai in der Tür.»Rabbi«, rief er jetzt ins Schweigen hinein,»der sinnesgestörte Knabe ist wild geworden. Er brüllt, er sei zu Euch gekommen und nicht zu denen, die ihn angaffen.«

Der Zaddik erhob sich. Er legte dem jungen Jaakob Jizchak, der sich ebenfalls erhoben hatte – wie sie so nah beieinander standen, war zu sehen, daß der Rabbi den mächtigen Mann noch um ein Stück überragte –, die Hand auf die Schulter, ließ sie einige Augenblicke darauf ruhen und ging, den Kopf, wie es sein Brauch war, hochhaltend, der Schüler mit gesenktem Kopf ihm nach. Das Gespräch war abgebrochen.

Das Hemd

In den Tagen darauf reisten die älteren Schüler, soweit sie nicht in Lublin lebten, in verschiedenen Richtungen heim. Unter ihnen war David von Lelow, wiewohl es ihm schwer wurde, den Freund ohne seinen Beistand in einem Kreis zu lassen, von dem ein Teil, wie er wohl bemerkt hatte, jenem nicht günstig gesinnt war. Ehe er zärtlichen Abschied von ihm nahm, fragte er ihn: »Ist es nun gut, Jaakob Jizchak?« Der »Jude« schwieg. David wiederholte die Frage. »Der Rabbi ist furchtbar«, sagte der »Jude«. Der Lelower fuhr zusammen. »Das ist der wahre Mensch«, sagte er nach einer Weile. Beide schwiegen. Jeschaja kam dazu; er war, seit er hier war, noch bleicher geworden. Schweren Herzens fuhr David heim.

Nach einiger Zeit verreiste auch der Rabbi, man wußte nicht wohin. Die Schüler flüsterten einander zu, das würde wohl eine jener Fahrten sein, auf denen er dem Fuhrmann kein Ziel angab, sondern ihm, nach dem Vorbilde des heiligen Baal-schemtow, befahl, die Zügel zu lockern und die Pferde gehen zu lassen, wohin sie wollten; auf diesen Fahrten ergaben sich dann allerhand Abenteuer, von denen der Fuhrmann hernach nur in dunklen Andeutungen über die Wundertaten des Zaddiks sprach.

Vor seiner Abreise tat er zwei Dinge, die niemand verstand. Er ordnete an, daß in seiner Abwesenheit der junge Jaakob Jizchak die Jünglinge empfangen sollte, die mit der Bitte, in die Lehrgemeinschaft aufgenommen zu werden, oder mit irgendeinem die Lehre betreffenden Anliegen kommen würden; das war sehr seltsam, zumal der vielgelehrte Jehuda Löb aus Zakilkow, der älteste der Schüler, in Lublin lebte. Zugleich schickte der Rabbi eins seiner Hemden dem »Juden« mit der Weisung, es alsbald anzuziehen. Der Schüler war über beides sehr bestürzt; er ging zum Rabbi, der schon im Begriff war in den Wagen zu steigen, dankte ihm für die Gabe und bat, einen andern mit dem Amt zu betrauen, er sei dafür noch zu unerfahren. »Du bist der Rechte«, sagte der Seher. »Aber wollt Ihr nicht zumindest noch eine Zeit damit warten?« fragte er. »Man muß das Nötige verfügen, ehe die Pferde einen von hinnen tragen«, antwortete der Rabbi.

Am nächsten Morgen schon, nach dem Gebet, ging der »Jude«, pflichtgemäß mit dem Hemd des Rabbi angetan, in dessen Haus und stellte sich im Vorraum auf, um, sobald es erforderlich wäre, seine Obliegenheit zu erfüllen. Eben traten einige Fremde ein. Er sah sie an, ob nicht ein Anwärter auf die Schülerschaft darunter sei. Da geschah etwas, was ihn, wie nichts zuvor in seinem Leben, erschreckte. Er blickte einem der Eingetretenen, einem in jedem Belange unauffälligen Mann, unwillkürlich auf die Stirn – im nächsten Augenblick war es ihm, als werde ein Vorhang auseinandergezogen, er stand vor einem Meer schwarzer Wogen, die bis an den Himmel schlugen, und jetzt rückten sie in der Mitte auseinander wie der Vorhang und gaben einer Gestalt Raum, dem Besucher unähnlich, doch mit ebendem Siegel auf der Stirn, das auf jener zu sehen gewesen war; schon aber war die Gestalt von den Wogen verschlungen, hinter ihr stand eine andre, wieder verschiedene, wieder gleich gezeichnete, auch sie verschwand, und weiter, weiter eröffnete sich in Gestalten um Gestalten die Tiefe. Der »Jude« schloß die Augen. Als er sie wieder auftat, war nichts zu sehen als jener Mann, die Leute um ihn, die Stube mit den gewohnten Geräten. Er wagte lange nicht einen zweiten anzusehen. Sowie er es tat, begab sich das Gleiche, wieder riß ein Vorhang, wogte der Abgrund, und wieder kam Erscheinung nach Erscheinung. Da bezwang der »Jude« seine Verstörung und beschloß, dem offenkundigen Geheiß, das ihm entgegentrat, zu gehorchen. Er betrachtete, erfaßte jede Gestalt, ließ sie sich auf den Grund seines Gedächtnisses eintragen, behielt die Augen mit Macht offen, solang sie es ertrugen. Und plötzlich, beim vierten, fünften der Besucher, merkte er, daß sich etwas an ihm geändert hatte: sein Blick drang nun selber in die Tiefe ein, er durchdrang ihre Räume mit unmenschlicher Schnelle, gelangte hinter die Gestaltenreihe und begegnete dort urweltlichem Dasein.

Die Unruhe, die er überwunden hatte, kehrte zurück, als die Zeit der Morgenbesuche vorüber war. Er ging nicht heim, sondern trat ins Lehrhaus, zog den Gebetmantel an, legte die Gebetkapseln an Stirn und Arm, setzte sich der Lade gegenüber und versank in ein sprachloses Gebet. Da ereignete sich etwas

Wunderliches, das zugleich zum Lachen und doch auch wieder ein neuer Stachel war.

Westlich von Lublin, jetzt als Vorstadt ihm einverleibt, liegt an einem großen Teich der Flecken Wieniawa, der eigentlich Tschechow heißt, ein Haufen niedriger, windschiefer, durcheinandergewürfelter Holzhäuser zu beiden Seiten des Bethauses. Als der Seher aus Lanzut – wohin er zuerst gegangen war, nachdem er seinen Lehrer Rabbi Elimelech verlassen hatte – in die Gegend von Lublin zog, nahm er, wie es heißt auf Engelsbefehl, hier Wohnung; sich in der Stadt selbst niederzulassen hinderte ihn damals noch der Widerstand der den chassidischen Weg ingrimmig bekämpfenden Gegner. Am Rande des Fleckens wohnte ein Schankpächter, dessen Lebensnot darin bestand, daß er nie den Pachtschilling bereitliegen hatte. Von der Zeit an aber, wo der Rabbi nach Wieniawa kam, vollzog sich eine Wendung in seinem Geschick. Er suchte jeweils vor dem Zahlungstag den Rabbi auf, und dessen Gebet bewirkte jedesmal, daß er das Geld doch auf irgendeine unvorhergesehene Weise zusammenbrachte. Als der Zaddik in die Stadt zog, blieb es dabei. Nun lebte aber in einem nahen Dorf ein anderer Schankpächter. Dem widerfuhr es in den Tagen, von denen hier erzählt wird, ebenfalls, daß er den Pachtschilling nicht bereit hatte. Sein Weib bewog ihn, dem Beispiel des andern zu folgen und nach Lublin zu gehen. Hier angelangt fragte er nach dem Rabbi, hörte, daß der verreist sei, wollte es aber nicht glauben, denn, sagte er sich,»ein Rabbi fährt gewiß niemals hinweg«. So ging er ins Haus des Zaddiks und bekam hier den gleichen Bescheid, wollte es aber wieder nicht glauben und ging ins Lehrhaus. Dort sah er einen Mann im Gebetmantel und mit Gebetkapseln angetan sitzen.»Wer um die Mittagsstunde so bekleidet ist«, sagte er sich,»kann nur der Rabbi sein.« Er trat auf den Sitzenden zu, überreichte ihm Bittzettel und Lösegeld und begann ihm sein Anliegen vorzutragen.»Ich bin kein Rabbi«, sagte der»Jude«. Wie der Schankpächter das vernahm, war es zu viel für die vergrämte Seele und er fiel in Ohnmacht. Den»Juden«lächerte und bekümmerte zugleich der sonderbare Vorgang. Er ermunterte den zu Boden Gesunkenen, hob ihn auf und sagte:»Nun denn, wenn du sagst, ich sei ein Rabbi, so bin ich eben ein Rabbi.«»Rabbi«, fragte jener mit einem

Aufschluchzen,»was soll ich tun?«»Hast du in deiner Not schon«, sprach der »Jude«,»Psalmen gesagt?«»Wie sollte ich nicht, Rabbi?« gab der Pächter zur Antwort. –»Hast du aber schon nachts, wenn alles still ist und dich niemand stört, Psalmen gesagt?« –»Das nicht, Rabbi, ich bin zu müde von der Arbeit des Tags und habe einen schweren Schlaf.« –»So kaufe dir«, sagte Jaakob Jizchak,»einen großen Hahn. Wenn der Hahn ruft, steh auf und sage Psalmen. Sag jedes Wort von deinem eignen Herzen aus, und dein Gebet wird nicht umsonst gesprochen sein.« Der Mann dankte und ging. Der»Jude« saß noch eine Stunde im Bethaus. Von Zeit zu Zeit mußte er auflachen. Es war ein bekümmertes Lachen.
Am darauffolgenden Morgen kam in der ersten Frühe ein Mann durch die Judengassen von Lublin gelaufen. Man erkannte den Schankpächter von gestern.»Wo ist der Rabbi?« schrie er.»Der Rabbi ist verreist«, sagten die Leute.»Wo ist der Rabbi«, fragte er,»mit dem ich gestern hier gesprochen habe?«»Was für ein Rabbi?« sagten die Leute erstaunt. Der Mann aber konnte, was er mit-zuteilen hatte, nicht länger bei sich behalten.»Ich habe einen Schatz gefunden!« schrie er. Erst nach einer Weile konnte er geordnet erzählen. Als der Hahn gekräht hatte, war er sehr schlaftrunken gewesen. Im Dunkel tastete er um sich und schlug dabei an eine Stelle in der Wand so heftig, daß sich ein Stein löste, der Mann mit seiner Hand in eine Höhlung fuhr und an eine kleine Metallkiste stieß. Er machte Licht, hob die Kiste her-aus, erbrach sie und fand eine Rolle Silbergulden, anscheinend noch von seinem Großvater in einer Kriegszeit versteckt, in der der Alte den Tod fand, ehe er das Geheimnis seinem Sohn mit-zuteilen vermochte.
Die Geschichte vom Schatz rauschte durch die Gassen. Man fragte nach dem»Rabbi«, Vermutungen und Gegenvermutungen wurden laut. Endlich gelangte die Erzählung auch zum»Juden«. Nun konnte er auch nicht einmal mehr lachen. Ihm war, als ver-brennte das Hemd ihm den Leib.
Als er kurz danach ins Badhaus ging, folgte ihm ein absonderlich aussehender Mann. Er war bis auf den Kropfhals spindeldürr und trug einen gelben zerrissenen Kaftan und auf dem bis auf die Schläfenlocken fast kahlen Kopf ein winziges Käppchen.

Der »Jude« beachtete ihn kaum, ging ins Badhaus und machte sich bereit, ins Wasser zu steigen. Da trat der Mann ein und wandte sich sogleich an ihn. »Rabbi«, sagte er mit einem rostigen Stimmchen, »gebt mir etwas.« »Wende meine Taschen um«, entgegnete Jaakob Jizchak, »du wirst keinen Groschen drin finden.« »Rabbi«, sagte der Mann und öffnete den Kaftan über seiner Brust, »ich habe kein Hemd.« Den »Juden« schauderte es im Anblick des gelblichen Menschenleibes. »Nimm meines«, sagte er. Der Mann nahm das Hemd und entschwand.

Das Spiel beginnt

Unter den Schülern des Sehers war Jehuda Löb von Zakilkow der älteste. Er war etwa gleichzeitig mit ihm zu Rabbi Elimelech gekommen. Als der Seher diesen verließ, war er in Lisensk geblieben. In den letzten Jahren, in denen Rabbi Elimelech mitten unter den Seinen wie abgeschieden lebte, lag die eigentliche Führung der Schülerschaft in Jehudas Händen. Die Eifrigsten unter ihnen, mit denen er fast unablässig lernte, nannte er die Leibgarde; man wußte nicht, wen sie zu schützen hatte und vor wem. Nach dem Tod seines Lehrers zogen sie mit ihm nach Zakilkow. Aber kurze Zeit danach ereignete sich etwas Unbegreifliches. Der Seher fragte einen Gast nach Jehuda. »Er hat die Leibgarde um sich«, war die Antwort. »Sie werden zum Sabbat bei mir sein«, sagte der Seher. In der Nacht darauf stahl sich einer der Treuesten aus dem Kreis und kam nach Lanzut. Am übernächsten Tag folgten drei seinem Beispiel. Am Ende der Woche war nicht ein einziger von der Leibgarde geblieben. »Ist noch einer von euch bei ihm?«, fragte der Seher den Letztgekommenen. »Keiner«, antwortete er. »Auch er selber wird kommen«, sagte Rabbi Jaakob Jizchak. Es dauerte etwa zehn Tage, bis Jehuda in Lanzut erschien. Es war Abend. »Lasse niemand vor«, sagte der Seher zum Gabbai, »ich will früher als sonst schlafen gehn.« Als Jehuda ins Haus kam, wurde er nicht vorgelassen. Er erhob nicht die Stimme, das war nicht sein Brauch, aber er wiederholte langsam und eindringlich sein Ansuchen. Die Tür öffnete sich, der vertraute Gefährte so vieler Jahre stand im Schlafrock, die Pfeife im Mund, und doch mit einer ungekannten Hoheit vor ihm.

»Was ist's?«, fragte der Seher. Der Gabbai zog sich zurück.»Du nimmst mir meine Schüler«, sagte Jehuda. »Ich nehme keinem etwas«, erwiderte der Seher, »ich nehme nur an, was mir gebracht wird.« Jener stand noch immer an der Tür. »Denke an Rabbi Elimelech!« mahnte er. »Wenn er heute des Wegs käme, müßte er auch in der Tür stehen«, sagte der Seher. »Wie es im Midrasch heißt: hätte Samuel in dem Geschlecht gelebt, dessen Führer Jephta war, er hätte sich unter Jephta gebeugt. Man muß wissen, wer der Führer des Geschlechts ist, sonst bleibt man ein Narr.« Er zog das letzte Wort in die Länge. Der Besucher beugte den Kopf und blieb in Lanzut. Doch galt er nicht als einer der Schüler, sondern als Schüler-Gefährte des Rabbi, er trug gleich ihm am Sabbat den weißen Rock und saß neben ihm zuhäupten des Tisches.

Jehuda war ein hagerer, vorzeitig ergrauter Mann. Er rührte nie beim Reden die Hände und verzog nie den Mund. Wenn er ging, setzte er die Füße immer ganz gleichmäßig; wenn er stand, stützte er sich nie auf einen mehr als auf den andern. Sein Lerneifer war von Jugend auf der gleiche geblieben, er kannte offenbar keine Befriedigung außer im Lernen. Es gab niemand, der ihm auch nur das leichteste, unabsichtlichste Vergehen nachzusagen vermochte. Wenn man ihn ansprach, besann er sich stets eine Weile, ehe er antwortete. Er liebte es nicht Menschen anzusehen, aber auch nicht sonst irgend etwas.

Am Tag nach jener Begebenheit im Badhaus versammelte er einige der Schüler in seinem Haus. Kalman, den er von der Abreise zurückzuhalten versuchte, hatte, schon im Wagen sitzend, ein halbstündiges Gespräch mit ihm geführt; zuletzt war er kopfschüttelnd von dannen gefahren. Von den Älteren war außer Simon, der heftiger als je vor sich hinbrummte, auch Naftali da; er schien den Gegenstand der Unterredung für einen scherzhaften zu halten, denn er unterhielt sich vor Beginn lachend mit seinem Nachbarn, offenbar über eben diesen Gegenstand. Jissachar Bär, dem Meïr am Abend zuvor unter beredten Hinweisen auf die Winke der Geheimlehre die Gefährlichkeit des »Juden« darzulegen versucht hatte, hatte zuerst abgelehnt, war aber doch gekommen. Meïr, dessen Bruder abgereist war, saß regungslos da, aber seine Augen funkelten. Unter den Jüngsten waren zwei,

die Jehuda mit besonderer Treue anhingen. Der eine, Jekutiel,
sah aus wie die leibhafte Dummheit, der es gelungen wäre, eine
Tugend zu werden; der zweite, Eisik genannt, trug seine Schlauheit offen zur Schau, ja es lag ihm anscheinend daran seinem Beschützer immer neu ins Bewußtsein zu rufen, wie schlau er sei.
Jehuda wies kurz auf den Anlaß der Besprechung hin: das un-
erträgliche Gebaren des Neuangekommenen, der so tue, als ob
er der Rabbi selber sei. »Solang der Rabbi da war, hat er ihn
in einem fort angestarrt, um ihm alles abzugucken. Und sowie
nur der Rabbi verreist ist, hat er unverzüglich damit angefangen,
den Besuchern, genau wie der Rabbi, auf die Stirn zu schauen –
geradezu als ob *er* da etwas zu sehen bekäme! Dann hat er sich
unversehens auf die Vorführung von Wundern verlegt...«
Nun aber sprang, wie damals an dem langen Tisch, Jissachar Bär
auf und hob die Hand. Er war so erregt, daß er erst nur stammelte und eine Weile warten mußte, bis er geordnet reden
konnte. »Nein!« rief er, »nein! Das ist falsch! Das sagt der ›Herr
der Einflüsterung[1]‹ durch deinen Mund! Den ›Juden‹ hat das
Wunder wider seinen Willen erwählt! Laßt ab von ihm!« Er
ging mit erhobener Hand rücklings zur Tür, rief noch einmal
»Laßt ab!« und schwang, ehe er hinausging, die Hand wie drohend gegen die Versammelten.
»Was der Hitzkopf in das Wunder verliebt ist!« sagte Naftali
zu seinem Nachbarn mit einem kurzen Auflachen. »Der ist noch
schlimmer als ich. Dem kommt es nur noch auf das Wunder an
und nicht auf den, der es tut.«
Jehuda hatte die Zeit über nicht mit der Wimper gezuckt. Es
war, als ob Bärs Äußerung nicht zu ihm gedrungen wäre. Auch
Naftalis Bemerkung schien er nicht gehört zu haben, obgleich
das, was er jetzt vorbrachte, so klang, als ob es an sie anknüpfte.
»Auch die ägyptischen Zauberer«, sagte er, »haben Zeichen getan. Was hatten sie mit denen Moses mehr als den Augenschein
gemein? Das falsche Wunder ist die größte Gefahr. Wir müssen
wachsam sein.«
Er hielt inne. In die Stille fiel ein Ruf Naftalis, der alle überraschte, wie immer in den seltenen Fällen, wo sich in seine Stimme

---

[1] Beiname des Satans.

kein Klang von Lachen mischte. »Der Rabbi ist wach genug für
uns alle«, sagte er, »er weiß, was er tut.«
Jehuda zögerte mit der Antwort. »Wo ein großes Licht ist«,
sagte er dann, »sammeln sich die Kräfte der Finsternis ringsumher, um es zu verschlingen. Aber wie könnten sie ihm nahekommen, so wie sie sind? Sie müssen selber ein Lichtkleid anziehen.
Und das Licht erfreut die Augen des Lichtes.«
Seit einer Weile hatte Meïr wie sprungbereit dagesessen; jetzt
war sein Augenblick gekommen. »Haben wir nicht ein Jahr lang
angesehen«, sagte er zornig, »was die bösen Mächte zustande
bringen, um den Zaddik zu täuschen? Ist nicht ihr Abgesandter
unter uns einhergegangen, und der Rabbi hat ihn geduldet, weil
er, wie er mir selber gesagt hat, genötigt war zu meinen, das
Scheusal sei von oben gesandt? Da ihnen der Anschlag mißglückt ist, haben sie nun einen Faden aus feinerem Garn gesponnen.«
»Ich habe etwas zu berichten«, begann nun Simon. »Gestern
abend habe ich meine Verwandten in Wieniawa besucht. Wie ich
mich dann auf den Heimweg mache, tritt mir ein frecher Bettler entgegen und heischt ein Almosen von mir. ›Leuten wie dir
gebe ich nichts‹, sagte ich und ging weiter. Aber er blieb mir auf
den Fersen. »Der junge Rabbi«, lispelte er, »hat mir ein Hemd
gegeben.« – »Welcher junge Rabbi?« – »Der mit den breiten
Schultern.« Ein schrecklicher Verdacht stieg in mir auf. »Zeig
mir das Hemd«, sagte ich. Er machte den Rock auf. Das Hemd
hatte am Kragen einen blauen Streifen eingestickt. Ich habe mich
nachher bei Eisiks Schwester Rochele erkundigt, weil alle Wäsche
des Rabbi durch ihre Hand geht. Es war wirklich sein Geschenk.
Erinnert euch, wie der Mann beim Geleitmahl den Rabbi beleidigt hat und wie der in seiner Güte es nicht bemerken wollte!
Nun hat er durch die Verschleuderung der kostbaren Gabe an
den gemeinen Kerl gezeigt, wie er in Wahrheit alles gering-
schätzt, was vom Rabbi kommt!«
»Wir wollen beraten, was zu tun ist«, sagte Jehuda.
»Ist mir ein Wort erlaubt?« fragte Jekutiel.
»Rede!« antwortete Jehuda zögernd, da man nie wissen konnte,
wessen man sich von dem unweisen Menschen zu versehen hatte.
»Ich meine«, sagte Jekutiel, »es ist zu bedenken, daß über hun-

dertundzwanzig Jahre[2] der Eindringling versuchen könnte, sich auf den Thron zu setzen.« Das ausgesprochene Wort goß auf alle eine ätzende Scham. Aber es war gesprochen und man konnte nicht mehr hinter es zurück. Jetzt merkte der Mann, der unter Jehudas Anhang ihm am nächsten stand, Eisik, daß es an ihm war zu reden. Mit diesem Eisik hatte es eine eigene Bewandtnis. Sein Vater besaß, als Eisik ein Kind war, in einer kleinen Stadt ein Haus, in dem ein Bruder des Rabbi zur Miete wohnte. Als er eine Weile die Mietszahlung nicht aufgebracht hatte, wurde er kurze Zeit vor dem Neuen Jahr auf die Straße gesetzt. Es heißt, der Rabbi, der damals in Lanzut wohnte, habe, als er es zwei Tage vor dem Neuen Jahr erfuhr, die Worte gemurmelt: »Man geht verloren.« Am Vorabend des Neuen Jahres ging Eisiks Vater vors Haus, um die Fensterläden zu schließen, und ist seither nicht mehr gesehen worden. Sein Sohn fuhr noch in seiner Kindheit zu manchem Zaddik, um ihn zur Wiederfindung des Vaters anzurufen, jedoch umsonst. Es war aber, als der Seher den Hof Rabbi Elimelechs verließ, ein Oheim Eisiks sein erster Chassid gewesen; später war dieser tätig, ihm die Ansiedlung in Lublin zu ermöglichen. Auf seine Veranlassung nahm der Rabbi nun Eisik und dessen Schwester Rochele in sein Haus auf. Das Mädchen hatte bald das Hauswesen unter sich; der Knabe lernte im Lehrhaus. Er gab die Hoffnung nicht auf, der Rabbi würde ihm einmal eröffnen, wo sein Vater sei, wagte aber nie, ihn danach zu fragen. Wenn er von dem Rabbi angeredet wurde, antwortete er mit niedergeschlagenen Augen. Dagegen schloß er sich eng an Jehuda Löb an und war immer um ihn. »Erlaubt mir der Rabbi«, mit diesen Worten wandte er sich jetzt an ihn, indem er, wie immer beim Beginn einer Ansprache, die ohnehin etwas höher geratene linke Schulter noch höher hob, »einen Vorschlag zu machen?«

»Sprich nur, Eisik,« sagte Jehuda, und zum erstenmal war etwas, das fast wie Wärme anmutete, in seiner Stimme.

»Ich meine«, brachte Eisik vor, »man sollte sich an die Rabbanith wenden.«

---

[2] So wird die Sterbenszeit umschrieben.

Niemand ließ sich zunächst vernehmen, aber es war sogleich offenbar, daß der Vorschlag alle überzeugt hatte – bis auf Naftali, der bald danach, als schon von der Ausführung gesprochen wurde, mit einem etwas heiseren Lachen und wie beiläufig bemerkte:»Mich werdet ihr auf diesem Weg nicht mithaben.« Eisik wurde beauftragt, mit der Rabbanith zu reden.

Die Rabbanith

Tila, die Rabbanith, hatte dem Rabbi vier Söhne und eine Tochter geboren. Der Älteste, Israel, war damals etwa achtzehnjährig und seit kurzem vermählt; er liebte die Einsamkeit; gegen den Vater war er von so großer Ehrerbietung, daß er stets, auch wenn es etwas zu bereden gab, wartete, bis er von ihm angesprochen wurde; mit den Schülern hatte er fast keinen Umgang; er führte sein eigenes Hauswesen und kam nur an Sabbaten und Festtagen mit seiner Frau in das Haus des Sehers. Man hätte von ihm schon in seiner Jugend sagen können, was viel später ein Schüler des»Juden« geäußert hat: er sei»ein Traktat für sich«. Der zweite, Josef, war etwa vierzehn; er hatte ein schüchternes Gebaren und war, ehe er etwas unternahm, stets darauf bedacht, die Meinung des Rabbi zu erfahren. Von der Mädchenzeit der damals zehnjährigen Tochter ist nichts bekannt geworden, als daß sie sich Rochele mehr als der Mutter anschloß. Der dritte Sohn war ein kränkliches Kind von sechs Jahren. Der Jüngste lag noch in der Wiege.

Tila war eine kleingewachsene Frau mit zarten Gliedern und einem sehr schmalen Gesicht. Eine unbekannte Krankheit schien an ihr zu zehren. Es ist zu vermuten, daß sie, als sie dem Rabbi vermählt wurde, sich dem Tode nicht fern glaubte, denn sie bat ihn sogleich nach der Trauung, ihr zu versprechen, daß er, wenn sie einmal in der oberen Welt seine Hilfe brauche, sie nicht warten lassen werde. Sie redete zu niemand von der Krankheit, auf Fragen antwortete sie ausweichend, an ihrer gelassenen Haltung und der Ruhe ihres Gesichts hatte sich, seit sie die Frau des Rabbi war, nichts geändert, nur noch schmäler war es geworden und aus den Lippen war allmählich schier alle Röte gewichen. Ein Arzt durfte ihr nicht ins Haus. Der Rabbi war stets darauf

bedacht, ihre Wünsche zu erfahren, um jeden genau erfüllen zu
können, und wenn sie etwas vorbrachte, hörte er ihr wie keinem
andern Menschen mit einer ohne allen Rückhalt hergegebenen
Aufmerksamkeit zu und ging auf jedes Wort ein, solang sie selber
das Gespräch fortsetzen mochte.
Als Rochele ihr mitteilte, daß Eisik mit ihr sprechen wolle, und
den Gegenstand andeutete, lehnte sie zunächst lebhaft ab. Wenn
etwas zu bereden sei, sagte sie, müsse man auf die Heimkehr des
Rabbi warten. Erst als Rochele vorsichtig betonte, es gäbe doch
Dinge, die man nicht anstehen lassen könne und über die man
daher, zumal man nicht wisse, wann der Rabbi zurückkehre,
der Frau berichten müsse, gab sie nach und bestimmte eine
Stunde, wies aber gleichzeitig an, Israel und Josef sollten zugegen sein.
Israel war eben auf einem seiner geliebten Spaziergänge (er liebte
die Flußlandschaft bei Lublin, man sah ihn oft vor der Stadt
umherwandern und dem Flußlauf nachschauen), kam aber rechtzeitig heim. Als Eisik eintrat, blieb er in der Fensternische stehen, statt sich mit den andern hinzusetzen. Er war ebenso groß
wie der Vater – dem mit Ausnahme des dritten, der Mutter ähnlichen Sohns alle Kinder im Aussehen nachgerieten –, aber nicht
stattlich wie der Vater, sondern schlank; auch er trug den Kopf
aufrecht, aber der Blick war nur selten anders als traurig und
suchte fast immer die Ferne auf.
Josefs Züge waren etwas gröber als die seinen; die Augen blinzelten zuweilen, als müßten sie sich vor dem Sonnenlicht schützen.
Eisik setzte die Worte behutsam. Zuerst berichtete er die Begebenheiten der letzten Tage und ließ dabei einiges über die
Person des bedenklichen Schülers und auch über sein bisheriges
Leben einfließen. So wußte er zu erzählen, daß er sich durch
sein ungebührliches Betragen das Wohlwollen der Schwiegereltern verscherzt habe; hernach sei er haltlos von Ort zu Ort
gezogen und die im Stich gelassene Frau sei vor Gram gestorben.
Er bemerkte, daß seine Zuhörerin, die zuerst gleichmütig geblieben war, bei der Geschichte vom Hemd die feinen Brauen
runzelte und als der Tod der Frau vorgetragen wurde, leicht zu-
sammenzuckte. Nun glaubte er mit vorsichtigen Andeutungen

zur Hauptfrage übergehen zu können. Er wandte sich jetzt an Mutter und Söhne zugleich, bald richtete er das Wort unmittelbar an Israel.

Israel hatte die Zeit über, mitunter sich umwendend und einen Blick auf die Straße werfend, im Fensterrahmen gestanden. Jetzt trat er, als Eisik mit verhaltener Stimme die Redensart »über hundertundzwanzig Jahre« gebrauchte, schnell auf ihn zu und sagte: »Wende dich nicht an mich!« Dann ging er, den Kopf gegen seine Gewohnheit senkend, als schäme er sich der schnellen Schritte, zum Fenster zurück. Eisik hob die linke Schulter noch höher und machte eine halbe Wendung auf Josef zu. Josef sah ihn nicht an und sprach kein Wort, auch nicht, als Eisik später, nunmehr voll ihm zugewandt, eine Pause einlegte. Eisik lächelte unmerklich.

»Was verlangen die Chassidim von mir?« fragte Tila, als er fertig war.

»Ihr müßt den Rabbi warnen.«

»Warum ich?«

»Er hört auf Euch.«

Tilas Lippen schienen noch blässer geworden zu sein.

»Ich kann nichts anderes sagen«, brachte sie mühselig hervor, »als die Wahrheit.«

»Die Wahrheit genügt«, entgegnete Eisik.

Israel verließ den Fensterrahmen, sah die Mutter liebevoll an, nickte dem Bruder zu und ging.

Die in der Stube Verbliebenen schwiegen.

Das Herz

Der Rabbi weilte indessen bei seinem Freund Rabbi Israel, dem »Maggid« (ein Titel, der etwa »Prediger« besagt) in Kosnitz. Als Rabbi Elimelech sich dem Tode nah wußte, berief er seine liebsten Schüler – alle waren nach Lisensk gekommen, mit dem Seher hatte er sich ein Jahr vorher versöhnt – an sein Bett. Da waren sie, drei zuvorderst: Jaakob Jizchak, Menachem Mendel von Rymanow, ein unansehnlicher Mann mit einem Gesicht wie der Friede selber, und, seines Siechtums wegen sitzend, fast weißer als der Sterbende, Israel von Kosnitz. Elimelech hob die

Hände an seine fast schon brechenden Augen, dann streckte er sie dem Seher entgegen, der sich sogleich über ihn beugte, und hielt sie ihm an die Augen. Er faßte sich mit beiden Händen an den schweißbedeckten Kopf und umfaßte dann den Mendels mit ihnen. Zuletzt legte er seine Rechte auf das Herz, das schon zum letzten Schlag ausholte, und rührte mit ihr an Israels Brust. Seither kamen die drei von Zeit zu Zeit zusammen, und dann war immer der tote Meister unter ihnen. Die Begegnungen fanden jeweils in Kosnitz statt, da der Maggid die Stadt nur sehr selten verließ. Er war ein Alterskind – seinen Eltern hatte ihn, wie es heißt, der heilige Baal-schem-tow in ihrem hohen Alter verheißen – und siechte von seiner Geburt an. Er hatte als Kind zu wachsen aufgehört und glich fast einem schmalwangigen und schmalbrüstigen Knaben. Zumeist lag er, in ein Wams aus Hasenfellen gekleidet, auf dem Ruhebett; wenn er aufstehn wollte, zog man ihm bärenpelzgefütterte Pantoffeln an, damit er stehen konnte. Ins Bethaus trug man ihn in einem Liegestuhl. Dort angelangt aber verwandelte er sich. Er erhob sich und ging zwischen den Reihen der Wartenden in einem leichten Schritt auf die Lade zu. Dann saß er auf einem tischartigen Sitz und betete in einer tiefen Verzückung. Nach dem Gebet der achtzehn Segenssprüche sprang er zu Boden, wo ein Fell ausgebreitet lag, streckte sich darauf aus und betete weiter. Zuweilen stand er auf und hüpfte vor sich hin. Wenn ihn die Diener im Liegestuhl heimtrugen, war er blaß wie ein Sterbender, aber seine Blässe leuchtete.

Er war ein großer Beter. Das Gebet wird der Dienst des Herzens genannt, und Rabbi Elimelech hatte diesem Schüler die Kraft seines Herzens hinterlassen. Es verhielt sich mit ihm so, daß er nicht bloß zu bestimmten Zeiten betete; vielmehr betete er, wie er atmete. Er betete in Worten und ohne alle Worte. Wenn er in Worten betete, mischte er in die überlieferten Sätze Anreden in der Volkssprache, wie sie ihm eben das Herz zu den Lippen trug, dazwischen rief er auch zuweilen ein polnisches Liebeswort, denen ähnlich, die man die Bauernmädchen rufen hört, wenn sie mit ihren Liebsten zur Kirmes gehen und von den Burschen ein buntgesticktes Band geschenkt bekommen wollen; aber er wollte nichts geschenkt bekommen. Wenn er mit Menschen sprach, behielt seine Rede immer etwas von Tonfall und

Weise des Gebets. Und einer seiner Diener berichtete: »Wenn man den heiligen Maggid schlafen sieht, weiß man, daß er auch in seinem Traume betet.«

Überallher kamen die Leute, jüdische Krämer und polnische Fürsten, daß der Maggid für sie bete und, durch das Gebet erleuchtet,. ihnen rate und helfe. Er betete für alle. »Willst du Israel noch nicht erlösen, so erlöse doch die Gojim!« ist eines der von ihm überlieferten Gebete.

Auch diesmal saßen die beiden Freunde Tag um Tag am Bette Rabbi Israels und unterredeten sich mit ihm. Sie sprachen von hohen und höchsten Dingen, aber auch von den Ereignissen der Tage. Von den hohen Dingen sprachen sie wie von etwas, was sich in ihrer Nähe begab, und von den irdischen Ereignissen, als wären sie aus himmlischem Stoff gewoben. Dazwischen schwiegen sie, aber miteinander.

»Ein Wind weht von Westen«, sagte einmal der Seher.

»Es steht geschrieben: Da ist der Sturm des Herrn«, ergänzte Israel leise, im Tonfall des Gebets.

»Der Sturm soll doch von Norden kommen«, wandte Mendel ein.

»Es steht geschrieben: Der Sturmwind tut nach Seinem Geheiß«, sagte Israel, fast singend.

Sie schwiegen.

»Es regt sich in der Tiefe«, sagte nach einer Weile der Seher.

»In der Tiefe ist das Leiden daheim. Wie geschrieben steht: Aus der Tiefe rief ich dich, Herr«, erwiderte Israel.

»Ein großer Haß gärt in der Tiefe«, gab Mendel zu bedenken.

»Das Leiden ist noch größer als der Haß. Wie geschrieben steht: Wenn dein Hasser hungert, speise ihn mit Brot«, sagte Israel.

Wieder schwiegen sie.

»Leid und Haß, die Gewalthaber nützen sie aus«, sagte dann der Seher.

»Es steht geschrieben: Und der erhobene Arm wird zerbrechen«, sagte Israel.

»Die Gewalthaber gehn an der Spitze der Völker«, sagte Mendel.

»Es steht geschrieben: Ich habe dich zum Licht den Völkern gegeben«, sagte Israel.

Und wieder schwiegen sie.

»Die Fische des Meeres verschlingen einander«, begann nun Mendel.

»Der Leviathan verschlingt sie alle«, sagte Israel.

»Ist es Gog?« fragte Jaakob Jizchak.

»Der Name ist noch nicht zu lesen, er muß erst geschrieben werden.«

»Wann wird er geschrieben?«

»Wenn die Welt in den Wehen liegt.«

»Sind es nicht die Wehen, was eben beginnt?«

»Wehen oder Scheinwehen, nicht die Gebärerin entscheidet's. Geschrieben steht: Wir waren schwanger, wir wanden uns, und wie wir gebaren, war's Wind.«

»Wovon hängt es ab?«

»Ob dem Kind die Stätte bereitet ist.«

»Wer bereitet die Stätte?«

»Wer's vermag.«

»Wie ist die Stätte zu bereiten?«

»Scheidet das Reine«, sang Israel, »und das Gemeine! Schmelzet die Masse! Sondert die Schlacken aus! Läutert das Erz!«

»Welches ist der Ort?«

»Die Gasse. Das Haus. Das Herz.«

Das Gebet

Weit länger als sonst blieb der Seher diesmal in Kosnitz. Menachem Mendel war schon längst heimgereist, aber er verweilte noch.

Als er Abschied nehmen wollte, ließ der Maggid sich eine Truhe ans Lager bringen und entnahm ihr ein beschriebenes Blatt.

»Unser Lehrer«, sagte er zu Jaakob Jizchak, »hat, ehe er sich mit dir versöhnte, dieses Gebet niedergeschrieben, das vor dem Beten zu sprechen ist. Kurz vor seinem Tode hat er es mir anvertraut und mir befohlen, es in der rechten Stunde dir zu übergeben. Dies ist die rechte Stunde.«

Der Seher nahm das Blatt und fuhr heim.

In Lublin eröffnete ihm seine Frau bald nach der Ankunft, was sich ereignet hatte. Die Geschichte von dem Anschauen der Besucher und die vom Wundertun hörte er mit einem Lächeln an, bei der Nachricht vom Weggeben des Hemdes aber fuhr er zusammen. Dann sprach er der Frau freundlich zu: sie dürfe unbesorgt sein, er würde nach dem Rechten sehen. Er ging in seine Stube und verblieb lange allein. Schon wollte er den »Juden« rufen lassen, da geriet ihm das Blatt, das er mitgebracht hatte, in die Hand. Er rollte es auf und las: »... Behüte uns vor den Abwendungen und der Hoffart, vor dem Zorn und dem Aufbrausen, vor der Trübsal und der Verleumdung und allen andern üblen Sitten, und vor jedem Dinge, das deinem heiligen und reinen Dienst, der uns teuer ist, Abbruch tut. Gieße deinen heiligen Geist über uns, daß wir stets an dir hangen und nach dir begehren ... Rette uns vor der Eifersucht am Genossen, in unserem Herzen steige keine Eifersucht auf ... Gib in unser Herz, daß wir den Vorzug unserer Gefährten sehen und nicht ihren Mangel, und daß wir, jeder von uns mit seinem Gefährten, nach der Weise der Redlichkeit sprechen, die dir gefällig ist ... Amen. So sei der Wille.«

Er stand und betete Rabbi Elimelechs Gebet.

Dann ließ er den »Juden« rufen.

Man sah dem jungen Jaakob Jizchak die Kümmernis an.

Vom Rabbi aufgefordert berichtete er, was damals in den ersten Tagen und seither im Bereich seines Amtes vorgefallen war. Er nannte und kennzeichnete die neuen Schüler, die sich bei ihm gemeldet hatten. Sie hatten sich mit etlichen älteren zu einer Lernschar unter seiner Leitung zusammengeschlossen; es war ein großer Eifer in der Schar, keiner wollte zurückstehen. Im Kennzeichnen ging er unversehens mehr und mehr darüber hinaus, was jeder Scharfsichtige erkennen kann; sowie er das merkte, wurde ihm deutlich, daß er ohne Erzählung des Unbegreiflichen nicht weiter konnte, und er erzählte auch es, so gut es anging. Er vermochte aus Stimme und Mienen die Aussprache des Leidens, das ihm die Wandlung seines Wesens zugefügt hatte, nicht zu tilgen. Danach bat er den Rabbi inständig, ihn nunmehr, da er ja nicht mehr gebraucht werde, des Amtes zu entbinden.

»Ich will, daß du weiter die neuen Schüler empfängst«, sagte der Rabbi, »und sie in die Lehre einführst wie bisher. Du wirst es von jetzt an leichter haben. Nun berichte, was sich noch begeben hat.«

Die Geschichte von dem großväterlichen Schatz und einiges andre Derartige, das seither vorgefallen war, verschwieg der »Jude«. Aber der Rabbi unterbrach ihn und fragte danach, weil er davon gehört habe.

»Es haben sich in der Tat ein paar absonderliche Dinge begeben«, sagte der »Jude« bedrückt, »wie es offenbar nicht anders sein kann, wenn Ihr nicht hier seid und das Verlangen der Menschen nach dem Wunder ins Leere stößt. Sie müssen sich ja an Stelle des Erwarteten etwas zurechtmachen, was ihm ähnlich sieht. Und alles, was sich gerade ereignet, läßt sich als Stoff verwenden. Die Begebenheiten selber jedoch sind so armselig und lächerlich, daß es ungebührlich wäre, Eure Ohren damit zu behelligen.«

Aber der Rabbi ließ nicht ab, bis alles berichtet war. Er hörte interessiert und etwas belustigt zu.

Zuletzt mußte der »Jude« von dem verschenkten Hemd erzählen. Jetzt redete er nicht mehr bloß bedrückt, sondern aus einer schweren Beklemmung.

Er sah, wie sich die Stirn des Sehers umwölkte.

»Ihr zürnt mir mit Recht, Rabbi«, sagte er.

»Dir, Jaakob Jizchak?« erwiderte der Rabbi fast erstaunt. Es war, als sei von einem andern die Rede gewesen. »Ich zürne dir nicht. Aber erkläre mir: warum hast du es weggegeben?«

»Das ist es eben, Rabbi«, sagte der »Jude«, »daß es nicht zu erklären ist. Ich kann es mir nicht erklären. Ich bin gezwungen worden. Diesmal habe ich nicht aus dem Fenster springen können.«

»War es das Mitleid?« fragte der Rabbi.

Der »Jude« besann sich. »Nein«, gab er dann Bescheid, »nicht eigentlich das Mitleid. Das heißt, es war wohl dabei, aber das Zwingende war es nicht. Das Mitleid kommt aus den Eingeweiden, das Elend der Kreatur sticht einem ins Leibesinnre, man ist innen ganz wund, dies aber . . . Das, was so gezwungen hat, kam gar nicht aus mir. Es war geradezu, als wollte etwas nicht, daß . . .« Er konnte nicht weitersprechen.

Der Rabbi drängte nicht mehr. Sein Gesicht hatte sich noch mehr verdüstert. »Wohl, Jaakob Jizchak«, sagte er, »es war eben wie es war. Mach dir keinen Kummer daraus. Es gelingt eben nicht immer sie hinaus zu bannen, ›jene Hunde, die frechen‹. Geh nun an deinen Posten.«

Der »Jude« ging in den Vorraum, wo eben eine gelähmte alte Frau, die aus Warschau hergebracht worden war, über ihre Gebreste klagte. Unwillkürlich sah er ihr auf die Stirn. Eine jähe Freude überrieselte ihn: er sah nichts als eine Altfrauenstirn. Es war von ihm genommen. Er wandte sich ab. »Gesegnet sei Er«, sprach er, »der Lasten auf unsere Herzen wälzt und sie wieder von ihnen hebt.«

Der Seher war in schwerer Verdüsterung sitzen geblieben. Er wollte noch einmal Rabbi Elimelechs Gebet beten, aber er vermochte es nicht.

Goldele in Lublin

Eines Morgens kam Jekutiel mit einem Grinsen zum »Juden« gelaufen: in der Herberge sei eine sehr dicke Frau angekommen und habe den Wirtsleuten gesagt, sie sei hier, um mit ihrem Schwiegersohn, Jaakob Jizchak aus Apta, zu sprechen.

Der »Jude« erbat sich Urlaub beim Rabbi und ging in die Herberge.

Goldele empfing ihn mit bösen Augen und einem freundlichen Mund. »Da bist du also, Jaakob Jizchak«, sagte sie.

»Ja, ich bin hier«, erwiderte der »Jude«.

Goldele nahm diese Bestätigung als eine Herausforderung auf. »Ich habe herkommen müssen, um dich an deine Pflicht zu erinnern, Jaakob Jizchak«, sagte sie.

»Es dauert lang, bis ein Mensch versteht, was seine Pflicht ist«, erwiderte der »Jude«. »Die Pflichten hindern ihn daran.«

Nun riß der Frau die Geduld. »Was soll das nun wieder heißen!«, schrie sie. »Weißt du, daß du Kinder hast, oder nicht?«

»Ich weiß es«, sagte der »Jude«.

»Erinnerst du dich noch«, fuhr Goldele fort, »was ich dir geschrieben habe, nachdem du dich auf deine närrische Wanderung begeben hattest?«

»Ich erinnere mich«, sagte der »Jude«. »Ihr schriebt mir, ich sei ein Narr.«

»Und was noch?«

»Ihr schriebt mir, ich sei nicht wert, eine so gute Frau und so schöne Kinder zu haben.«

»Und bist du es wert, daß du eine Frau gehabt hast wie meine arme gute Vögele, Gott habe sie selig?«

»Nein, ich war es nicht wert und bin es nicht wert. Man ist überhaupt dessen nicht wert, was man hat.«

»Nun also«, sagte Goldele. Sie war entwaffnet durch seine Zustimmung, zugleich aber gestachelt durch die unverständliche Begründung. »Entsinnst du dich aber auch, was ich dir noch geschrieben habe?«

»Ihr schriebt mir«, antwortete der »Jude«, »ich solle alle Narrheiten fahren lassen und ohne Verzug nach Apta zurückkehren.«

»Und waren es keine Narrheiten?« fragte sie.

»Nein«, sagte der »Jude«.

»Was? siehst du noch immer nicht ein, daß es eine Narrheit war, sich plötzlich auf und davon zu machen? Noch dazu, wo sich mein guter frommer Mann, sein Ruhsitz ist im Paradies, eben mit dir versöhnt hatte!«

»Es ging nicht mehr an, unter den Leuten zu bleiben.«

»Was soll denn nun das wieder heißen?! Hast du es etwa bei uns nicht gut gehabt ... ich meine, hättest du es etwa bei uns nicht gut haben können?«

»Ich habe es gut gehabt.«

»Nun also«, sagte Goldele etwas kleinlaut. »Aber war es nicht eine Narrheit von dir, deiner Frau in jedem Jahr so und so viel Gulden zu schicken?«

»Mehr habe ich nicht aufgebracht.«

»Darum geht es doch gar nicht! Vögele war doch bei uns versorgt, sie und ihre Kinder, wie man es sich nur wünschen kann! ... Übrigens ... da hat man mir mal erzählt, du hättest damals, wie du einige Jahre weggewesen warst, für einen Dukaten Gebetkapseln gekauft; für einen Dukaten! Ist das wahr?«

»Ja. Das war am Schluß. Rabbi Mosche von Pscheworsk, der das Buch ›Licht des Angesichts Mose‹ verfaßt hat, hat sie mit eigner Hand geschrieben. Ich habe viele Jahre lang dafür zurückgelegt.«

»Das verstehe ich nicht. Aber erinnerst du dich auch, was ich dir damals noch geschrieben habe?«

»Ich erinnere mich. Ihr schriebt mir, eine Frau brauche einen Mann und Kinder brauchten einen Vater.«

»Und willst du etwa bestreiten, daß es sich so verhält?«

»Gewiß verhält es sich so«, sagte der »Jude« und fügte sehr leise, wie um sich selbst etwas von neuem zu erklären, hinzu »Wer in die Hände des lebendigen Gottes fällt, ist ungeeignet Mann und Vater zu sein, bis ihn Gott entläßt.«

Goldele hatte nur einige Worte vernommen. »Was redest du da!« fuhr sie Jaakob Jizchak an, »sind wir nicht alle in Gottes Händen?! Aber, kurz und gut, gekommen bist du nicht, sondern hast dich Jahr um Jahr in der Welt herumgetrieben!«

»Ja, von Dorf zu Dorf.«

»Kinder von fremden Leuten hast du unterrichtet, statt dich um deine eignen zu bekümmern! Und dazwischen warst du immer wieder verschwunden, man wußte immer wieder eine ganze Weile nicht, wo du bist! Als mein Mann auf dem Sterbebette lag, hat man vergeblich nach dir ausgeschickt, du warst nicht zu finden! Und urplötzlich, ohne Brief, ohne Nachricht, warst du wieder da und hast nur von uns verlangt, wir sollten keinen Besuch zu dir vorlassen. War das nicht närrisch? Aber gut, wir haben uns zum Spott bei den Leuten gemacht und haben alle abgewiesen, die kamen, und ich habe gesagt, du seist krank. Und dann, wieder, urplötzlich, warst du von neuem verschwunden.«

»Ja, ich bin gewandert.«

»Gewandert! gewandert! Was ist denn das wieder für ein Unsinn?!«

»Schwiegermutter«, sagte der »Jude«, und mit einem Mal wurden ihm die Augen heller und die Stimme wärmer, »habt Ihr nie davon gehört, daß die Schechina als Verbannte wandert und daß es daher uns zusteht, als Verbannte zu wandern und immer wieder zu wandern, bis wir erfahren, daß es genug ist?«

Goldele wurde, was ihr äußerst selten widerfuhr, verlegen. »Wir brauchen von alledem nicht mehr zu reden«, sagte sie in einem fast bittenden Ton, »das sind ja vergangene Dinge. Aber an eins muß ich dich doch erinnern«, setzte sie fort und schon hatte ihre Rede den Klang des Vorwurfs zurückerlangt, »weil du es offenbar vergessen hast: was geschehen ist, als in dem Jahr nach deinem letzten Verschwinden meine Vögel, der Friede über ihr, ihr drittes Kind bekam und abgeschieden ist. Du bist ja damals wieder unversehens erschienen und sie hat von dir Abschied nehmen können.«

»Ich habe nichts vergessen«, sagte der »Jude«.

»Du hast ihr etwas zugeschworen«, fügte Goldele hinzu.

»Als sie wußte«, sagte der »Jude«, wieder sehr leise – es wurde ihm offenbar recht schwer zu sprechen, aber jetzt richtete er seine Worte an die Frau, die vor ihm saß –, »daß es kein langer Weg mehr bis zum Ende sei, fragte sie, ob ich sie ein wenig lieb gehabt hätte. Da sagte ich ihr, wie es wahr ist, daß ich sie nicht bloß weit mehr als mich selber liebe, was nicht viel zu besagen hätte, sondern auch mehr als meinen Vater und meine Mutter und den Freund meiner Jugend, und nur eben Gott könnte ich nicht umhin noch mehr zu lieben. Sie aber sagte, wenn dem wirklich so sei, so möge ich ihr zuschwören, keine andere Frau als ihre Schwester zu heiraten. ›Ich will dir gern zuschwören‹, sagte ich, ›daß ich nicht wieder heiraten werde‹. ›Nicht so‹, sagte sie, ›sondern daß du meine Schwester Schöndel Vögele heiraten wirst, das sollst du mir zuschwören.‹ So sagte sie, Wort für Wort, und versprach sich und sagte statt ›Schöndel Freude‹ ›Schöndel Vögele‹, und merkte es nicht. Da habe ich es ihr zugeschworen.«

»Nun also«, sagte Goldele. »Und sie hat mich durch dich herbeirufen lassen und hat mir erzählt, was du ihr zugeschworen hast. Und weil Schöndel Freude noch ein Kind war, haben wir, auch als Vögele hinweggenommen war, nicht davon geredet. Und dann bist du ja, wenn auch mit allerhand Unterbrechungen, in Apta geblieben bei deinen Kindern. Aber ein halbes Jahr etwa nach Vögeles Abscheiden habe ich einmal mit dir gesprochen und du hast mir gesagt, wenn die Zeit gekommen sein würde, solle es gelten.« Sie hielt inne.

»So ist es«, bestätigte der »Jude«.

»Und nun ist das Mädchen herangewachsen«, sagte Goldele, »du aber scheinst nicht mehr an deinen Schwur zu denken.«

»Wohl denke ich daran«, sagte der »Jude«.

»So ist denn die Zeit gekommen.«

»Sie ist es nicht«, sagte der »Jude«. »Ich bin von dem Rabbi von

Lublin in eine Pflicht genommen, und nur ein Befehl des Rabbi wird mich von ihr lösen.«

»Du könntest«, brachte die Frau zögernd vor, »nachdem du dich mit Schöndel vermählt hast, noch eine Weile im Lubliner Lehrhaus verbleiben, wenn du meinst, daß das für dich das Rechte ist.«

»Die Zeit ist noch nicht gekommen«, sagte Jaakob Jizchak.

»Dann müßte eben jemand«, entgegnete sie, »mit dem Rabbi sprechen.«

»Hütet Euch«, rief der »Jude« und seine Augen funkelten die plötzlich eingeschüchterte Frau an, »hütet Euch, dem Rad in die Speichen zu greifen. Es würde Euch reuen.«

Goldele war, mehr als über alles andere, über sich selber erstaunt. So hatte niemand je sie angeredet, und gewiß hätte sie von niemand Derartiges geduldet. Sie duldete es und unternahm keinen Versuch mehr, den Schwiegersohn umzustimmen. Bald danach reiste sie ab.

Wenige Stunden nach ihrer Abreise suchte Eisik erst die Herbergswirtin und dann die Rabbanith auf.

Adler und Krähen

Naftali war unter den Schülern der, mit dem der Rabbi am liebsten ein Gespräch führte und dessen Meinung über die Ereignisse der Tage ihm am wichtigsten war. Er pflegte zu sagen, was ihm gerade einfiel, und nicht nachträglich zu bedauern, daß er es gesagt hatte. Dabei war er gar nicht eitel, er machte sich vielmehr oft über sich selber lustig, aber er meinte, man dürfe nicht klüger scheinen wollen als man ist und nicht verschweigen, was der Gedanke einem eingibt. Von der Klugheit oder Weisheit hielt er freilich viel; ja, er ging darin so weit, daß er einmal dem Rabbi eine merkwürdige Antwort gab. Als der ihm vorhielt, es stehe geschrieben: »Schlicht sollst du mit dem Herrn deinem Gotte sein« und nicht »Weise sollst du mit dem Herrn deinem Gotte sein«, behauptete er, es bedürfe einer großen Weisheit, um mit Gott schlicht sein zu können. Den Rabbi verdroß es zuweilen, daß Naftali mit seinen Scherzworten nie innehielt und niemand schonte. Einmal verlangte er ihm ab, er solle ein

Jahr lang die Späße unterlassen. Aber Naftali wollte sich dazu
nur unter der Bedingung verstehen, daß der Rabbi versprach,
nicht, wie er oft tat, länger als eine Stunde im stillen Gebet zu
stehen und dadurch den Vorsänger mitsamt den Betern aufzuhalten. Der Seher, der seiner Fröhlichkeit nicht widerstehen
konnte, ließ es sich gefallen, hielt aber schon am nächsten Sabbat
das Versprechen nicht ein. Da bemerkte er, daß Naftali durch
einen Scherz ein verhaltenes Lachen in seiner Umgebung erregt
hatte. Später fragte er ihn, was er gesagt habe. »Ich habe gesagt«,
antwortete Naftali, »der Rabbi stehe da, als denke er an seinen
Hochzeitsabend.« »Es ist wahr«, bestätigte der Seher lächelnd.
»Als ich im Gebet stand, ist mir die Seele eines Musikanten erschienen und hat mich um Erlösung angegangen; der Mann hatte
an meiner Hochzeit auf den Zimbeln gespielt und die Seele sang
mir die Melodie vor, um mich daran zu erinnern.« Er gab es auf,
den Schüler zu ändern. Mitunter schalt er ihn doch, ließ aber bald
danach ein versöhnendes Wort einfließen, so sehr war ihm an der
ungeminderten Nähe zwischen ihnen gelegen.

Naftali hatte, wie stark er auch an Lublin gebunden war, in diesem Belange eine ebenso freie Haltung wie in allem. Nach Rabbi
Elimelechs Tod war er zuerst zu Rabbi Menachem Mendel nach
Rymanow gefahren, dann hatte er den Seher besucht und hatte
sich ihm angeschlossen, reiste aber immer noch zwischendurch zu
Rabbi Mendel und hielt sich eine Weile bei ihm auf, freilich nicht
ohne daß es mitunter kleine Mißhelligkeiten zwischen ihnen gab.
Er pflegte viel später zu erzählen: »Als ich zu Rabbi Mendel
kam, habe ich das ganze heilige Schrifttum in meinem Kopf mit-
bringen müssen; als ich dann aber nach Lublin kam, bin ich mit
den Kameraden ins Wirtshaus gegangen und wir haben Met getrunken. Es gibt eben verschiedene Wege. Vor Rabbi Mendel
mußte man immer voller Ehrfurcht stehen, den Rabbi von Lublin
durfte man, wiewohl er darüber schalt, mit Scherzen erfreuen.
Einmal ist Rabbi Mendel nach Lublin gekommen und sah zu, wie
wir unserer Sitte nach Lärm machten und einer um den andern
auf dem Tische tanzte. Da schrie er uns an: ›Na!‹, und schon fiel
seine Furcht auf uns und wir waren mäuschenstill. Wie aber unser
Rabbi von Lublin merkte, wie still es im Raum war, rief er:
›Ho!‹, und sogleich gerieten wir in eine solche Freude, daß wir

wieder zu toben begannen. Dann hat Rabbi Mendel es eben dulden müssen.«

In dem Winter, der auf das Kommen des »Juden« folgte, ließ sich der Seher von Naftali jedesmal Bericht erstatten, wenn Nachrichten von draußen anlangten, – Nachrichten von dem polnischen Aufstand, der sich unterirdisch, aber dem Spürsinn Naftalis wohl erkennbar ausbreitete, und, in längeren Zwischenräumen, dann aber in einer Fülle, die von den Hörern erst gesichtet und geordnet werden mußte, um verstanden zu werden, Nachrichten von dem großen Aufruhr im Westen. Den polnischen Vorgängen schenkte der Rabbi nur geringe Aufmerksamkeit; dagegen nahm er alles, was ihm von drüben, von Paris erzählt wurde, mit einer außergewöhnlichen Erregtheit entgegen, die sich manchmal in kurzen, offenbar gar nicht an Naftali gerichteten Zwischenreden äußerte. Wenn dieser ihm, so gut er es auf Grund des Hörensagens vermochte, einen nach dem andern von den Männern beschrieb, die mitsammen die alten Ordnungen der Welt und untereinander jeder jeden bekämpften, sah er zunächst eine Weile mit jenen forschenden Augen drein, die man an ihm vom Lesen der Bittzettel her kannte, und es war geradezu, als ob er zum Vernehmen auch die Augen brauche; dann aber ging von diesen wie ein Feuer aus, er schüttelte den Kopf und knurrte: »Der nicht!« Naftali, so unbefangen er sonst war und so gewohnt an die Überraschungen im Umgang mit dem Seher, wurde es mitunter bang vor diesen blitzenden Augen und diesem nachgrollenden Donner.

Natürlicherweise knüpfte sich an manche der Berichterstattungen auch ein Gespräch über die Schülerschaft in Lublin. Niemand kannte wie Naftali die Bewegungen im Innern des Schülerkreises, die heimlichen Kämpfe, Friedensschlüsse und Friedensbrüche, und niemand konnte sie ausmalen wie er. Wenn er davon sprach, hielt er die Hände zuweilen wie Waagschalen, als wäge er Dinge oder Wesen von Gewicht sorgfältig gegeneinander ab. Der Rabbi hörte freundlich zu, warf auch hie und da eine Frage ein; aber nur wenn von dem »Juden« die Rede war, erschien auf seinem Gesicht ein Zug starker Beteiligung, jenem nicht unähnlich, mit dem er vorhin den französischen Nachrichten gelauscht hatte; hingegen ging er nie mit einer Frage auf diesen Abschnitt der

Mitteilungen ein. Naftali sprach vom »Juden« stets mit hervorhebenden Ausdrücken der Achtung und des Wohlwollens, zugleich aber mit einer gleichsam kundgegebenen Zurückhaltung.

Um das Ende der dritten Aprilwoche, an einem der letzten Tage des Passahfestes, berichtete Naftali dem Rabbi, was sich Ende März und Anfang April in Paris zugetragen hatte. »Der Adler hat dem Geier das Feld räumen müssen«, sagte der Rabbi. »Auch die Krähen kommen noch an die Reihe.«

»Sind die Krähen gänzlich zu verachten?« fragte Naftali.

»Die Krähen«, antwortete der Rabbi, »sind nicht zu verachten. Sie sind sehr lebendig. Aber sie haben drei bedenkliche Eigenschaften. Die erste ist, daß keine Nichtkrähe mit ihnen Umgang haben kann, weil sie von ihnen nicht gehört wird: sie überschreien sie. Die zweite ist, daß sie der Meinung sind, es gebe in Wahrheit keine Nichtkrähen in der Vogelwelt, alle Vögel, die sich als einer andern Art zugehörig gebärdeten, seien verkleidete Krähen und müßten durch Überschreien bewogen werden ihr wahres Wesen zu offenbaren. Die dritte ist, daß keine von ihnen es verträgt, mit sich selber allein zu sein; die Krähe, die vom Schwarm abirrt, kommt vor Entsetzen über ihre Einsamkeit um.«

»Angenommen«, fragte Naftali weiter, »es wäre möglich, daß Adler in einer Gemeinschaft mit Krähen lebten, wäre es für die Adler schwerer die Krähen zu ertragen oder umgekehrt?«

»Du möchtest offenbar«, sagte der Rabbi und sah ihn belustigt an, »daß ich dir antworte, es sei für die Adler schwerer. Aber ich meine wie du, daß es für die Krähen schwerer ist.«

»Und wem von beiden«, fuhr Naftali fort, »läge wohl mehr daran, in der Gemeinschaft zu bleiben, den Adlern oder den Krähen?«

»Den Adlern.«

»Warum meint Ihr das?«

»Weil die Krähen ohnedies Gemeinschaft untereinander haben, die Adler aber nicht, und sie also, wenn sie sich mit den Krähen zusammentäten, dabei vermutlich den Wunsch hätten, mit anderen Wesen Gemeinschaft zu halten.«

»Ja«, sagte Naftali wie nachdenklich, »so ist es gewiß. Bei dieser Lage der Dinge werden sie wohl etwas dransetzen müssen, um den Krähen erträglicher zu werden.«

»Das ist ja für die Adler eine erfreuliche Aussicht!«, erwiderte der Rabbi lachend.

»Freilich, freilich, schön ist es nicht«, sagte Naftali, »aber wie sollte es sonst zu einer Gemeinschaft zwischen so verschiedenen Wesen kommen?«

»Aber es kommt doch gar nicht zu ihr!« rief der Rabbi.

»Nein, nein, selbstverständlich«, sagte Naftali, und sein Gesicht zerfiel in spielende Falten und sah urplötzlich nicht wie eines wenig mehr als Dreißigjährigen, sondern wie eines Greises Gesicht aus, »es kommt gar nicht zu ihr! Ich hatte das nur eben so angenommen, weil Ihr gesagt hattet, bald nach dem Ende des Adlers würden die Krähen zur Herrschaft kommen, – sie müssen also doch wohl vorher zusammen gehaust haben.«

»Zur Herrschaft?« fragte der Rabbi. »Habe ich gesagt: ›zur Herrschaft‹?«

Naftali antwortete nicht. Er schien in Nachdenken versunken.

»Wir haben«, sagte er nach einer Weile mit einer Handbewegung, als sei der vorher behandelte Gegenstand nunmehr erledigt und er gehe zu einem völlig verschiedenen über, »in dem Mann aus Apta einen kostbaren Zuwachs gewonnen. Er ist ein Großer in der Lehre, und dabei erscheint es einem noch, als verberge sich hinter seinem Lernen sein eigentliches Wesen.« Er hielt einen Augenblick inne, denn er erinnerte sich erst nach seinen Worten, wie ähnlich sich der »Jude« über den Rabbi und das Wunder geäußert hatte, dann fuhr er fort: »Es ist bekannt geworden, daß er lange in der Geheimlehre geforscht, sich dann aber von ihr abgewandt hat. Meïr hat mir erzählt, daß er es ablehnt, sich in ein Gespräch über die Mysterien einzulassen. Meïr findet das sonderbar und nicht eben Vertrauen erweckend. Es heißt, er sei ein begeisterter Beter und nehme nur deshalb nicht am wochentäglichen Gemeindegebet teil, weil er jeweils warte, bis er imstande ist, die Seele ganz auf das zu sprechende Wort auszurichten. Man darf aber doch nicht zu sich sagen: ›Jetzt habe ich nicht die rechte Stimmung‹, sondern die Stunde fordert ihr Gebet.«

»Wenn es einem widerfährt«, sagte der Rabbi, »die Stunde des Gebets zu versäumen, weil er so sehr an Gott hangt, ist er nicht strafwürdig. Wahrlich, ›groß ist die Übertretung um Gottes wil-

len‹! Bedenke noch, daß auch wir das Nachmittagsgebet hinaus-
zuzögern pflegen.«

»Das ist doch etwas ganz anderes«, entgegnete Naftali, »das geschieht doch, weil Ihr mit dem Nachmittagsgebet, das dem göttlichen Attribut des Gerichts entspricht, besondere Absichten der
Einwirkung auf die oberen Welten habt, und da muß eben die
Gemeinde erst in sich gesammelt sein, ehe sie beginnt. Auch widerfährt es dem Mann von Apta nicht nur einmal, die Stunde zu
versäumen, sondern er nimmt sich eben immer und immer wieder
von der Gemeinde aus. Es ist nicht gut, wenn einer von den Er-
lesenen sich von der Gemeinde gerade in den Zeiten ausnimmt,
wo sie am stärksten geeint ist.«

»Vor den oberen Welten«, sagte der Rabbi, »steht die menschliche Gemeinde, aber vor Gott selber steht der Mensch ja doch
immer wie ein einsamer Baum in der Wildnis.«

»Das ist gewiß die Wahrheit«, antwortete Naftali mit einem
Kopfneigen. »Wenn die Gemeinde jedoch merkt, daß ein Platz
leer bleibt, ist ihr der innere Zusammenhang gestört. Freilich wird
der Schade reichlich durch die Verdienste dieses Mannes um die
Schülerschaft aufgewogen. Nun haben sich schon alle Eifrigen
unter den Jüngeren um ihn geschart, und auch von den ›Alten‹
sind etliche dabei. Es geht rechtschaffen zu in dem Kreis: man
lernt gründlich, trinkt gründlich und ist bei dem einen so fröhlich
wie beim andern. Über das Trinken brauche ich nicht zu reden,
und was die Lehre betrifft, habt Ihr gewiß schon selber wahrgenommen, wie sie den Leuten dieses Kreises noch stärker als früher im Herzen brennt. Und es ist ja den Fähigsten nicht zu ver-
denken, daß sie sich mit ihresgleichen zusammentun, statt daß
jedes Gespräch, wie viele der Besten sich auch daran beteiligen,
von irgendeinem Dummkopf auf seine Stufe herabgezogen
wird...«

»Naftali«, sagte der Rabbi langsam, Wort um Wort betonend,
»hier gibt es nicht Adler und Krähen. Wir sind allesamt irre-
gegangne Söhne eines einzigen Vaters, die einen wohl etwas törichter als die andern, aber ohne daß die Unterschiede sehr ins
Gewicht fielen. Allesamt sind wir fehlerhaft – und was kommt
es dabei schon auf etwas mehr oder weniger an? –, aber allesamt
Söhne und Brüder.«

»Das ist gewiß die Wahrheit«, antwortete Naftali mit einem noch stärkeren Kopfneigen als zuvor. »Und doch ... Ihr redet ja geradezu, als rechnet Ihr Euch selber dazu!«

»Wie sollte ich mich nicht dazu rechnen?«

»Der Zaddik«, sagte der Schüler, »mittelt zwischen uns und unserem Vater im Himmel.«

»Ach, Naftali«, rief der Rabbi, »wenn mir ein Engel versicherte, ich sei ein Zaddik, würde ich es ihm nicht glauben.«

»Und ich bin bereit zu schwören«, sagte Naftali vorwurfsvoll, »daß Ihr ein vollkommener Zaddik seid. Aber gewiß sind wir alle Brüder. Darum ist es eben doch zu bedauern, daß die brüderliche Gemeinde sich gleichsam spaltet und innerhalb ihrer bildet sich gleichsam eine zweite Gemeinde ...«

»Eine zweite Gemeinde?« fragte der Rabbi mit veränderter Stimme.

»Man muß es nicht so nennen«, erklärte Naftali.

Der Rabbi sah auf die Uhr. Wie wenn er die Brille aufsetzte, so war auch dies ein Zeichen dafür, daß etwas für ihn aus der Reihe der natürlichen Dinge trat. »Nimm heute an meiner Stelle die Bittzettel entgegen, Naftali«, sagte er.

Der Himmelsbrief

Vom Sabbat nach dem Passahfest ist eine wunderliche Begebenheit zu verzeichnen.

Um sie recht zu verstehen, muß man sich vergegenwärtigen, daß viele Gegner des chassidischen Wegs die Zaddikim für Heuchler und Scheinheilige hielten und daher beflissen waren, ihnen Fallstricke zu legen und zu erweisen, daß sie die Tugenden, die sie priesen, nicht übten. Beim Seher von Lublin vermeinten sie ein besonders leichtes Spiel zu haben, da ja allen vor Augen lag, daß er, der die Demut am höchsten stellte, ein ausnehmend stolzer Mann war. Daß Stolz und Demut in einem Menschen sich herrlich miteinander vertragen, zum Unterschied von Stolz und Hochmut, die einander abhold sind, oder gar Stolz und Eitelkeit, die nicht beieinander weilen können, ist nicht so leicht zu erkennen.

Einer der aus der Fremde zum Besuch des Sehers Gekommenen

hatte, wie so viele, seinen Sohn mitgebracht. Dem Rabbi war an dem Burschen aufgefallen, daß er einen Rock mit modisch glänzenden großen Knöpfen trug. »Der gehört nicht zu uns«, sagte er sogleich. Als man ihm den Jüngling vorstellte, zählte er die Knöpfe mit dem Finger ab, wie es Kinder beim Spielen tun, bis zum zehnten und letzten, und sagte dabei: »Sieh mal, so macht es der böse Trieb, heut sagt er dir: ›Tu dies‹ (er faßte einen Knopf an) und morgen sagt er dir dann: ›Tu das‹ (er faßte wieder einen an) und so geht es weiter und weiter, bis die Knöpfe alle sind.«

Störrisch nahm der Hörer die Warnung entgegen. Später bemerkte ein Lubliner Chassid, daß er sich die in einem Vorraum ausgehängten Sabbatkleider des Rabbi aus der Nähe besah, machte sich aber keine Gedanken.

Als der Rabbi am Freitagnachmittag aus dem Tauchbad kam, half ihm der »Gabbai« wie immer die Sabbatkleider anziehn. Beim Anlegen des weißseidenen Oberkleides sagte der Rabbi: »Was ist der Rock heute so schwer!«, steckte die Hand in die Tasche und zog ein Pergament hervor, auf dem ein breites Siegel wie pures Gold glänzte. »Nicht vor Ende des Sabbats!« sagte er und legte den Brief in eine Tischlade. Schon sogleich nach der Feier des Sabbatempfangs flüsterten sich die Chassidim zu, es sei vom Himmel eine Botschaft an den Rabbi gelangt, und am Morgen wurde in den Gassen der Judenstadt von nichts anderem geredet. Nach Sabbat holte der Seher das Pergament hervor, die Chassidim versammelten sich um ihn und betrachteten die Anschrift und das Siegel. Auf dem Siegel stand der Gottesname. Als er ihn sah, legte der Rabbi das Pergament aus der Hand und wandte sich ab. Der »Jude«, der ihm in diesem Augenblick ins Gesicht sehen konnte, bemerkte einen Ausdruck schweren Ekels um Lippen und Nase. Schon aber kehrte sich der Rabbi wieder den Chassidim zu. »Öffnet es«, sagte er zu den vor ihm Stehenden. Sie getrauten sich nicht das Siegel zu brechen. »Öffne du es, Hirsch!« sagte er. Rabbi Hirsch, ein Großer in der geheimen Lehre und mit all ihren Arkanen vertraut, aber auch mit scharfem Blick und gewandten Händen begabt, löste das Siegel im Nu ohne es zu verletzen und entfaltete das Blatt. »Lies es!« sagte der Rabbi. Hirsch las. In dem Brief wurde dem Jaakob Jizchak

Sohn der Matel kundgetan, er sei zum Messias ausersehen; er
solle eine Anhöhe bei Lublin besteigen und in ein Widderhorn
blasen, um die Verstoßenen Israels zu sammeln und sie nach Jerusalem zu führen. Hirsch senkte den Kopf. Die andern verharr-
ten wie überwältigt und sahen erwartend den Rabbi an. Nur der
»Jude« und Jeschaja, der neben ihm stand, betrachteten die Versammelten, einen nach dem andern. Das Schweigen dauerte einige
Augenblicke. »Vom ersten bis zum letzten Knopf ist kein weiter
Weg«, flüsterte der Rabbi. Dann rief er einen der Jüngsten heran.
»Nimm den Wisch«, sagte er zu ihm, »verbrenne ihn und streue
die Asche auf den Misthaufen.«
Der Jüngling mit den großen Knöpfen war inzwischen verschwunden. Sein Vater suchte ihn umsonst in der Herberge. Man
berichtet, er sei später zur morgenländischen Kirche übergetreten
und die zarische Regierung habe ihn zum Zensor für die Sprachen
der Juden ernannt; er habe sich in diesem Amt wohlwollend gegen die seinem Gutdünken Ausgelieferten betragen; im Alter,
1831, habe er sich an dem polnischen Aufstand beteiligt und sei
nach dessen Zusammenbruch nach England geflohen, wo er sich
der Judenmission anschloß; zuletzt aber, nicht lang vor dem Tod,
sei er zum Väterglauben zurückgekehrt.

Abschied

Am nächsten Morgen kam Jeschaja zum Rabbi und bat, ihm die
Abreise zu gestatten. Man habe ihn von seiner Gemeinde – er
war seit einigen Jahren in der Geburtsstadt des »Juden« Vorsit-
zender des Thoragerichts und Haupt des Lehrhauses – schon
mehrmals zur Rückkehr gemahnt, weil man seiner bedürfe, und
er habe sie immer wieder hinausgeschoben, nun aber sei es an der
Zeit. Er sagte, er habe hier in den sieben Monaten mehr vom Wesen der Lehre erfahren als in all seinem früheren Leben, und bat,
zum Neuen Jahr wiederkommen zu dürfen.
Jeschaja war um mehrere Jahre älter als der »Jude«. Als der noch
ein Kind war, war er in dessen Heimat gekommen und sie hatten
sich bald angefreundet, hatten trotz des Altersunterschieds miteinander zu lernen begonnen und mit dieser Gemeinschaft nicht
mehr aufgehört; »niemand kann lernen als du und ich«, sagte der

Jüngere lachend zu ihm, wenn sie wieder einmal unabhängig von einander eine bisher undeutbar scheinende Stelle des Schrifttums enträtselt hatten.

Jeschaja hatte ein Asketengesicht, ohne je Askese geübt zu haben, und war in Lublin der Stillste von allen; wenn aber gefragt wurde, was im Gang der Zeiten über den besprochenen Gegenstand geäußert worden sei, wußte er besser als alle Bescheid. Der Rabbi pflegte ihn »mein Bücherschrank« zu nennen. Er ließ ihn ungern gehen.

Später saßen die Freunde auf einer Bank vor der Herberge beisammen.

»Du hättest dich trotzdem entschließen sollen noch zu bleiben«, sagte der »Jude«.

»Du solltest mitkommen«, antwortete Jeschaja.

»Ich muß bleiben«, sagte der »Jude«.

»Hast du gesehen«, fragte der Freund, »wie sie darauf lauerten, ein Losungswort von ihm zu bekommen?«

»Nicht alle«, antwortete der »Jude«.

»Nun«, sagte Jeschaja, »die nicht lauerten, taten als lauerten sie.«

»Wir haben es mit dem Menschen zu schaffen«, wandte der »Jude« ein, »und nicht mit seinem Widerschein.«

»Bei einem Menschen wie dieser«, entgegnete Jeschaja, »hat man mit dem Widerschein fast mehr Umgang als mit ihm selber.«

»Sie sind eben unersättlich im Glauben an ihn«, sagte der »Jude«.

»Dahin kommt man leicht«, entgegnete Jeschaja, »wenn man an einen Menschen glaubt.«

»Soll man deshalb nicht an einen Menschen glauben?« fragte der »Jude«. »Man muß an ihn glauben können ohne unersättlich zu werden.«

»Ich habe Furcht«, sagte Jeschaja, »man könnte einmal an mich glauben.«

»Ich habe Furcht«, erwiderte der »Jude«, »unwürdig zu sein, daß man an mich glaube.«

Sie saßen eine Weile schweigend beisammen.

Jeschaja war es, der zuerst wieder zu reden begann.

»Selbstverständlich«, sagte er, »ist es auch mir um ihn selber zu tun. Das ist ein gewaltiger Mensch, und ich möchte nie anders genannt werden als ›einer der Schüler des Sehers von Lublin‹. Aber leben, verstehst du, Jaakob Jizchak, leben kann ich hier nicht,

und ich möchte auch nicht, daß ich es könnte. Weißt du, Jaakob
Jizchak, wonach es hier riecht?«
»Ich weiß, was du meinst.«
»Nun?«
»Du meinst: man geht hier darauf aus, etwas zu bewirken.«
»Das ist's.«
»Soll man denn nicht bewirken wollen, Jeschaja?«
»Ach, du verstehst mich doch! Freilich, man darf, solange Gott
uns hier unten herumkriechen läßt, einander das Leben ein wenig
verbessern und am Ende auch gar die Seele. Auch haben manche
dazu neben den offenkundigen auch heimliche Kräfte. Aber daß
das Würmlein sich aufreckt und mit heftigen Gebärden die Him-
melsmächte beschwört, geradezu als hinge das Heil der Welt von
ihm ab ...«
»Vielleicht hängt das Heil der Welt wirklich von uns ab, Jeschaja?«
»Von uns?«
»Nicht von unseren Beschwörungen, ihnen ist wohl nur unser
eignes Dasein unterworfen. Überhaupt von nichts, womit wir
das Heil bewirken wollen. Wenn wir es bewirken wollen, haben
wir es schon verfehlt. Aber vielleicht wirken wir gerade dann,
wenn wir nichts bewirken wollen.«
»Das läßt sich immerhin hören.«
»Wir sind vorhanden, Jeschaja, wir bilden es uns nicht bloß ein!
Gewiß, wir sind Geschöpfe, und wohl sogar gebrechlicher als alle
andern, – nicht umsonst sind wir aus Lehm gemacht. Aber was
will das sagen, wenn wir an die Hand des Töpfers denken, die
ihn geknetet hat! Sie hat ihre Fingerspuren an ihrem Werk gelassen. Und nicht das allein, weit mehr noch: seinen eignen Atem
hat er uns eingehaucht, und wenn wir von innen leben, wie kein
andres Geschöpf es vermag, sein Atem in uns ist es, der uns dazu
befähigt. Wie schön ist es doch, Jeschaja, zugleich zu wissen, daß
alle Bilder nichtig sind vor ihm, und doch von ihm in Bildern,
Bildern von unserem irdenen Leibe her, reden zu dürfen – zu müssen, aber auch zu dürfen, weil wir in seinem Bilde gemacht sind!
Atem, Angesicht, Blick!«
Jeschaja sprach erst nach einer Weile. »Lieb ist mir deine Begeisterung, Jaakob Jizchak«, sagte er, »und doch ist mir auch bange

vor ihr. Ich muß dran denken, wie dich als Knaben das Gebet erschöpfte, daß du wie ohnmächtig dalagst. Aus Verzückungen kann
nur ein Immer-wieder-sterben, nicht ein Leben werden. Und da
will ich, ehe ich von dir Abschied nehme, dir noch etwas sagen.
Du wartest oft, wie du es schon als Knabe getan hast, mit dem
Beten auf die Begeisterung. Das ist nicht recht. Wir beten doch
nicht, was jedem sein Herz eingibt, wir treten in eine Ordnung
des gebeteten Wortes ein, an der die Geschlechter unserer Väter
gebaut haben. Wir treten in sie ein, das heißt, nicht ich und du,
sondern die betende Gemeinde, der du und ich angehören. Was
dir dein Herz eingibt, kannst du deinem Schöpfer sagen, wenn
du in der Morgendämmerung erwachst, oder wenn du vor die
Stadt gehst und einsam bist; aber die Ordnung hat ihren Raum
und ihre Zeiten, die geachtet sein wollen.«
»Wirfst auch du mir es vor, Jeschaja?« rief der »Jude« traurig.
»Was du sagst ist wahr, aber weißt du denn nicht selber, daß es
nur ein Teil der Wahrheit ist? Was hundert Geschlechter gebaut
haben, kann ein einziges zuschanden machen. Die Versammlung,
in der beim Ableiern der Gebete Simon an den abzuschließenden
Kornhandel und Ruben an seine Wahl in den Vereinsvorstand
denkt, ist das noch die betende Gemeinde? Der heilige Baalschem-tow hat uns mit seiner brennenden Lehre von der Intention der Seele die Gemeinde verjüngt, der große Maggid von
Mesritsch hat die Lehre noch vertieft, aber die Gemeinde nicht
gestärkt, unser Rabbi Elimelech hat seine eigene Seele eingesetzt
und hat doch nicht verhüten können, daß die Beter sich eben auf
ihn verließen, und jetzt, in Lublin, weht wohl ein feuriger Geist
durch die Schar, wenn der Rabbi ihr zu Häupten steht, – ist er
aber nicht da, dann ist auch das Wort nicht da. Damit es lebe,
braucht das Wort uns. Wohl, es hat seine Zeiten, aber die sie versäumen und warten, tun es nicht, um es sich leichter zu machen.
Sie warten, bis sie ganz ins Gebet eingehen können, weil sie dann
in all ihrer Einsamkeit die Wiedergeburt der Gemeinde bereiten.
Wenn ich allein vor dem Herrn stehe, meine ich nicht mich und
meinen Gott, sondern die Gemeinschaft Israels und den Gott Israels.«
»Das ist kein Weg«, sagte Jeschaja mit kaum geringerer Traurigkeit. »Wenn du Schüler bekommst – und ich weiß gewiß, daß du

viele und große bekommst –, wird dich die Handlung der einen
Schüler widerlegen, denn sie muß deine Absicht ins Gegenteil
verkehren, und die Handlung der andern wird dich verleugnen.
Was du meinst, ist nicht zu überliefern.«
»Es mag sein, daß es so kommen wird, Jeschaja«, sagte der
»Jude«. »Aber wir dürfen uns nicht vorenthalten. Den Weg
durch unsere Niederlagen geht Gott zu seinem Sieg.«
Sie schieden voneinander mit unversehrter Freundschaft, aber in
einer Traurigkeit, die sich nicht überwinden ließ.

Die Rede an die Sechzig

»Da ist Salomos Tragbett«, heißt es im Hohen Lied, »sechzig
Helden rings um es her, von den Helden Israels, Schwertträger
sie alle, Kampfgeübte, jedermann an seiner Hüfte sein Schwert,
wegen des Schreckens in den Nächten.«
Rabbi Israel ben Elieser, der Baal-schem-tow, hat gesagt: »Meine
Seele wollte nicht in diese Welt niedersteigen, weil sie meinte, sie
würde vor den Brandschlangen, die es in jedem Geschlecht gibt,
nicht bestehen können.« Da hat man ihr sechzig Helden geschenkt, Seelen von Zaddikim, sie zu hüten. Das sind seine Schüler gewesen, durch die seine Botschaft in die Welt ging und die
Gemeinschaft Israels erneuerte. Sein größter Schüler war Dow
Bär, der Maggid von Mesritsch, und Rabbi Jaakob Jizchak, der
Seher von Lublin, war dessen Schüler.
Sieben Wochen nach dem Passahfest, am Fest der »Wochen«, dem
Fest der Erstlinge und der Offenbarung, saßen rings um den Tisch
des Sehers, aus Nähe und Ferne zusammengekommen, die erlese-
nen Schüler, die sich in dreizehn Jahren um ihn geschart hatten;
er zählte sie und sagte: »Meine sechzig Helden«.
Alle hatten sie an diesem Tag weiße Röcke angezogen, auch David von Lelow. Nur am Fuß des Tisches saß einer, manchen von
ihnen unbekannt, der einen dunklen, kurzen, westlerisch ge-
schnittenen Rock trug; auch Haar- und Barttracht waren ungewöhnlich. Er war etwas älter als der »Jude«. Das war Ssimcha
Bunam, der Apotheker. Vordem hatte er einen andern, für einen
von den Zaddikim, die er besuchte, so hochgehaltenen Mann
nicht minder seltsamen Beruf gehabt: er brachte Holz nach Dan-

zig zum Verkauf und fuhr auch zur Leipziger Messe; dann aber hatte er sich der Arzneikunde ergeben, in Lemberg die Prüfung bestanden sowie den Magistertitel erhalten und vor etwa einem Jahr eine Apotheke in der Stadt Pžysha aufgetan. Seit langem war er dem Maggid von Kosnitz ergeben, kam aber seit einigen Jahren zuweilen nach Lublin, wohin auch ihn, wie den »Juden«, zuerst David von Lelow mitgenommen hatte. Der Seher setzte große Hoffnung auf ihn; er hatte einmal mit ihm allein einen Abschnitt gelernt und ihm danach gesagt: »Nun bist du mein Schüler und ich dein Lehrer.« Unter den Schülern wandte ihm nur Naftali eine besondere Aufmerksamkeit zu, etwa der zu vergleichen, die das Quecksilber, wenn es aufmerken könnte, dem Silber zuwenden würde.

Es war die Zeit zwischen dem Sieg des polnischen Aufstands und seinem Zusammenbruch. Zwar hatten einige Wochen vorher die Russen Warschau und Wilna geräumt; aber in ebender Stunde, in der die »sechzig Helden« um den Tisch in Lublin saßen, zeichnete schon an der russisch-türkischen Grenze der große kleine Muschik Suworow den Angriffsplan für seine geliebten Bajonette, obgleich er noch nichts davon ahnen konnte, daß er im Hochsommer den Befehl zum Vormarsch erhalten sollte. Einer der älteren Schüler hatte einen Sohn, den er vergeblich, sich auf einen Spruch des Sehers berufend, davon abzubringen versucht hatte, sich den Aufständischen anzuschließen.

Das Lehrhaus, in dem man auch diesmal den Tisch gedeckt hatte, strahlte, wie immer an diesem Tag, in hellem Grün. Grüne Zweige deckten den Boden, grüne Bäume standen die Wände lang. Es war keine bloße Ausschmückung; der polnische Wald selber war zu den Juden in ihre »Schul« gekommen.

Der Rabbi, der sich mit den ihm nah Sitzenden, aber auch über den Tisch weg unterhielt, hatte heute knappere Gebärden und eine nachdrücklichere Stimme als sonst; es war, als hätte er eine Entscheidung getroffen, die nun auszuführen sei. Auch die Augen blickten schärfer als gewöhnlich; man sah ihm nicht an, daß er kurzsichtig war.

Beim Essen flüsterte Bunam David von Lelow zu: »Wißt Ihr, wer heute den Tischsegen sprechen darf? Ich. Seht nur, wie der Rabbi einen nach dem andern betrachtet. Er hält furchtbare Musterung. Wer sollte da standhalten? Ihr nicht und keiner, den er genau kennt. Ich bin der einzige, den er nicht so genau kennt.« In der Tat fragte der Rabbi, als er nach der Mahlzeit den Becher in die Hand nahm:»Wer wird den Tischsegen sprechen?« Und sogleich nahm er lächelnd, aber mit unerbittlicher Klarheit, einen nach dem andern der Versammelten vor. Mängel und Verfehlungen eines jeden, darunter Dinge, die man kaum beachtet oder längst vergessen gewähnt hatte, wurden nicht etwa ausgesprochen, sondern was in die Sprache trat, war stets nur der Grund der Sache, zu dem Menschenaugen also vorgedrungen waren und den ein Menschenmund jetzt zu Worte brachte. Niemand war gekränkt, niemand konnte es sein. David von Lelow nickte wie zum Dank, der»Jude« dachte lang jedem der Laute nach, aber auch der empfindliche Naftali lachte wie über einen guten Witz, und staunend sahen alle den strengen Juda Löb von Zakilkow das Lächeln des Sehers mit einem, wenn auch dünnen, Lächeln erwidern. Am Schluß der Rede hieß es:»Der weise Rabbi Bunam wird segnen.«

Als der Seher hernach zu sprechen begann, merkten alle, daß etwas reif geworden war und nur noch die Ernte erwartete. Er sprach nicht aus der Tiefe hervor wie sonst, sondern überlegen und gebieterisch.

Auch diesmal legte er zuerst einen Spruch der Schrift aus, und zwar den Anfang der Zehn Gebote, die er inmitten des Morgengebets verlesen hatte. Dann ging er zum Sinn der Festbräuche über.

»Warum«, sagte er,»stehen heute hier und in den Wohnhäusern Bäume an den Wänden? Warum liegen hier und in den Wohnhäusern grüne Zweige am Boden? Weil Offenbarung ist. Gott hat sich Israel nicht in einem Hause, sondern auf einem Berg offenbart, und rings um den Berg wuchsen Bäume und Gras. Wie geschrieben steht:›Auch die Schafe und Rinder mögen nicht weiden nach diesem Berge zu‹.

Aber wir stellen und legen das Grün um uns her nicht zur Erinnerung an eine Offenbarung, die sich einst ereignet hat. Offenbarung ist, sie lebt und besteht. Sie ist nicht einmal geschehen und seither können wir nur uns an sie erinnern, sondern was geschehen ist, geschieht, es geschieht jetzt. Wir machen uns kein Abbild von dem, was gewesen ist, wir errichten uns selber die Stätte, wir harren selber der Heiligung.

›Wenn ein Mensch‹, hat der Rabbi von Berditschew gesagt, ›dessen würdig ist, hört er an jedem Wochenfest die Stimme, die spricht: ›Ich bin der Herr dein Gott‹. Wenn wir dessen würdig sind, hören wir sie jetzt und hier. Wenn wir zu hören bereit sind, hören wir. Wie könnte sie sich uns versagen – wendet sie sich doch an uns, sucht sie uns doch! ›Wo seid ihr‹, fragt es, ›ihr, deren Gott ich bin? Seid ihr da? Seid ihr noch da?‹ Es steht geschrieben: ›Der Berg Sinai rauchte all, darob daß der Herr im Feuer auf ihn herabfuhr, sein Rauch stieg wie des Schmelzofens Rauch, all der Berg bebte sehr‹. Die Welt der Völker ist der Berg, auf den in dieser Stunde der Herr im Feuer herabfährt, und der Berg beginnt zu rauchen, er beginnt sehr zu beben. Wir aber hier stehen am Fuße des Bergs und sehen die erste Rauchwolke, wir spüren das erste Beben an unsern eigenen Gliedern. Hören wir aber auch die Stimme, die vom Gipfel des Berges zu uns spricht: ›Ich bin der Herr dein Gott‹? Wenn wir zu hören bereit sind, hören wir.

Man hat mir von etwas erzählt, das sich in der Hauptstadt der Völker ereignet hat. Dort hat vor vier Wochen der Mann, dem sich alles beugt, verkündigt, es gebe das Höchste Wesen, und in dieser Woche soll dieses Wesen in einer großen Feier verherrlicht werden. Und es mögen Menschen auf der Welt sein, vielleicht sogar in unsrer eignen Mitte, die sich darüber freuen und sagen: ›Seht ihr, wie es mit der Gottlosigkeit der Völker zu Ende geht?‹ Aber diese Verkündigung ist schlimmer als alle Gottlosigkeit. Denn den Gottlosen ist der Thron der Welt leer und die innerste Kammer ihrer Seele ist leer und sie verschmachten nach der Fülle, und der Erbarmer wird sich ihrer erbarmen, wie er sich derer erbarmt, die Not leiden um der Wahrheit willen. Diese aber, die das Höchste Wesen verkündigen, setzen den Popanz ihres Gedankens auf den Thron der Welt, und die Kammer der Seele, die gebaut ist, daß das Lebendigste in ihr wohne, füllen sie mit dem Gemächte des Todes. Ja, jeder Götze ist lebendiger als dieses Höchste Wesen, denn die Menschen, die jenen anbeten, meinen Leben und bringen Leben dar, es aber – wer vermöchte zu ihm zu beten und von ihm zu erwarten, daß es an ihm tue, wie Lebendiges an

Lebendigem tut? Dieser Mann selber, der es verkündigt – ein Sendling des Todes, der die Botschaft des Lebens zu bringen vorgibt, ein Leerer, der die Fülle vorgaukelt, unfruchtbar und daher ohne Hemmung –, er wird die Kraft des Schauspielers nicht aufbringen, es anzureden, und brächte er sie auf, würde das Gelächter dem Beil, das schon für ihn geschärft ist, zuvorkommen. Was will er, dieser Mann, mit seinem Automaten? Er stattet ihn mit Macht aus, damit durch ihn seine eigene Macht gesichert werde. Aber wenn er an einem Schreckensmorgen seine Maschinerie aufzuziehen vergißt, ist es um sie beide geschehn.

Seht, alles dies ist nichts als ein Rauch des Berges der Welt, der raucht, weil in dieser Stunde der Herr im Feuer auf ihn herabfährt. Er, der Lebendige, spricht: ›Ich bin der Herr dein Gott.‹ Wer ist das, zu dem er ›du‹ sagt? Wer es hört. Tut die Ohren auf, Chassidim, tu die Ohren auf, Israel, tut die Ohren auf, Völker der Welt! Er ist es, der aus der Knechtschaft in die Freiheit führt und sich den Freien offenbart.«

Der Rabbi hielt inne. Als er wieder begann, war seine Stimme noch heller und stahlhart.

»Die Welt der Völker«, sagte er, »ist in Aufruhr geraten, und wir können nicht wollen, daß es aufhöre, denn erst wenn die Welt in Krämpfen aufbricht, beginnen die Wehen des Messias. Die Erlösung ist nicht ein fertiges Geschenk Gottes, das vom Himmel auf die Erde niedergelassen wird. In großen Schmerzen muß der Weltleib kreißen, an den Rand des Todes muß er kommen, ehe sie geboren werden kann. Um ihretwillen läßt Gott es zu, daß die irdischen Gewalten sich mehr und mehr gegen ihn auflehnen. Aber noch ist auf keiner Tafel im Himmel verschrieben, wann das Ringen zwischen Licht und Finsternis in den großen letzten Kampf übergeht. Da ist etwas, das Gott in die Macht seiner Zaddikim gegeben hat, und das eben ist es, wovon es heißt: ›Der Zaddik beschließt und Gott erfüllt.‹ Warum aber ist es so? Weil Gott will, daß die Erlösung unsere eigene Erlösung sei. Selber müssen wir dahin wirken, daß das Ringen sich zu den Wehen des Messias steigere. Noch sind die Rauchwolken um den Berg der Völkerwelt klein und vergänglich. Größere, dauerhaftere werden kommen. Wir müssen der Stunde harren, da uns das Zeichen gegeben wird, in der Tiefe des Geheimnisses auf sie einzuwirken. Wir müssen die Kraft in uns wach halten, bis die Stunde erscheint, da das dunkle Feuer sich vermißt, das lichte herauszufordern. Nicht zu löschen ist uns dann aufgetragen, sondern anzufachen. Es steht geschrieben: ›Die Berge wanken vor dem Herrn, ein Sinai dieser vor dem Herrn‹. Wo die Berge wanken, wo das Wunder geschieht, da ist der Sinai.« Als der Rabbi geendet hatte, war alles still. Ohne daß einer mit einem redete, gingen die Sechzig auseinander.

Ausbruch

Später saßen in der Herberge David von Lelow, der »Jude« und Bunam zusammen. Immer noch konnte keiner reden.

Endlich begann Rabbi David, und zum erstenmal, seit er in Lublin das Heim des Geistes gefunden hatte, war aus seinem Wort alle Heiterkeit gewichen.

»Der Weg bricht ab«, sagte er. »Wo sind wir hingeraten! Wohin sollen wir uns wenden? Wir können nicht zurück. Gott erbarme sich unser!«

»Habt Ihr uns nicht gelehrt, Rabbi David«, sagte der »Jude«, »wenn wir uns verloren wähnen sei dies ein Zeichen, daß Gott eben daran geht, das Maß des Erbarmens über das des Gerichts sich erheben zu lassen? Wie viel oder wie wenig wir von Gott wissen, das wissen wir, daß er kein Zauberer ist. Ein Zauberer hat keine Zeit zum Erbarmen.«

Bunam wandte sich lebhaft dem »Juden« zu. »Ihr habt recht, Rabbi«, sagte er, »ein Zauberer ist Gott nicht. Der Zauberer breitet seine Macht aus wie der Pfau sein Gefieder, er aber verhehlt seine Macht.«

»Freunde«, sagte David, »laßt uns mitsammen zu ihm beten. Das ist die schwerste Stunde, nichts was noch kommt kann schwerer sein. Tun wir uns zusammen und beten wir!«

Aus den Dreien schloß sich der schweigende Ring der Beter.

Nach diesem Gebet saßen sie im Frieden.

Der Gabbai kam: Rabbi David und Rabbi Jaakob Jizchak möchten nach einer Weile beim Rabbi erscheinen.

David ließ fragen, ob Rabbi Bunam mit ihnen kommen dürfe. Sie erhielten bald eine zustimmende Antwort.

»Was mag er uns eröffnen wollen«, fragte David unterwegs, »und was können wir vorbringen?«

»In unsrem Mund kann immer nur das eine sein«, erwiderte der »Jude«, »daß nichts uns und das Volk Israel zu Gottes Macht führen wird, als daß wir, wie wir alle zusammen von ihm abgefallen sind, so alle zusammen zu ihm umkehren.«

»Er wird antworten«, warf Bunam ein, »Israel werde nicht umkehren.«

Der »Jude« sah ihn befremdet an.

»Jetzt *muß* er es sagen«, erklärte Bunam.

Ein kleines Mädchen kam ihnen entgegengehüpft. Es war von Herzensgrund darauf bedacht, auf der geschotterten Straße die Steine in einer vorbestimmten Ordnung und im genauen Takt zu behüpfen, blickte daher auch nicht vor sich und stieß plötzlich mit dem Köpfchen an das Knie des Lelowers. Es tat anscheinend nicht sehr weh, denn das Kind sah nur verwundert und vorwurfsvoll auf. »Ja«, sagte David, »das war nicht recht von mir, wo habe ich meine Augen!« Er holte eine Johannisbrotschote aus der tiefen Tasche.

Nun standen die drei vor dem Rabbi. Er schien gelassener als bei Tisch, nur ein Zug von schmerzlicher Spannung war auf seinem Gesicht zu bemerken.

»Setzt euch«, sagte er mit betonter Freundlichkeit.

»Ich suche zu erfahren«, begann er dann, zu David und dem »Juden« gewandt, »was da unter den Schülern nach der Tischrede vorgegangen ist. Es war anzusehn, als fiele eine gut geschmiedete Kette plötzlich auseinander. Ich frage euch, weil ich euch flüstern sah, als ich geendet hatte. Wollt ihr mir sagen, was ihr geflüstert habt? Vielleicht kann es mir helfen zu verstehen, was unter den Schülern vorgegangen ist.«

David von Lelow besann sich. »Ich kann mich nicht erinnern«, sagte er, »daß ich etwas geflüstert hätte. Ich merke mir aber solche Dinge nie.«

»Und du, Jaakob Jizchak?«, fragte der Rabbi.

»Auch ich kann mich nicht entsinnen, daß ich geflüstert hätte. Da Ihr es aber sagt, Rabbi, habe ich offenbar das was ich im

Sinne hatte geflüstert, ohne es zu merken. Gewiß habe ich es aber keinem andern zugeflüstert.«

»Und was hattest du im Sinn?«

»Rabbi«, sagte der »Jude«, »mir hat in der vorigen Nacht geträumt, daß die Welt verbrenne. Ich flog durch ihren Brand, und rings um mich stoben die Splitter der zerprasselnden Sterne. Als ich aus dem Traum auffuhr, schien mir noch eine Lohe durch den Raum zu schlagen und zu verlöschen. Ich stand mit Mühe auf, meine Hände vermochten kaum eine Kerze anzustecken. Um einen Halt zu finden, schlug ich die Schrift auf. Da hatte ich Gottes Wort an Baruch den Sohn Nerias aufgeschlagen: ›Wohlan, was ich baute muß ich schleifen, was ich pflanzte muß ich reuten, und es gilt die Erde all, – und du, du wolltest dir Großes begehren?! Begehr's nimmermehr!‹ Das ist mir dann in einem fort nachgegangen. Als Ihr, Rabbi, am Morgen die Zehn Gebote spracht, war es mir zuerst, als flögen die himmlischen Engel durch das Haus, um die Worte mit anzuhören. Dann aber sah ich das große Traumfeuer vor mir und mitten durch die Zehn Gebote drang die Rede: ›Begehr's nimmermehr!‹ Später, nach der Mahlzeit, als Ihr von der Offenbarung redetet, war's mir, als hörte ich den Schall des Widderhorns von über dem Sinai her. Aber dann war jene Rede ›Begehr's nimmermehr‹ wieder stark in meinem Herzen, und als Ihr geendet habt, habe ich die Worte offenbar sogar vor mich hingeflüstert.«

»Was hattest du aber dabei im Sinn?«

»Was ich im Sinn hatte? . . . Eben die Worte.«

»Und hast du dabei an niemand gedacht?«

»Doch. Das wohl. An uns alle.«

»An alle?«

»Gewiß, an alle.«

»Und kannst du mir nicht sagen, wie das mit der Kette war?«

»Mit der Kette?«

»Lublin war doch immer, trotz all der vielen kleinen Streitigkeiten, ohne die es in keinem Menschenkreis abgeht, einig in dem einen, worauf es ankommt. Nun aber ist es in die Erscheinung getreten, daß irgendwo sich das Band gelockert hat.«

»Ich muß erst darüber nachdenken«, erwiderte der »Jude«, »wonach Ihr fragt.« Er dachte nach. »Ich kann nichts finden, das sich gelockert hätte – bis auf heute. Es gab ja zum Beispiel zwischen mir und manchen andern vom ersten Tag an Uneinigkeit, etwa über das Wunder, aber die ist seither nicht gewachsen, im Gegenteil, mit manchen Wunderbegeisterten vertrage ich mich vortrefflich.«

»Was war das für eine Uneinigkeit?«

»Für viele Eurer Schüler, Rabbi, zerfallen die Begebenheiten der Welt in solche, die sie natürlich, und solche, die sie wunderbar nennen. Ich aber, und wohl noch etwelche andern, wir kommen immer mehr zur Einsicht, daß es diesen Unterschied in Wahrheit nicht gibt. Ich kann nicht daran glauben, Gott irre unseren armen Verstand mit Künsten, die dem Gang der Natur widersprechen. Vielmehr scheint es mir, daß wir, wenn wir ›Natur‹ sagen, die Schöpfungsseite dessen was geschieht meinen, und wenn wir ›Wunder‹ sagen, seine Offenbarungsseite, oder auch das eine Mal, was man die machende Hand Gottes nennt, und das andere Mal, was wir seinen zeigenden Finger nennen. Es ist aber dasselbe Geschehen. Der eigentliche Unterschied scheint mir darin zu bestehen, daß wir den Finger oft schwerer wahrnehmen als die Hand. ›Wunder‹ heißt unser Empfang der ewigen Offenbarung. Und wer kennte die Grenzen der ›Natur‹, da sie doch Gottes ist!«

»Das hast du deutlich erklärt, Jaakob Jizchak. Was aber meinst du damit, du könntest bis auf heute nichts finden, das sich gelockert hätte? Und heute?«

»Heute, Rabbi, ist mir freilich, zum erstenmal, etwas widerfahren, das an meinem Zusammenhang mit Lublin hart gerüttelt hat. Mir – und auch Rabbi David da. Und wohl auch Rabbi Bunam.«

Bunam nickte so nachdrücklich, daß sich die Apothekermütze verschob und einige fast blonde Haarsträhnen nach verschiedenen Richtungen hervorsprangen.

»Und was ist das gewesen?«, fragte der Zaddik.

»Eure Worte, Rabbi, von der Macht und der Erlösung. Erlaubt, Rabbi, damit ich Euch auch dies deutlich erklären kann, daß ich Euch hier vor den Gefährten etwas aus den innersten Kammern sage.«

»Sprich.«

»Ihr müßt wissen, Rabbi, daß ich von Kindheit an ein Psalmen-
sager bin. Wann immer in meinem Leben etwas Übermäßiges,
sei's Übles oder auch wunderlich Gutes, mir das Herz erschütterte,
gab sich mir ein Psalm oder auch nur einzelne Psalmverse ein und
halfen mir zu einem neuen Frieden mit mir selber. So begab es
sich auch in der schwersten Zeit meiner Wanderschaft. Ich hatte
mehrere Nächte ohne Schlaf verbracht, immer in großer Helle
des Bewußtseins allein mit meinem Elend und dem Elend der
menschlichen Kreatur. Da gaben sich mir in einer Nacht die vertrautesten Verse mit einer ganz neuen Kraft und Bedeutung ein:
›Bis wann, Herr, vergissest du dauernd mein? bis wann ver-
steckst du dein Antlitz vor mir? bis wann muß ich Ratschläge
hegen in meiner Seele, Kummer in meinem Herzen tagüber?‹
Es ging mir auf: solang der Mensch wähnt, es gäbe noch einen
Rat für ihn, durch den er sich befreien kann, so lang ist er der
Befreiung noch fern, so lang muß er tagüber Kummer in seinem
Herzen hegen, denn so lang verbirgt der Herr noch sein Antlitz vor ihm; erst wenn der Mensch an sich selber verzweifelt
und mit der ganzen Gewalt seiner Verzweiflung sich Gott zu-
kehrt, wie geschrieben steht: ›Abraham ja kennt uns nicht, du
Herr bist unser Vater‹, erst dann wird ihm geholfen. Und wie
mir das aufging und meine verzweifelte Seele sich willig hergab
und nichts mehr von sich vorenthielt, war mir geholfen. Da habe
ich mit einem Mal verstanden, worüber ich so lang nachgesonnen
habe: was der geheime Sinn des Tauchbads ist. Man gibt sich
auf, man gibt sich her, und da bekommt man sich. Seither glaube
ich mit vollkommenem Glauben, daß es sich so mit uns, mit Israel, mit den Menschen verhält. Wohl kommt es auf uns an, aber
nicht auf unsere Macht, sondern auf unsere Umkehr. Zu Recht
haben unsere Weisen gesagt, alle für das Kommen des Messias
angesetzten Zeiten seien vergangen, es hange an der Umkehr
allein. Auch sie ist keine Macht, sondern nur eben die eine
menschliche Handlung, auf die Gott wartet, damit er seine Welt
erlöse. Sein Antlitz ist ja nicht abwesend; es ist nur unserm
Blick verborgen, weil wir nicht mit unserm Wesen ihm zugekehrt
sind; kehren wir uns ihm nur zu, und er läßt es uns leuchten.
Zuweilen im Wachtraum sehe ich den Messias das Widderhorn
an die Lippen heben und er bläst nicht – wessen harrt er? Nicht

daß wir die Gewalten beschwören, sondern daß wir abgeirrten Kinder zu unserm Vater umkehren.«

Der Rabbi hatte in geduldiger Haltung zugehört, aber auf seinem Gesicht war seit einer Weile die erste Regung des Zorns zu erkennen. Jetzt erhob er sich – die Schüler, wie nicht anders sein konnte, mit ihm – und trat an den Tisch, der ihn von ihnen trennte. Er legte beide Hände mit Macht darauf, die Rechte traf auf das Buch der Schrift und legte sich mit Macht darauf. Es sah aus, als wolle er unter Ergreifung des heiligen Gegenstandes schwören. »Die von Israel werden nicht umkehren«, sprach er, »und der Erlöser wird kommen.«

Eine Schwalbe stieß durchs offne Fenster und schwirrte durch die Stube. Wie blind schlug sie an die Wand, drehte sich wie mit einer letzten Anstrengung und fiel auf den Tisch, wo sie neben dem Buch liegen blieb.

Damit das Dach des Geistes über ihnen nicht einstürze, warf jetzt Bunam eine Frage der Lehre auf. Der Seher und seine Schüler setzten sich und sprachen eine Stunde lang darüber. David hielt inzwischen die Schwalbe in behutsamen Händen; er hatte ein Schälchen mit Wasser bereit gestellt, wenn sie zu sich käme.

Bestätigung

Am späten Abend nach diesem Tag gingen der junge Jaakob Jizchak und Bunam zwischen den vom ersten Mondviertel mild beglänzten Roggenfeldern nordöstlich der Stadt und kamen zu der uralten Linde, die der »Jude« gern zum Ziel seiner nächtlichen oder morgendlichen Spaziergänge machte. Sie setzten sich unter den Baum, atmeten seinen Duft ein und betrachteten die Sterne.

»Das ist der Grund meines Glaubens«, sagte Bunam, »der Vers der Schrift: ›Hebt eure Augen zur Höhe und seht: wer hat diese geschaffen?‹«

»Das ist wohl ein guter Grund«, antwortete der »Jude«, »aber wir von Israel halten uns besser noch an das Wort der Offenbarung: ›Ich bin der Herr dein Gott, der ich dich führte aus dem Land Ägypten, aus dem Haus der Knechtschaft‹.«

»Es ist ja immer wieder gefragt worden«, sagte Bunam, »warum

wohl die Zehn Gebote so und nicht mit den Worten beginnen:
›Ich bin der Herr dein Gott, der Himmel und Erde geschaffen
hat‹.«
»Dann hätte der Mensch«, antwortete der »Jude«, »gewiß gedacht: ›Das ist freilich ein hoher Gott, aber mit mir wird er sich
nicht abgeben und ich kann mit meinem Drum und Dran nicht
vor ihn treten.‹ Deshalb hat ihm Gott zugerufen: ›Ich bin's, der
ich dich aus dem Dreck geholt habe, komm nur immer zu mir
und bring alle deine Sorgen vor‹.«
»So ist es«, sagte Bunam, »aber scheint es Euch nicht seltsam,
daß es Zeiten gibt, wo es so aussieht, als ließe uns Gott immer
tiefer in den Dreck geraten und dächte nicht daran uns heraus-
zuholen?«
»Die Zeiten der großen Probe«, erwiderte der »Jude«, »sind die
der Gottesfinsternis. Wie wenn die Sonne sich verfinstert, und
wüßte man nicht, daß sie da ist, würde man meinen, es gäbe
sie nicht mehr, so ist es in solchen Zeiten. Das Antlitz Gottes ist
uns verstellt, und es ist, als müßte die Welt erkalten, der es nicht
mehr leuchtet. Aber die Wahrheit ist, daß gerade erst dann die
große Umkehr möglich wird, die Gott von uns erwartet, damit
die Erlösung, die er uns zudenkt, unsre eigne Erlösung werde.
Wir nehmen ihn nicht mehr wahr, es ist finster und kalt als ob
es ihn nicht gäbe, es erscheint sinnlos zu ihm umzukehren, der
doch, wenn er da ist, sich gewiß nicht mit uns abgeben wird, es
erscheint hoffnungslos zu ihm durchdringen zu wollen, der, wenn
er ist, vielleicht die Seele des Alls, aber nicht unser Vater ist. Ungeheures muß in uns geschehen, damit wir die Bewegung vollziehen. Aber wenn das Ungeheure geschieht, ist es die große
Umkehr, die Gott erwartet. Die Verzweiflung sprengt das Verlies der heimlichen Kräfte. Die Quellen der Urtiefe brechen
auf.«
Sie saßen schweigend. Die Nacht stieg an, die Sterne gaben ihr
Licht her und die Linde ihren hellen Duft.
»Nichts betrübt mich so sehr«, begann Bunam wieder, »wie daß
unsere Umkehr so schlaff und so eitel ist. Daß man in dieser
bunten Welt mit ihren tausend Reizen von Gott abkommt, ist
wohl zu verstehen; wenn man sich aber der Treulosigkeit ent-
windet und sich wieder dem zuwendet, dem man angelobt ist,

– daß man das mit armseliger Kraft und mit falscher Zuversicht tut, dafür habe ich keinen Trost. Ich habe mich einmal gefragt, woran es liegt, daß uns, die wir am Versöhnungstag so viele Male unsere Schuld bekennen, keine Botschaft der Vergebung gebracht wird, König David aber hatte kaum einmal gesagt: ›Ich habe dem Herrn gesündigt‹, und schon erhielt er die Kunde: ›So hat der Herr deine Sünde vorbeischreiten lassen‹. Da ging es mir auf, daß David, als er sprach: ›Ich habe gesündigt‹, meinte: ›Tu mit mir nach deinem Willen und ich will es in Liebe empfangen‹, wir aber, wenn wir sagen: ›Wir haben uns vergangen‹, denken, es gezieme sich für Gott, uns zu verzeihen, und wenn wir fortfahren: ›Wir haben dich verraten‹, denken wir, es gezieme sich für Gott, nachdem er uns verziehen hat, uns mit allem Guten zu beschenken.«

»Man muß es den Menschen nachsehen«, sagte der »Jude«, »daß sie sich Bilder mit prächtigem und gutmütigem Gesicht ausschnitzen und sie an Gottes Stelle setzen, da es doch so grausam schwer ist, in seiner Gegenwart zu leben. Ja, wir dürfen, wenn wir sie zu Gott führen wollen, nicht einfach ihre Götzen zu Boden werfen, sondern müssen in jedem Bild zu erkennen suchen, welche göttliche Eigenschaft trotz allem der hatte darstellen wollen, der es gemeißelt hatte, und ihm dann sorgsam und vorsichtig helfen, den Weg zu ihr zu finden. Wir sind ja nicht für die Reiche bestellt, in denen die lautere Heiligkeit wohnt, sondern für das Unheilige, seiner zu pflegen, daß es sein Heil finde.«

»Als ich einmal«, sagte Bunam, »nach Danzig fuhr, gab mir ein Holzhändler seinen Sohn mit, der für ihn dort Geschäfte zu besorgen hatte, und bat mich auf den Jüngling zu achten. An einem Abend fand ich ihn nicht in der Herberge. Ich ging sogleich auf die Straße und vor mich hin, bis ich an ein Haus kam, aus dem Klavierspiel und Gesang erscholl. Ich trat ein. Als ich eintrat, war gerade das Lied zu Ende und ich sah den Sohn des Holzhändlers zu einer inneren Tür hinausgehen. ›Sing deine schönste Nummer‹, sagte ich zur Sängerin und gab ihr einen Gulden. Da sang sie ein Lied, das war so, daß jeder, der es vernahm, herbeikommen mußte, um keinen Ton zu verlieren. Sowie sie zu singen begann, ging die innere Tür wieder auf und der Jüngling kam zurück. Ich ging auf ihn zu. ›Man hat nach dir gefragt‹, sagte ich zu ihm, ›komm doch gleich mit.‹ Er kam mit, ohne sich zu erkundigen, wer nach ihm gefragt habe; er tat es auch in der Herberge nicht. Dort spielte ich mit ihm eine Weile Karten, dann gingen wir zur Ruhe. Am nächsten Tag wollte er nicht von meiner Seite weichen. Abends besuchte ich mit ihm ein Theater. Als wir heimkamen, sprach ich einen Psalm. Er bat um noch und noch einen, und mittendrin brach er in Tränen aus. Später ist er ein Schüler des Maggids von Kosnitz geworden. Damals aber, im Dirnenhaus habe ich erfahren, daß die Schechina sich allerorten niederläßt, und daß es an uns ist ihr zu dienen, wo immer sie ist.«

»Sagt mir genauer, Rabbi Bunam, was Ihr damit meint, der Schechina dienen, wo immer sie ist.«

»Mir scheint, ich meine damit etwas, was auch Ihr meint, ja es scheint mir, daß ich, obgleich ich nicht bei Euch gelernt habe, es von Euch erlernt habe. Mir ist es am deutlichsten geworden, als ich mich fragte, was es bedeute, daß Rebekka, da sich die Kinder in ihrem Leibe stoßen, ausruft: ›Warum denn ich?‹ Denn wie man nicht anders das Silber vom Blei scheidet, als daß man ihre Mischung im Feuer schmelzen läßt, so hat sich hier in der Glut des Mutterleibs die endgültige Trennung der Wesenheiten vollzogen, – anders als die vorbereitende von Abraham aus, die sich begab, indem zwei Frauen von ihm empfingen. Rebekka aber hatte nicht gewußt, daß nun die letzte Auslese bevorstand und ihr Leib die zur Ausschmelzung ersehene Esse war. Als die Hochschwangere nun, der Erzählung unserer Weisen nach, wenn sie am Lehrhaus vorbeikam, verspürte, wie es Jakob hinzog, und wenn sie am Götzentempel vorbeikam, verspürte, wie es Esau hinzog, fragte sie: ›Warum denn ich? Ich bin doch ein Weib, ein empfangendes Gefäß, wie ist dies, daß die Ausläuterung sich bei mir begibt?‹«

»Ihr meint mit Recht, Rabbi Bunam«, sagte der »Jude«, »daß es an den Führenden ist, aus jedem Menschen das Echte hervorzubringen des Gemeinen entledigt, wie Gott zu Jeremia sagt. Bedenkt aber, daß Gott es zu Jeremia nicht über das sagt, was er an andern, sondern über das, was er an sich selber tun soll. Und zwar geht es hier nicht bloß um die Läuterung der eignen Person.

Gott verheißt Jeremia, wenn er das Gebot erfülle, werde er wie sein, Gottes, Mund sein. Das ist eine ähnliche Sprache wie die, in der er zu Mose redet, nur daß er diesem nicht unter einer Bedingung verheißt, sondern als beschlossen kundtut, er, Gott, werde mit seinem, Moses, Mund sein. Von Mose aber heißt es, er sei unter allen Menschen sehr demütig gewesen. Er, der große Zaddik, war die Wurzel aller von Israel und sie waren die Zweige. Es ist aber die Ordnung, daß der Zweig aus der Wurzel saugt, und welkt der Zweig, dann ist zu vermuten, daß auch die Wurzel schadhaft ist. So pflegte denn Mose, wenn er Leute auf unguten Wegen gehen sah, zu sich zu sprechen: ›Das muß an mir liegen, und ich muß Umkehr üben, damit sie wieder gut werden.‹ Er, der Demütigste, stellte sich gleichsam unter alle und trug sie durch seine Umkehr zu Gott zurück.«

Während sie zueinander sprachen und einander zuhörten, hatten unvermerkt dichte Wolken den Himmel überzogen. Wie die beiden jetzt, im scharf werdenden Wind leicht erschauernd, aufblickten, war kein Stern mehr zu sehen. Aber die Linde stand als ein kleiner Himmel mit ihren unzählbaren, Duft statt Licht entsendenden Sternen über ihnen.

Der »Jude« seufzte tief auf.

»Warum seufzt Ihr?«, fragte Bunam.

»Ich muß daran denken«, sagte Jaakob Jizchak, »daß nach Mose die Richter kamen, nach den Richtern die Propheten, dann die Männer der Großen Versammlung, sodann die Tannaim und Amoraim, und so fort bis zu den Ermahnern, und als dies verdarb und falsche Ermahner sich mehrten, standen die Zaddikim auf. Darüber aber seufze ich, daß ich sehe, auch dies ist nah am Verderben. Was wird Israel tun?«

»Sollte das«, erwiderte Bunam, »nicht mehr an den Chassidim als an den Zaddikim liegen? Es wird erzählt, als der heilige Baal-schem-tow zuerst Chassidim aufgestellt hatte, sei der böse Trieb sehr erbittert gewesen, weil er fürchten mußte, sie würden mit den Flammen ihrer Heiligung alles Übel aus der Welt brennen. Dann aber fand er sich einen Rat. Wo an einem Ort ein paar Chassidim waren, ging er zu ihnen und sagte: ›Was ihr treibt, ist sehr schön. Aber was wollt ihr zwei oder drei ausrichten? Ihr müßt doch wenigstens eine Betergemeinde von zehn beisammen haben.‹ Und so gab er ihnen einige von seinen Leuten bei. Hernach hatten sie kein Geld für eine Betstube und eine Schriftrolle und so fort. Da brachte er ihnen noch einen reichen Mann von den Seinen, daß er die Auslagen trage. Und wie es so weit war, sagte er sich: ›Nun brauche ich nichts mehr zu fürchten, für alles weitere werden schon meine Leute sorgen.‹«

»Ja«, sagte der »Jude«, »es steht geschrieben: ›Und alle Brunnen, die die Knechte seines Vaters in den Tagen Abrahams gegraben hatten, verstopften die Philister und füllten sie mit Schutt an.‹«

»Ich habe einmal«, sagte Bunam, »in einer Volksschenke in Warschau zugehört, wie an einem benachbarten Ecktisch zwei jüdische Lastträger sich beim Schnapstrinken allerhand erzählten. Dann fragte der eine: ›Hast du schon den Wochenabschnitt gelernt?‹ ›Ja‹, sagte der. ›Auch ich habe ihn schon gelernt‹, berichtete der erste, ›und eines ist mir schwer geworden zu verstehen. Es heißt da von unserem Vater Abraham und dem Philisterkönig Abimelech: ›Sie schlossen, die zwei, einen Bund.‹ Ich habe mich gefragt, wozu wohl dasteht: die zwei, – das scheint doch überflüssig.‹ ›Gut gefragt‹, rief der andere, ›aber wie magst du dir wohl die Frage beantworten?‹ ›Ich denke‹, antwortete jener, ›einen Bund haben sie geschlossen, aber eins sind sie nicht geworden, sie blieben zwei.‹«

»Es sei«, erwiderte der »Jude«, »aber – Philister oder Knechte Abrahams, Chassidim des Satans oder echte Chassidim, bis wohin wollen wir die Unterscheidung tragen? Sollen nur diese erlöst werden und nicht auch jene? Wenn wir ›Erlösung der Welt‹ sagen, meinen wir denn da: ›Erlösung der Guten‹? Heißt nicht ›Erlösung‹ zu allererst Erlösung der Bösen vom Bösen? Wenn die Welt für immer zwischen Gott und dem Satan geteilt bliebe, wie dürften wir sagen, daß sie Gottes sei? ›Nicht eins‹, sagt Ihr, es sei, aber – bis ans Ende der Tage nicht eins? Und wenn schließlich doch eins, wann soll's beginnen? Sollen wir uns ein Reichlein der Richtigen auftun und das übrige dem Herrn überlassen? Hat er uns dazu diesen Mund gegeben, der Wahrheit aus dem Herzen ins fremde Herz zu streuen vermag, und diese Hand, die der Hand des widerstrebenden Bruders etwas von der Wärme unseres Blutes mitteilt? Hat er uns zu solchem Zweck fähig gemacht,

auch die Söhne des Satans zu lieben? All unsere Lehre ist falsch, wenn wir uns weigern, sie an ihnen zu erproben. Wohl, gegen sie kämpfen um Gottes willen, unerbittlich kämpfen, aber doch um für ihn die Burg zu erobern, die siebenfach umschanzte Burg ihrer Seele, doch nicht um alles hinzumetzeln ihm zu Ehren! Und wie dürfen wir gegen sie kämpfen, wenn wir's nicht zugleich gegen uns tun? Sind denn Starrheit und Stumpfheit, Trägheit und Tücke nur bei ihnen und nicht auch bei uns? Wenn wir das vergäßen, wenn wir den Widerspruch, statt ihn zunichte zu machen, bis ins Urfeuer hinein vertieften, wären wir da nicht mitten im Ringen gegen Satan selber die Seinen geworden?«
Der Wind hatte sein Werk getan. Die Wolken umlagerten noch den Himmel, aber da und da waren sie gelockert, an einzelnen Stellen geschah es wie die Arbeit mächtiger Bohrer, die schlugen Löcher und drangen vor. Jetzt blinkten, noch scheu, etliche Sterne hindurch. Die aufschauenden Freunde konnten den Ort der Mondsichel ahnen.
»Rabbi«, sagte Bunam, »in der Stadt Pžysha in der Radomer Gasse ist eine Apotheke. Irgendwo unweit davon steht ein Haus, das auf Euch wartet. Ich kenne es noch nicht, aber ich werde es schon finden. Laßt Euch dort nieder und erlaubt mir, Euch zu helfen und Euer erster Schüler zu sein.«
Der »Jude« schwieg, tief betroffen.

Ein Traum

Als in später Nachtstunde der junge Jaakob Jizchak zur Ruhe gehen wollte, verspürte er an seinem ganzen Wesen eine ungewohnte Wachheit, und es schien ihm einen Augenblick lang, es sei sinnlos, jetzt an den Schlaf zu denken. Dann aber wußte er wieder, daß er sich bloß hinzulegen brauche, um sogleich, ohne Übergang, einzuschlummern; denn so begab es sich Nacht um Nacht, seit er in Lublin war, ganz anders als früher, wo ihn die Bewußtheit des Taglebens stets noch lange Stunden festhielt. »Wie ist das?« sprach er zu sich. »Wenn man mich fragen wird, was ich in Lublin gelernt hätte, werde ich doch alles andre nicht sagen können, weil es unsagbar ist, und nur das eine werde ich zur Antwort berichten, daß ich hier einschlafen gelernt habe. Aber was heißt das? Wie geht das zu, daß ich sogleich einschlafe? Es geht so zu, daß ich mich hergebe. Wie in mütterliche Arme gebe ich mich her. All mein Widerstand fällt im Nu ab und ich gebe mich her.« Und da kam ihm in den Sinn, daß er sich vermessen hatte, dem Rabbi zu sagen, es sei der geheime Sinn des Tauchbads, daß man sich hergebe.»Wie töricht ich bin!« sprach er zu sich.»Er weiß ja selber alles. Ich habe es ja von ihm gelernt. Und dennoch–«. Er sann nach, konnte aber, so wach und klar er war, nicht finden, was auf dieses»und dennoch« zu folgen hatte. Er verstand, daß es etwas Entscheidendes war, wichtiger als alle bisherige Erkenntnis seines Lebens, aber er konnte es nicht finden. So gab er es auf, bestieg das Bett und sprach sitzend das Nachtgebet:»Herr der Welt, ich vergebe jedem, der mich erzürnt und gekränkt hat oder der sich gegen mich vergangen hat ... Kein Mensch werde meinethalb bestraft. Es sei der Wille vor dir, Herr, mein Gott und Gott unserer Väter, daß ich mich nicht vergehe und dich nicht wieder erzürne ...« Er streckte sich aus und war sogleich entschlafen.

Die Nacht verging in einer gelinden Ruhe. Aber in der Zwitterweile zwischen Dunkel und Dämmerung kam wieder einer von den schweren Träumen.

Auf einer ausgeglühten Brandstätte stand er, der Träumer, und spähte in ein mattes graues Licht hinein. Da erschien von dort her ein Mann, auf einem Büffel reitend, der sehr langsam vorwärts kam. Der Mann hatte einen langen schwarzen Mantel mit silbern eingestickten Zeichen an und in der Hand einen gewundenen Stab, der nicht verheimlichen konnte, daß er eine Schlange war. Der Büffel blieb stehen und keuchte, als hätte er über Gebühr rennen müssen. Wie der Träumer das sah, lachte er den Büffel aus, und da war der Büffel nicht mehr da. Dann lachte er die Schlange aus, und da war sie nicht mehr da. Aber wie er nun auch den Mann auslachen wollte, der jetzt auf der Erde stand, kam er mit dem Lachen nicht über das Gewand hinaus. Denn als es dem Mann vom Leibe schwand, war der nackte Leib, den es jetzt allein noch gab, aus Feuer, und als der Träumer weiter zu lachen versuchte, erstickte er fast und merkte, daß sich Feuer nicht auslachen läßt. Nun aber hob der Mann die Hand, und plötzlich war alles wieder da, Kleid und Schlange und Büffel, und dazu war jetzt noch eine Krone auf dem Kopf des Mannes. Es war eine richtige Goldkrone, wie man sich Kronen vorstellt, aber das Gold war flüssig, nur daß es nicht herunterrann, sondern haften blieb. Zu lachen ging nun nicht mehr an. Der Mann sagte etwas zu dem Büffel, und der Büffel nickte. Darauf hob der Gekrönte den Schlangenstab über den Träumer und murmelte. Die Schlange spie ihr Gift, aber der Träumer blies es ohne Anstrengung hinweg. Nun schwang der Mann den Stab. Die Schlange wand sich und wollte den Träumer umschlingen, aber er pfiff gegen sie und sie ließ von ihm ab. Als der Mann im schwarzen Mantel das sah, warf er den Stab zu Boden. Der Stab richtete sich auf und verwandelte sich zugleich in eine Puppe im schneeweißen Hemd und mit bloßen Füßen. Ihr Kopf war der Kopf einer toten Frau, aber er redete.»Ich bin es«, sagte der Kopf.»Du bist es«, wiederholte der Träumer.»Ich bin Vögele«, sagte der Kopf. –»Du bist Vögele.« –»Ich bin Schöndel Freude.« –»Du bist Schöndel Freude.« –»Ich bin Vögele Freude«, sagte der Kopf. Da fiel der Träumer nieder, der Traum hob sich von ihm, und er erwachte. Aber er wagte nicht, sich wach zu glauben.

Der Schatten Elimelechs

Am zweiten Festtag nach dem Morgengebet nahm David von Lelow den »Juden« in die Herberge mit.»Ich muß mit dir reden«, sagte er. Als sie aber beisammen saßen, schwieg er lange. Der »Jude« war das an ihm gewohnt und fand es nie beschwerlich; der Lelower gehörte zu den Menschen, welche die Goldprobe, die Probe des Miteinanderschweigens, herrlich bestehen. Diesmal aber war ein besonderes Hindernis zu spüren. Endlich begann er:»Jaakob Jizchak, ich muß jetzt etwas tun, was ich aus eignem Antrieb nie versucht habe, auch genötigt habe ich es nur sehr selten unternommen, – ich muß von andern Leuten erzählen. Ich muß es tun, denn nur so kannst du zu verstehen bekommen, was zu verstehen für dich wichtig ist. Als ich dich herbrachte, habe ich, soviel ich auch wußte, doch nicht gewußt, in welche Strömung ich dich im schmalen Boote schicke. Nun, da ich es weiß, muß ich dir mehr sagen. Von andern erzählen ist für mich kein leichtes Ding, aber diese Sache zu erzählen, von der du erfahren sollst, ist aus-

nehmend schwierig. Es ist da etwas, was sich dagegen wehrt, erzählt zu werden. Aber es muß eben sein.
Man sagt von einem großen Zaddik, er sei der Führer des Geschlechts. Was heißt das, ein Führer sein? Um zu führen, muß
man den Weg wissen. Aber das ist nicht genug. Um den Weg zu
führen, den man weiß, muß man auf ihm vorangehn. Ein Drittes
jedoch gehört noch dazu. Man muß die Schar, die man führt,
wahrhaft beisammen halten. Beisammen, das ist noch was andres
als gemeinsam dem Vordersten nachlaufen. Ein Leithammel ist
kein Führer. Beisammen, das ist: einer mit dem andern vertraut,
einer dem andern zugetan. Rabbi Elimelech war ein großer Zaddik. Unter seinen Schülern war Eintracht und Einvernehmen.
Nicht unter den Schülern allein – wer immer mit ihm Umgang
hatte, empfing jenes ›Beisammen‹ ins Herz. Vor kurzem ist mir
eine alte Frau begegnet, die noch vor meiner Zeit als Magd in
seinem Haus gedient hatte. Ich fragte sie, was ihr vor allem im
Gedächtnis geblieben sei. ›Ich weiß nichts Besondres zu berichten‹, sagte sie, ›aber woran ich mich am stärksten erinnre, ist
dies. Unter der Woche war allweil Streit in der Küche, wie es bei
Mägden so der Brauch ist. Aber am Vorabend des Sabbats, nachdem der Rabbi uns Gut-Sabbat! gesagt hatte, kam etwas über
uns, daß wir einander um den Hals fielen und eine die andere
bat: Mein Herz, vergib mir, was ich dir diese ganze Woche angetan habe.‹ Das war's. Er brauchte es den Menschen nicht einzu-
flößen, sie atmeten es in seiner Umgebung ein. Er hielt die Schar
beisammen, indem er da war.
Unser Rabbi war auf Rabbi Elimelechs Hof das Oberhaupt der
Schüler. Von den Großen unter ihnen wurde keiner auch nur
von einem Gedanken heimgesucht, ihm den Platz streitig zu machen. Der Zaddik selbst, der, besonders mit zunehmendem Alter,
sich nicht mit Angelegenheiten zu befassen liebte, die auch von
andern besorgt werden konnten, pflegte immer öfter, wenn man
um eine Entscheidung zu ihm kam, den Leuten zu antworten:
›Geht zu Rabbi Itzikel!‹ So wurde unser Rabbi ja allgemein genannt.
Einmal fehlte unser Rabbi am Tag der Freude an der Lehre. Ich
war damals noch nicht in Lisensk, aber Rabbi Elimelechs Sohn
Eleasar hat mir erzählt, wie es zuging. Er sah, wie verstört sein

Vater war, und fragte ihn, warum er sich von der Abwesenheit des einen Schülers so bestimmen lasse, es seien doch andere da, die dem nicht nachstünden. ›Du weißt doch‹, sagte Rabbi Elimelech, ›daß mir alljährlich an diesem Tag alle Schüler helfen, das himmlische Heiligtum aufzurichten, jeder bringt eins der heiligen Geräte hinein, ihm aber liegt es ob, die Lade hineinzubringen, und wenn er nicht hier ist, kann ich noch so oft zu Gott rufen: ›Erhebe dich, Herr!‹, es ist umsonst.

Nun ist dir ja bekannt, Jaakob Jizchak, daß sich mit Rabbi Elimelech etwa sieben Jahre vor seinem Tode, also sieben Jahre ehe er siebzig wurde, eine merkwürdige Veränderung vollzog, aber du stellst sie dir gewiß nicht so groß vor, wie sie war. Er löste sich, nicht mit einem Mal, aber immer mehr, von den Dingen der Welt ab, nicht bloß sein Wille und sein Wissen, sondern auch sein ganzes körperliches Dasein. Sein Gesicht verklärte sich, der Blick glitt von jedem Gegenstand ab und kehrte sich wie nach innen, er ging fast nur noch auf den Zehen – das war seltsam anzusehen, denn er war noch höher gewachsen als unser Rabbi – und hob zuweilen, ohne Anlaß von außen, den Arm zu einer abweisenden Gebärde. Zu den Schülern, von denen er stets viel gefordert hatte, wurde er überstreng, er redete sie nur noch knapp an und seine Augen sahen dabei wie verwundert drein. Unter den Jüngeren gab es einen Kreis, in dem er für altersschwach galt; aber in Wahrheit war er größer als je, nur daß ihm der Umgang mit menschlichen Wesen immer schwerer fiel: sie machten ihn ungeduldig, – Rabbi Israel von Kosnitz sagte: deshalb weil sie allesamt so ungeschickt waren, er mußte sie nämlich mit den durch seine eigenen Taten entstandenen Engeln vergleichen, die ihn umgaben.

Es ist nicht zu verwundern, daß sich mehrere Schüler damals unserm Rabbi anschlossen, der sich um eines jeden Person und Ergehen freundlich bekümmerte. Ein Übelwollender, den ich nicht nennen will – er ist vor seiner Zeit gestorben –, gab ihm den Spitznamen Absalom, weil er ihn mit dem Sohn Davids verglich, der sich frühmorgens im Torweg aufstellte und den Leuten, die zum König mit Anliegen kamen, schöntat. Dergleichen hat unser Rabbi aber niemals getan.

Einmal kam unser Rabbi von einer Fahrt nach Lisensk und er-

zählte einem Gefährten, er habe unterwegs in einem Wald zwei
ungewöhnlich große Bäume gesehen, der eine breit und mächtig,
der andre schlank, der erste aber habe in der Höhe keine Zweige
mehr entsendet, sondern sei mit all seiner Kraft dem Himmel
entgegengewachsen, dieweil der schwächere bis oben in gleich-
mäßigem Laubwerk stand. Bald danach hatte er ein langes Gespräch mit Rabbi Elimelech, wonach er in Lanzut, das ja nicht
weit von Lisensk liegt, Aufenthalt nahm. Man erzählte sich, in
jenem Gespräch habe sein Lehrer ihn ermächtigt, eine eigne Gemeinde zu führen; ich halte es aber aus guten Gründen mit denen,
die sagen, er habe ihn nur nach Lanzut gehen heißen, die Ermächtigung aber habe erst viel später nachträglich, nämlich ein Jahr
vor dem Tode Rabbi Elimelechs stattgefunden. Mich selbst fragte
einmal, bald nach jenem Gespräch, Rabbi Kalman mit Bedeutung,
ob ich wüßte, wie groß die Verklärung des Propheten Elia in der
letzten Zeit seines Erdenweilens gewesen sei. Als ich keine Antwort gab, sagte er: ›Seine Zeitgenossen haben ihn nicht mehr erfassen können, es war auch nicht mehr möglich von ihm Weisungen für die Lebensführung zu empfangen. Damals sprach Gott
zu Elia: Ihr Verstand reicht nicht mehr bis zu deiner Klarheit
und Heiligkeit, darum salbe den Elisa zum Künder an deiner
Statt; er ist kleiner als du, und sie werden ihn erreichen und Lebensführung von ihm ihrem Verstande nach lernen können.‹
Rabbi Elimelech schickte jedenfalls selbst allerhand Leute, mit
denen er sich nicht abgeben mochte, nach Lanzut, beachtete aber anscheinend zunächst nicht, daß sich viele, sonderlich von den jüngeren Schülern, ohne ihn zu fragen hinkehrten. An der Wendung der
Dinge habe ich selber, wiewohl nur als Gegenstand, teilgenommen. Unser Rabbi pflegte damals von Zeit zu Zeit über Sabbat
nach Lisensk zu kommen, und zwar in Gesellschaft seines Gabbai.
Als ich, nachdem ich eine Weile dort gewesen war, erfuhr, er sei
eben gekommen, ging ich in seine Herberge ihn zu begrüßen. Es
war Freitags kurz vor Sonnenuntergang. Nach der Begrüßung
beeilte ich mich zu gehen, da die Stunde sich zu längerem Aufenthalt nicht eignete, aber der Rabbi rief mich zurück. ›Rabbi David‹, fragte er laut, ›wißt Ihr, wann Sabbat wird?‹ ›Das weiß ich
wohl‹, antwortete ich ihm, ›meine Hand sagt es mir an‹. Und ich
zeigte ihm mein Handgelenk, an dem die Adern eben, wie immer

bei Sabbatanbruch, zu schlagen begannen. ›Wenn Ihr also doch wißt, wann Sabbat wird‹, sagte der Rabbi, ›will ich Euch eine Geschichte erzählen. Eine Hauptmannstochter hat sich einst in einen Generalssohn verliebt, und obzwar dergleichen gegen die Ordnung zu sein scheint, erwies sich die Bestimmung von oben stärker als die Ordnung und sie vermählten sich miteinander. Habt Ihr gehört, was ich Euch erzählt habe?‹ Ich nickte. ›Ja‹, sagte ich, ›das ist das Geheimnis, von dem im Buche ‚Die Frucht des Lebensbaums‘ geredet wird: wie sich an den Werktagen, um die gefallenen Mächte zu läutern, die oberen Welten mit den von unten nach ihnen begehrenden vermählen, ehe mit dem Anbruch des Sabbats die Erschaffung neuer Seelen beginnt‹. Der Rabbi umarmte mich. ›Bleibt mir nah‹, sagte er. Ich habe aber erfahren, daß ihn Rabbi Elimelech, als er ihn begrüßen kam, mit den Worten empfing: ›Du kommst her, mir meine Chassidim wegzuholen. Warte doch, dann fällt dir alles zu.‹

In Lanzut sammelte sich in der Zeit danach eine immer größere Gemeinde. Ich selbst habe auch angefangen, zuweilen hinzufahren, bis es so kam, daß ich mehr dort als in Lisensk war. Du mußt das verstehen, Jaakob Jizchak: Rabbi Elimelech hatte kein Auge mehr für einen. Er ging jetzt wie eine Wetterwolke zwischen den Schülern hindurch.

Auf dem Weg von Lisensk nach Lanzut liegt ein Städtchen, in dem ein Schüler Rabbi Elimelechs als Kinderlehrer lebte. Auch ihn zog es zu unserem Rabbi. Einmal war er über den Sabbat in Lanzut. Rabbi Elimelech scheint dies verspürt zu haben, denn sogleich nach Sabbatausgang fuhr er in jenes Städtchen, erschien im Hause seines Schülers und fragte nach ihm. Die Frau antwortete, er sei ausgegangen und würde sehr bald heimkommen. Sie ging ihrem Mann entgegen und versuchte ihn zu einer Ausflucht zu bewegen, aber er weigerte sich, seinem Lehrer etwas anderes als die Wahrheit zu sagen. Als Rabbi Elimelech ihn fragte, wo er gewesen sei, antwortete er: ›Der Rabbi haust im siebenten Firmament und unsereiner kann nicht mehr zu ihm gelangen, aber in Lanzut ist eine Leiter, auf der kann man bis in den Himmel von Lisensk hinaufklettern.‹ ›Kluggeschwätz!‹ rief Rabbi Elimelech, ›troll dich!‹ Es heißt, der Mann habe sich in der andern Stube hingelegt und sei nicht mehr aufgestanden; nach einer Woche sei

er tot gewesen. Rabbi Elimelech aber war nach Lanzut weiter-
gefahren. Er kam mitten in der Nacht zu unserem Rabbi. Was sie
miteinander sprachen, weiß niemand. Man erzählt sich, Rabbi
Elimelech habe an unsern Rabbi eine Forderung gestellt, die dieser ablehnte – wie man sagt, mit einem Gleichnis aus dem Leben
Sauls, der erst das Königtum nicht wollte und sich hernach vergeblich daran klammerte; aber niemand hat das Gespräch belau-
schen können, keiner von den beiden hat davon sprechen können,
und ich glaube nicht, was darüber erzählt wird. Dagegen hat mir
viel später Rabbi Elimelechs Sohn Eleasar berichtet, sein Vater
habe nach der Rückkehr den Namen des Ungetreuen ausgesprochen und habe dann etwas vor sich hingemurmelt, das wie eine
Verwünschung klang. Eleasar erinnerte ihn daran, daß er doch
selber den Schüler habe nach Lanzut gehen heißen. Darauf erwiderte Rabbi Elimelech etwas, was der Sohn nicht verstand und
was auch ich erst allmählich begriffen habe. Er sagte, und es hätten ihm die Tränen in den Augen gestanden: ›Aber ich will noch
leben‹. Niemand kann annehmen, daß er, der Abgeschiedene, am
irdischen Leben hing, und wie wäre im übrigen dieses durch jene
Gemeindebildung gefährdet gewesen? Das Wort ›leben‹ ist nicht
anders zu verstehen, als daß er auf Erden noch etwas einsetzen
und etwas vollbringen wollte. Was das war, weiß niemand, aber
es war offenbar etwas, das den Gedanken unseres Rabbi ent-
gegenstand und daher durch seine Unternehmungen in Frage gestellt wurde. Ich habe Rabbi Hirsch, den Schüler unseres Rabbi,
sagen hören: ›Einen Lehrer wie den Rabbi Melech hat es seit den
Tagen der Tannaim und Amoraim nicht gegeben, aber bessere
Augen hat unser Rabbi‹. Ich aber habe seither erkannt, daß die
Augen, so wichtig sie sind, nicht das Wichtigste am Menschen
sind. Das Wichtigste ist, um was es den Augen zu tun ist, wenn
sie schauen. Das aber bestimmen nicht die Augen.
Sicher ist, daß unser Rabbi damals – das ist vor zehn Jahren gewesen – seine Gemeinde aufgab und den Fluß San entlang nord-
westwärts in die Stadt Rozwadow fuhr. Da hat er ein Jahr lang
gelebt. Wenn man die Stadt vor ihm nennt, pflegt er zu sagen:
›Rozwod heißt auf Polnisch Ehescheidung‹. Er fand aber auch
dort keine Ruhe, sondern kehrte zunächst für kurze Zeit nach
Lanzut zurück. Dann fuhr er nach Lisensk und erhielt, wie ich

später erfuhr, von Rabbi Elimelech Vergebung und Ermächtigung. Damals hat er seinem Lehrer mitgeteilt, daß er aus der Gegend fortzuziehen gedenke. In der Tat ging er bald danach in die Nähe von Lublin. Im darauf folgenden Jahr starb Rabbi Elimelech. Unser Rabbi aber hat hier – bei und in Lublin – sieben Jahre warten müssen, bis die Lubliner Gemeinde, deren Führer großenteils der chassidischen Lehre abhold waren, ihm das Bürgerrecht verlieh und ein ihm Wohlgesinnter ihm, der damals in einem Häuschen am Stadtrand wohnte, den Baugrund schenkte, auf dem jetzt sein Haus steht. Das war vor etwa einem Jahr.« Dies ist es, was Rabbi David von Lelow damals dem »Juden« erzählte. Ich darf aber nicht unerwähnt lassen, daß eine Sage Schenkung und Erbauung in den November nach den hier erzählten Vorgängen verlegt. Damals hat bekanntlich Suworow die Niederwerfung des polnischen Aufstands beendigt. Unter den im Kampf um Warschau Gefallenen war fast die ganze jüdische Legion. Als die Vorstadt Praga brannte und das Gemetzel der polnischen und jüdischen Bevölkerung im Gange war, stand, wie die Sage berichtet, in Lublin der Seher am Fenster und schaute über die Ferne nach dem Ergehen derer aus, die er drüben kannte. Einem der vornehmsten Juden von Lublin habe er mit genauer Richtigkeit ausgesagt, seine Tochter in Warschau stehe im geblümten Hauskleid in ihrer Stube und wiege ihr Kind. Zum Dank habe der reiche Mann ihm den Baugrund geschenkt. Ich bin einer anderen Überlieferung gefolgt.

Tod und Leben

Als der »Jude« in der Nacht nach dem Fest in seine Herberge zurückkehrte, kam er an einer angelehnten Tür vorbei, durch die Psalmverse, von einer brüchigen Stimme gesprochen und von matten Stöhnlauten unterbrochen, zu ihm drangen. Er blickte hinein und erkannte beim Kerzenschein in dem auf dem Bett Liegenden einen Mann, dessen Sohn, wie ihm bekannt war, vor kurzem einer Enkelin des Maggids von Kosnitz verlobt worden war. Er wußte wohl, daß dieser Kranke seit der Woche nach dem Passahfest hier wohnte, und hatte ihn wiederholt besuchen wollen, aber man hatte ihm jedesmal gesagt, er lasse niemanden außer

dem Rabbi vor. Jetzt brachte er es aber nicht mehr über sich
vorüberzugehen, denn der Kranke schien schwer zu leiden, und
niemand befand sich bei ihm als ein junger Mann, der offenbar
sein Sohn war. Der »Jude« fragte diesen, ob er ihm nicht behilf-
lich sein könne, aber der Jüngling brach nur in Tränen aus, ohne
ein Wort hervorzubringen. Da bemerkte Jaakob Jizchak, daß der
Kranke zu stöhnen aufgehört hatte und mit unsicheren Augen
die seinen zu suchen schien. Er trat näher und richtete an ihn wie
aus alter Bekanntschaft ein halb Auskunft heischendes, halb er-
munterndes Wort. »Ich muß sterben«, sagte der Liegende. In diesem Nu, vom Blick des fast fremden Mannes getroffen, reifte dem
»Juden« mit einem Mal die Frucht seiner Leiden. »Gewiß müßt
Ihr das«, sagte er und lachte dem ihn immer noch Anblickenden
zu, »aber doch wohl noch nicht sogleich.« »Ich muß bald sterben«,
sagte der Mann. »Das ist keinem Sterblichen mit solcher Sicherheit
zu wissen gegeben«, antwortete der »Jude«. »Wohl«, fuhr er
fort, »ich kenne das: man ist wund an Gliedern und Eingeweiden,
man ist zu Tode müd, und man meint, ein Geringes noch, ein
Zupfen an der Schulter, ein Hauch in den Nacken, und schon ist
man hinüber. Aber das alles ist oft nur eine Frage an einen, ob
es einem recht ist, daß mit ihm ein Ende gemacht werde. Holt er
seine letzte Kraft zu einem Nein zusammen, vielmehr zu einer
Bitte über den Kopf des fragenden Engels hinweg an den Herrn
selber, nun, dann kann es wohl sein, daß die Hand, die sich schon
nach ihm streckte, von ihm läßt.« »Nicht so«, sagte der Mann wie
flehend, »ich weiß, daß meine Stunde naht.« – »Woher wißt
Ihr's?« – »Ich weiß es.« »Vergeßt, was Ihr zu wissen meint«, forderte der »Jude« mit verhaltener Mächtigkeit, »und wendet Euch
dem Herrn des Lebens zu.« Der Kranke schwieg, aber der es
unternommen hatte ihn zurückzuholen merkte, daß etwas geschah. Die Augen verließen die seinen und schlossen sich, auch der
Mund war ruhig geschlossen, der abgezehrte Leib schien sich zum
ersten Mal seit langer Zeit zu entspannen. Eine Weile verging.
Tropfen eines sanften Juniregens tippten an die Fensterscheiben,
die Wanduhr schlug, der »Jude« stand still und hilfreich an seinem Platz. Wieder schlug die Uhr. Der Kranke öffnete Augen
und Lippen. Er blickte jetzt irgendwohin. »Gesegnet seist du,
Herr unser Gott«, flüsterte er. Der Schluß des Segens war nicht

zu hören. »Geh in die Wirtsstube hinunter«, sagte der »Jude«
zum Sohn, »und laß dir einen Krug Met geben.« Der Jüngling
sah ihn bestürzt an und ging. »Jetzt wollen wir einander ›zum
Leben‹ zutrinken«, sagte der »Jude« zum Kranken und hielt ihm
den Krug an den Mund. Der Kranke tat einen tiefen Zug, noch
einen, und schlief sogleich ein. Ein leichter Schweiß legte sich ihm
auf die Stirn. Die Uhr schlug zwei. Der »Jude« setzte sich ans
Bett und wachte bis in die Morgendämmerung. Da konnte er
deutlich sehen, daß zum Leben entschieden war.
Es verhielt sich aber mit diesem Mann folgendermaßen. Er war
ein Schüler des Sehers, kam jedoch nur selten nach Lublin. Als der
Rabbi zum letzten Mal in Kosnitz war und der Mann ebenfalls
hinkam und ihn begrüßte, betrachtete er ihn lange. »Ihr müßt
Euch rüsten, in diesem Jahr zu sterben«, sagte er dann. Nach Passah kam der Mann mit seinem Sohn nach Lublin und brachte seinen Sterbekittel mit. Daheim hatte er weder seiner Frau noch
sonst irgend jemand etwas vom Spruch des Rabbi mitgeteilt.
Auch in Lublin erfuhr niemand davon. Nur dem Sohn hatte er,
nachdem der zu schweigen geschworen hatte, sich anvertraut. In
Lublin aß und trank er fast nichts, schlief kaum und verbrachte
die Zeit mit Beten und Lernen. An jedem Abend ging er, wenn
ihn niemand sah, zum Rabbi und ließ sich von ihm segnen. Sonst
verkehrte er mit keinem Menschen. Nach ein paar Wochen erkrankte er und lag seither in der Herberge. In der siebenten
Woche nach Passahbeginn wurde er gewiß, es eile nun zum Ende,
und am zweiten Tag des Offenbarungsfestes sagte er zum Sohn:
»Man muß sich bald bereiten.«
Am frühen Morgen – der »Jude« hatte sich vor kurzem in seine
Stube begeben – kam der Rabbi, unmittelbar nach dem Tauchbad,
nach dem Kranken zu sehen.

Urlaub

Später am Tag sagte der Rabbi zum »Juden«: »Du hast, wie es
scheint, einen Mann gerettet, der dem Tode verfallen war. Womit
hast du das bewirkt?« »Ich habe nichts getan«, antwortete der
»Jude«, »als daß ich ihm gut zugeredet habe.« – »Zugeredet?« –
»Ja. Daß er sich vom Tod nicht zwingen lassen solle.« Der Rabbi

blickte ihn groß an. »Wovon sprichst du da?« — »Wovon sonst, Rabbi, als vom Tod und vom Leben?« Der Rabbi betrachtete ihn aufmerksam. »Du siehst erschöpft aus, Jaakob Jizchak«, sagte er, »du hast in der letzten Zeit zu viel und zu vielerlei Arbeit gehabt. Du solltest nun eine Weile feiern.«»Heißt das«, fragte der »Jude«, »daß Ihr mir Urlaub gebt von meinem Amt?« »Das heißt es«, antwortete der Rabbi und fügte lächelnd hinzu: »Ich entlasse dich nicht.«»Ich hoffe zu Gott, daß Ihr mich nie entlassen werdet«, sagte der »Jude«. »Ich werde von Euch nie lassen, Rabbi, wenn Ihr mich nicht entlasset.« Wieder sah ihm der Rabbi in die Augen. Ein Schüler erzählt, wenn man dem »heiligen Juden« in die Augen sah, habe man ihm ins Herz gesehn.

An diesem Tag, der ein Freitag war, kam am frühen Nachmittag eine Unruhe über den »Juden«. Es hielt ihn nicht zwischen den Mauern eines Hauses, sei es auch das Lehrhaus. Er ging durch die Gassen, die zum Teil schon in sabbatlicher Sauberkeit strahlten, mitten zwischen den Rennenden und Schlendernden hindurch. Er sah alle und keinen. Er bog von der Breiten Gasse mit ihren hohen Giebelhäusern in die Schloßgasse ein, stand lang am Judentor, durchschritt die lange Schneidergasse, die mit dem Gewirr ihrer mit Altanen geschmückten, krummstiegigen, von der Schwelle bis zum Dach zerbeulten Häuser den Schloßhügel von hinten umzieht, kam in die Fleischergasse, von der einst der Bau der Judenstadt seinen Anfang genommen hatte, und betrat den Friedhof, der noch älter als sie ist. Er sprach den Segen: »Gesegnet seist du, Herr unser Gott, König der Welt, der euch gebildet hat im Gericht und euch ernährt und erhalten hat im Gericht und euch getötet hat im Gericht, und euer aller Zahl kennt im Gericht, und euch künftig wiederbelebt im Gericht. Gesegnet seist du, Herr, der die Toten belebt.« Dann stieg er zwischen Gesträuch und den sich nach oben hin mehrenden, oft schiefen, oft zerspellten Leichensteinen den schmalen Pfad zum baumbestandenen Kamm hinan und sah auf das Franziskanerkloster tief im Tale nieder. Nun kehrte er, die Fleischergasse an Bet- und Lehrhäusern der Gemeinde vorbei zu Ende gehend, in die Breite Gasse zurück, aber nur noch stärker widerstrebte ihm jedes Haustor, und er mußte einen neuen Rundgang beginnen. Jetzt sah er all die sich von der Mühsal der Woche für die Einkehr in den heiligen Tag bereitenden Leute auf eine andere Weise an. »Wie gut«, mußte er in seinem Herzen bedenken, »daß ich euch nicht Urwesen und ewiges Schicksal von euren Gesichtern ablesen kann! Wie gut, daß ich in all meiner Einsamkeit doch nicht über euch stehe!« Aber der Gedanke beschwichtigte sein Herz nicht, die Unruhe trieb ihn weiter, und jetzt konnte er eine Weile lang nicht stehen bleiben. Als er an dem am Schloßberg klebenden Bethaus der »Läufer«, das ist: der wandernden Kürschner, vorbeiging, kamen ihm seine eignen Wanderungen in den Sinn. »Wandere ich nicht noch immer?« fragte er sich. Zugleich aber überfiel ihn wieder einmal der Gedanke an die wandernde Schechina, wie sie einst – hatte nicht damals an dem langen Tisch jemand davon gesprochen? – Rabbi Levi Jizchak erschien, gesenkten Hauptes in der Gerbergasse verweilend. Nun erst blieb er selber vor der »Läuferschul« stehen. Plötzlich merkte er mit jäh aussetzendem Herzschlag, daß die eben noch von Getümmel durchzogene Gasse wüst und ohne Laut war. Der Himmel stand in Flammen. Im selben Augenblick kamen sie inmitten einer Pelzduftwolke herangetrabt, die Läufer, sie füllten die Gasse, jeder statt der gewohnten Hasen- und Kaninchenfelle ein Bärenfell über den Schultern, in der Hand den Gebetkapselnbeutel. »Um des Herrn willen, was ist's mit euch, Brüder!« rief der »Jude«, »was habt ihr mit den Beuteln, ihr braucht sie doch jetzt nicht mehr, es ist doch bald Sabbat!³« »Kein Sabbat!« murmelten sie, »es gibt keinen Sabbat mehr!« »Der Sabbat kommt, Brüder«, schluchzte er, »er kommt!« Die Bären umtanzten ihn und schüttelten die Beutel, in denen es wie von Knochen schepperte. »Nie kommt der Sabbat wieder!« brummten sie im Chor und streckten die Hälse auf den »Juden« zu. Er sah in einigen Bärenköpfen Gesichtszüge von Lubliner Schülern – Simon, Meïr, Eisik, jetzt grinste ihn das einfältige Gesicht Jekutiels an. »Höre Israel!« schrie er auf und fiel zu Boden. Tags darauf bei der »dritten Mahlzeit« war der Stuhl des »Juden« leer. Als es schon ganz dunkel war, spürte in dem dichten Menschengewühl, das die Tische umgab, ein Mann, daß sein eben erst herzugekommener Nachbar, den er nicht sehen konnte, wie ein Fieberkranker zitterte. »Warum stehst du hier?«, flüsterte er

---

³ Am Sabbat und an den Festtagen werden die »Gebetkapseln« nicht, wie sonst beim Beten, an Stirn und linken Arm gelegt.

ihm zu,»geh heim und lege dich hin!«Er bekam keine Antwort,
und der Angeredete blieb an seinem Platz. Als das Licht angesteckt wurde, erkannte der Mann, daß es der »Jude« war, der
neben ihm stand. Aber jetzt zitterte er nicht mehr.

Bunam und der Seher

Die Gespräche mit Bunam, dem seltenen Besucher, waren dem
Rabbi noch lieber als die mit Naftali. Naftali brachte ihm
Nachrichten aus der Welt in die Stube, aber Bunam die Welt
selber. Über politische Ereignisse war mit diesem freilich nicht zu
reden; er suchte sie sogleich in menschliche umzusetzen – es war,
als ob er darauf bedacht wäre, eine Tünche, die auf die schlichte
Holzfarbe unseres Lebens gestrichen ist, schnell und gründlich ab-
zukratzen. Aber wenn man mit ihm über die menschlichen Tatsachen sprach, war er unerschöpflich an Erinnerungen, Geschichten, Beispielen. Viel später, in seinem Alter erzählte er, er habe
einst im Sinn gehabt ein Buch zu schreiben, das sollte »Adam«
heißen und es sollte darin stehen der ganze Mensch; dann aber
habe er sich besonnen, es sei besser, das Buch nicht zu schreiben.
Dieses ungeschriebene Buch schlug sich auf, wenn man ihm zuhörte.

Diesmal hatte der Rabbi jedoch noch etwas Besonderes im Sinn,
als er am Abend nach Sabbatausgang aus seiner Haustür und zu
Bunam trat, der sich, seine lange Pfeife aus rötlichem Weichsel-
holz rauchend, unter den Ulmen erging. Er ließ ihn nicht rufen,
ja er tat etwas ganz Unerhörtes: er schloß sich dem Schüler an
und ging, die kleine Meerschaumpfeife im Mund, die er außerhalb des Hauses bevorzugte, mit ihm unter den Bäumen auf und
nieder. Die Ulmen waren besonders mißgewachsen; aber jetzt
im Juni standen sie in ihrem schönsten Laub.

»Bunam«, sagte der Rabbi,»erinnerst du dich, wie du zum ersten
Mal nach Lublin kamst?«

»Wie sollte ich nicht?« antwortete Bunam.»Das war bald nachdem Ihr Euren Wohnsitz hier genommen habt. Ich kam mit Rabbi
David, sah Euch einige Tage lang nur von fern und hörte Euch
dann am Freitagabend Thora sagen. Ich habe nicht verstanden,
was Ihr sagtet, aber das habe ich verstanden: die kommende Welt

ist hier in dieser Welt bei diesem Rabbi. Nach dem Tischgebet seid
Ihr in Eure Stube gegangen und an mir vorbeigekommen, habt
mir die Hände auf die Schultern gelegt und zu mir gesagt: ›Bunam, halte dich an mir fest und der heilige Geist wird über dich
geraten und die Menschen werden zu dir gelaufen kommen, um
zu hören, was du ihnen von dort zu eröffnen hast.‹«
»Du hast mir damals nichts erwidert«, sagte der Seher.
»Wie sollte ich auch?«, sagte Bunam. »Das war ja etwas ganz anderes als um dessen willen ich hierher gefahren war. Für den
heiligen Geist bin ich wahrhaftig kein würdiges Gefäß, und daß
die Menschen zu mir gelaufen kommen, ist mir gar nicht er-
wünscht.«
»Und doch bist du wiedergekehrt?«
»Freilich, und diesmal über Neujahr und Versöhnungstag. Weil
ich von Euch ja eben doch das bekam, was ich suchte, das aber,
was Ihr mir anbotet, nicht genötigt war anzunehmen.«
»Und was war es, das du suchtest?«
»Den Umfang der Seele kennen zu lernen.«
»Das also hast du hier gefunden?«
»Ja.«
»Und wie war es, als du damals zum zweiten Mal kamst? Da
kann es dir doch nicht darum zu tun gewesen sein.«
»Nein.«
»Ich hatte damals vor dem Neujahrsfest gesagt, alle, die das Wid-
derhorn blasen könnten, sollten sich bei mir melden. Weißt du
es noch?«
»Ja. Ich habe mich dann gemeldet, obwohl ich nicht blasen
konnte.«
»Weißt du auch noch, was ich dann gesagt habe?«
»Ihr habt gesagt: ›Das Widderhornblasen ist eine Weisheit und
keine Arbeit. Darum soll der weise Rabbi Bunam blasen.‹«
»Und weiter?«
»Da bin ich mit Euch in Eure Stube gegangen und Ihr habt mich
die Intentionen gelehrt, auf die der Bläser seine Seele sammeln und
ausrichten soll. Dann nahmt Ihr mich wieder ins Lehrhaus mit
und sagtet: ›Nimm nun das Horn und übe die Intentionen darauf ein.‹ Ich aber gestand nun, daß ich überhaupt nicht blasen
konnte. Da fragtet Ihr: ›Warum hast du es übernommen?‹«

»Und was hast du mir geantwortet?«

»Ich habe gesagt: Mose hat sich zuerst, damit er dem Volk kundtun könne, was es zu hören begehren werde, von Gott das Geheimnis seines Namens erschließen lassen und dann hat er ein-
gestanden, er sei kein Mann von Reden.«

»War denn das eine Antwort auf meine Frage?«

»Nein.«

»So gib mir jetzt die Antwort.«

»Die Antwort, Rabbi, ist auch die Antwort auf Eure Frage, um
was es mir damals zu tun war. Ich wollte erfahren, wie hoch der
Arm der Seele langt.«

»Und hast du es erfahren?«

»Ja.«

»Du willst wohl immer etwas erfahren, Bunam.«

»Nein, aber bis dahin war es so. Nachdem ich in meiner früheren
Jugend in den ungarischen Lehrhäusern gelernt habe, was es da
zu lernen gab, habe ich beschlossen, in der Welt zu erfahren, was
es in der Welt zu erfahren gibt.«

»Alles?«

»Was mir zugemessen ist. Wieviel das ist, kann man ja erst im
Lauf des Erfahrens erfahren.«

»Und ich wäre für dich demnach eben ein Teil der Welt?«

»Ja, Rabbi. Hier ist die Mitte der Welt, ihr mittlerer Teil.«

Der Rabbi schwieg eine Weile und sog an seiner Pfeife. Dann
begann er wieder:

»Und weißt du noch, wie es damals am Vortag des Versöhnungstags war?«

»Ja, Rabbi. Ihr rieft mich und fragtet mich um Rat wegen eines
Pelzhuts, in den ein Mottenschaden geraten war. Ihr sagtet, nun
verderbe er immer mehr. Da riet ich, die schadhaften Haare aus-
zukämmen. Und Ihr antwortetet mit dem Spruch: ›Wer den
Brief zu lesen weiß, sei ihm auch der Bote.‹ Dann kämmte ich
die schadhaften Haare aus.«

»Und hast du verstanden?«

»Freilich habe ich verstanden. Ich habe verstanden, daß mir
über all dem Erfahrenwollen, wie es um die Seele steht, die Seele
zu verderben droht. Daß schon vieler Schaden entstanden ist.
Daß ich oft die Menschen beobachtet habe, statt mit ihnen einfach

Umgang zu haben und nur eben dabei sie auch wahrzunehmen. Daß ich den Schaden, der dadurch in mir entstanden ist, ausrotten muß, damit er nicht um sich greife. Und auch, daß ich keinen neuen aufkommen lassen darf. Daß ich freien Herzens und ohne Absicht mit den Menschen umgehen soll. Seither ist es auch anders geworden, als es war. Und, Rabbi, nicht als Ihr beim ersten Mal den Abschnitt mit mir lerntet, sondern damals, als ich Euch den Pelzhut ausbesserte, bin ich Euer Schüler geworden.«

»Bist du mein Schüler, Bunam?«

»Ich bin Euer Schüler, Rabbi, und will nie aufhören es zu sein.«

»Danach bist du aber lang nicht gekommen.«

»Ja. Da ist es mir schlecht ergangen. Ich bin erst im nächsten Jahr gekommen und dann erst zu Passah.«

»Und als du kamst, habe ich dich gefragt: ›Wie ist es, Bunam?‹«

»Und ich habe nichts antworten können als das eine Wort ›Bitter‹, so bitter war mir zumut. Ihr aber sagtet: ›So ist dir schon geholfen, denn es heißt: Ein zerbrochenes, zerschlagenes Herz, Gott, du wirst es nicht verachten‹.«

»Und war dir geholfen?«

»Mir war geholfen.«

»Und jetzt?«

»Jetzt, Rabbi, mische ich meine Arzneistoffe und hüte meine Gedanken, daß sie unvermischt bleiben.«

»Und was hast du vor?«

»Zu dem halten, der mich braucht, – sobald er mich brauchen will. Von Euch habe ich's gelernt, Rabbi: da sein, wo man gebraucht wird, und so sein, wie man gebraucht wird.«

»Auch wir hier brauchen dich, Bunam.«

»Ich meine, Rabbi: der mich zu dem braucht, was er vorhat.«

»Auch wir brauchen dich, Bunam, zu dem, was wir vorhaben.«

»Rabbi«, sagte Bunam, »dieses Horn zu blasen könnten meine Lunge und mein Mund nie erlernen.«

Zugleich mußte der Mann Bunam, der jetzt an einer der Ulmen lehnte, daran denken, wie er vier Tage zuvor mit dem »Juden« unter der großen Linde gesessen hatte. Diesmal war der ganze Himmel sternenklar, der Mond war zum Halbmond erwachsen. Unwillkürlich hatte Bunam die Augen zu den Himmelslichtern erhoben, und ebenso absichtslos streifte jetzt der sinkende Blick das Antlitz des Rabbi, das hell beleuchtet war: – aus den Wangen war alles Rot gewichen.

Nie zuvor und danach hat jemand an dem Antlitz des Sehers von Lublin diese Änderung wahrgenommen.

Jetzt klopfte der Rabbi die Pfeife aus.

ZWEITER TEIL

Aufzeichnungen

Ich entnehme das Folgende den Aufzeichnungen eines Schülers des Rabbi von Lublin, Benjamin mit Namen, der aus Lublin stammte und dort lebte, aus dem Sommer des Jahres 1797. Sie haben nicht den Charakter eines Tagebuchs, sondern berichten in gedrängter Fassung das Wichtigste, das sich dem Rückblick darstellt. Was hier mitgeteilt wird, sind nur die Stellen, die unsern Gegenstand angehn. Rabbi Benjamin schreibt:
Die Gesundheit des Rabbi war im letzten Jahr weit besser als in den beiden vorhergehenden, wo er uns manchmal wie ermüdet erschien. Er hat wieder mehr selber am Unterricht teilgenommen, auch in der Geheimlehre, die er im Vorjahr fast gänzlich Rabbi Meïr und, sooft Rabbi Hirsch in Lublin verweilte, diesem überlassen hatte. Die Tischreden, die eine Zeitlang wie ein kurzer Auszug aus dem was er in sich trug wirkten, haben nun wieder ihre frühere Art angenommen. Mit besonderem Nachdruck hat der Rabbi wiederholt über den Glauben an den Zaddik und das Verhältnis zwischen diesem und dessen Schülern gesprochen. Einmal habe ich mir seine Rede in der Nacht, nachdem sie gesprochen war, aus dem Gedächtnis niedergeschrieben und trage sie nun in dieses Buch ein. Damals legte er die Worte des Propheten Jesaja aus: »Wer unter euch ist des Herrn fürchtig, hörend auf die Stimme seines Knechts, daß im Finstern er gehn kann, wo nichts ihm strahlt?« Der Rabbi sprach: »Wer unter euch ist des Herrn fürchtig?‹ – wer vermag es, Gott zugleich zu fürchten und doch ›unter euch‹, das heißt: unter die Menschen vermengt zu bleiben und die Gemeinschaft mit ihnen zu pflegen? wer vermag es, sich wahrhaft dem Schöpfer hinzugeben, aber nicht indem er sich von den Geschöpfen absondert, sondern gerade indem er seine Hingabe an Ihn an ihnen erfüllt? Dahin kann gelangen, ›wer auf die Stimme seines Knechts hört‹: wer auf den Zaddik, den Knecht Gottes, hört und an ihn glaubt. Und warum nennt Gott den Zaddik seinen Knecht? Weil der ›im Finstern geht‹: er geht durch die Finsternis der Welt, durch all

ihre Süchte, durch die sich für ihren Blick das Angesicht Gottes
verfinstert hat und ihr unwahrnehmbar geworden ist; er geht
da, ›wo nichts ihm strahlt‹: ihm nämlich strahlt in der Finsternis das göttliche Nichts, das ist die höchste der aus dem Urgrund
entsandten Potenzen, die ›Krone‹, die auch, weil sie allem Etwas
entrückt ist, ›Nichts‹ heißt.«

In diesem Jahr sind seltsame Nachrichten von einem Heerfürsten des Westens, Bonapart mit Namen, der auch den Beinamen
Apollyon oder Napollyon führen soll, zu uns gelangt, und Rabbi
Naftali überbrachte sie dem Rabbi. Ich weiß das Gespräch, das
sie darüber führten, aus Rabbi Naftalis eigenem Mund und habe
es sogleich danach aufgeschrieben. Es war an einem Freitag, der
Rabbi war wie gewöhnlich mit der Pfeife im Mund ins Lehrhaus gekommen, und es ist ja bekannt, daß die Gabe des Geistes an diesem Tag ihm in besonders reichem Maße zuströmt.
Rabbi Naftali berichtete ihm, daß von diesem Bonapart der
Papst in Rom besiegt worden ist und daß sein Abgesandter,
einer der obersten Priester, sich dem Heerfürsten zu Füßen warf,
um eine Erleichterung der Friedensbedingungen von ihm zu erbitten. »Das ist der Mann«, sagte der Rabbi. Rabbi Naftali hat
mir diese Worte nicht erklären wollen, aber ich sagte ihm, sie
seien wohl im Zusammenhang mit dem Kommen Gogs zu verstehen, das uns der Rabbi vor vier Jahren als bevorstehend
angekündigt hat, und Rabbi Naftali hat das nicht bestritten.
Er erzählte weiter, er habe dem Rabbi berichtet, man sage, daß
der Heerfürst nun vor den Mauern der Stadt Wien stehe und
daß das Herz des Kaisers von Wien und seines Volkes bebe,
wie im Propheten Jesaja geschrieben steht, ›wie die Bäume
des Waldes vor dem Winde beben‹. Darauf habe er, Rabbi
Naftali, aus dem Munde des Rabbi, der zum Fenster hinaus in
die Ferne zu blicken schien, folgende Worte gehört: »Ich sehe
ihn. Er ist klein und dürr, aber er wird mehr und mehr zuneh-
men. Seine Beine sind kurz und sein Kopf ist groß.« Rabbi Naftali erwähnte, der Mann stamme nicht aus dem Lande, dessen
Heer er führe, sondern aus einer fremden Insel. Darauf sagte
der Rabbi: ›Er ist ein Sidonier.‹ Rabbi Naftali versicherte, der
Mann stamme weder aus Sidon noch aus Tyrus, sondern von
einer Insel des Westens, aber der Rabbi wiederholte, er sei ein

Sidonier, und fügte hinzu: ›Er nennt sich den Löwen der Wüste, aber er ist kein Löwe. Er hat das Zeichen des Skorpions auf der Stirn. Er kommt von den sidonischen Inseln. Er kommt aus der Flut des Abgrunds. Er kommt von Abaddon. Er liebt niemand und will von allen geliebt werden. Er will die Welt zur Beute. Er kommt von Abaddon.‹ So habe ich es aus dem Munde Rabbi Naftalis gehört. Auch hat er mir erzählt, die Völker der Welt glaubten, aus dem Abgrund würde ein großes Heer von Skorpionenmenschen aufsteigen und die Erde verwüsten, ihr König aber sei der Engel des Abgrunds und heiße Apollyon, das ist auf Hebräisch Abaddon, Verlorenheit. Ich habe mir alles gemerkt, wie es gesagt worden war, und habe es sogleich danach aufgeschrieben.

Ich habe noch nicht erzählt, daß Rabbi Jehuda Löb uns vor einiger Zeit verlassen hat und nach Zakilkow zurückgekehrt ist. Man sagt, das sei nach einem langen Gespräch mit dem Rabbi geschehen. Er habe vom Rabbi verlangt, er solle den »Juden« strafen, weil er in Pžysha, wo er damals schon mehr als zwei Jahre wohnte, eine eigne Gemeinde gegründet habe. Der Rabbi aber habe sich geweigert ihm zu glauben, denn der »Jude« komme doch immer wieder nach Lublin und hätte ihm, wenn er dergleichen getan hätte, selber darüber Bericht erstattet. Als Rabbi Jehuda Löb auf seiner Behauptung bestand, habe der Rabbi zu ihm gesagt: »Ihr werdet früher als er eine eigne Gemeinde gründen. Ihr wähnt ja, meiner Macht nicht mehr untertan zu sein, weil ihr den Engelsfürsten der Lehre nicht mehr an meiner Seite seht. Aber das könnt ihr nicht verstehn. Er, der ›Jude‹, hegt keinen solchen Wahn.« Darauf habe sich Rabbi Jehuda Löb schweigend abgewandt und sei aus der Stube gegangen. Man sagt aber, er sei schon damals unwillig gewesen, als der Rabbi dem so viele Jahre jüngeren Rabbi Meïr die zeitweilige Führung der Schüler übertrug.

Was den »Juden« anlangt, so habe ich ja schon in meinen früheren Aufzeichnungen erzählt, wie nach seinem Weggang seine Gegner einen festen Bund geschlossen hatten, an dessen Spitze zunächst Rabbi Jehuda Löb stand und jetzt Rabbi Simon Deutsch steht. Die eigentliche Leitung der Geschäfte hat aber Rabbi Eisik. Er ist es, der Kundschafter bestellt hat, die in Pžysha ermitteln sollen, ob der »Jude« selbständige Lehrvorträge hält, ob Chassidim mit Bittzetteln und Lösegeldern zu ihm kommen, und insbesondere auch, welche Schüler von Lublin dort zu finden sind und was sie dort treiben. Es ist ja bekannt geworden, daß nicht bloß Rabbi David und Rabbi Bunam, sondern auch viele andere im Hause des »Juden« aus- und eingehen. So ist zum Beispiel festgestellt, daß Rabbi Jissachar Bär, der freilich auch zu hundert anderen Zaddikim fährt, dort ein häufiger Besucher ist, und merkwürdigerweise hat man auch den jungen Perez, Rabbi Jekutiels Bruder, in Pžysha gesehen. Alle Nachrichten werden zusammengestellt und in der rechten Auswahl und Anordnung dem Rabbi zugetragen, zumeist durch Rabbi Jekutiel, von dem niemand annehmen kann, daß er etwas anderes als die Wahrheit berichte. Und es wird ja auch wirklich nichts anderes als die Wahrheit dem Rabbi überbracht, nur eben in der richtigen Zubereitung, wie es bei solchen Dingen üblich ist. Es scheint aber, daß nichts ihn bewegen kann, etwas gegen den »Juden« zu unternehmen, an dem offenbar sein Herz immer noch hängt.

Nachtragen muß ich noch, wie es gekommen ist, daß bei Rabbi Simon Deutsch die Abneigung gegen den »Juden«, die er durch ständiges Brummen in seiner Gegenwart zu äußern pflegte, sich zu einem grimmigen Haß gesteigert hat. Als der »Jude« zum ersten Mal von Pžysha, nicht lange nachdem er sich dort niedergelassen hatte, hierher fuhr, traf er unterwegs mit Rabbi Simon, der ebenfalls nach Lublin reiste, in einer Herberge zusammen. Sie frühstückten miteinander. Plötzlich sagte Rabbi Simon: »Ich kehre um. Ich sehe, daß der Rabbi nicht daheim ist.« Der »Jude« bestritt es. Nach einigem Hin und Her kamen sie überein, zusammen nach Lublin zu fahren; Rabbi Simon gab seine Zustimmung nur, um den ihm unerträglichen Eigensinn des »Juden« zu brechen. Als sie ins Tor von Lublin einfuhren, riefen ihnen schon Leute, die ihrer ansichtig wurden, entgegen, der Rabbi habe die Stadt vor kurzem in einer andern Richtung verlassen. »Nun, habe ich nicht recht gesehen?« sagte Rabbi Simon. »Es ist nicht wahr«, antwortete der »Jude«. Als sie zum Hause des Rabbi kamen, erfuhren sie, er habe in der Tat abreisen wollen, habe es aber dann verschoben. Darauf fragte Rabbi Simon den

»Juden«, woher er es gewußt habe. »Weil Ihr mit Eurem Sehen so großtatet«, sagte der »Jude«. Damals hat sich bei Rabbi Simon der Widerwille in einen großen Haß verwandelt.

Der Segen

Pžysha unterscheidet sich in nichts von unzähligen polnisch-jüdischen Städtchen, in denen es zwar weit mehr Polen als Juden gibt, man aber den umgekehrten Eindruck gewinnt, erstens weil die Juden sich mehr auf den Gassen zu tun machen und zweitens weil sie mit Gliedern und Kehle bekunden, daß sie da sind. Man muß aber hinzufügen, daß die Stärke des jüdischen Anteils dennoch nicht gering ist; das sah man besonders jetzt am Freitag, da sich an dem Städtchen durch die Arbeit einiger Stunden eine Verwandlung vollzog.

In der Radomska genannten Hauptgasse, die so heißt, weil man, wenn man sie zu Ende und auf der sie fortsetzenden Landstraße immer weiter geht, schließlich in die Bezirksstadt Radom kommt, stand eine Apotheke. Man trat in einen gewölbten Raum, der in ein niedrigeres und dunkleres Gewölbe mündete, und dem Auge der Besucher kam es vor, als setze sich das Spiel im Hintergrunde fort. Ein paar schöne alte Gefäße überglänzten die Marktware, aus der der größte Teil der Einrichtung bestand. Hinter dem Quertisch mit der Waage waren inmitten der Arzneibehälter auch einige Flaschen mit hellen und bunten Flüssigkeiten zu sehen, in denen der Blick der Stammkunden sogleich den Ebereschenschnaps vom gebrannten Pflaumengeist und diesen vom Erzeugnis der Weichselkirsche unterschied. Diese Kunden saßen nämlich zuweilen an einem Seitentischchen, tranken dem Apotheker zu, plauderten mit ihm und fochten in stillen Stunden sogar eine Schachpartie gegen ihn aus.

An diesem Freitagmorgen wartete eine Bäuerin vor dem Quertisch auf die Ausführung eines Rezepts. Bunam, der mit den Bauern der Gegend auf gutem Fuße stand und von ihnen oft um Rat in allerhand Dingen angegangen wurde, die mit seinem Beruf nichts zu tun hatten (»er *weiß*«, hieß es von ihm), fragte die Frau nach dem Ergehen ihres jüngsten Kindes aus, fertigte mit der rechten Hand die Arznei an und ließ die Linke über die

Saiten einer Gitarre gleiten, die auf der Bank neben ihm lag.
Eben trat ein Chassid ein. Eine Weile sah er dem Treiben des
Apothekers mit einer mißfälligen Verwunderung zu. Endlich
entschloß er sich seinem Gefühl Ausdruck zu geben. »Rabbi Bunam«, sagte er, »das ist ein unheiliges Gebaren!« »Rabbi Jecheskel«, erwiderte Bunam, »Ihr seid ein Narr von einem Chassid!«
Der Mann ging hinaus, den Groll im Herzen. Er hat aber später
erzählt, in der Nacht danach sei ihm sein toter Großvater erschienen, habe ihm eine Ohrfeige verabreicht und ihn angefahren: »Guck ihm nicht nach, er leuchtet in alle Himmelshallen
hinein!«
Bald danach saß Bunam vor dem Schachbrett einem verrufenen
Wucherer gegenüber. Von seiner Jugend an liebte er mit fragwürdigen Leuten Schach zu spielen. Er tat jeden Zug mit einer
heiteren Andacht. Dabei trug er von Weile zu Weile halb singend
Verslein vor, wie etwa: »Machst du einen Gang, sorg, daß dir
nicht werde bang.« Die Sprüche paßten stets zur Lage im Spiel,
aber der Ton, in dem sie gesagt wurden, war so, daß die Partner
aufhorchen mußten. Sie spürten immer stärker, daß es ihr Leben anging. Sie wollten's nicht wahr haben, sie wehrten sich, sie
erlagen – die Umkehr nahm ihre Herzen in Besitz. Auch diesmal
ging's wunderlich zu. Bunam machte einen falschen Zug, sogleich
zog der Partner und brachte ihn in eine schlimme Lage. Der
Apotheker bat, den Zug zurücknehmen zu dürfen, und der Mann
gestand es zu. Als das sich aber wiederholte, weigerte er sich, es
Bunam nochmals nachzusehen. »Einmal habe ich's Euch hingehn
lassen«, sagte er, »aber jetzt muß es gelten.« »Weh dem Menschen«, rief der Apotheker, »wenn er sich so tief ins Böse verkrochen hat, daß ihm kein Gebet mehr hilft, umkehren zu können!« Stumm starrte der Spielpartner ihn an, aber es war zu
erkennen, daß in der veraschten Seele ein Feuer aufgeglommen
war.
Wieder stand Bunam vor dem Quertisch und zupfte an seiner
Gitarre. Da ging die Tür, ein Junge trat ein und bestellte, der
Rabbi lasse den Herrn Apotheker bitten, sogleich zu ihm zu
kommen. Bunam war es gewohnt, solcherweise gerufen zu werden.
Es geschah nicht selten, daß der »Jude«, wenn er unter den bei ihm
Heilung ihrer Seele Suchenden – er nahm zwar weder Bittzettel

noch »Lösegeld« an, wies aber kein Anliegen ab – einen »schweren« Fall hatte, wie Bunam es nannte, nach einer Weile ausrief: »Holt mir den Apotheker zu Hilfe!« Diesmal schien es aber etwas Außergewöhnliches zu sein. Bunam rief seine Frau Riwka aus der Wohnung herbei. Wie immer, wenn sie ihn anblickte, lächelte sie; ihr Mann schien sie immer neu zu belustigen, aber zugleich, und weit mehr noch, zu erfreuen. Er erwiderte das Lächeln – es schien ihm recht zu sein, daß er sie belustigte, wenn er sie nur auch erfreute –, bat sie, ihn zu vertreten, gab ihr einige Weisungen und ging.

Vor dem in einer Seitengasse gelegenen Häuschen, in dem der »Jude« wohnte, sah er einen seltsamen Auflauf. Die Verkrüppelten und Gelähmten der Judenschaft waren hier versammelt, umgeben von Verwandten und Vertrauten. Fast alle gestikulierten heftig und schrien durcheinander. Alle begehrten offenbar Einlaß. Als Bunam kam und vom Fenster aus erkannt wurde, ließ man ihn ein, aber die mit ihm eindringen Wollenden wurden abgewiesen und die Tür wieder verriegelt.

Der »Jude« kam Bunam schon im Vorraum entgegen. »Ratet mir, was ich tun soll, Rabbi Bunam«, sagte er. »Es hat sich etwas ereignet, etwas Gutes, was aber für mich schlimme Folgen hat. Ich habe, wie Ihr wißt, meine Eltern in meiner Heimatstadt besucht und bin vor einer Woche zurückgefahren. Unterwegs habe ich mich versäumt und mußte den Sabbat in einem Gasthof zubringen. Als ich mich wieder auf den Weg machen wollte und den Wirt nach meiner Schuldigkeit fragte, weigerte er sich Geld von mir anzunehmen. Es habe ihm gefallen, sagte er, wie ich betete; auch daß ich damit wartete, bis mein Herz bereit ist, habe er eingesehen; einfachen Leuten seines Schlags stünde dergleichen freilich nicht an, aber er sei froh, daß so gebetet werde; da könne er sich doch das Geringe, das er für mich zu tun vermochte, nicht bezahlen lassen. Wenn ich darauf bestanden hätte, wäre es dem Mann eine Kränkung gewesen; so fragte ich ihn, ob ich ihm meinerseits seine Freundlichkeit irgend vergelten könnte. ›Was sagt ein guter Gast?‹ führte er zur Antwort an, ›er segnet den Hausherrn‹. Frau, Kinder und Gesind umstanden ihn; ich segnete sie alle, bestieg den Wagen und hieß schnell fahren, denn die Zeit drängte. Da rief der Mann: ›Ach! Der Rabbi hat ver-

gessen, sich von unserer Tochter zu verabschieden und sie zu
segnen.‹ ›Was für eine Tochter?‹ fragte ich etwas unwillig, ›warum
ist sie nicht hier? Sie soll nun gleich herauskommen!‹ Und
da kam sie auch schon, auf noch unsicheren, gleichsam nach dem
Boden greifenden Füßen, noch steif, aber aufrecht, stracks auf
mich zu und beugte den Kopf unter meinen Segen, und alle
schrien und schluchzten über das Wunder: elf Jahre hatte das
Mädchen gelähmt gelegen, ohne sich auch nur von der rechten
auf die linke Seite drehen zu können. Während sie sich um die
Genesene zu schaffen machten, bin ich auf den Wagen gesprungen
und eilig von dannen gefahren. Ich war gewiß, daß mich dort
niemand kannte. Und nun ist doch die Kunde von dem angeblich
von mir getanen Wunder hierher gelangt, und alle Gebrestträger
der Gegend fordern als ihr gutes Recht von mir, daß ich
sie heile. Was soll ich nur tun, Rabbi Bunam?«
Bunam nickte ihm zu. Noch nie hatte er seinen Lehrer und Freund
so ratlos gesehen. »Geht nur zu ihnen hinaus und sagt ihnen die
Wahrheit, Rabbi«, erklärte er. »Die Wahrheit«, fragte der »Jude«
zweifelnd, »wie könnten sie sie verstehen, sie annehmen?« »Sagt
sie eben so, daß sie sie fassen und halten können«, antwortete
Bunam. Er öffnete die Tür und sie traten beide hinaus. Nun aber
zeigte sich, daß inzwischen eine neue Schwierigkeit hinzugekommen
war: die kleine Schar hatte sich um eine Anzahl polnischer
Leidensgenossen vermehrt, die gesondert standen. »Die übernehme
ich«, sagte Bunam und ging rasch auf die christliche
Gruppe zu. In einem festen klaren Polnisch – er war Meister in
vielen Sprachen – versicherte er den Leuten, dieser Mann sei kein
Wundertäter und Gott habe sich seiner nur wie eines willenlosen
Werkzeugs bedient, weil *er* eben heilen wollte, aber ... Hier
unterbrachen ihn seine Hörer, jedoch nicht aufbegehrend, sondern
durch eine sanfte Klage. »Der Herr Rabbiner *will* uns nicht heilen«,
klagten sie. Und sogleich stimmte die jüdische Schar in grellerer,
fordernder Tonart ein. Das bedächtige Bauernidiom klang
mit der auftrumpfenden Mischsprache der Verbannten zusammen.
Der Jammer der Kreatur, Pein, Ohnmacht, bodenlose Hoffnung,
zur Stummheit verurteilt und doch stammelnd, übermannte
den »Juden«. Im Nu war alle Ratlosigkeit von ihm abgefallen.
Verwandelt stand er in der Aura der Liebe. »Brüder«,

Brüder«, rief er, »ihr leidet das Leid des Menschen und die Schechina leidet euer Leid mit euch. Mit euch ist sie lahm und gebresthaft, mit euch klagt sie die Klage. Ich weiß nicht, warum ihr leidet, ich weiß nicht, wie euch zu helfen ist, aber ich weiß, die Erlösung kommt. Ihre, der Schechina, Erlösung kommt. Wenn sie kommt, ist das Leid des Menschen zu Ende, euer Leid ist zu Ende. Gott, der Gott der Leidenden, will euch segnen. Ich segne euch in seinem Namen. Zur Einung des Heiligen, gesegnet sei Er, und seiner Schechina!« Er hob mächtig die Arme über Juden und Polen zugleich. Vereint beugten sie die Köpfe unter den Segen.

Die Juden hatten von der Rede nicht viel mehr als die Polen verstanden, aber jene und diese hatten das wahre Wort aufgenommen, sie nahmen es an. Langsam, doch ohne einen Rest des Widerstands zerstreute sich die Menge. Jetzt erst sah sich Rabbi Jaakob Jizchak nach Bunam um – und merkte, daß er nicht neben ihm, sondern einige Schritte entfernt ihm gegenüber stand, den Kopf noch immer gebeugt, wie er ihn inmitten der Leidenden unter den Segen gebeugt hatte.

Von drinnen und von draußen

Es ist bekannt, daß Rabbi Bunam den »Juden« die goldene Ähre genannt hat. Das Wort will verstanden werden. Daß es, wie jemand meint, auf eine Ähre mit goldenen Körnern zurückzuführen sei, die Bunam auf seinen Reisen in einer königlichen Schatzkammer gesehen habe, ist ein Mißverständnis. Wir wissen, daß Bunam es liebte, das Nachmittagsgebet auf dem Felde zu sprechen, und die Sage erzählt, daß der Erzvater Isaak, der wie die Schrift berichtet »hinausging, auf dem Feld zu sinnen«, ihn dabei in der Erscheinung eines Wanderers aufsuchte und sich mit ihm unterredete. Oft stand er vor reifenden Weizenfeldern, betrachtete sie lang und atmete zuweilen tief ein, wie um den ganzen Duft »des Feldes, das der Herr gesegnet hat«, in sich aufzunehmen. Wenn er »die goldene Ähre« sagte, meinte er dieses Reifen zur Fülle des Segens, das sich in der Farbe des reinen Goldes darstellt. Und wenn man bedenkt, daß er mitunter eine reife Ähre vom Halm brach und die Körner andächtig verzehrte, versteht man, daß in seinem Lob auch das der Nährkraft enthalten war, die diesem lebendigen und wachsenden Golde innewohnt. Etwas von dieser Freude an dem Menschen, in dem er unter all seinen Lehrern den gefunden hatte, dem er sich auch nah fühlen durfte, war dem Blick anzumerken, mit dem er jetzt, eine Stunde nach der Begebenheit mit den Krüppeln, dem »Juden« zusah, wie er mit einer Gelassenheit, die er früher nicht besessen hatte, lange Züge aus seiner Pfeife tat, und eine Weile später, wie er mit derselben Gelassenheit von den flachen Zimtküchlein aß, die Schöndel Freude, wenn sie sich auch noch so sehr über ihren Mann ärgerte, nicht anders als köstlich zuzubereiten imstande war. Der Rabbi von Ger, ein berühmter Schüler Bunams, pflegte (dies geht offenbar auf eine Überlieferung von Bunam zurück) zu sagen, wenn der »Jude« die Pfeife rauchte, hätte er mit seiner Seele die Intention des Hohenpriesters beim Räuchern vollzogen, und wenn er Küchlein aß, die des Hohenpriesters beim Opfern.

»Rabbi«, sagte Bunam jetzt, »wie Ihr Euch auch weigert, Bittzettel von den Leuten entgegenzunehmen und am Sabbattisch die Lehre vorzutragen, Ihr könnt dem Schicksal, eine eigne Gemeinde zu gründen, nicht mehr lang entgehn.«

»Sagt Ihr das nun auch, Rabbi Bunam?« erwiderte der »Jude« schmerzlich. »Soll die Lüge der Verleumder zur Wahrheit werden?«

»Was gehn Euch die Verleumder an?«

»Ich fürchte, sie werden mich noch sehr angehn.«

»Aber bedenkt doch, Rabbi: wenn einer zu Euch kommt und von Euch Unterweisung erbittet, versagt Ihr ihm doch nicht ihn zu lehren, und wenn einer zu Euch kommt und Euch fragt, was er zur Rettung seiner Seele tun soll, enthaltet Ihr ihm doch die Hilfe nicht vor. Sind all die Menschen, die zu Euch kommen, von Euch empfangen und Euch anhangen, mitsammen nicht doch schon eine Gemeinde?«

»Ich muß, was mir aufgetragen ist, an jedem zu erfüllen suchen, der zu mir geschickt wird. Aber eine Gemeinde entsteht nicht, solang der Mann, der den Auftrag hat, nicht will, daß sie entstehe.«

»Eine Gemeinde entsteht nicht aus dem Willen eines Menschen, sondern aus seinem Dasein.«

»Aber wenn er nicht will, kann sie nicht entstehn.«
»Ihr werdet gezwungen werden, es zu wollen.«
»Wer sollte mich zwingen?«
»Wer sonst als Gott, gleichviel durch wessen Hand!«
»Er will nicht zwingen.«
Bunam fürchtete, seinen Freund um die schöne Gelassenheit bringen zu müssen, aber es gibt, auch für die Freundschaft, ein höheres Gebot als das der Schonung. Leise sagte er:
»Er hat gesprochen: ›Ich werde da sein als der ich da sein werde‹.
Er legt sich nicht auf irgendwelche Arten der Erscheinung fest.
Er kann, wenn er einen Menschen auf Seinen Weg führen will, auch die Gestalt des Zwanges annehmen.«
»Das wäre grausam!«
»Er ist nicht freundlich. Er ist grausam und gnädig. Hiob bezeugt es.«
»Haben nicht unsere Weisen gesagt: ›Hefte dich an Seine Eigenschaften‹? Sollen wir denen nicht nacheifern?«
»Dem Attribut des Erbarmens, das er uns erschließt. Nicht dem des Gerichts, dessen Anblick wir nicht ertragen könnten.«
»Bunam, ich habe etwas von Gottes Gericht kennen gelernt, und es war mir unverständlich, wie es für Hiob war.«
»Es gibt auch eine milde Gestalt des Gerichts. Das ist der Zwang, der einen Menschen nicht straft, sondern führt.«
Sie schwiegen.
Bunam sah, daß Jaakob Jizchak zwar litt, aber nichts von seiner Ruhe eingebüßt hatte.
»Es gab eine Zeit«, sagte nach einer Weile der »Jude«, »da ich mich gefragt habe, ob wir denn wirklich notwendig sind.«
»Wie meint Ihr das?«
»Ich meine: ob es wirklich Gemeinden und Führer der Gemeinden geben muß. Ob es nicht doch genügen könnte, daß es die heiligen Bücher gibt. Ob nicht endlich doch ein Geschlecht der wahren Leser entstehen könnte und die lebendige Stimme spräche zu lebendigen Herzen. Und dann habe ich freilich erkannt, daß es so nicht geht. Deshalb nicht, weil jede wahre Gemeinde der Anfang der großen Menschengemeinde ist, die kommen soll. Aber auch deshalb nicht, weil die Menschen so sind, wie sie sind. Und noch mehr deshalb nicht, weil es Gott nicht bloß darum geht, was

wir tun und was nicht, sondern auch darum, wie wir das tun
was wir tun. Und das steht nicht in den Büchern.«
»Rabbi«, sagte Bunam, »in Danzig haben mich in der Herberge
etliche Kaufleute gefragt, warum ich, der im Schrifttum doch so
bewandert sei, es mich noch Geld kosten lasse und zu Zaddikim
fahre. Was könnten die mich an Weisheit und Sitte lehren, was
nicht auch in den Büchern steht? Ich versuchte es ihnen auf allerlei Weise zu erklären, aber sie wollten's nicht einsehn. Einmal
forderten sie mich auf, mit ihnen ins Schauspiel zu gehen. Ich
lehnte es ab. Als sie am Abend heimkamen, erzählten sie mir, es
habe im Theater viele wunderbare Dinge gegeben, derengleichen
sie nie zuvor gesehen hätten. ›Die wunderbaren Dinge kenne ich
auch‹, sagte ich, ›ich habe ja den Zettel gelesen, auf dem die Vorgänge und die handelnden Menschen verzeichnet sind.‹ ›Danach‹,
antworteten sie, ›könnt Ihr Euch gar keine Vorstellung machen,
was wir mit unseren Augen gesehen haben.‹ ›So gesteht Ihr denn
selber ein‹, sagte ich, ›daß ich recht habe. Denn eben so verhält es
sich mit den Büchern und den Zaddikim.‹ Und so —«
Die Tür ging auf. Ein sehr junges Weib trat ein, die hölzerne
Wiege, aus der ein munteres Knabengesicht hervorschaute, vor
sich herschiebend; offenbar wollte sie das Kind auch nicht für
kurze Zeit sich selbst überlassen. Ohne die starken Brüste und
Hüften, die sie schon als Mädchen hatte, wäre sie schlank zu nennen gewesen und das Köpfchen liebreizend ohne die große und
unruhige Nase, die, wenn sie schwieg — was freilich nicht oft geschah —, ihr stärkstes Ausdrucksorgan war. Wenn sie erregt war
— und das war ihr natürlicher Zustand — und sich in Worten zu
äußern wünschte, warf sie dieses Köpfchen zur Seite und riß die
hübschen grauen Augen mit den braunen Pünktchen darin und
den lieblich geschwungenen Mund zu gleicher Zeit weit auf. Das
tat sie auch jetzt, sogleich nachdem sie eingetreten war.
»Itzikel«, sagte sie in einem fast sanften Ton, dem aber die Fähigkeit anzumerken war, in ein ausbündiges Kreischen umzuschla-
gen, »ich muß mit dir reden, und ich will mit dir vor Rabbi Bunam reden, weil er ein kluger Mensch ist.«
»Sie hat den Anfang unsres Gesprächs gehört«, flüsterte Bunam
dem »Juden« zu, »aber warum mag sie wohl mit dem Hereinkommen so lang gezögert haben?«

»Ich bitte«, fuhr Schöndel mit strengeren Akzenten fort, »daß
ihr die Ohren offen haltet für das, was ich zu sagen habe. Ich will
gehört werden! So geht es nicht weiter!«
Unversehens stand ihr ein Schweißtropfen über dem Nasen-
rücken, – das Zeichen, daß sie im Begriff war, die gegliederte
Rede aufzugeben und zu der Sprachform des Sturzbachs überzugehen.
»Du kümmerst dich selbstverständlich um gar nichts, Itzikel«,
begann sie, »du kümmerst dich um gar nichts als um die Träume,
die du in dir herumträgst, du meinst, ich weiß es nicht, doch, ich
weiß alles, nichts als Träume, wesenlose Träume, du vergißt, daß
du eine Frau hast, du vergißt, daß du einen Sohn hast, alles vergißt du, um nichts bist du besorgt als um deine Träume, daß nur
denen nichts zustoße, aber wir, was mit uns werden soll geht dich
nichts an, wir können umkommen, nicht wahr, dir kann's ja
gleich sein, dir bleiben ja die Träume, und dabei brauchtest du
dich nicht einmal anzustrengen, die Leute kommen ja gelaufen,
versessen sind die Leute auf dich, sie wollen bloß, daß du die
Hand ausstreckst, aber du, was machst du, du legst die Hand auf
den Rücken, du bist ja viel zu hochmütig, um dich mit den Leuten abzugeben, du machst ihnen ein freundliches Gesicht, aber in
deinem Herzen bist du hochmütig, niemand ist so hochmütig wie
du, ich kenne dich, mir ist alles offenbar, wenn du so ferne Augen
machst, ferne Augen an mich wie du ferne Augen an Vögele gemacht hast, meine süße Vögele, was ist mit ihr geschehn, ich
frage dich, was ist mit Vögele geschehn?!«
Jaakob Jizchak schwieg.
»Das rührt ja alles nicht an dich«, fuhr sie fort, »du bist über alles
erhaben, du hast ja deine Träume, aber ich, ich werde nicht aufhören mich zu erinnern, wie sie dagesessen ist über der Strickerei
und du warst nicht da, nie warst du da, und sie hat nicht weinen
wollen, du meinst ich war zu klein, ich habe ihr angesehen, daß
sie nicht hat weinen wollen, aber du bist herumgezogen, wohin,
deinen Träumen nach, und so willst du's auch mit mir machen,
aber mit mir macht man so was nicht, ich werde es mir nicht gefallen lassen, ich werde nicht aufhören dich zu erinnern, mich
wirst du nicht los wie Vögele!«
Jaakob Jizchak schwieg.

»Da mag sich eine Menschenseele dir zu Füßen winden«, fuhr
Schöndel fort, »was macht's dir aus, du gehst in deine Kammer
und betest, ich verstehe nicht, wie du es wagst zu beten, so einer
wie du, und dabei glauben noch die Leute an dich, es ist nicht zu
fassen, ausgerechnet an dich glauben sie, sie sagen, du kannst
Wunder tun, so bring das Wunder fertig Weib und Kind zu ernähren, es ist noch ein Glück, daß meine gute Mutter uns was zukommen läßt, sonst könnten wir ja Hungers sterben, nun ja, ein
paar Groschen verdienst du mit Unterricht, aber auch die dürfen
wir nicht verbrauchen, über Nacht darf dir kein Heller im Haus
bleiben, alles was übriggeblieben ist muß man den Armen hingeben, und wir, sind wir nicht arm, aber nein, du duldest es nicht,
und wenn ich nicht weiß wovon ich morgen einen Brei für den
Jungen koche, du duldest es nicht, du duldest es nicht!«
Sie schrie es laut. Plötzlich versagte ihr die Stimme, sie rang nach
Atem, dann wimmerte sie nur noch leis. Der »Jude« betrachtete
sie aufmerksam, danach brach er sein Schweigen. »Schöndel«,
sagte er, »versündige dich nicht! Wir haben ein Dach überm
Kopf, wir haben Speise und Kleid, auch für Vögeles Kinder ist
gesorgt, was willst du mehr!«
Bunam sah ihn erstaunt an.
Mit den ersten Worten des »Juden« hatte die Frau Atem und
Stimme wiedergewonnen. Sie fügte noch einiges hinzu, aber es
war ihr offenbar nur noch um den Abschluß zu tun. Sie ging
bald, die Wiege heftiger als zuvor vor sich herschiebend, zur Tür
hinaus und schlug sie zu.
»Rabbi«, fragte Bunam, »was hat dieser Tag vor den andern
voraus? Ihr pflegt ihr doch sonst nichts zu erwidern!«
»Bunam«, antwortete der »Jude«, »hast du nicht gesehen, wie es
ihr an die Kehle griff, daß ich mich von ihrem Schelten nicht anfechten ließ? Da mußte ich ihr doch zu fühlen geben, daß mir ihre
Worte das Herz zerschlügen. Aber zerschlagen sie es mir etwa
nicht?«
In diesem Augenblick drang zu ihnen ein leichtes Geräusch durch
das angelehnte Fenster. Schon stand Bunam auf dem Brett und
sprang hinaus, anscheinend auf ein draußen stehendes menschliches Wesen, denn der »Jude« vernahm einen Aufschrei. Ehe er
etwas tun konnte, war schon der Freund durch die Tür zurück-

gekehrt, einen widerstrebenden Mann am Arm mitziehend. Es
war Eisik. Von Bunam losgelassen, stand er da, schon wieder im
Gleichgewicht, und es gelang ihm sogar, diesmal die rechte Schulter statt der linken hochzuziehn.
»Rabbi«, begann er sogleich, zum »Juden« gewendet, »ich sehe
Euch an, daß man mich bei Euch verleumdet hat. Man hat Euch
offenbar gesagt, ich brächte üble Gerüchte über Euch auf. Aber
das ist nicht wahr. Gewiß, ich habe es übernommen, über den
Gang der Dinge in Pžysha Berichte zu erstatten, aber das geschah um zu verhüten, daß Lügenkunden an unsern Rabbi gelangen. Andere hätten alles siebenfältig aufgebauscht. Ich aber
erzähle nur die lautere Wahrheit. Und wie groß ist doch die
Macht der Wahrheit über die Lüge!«
»Rabbi Eisik«, sagte der »Jude«, »erweist mir die Ehre, mit uns
morgen die dritte Mahlzeit einzunehmen.«
Bei dieser dritten Mahlzeit ereignete sich ein hernach vielbespro-
chener Vorgang. Der »Jude« reichte Eisik über den Tisch ein
Stück Hering. Eisik, der vor dem »Bösen Auge« zitterte, wickelte
schnell das Taschentuch um die Hand, für die er sonst eine jähe
Lähmung befürchten zu müssen glaubte, nahm so das Fischstück
entgegen und führte es an den Mund, mit der Absicht, Kauen und
Schlucken vortäuschend es verschwinden zu lassen. Da überfiel
ihn ein ungeheuerliches Würgen, das nicht von ihm ließ, bis er in
der Verstörung, ohne es zu wollen, den Bissen in den Mund
steckte und verschlang; nun hörte das Würgen sogleich auf. Aber
es ist überliefert, daß es sich während des nicht kurzen Restes seines Lebens jedesmal wiederholte, wenn er sich anschickte, Hering
zu essen, bis er sich endlich entschloß, auf das geliebte Gericht zu
verzichten.

Armageddon

Ich teile im Folgenden weitere Aufzeichnungen Rabbi Benjamins
von Lublin mit, und zwar aus dem Jahr 1799:
Zu Anfang des Winters hatte der Rabbi, nachdem er lange wie
unter einer ziehenden Wolke gegangen war, eine Unterredung
mit Rabbi Naftali. Dieser kam mit ernsterem Gesicht heraus als
wir an ihm gewohnt sind. Erzählen wollte er nicht, und auf

meine inständige Frage, wovon sie gesprochen hätten, antwortete
er nur:»Weißt du denn nicht, daß Don Isaak Abarbanel die
Weissagung Ezechiels über Gog so deutet, daß die Söhne Edoms
zuerst über Ägypten herfallen würden, ehe sie gegen das Land
Israel ziehen?«»Nun wohl?« sagte ich, denn ich verstand nicht,
um was es ging.»Hast du denn nicht gehört«, rief er,»daß der
Bonapart in Ägypten ist?« Da erst wurde mir der Zusammenhang offenbar.»Aber Don Isaak sagt doch«, wandte ich ein,
»Gog sei gar nicht der Name einer Person!«»Du Narr«, fuhr er
mich an,»was hat denn das damit zu tun?« Ich konnte jedoch nicht
einsehn, daß ich verdient hätte, ein Narr genannt zu werden.
Darum ließ ich nicht ab, obgleich er fortwollte, sondern hielt ihn
am Arm fest und erinnerte ihn daran, daß nach Abarbanel das
Volk, das Gog heißt, in Palästina gegen christliche Völker kämpfen werde, wogegen doch heute wie in Ägypten so im Lande
Israel der Türke herrscht. Aber er wurde noch zorniger, schüttelte
mich ab und sagte im Weggehn nur noch:»Was soll ich mit einem
Menschen reden, der nicht weiß, daß der Bonapart gegen christliche Völker kämpft, auch wenn er gegen den Türken kämpft!«
Aber ich bin der Ansicht, daß er meinen Einwand nicht widerlegt hat.

Bald danach hat der Rabbi einen Boten zu Rabbi Hirsch nach
Żydatschow geschickt und hat ihm sagen lassen, daß er sogleich
zu ihm kommen möge. Alsbald entstand unter uns ein Fragen,
was der Gegenstand sei, obgleich doch bekannt ist, daß es unter
allen Schülern keinen gibt, der Rabbi Hirsch an Kenntnis der
Kabbala, und auch der»werktätigen Kabbala«, gleichkommt;
womit ich freilich nicht gesagt haben will, daß er werktätige Kabbala triebe, er bestreitet auch selber, daß er sich damit je befaßt
hätte. Als er nun kam, schloß sich der Rabbi mit ihm ein und niemand von uns durfte der Stube nahn. Glücklicherweise hatte Rochele in einem Nebenraum zu tun, und sie hat mir später, als Rabbi
Hirsch bereits wieder abgereist war, anvertraut, sie habe den
Rabbi eindringlich die Worte sagen hören:»Also darf man hier
doch unter dem Norden den Nordwesten verstehen?« Ich habe
sogleich gemerkt, daß damit Namen von bösen Gewalten gemeint waren, da ja bekanntlich der Norden die Linke Seite bezeichnet. Als ich dies alles aber Rabbi Meïr mitteilte, lachte er

mich aus und sagte: »Es handelt sich selbstverständlich darum, daß man die Worte, der Gog werde vom Norden her nach dem Lande Israel kommen, dahin auslegen könne, er werde von Nordwest her kommen, da wir ja für den Nordwesten keine Sonderbezeichnung in der heiligen Schrift haben.« Meines Erachtens ist aber das Lachen unberechtigt gewesen, denn es ist ja offenkundig, daß das Gespräch sich nur um einen Gegenstand der werktätigen Kabbala drehen konnte. Überhaupt finde ich es töricht, daß sie alles auf den Bonapart beziehen. Wie kommen sie dazu anzunehmen, daß ein Mann wie unser Rabbi sich in einem fort mit einem so groben Kerl abgebe? Es ist freilich wahr, daß man jetzt viel von ihm redet, auch bei uns. Aber schließlich gibt es doch noch andere und wichtigere Dinge auf der Welt! Ich muß freilich gestehen, daß sich später etwas begeben hat, was Rabbi Meïr Recht zu geben schien. Aber ich bin gewiß, es wird sich schon noch zeigen, daß es sich im Grunde doch so verhält, wie ich meine.

Ehe ich die Begebenheit berichte, mit der plötzlich der Bonapart in den Mittelpunkt unserer Aufmerksamkeit rückte, muß ich noch einiges andere erzählen, darunter etwas, was uns alle sehr erschreckt hat.

Nach Mitte März, ein paar Tage vor dem Purimfest, kamen, nachdem man sie hier lange nicht gesehen hatte, Rabbi David von Lelow, der »Jude« und Rabbi Bunam nach Lublin. Sie waren so fröhlich gestimmt, als ob der Purim-Mummenschanz schon in vollem Gange wäre, und gaben, nachdem sie den Rabbi besucht hatten, allen, die zu kommen bereit waren, ein großes Gelage. Rabbi Naftali, der die Einladung ebenso wie ich ohne Zögern angenommen hatte, sagte beim Hingehn: »Warum heißt es von König Ahasverus, er habe ein Gelage gerichtet für all seine Fürsten und seine Knechte? Es sind ja dieselben Menschen: seine Fürsten sind sie dem Volke und seine Knechte ihm selber gegenüber. Aber die Schrift will sagen: bis zum Gelage sind sie alle Fürsten und Knechte zugleich, aber beim Wein scheiden sich die Gemüter, – die einen fühlen sich nur noch als Fürsten und die andern nur noch als Knechte.« Wir sind dann alle – und es waren viele Lubliner Chassidim dabei – sehr vergnügt geworden, wir tranken und tranken, sangen heilig-lustige Lieder und tanzten. Ein siebzigjähriger Chassid zog die Schuhe aus, schürzte den Rock, sprang auf den Tisch und tanzte zwischen Kerzen und Gläsern, ohne etwas davon mit den beiden Füßen zu streifen. Dazwischen erzählte man sich Geschichtchen. Der Lelower erzählte von Kindern, Rabbi Bunam von den Kaufleuten in Danzig und Leipzig und Rabbi Naftali Scherzgeschichten von Zaddikim. Nur der »Jude« erzählte nicht, aber er hörte mit einem heiteren Gesicht zu.

Tags darauf wimmelte es in der Herberge von Lubliner Chassidim. Es mengten sich auch etliche von den Gegnern des »Juden« darunter, offenbar mit der Absicht, einiges aufzuschnappen, was man gegen ihn dem Rabbi hinterbringen könnte. Sie wußten dann so vieles zu berichten, daß der Rabbi schließlich ausgerufen haben soll: »Kommt er zu mir, um mir meine Leute wegzunehmen?« Der »Jude« selbst scheint von diesen Beobachtungen und Berichterstattungen nichts bemerkt zu haben, und Rabbi Bunam, der sie sicherlich bemerkt hätte, hatte an diesem Tag eine Fahrt in die Nachbarschaft gemacht; aber Rabbi David erkannte bald, wie die Dinge standen, und sorgte dafür, daß das Gewimmel eingeschränkt wurde. (Um einige Jahre späterer Zusatz: Rabbi David hat mir inzwischen erzählt, der »Jude« sei damals, als er ihn auf die Sachlage aufmerksam machte, sehr erstaunt gewesen. Dann habe er ihm, Rabbi David, mehrmals gedankt, daß er sich seiner angenommen habe, und habe ihn gefragt, ob er nicht einen Wunsch habe, den er ihm zum Dank dafür erfüllen könnte. ›Ehe David drauf kommt‹, so antwortete Rabbi David wörtlich, ›was für einen Wunsch er hat, wird David schon das Leibchen ausziehn.‹ Das ist nämlich sein Ausdruck für ›sterben‹. Sie scheinen aber an eben jenem Tag übereingekommen zu sein, daß Rabbi Davids Sohn Mosche die zweite Tochter des »Juden« – die erste war schon versprochen – heiraten sollte, wenn sie herangewachsen sein würde.)

Das war am Tag vor dem ›Fasten Esthers‹. Am Abend nach dem Fasten aber, am Purimabend, ist das Schreckliche geschehn. Als der Rabbi auf dem Weg nach dem Bethaus war, um die ›Rolle‹, das Buch Esther zu verlesen, versagten ihm die Füße plötzlich den Dienst. Er stand starr und vermochte keinen Fuß zu rühren. Umsonst versuchte man ihn zu stützen, zu heben – er war unbegreiflich schwer geworden. Der »Jude« trat nun hinzu und wollte ihn auf die Arme nehmen, was ja für einen Mann von seiner Riesenstärke ein leichtes sein mußte. Aber der Körper des Rabbi schien sich noch versteift zu haben; es gelang dem »Juden« nicht, ihn von der Stelle zu bewegen. Auch als er es mit andern vereint unternahm, war alle Mühe vergeblich. Da aber kam Rabbi Bunam. Sowie der Rabbi ihn sah, sagte er: »Der weise Bunam soll mich tragen«. Im Nu hatte er den Rabbi aufgehoben und trug ihn ins Bethaus. Der Rabbi weigerte sich, sich, wie man ihn bat, eine Weile hinzusetzen, er stand und entrollte das Buch. Sowie er aber zu lesen begann, war die Starrheit von ihm gewichen. (Randbemerkung, mit offenbar schon gealterter Hand geschrieben: Ich möchte hier einschalten, was ich viele Jahre danach, als Rabbi Bunam schon blind und der Rabbi von Pżysha war, aus seinem Mund gehört habe. Er sagte dort zu einigen von uns: »Der Rabbi von Lublin hat größere und bessere Chassidim als ich gehabt, aber niemand hat ihn gekannt wie ich. Einmal kam ich in seine Stube und fand ihn nicht darin. Da hörte ich, wie seine Kleider im Schrank sich flüsternd von ihm erzählten.« Mir scheint, diese Worte helfen verstehen, daß gerade Rabbi Bunam ihn damals hat tragen können.)

Von jenem Tage an ist in dem Verhalten des Rabbi zum »Juden« eine Änderung, die sich wohl schon früher vorbereitet hatte, in die Erscheinung getreten, und zwar am stärksten in dem prüfenden, ja gleichsam untersuchenden Blick, mit dem er ihn betrachtet.

In der vierten Woche danach hat sich dann ereignet, was ich jetzt, so gut ich kann, zu erzählen versuchen will.

Der »Jude« ist bald nach Purim abgereist, und zwar nach Apta, um seine Kinder aus erster Ehe zu besuchen, und Rabbi David hat ihn begleitet. Sie wollten kurz vor Passah wiederkehren, ebenso Rabbi Bunam, der nach Pżysha gefahren ist.

Am vierten Tag vor Passah, als alle drei wieder unterwegs nach Lublin waren, versammelte der Rabbi frühmorgens eine erlesene Schar der Schüler im Bethaus. Mehrere von den Alten waren zum Fest hergekommen, darunter Rabbi Jehuda Löb von Zakilkow und Rabbi Kalman von Krakau; sie waren alle in der Versammlung. Von den Jüngsten waren nur wenige herangezogen, darunter auch ich.

Was Rabbi Jehuda Löb betrifft, muß ich hier etwas einschalten. Er ist, nachdem er nach Zakilkow zurückgekehrt war, lange nicht nach Lublin gekommen. Als er endlich hier erschien und den Rabbi begrüßte, soll der zu ihm gesagt haben:»Man hat mir berichtet, daß Ihr wirklich eine eigene Gemeinde gegründet habt.« Darauf habe er nichts weiter erwidert als:»Nun?«Und der Rabbi habe nichts mehr gesagt. Seither scheinen sie über den Gegenstand nicht mehr miteinander geredet zu haben.

Nicht alles, was ich von der Versammlung weiß, kann ich dem Papier anvertrauen, denn es gibt Geheimnisse, die auch nicht aufgeschrieben werden dürfen. Was ich aufschreiben darf, ist dies: Schon drei Tage vorher hatte der Rabbi uns befohlen, uns diese Zeit lang zu heiligen und von allen irdischen Bindungen streng abzusondern. Jetzt rief er jeden einzeln zu sich heran und sprach leise mit ihm. Die Antworten von zweien waren offenbar nicht befriedigend, denn sie durften nicht bleiben. Dann hieß er uns einen Kreis um ihn bilden, und zwar so, daß jeder mit der rechten Hand an die linke eines Gefährten rührte, ohne daß man aber die Hände einander reichen durfte. In der Mitte des Kreises war ein flaches Pult, auf dem ein sehr großes Buch lag, das ich nie vorher gesehen hatte. Es war aufgeschlagen, man sah zwei mit ungleichmäßigen Schriftzeilen und einigen Zeichnungen bedeckte Blätter. Der Rabbi trat nun vor das Pult und trug uns gebieterisch auf, alle störenden Gedanken zu überwinden und die Seele ganz auf das Werk auszurichten, das wir zu vollbringen hätten. Er wies uns an, wie wir mit jedem einzelnen »Störungsversuch« – so sagte er – seiner Art gemäß zu verfahren hätten. Nichts solle gewaltsam unterdrückt, alles in die Absicht aufgenommen und so verwandelt werden. Dann gab er uns besondere Intentionen ein, die auch die Ältesten unter uns, wie ich später erfuhr, noch nicht kannten. Im unmittelbaren Anschluß daran sprach er den Vers aus dem Lied der Debora:»Könige kamen und stritten, schon stritten Kanaans Könige, in Taanach, an den Wassern Megiddos, sie erlangten nicht Silbergewinn, – vom Himmel her stritten die Sterne, von ihren Bahnen her stritten sie gegen Sisera.« Sogleich wurde in mir, und wohl in allen, die die gleiche Erinnerung in sich trugen, die Stunde wach, da, fast fünf Jahre vorher, am Fest der Offenbarung, der Rabbi am Schluß seiner Tischrede

einen Vers aus diesem Lied angeführt hatte:»Die Berge wankten
vor dem Herrn, ein Sinai dieser vor dem Herrn«. Dann sprach
der Rabbi etwa das Folgende:»Don Isaak Abarbanel sagt, die
Besetzung des Landes Israel durch die Fremdvölker sei von
Gott veranlaßt, denn dies sei der Köder am Angelhaken, ausgeworfen um Gog und Magog hinzubringen, gemäß den Worten Deboras an Barak:›Geh, lenke nach dem Berg Tabor, und ich
will lenken hin zu dir, zum Bach Kison, Sisera, den Heerfürsten
Jabins, sein Fahrzeug, sein Getümmel, ich gebe ihn in deine
Hand.‹ Es haben sodann die kanaanäischen Könige, als sie Barak
mit einem Teil der Seinen gemächlich, offenbar keiner Gefahr
gewärtig, den Tabor niedersteigen sahen, sich verlocken lassen,
vom Paß von Megiddo und den angrenzenden Bergen in die
Kisonebene niederzustoßen und über das wasserlose Bachbett zu
setzen, als plötzlich der Himmel eingriff, ein Gewitter sich gewaltig entlud, den Bach hochschwemmte, den Lehmboden in einen
Morast verwandelte und die Wagenreihen verwirrte, daß sie der
nun überraschend nicht bloß vom Tabor, sondern auch von den
Kisonquellen her talabwärts rückenden Mannschaft Israels nicht
standhalten konnten. Solcherweise also – das ist es, was Don
Isaak meint – sind die Völker, die das Land Israels besetzt halten,
ein Köder, von Gott ausgeworfen, um Gog, wie geschrieben steht,
Haken in seine Kinnbacken zu legen und ihn zu den Bergen Israels
zu bringen, wo er unter den Schlägen des Himmels auf die Fläche
des Feldes fallen soll. Und dem ist so.« Diese Worte»dem ist so«
sprach der Rabbi mit so großer Macht, daß wir erschauerten.
»Dem ist so«, wiederholte er und legte einen Finger auf eine
Stelle des aufgeschlagenen großen Buches, auf der, wie ich erkannte,
ein Dreieck gezeichnet stand, aber seine Augen, deren Pupille seltsam vergrößert war, blickten nicht darauf.»In dieser Stunde«,
sprach er,»kämpft eins seiner Heere dort, im Tal Megiddo, das
ist das Tal Jesreel, auf dem Schlachtfeld der Nationen, gegen
Reiterei und Fußvolk aus allen Völkern des Sultans. Das Heer
wird vom Feinde eng an den Tabor gepreßt. Ich sehe die kämp-
fenden Scharen.« Wir sahen sie mit ihm, kämpfende Gespenster-
scharen vor einem breiten, weiß leuchtenden Bergrücken.»Ihn
selber«, fuhr er fort,»sehe ich nicht, aber er ist nicht fern.« Es
war, als ob er seinen Blick verhüllte, da er sich nun an uns

wandte, mit seinem Wort an die Wände unsrer Herzen schlagend.
»Dies ist noch nicht der eigentliche Kampf«, sprach er. »Das ist
erst der Köder, und mit dem wird er fertig, wenn er erst selber
da ist. Dann aber greifen die himmlischen Mächte ein, und dann
müssen sie hier einen Helfer haben. Dieser Köder kann ihnen
kein Helfer sein. Der Helfer kann nur von Israel kommen. Nicht
von dort, von dem bezwungenen und entweihten Land, sondern
aus den Bewahrten in der Fremde. Wir hier sind der Helfer. Ge-
denket des Wortes Deboras: ›Fluchet Meros, spricht der Engel
des Herrn, fluchet, Fluch seinen Siedlern, denn nicht kamen dem
Herrn sie zu Hilfe, dem Herrn zu Hilfe unter den Helden‹.«
Wir wußten, ja, wir sind die Helfer. »Sammelt eure Seele und
steht«, rief er, »die Stunde naht.« Er sah auf das Buch, dann hob
er die Augen, und wieder waren es die mit der vergrößerten Pupille. »Ihn selber«, wiederholte er, »sehe ich nicht. Er hat einen
Weg zu machen gehabt. Er kommt vom sidonischen Strand. Er ist
durch die Schluchten gezogen. Jetzt verdeckt ihn das Weizenfeld.
Da, das Feld regt sich! Wartet! Sammelt euch, wartet!« Und
plötzlich schrie er auf. »Ich sehe nichts mehr«, schrie er, »ich
sehe nichts mehr.« Sein Gesicht war furchtbar verzerrt, die kurzsichtigen Augen, deren Ungleichheit hervortrat, zuckten wie in
einem Krampf. »Wartet!«, rief er, »es muß wiederkehren.« Eine
ungeheure Anstrengung war zu erkennen. Wir standen, ohne
nachzulassen. Aber nach einer Weile senkte er den Kopf. »Es ist
vergeblich«, sagte er, »ein böser Einfluß ist zu uns gedrungen.«
Er ging zu seiner Bank, die an einem Pfeiler stand, setzte sich
und legte den Kopf an den Pfeiler. Er schloß die Augen. Es dauerte lang, bis er sie wieder öffnete. »Seht nach«, sagte er, »wer in
jenem Augenblick ins Haus getreten ist.« Im Bethaus war niemand außer uns. Ich ging mit noch einem ins Wohnhaus hinüber.
Im Vorraum fanden wir Rabbi David und den »Juden«. Wir
fragten sie, wann sie gekommen seien. Die Zeiten stimmten überein. Rabbi David sagte, sie hätten gehört, daß der Rabbi im Bethaus sei, hätten es aber vorgezogen, ihn hier zu erwarten. Ich
kehrte zurück, berichtete dem Rabbi und fragte, ob ich die beiden
herbeirufen solle. Der Rabbi stand auf und ging ins Wohnhaus.
Wir folgten ihm. Er ging an dem zunächst stehenden Rabbi David vorbei, ohne ihn zu beachten, trat auf den »Juden« zu und

sprach zu ihm: »Was machst du hier?« Der »Jude« starrte ihn an, ohne ein Wort über die Lippen zu bringen. Der Rabbi ging in seine Stube.

Später, als Rabbi David etwas von dem erfahren hatte, was geschehen war, und es nun dem »Juden« zu erklären versuchte, hörte ich diesen zu ihm sagen: »Ich muß die Wahrheit erkämpfen«. Da habe ich mit einer Art von Bestürzung gemerkt, daß ich noch nie einen Menschenmund mit solcher Aufrichtigkeit habe reden hören. Wie immer sonst es um diesen sonderbaren Mann steht, das eine war mir offenbar, daß er die Wahrheit sprach und daß es ihm um die Wahrheit zu tun ist.

Es dauerte mehrere Monate, bis die Kunde zu uns kam, daß der Bonapart damals, von der Belagerung Akkos herbeieilend, die Schlacht am Tabor gewonnen hatte, und wieder einige Monate, bis wir hörten, daß er im Kampf um Ägypten und das Land Israel geschlagen worden und nach Paris zurückgekehrt war. »Das war also nur ein Vorspiel«, sagte der Rabbi zu Rabbi Naftali, »und das Eigentliche wird erst kommen. Norden ist eben doch Norden.« Rabbi Naftali berichtete mir, er habe nicht begriffen, was der Rabbi mit diesen Worten »Norden ist eben doch Norden« meinte, habe aber nicht fragen wollen. Ich jedoch glaube etwas davon begriffen zu haben, da ich doch belauscht hatte, was der Rabbi damals zu Rabbi Hirsch gesagt hat: »Also darf man hier doch unter dem Norden den Nordwesten verstehen?« Da ich jenes Rabbi Naftali nicht mitgeteilt hatte, habe ich auch jetzt nichts erwidert. Offenbar aber hat der Rabbi mit »Norden« eben jene böse Gewalt gemeint, die in seine Handlung eingegriffen und sein Schauen vereitelt hat. Ich bin gewiß, daß es wirklich eine böse Gewalt gewesen ist. Nur daß der »Jude« etwas damit zu schaffen hätte, kann ich nicht mehr glauben, und ich hoffe, daß auch der Rabbi das erkennen wird. Ich freilich vermag nichts dazu beizutragen – wie sollte auch unsereiner sich da hinein wagen!

Etwa zur gleichen Zeit wie diese Nachrichten ist ein Mann aus dem südlichen Podolien hier angelangt, der mit Pfeffer und anderen Waren aus den Ländern des Sultans Handel treibt. Er erzählte, an eben jenem Tag, als wir mit dem Rabbi gestanden und den Beginn der Schlacht im Tal Megiddo gesehen haben, sei in

Konstantinopel ein Aufruf des Bonapart bekannt geworden, in dem er alle Juden der türkischen und arabischen Länder auffordert, sich unter seine Fahnen zu scharen, um Jerusalem wiederherzustellen; er habe auch bereits in Syrien eine große Zahl von Juden bewaffnet, und diese Heeresabteilung bedrohe die Stadt Aleppo. Als Rabbi Naftali dies dem Rabbi meldete, antwortete er: »Es ist nicht wahr.« Rabbi Naftali versicherte, der Mann, dem er die Nachricht verdanke, sei zuverlässig, aber der Rabbi wiederholte nur: »Es kann nicht wahr sein«. Dann brach er das Gespräch ab.

(Zusatz, datiert vom Ende des Jahres 1804: Seither hat mir Rabbi Naftali häufig erzählt, der Rabbi rede nicht mehr mit ihm über den Bonapart. Als Rabbi Naftali jetzt für längere Zeit abreiste, weil er außer der Gemeinde Ropschitz, in der er Vorsitzer des Gerichtshofs ist, nun auch die Gemeinde Linsk nach dem Tode seines Vaters auf seine Schultern genommen hat, habe ich ihn erneut danach gefragt, und er hat mir erneut bestätigt, daß in dieser ganzen Zeit der Rabbi auf Nachrichten über den Mann nicht mehr eingegangen ist. Es ist also doch so, wie ich angenommen habe, daß nämlich der Rabbi sich nicht auf die Dauer mit dem groben Kerl abgibt.) [Der Zusatz ist durchgestrichen.]

Vater und Sohn

Ich schreibe diese Chronik auf Grund schriftlicher und mündlicher Überlieferung, und wo diese die Zeit der Ereignisse nicht angibt, suche ich sie aus dem Angegebenen zu errechnen. Und, Gott sei Dank, wie es Helfer gibt, die von der Überlieferung wußten, was ich nicht gewußt habe, so gibt es auch Helfer, die besser rechnen können als ich. Aber zuweilen ist zum Rechnen kein Anhalt gegeben oder es sind gar Ereignisse von späten Aufzeichnern in einen falschen Zusammenhang eingerückt, und ich muß aus ihrem Inhalt und Charakter vermutungsweise zu folgern versuchen, wann etwa und in welcher Reihenfolge sie sich begeben haben mögen. Von dieser Art sind die Vorgänge, die ich in den nächsten Abschnitten erzähle, wogegen ich danach wieder sicheren Boden betreten darf.

Nach dem Hüttenfest fuhr der »Jude« über Sabbat nach Kosnitz, wiewohl er wußte, daß der Maggid ihm zürnte, weil er die Zeit des Gebets verzögerte. »Der heilige Maggid«, sagte er vor der Abreise zu Bunam, »ist der Mann, der im Recht ist, wenn er mich verweist. Denn er ist ja in jedem Augenblick wahrhaft zu beten bereit. Aber gerade deshalb wird er, wenn er zu verstehen beginnt, um was es mir geht, es ganz verstehn.«

Der Maggid, der seit einiger Zeit untertags weniger liegen mußte als sonst – er pflegte zu sagen: »Ich merke, daß ich alt werde (er war etwa sechzig) daran, daß es mir immer besser geht« –, empfing den Gast in seiner Stube mit einem noch etwas fremden Blick, der sich aber im Nu erwärmte. »Er kam nicht allein«, sagte er später zu dem jungen Schmelke, Rabbi Jehuda Löbs Sohn, von dem ich noch zu erzählen habe, »ihm zur Rechten ging der Fürst der Lehre und zu seiner Linken war die Lohe des Gebets, – ich habe sie nie zuvor beisammen gesehn.«

Am Sabbatmorgen warteten der Maggid und seine Gemeinde mit dem Beginn des Betens auf den »Juden«, der eine Weile nach der angesetzten Stunde kam. Den Unzufriedenen gegenüber führte der Maggid den Vers des Hohen Lieds an: »Diese deine Haltung ähnelt der Tamars.« Er deutete nämlich das Wort tamar nicht als »Dattelpalme«, sondern als den Namen der Schwiegertochter Judas, des Sohns Jakobs. »Hätte«, so fügte er erklärend hinzu, »eine andere Frau so Dreistes getan, sie hätte ihre Strafe gefunden. Tamars Absicht aber war auf himmlische Bestimmung gerichtet, und so war sie unsträflich. Wer jedoch nicht wie Tamar ist, der wage nicht wie sie zu tun!«

Bei dem dritten Mahl, bei dem Jaakob Jizchak an der Seite des Maggids saß, wandte er sich zu ihm und sagte: »Heiliger Jude, könnt Ihr mir wohl sagen, warum ich am zweiten Tag des Hüttenfestes und so auch sonst stets am zweiten Tag eines jeden der drei Wallfahrtsfeste eine größere Heiligung und Erleuchtung verspüre als am ersten? Es bedrückt mich daran zu denken, denn der zweite Tag wird ja doch nur im Exil gefeiert.« »Eben deshalb«, antwortete der »Jude«, ohne zu überlegen. »Wenn ein Mann und eine Frau, die einander lieben, einen Zank miteinander haben und dann versöhnen sie sich, ist die Liebe noch gewachsen. Es gibt keine Versöhnung in der Welt, die der Gottes mit Israel im Exil gleichkäme.«

»Ihr habt mich wiederbelebt«, sagte der Maggid.
Tags darauf war eine lange Unterredung zwischen den beiden.
Es wurde über vieles gesprochen, was sich in den letzten sechs
Jahren ereignet hatte. Der »Jude« beklagte sich nicht und berichtete immer nur so viel, als nötig war, um dem Maggid die von
ihm erheischte Antwort zu geben. Zuletzt wollte dieser noch
mehr über das Verhalten Rabbi Jehuda Löbs wissen, den er von
Lisensk her gut kannte und der von Zeit zu Zeit zu ihm gefahren
kam. Jetzt erst erzählte der »Jude« etwas, was ihm offenbar in
einer besonderen Weise schmerzlich war. Sein Sohn Jerachmiel,
der darauf bestanden hatte, das Uhrmachergewerbe zu erlernen,
war auf einer Reise von dem Wohnort seines Meisters nach Pžysha, wo er den Vater besuchen wollte, nach Zakilkow gekommen
und über Sabbat dort geblieben. Da der edelgewachsene ernste
Jüngling den Chassidim im Bethaus wohlgefiel, erwies man ihm
die Ehre, ihn an der Verlesung des Wochenabschnitts der Schrift
teilnehmen zu lassen. Als er aber seinen Namen und den des Vaters sagte, hieß ihn Rabbi Jehuda Löb aus dem Hause weisen.
Im Winter danach lud der Maggid für einen Sabbat kurz vor
Passah den »Juden« und Rabbi Jehuda Löb ein. Dieser kam mit
seinem einzigen Sohn Schmelke, der etwa achtzehnjährig und
noch unvermählt war, fast mädchenhaft zart und scheu, ganz in
Gedanken der Lehre und des Dienstes Gottes versponnen.
Am Freitagabend trafen der »Jude« und der Rabbi von Zakilkow am Tisch des Maggids zusammen, ohne einander den Gruß
zu bieten. Als der Maggid an den Tisch trat, um den Willkomm
an die Engel des Friedens zu sprechen, die an diesem Abend unter
das Dach des Menschen kommen, blickte er um sich und sagte:
»Die Engel des Friedens sind nicht da, wie soll ich sie begrüßen!«
Dann ging er in seine Stube. Nach einer Weile kam er wieder, sah
sich um und sprach: »Sie sind noch nicht da!« Das gleiche wiederholte sich zum dritten Mal. Da reichte der »Jude« über den Tisch
weg Rabbi Jehuda Löb die Hand und grüßte ihn: »Frieden über
Euch!« »Aber nur bis nach Sabbat!«, erklärte jener. Jetzt sprach
der Maggid den Willkomm: »Frieden über euch, Boten des Friedens, Boten des Höchsten!«
Bei der dritten Sabbatmahlzeit hob der »Jude« seinem Brauch
gemäß an, die Psalmen zu singen. Wie immer, entstiegen sie auch

diesmal so neu seinem Munde, als gäbe er in diesem Augenblick einer Bewegung seines eigenen Gemüts den Ausdruck, richtiger: er *sprach* die Psalmen wirklich, auch wenn er sie sang. Als er nun an den Vers gelangt war »Vor bösem Gerücht braucht er sich nicht zu fürchten, gefestigt ist sein Herz, gesichert am Herrn«, kam ein so heller und zuversichtlicher Klang aus seiner Kehle, daß alle zu ihm blickten, der Maggid mit einem gütigen Lächeln, der junge Schmelke aber, dessen Augen vom ersten Vers an sich an den Sänger geheftet hatten, mit tränenübergossenem Gesicht. Nur sein Vater blickte nicht auf. Sich über den Tisch lehnend, steckte er den rechten Daumen zwischen die nächsten zwei Finger, hielt diese »Feige« Rabbi Jaakob Jizchak an die Nase und schnarrte: »Da hast du's!« Der Maggid sah ihn groß an, Schmelke schloß die Augen und zitterte am ganzen Leib, der »Jude« aber fuhr mit heiler Stimme fort: »Gegründet ist sein Herz, er fürchtet sich nicht, bis er niedersehn darf auf seine Bedränger.«

Auf diese Begebenheit geht offenbar ein nur andeutungsweise überlieferter Ausspruch des »Juden« zurück, der etwa so gelautet haben mag: »Wer sich selber eine Feige zu drehen pflegt, ist getrost, wenn ihm die ganze Welt eine dreht.« Sein und Rabbi Bunams Schüler, der übermütige, aber immer mehr verdüsternde Rabbi Mendel von Kozk, hat sich den Ausspruch, freilich in einer recht freien Überarbeitung, zu eigen gemacht; er sagte gern: »Wer sich selber eine Feige zu drehen pflegt, kann auch der ganzen Welt eine drehn.«

Als Rabbi Jehuda Löb aber mit seinem Sohn nach Zakilkow zurückkehrte, sprach der weder unterwegs noch daheim ein Wort bis auf das zur Beantwortung väterlicher Fragen Notwendige. Am nächsten Sabbat bei der dritten Mahlzeit legte Rabbi Jehuda Löb ihm genau dar, was für ein Mensch der »Jude« sei. Schmelke schwieg. Als der Vater aber sagte, der Maggid werde schon merken, daß er sein Wohlwollen an einen unwürdigen Gegenstand verschwende, erwiderte er: »Vater, der heilige Maggid hat mir doch selber erzählt, daß er zur Rechten des Mannes den Fürsten der Lehre und zu seiner Linken die Lohe des Gebets gesehen hat.« »Willst du etwa für ihn einstehen?« fragte ingrimmig der Vater. »Ich stehe für ihn in den Tod ein«, sagte Schmelke. Rabbi Jehuda Löb schnippte mit dem Finger. »Weh um meinen Sohn!«

rief er. Und schon sah er dessen Gesicht von einem Vorschatten des Endes überzogen.

In der Nacht schrieb Rabbi Jehuda einen Brief an den Seher und bat ihn, den Spruch zu wenden. Am Morgen schickte er den Sohn mit dem Brief nach Lublin. Schmelke fuhr nach Lublin, legte sich dort auf das Bett der Herbergsstube und starb. Der Seher sagte von ihm, wenn er hätte leben dürfen, wäre er ein Führer des Geschlechts geworden. Rabbi Jehuda Löb war Schmelke nachgefahren; er ging in Sabbatkleidern zur Bestattung. Als er nach Zakilkow zurückkehrte, kam ihm auf dem Weg die Frau entgegen und fragte nach ihrem Sohn. »Ich habe ihn auf das große Lehrhaus gegeben«, antwortete er.

Es wird erzählt, er habe einige Monate danach beim »Sseder«, dem häuslichen Weihemahl am Anfangsabend des Passahfestes, seiner Frau angeboten, er wolle ihr eine Überraschung bereiten, aber unter der Bedingung, daß sie nicht weinen werde. Als sie es ihm versprach, sah sie ihren Sohn an der Tafel sitzen. Da brach sie in Tränen aus. »Nun wirst du ihn nicht mehr wiedersehn«, sagte Rabbi Jehuda Löb.

Da ich von diesem gelehrten und tugendhaften Mann nicht mehr zu berichten haben werde, füge ich an dieser Stelle hinzu, was – ebenso wie die Begebenheit beim Sseder – von einem mit all diesen Dingen wohlvertrauten Rabbiner unseres Zeitalters, der eine Zeit lang in der Stadt Zakilkow amtiert hat, dort erfahren und uns überliefert worden ist. Danach habe er nach dem Tod des »Juden« laut um ihn geklagt und habe den umstehenden Chassidim versichert, was er gegen ihn geredet habe, sei zu seinem Besten gemeint gewesen, denn wäre es nicht geschehen, so wäre man ihm sogar von den Ländern des Westens zugelaufen, und dann hätte das Böse Auge Macht über ihn bekommen.

Einige Zeit nach jenem Sabbat in Kosnitz kam der Maggid gegen Abend, ohne seinen Besuch vorher angesagt zu haben, nach Lublin. Er saß die Nacht lang in der Stube des Rabbi. Am Morgen reiste er heim. Sie haben einander dann jahrelang nicht wiedergesehn. Beider Freund, Rabbi Menachem Mendel von Rymanow, pflegte seither zu sagen: »Ich bin ein Bauer und hüte die Fenster zweier Königssöhne, daß sie sie einander nicht einschlagen.«

Besucher

»Was, ich muß mir sagen lassen, wie man Nudeln macht?« schrie
Schöndel ihre Schwiegermutter an, eine kleine zarte Frau, von
der der Sohn leiblich nichts als die feinen Hände geerbt zu haben
schien, – sie war vor kurzem, nach dem Tode ihres Mannes, auf
die Bitten Jaakob Jizchaks, der sehr an ihr hing, nach Pżysha
übersiedelt. »Nudeln! Wo es doch in ganz Apta niemand gibt,
der so wie meine Mutter versteht, was Nudeln sind! Was heißt
das, soundso viel Mehl und soundso viel Eier? Kommt es denn
auf Mehl und Eier an? Die Hand muß man haben. Wenn man
die Hand hat, kann man alles machen!« Und sie patschte mit der
Linken auf die Rechte, die kleinen runden Hände wohlgefällig
betrachtend.
Die Tür der Küche tat sich auf. Jekutiel trat ein und wandte sich
an Schöndel mit einer Frage, die offensichtlich zu dem Zweck er-
dacht war, um in die Küche eindringen zu können; er ertrug es
nicht, daß es einen Raum gab, den er an dem Tag noch nicht in
Augenschein genommen hatte. Es waren nun schon vier Monate
und mehr, daß Jekutiel in Pżysha weilte; aber den Brauch, unter
dem einen oder andern Vorwand täglich den gesamten Hausstand zu mustern, hatte er gleich zu Anfang eingeführt und hielt
seither unverbrüchlich daran fest, mit einer Gewandtheit, die
dem einfältigen Mann nicht zugetraut werden konnte. Damit
man das verstehe, muß ich an dieser Stelle erklären, was es mit
der berühmten Einfalt Jekutiels auf sich hatte.
Daß er wirklich einfältig war, ist unbestreitbar; aber er war
nicht *nur* einfältig, er war auch schlau. Seine Schlauheit wußte
um seine Einfalt, aber seine Einfalt wußte nicht um seine Schlauheit; das war, wie wenn einer ein starres und ein schielendes
Auge hat, und das schielende kann das starre sehen, nicht aber
umgekehrt. Nur daß das Schielen hier von der Umwelt nicht
wahrgenommen wurde; man hielt Jekutiel schlechterdings für einfältig. So hatte er einst, in der ersten Beratung der Gegner, die Frage nach der »über hundertundzwanzig Jahre« drohenden Gefahr
stellen können, ohne daß sogar Naftali ahnte, daß hier der schlaue
Jekutiel den einfältigen verwendete. Und so konnte er jetzt seinen Späherdienst gewandt mit Einfalt betreiben. Eisik hätte das

nicht vermocht; den Dummen zu spielen, dazu war seine Lust
an seiner Klugheit und der allgemeinen Anerkennung zu stark,
auch hätte er mit einer solchen Unternehmung nie an Jekutiel
herangereicht, der sich eben nicht zu verstellen brauchte.
Als Eisik nach Lublin zurückkehrte und erzählte, wie der »Jude«
mit der Macht des Bösen Auges ihn fast zum Ersticken gebracht
hatte, horchte Jekutiel auf. Da gab es eine Aufgabe, die der Einfalt vorbehalten war! Aber den Entschluß, nach Pżysha zu fahren, faßte er erst eine Weile später. Zunächst ging er auf Eisiks
Vorschlag, die Berichterstattung an den Rabbi über das Treiben
des »Juden« und der Seinen, die bisher ihm oblag, zu übernehmen, gern ein, ohne zu fragen, warum Eisik sich einer so bedeutsamen Pflicht zu entledigen wünschte. Als er aber damit – es war
einige Zeit nach jenem Nachtgespräch zwischen dem Maggid und
dem Seher, das mit der Abreise des Maggids geendet hatte – begann, begegnete er einem unerwarteten Widerstand. Eisiks und
der andern Annahme, daß der Rabbi den Worten des Einfältigen
sogleich Glauben schenken würde, bewahrheiteten sich nicht.
»Wie soll ich dir glauben«, erwiderte er auf eine besonders reichhaltige Erzählung, »du hast all das doch nicht selber gesehen und
gehört!« Unter dem Eindruck dieser Abweisung nahm Jekutiel
bald danach Urlaub und begab sich mit einem Arbeitsplan, den
er niemand mitgeteilt hatte, nach Pżysha. Sein Vorhaben war
ihm dadurch erleichtert, daß sein jüngerer Bruder Perez, der sich
schon vor einigen Jahren dem »Juden« angeschlossen hatte, sich
nun fast dauernd dort aufhielt. Dem törichten Schwärmer würde
leicht vorzuspiegeln sein, daß er, Jekutiel, bereue und gemeinsam
mit ihm der geistigen Segnungen Pżyshas teilhaftig zu werden
begehre, und dann war die Brücke geschlagen. In der Tat fiel es
Perez, der von je bereit war, dem Menschenwort zu glauben,
nicht ein, an der Aufrichtigkeit seines Bruders zu zweifeln. Nun
hieß es zusammen mit ihm vor den »Juden« treten und den von
der Reinheit der Absichten überzeugen. Da aber machte Jekutiel
eine merkwürdige und unangenehme Erfahrung. Er hatte eins
von beiden zu finden erwartet: entweder, und das war das
Wahrscheinlichere, Vertrauen – denn dieser eitle Mensch würde es
für ganz natürlich halten, daß noch einer von der Lubliner Schule
seinem Einfluß erliege und nach Pżysha komme –, oder aber

Mißtrauen, das man dann eben allmählich mit der richtig benutz-
ten Einfalt zerstreuen mußte. Was er fand, war keins von beiden.
Als sie beim »Juden« eintraten, wandte der sich zuerst Perez zu,
mit einem vollen und unbefangenen Lächeln; dann erst blickte er,
weder vertrauend noch mißtrauend, mit einer schlichten Gelassenheit Jekutiel'an und erwiderte gelassen seinen Gruß. Der Gast
brachte, unbeschreiblich aufrichtig aussehend – denn seine Einfalt
glaubte ja, was seine Schlauheit ihr eingab – sein Anliegen vor:
er habe sein Unrecht eingesehen, er bereue, er wolle hier lernen.
Auf die beiden ersten Punkte ging der »Jude« in seiner Antwort
gar nicht ein; zum dritten sagte er nur: »Ihr werdet bei uns nichts
lernen können, Rabbi Jekutiel.« Der Bittsteller gab seine Sache
schon verloren; aber zu seinem Erstaunen fügte der »Jude« nach
einer Weile hinzu: »Aber selbstverständlich dürft Ihr hier bleiben, solang Ihr wollt.«
Jekutiel erging es mit dem Mann, wie es einst Goldele mit dem
Jüngling ergangen war: diesem Menschen war nicht beizukom-
men. Aber es würde schon noch etwas gelingen, dessen war er
gewiß.
Nun war er freilich schon mehr als siebzehn Wochen hier und
hatte noch nichts Erhebliches zusammengebracht. Was er erspähte
und erhorchte, war nicht der Rede wert. Der Beobachtete war
offenbar gehörig auf seiner Hut. Es wäre am Ende doch besser
gewesen, es wie Eisik zu machen, – freilich, wenn man an den
Heringsbissen dachte...! Jedenfalls wollte er noch über den
nächsten Sabbat bleiben: da wurden Leute von auswärts erwartet, Rabbi David von Lelow, Rabbi Jeschaja aus Pžedbož, der
Heimatstadt des »Juden«, noch etliche; vielleicht würde da, wenn
man recht aufpaßte, doch etwas Verstecktes zum Vorschein kommen.
Beim dritten Sabbatmahl waren auch mehrere Hausväter der
Stadt zugegen. Es gab, wie an allen Sabbaten so auch diesmal
keinen Lehrvortrag, wohl aber auch diesmal ein Gespräch über
Lehre und Leben. In dessen Verlauf wandte sich der »Jude« den
Hausvätern zu und rief: »Ach ihr Leute! Fragt man einen von
euch, weswegen er sich auf Erden mühe, antwortet ein jeder: ›Um
meinen Sohn großzuziehen, daß er lerne und Gott diene.‹ Und ist
der Sohn großgewachsen, vergißt er, weswegen sich sein Vater

auf Erden mühte, und müht sich gleicherweise, und fragst du
ihn nach dem Zweck all der Plage, dann sagt er dir: ›Ich muß
doch meinen Sohn zur Lehre und zu guten Werken großziehen‹.
Und so geht es, Leute, von Geschlecht zu Geschlecht. Aber wann
wird man endlich das rechte Kind zu sehen bekommen?«
David von Lelow beugte sich zu Bunam hinüber, der in seiner
Nähe saß, und flüsterte ihm zu: »Wenn der Rabbi das gehört
hätte, würde er keinem Verleumder mehr Gehör schenken.« Aber
bekanntlich vermögen die Ohren der Jekutiele mehr aufzunehmen als die Kehlen der Davide hervorzubringen. Tags darauf
reiste Jekutiel befriedigt nach Lublin zurück, und noch am Abend
seiner Ankunft hinterbrachte er dem Seher, Rabbi David habe
über einen Lehrvortrag des »Juden« geäußert, wenn der Rabbi
dabeigewesen wäre, hätte er sich unter dessen Chassidim einge-
reiht. Nun war aber für jene Stunde ein Kinderlehrer aus einem
nahen Dorf zum Rabbi bestellt und wollte gerade zu ihm, als
Jekutiel heranstürmte und die Tür auftat. Der Mann trat mit
ihm ein, erschrak dann aber vor seiner eigenen Kühnheit und
barg sich in der Verwirrung hinter einem Kleiderschrank. Erst
jetzt betrat auch der Rabbi, von innen kommend, die Stube. Wie
der Kinderlehrer nun Jekutiel seinen Bericht erstatten hörte,
konnte er nicht an sich halten; er sprang aus seinem Versteck,
legte die Hand an die Gebetkapseln des Rabbi, die sich, auf dem
Tisch liegend, als erstes seinem Blick darboten, und rief: »Ich
schwöre, daß das eine ausgepichte Lüge ist.« Jekutiel floh wie
irgendein simpler Einfältiger von dannen, der Rabbi aber fragte
den noch immer mit der Hand an den Gebetkapseln Dastehenden: »Kennst du die Leute, von denen die Rede ist?« »Ich kenne
sie nicht, und ich kenne auch den nicht, der gesprochen hat«, antwortete das Lehrerlein. Etwas belustigt, aber nicht ohne Wohlwollen besah sich der Rabbi die zitternde Gestalt. »Und wie hast
du da schwören können?« fragte er. »Weil ich sah und hörte, daß
er lügt«, antwortete das Lehrerlein. »Wer einen nicht kennt, sieht
und hört ihn gut«, sagte der Rabbi. »Wenn du nicht gewesen
wärst, hätte ichs ihm geglaubt. Nicht umsonst hat ihn der Satan
achtundzwanzig Jahre so sorgsam vor jeder Anwandlung einer
Sünde bewahrt – er ist schrecklich glaubwürdig geworden.«
Einige Wochen danach stand Schöndel in der Stube, während der

kleine Ascher ihr zu Füßen auf einem Schemel saß und ein Buch
vor sich liegen hatte, und putzte mit heller Wut die Messer; auch
als sie schon blitzblank waren, scheuerte sie weiter. Da ging die
Gassentür, und ein großer Mann mit einer unter dem Pelzhut
hervorschauenden mächtigen Stirn, einem breiten rötlichen Gesicht und einem langen, im Gegensatz zu den noch schwarzen
dichten Brauen schon ergrauten Bart trat starken Schrittes ein.
Obgleich sie ihn nie gesehn hatte, erkannte Schöndel im Nu den
Rabbi, ein Messer entglitt ihrer Hand und fiel auf das Buch. Der
Rabbi bückte sich, nahm es und legte es auf den Tisch. »Was ist es,
das du da vor dir hast?« fragte er den sechsjährigen Knaben, der
erst als die Hand des Sehers das Buch berührte den Kopf erhoben
hatte, dann aber sogleich aufgesprungen war. »Das ist der Prophet Jesaja, Rabbi«, antwortete Ascher. – »So lies, was du aufgeschlagen hast.« Mit klarer gleichmäßiger Stimme las der Knabe,
was am Anfang der Seite stand: »Ich aber, ich habe nicht widerstrebt, ich bin nicht nach hinten gewichen, den Schlagenden gab
ich hin meinen Rücken, den Raufenden meine Wangen beide, mein
Antlitz habe ich nicht verborgen vor Schimpf und Bespeiung.«
»Nun, nun«, sagte der Rabbi, »das hast du gut gelesen.« Jetzt
erst setzte er sich auf den Stuhl, den Schöndel ihm vorhin zurecht-
gerückt hatte. »Und was lernt ihr jetzt im Talmud?« fragte er weiter. »Wir lernen den Traktat Joma, Rabbi«, sagte Ascher. – »Wovon handelt der Traktat?« – »Er handelt von den Vorschriften für
den Versöhnungstag, Rabbi.« – »Und welches Blatt habt ihr heute
gelernt?« – »Das neunte Blatt, Rabbi.« – »Hast du dir etwas daraus gemerkt?« – »Ich habe mir etwas gemerkt, Rabbi.« – »Sag es
auf.« – »Der zweite Tempel, wo das Volk sich doch mit der Lehre
und der Erfüllung der Gebote und der Erweisung von Wohltaten
befaßte, warum ist er zerstört worden? Weil es den grundlosen
Haß gab. Daraus kannst du lernen, daß der grundlose Haß drei
Übertretungen aufwiegt: Götzendienst, Zuchtlosigkeit und Blut-
vergießen.« – »Nun, nun, das hast du dir gut gemerkt«, sagte der
Rabbi. »Und warum ist gesagt, man könne das daraus lernen?« –
»Weil vorher gesagt war, der erste Tempel sei eben wegen dieser
drei zerstört worden. Nun aber, in der Zeit des zweiten Tempels
gab es diese drei nicht mehr, wohl aber den grundlosen Haß, den
es in der Zeit des ersten nicht gab, und der bewirkte allein eben

das, was vorher die drei zusammen bewirkt hatten.« Der Rabbi
setzte die Brille auf und betrachtete den Knaben.

Er blieb über den Sabbat und sah sich alles an, das Haus und
seine Geräte, die Menschen, die drin wohnten, und die Menschen,
die es besuchten, die Gasse und das Bethaus. Am Sabbat kamen
viel mehr Leute als sonst und der Rabbi erkundigte sich beim
»Juden« nach ihrer Absicht.

Tags darauf reiste er heim.

Nach einigen Wochen kam ein Mann nach Pžysha, der vorher in
Lublin gewesen war. Er begab sich in das Haus des »Juden« und
wollte ihm einen Bittzettel überreichen. Er habe, berichtete er,
sich zuerst an den Rabbi von Lublin gewendet, der aber habe ihn
hierher gewiesen. Der »Jude« nahm den Zettel nicht an. Aber
nach weiteren Wochen kam der Mann wieder zu ihm und überbrachte ihm als ausdrücklichen Auftrag des Rabbi, er solle den
Zettel annehmen. Da tat er es. An der Stelle, wo das Anliegen
genannt wird, stand: »zur Heilung der Seele«. Der »Jude« ließ
sich mit dem Bittsteller in eins jener Gespräche ein, bei denen es
nicht auf einen bestimmten Inhalt, sondern allein darauf ankommt, den Partner erkennen zu lassen, daß es Menschen auf der
Welt gibt, denen man vertrauen darf. Aber bald begann der
Mann aus eignem Antrieb zu erzählen. »Ich hasse meinen Sohn«,
sagte er, »und das hat mir die Seele vergiftet.« Der »Jude« sah:
hier genügte kein Rat und keine Unterweisung, diesen Mann
mußte man, wollte man ihm wirklich »die Seele heilen«, auf die
eigne Verantwortung wie auf starke Schultern nehmen und so
lange tragen, bis er den Weg selber gehen konnte. Genauer: man
mußte seinen ganzen Haß auf sich nehmen, ohne davon selber
zersetzt zu werden; denn man mußte die Leidenschaft des Hasses
verwandeln, und wie konnte man das anders als indem man ihn
auf sich nahm? Das war freilich ein gefährliches Unterfangen;
dem »Juden« wurde offenbar, daß er nicht eher als jetzt sich daran hätte wagen dürfen. Und plötzlich durchfuhr ihn die Einsicht,
daß er also doch noch beim Rabbi – denn wo sonst? – gelernt
hatte, was zu lernen er einst zu ihm gekommen war: das rechte
Verhalten zum Bösen. Es auf die eignen Schultern nehmen und
tragen, das war das rechte Verhalten.

Am nächsten Sabbat sprach er bei der dritten Mahlzeit den ersten

Lehrvortrag, in dessen Mitte das jesajanische Gotteswort stand:
»Hört auf mich, Haus Jakobs und aller Überrest vom Hause
Israels, ihr vom Mutterleib an Aufgepackten, ihr vom Schoße an
Getragnen und bis ins Alter – ich bin derselbe! –, bis ins Grei-
sentum: ich selber belade mich, ich selber habe es getan, ich selber
will weiter tragen, ich selber belade mich und lasse entrinnen.«
»Gott ist unser Vorbild«, sagte der »Jude«.
Damit war die Gemeinde von Pżysha begründet.

Die Türklinke

Tila, die Rabbanith, lag im Sterben.
Viele Jahre hatten alle daran gedacht, es könnte am nächsten
Tag geschehen, so gebrechlich und doch auch so gefaßt sah sie
drein; dennoch war es nun, da es bevorstand, allen unbegreiflich,
alle gingen mit angestrengten Gesichtern hin und her, als gälte
es, etwas was in der Luft lag zu enträtseln, und wenn zwei zusammentrafen, begegneten einander die verwunderten Blicke.
Nur der Rabbi hatte auch diesmal seine besonderen Mienen, die
mit zum Unverständlichen gehörten.
Die Meinungen der Chassidim waren geteilt. Die einen sagten,
es stehe eindeutig fest, daß der Rabbi längst die Todeszeit der
Frau auf den Tag genau gewußt und sie sogar in den Aufzeichnungen über zukünftige Ereignisse, die er dauernd führte (es
wird erzählt, man habe sie in seinem Nachlaß vorgefunden),
niedergeschrieben hatte. Die andern erklärten, das treffe zwar
zu, aber die vorhergesehene Zeit sei noch gar nicht gekommen,
und es sei daher nur zweierlei möglich: entweder werde die
Rabbanith dem Anschein entgegen noch gar nicht sterben, oder
aber es sei, was freilich als höchst seltsam bezeichnet werden
müßte, ein übler Einfluß dazwischengekommen und beschleunige
das Ende.
Indes lag Tila auf ihrem Sterbebett, den Ordnungen der Wach-
welt weit entrückt, und murmelte abgerissene, undeutliche Laute
vor sich hin. Nur Israel, der zwar wie gewöhnlich im Fenster
stand, aber jeden Laut in sich aufnahm, verstand, daß die Mutter in Räumen und Zeiten ihrer Mädchentage weilte und von
dort aus in die fremde Stube hineinsprach. Nun setzte sie sich

auf und bewegte die Hände vom Hinterkopf her den Nacken
entlang, als kämme sie sorgsam die knielangen Haare, die sie als
Mädchen besaß und die ihr vor der Hochzeit den Vorschriften
des Gesetzes gemäß abgeschnitten worden waren. Sie streckte
sich wieder aus und lag eine Weile still. Dann begann sie mit
veränderter, klagender Stimme und fast zusammenhängend zu
reden. Wieder verstand von den sie Umgebenden nur Israel, daß
sie jetzt ihre Hochzeit zum zweitenmal, Vorgang auf Vorgang,
erfuhr und alles sagte, was damals, beim erstenmal, ihr im Herzen aufgestiegen war. Nun bewegte sie die Füße unter der Decke,
einen um den andern im Takt, als wähnte sie, sie ginge. Sie hielt
inne. Jetzt kommt sie zum Haus ihres Gatten, dachte Israel.
Plötzlich regte sie den Arm, schloß die Hand leicht, als legte sie
sie um etwas, machte sie aber sogleich mit einem Schrei wieder
auf. »Die Klinke brennt!« schrie sie, »sie brennt!« Der Kopf,
der sich beim Schrei vom Kissen erhoben hatte, fiel jäh zurück. »Das ist das Ende«, sagte sich Israel, »so muß das Ende
sein.«

Der Rabbi weigerte sich, eine Tröstung entgegenzunehmen. Wer
damit vor ihn kam, den wies er mit einem Kopfschütteln ab,
und nach einem solchen ist ja geboten, von weiteren Versuchen
abzustehn. Es war aber damals ein Freund des Rabbi in Lublin,
der ging zu ihm hinein und fragte, warum er allen Trost ablehne.
»Wie kann ich mich trösten lassen«, sagte der Rabbi, »heißt es
doch im Talmud, ein Mensch, dem das Weib seiner Jugend stirbt,
das sei, als wäre in seinen Tagen der Tempel zerstört worden.«
»Ich habe einst«, erwiderte jener, »von Euch selber eine Deutung der Talmudstelle gehört: › Jeder, in dessen Tagen der Tempel nicht wiedererbaut wird, dem ist, als sei er in seinen Tagen
zerstört worden.‹ Das habt Ihr dahin gedeutet, wie einst der
gegen das Volk gerichtete Gottesgrimm gemildert wurde, da er
sich an dem Heiligtum aus Holz und Stein ausließ, so mildre
sich der Grimm, wenn einer dies, daß der Tempel in seinen Tagen nicht wiedererbaut wird, so erleidet, als sei er in seinen Tagen
zerstört worden. Nun seid Ihr doch der treue Hirt ganz Israels,
und da Euch solches widerfahren ist, wird gewiß durch Euer
Leiden das Attribut des Gerichtes gelindert.« »Du hast mich getröstet«, sagte der Rabbi.

Unter denen, die in jenen Tagen nach Lublin kamen, um ihm einen Zuspruch zu sagen, war auch der »Jude«, der überhaupt seit der Gründung seiner Gemeinde wieder öfter zu seinem Lehrer zu fahren pflegte. Über diese ihre Begegnung wird etwas erzählt, zu dessen Verständnis ich einiges hier einschalten muß. Seit Eisiks Erlebnis mit dem Heringsbissen stand unter den Feinden des »Juden« fest, daß er das Böse Auge hatte; und seit das Lehrerlein gegen Jekutiel geschworen hatte und dann auf Nimmerwiedersehen verschwunden war, waren sie nicht minder gewiß, daß kein andrer als der »Jude« selber das Männchen hinter den Schrank gezaubert hatte. Aber angenommen, daß er ein Böses Auge von jeher hatte, wo und wie hatte er die Gabe des Zauberns erworben? Auch darauf hatte man eine Antwort. Es gab nämlich unter den Schülern des Sehers einen in einer unfernen Stadt, Itamar mit Namen, der war weithin als ein wahrhaft guter Mann bekannt. In jüngeren Jahren war er ein großer Kaufherr gewesen und hatte ein ansehnliches Vermögen erworben. Er gab aber in solchem Maße den Armen her, daß sein Besitz zusammenschrumpfte. Nun verkaufte er alles was er hatte, um wenigstens den Sabbatbedarf seiner Schützlinge weiter versorgen zu können. Diesem Mann vertraute der Rabbi einmal das Geheimnis der Feindesbezwingung an, und zwar ihm allein, weil er so gut war und man daher sicher sein konnte, er werde keinen unrechten Gebrauch davon machen. Jetzt hatte er es jedoch aus übermäßiger Güte dem »Juden« wenn auch nicht geradezu anvertraut so doch angedeutet, und nun sah man, was der damit anfing.
Aber noch eins ist an dieser Stelle vorauszuschicken: daß der Rabbi selber, wie unanzweifelbare Berichte bezeugen, an das Böse Auge – und zwar nicht bloß von Menschen, sondern auch von Engeln – glaubte. Er pflegte sogar bei Mahlzeiten, bei denen die Anwesenheit eines Bösen Auges zu befürchten stand, den Auftrag zu geben, eine »Flüsterung« zu sprechen, die die Wirkung vereitelte. Man wird somit verstehen, daß er den umlaufenden Nachrichten über die schlimmen Gaben des »Juden« in der einen oder andern Weise Glauben zu schenken geneigt war. Freilich werden manche nicht begreifen, wie es möglich war, daß der Rabbi in seinem Geiste einem solchen Glauben Raum

gab. Aber meine Aufgabe ist, Begebenheiten zu erzählen, und nicht, sie verständlich zu machen.

Als der »Jude« in den sieben Tagen der Trauer den Rabbi aufsuchte und ihm zusprach, entgegnete der: »Sie hat gegen dich geredet.« »Davon weiß ich kaum etwas«, sagte der »Jude«. – »Und was hast du getan, als du von ihrer Erkrankung erfuhrst?« – »Nichts«. – »Vielleicht doch etwas?« – »Wohl, ich habe Psalmen gesagt.« – »Und das nennst du nichts?« – »Was hätte ich denn tun sollen?« – »Du hättest«, rief der Rabbi, »ihr zürnen sollen, dann hätte sich vielleicht an der Waage ihre Schale gehoben.« »Kann ich's denn?« antwortete der »Jude«. Der Rabbi sah ihm in die Augen, mit noch schärfer prüfendem Blick als damals, da er ihm Urlaub gab und ihm in die Augen und durch die Augen ins Herz sah. Dann wandte er sich ab und brummte mit leicht gesenktem Kopf vor sich hin: »Wahrhaftig, der Jude versteht sich aufs Zürnen nicht.«

Einige Zeit danach schrieb der Rabbi einem seiner Vertrauten, einem vornehmen Mann in Lemberg, der nicht das geringste zu unternehmen pflegte, ohne ihn zu befragen, und teilte ihm mit, er wolle seine Schwägerin, die Jungfrau Bejle, zum Weibe nehmen. Bald darauf sandte er Naftali und Simon in die Stadt Brody, wo Bejle mit ihren beiden Schwestern bei ihrem Bruder lebte. In dessen Haus hieß er sie gehen und sich sogleich in die Küche begeben. Dort würden sie drei Jungfrauen finden. Um die in der Mitte Stehende sollten sie werben, denn Gott habe sie ihm zubestimmt. Und so geschah es.

An diese Werbung knüpft sich eine Vorgeschichte, die zwar für mich das Zeichen einer von den Gegnern des chassidischen Wegs aufgebrachten und verbreiteten freien Erfindung auf der Stirn trägt, die aber wunderlicherweise in verschiedene, im übrigen zuverlässige chassidische Aufzeichnungen übergegangen ist und die ich daher hier, wiewohl mit allem ihr gegenüber gebührenden Vorbehalt, wiedergebe. Danach hätte die genannte Jungfrau, von der sonst bekannt ist, daß sie eine wohlbeschaffene Person war, die sich auch neben einem Mann wie der Rabbi nicht übel ausnehmen mochte, nicht mehr in der ersten Jugend gestanden. Ihr Schwager, dem für sie viele und günstige Ehen angeboten wurden, hätte jedesmal beim Rabbi angefragt, aber stets den gleichen Bescheid erhalten, das sei noch nicht der rechte für sie. Als sie aber ungeduldig wurde und zugleich eine besonders günstige Verbindung sich bot, hätte der Rabbi den Bericht darüber mit den Worten beantwortet, es warte Größeres auf sie. Das wäre kurz vor Tilas Tode gewesen.

Aus der Zeit zwischen der Brautwerbung und der Hochzeit wird erzählt, man habe Bejle vor dem Rabbi bezichtigt, sie trage sich in ihrem Wohnort Lemberg in modischen bunten Gewändern. Da sei er ans Fenster getreten, habe den Tau von der Scheibe des Auslugs im Mittelflügel gewischt, habe eine Weile hinausgeschaut, habe dann das Kleid beschrieben, mit dem sie zur Stunde angetan sei, und habe hinzugefügt: »Daran ist nichts zu beanstanden.«

Als aber Bejle die Schwelle des Hauses in der Breiten Gasse zu Lublin betrat und die Hand an die Klinke legte, prallte sie zurück und schüttelte die Finger. »Die Klinke ist ja heiß wie Feuer«, klagte sie. Jemand öffnete die Tür vor ihr.

Später besprach sie den Vorfall mit Rochele, die zwar seit einiger Zeit verheiratet war, aber sich weiter um die Wirtschaft des Rabbi bekümmerte und nun der neuen Frau alles im Hause zeigte. Beide waren einig, das könne nur das Werk einer Hexerei sein, und diese müsse, sagte Rochele, einem bedenklichen Mann aus Pžysha zugeschrieben werden, der unter den Hochzeitsgästen gewesen sei. Man nenne ihn den »Juden«, weil er wie der Rabbi heiße und man ihn daher nicht mit seinem Namen anreden oder bezeichnen wolle.

Bejle vernahm die Kunde mit einem bösen Zug um die halboffnen Lippen, aber nicht ohne sich geschmeichelt zu fühlen.

Seither kam in die Vorstöße, die beim Rabbi gegen den »Juden« unternommen wurden und denen es in der letzten Zeit an der rechten Führung gefehlt hatte, wieder Ordnung und Zusammenhang. Bejle verstand die Kunst, sich erzählen zu lassen, und noch besser die, dem Erzählten die ihm angemessene Form zu verleihen und ihm die ihm zukommende Wirkung zu verschaffen.

Ein Kind

Als ein Jahr nach der Hochzeit Bejle noch keine Zeichen eines
zu erwartenden Kindessegens wahrnahm, bat sie ihren Mann
weinend, um Kinder zu beten. Er aber antwortete nichts als
dies: »Um Kinder darf man nur beten, wenn man keine hat.«
Als sie merkte, daß sie bei ihm nichts ausrichten würde, fuhr sie
zu ihrem Bruder nach Brody und erwirkte von ihm, daß er mit
ihr nach Lublin reiste, um ihr beim Rabbi beizustehn. Er nahm
eine Flasche des edelsten Weins als Geschenk mit, daß der Rabbi
am Freitagabend den Weihebecher davon fülle. Aber seltsamerweise wollte der Seher, als er die noch uneröffnete Flasche erblickte, sie nicht für die Weihe verwenden, und in der Tat stellten die Chassidim dann fest, daß sie nicht Wein, sondern weißen
Met enthielt. Das war zwar offenbar auf den Irrtum eines
Dieners zurückzuführen, aber der Vorfall erschien Bejles Bruder
als kein gutes Zeichen. Dennoch suchte er nach Sabbat den Rabbi
auf. Dieser erkannte sogleich, daß er ein Anliegen hatte, und
fragte, was es sei. »Mein Anliegen«, sagte jener, »ist, daß ich erfahren möchte, was ich bin.« »Nun, das kann ich dir sagen«,
antwortete der Rabbi, »du bist ein frommer und gelehrter
Mann.« »Nein, nicht so«, brachte der Schwager vor, »ich will
es wirklich erfahren, wie man nur etwas erfahren kann, was man
sieht. Und wie soll ich es zu sehen bekommen? Wenn meine
Schwester dem Rabbi einen Sohn gebiert. Denn unsere Weisen
sagen ja, daß die Mehrheit der Söhne in ihrem Wesen dem Bruder der Mutter nachgerät. Wenn mir Gott seine Gunst schenkt,
werde ich an dem Gebaren des Knaben erfahren, was ich bin.«
Der Rabbi ließ sich erbitten und eröffnete ihm, es gäbe keinen
andern Weg, als daß er mit seiner Schwester nach Kosnitz fahre:
kein anderer als der Maggid könne ihr helfen. Als die beiden
nun dem Maggid die Sache vorgetragen hatten, hieß er nach
einer Weile den Bruder aus der Stube gehn und sprach mit der
Frau allein. Zuletzt empfahl er ihr, sie möge am Freitagabend
beim Beten in einem bestimmten Augenblick leise zum Rabbi her-
antreten und ihn am Gebetmantel fassen; wenn er sich dann
umdrehe, um nach dem Täter zu sehen, solle sie zu ihm sagen:
»Ich will von dir einen Sohn gebären.« Die Frau wollte schon

danken und sich verabschieden, aber er ließ sie noch nicht gehen.
»Es kann nur dann wirksam sein«, fügte er hinzu, »wenn Friede
zwischen Euch und der ganzen Welt ist.« Bejle fragte nach der
Bedeutung dieser Worte. »Gibt es niemand«, sagte er, »dem
Ihr Unrecht tut?« Sie schwieg. »Gibt es niemand«, fuhr er fort,
»gegen den Ihr Übles redet?« Nun mußte sie gestehen, daß sie
zuweilen dem Rabbi ein Wörtlein gegen den »Juden« zutrage;
aber der heilige Maggid möge nicht glauben, daß sie diesem
damit Unrecht tue, sie wiederhole doch nur, was ihr zuverlässige Leute bezeugt hätten, und daß ihm nicht zu trauen sei,
gehe doch schon daraus hervor, daß er am Hochzeitstag die
Klinke an der Haustür ihres Gatten verhext hatte, – sie habe
sich die Hand daran verbrannt. »Ihr seid eine törichte Frau«,
sagte der Maggid. »Wenn man einen Mann wie den Rabbi von
Lublin heiratet, muß man darauf gefaßt sein, daß beim Eintritt
in sein Haus die Türklinke brennt. Was aber Eure zuverlässigen
Leute anbelangt, so sind sie Verleumder. Wenn Ihr dem Rabbi
von Pžysha nicht versprecht, daß Ihr keine Verleumdungen mehr
gegen ihn vorbringen werdet, wird Euch kein Kind geboren.«
Es blieb Bejle nichts übrig, als beim nächsten Besuch des »Juden«
in Lublin die Anweisung auszuführen. Sie trat auf ihn zu und
bat ihn leise, ihr zu vergeben. Der »Jude« sah sie erstaunt an.
»Ich zürne Euch doch nicht«, sagte er, »wie kann ich Euch da
vergeben?« »Ich will aber«, erwiderte sie, »von jetzt an über
Euch weder Übles reden noch auch nur Übles anhören.« »Nun,
das ist ja ein löblicher Vorsatz«, sagte er und lächelte wider
Willen. »So ist denn Friede«, fragte sie, »zwischen mir und
Euch?« »Soweit es an mir liegt«, antwortete er, »ist Friede zwischen mir und allen Menschen.« Er lächelte noch immer. Es war
an einem Freitag. Am Abend führte sie auch die andere Weisung
des Maggids aus. Einige Wochen danach erkannte sie, daß sie
schwanger war.
Zur Beschneidung des Knaben kam der Maggid aus Kosnitz und
wurde mit der Gevatterschaft beehrt. Der Rabbi ließ ihn fragen,
welchen Namen der Knabe bekommen solle. Der Maggid antwortete: »Schalom«, das ist: Friede; und so wurde er genannt.
Hernach traten beide beiseite. »Ich sehe an dem Kind kein langes
Leben«, sagte der Rabbi. Der Maggid sah ihn unwillig an; ein

starker Vorwurf lag in seinem Blick, aber er sprach ihn nicht
aus. »In den Freudenstunden soll man sich freuen«, sagte er
dann.

Seither mußte Bejle immer wieder mit dem Kinde dem Rabbi
gegenüber sitzen. Wenn der Knabe lachte, war es eine Zeit der
Gnade für die Chassidim, die Abschied nehmen kamen. Wenn er
aber weinte, war es keine Zeit der Gnade.

Der Becher

Seit einiger Zeit war Naftali Gemeinderabbiner und »Vater des
Gerichtshofs« in der Stadt Ropschitz, brachte aber noch immer
einen großen Teil des Jahres in Lublin zu. Nach dem Tode seines
Vaters, des berühmten Rabbi von Linsk, bemühte sich auch diese
Gemeinde, ihn für ihre Führung zu gewinnen, und nach mancherlei Verhandlungen kam eine Vereinbarung zustand, wonach er
an beiden Orten tätig sein sollte. Von da an mußte er seine Besuche in Lublin sehr einschränken.

Als er den entscheidenden Beschluß faßte, erklärte er den Gefährten, er werde, ehe er diesmal Lublin verlasse, aus dem Becher
trinken, über dem der Rabbi am Freitagabend den Weihesegen
sprach und von dem niemand außer ihm trinken durfte.

Bald danach kam an einem Freitag ein Bauer nach Lublin mit
einem Sack Zwiebeln, die er dem Rabbi für das Sabbatmahl zu
verkaufen gedachte. Zu jener Zeit waren die Zwiebeln vom
Markt verschwunden. Naftali lauerte dem Mann auf und kaufte
ihm seinen ganzen Vorrat ab. Sodann fragte er ihn, woher er
seinen Rock habe. Als er erfuhr, daß der aus reiner Wolle und
von einem Juden genäht sei und daß er ihn daher tragen dürfe,
ohne sich gegen das Verbot von Kleidern aus Mischgewebe zu
vergehen, kaufte er auch ihn und den Hut dazu. Als Bauer verkleidet und mit verstelltem Gesicht, den Zwiebelsack über die
Schulter geworfen, kam er in das Haus des Rabbi und verlangte
auf Polnisch ihn zu sprechen: er habe Zwiebeln feil, die er aber
nur ihm selber zu übergeben bereit sei. Um des Sabbatmahls
willen ließ ihn der Rabbi vor. Der Besucher sah sich in der Stube
um, als wäre er noch nie hier gewesen. Er forderte für die Zwiebeln nur die Hälfte des üblichen Preises, wenn er nur ein großes

Glas Branntwein bekäme, um seinen großen Durst zu stillen. Alle Becher, die man ihm vorsetzte, waren ihm zu klein. »Das ist der richtige«, sagte er und zeigte auf den Weihebecher. Gebe man ihm nicht von dem zu trinken, dann wolle er die Zwiebeln wieder mitnehmen; und er hob den Sack, den er beim Kommen auf den Boden gestellt hatte, wieder auf die Schulter. Um der Sabbatehrung willen stimmte der Rabbi schließlich zu. Naftali sprach schnell, aber mit lauter Stimme den Segensspruch:»...durch dessen Wort alles entstanden ist« und trank. Der Rabbi verzog den Mund. Dann entschloß er sich zu lachen.

Kosnitz 1805

Unweit von Kosnitz, auf dem Weg nach Lublin, liegt der Ort Pulawy, Landgut und Städtchen, der Erbsitz der Fürsten Czartoryski. Zu der Zeit, von der ich erzähle, war ihr Schloß noch in solchem Maße der Mittelpunkt des Ortes, daß jedes Haus nach Herkunft und Schicksal irgendwie mit ihm verbunden war, und selbstverständlich war auch jeder Jude als Pächter, Makler, Lieferant oder dergleichen am Gedeihn des Fürstengeschlechts interessiert. Die Czartoryski, dem Königshaus der Jagellonen verwandt und um die Reform des Staates hoch verdient, waren großzügige und gerechte Herren, die damit Ernst machten, Europäer zu sein. Populär waren sie nie, das entsprach ihrer Art nicht, aber jedermann, der einen von ihnen kennen lernte, schenkte sogleich der ganzen Familie sein Vertrauen.

Als der siebzehnjährige Prinz Adam im Frühjahr 1787, ein halbes Jahr etwa nach seiner Rückkehr von der Reise nach Deutschland, auf der er Goethe im intimen Zirkel seine»Iphigenie«vorlesen hörte, von einem in der Kreisstadt zugebrachten Karneval nach Pulawy fuhr, kam ihm unterwegs ein absonderlicher, noch karnevalistischer Gedanke. Er hatte daheim, nicht von den Eltern, aber vom Hausgesind, wiederholt von einem wundertätigen Rabbi reden hören, der in Kosnitz wohnte und zu dem auch Bauern und sogar Edelleute herbeiströmten, um Rat und Weisung in kleinen und großen Angelegenheiten ihres Lebens von ihm zu empfangen. Jetzt erinnerte er sich daran, als er einer Verliebtheit nachsann, die sich in der Kreisstadt entzündet hatte, und der

halb scherzhafte halb leidenschaftliche Wunsch ihn überkam, zu
erfahren, was wohl daraus werden würde. Kurzerhand stieg er
in einem Dorf vor Kosnitz aus der Kutsche, verkleidete sich als
Bauernbursch, ging zu Fuß weiter und begab sich in das Haus
des Maggids, der, wie er hörte, erst vor kurzem von einer Fahrt
(es war die zum Sterbebett des Rabbi Elimelech) heimgekehrt
war. Dem Gabbai gab er auf Befragen seinen Namen als »Woj-
tek Sohn der Stascha« an und bezeichnete sein Anliegen als »Heilung eines Herzleidens«. Er wurde vorgelassen. In der schmalen
Stube saß der Maggid allein vor einem Tisch, im Gebetmantel,
mit den Gebetkapseln gekrönt. Adam erschrak zu seinem eignen
Erstaunen über die schmächtige Gestalt mit dem bleichen Gesicht.
Sein Streich reute ihn, aber nun war es zu spät. Schon sprach
der Maggid, nachdem er den Gabbai aus der Stube geschickt
hatte, zu ihm. »Setz dich mir gegenüber«, sagte er in einem reinen, wiewohl etwas schwerfälligen Polnisch. Adam setzte sich;
er spürte, ohne es zu begreifen, daß seine Schultern bebten. Der
Maggid sah ihn an. Adam versuchte, den Blick auszuhalten,
mußte aber sogleich die Augen senken. »Adam Sohn der Jesabel!« sagte jetzt der Maggid. Isabella hieß die Mutter des Fürsten, die schönäugige Gräfin Fleming. »Adam Sohn der Jesabel«,
sagte der Maggid, »gaukle nicht, das Gaukeln steht dir nicht an.«
Adam fühlte, wie ihm das Blut in die Wangen stieg. »Besinnt
Euch darauf, Prinz«, sagte der Maggid, »was Ihr wirklich wissen
wollt.« Adam fühlte, wie das Abenteuer des Karnevals, das ihn
eben noch in Flammen gehalten hatte, zu Asche zerfiel; nichts war
ihm mehr gegenwärtig als das Schicksal seines unseligen Vater-
lands. Er wagte es, erneut die Augen zum Maggid zu erheben,
der seinen Blick freundlich erwiderte. »Denkt Ihr nun daran,
was ihr wirklich wissen wollt?« fragte Rabbi Israel. »Ich denke
daran, Herr Rabbiner«, antwortete Adam. »Denkt noch eine
Weile mit der ganzen Seele daran«, fuhr der Maggid fort. Einige
Augenblicke herrschte eine vollkommene Stille im Raum. »Ist
es möglich«, fuhr es dem Prinzen durch den Sinn, »daß ich vor
diesem kleinen Juden wie vor der delphischen Pythia sitze?«
Aber im gleichen Nu flog ein anderer Gedanke auf den ersten
zu und verjagte ihn. »Und wie war's«, dachte er, »mit jenem
Kahlkopf, dem Elisa, von dem geschrieben steht: ›Und als der

Spielmann spielte, kam über ihn die Hand des Herrn‹?«»Es
bedarf nicht einmal eines Spielmanns«, dachte er. Und schon begann der Maggid wieder zu sprechen, ohne ihn anzusehn.»Einer
ist im Kommen«, sagte er,»der will alles regieren was unterm
Himmelsgewölb ist. Er pfeift den Völkern, daß sie herbeieilen
und ihm seinen Thron aufrichten. Er pfeift auch euch. Er be-
teuert, daß er euch helfen wolle. Glaubt ihm nicht! Er denkt nicht
an euch. Er denkt an nichts als an den Thron. Der Thron aber
stürzt ein und der Mann fällt zu Boden. Man trägt ihn hinweg.«
Der Maggid schwieg.»Und wir?« fragte der Prinz. Der Maggid
zögerte mit der Antwort.»Ich weiß nicht mehr«, sagte er nach
einer Weile.»In der rechten Stunde werdet Ihr wiederkommen
und dann wieder fragen. Vielleicht werde ich dann mehr wissen.«
Er schwieg, aber es war zu merken, daß er noch einmal reden
würde.»Es steht geschrieben«, sagte er schließlich mit großer
Kraft,»verlaßt euch nicht auf die Freigebigen.« Er übersetzte,
offenbar mit voller Absicht, so und nicht wie üblich,»auf die
Edlen« oder»auf die Fürsten«. Er sprach das Psalmwort fast
singend. Adam Czartoryski verneigte sich und ging.

Im Herbst 1805 weilte der Zar Alexander, der den Fürsten
Adam Czartoryski zu den Vertrauten seiner weitfliegenden Pläne
und zu dem eigentlichen Leiter der russischen Außenpolitik ge-
macht hatte, als Gast der Eltern seines Freundes in Pulawy.
Adam und die ihm nahestehenden Vertreter des hohen polnischen
Adels, die hier versammelt waren, erwarteten von Tag zu Tag,
daß der Zar, in Erfüllung der Gespräche, die er mit dem Fürsten
geführt hatte, die Wiederherstellung des Königreichs Polen verkünden und nach Warschau fahren würde, um sich dort zum
König von Polen ausrufen zu lassen und damit das Zeichen zum
Beginn des Befreiungskampfes gegen Preußen zu geben. Aber
Alexander zog, den Bitten Czartoryskis entgegen, die Entscheidung immer wieder hinaus. Dann reiste er plötzlich, den Fürsten
mitnehmend, ab, indem er wiederzukehren versprach, und machte
Station in Kosnitz. Hier empfing er einen Abgesandten des Königs von Preußen und schickte diesem einen Brief, in dem er ihm
die Leiden klagte, die sein Herz in den letzten Wochen, das
heißt während der Verhandlungen mit dem polnischen Adel,
habe erdulden müssen.

Es war ein Sabbat, drei Tage nach dem Hüttenfest. Während der
Zar sich mit dem preußischen General unterhielt, begab sich
Czartoryski in das Haus des Maggids, bei dem er zuvor hatte
anfragen lassen, ob er ihn empfangen wolle. Als er ihm nun,
nach mehr als achtzehn Jahren, wieder ins Angesicht sah, erschien es ihm trotz der ergrauten Haare, als habe es sich nicht
verändert. »Aber ich, wie ganz anders bin ich geworden!« dachte
er. In der Tat hatte nur die hohe Stirn, wiewohl gefurcht, die
Klarheit der Jugend bewahrt; von den Augenhöhlen bis zum
Kinn hinab hatte die Enttäuschung ihre Zeichen eingegraben.
Der Maggid war auf einem Ruhelager halb ausgestreckt; er
wollte sich erheben, um den Gruß des Fürsten zu erwidern, aber
der bat ihn fast bestürzt, liegen zu bleiben. »Ich habe Euer Exzellenz erwartet«, sagte der Maggid. »Die Stunde der Frage ist
wohl gekommen«, versetzte Czartoryski, »aber ich brauche sie
ja gewiß nicht auszusprechen, dürfte es auch nicht mit völliger
Deutlichkeit tun.« »Es bedarf keines Wortes, Exzellenz«, bestätigte der Maggid. »Nennt mich nicht Exzellenz«, bat Czartoryski, »nennt mich Adam, oder Fürst Adam.« »Ich weiß,
Fürst Adam«, sagte der Maggid, »welches Eure große Liebe ist.
Aber es ist Euch nicht gewährt, sie mit der ganzen Offenheit zu
äußern, die eine große Liebe verlangt. Jakob hat Rahel mit einer
großen Liebe geliebt, und als die Jahre seines Dienstes um sie
um waren, hat man ihm Lea gegeben; wohl, er wußte, daß er
nur noch sieben Jahre zu dienen brauchte, und er würde doch die
Geliebte bekommen. Ihr, Fürst Adam, habt mit Wissen um Lea
gedient, weil Ihr zu hoffen wagtet, Ihr würdet dann um Rahel
dienen können. Aber nun hat man Euch auch die Versprochene
nicht gegeben, und Ihr fragt, wohin der Weg Euch führt.« Er
hielt inne. »Der Weg führt durch Dorngestrüpp, Fürst Adam«,
fuhr er nun fort, »und es ist noch nicht zu sagen, was an seinem
Ende steht. Verlaßt Euch nicht auf die Freigebigen, die Euch mit
ihren Träumen überschütten. Das Werben um Lea müßt Ihr nun
aufgeben, Ihr werdet es bald selber zu erkennen und kundzutun
beginnen. Sogleich nachdem Ihr es kundzutun begonnen habt,
wird der Mann kommen, der alles was unterm Himmelsgewölb
ist regieren will und den Ihr nun kennt, und er wird tun, als sei
es in seiner Macht Euch Rahel zu geben. Aber es ist weder in

seiner Macht noch in der von jenen, die es ebenfalls wähnen.
Was er unternimmt, stürzt mit ihm, und was die andern unternehmen, ist Verderben. In Wahrheit aber haben die Machthaber,
die Polen unter sich teilen werden, nicht Macht über es. Niemand
hat Macht über es als Gott und es selber.«
»Es selber?« rief der Fürst, »wie kann das sein? Dieses elende,
preisgegebene, zerrissene Volk?«
»Kein irdischer Machthaber«, sagte der Maggid, »hat Macht über
die Seele eines Volkes, es sei denn, es gebe ihm selber Macht über
sie. Und nur die Macht über die Seele ist wirkliche Macht. Darum warnte Jesaja das Volk Juda, ein Bündnis mit Assyrien
gegen Ägypten oder mit Ägypten gegen Assyrien zu schließen.«
»Aber wie kann«, fragte Czartoryski, »ein Land wie meines,
unter drei Großmächte aufgeteilt, sich die Freiheit anders erkämpfen, als indem es sich mit einer von ihnen verständigt? Was
anders versucht wurde, ist fehlgeschlagen und mußte fehlschla-
gen.«
»Gott«, sagte der Maggid, »führt ein Volk aus der Knechtschaft
in die Freiheit, wenn es bereit ist, den Dienst der Mächtigen
gegen seinen Dienst einzutauschen. Alles, was man sonst Freiheit nennt, ist nur Schein und Trug. Die Völker, die sich entschließen, nichts mehr zwischen sich und die Herrschaft Gottes
treten zu lassen, sie allein können, wie es in unserem Gebet
heißt, ›zu Einem Bund werden, Seinen Willen zu tun‹, zum Anfang seines Reichs auf Erden.«
»Wie aber soll, Herr Rabbiner«, fragte der Fürst wieder, »ein
ganzes Volk in den Dienst Gottes treten? Wie kann das ein ganzes Volk?«
»Niemand«, antwortete Rabbi Israel, »kann Gott vollkommen
dienen, es sei denn ein Volk. Denn der Dienst Gottes heißt Gerechtigkeit, und alle Gerechtigkeit der Einzelnen kann nur Steine
zum Bau liefern, aber ein Volk kann Gerechtigkeit erbauen. Das
ist es, was Jesaja meint: Verflechtet nicht euer Los mit der Un-
gerechtigkeit der Mächtigen, sondern baut mit eurem eignen Leben die Gerechtigkeit auf, und die Liebe der Völker wird euch
zufliegen, und ihr werdet ein Segen sein auf Erden.«
»Aber wie sollte es einem unfreien Volk, das nicht selber die

Grundlage seines Daseins zu bestimmen hat, möglich sein, Gerechtigkeit aufzubauen?«

»Jeder Mensch, der mit Menschen lebt, und sei er ein Sklave,
hat die Wahl, ob er gerecht gegen sie sein will oder ungerecht.
Keinem Volk, und sei es noch so sehr dem Willen andrer untertan, ist es unmöglich gemacht, die doppelte Gerechtigkeit zu
erbauen: die zwischen seinen Gliedern und die mit den Nachbarn.
Das Maß, in dem es zu bauen vermag, ist verschieden, aber was
du vermagst, das eben ist das Maß der göttlichen Forderung,
nicht mehr – und nicht weniger.«

»Ach, Herr Rabbiner«, wandte Czartoryski ein, »wir verzehren
uns, wie wir das zerrissene, zerklüftete Land ganz und frei zu machen vermöchten, und Ihr verlangt von uns, daß wir auch schon
Gerechtigkeit aufrichten! Wie furchtbar schwer ist es, auch nur in
die Beziehungen der verschiedenen Gruppen seiner Bevölkerung
mit ihren verschiedenen Arten und Willensrichtungen Gerechtigkeit zu bringen! Wieviel Gegensatz und Widerspruch ist da
erwachsen! Es sei fern von mir die andern allein anzuklagen,
gewiß, wir tragen hier manche Schuld, aber da nun alles so ist
wie es ist, was wäre anzustreben, wo wäre anzusetzen? Ich sehe
in dem wirren Knäuel keinen Faden, den man erfassen könnte,
um eine Entwirrung zu versuchen. Gewiß, man kann Rechte erteilen, aber was würde dadurch im Dasein des Ganzen geändert?«

Über das Gesicht des Maggids flog ein Lächeln. Wie der Fürst
es sah, verstand er plötzlich etwas, was er bisher nicht verstanden
hatte. »Wenn die heiligen Männer dieses Volkes«, dachte er,
»noch heute so lächeln können, dann gibt es Israel ja wirklich,
dann ist es ja wahr, daß Gott mit ihnen etwas vorhat, und
dann...« Das Herz tat ihm weh; er hätte die Worte gern zu-
rückgenommen, die er eben gesprochen hatte. Aber schon begann
der Maggid, sie zu beantworten.

»Wir jedenfalls«, sagte er, »verlangen nicht, was man in der
Welt Rechte nennt. Was uns not tut, ist nur das Recht für das
Volk Israel, sein Leben nach der Weisung seines Gottes einzu-
richten. Uns hat Gott vor langen Zeiten über die Erde verstreut,
weil wir darin versagt hatten, und seither läutert er uns im
Schmelzofen der Leiden. Euch hat er jetzt unter eure Feinde ver-

teilt, aber ihr dürft, anders als wir, beisammen wohnen bleiben. Immerhin, ihr beginnt zu spüren wie wir, daß es im Leben der Völker ein Leidensgeheimnis gibt, an das das Geheimnis des Messias gebunden ist. In der Tiefe der Leiden wird die Umkehr geboren, und die Umkehr ruft die Erlösung herbei. Die Umkehr aber ist der Anfang der Gerechtigkeit und die Erlösung deren Vollendung. Ihr sagt, Fürst Adam, Ihr sähet keinen Faden. Ihr könnt keinen sehen, solang Ihr nichts Geringeres versuchen wollt als die Entwirrung des Ganzen. In die Hände des Menschen ist das Anfangen allein gelegt, es aber ist wirklich in sie gelegt. Wollt nur einfach anfangen, und sogleich werdet Ihr rings um Euch, im Umkreis Eures eignen persönlichen Wirkens, allerhand Fäden erblicken, von denen Ihr nur einen zu ergreifen braucht und es wird, wenn Gott will, der rechte sein. Andre werden Euch nachtun, und was sich ergeben wird, wird sich ergeben.«

Der Kopf des Maggids sank mit geschlossenen Augen in das Kissen zurück. Es dauerte eine Weile, bis er sie wieder öffnete und den Besucher fast erstaunt betrachtete. Adam trat zu ihm heran und verneigte sich. »Segnet mich, heiliger Rabbi!« bat er. Der Maggid beugte sich über ihn. »Der Herr segne dich, Adam Sohn der Jesabel«, sprach er, »auf deinen langen schweren Weg.«

Der Fürst war mit seiner großen braunen Dogge gekommen, die sich sogleich zu den Füßen des Maggids gelagert hatte. Der Maggid, der mit allen Tieren gut stand (man erzählte sich, daß keine Mücke ihn zu stechen wagte) nickte dem Hunde freundlich zu, als er sich jetzt erhob, seinem Herrn zu folgen.

Am nächsten Tag reiste der Zar mit Czartoryski und dem preußischen General aus Kosnitz ab. Mehrere Edelleute, darunter Fürst Josef Poniatowski, der Neffe des letzten polnischen Königs und mit den Czartoryskis verwandt, kamen ihm aus Warschau entgegengeritten, erhielten aber von ihm kein Wort der Verheißung.

Ohne sich in Warschau aufzuhalten, fuhr Alexander, Czartoryski mitnehmend, nach Berlin. Zwei Wochen später wurde der Vertrag von Potsdam unterzeichnet und die beiden Herrscher schworen sich auf dem Grabe Friedrichs des Großen ewige Freundschaft. Ein Monat wurde für die Kriegsvorbereitungen Preußens gegen Napoleon angesetzt. Genau einen Monat danach ist die Schlacht von Austerlitz geschlagen worden. Rabbi Israel war nach dem Besuch des Fürsten in eine tiefe Erschöpfung gesunken, die am Ende der Woche noch andauerte. Man fürchtete um sein Leben, denn so kraftlos wie jetzt hatte man ihn noch nie gesehen. Am Freitag kamen zwei Chassidim aus Pžysha, die erzählten, der heilige Jude habe sie hergeschickt, damit sie an diesem Abend dem heiligen Maggid die Gesänge des Sabbatempfangs vorsängen. Der »Jude« hielt nämlich in seiner Gemeinde Lieder und Sänger in hohen Ehren, und diese zwei waren seine besten Sänger. Man berichtete dem Maggid von ihrem Kommen, und er befahl, man solle sie am Abend ihm vorsingen lassen. Als er dann die ersten Klänge hörte, horchte er auf und sein Gesicht erhellte sich. Bald ging sein Atem gleichmäßiger, die Stirn wurde kühler, und er fühlte eine neue Kraft in seinen Leib einkehren. Am Ende blickte er wie erwachend auf und flüsterte: »Der heilige Jude hat in dem Leuchtenden Spiegel gesehen, daß ich durch alle Welten hinweggegangen bin, nur in der Welt der Melodie war ich nicht. Da hat er zwei Boten geschickt, daß sie mich durch diese Welt zurückführen.«

Kinder gehen, Kinder bleiben

Das Nachfolgende ist wieder den Aufzeichnungen des Rabbi Benjamin, und zwar aus dem Sommer des Jahres 1807, entnommen:
Seit dem vorigen Winter, als der Kaiser Napoleon sich in Warschau aufhielt, habe ich im Sturm der Begebenheiten nichts in dieses Buch eingetragen. Aber ich habe nicht die Absicht, jetzt noch von den Kriegsereignissen zu berichten, die uns allen, mit Ausnahme wohl des Rabbi, das Herz bewegt haben. Ich sage: mit Ausnahme wohl des Rabbi; freilich erfährt jetzt niemand mehr von uns, was er hinsichtlich Napoleons im Sinn hat, aber niemand auch hat beobachtet, daß das, was sich ereignet hat, ihn erregt hätte. Als ihn einer von uns, ich weiß nicht mehr in welchem Zusammenhang, während des Chanukkafestes darauf aufmerksam machte, daß nun, nachdem der Führer der polnischen Legionen, der General Dombrowski, in Warschau eingetroffen sei,

man bald auch Napoleon selbst zu erwarten hätte, sah er den Sprecher abweisend an und sagte: »Damals, vor sieben Jahren bei Megiddo, war er in unserer Nähe, jetzt ist er fern.« Dennoch spürte man zuweilen, daß die Begebenheiten für ihn eine besondere Bedeutung hatten. Ich entsinne mich aus seiner Tischrede am Chanukka-Sabbat, einige Tage danach, der Worte: »Warum sprechen wir im Segen beim Entzünden der Chanukkalichte: ›Gesegnet seist du, Herr unser Gott, König der Welt, der Wunder tat unsern Vätern in jenen Tagen, in dieser Zeit‹? Die Tage sind jene Tage, die Tage sind verschieden, aber die Zeit ist diese Zeit, – die Zeit, in der unser Gott Wunder tut, ist immer nicht eine vergangne, sondern die gegenwärtige Zeit. Darum sprechen wir unmittelbar danach den Segen: ›Gesegnet seist du, Herr unser Gott, König der Welt, der uns hat am Leben bewahrt und uns erhalten hat und uns hat gelangen lassen zu dieser Zeit.‹ Wir danken nicht für das, was einst geschah, wir danken nicht für jene Tage, wir danken für diese Zeit.« Und plötzlich warf er die Arme in die Höhe und rief: »Ich danke dir, Herr der Welt, für diese Zeit.«

Nun muß ich aber das Schmerzliche erzählen, das sich im Frühjahr ereignet hat. Nein, etwas anderes ist noch vorauszuschicken. Es war uns allen seit langem aufgefallen, daß die Rabbanith, die sich in dem ersten Jahr ihrer Ehe mit Heftigkeit an den Verleumdungen des heiligen Juden beteiligt hatte, im zweiten Jahr davon ließ und sich auch weigerte, der Zuträgerei ein Ohr zu leihen. Ich habe mich besonders über diese Wahrnehmung gefreut, denn seit ich selber nach Pżysha fahre, weiß ich, wie abscheulich verlogen all das Gerede ist, aber ich weiß auch: die Tatsache, daß der Rabbi ihm immer wieder zuhört, trifft den »Juden« immer neu ins Herz. Und warum? Ich meine: weil unter allen Schülern keiner so wirklich der Schüler des Rabbi ist wie er, wiewohl er nur kurze Zeit ohne Unterbrechung hier geweilt hat; weil unter uns allen keiner ist, der so wie er weiß, wer der Rabbi ist; und schließlich, weil er, wenn er – was nur sehr selten und jedesmal mit sehr großer Zurückhaltung geschieht – gegen eine Ansicht oder Haltung des Rabbi einen Einwand erhebt, dies seltsamerweise eigentlich im Namen des Rabbi selber tut, ja, wenn er gegen den Rabbi aufzutreten scheint, tritt er in

Wahrheit für ihn ein. Nun wohl, also alle diese Jahre haben wir
von der Rabbanith kein böses Wort gegen ihn gehört, und wenn
sie merkte, daß jemand etwas gegen ihn vorbringen wollte, brach
sie das Gespräch ab. Und plötzlich, eben im vorigen Winter, änderte sich ihr Verhalten wieder. Damit ist es, soweit mir ein Urteil zusteht, so zugegangen. Der »Jude« war einmal über den
Neumond nach Lublin gekommen. Er ließ sich bald danach beim
Rabbi anmelden, was aber, wie sich dann herausstellte, versäumt
worden ist. In der Meinung, sein Besuch sei dem Rabbi angekündigt und von ihm angenommen, trat er in dessen Stube, deren
Tür offen stand. Der Rabbi saß ohne ein Buch in der Hand,
die Rabbanith mit Schalom ihm gegenüber. Der Rabbi war in
den Anblick des Knaben versunken und bemerkte den Eintretenden nicht. Der »Jude« zog sich sogleich zurück und ließ sich
auch nicht mehr melden, sondern erschien erst, als der Rabbi,
von seiner Ankunft verständigt, ihn rufen ließ. Ich weiß nicht,
was an dem Vorgang die Rabbanith verdrossen haben mag; aber
gewiß ist, daß sie von da an sich wieder an den mißgünstigen
Gesprächen über den »Juden« zu beteiligen begann. Bald danach
erkrankte das Kind. Die Mutter kam, während einige von uns
beim Rabbi waren, in seine Stube gestürzt und flehte ihn, ohne
unsere Gegenwart zu beachten, an, für das Leben des Knaben
zu beten. Sie sprach mit solcher Verzweiflung, als ob er schon im
Sterben läge. Der Rabbi sah auf sie mit einem schwermütigen
Blick. Eine Weile war es, als könne er kein Wort über die Lippen
bringen, dann sagte er leise: »Du weißt, an wen du dich zu
wenden hast.« Und nun geschah etwas Seltsames. Die Rabbanith
trat sogleich zu mir heran und ersuchte mich, mit ihr noch in
dieser Stunde nach Pżysha zu fahren. Das ist mir eine Bestätigung gewesen, daß auch der Rabbi um die Gebetskraft des heiligen Juden weiß. Wie wir nun in dessen Haus kamen, warf sie
sich ihm zu Füßen und stammelte etwas Unverständliches. Aber
offenbar merkte er sogleich, was geschehen war, denn sein Gesicht, das er ihr zuwandte, war von Tränen übergossen; Tränen
um Tränen stürzten ihm aus den Augen. Sie sah es nicht, sie war
wie von Sinnen. »Helft!« schrie sie. Dem »Juden« fiel der Kopf
auf die Knie. »Genug! es ist genug!« hörte ich ihn stöhnen. Die
Frau schien zu meinen, er wolle nicht, daß sie weiter rede, denn

sie biß sich die Lippen blutig, aber er hatte gar nicht zu ihr gesprochen. Schließlich hieß er sie aufstehn und heimfahren.»Ich will beten und nicht ablassen«, sagte er schluchzend. Dann warf er mir die Hände um den Hals.»Benjamin«, sagte er,»was vermag der Mensch!« Wir fuhren heim. Als wir ins Haus des Rabbi traten, lag das Kind im Sterben.

Einige Wochen danach, als ich in Pžysha war, erkrankte Ascher, der fast zwölfjährige Sohn des»Juden«. Erst sah es nicht nach einem ernsten Übel aus, dann aber verschlimmerte sich der Zustand, die Mutter rannte wie toll herum und heulte, und einmal kam sie in die Stube ihres Mannes gestürzt, während wir mit ihm eine Frage der Lehre besprachen, sie kam ebenso hineingestürzt wie Bejle damals in die Stube des Rabbi, und brüllte:»Das ist die Rache!« Der»Jude«, so schwer bekümmert er selber um seinen Sohn war, richtete sich auf, blickte sie an, nicht zornig, sondern eher mit einer Mischung aus Mitleid und Befremden, als wundere er sich, daß es so etwas gibt, und sagte:»Verlier dich nicht!« Dann nahm er sie bei der Hand und führte sie sacht hinaus.

Nun verfiel sie auf einen andern Gedanken. Hier muß ich aber etwas einschalten, was ich noch nicht berichtet habe. Bekanntlich pflegt der»Jude« alles Geld wegzugeben, das er jeweils über das im Augenblick Notwendige hinaus unter der Hand hat. Trotzdem gelang es der Frau im Laufe der Jahre, ohne sein Wissen einen ansehnlichen Betrag zusammenzuscharren, zu einem Teil aus Geschenken ihrer Mutter, zum andern aus dem, was sie von Zeit zu Zeit ihrem Mann hinterzog. Als sie genug beisammen hatte, ließ sie insgeheim ein Haus bauen, und nach dessen Fertigstellung – das war im vorigen Herbst – beauftragte sie einige Schüler, ihn hinzuführen, ihm das Haus zu zeigen und ihm zu eröffnen, daß es das seine sei und er fortan darin wohnen solle. Eine Weile starrte er auf das Gebäude ohne zu verstehen, dann lachte er bitter auf, wie wir ihn noch nie hatten lachen hören.»Es steht geschrieben«, sagte er:»Haus und Habe ist Übereignung der Väter, aber vom Herrn her ist ein achtsames Weib‹. Wie sollte ein Mensch, der sich des Dienstes Gottes befleißigt, sich Haus und Hof erwerben? Darum schickt ihm der Herr ein achtsames Weib, die baut ihm ein Haus.«

Wie nun der Knabe krank lag und das Fieber stieg, erklärte
Schöndel, sie wolle alle bewegliche Habe den Armen zuwenden,
denn man sagt, dadurch könne man das Leben eines Kindes
retten. Der »Jude« war es wohl zufrieden. Als es nicht half, kam
sie zu ihm und fragte, was sie noch tun könne. »Verkauf auch
noch die Fenster und gib den Erlös den Armen«, sagte er mit
einem trostlosen Lächeln auf den Lippen.
In den Tagen danach ging es dem Knaben schlimmer und schlimmer. Nun aber geschah etwas Außergewöhnliches. Ich habe schon
früher einmal erzählt, daß Rabbi Jissachar Bär seit mehreren
Jahren sowohl nach Lublin als nach Kosnitz als auch nach Pžysha
zu fahren pflegt, und zwar teilt er seine Besuche so ein, daß er
einen Monat vor dem Neuen Jahr sich an den Hof des Sehers
begibt, wo er über die »furchtbaren Tage« bleibt, von da reist
er zum Maggid und wieder nach einiger Zeit von da zum »Juden«. Da widerfuhr es ihm plötzlich, zu eben jener Zeit, als der
Knabe Ascher von der Krankheit schwer bedrängt wurde, daß
er ein übermäßiges Verlangen spürte, sogleich, also ganz außerhalb der regelmäßigen Besuche, nach Pžysha zu fahren. Als der
Bauernwagen, dessen Besitzer ihn aus Freundlichkeit (denn er
ist sehr arm) aufgenommen hatte, eine Höhe querte, von der
aus man das Städtchen unter sich liegen sah, hörte er von unten
her das Weinen eines Kindes. Es schien aus dem Hause seines
Lehrers zu kommen, aber das war ja doch unmöglich; noch merkwürdiger war, daß es ihm schien, das Kind rufe ihn mit seinem
Weinen. Als er das Haus des »Juden« betrat, ergriff der seine
Hand und führte ihn zum Bett des röchelnden Knaben, an der
am Boden hockenden Frau vorbei. »Ich bin am Ende meiner
Kraft«, sagte er, »ich kann nicht mehr beten, du kommst nicht
von ungefähr, nimm ihn auf dich, gewiß, du wirst ihn mir gesund wiedergeben.« Er hob die Frau vom Boden auf und ging
mit ihr aus der Stube. Rabbi Jissachar Bär war im ersten Augenblick – so hat er mir selbst erzählt – bestürzt wie nie zuvor im
Leben. Nie hatte er sich mit einer Heilung befaßt, nie auch nur
versucht, auf den Zustand eines andern einzuwirken. Er hatte
nie besondere Kräfte in sich vermutet, zumal man in Lublin
kaum seiner achtete. Sowie aber nun ihm zugemutet wurde, woran er bei seinen Lehrern, auch beim »Juden«, obwohl der nichts

davon wissen wollte, unverbrüchlich glaubte, wagte er nicht zu zweifeln. Im Nu war die Bestürzung überwunden und der ganze Mensch stand im Brand der Notwendigkeit, das zu verrichten, was von ihm gefordert war. Das Werk gelang; was er getan hat, weiß niemand auf Erden außer ihm selbst. (Viel späterer Zusatz: Als ich vor kurzem Rabbi Jissachar Bär, der ja inzwischen der berühmteste unter den wundertätigen Männern des Geschlechts geworden ist, in Radoschitz besuchte, gestand er mir, allen späteren Aufstieg verdanke er jener Stunde.)

Der Knabe war genesen, aber noch so schwach, daß er kaum gehen konnte. Sein Vater wartete nicht, bis er ganz wiederhergestellt war, sondern nahm ihn mit sich nach Kosnitz. Ich weiß nicht, worüber er mit dem heiligen Maggid gesprochen hat; die Krankheit kann es nicht gewesen sein, da sie vorüber war, wohl aber vermute ich aus manchem, daß es darum ging, Ascher solle eine Zeit lang nicht bei seiner Mutter sein. Jedenfalls hat ihn der Maggid für das Jahr, bis er mündig im Sinne der Thora würde, zu sich genommen; er läßt ihn in seiner Stube schlafen und nimmt ihn an jedem Morgen ins Tauchbad mit. Die Rabbanith hat es geschehen lassen, weil sie darin einen Gegenzauber erblickt.

Seit dem Tode des kleinen Schalom hat sich das Verhältnis von Lublin zu Pžysha ganz sonderbar gestaltet. Schon vorher pflegte es in den letzten Jahren so zu sein, daß, sooft der »Jude« nach Lublin kam, bei der ersten Begegnung mit dem Rabbi der Friede gestiftet schien, sowie er aber abreiste, die Verleumder wieder die Oberhand bekamen. Nun aber ist etwas anderes, Sonderbares hinzugekommen. Wenn die Widersacher mit ihren Beschuldigungen den Rabbi bestürmen und er darauf eingeht und über den »Juden« schilt, wissen sie aus Erfahrung, daß sie nichts ausgerichtet haben; sagt er aber: »Schade um ihn«, dann können sie gewiß sein, daß sie einen frischen Haß in seinem Herzen erregt haben.

Irgendwie, ich weiß selbst nicht wie, muß ich etwas damit in Zusammenhang bringen, das sich vor kurzem begeben hat. Der Rabbi wandte sich unversehens an Rabbi Meïr, der bekanntlich von der ersten Stunde an einer der Führer im Kampf gegen den »Juden« gewesen ist, und sagte ihm, er solle um langes Leben für den »Juden« beten. Einige Zeit danach kam Meïr wieder von Stabnitz, wo er Gemeinderabbiner ist, nach Lublin und saß am Sabbattisch nah beim Rabbi. Da neigte sich dieser zu ihm und fragte ihn, ob er um langes Leben für den »Juden« bete. Meïr antwortete, seit der Rabbi es ihm befohlen habe, bete er an jedem Tag darum. »Gut, gut«, sagte der Rabbi. Ich wüßte gern, was das zu bedeuten hat. Warum heißt der Rabbi darum beten? Bedeutet das etwa gar, – daß er gegen seinen eignen Zorn beten läßt? Aber warum heißt er gerade Meïr darum beten? Rätsel über Rätsel!

Ich habe an mir selber sowohl Nachsicht wie Zorn des Rabbi erfahren. Daß ich schon manches Jahr dem »Juden« zugeneigt bin, hat er gewußt, seit es so war, und hat zuweilen sogar im Gespräch mit mir darüber gescherzt. Er hat mir auch nicht weniger als früher Aufträge erteilt, so zum Beispiel einmal einen besonders wichtigen an Rabbi Hirsch in Żydatschow, obgleich dieser zu den Gegnern des »Juden« gehört; die Reise zu ihm ist mir übrigens durch ein Wort dieses außerordentlichen Mannes besonders unvergeßlich geworden – er sagte damals zu mir: »Ich bin jetzt ein leeres Faß, ich muß bald wieder nach Lublin fahren, um es zu füllen.« Einmal fragte mich der Rabbi sogar, warum ich in der letzten Zeit nicht nach Pżysha gefahren sei. Ich antwortete der Wahrheit gemäß: »Weil ich kein Reisegeld hatte.« Da hat er es mir gegeben, ohne daß jemand davon wußte. Leider habe ich dies, um den Rabbi zu rühmen, einem der Gefährten anvertraut, und dann haben die Gegner des »Juden« es gewagt, dem Rabbi einen Vorwurf daraus zu machen. Nun hat sich aber vor einigen Wochen das Folgende ereignet. An einem Freitagabend – ich habe später erfahren, daß damals Friedensverhandlungen zwischen dem Kaiser Alexander und Napoleon geführt worden sind – sagte der Rabbi nach dem Tischgebet: »Morgen, wenn es sieben schlägt, sollen alle gemeinschaftlich beten.« Er ging in seine Stube, kam aber dann wieder an den Tisch und sagte: »Benjamin auch«. Er wußte ja, daß ich in den letzten Jahren mit dem Beten warte. Am Morgen beeilten sich alle zu kommen und nahmen auch mich mit. Ich hüllte mich in den Gebetmantel. Beim Mahl fragte der Rabbi: »Haben alle gemeinschaftlich gebetet?« Sie sagten: »Ja.« Er fragte: »Auch Benjamin?« Sie antworteten: »Ja.« Aber der zweite Sohn des Rabbi,

Rabbi Josef, sagte: »Mir scheint, er hat nicht gebetet.« Nun rief mich der Rabbi heran und fragte: »Hast du in der Gemeinschaft mitgebetet?« Ich antwortete: »Nein.« Da schwieg er eine Weile, dann sagte er: »Ich entschuldige dich.« Ich dankte Gott in meinem Herzen, wußte ich doch: hätte er mich nicht entschuldigt, es wäre von mir nichts übrig geblieben. Würde mich aber einer fragen, warum ich damals nicht mitgebetet habe, so wüßte ich darauf keine Antwort. Warum habe ich nicht mitgebetet, zumal ich doch daran denken mußte, was der Rabbi einmal sagte: wenn alle einmal in wahrer Gemeinschaft mit ihm und miteinander ein einziges Gebet sprächen, so würde etwas Hohes dadurch erreicht werden, – warum habe ich trotzdem nicht mitgebetet? Ich weiß es nicht zu sagen. Ich weiß nur, daß mich damals etwas mit solcher Gewalt vom Beten abhielt, als ginge es um die Rettung eines Menschenlebens. Und nun, vor einigen Tagen, hat mich der Rabbi im Vorbeigehen – sein Sohn Israel ging ihm zur Seite – angesprochen. »Benjamin«, sagte er, »nimm dich in acht, es wird eine Zeit kommen, wo alle sich von dir fernhalten werden.« Da faßte ich mir ein Herz und fragte: »Rabbi, meint Ihr jenes Fernbleiben der Menschen, wo auch Gott von einem nichts wissen will, oder meint Ihr jenes Fernbleiben der Menschen, wo Gott den Vereinsamten besucht?« Er antwortete nicht. Er runzelte nur die Stirn und ging. Rabbi Israel schloß sich ihm nicht an, sondern blieb bei mir und nahm mich an der Hand. So begleitete er mich zu meinem Haus.

Da ich mir vorgenommen habe, alles aufzuzeichnen, was mir hinsichtlich der Beziehungen dieser beiden Männer, unseres Rabbi und des heiligen Juden, bekannt wird, will ich auch eine angebliche Begebenheit nicht übergehen, die man sich hier erzählt hat. Mich dünkt sie in hohem Maße unwahrscheinlich, ja ich vermag sie überhaupt nicht zu glauben, da sie dem Wesen und der Art beider Männer nicht entspricht. Wenn ich sie dennoch hier einfüge, ist mein Hauptgrund dies, daß sie wie kaum ein wirklicher Vorgang die Lage zeigt, wie sie sich herausgebildet hat: eine Lage, in der eben ein solches Gerücht entstehen und als Wahrheit von Mund zu Ohr weitergegeben werden konnte.

Als der »Jude« zum vorletzten Mal hier war, soll er, als der Rabbi ihm Mal um Mal und immer nachdrücklicher die Behauptungen der Verleumder vorhielt, endlich in der Glut seiner Empörung zur heiligen Lade gestürzt sein, die im Haus des Rabbi steht, und geschworen haben, daß all das Lüge sei. Da soll sich der Groll des Rabbi gelegt haben und das Erbarmen in sein Herz eingezogen sein. Als die Verleumder, an ihrer Spitze Rabbi Simon Deutsch, wiederkamen, wies er sie ab und berief sich auf den Schwur des »Juden«. Da sprang Rabbi Simon zur Lade und schwur, daß er die Wahrheit gesprochen habe. Als nun der »Jude« wieder hier war, soll der Rabbi ihm den Schwur der Gegner entgegengehalten haben. Da habe der »Jude« eine Weile geschwiegen, und dann habe er gesagt: »So weiß ich mir nur noch einen Rat. Wenn jene die Wahrheit sprechen, so heißt das, daß ich von dem Rabbi Übles denke. Und unsere Weisen haben ja gesagt, wer von seinem Lehrer Übles denkt, das sei, als denke er es von der Schechina selber. Wer aber von der Schechina Übles denkt, von dem ist ja bekannt, daß sein Gebet vierzig Tage nicht angenommen wird. So möge der Rabbi mit seinen klaren Augen im Himmel nachschaun, wie es um meine Gebete steht.« Der Rabbi soll da seinen Kopf zurückgeneigt und die Augen eine Weile geschlossen gehalten haben. Dann habe er erklärt: »Es ist, wie Ihr sagt. Aber es könnte sein, Ihr habt eine so große Kraft, daß man sogar im Himmel mich irreführt.«

Die Vogelsprache

Ich wollte, ich könnte an etwas zeigen, was »Pżysha« gewesen ist – den Zeigefinger ausstrecken und darauf hinzeigen, wie man an einem alten Prachtgewand die verblichene Zeichnung mit dem Finger vorführt. Aber da ist ja nichts mehr geblieben. Was ist »Pżysha« gewesen? Man sagt: nun eben, eine Stätte des Geistes. Aber was ist das, »Geist«? Was kann er einer Zeit bedeuten, die jeden flinken Schwätzer »geistvoll« nennt und im Grunde nur noch die Wahl zu haben meint, im Geist ein perfektioniertes Kampfmittel oder eine ebensolche Belustigung zu erblicken? Wohl, ich bekenne mich zum Glauben an den Geist, der über der in den Wassern aufkeimenden Kreatur wie der Adler über seinem Neste schwebt; das heißt, ich glaube daran, daß es das noch gibt, die »Wasser« und den flügelspreitenden Vogel darüber,

und nur wo das ist, sehe und sage ich, daß Geist ist. So sei denn
»Pžysha« doch eine Stätte des Geistes genannt. Eine größere Überraschung, als sogar damals vor sieben Jahren
der Besuch des Rabbi, war es – vielleicht nicht für den »Juden«
selbst, aber für seine Freunde und Schüler –, als plötzlich Meïr,
im Kreis der Gegner wohl der Mann der sachlichsten Leidenschaft, das Haus betrat. Ihm, und mit ihm seinem älteren Bruder
Mordechai, in dem aber die stille Glut seiner Gefühle nie zur
Leidenschaft entflammte, diesen beiden erschien der »Jude« als ein
fremdes Element, das in das Heiligtum einzudringen sich erdreistete und sich gegen alles erhob, was Geheimnis war: gegen die
heilige Majestät des hohen Menschen, der in der Mitte der Welt
steht, gegen sein Bündnis mit den obern Mächten, gegen seinen
Einfluß auf die Vermählungen der himmlischen Sphären, gegen
seinen Kampf mit den dämonischen Gewalten. Dieser leidenschaftliche Ingrimm bei Meïr, diese ruhige Ablehnung bei Mordechai hatten schließlich dazu geführt, daß beide sogar der persönlichen Berührung mit dem Verhaßten auswichen. Als der
»Jude« vor Jahren einmal in der überfüllten Judenstadt von
Lublin keine Unterkunft fand und die Brüder ersuchen ließ, ihn
für kurze Zeit in einer ihrer beiden Stuben zu beherbergen, hatten
sie seinen Boten mit schnöder Weigerung abgefertigt und der
sanfte Mordechai hatte sich sogar zu dem Ausruf verstiegen:
»Was soll das heißen: ›der Jude‹? Ich bin auch ein Jude!« Es
war Meïr dann gewiß sehr schwer geworden, den Auftrag des
Rabbi auszuführen und um langes Leben für den »Juden« zu
beten. Und nun kam er selber hierher, ohne zwar in Worten eine
Versöhnung in die Wege zu leiten, aber mit so verwandelten
Mienen, daß das Verlangen nach Versöhnung deutlich davon abzulesen war. Was war geschehen? In Pžysha hat es niemand erfahren – der »Jude« selber begehrte es auch wohl gar nicht zu
wissen –, aber durch den Kreis der Menschen, die Mordechai
anhingen (eigentliche Schüler hat er nicht gehabt), ist etwas davon bewahrt worden, nur ein weniges, aber doch genug, um den
Vorgang uns zu vergegenwärtigen. Die Brüder, die ungeachtet
ihrer Verschiedenheit sehr eng miteinander zusammenhingen,
hatten, nicht zum ersten Mal, in einer Nacht beide denselben
Traum. Sie sahen im Traum jenen koboldischen Mann wieder,

Jaakob Jizchak Sohn der Matel mit Namen wie der Rabbi, der einst ein Jahr lang die ganze Schülerschaft und den Meister selbst schwer beunruhigt hatte – Meïr hatte in ihm sogleich den Sendling der Dämonen erkannt – und von dem seit seinem Verschwinden keine Kunde mehr nach Lublin gelangt war. Sie sahen ihn in weit teuflischerer Erscheinung als damals, mit Eberhauern und Fledermausflügeln. Sie sahen, wie der Rabbi und alle Schüler, lange zugespitzte Eisenstäbe in den Händen, auf ihn eindrangen, ohne daß es ihnen gelang ihn zu verjagen. Er wuchs in die Höhe und in die Tiefe – um seinen Kopf war jetzt eine Wetterwolke geschlungen und seine Füße standen unsichtbar im Dunkel des Abgrunds. Da aber erschien ein breitschultriger Mann, der hob die unbewaffneten starken Hände gegen den Unhold und zwang ihn in die Flucht. Jeder der Brüder erkannte sogleich mit einem heftigen Erschrecken den »Juden«. Und nun – als sie am Morgen ihre Träume verglichen, zögerten beide an diesem Punkt weiter zu berichten – stellte sich die Schülerschaft, sie beide, Mordechai und Meïr, voran, dem Sieger entgegen, sie umringten ihn mit ihren Stäben, und unversehens waren ihnen beiden, Mordechai und Meïr, aus ihren Stäben Beile geworden, mit denen hieben sie dem »Juden« seine beiden Hände ab. Am Morgen war Mordechai von seinem Traum so geschändet und geschwächt, daß er nicht aufzustehn und, wie es seinem Gefühl nach ihm als dem Älteren oblag, sogleich nach Pžysha zu fahren vermochte. Meïr tat es an seiner Stelle.

Die Tage, die er in Pžysha zubrachte, waren anders, als er erwartet hatte. Nirgends war eine Feindschaft zu spüren. Der »Jude« behandelte ihn mit einem gleichmäßigen Wohlwollen, und auch alle andern kamen ihm freundlich entgegen. Das war ihm zunächst schwerer zu tragen als das härteste Widerstreben, aber allmählich fühlte er sich in dieser Luft ohne Rückhalt und Vorbehalt selber unbefangen werden.

Als er zum »Juden« kam um Abschied zu nehmen, entschloß er sich zu seiner eignen Verwunderung ihm eine Frage vorzulegen, die schon lange, mit besondrer Kraft aber seit dem Traum ihn peinigte. »Woran liegt es«, fragte er, »daß Menschen, die einigermaßen Herr über die Sünde geworden sind, doch sich von den Einflüsterungen des Bösen Geistes verleiten lassen, zwar nicht grob zu sündigen, aber doch das Falsche zu meinen und das Falsche zu tun?«»Eins ist gewiß«, antwortete der »Jude«, »wenn ein Mensch auch nur einmal die Worte ›Höre, Israel, der Herr ist dein Gott, der Herr der Eine!‹ mit all seiner Kraft spricht, müßte der Böse Geist schon völlig daran verzweifeln ihn zu gewinnen, denn wer sich wahrhaft zu seinem Schöpfer als zu der einen einzigen Macht bekennt, kann keiner andern mehr erliegen, da er doch jede als Schein und Anmaßung durchschaut. Aber was tut der Böse Geist? Er stellt jenem die hohen Stufen vor, die er erreichen kann, und läßt sie ihn erreichen. Denn ist einem der Sinn erst auf die Stufen gerichtet, dann ist er nicht mehr Gott allein ergeben, sondern, ob er sich auch einbildet, er sei es, es gibt nun eine Macht, die er nicht als Schein und Anmaßung durchschaut, und das ist er selber mit seinen Stufen. Ich sage Euch das, Rabbi Meïr, weil ich diese Gefahr aus meinen eignen früheren Jahren, eben der Zeit kenne, in der ich nach Lublin gekommen bin – in Lublin habe ich dann gelernt, den Trug der Stufen zu erkennen. Und was soll der Mensch, der so versucht wird, tun, um sich vor der Falle des Voglers zu schützen? Er geht in den einsamen Wald und steht und schreit, bis man alle Stufen und Grade wieder von ihm nimmt.« Nachdem der »Jude« das gesagt hatte, verabschiedeten sie sich voneinander. Auf der Heimreise nickte Meïr beim Rütteln des Leiterwagens, in dem er saß, sacht ein. Als er aus dem Schlummer auffuhr, bewegte sich der Wagen durch einen Wald, in dessen Bäumen Vögel aller Art ihre Lieder sangen. Aber wie er darauf horchte, da: er verstand, was sie sangen. Bestürzt sprang er aus dem Wagen, lief in den Wald, stand und betete und ließ nicht ab, bis die Vogelstimmen ihm wieder nichts andres zubrachten als zuvor immer. Weinend dankte er Gott. Er sah sich um, der Wagen wartete in der Nähe, er stieg ein, die Pferde zogen an, bald entschlummerte Meïr wieder, bis der Fuhrmann an einer Herberge Halt machte und ihn weckte. Er wußte nicht: war ihm das Wunderbare im Traum oder im Wachen geschehen? Er fragte nicht. Aber in jener Stunde war er ein anderer geworden.

Später einmal ging der »Jude« mit seinem Schüler Perez, der zuhören konnte wie keiner – denn die Ohren waren ihm mit der Seele innig verbunden, so daß er keinen Laut mit ihnen allein und nicht auch mit ihr aufnahm –, über eine Wiese, auf der weidende Rinder brüllten, während aus dem hindurchfließenden Bach eine Gänseschar schnatternd hervorstieg. »Könnte man doch all die Rede verstehen!«, rief Perez. »Wenn du dahinkommst«, erwiderte der »Jude«, »aus dem Grunde zu fassen, was du selber redest, wirst du die Sprache aller Wesen verstehen lernen. Denn so viele Sprachen es gibt, die Sprache der Wesen ist eine.« Und wieder einmal sagte er zu Jissachar Bär: »Willst du, so lehre ich dich die Rede der Vögel und der andern Tiere verstehen.« »Wenn es mir zugedacht ist«, entgegnete jener, »werde ich schon dahin kommen.« »Eben diese Antwort«, sagte der »Jude«, »habe ich von dir erhofft. Weißt du aber wohl schon, ob die Rede in Worten oder in Gebärden geschieht?« »Ich denke«, antwortete Jissachar Bär, »alle ursprüngliche Rede ist da zu fassen, wo Wort und Gebärde einander in ihren Wurzelfasern begegnen.« »So weißt du schon das Wichtigste«, sagte der »Jude«.

Da sind uns nun drei scheinbar so verschiedene Äußerungen über den einen Gegenstand, zu drei wirklich verschiedenen Menschen gesprochen, überliefert. Aber die Äußerungen sind nicht verschieden. Sie schließen sich zu einer einzigen zusammen. Dies eben ist Pžysha.

Ein anderer Schüler hatte die Kasteiung des Schweigens auf sich genommen und redete nichts mehr außer den Worten der Lehre und des Gebets. Der »Jude« wartete ihm eine Weile zu, dann ließ er ihn aus seinem Wohnsitz herbeirufen. Als er gegen Abend sich der Stadt Pžysha näherte, sah er den »Juden« mit einigen Schülern übers Feld gehen. Er sprang vom Wagen, lief ihm entgegen und begrüßte ihn. »Junger Mann«, sagte der »Jude« zu ihm, »was ist das, daß ich in der Welt der Wahrheit kein Wort von dir vernehme?« »Rabbi«, rechtfertigte sich jener, »wozu soll ich Eitles reden? Frommt es nicht mehr, nur zu lernen und zu beten?« »So kommt«, sprach der »Jude«, »eben kein Wort von dir selber in die Welt der Wahrheit. Wer nur lernt und betet, lernt und betet auch nicht, denn er mordet das Wort in seiner Seele. Was ist das: Eitles reden? Man kann was immer eitel sagen, man kann was immer wahrhaftig sagen … Und nun lasse ich dir Tabak und eine Pfeife für die Nacht zurechtlegen, komm nach dem Abendgebet zu mir und ich will dich reden lehren.« Sie saßen die Nacht durch beisammen; am Morgen war die Lehrzeit zu Ende.

Das ist Pžysha.

Zwischen Lublin und Rymanow

Auch dies ist den Aufzeichnungen des Rabbi Benjamin von Lublin entnommen, und zwar denen über das Frühjahr 1809: Groß ist der Rabbi von Lublin! Wohl, es gibt mancherlei an ihm und seinen Handlungen, was einem nicht einleuchten will, und zuweilen lehnt man sich sogar dagegen auf, denn man meint, man habe doch selber sein Quentchen Verstand, aber schließlich beugt man sich, wiewohl man auf der eignen Einsicht beharrt, doch vor der Großmächtigkeit, die einem Wesen von Fleisch und Blut hier von seinem Schöpfer verliehen worden ist. In den letzten Jahren hat der Rabbi wunderliche Äußerungen getan. So hat er einmal in begeisterter Rede das Kommen des Messias auf Tag und Stunde angesagt; als man ihn aber später darum befragte, erwiderte er, er erinnere sich nicht, derartiges ausgesprochen zu haben. Als ein andermal vom Berechnen des Endzeitanbruchs die Rede war, trug er das folgende Gleichnis vor. Ein Sohn sieht an seinem Vater etwas, was ihn unschicklich dünkt. Kann er sich erdreisten, es ihm vorzuhalten? Aber er kann ihm sagen: »Vater, nicht wahr, so und so steht in der Thora geschrieben?« So ist es auch mit den Zaddikim, die die Erlösung beschleunigen wollen: sie finden in einem Schriftvers die Andeutung, in einem bestimmten Jahr werde der Messias kommen, und zeigen unserem Vater den Vers und sagen: »Vater, nicht wahr, so steht's in der Thora geschrieben?«
Von da aus ist wohl auch ein Wort zu verstehen, das wir vor etwa einem Jahr aus dem Munde des Rabbi gehört haben und das ich hier noch nicht verzeichnet habe. Ich muß aber einiges über den Anlaß dazu vorausschicken.
Es ist bekannt, daß Rabbi Menachem Mendel, einige Zeit nachdem er sich in Rymanow niedergelassen hatte, aus einer nicht bekanntgewordenen Ursache in die Stadt Prystyk, den Wohnort seines Schwiegervaters, zurückkehrte und dort jahrelang ver-

weilte. Vor mehr als einem Jahr ist er aber wieder mit den Seinen nach Rymanow gekommen, und nun erst hat sein eigentliches Regiment über die Gemeinde begonnen. Es ist ein strenges,
wie nicht anders zu erwarten war. Nicht bloß wird aufs genauste
die rechtschaffene Führung aller Mitglieder beaufsichtigt, so daß
zum Beispiel am letzten Tag jedes Monats in allen jüdischen Läden Maße und Gewichte nachgeprüft werden, sondern auch einer
erlaubten Lebenslust werden nachdrückliche Grenzen gezogen.
So hat Rabbi Menachem Mendel unter anderm verboten, daß
auf den Hochzeiten Musikanten aufspielen. Aber die stärkste
Aufmerksamkeit hat er der Kleidung zugewandt. Die Männer
sind noch glimpflich davongekommen; ihnen sind Kragen nicht
erlaubt und dergleichen mehr. Weit genauere Verfügungen sind
über die Gewänder der Frauen erlassen worden, wie sie denn
auch besonderen Beschränkungen unterworfen sind, so daß sie
etwa zum Melken nicht ohne Aufsicht gehen dürfen, ihre Spaziergänge nicht über die Stadt hinaus erstrecken und an Sabbaten und Feiertagen nicht auf der Gasse sitzen dürfen. Die
Mädchen sollen keine Schläfenlöckchen und das Haar auch nicht
gekräuselt tragen, die Ehefrauen auf der Gasse keine silberge-
stickten Stirntücher, jene und diese keine modischen Sandalen,
keine deutschen Hemdchen, keine bunten und verzierten Kleider.
Die Schneider, die modische Gewandung herstellen, werden in
Strafe genommen. Rabbi Menachem Mendel hat sich dabei unter
anderm auf die Predigt des Propheten Jesaja gegen die Prange-
krönlein, die Tropfgehänge, die Flatterschleier, die Knüpfschär-
pen, die Armspangen und die Schrittkettlein der hochfahrenden
Töchter Zions berufen.
Er hat sich aber nicht damit begnügt, die Verordnungen in dem
Bezirk von Rymanow bekanntzugeben, sondern weit hinaus
in alles Land hat er Boten entsendet, die seinen Protest verbreiten sollten. Als einer von ihnen nach Lublin kam, verdroß unsern
Rabbi die Botschaft. »Die Töchter Israels sollen sich schmücken«,
sagte er, »zumal jetzt, da die Zeit der großen Freude naht.«
Freilich ist die Hoffnung auf Erlösung im Herzen Rabbi Mena-
chem Mendels kaum weniger stark als in dem unseres Rabbi.
Aber während unserem Rabbi der Sinn immer darauf gerichtet
ist, daß das in der Finsternis verborgene Licht durch die hemmen-

den Schalen dringe, sind bei Rabbi Menachem Mendel alle Er-
wartungen und Entwürfe von der Gewißheit bestimmt, erst
müßten die Mächte der Finsternis zu ihrem Sieg gelangen, ehe
die Bewegung des Lichtkeims tief im Innern der Finsternis sich
vollziehen könne. Es komme, so meint er, darauf an, das heimliche Licht ganz rein zu halten, zugleich aber müsse die Gewalt
des Bösen sich aufs äußerste steigern, bis ihr, der grausam alles
niederstampfenden, nichts mehr auf Erden gegenübersteht als das
reine Licht in seiner begnadeten Ohnmacht. Dann erst nämlich
werde sich ihm das Gotteslicht zuneigen und es zur Tat begaben.
So habe ich es aus dem Munde unseres Rabbi Hirsch erfahren,
der zuweilen nach Rymanow fährt; ihm hat es dort sein Namens-
vetter, Rabbi Hirsch der »Diener«, anvertraut, der bekanntlich
seit langem Rabbi Menachem Mendels Haus verwaltet und ein
Großer des chassidischen Wegs ist; dieser hat es von seinem Lehrer
selber gehört. Als ich danach in Pżysha war, habe ich es dem
»heiligen Juden« berichtet, aber er hat mir darauf kein Wort
erwidert. Später sprach ich mit Rabbi Bunam und Rabbi Perez
davon. Rabbi Bunam sagte: »Es steht geschrieben: ›Ein Ende hat
er der Finsternis gesetzt.‹ Gott allein bestimmt, wie weit zu jeder
Zeit der Bezirk der Finsternis reichen darf.« Rabbi Perez aber
sah mit seinen leuchtenden Augen in die meinen und fügte hinzu: »Das Licht ist rein, solang es sich nicht mit sich selber befaßt.«
Etwas aber steht im Zusammenhang mit diesem Glauben Rabbi
Menachem Mendels, was hier erwähnt werden muß. Wie unser
Rabbi, denkt er bei solchen Vorstellungen an einen Einfluß der
Zaddikim auf das Geschehen. Und wie unser Rabbi, so meint
auch er, es sei an den Zaddikim, Napoleon zum Gog zu machen.
Aber das bedeutet für ihn nicht das gleiche wie für unsern Rabbi.
Es bedeutet Beten und Sich-Einsetzen, daß Napoleon alles be-
siege.
Nun aber will ich erzählen, was sich im Frühjahr dieses Jahres
ereignet hat. Es sind wunderbare Dinge, und wenn der Sohn
eines kommenden Geschlechts meine Aufzeichnungen liest, wird
es ihm vielleicht schwerfallen zu glauben, daß sie sich wirklich
ereignet haben. Darum will ich meine Zeugen namhaft machen,
zuverlässige Männer. Der eine ist Rabbi Naftali von Ropschitz,

der mir, was er selbst mitangesehen hat, erzählte, als ich in diesem Sommer bei ihm zu Gast war; der andere, Rabbi Schlomo, der Enkel Rabbi Elimelechs, mir seit Jahren befreundet, hat mir über seinen Anteil an den Vorgängen berichtet, als er unserem Rabbi, der ihn nach Rymanow gesandt hatte, Rabbi Menachem Mendels Antwort überbrachte.

Erwähnt muß zunächst noch werden, daß der Glaube an die Bedeutung der ersten Passahnacht für das Kommen der Erlösung in Rabbi Menachem Mendels Seele von je besonders tiefe Wurzeln geschlagen hat. Ich habe gehört, daß er in seiner Jugend weit umher gewandert und bis nach dem Lande Spanien gelangt ist. Da hat er die Passahnacht bei einem Marranen in einer unterirdischen Höhle gefeiert. Wie sie beisammen saßen, fiel plötzlich ein großes Licht in die Höhle, daß sie erschraken, und im gleichen Augenblick hob sich der Becher Weins, der dem Brauch gemäß für den über die Erde wandernden Propheten Elia bereitgestellt war, in die Luft, als hebe ihn jemand an seinen Mund, und als er sich wieder zum Tisch herabgesenkt hatte, war er leer. Seither hat Rabbi Menachem Mendel oft darauf hingewiesen, Elia werde als Herold der Erlösung in eben der Nacht erscheinen, in der einst Israel aus Ägypten befreit worden ist.

Am Vortag des diesjährigen Passahfestes, frühmorgens beim Bereiten der ungesäuerten Brote, stand Rabbi Menachem Mendel, von den Getreuen umgeben, unter denen Rabbi Naftali war, am Backofen und schob die Brote hinein. Und jedesmal murmelte er mit seiner beharrlichen Stimme: »So schieben wir bis nach Wien, so schieben wir bis nach Wien.« Rabbi Naftali verstand ihn kaum. Sobald er notdürftig erfaßt hatte, um was es ging, fiel er Rabbi Menachem Mendel ins Wort und rief: »Wie kann das Unreine teilhaben an der Bereitung des Reinen!« Und sogleich flüchtete er vor dem Zorn des Zaddiks. Einige Wochen danach erfuhr er, daß am Tag vor jenem Morgen Napoleon sein Heer gegen Österreich in Bewegung gesetzt hatte, und wieder mehrere Wochen danach, daß Napoleon inzwischen – zu eben der Zeit, als in seinem Auftrag der Fürst Josef Poniatowski an der Spitze der polnischen Truppen Lublin besetzte – in Wien eingezogen war.

Rabbi Naftali war alsbald nach dem Passahfest nach Kosnitz

gefahren und hatte dem Maggid, von dem er wußte, daß er ein
glühender Gegner Napoleons ist, den Vorgang erzählt, doch hat
der Maggid ihm nichts erwidert. Von da kam Naftali nach Lublin und berichtete unserem Rabbi. Sogleich schickte dieser in die
Stadt Mogielnica, wo Rabbi Jaakob, der Sohn Rabbi Elimelechs,
lebt, und ließ dessen Sohn, Rabbi Schlomo, zu sich bringen. Als
er erschien, hieß er ihn nach Rymanow fahren und Rabbi Menachem Mendel eine Botschaft mündlich übermitteln. Die Botschaft lautete:»Es steht geschrieben: ›Und Söhne des Höchsten
seid ihr alle.‹ Es darf nicht sein, daß die Söhne des Höchsten
gegeneinander wirken. Mir wie Euch ist es ein Zeichen Gottes,
daß er diesen Mann hat so mächtig werden lassen. Wie Ihr weiß
ich mich verpflichtet, mich einzusetzen, daß er zu dem Gog er-
wachse, über den geweissagt ist. Aber niemandem ist ein Wissen
gegeben, in welcher Weise die Siege und Niederlagen dieses Mannes mit der Erlösung verknüpft sind. Es kann nicht an uns sein,
uns auf die eine oder die andere Seite zu stellen. Ich habe vordem auch anders gewähnt, aber ich habe meinen Irrtum erkannt. Nur darüber haben wir zu wachen, daß die Dichte der
Begebenheiten sich nicht lockere, daß sie vielmehr größer und
größer werde. Darüber aber haben wir gemeinsam zu wachen.
Jeder mag sein Gefühl im Herzen bewahren, aber das Werk
muß gemeinsam sein. Laßt uns zu solcher Gemeinsamkeit den
Bund schließen.« Als Rabbi Menachem Mendel die Botschaft
empfangen hatte, hieß er den Abgesandten die folgende Antwort sich merken:»Es soll so sein, wie Ihr vorschlagt, denn es
ist offenkundig, daß der heilige Geist auf Euch ruht. Ich kann
nicht ändern, was in meinem Herzen ist, aber von meinem Vorhaben will ich ablassen, und es soll nichts mehr geschehen, es sei
denn im Einvernehmen mit Euch.«
Für das, was ich nun zu erzählen habe, kann ich keinen Zeugen
anführen, aber ich habe es von jemand gehört, dem es der Nächstbeteiligte mitgeteilt hat. Dieser Nächstbeteiligte ist der dritte
Sohn des Rabbi, Zwi, der seit dem Beginn des Jahres Soldat
im österreichischen Heer ist. Als er sich von seinem Vater verabschiedete, sagte ihm dieser:»Wenn du den Kaiser Napoleon
siehst, grüße ihn von mir.« Der Jüngling begriff die Worte nicht,
wagte aber nicht zu fragen. Als in Wien die österreichischen Re-

gimenter, die in der Stadt standen, vor Napoleon vorüberzogen,
war er dabei. Die Truppen hielten an, er kam vor den Kaiser
zu stehen. Der rief ihn heran und hieß ihn fragen, wer er sei.
Er antwortete, selbstverständlich ohne es zu wagen, sich des
Auftrags zu entledigen: »Ich bin der Sohn des Rabbi von Lublin.« Napoleon lachte. »Dann soll er«, sagte er, »seinem Vater
ausrichten, daß ich mich vor ihm nicht fürchte.«
Aber nach einer Woche, am Fest der Offenbarung, an dessen zwei
Tagen, hat er an dem Flusse Donau, auf einer Insel des Flusses,
seine erste Niederlage erlitten.
In Lublin sind bald danach die Russen eingezogen – Napoleons
Verbündete, wie es heißt, aber niemand glaubt es. Der Rabbi
ist ihnen entgegen gegangen und hat sie lange betrachtet. »Ich
sehe keinen Unfruchtbaren unter ihnen«, sagte er.

Ein neues Gesicht

Der kleine Vorfall, den ich in diesem Abschnitt zu berichten
habe, hat sich bald nach der Rückkehr Rabbi Schlomos von Rymanow nach Lublin ereignet. In den Aufzeichnungen des Rabbi
Benjamin finde ich ihn nicht erwähnt. Damit er deutlich wird,
muß ich weit ausholen.
Etliche Jahre vorher, ungefähr zur gleichen Zeit, als Fürst Czartoryski den Maggid besuchte, hatte sich am Hof des Sehers ein
neuer Schüler eingefunden. Auch er hieß Mendel. Er war etwa
achtzehnjährig, von gedrungener Gestalt und hatte eine auffallend dunkle Gesichtsfarbe; die schwarzen Augen sah man nie
ihren Ausdruck verändern.
Er hatte zwei Leidenschaften, die eine einzige waren: die Wahrheit zu erfahren und sie auszusprechen. Die erste hat die Arbeit
seines Lebens bestimmt, die zweite seine Beziehungen zu den
Menschen. Das Lernen der Lehre betrieb er wie ein großes Raub-
tier seine Beutezüge, und er ist von Kindheit auf sehr gehaßt
worden.
Viel später, als er schon der weitberühmte und vielangefeindete
Rabbi von Kozk war, kam er einmal in sein Heimatstädtchen.
Da besuchte er den Kinderlehrer, der ihm einst das Alphabet
beigebracht und noch die fünf Bücher der Thora mit ihm gelesen

hatte; aber den Lehrer, dessen Unterricht er hernach empfangen hatte, besuchte er nicht. Bei einer Begegnung fragte ihn dieser, ob er sich seiner denn zu schämen hätte. Er antwortete:»Ihr habt mich Dinge gelehrt, auf die man entgegnen kann, denn die eine Deutung sagt dies und die andere jenes. Er aber hat mich eine wahre Lehre gelehrt, auf die es nichts zu entgegnen gibt, und so ist sie bei mir geblieben. Darum liegt es mir ob, ihn besonders zu ehren.« Als Knabe wollte er lange nichts von dem chassidischen Weg wissen. Er meinte, er könne dadurch nur vom Lernen abgelenkt werden. Dem Lernen war er so hingegeben, daß er zuweilen stundenlang dastand und einen Talmudfolianten, in Holztafeln mit schweren Kupferklammern gebunden, in den Händen hielt, ohne daß es ihm einfiel sich hinzusetzen.

Ein alter Mann in seiner Heimat pflegte der Jugend Geschichten von Zaddikim zu erzählen.»Er hat erzählt und ich habe gehört«, sagte später der Kozker Rabbi,»er hat Wahres mit Unwahrem vermengt, aber ich habe nur das Wahre behalten, er hat erzählt was er wollte und ich habe gehört was ich brauchte, und so bin ich ein Chassid geworden.«

Er war schon mit fünfzehn Jahren einmal nach Lublin gekommen. Da hatte der Seher einem Mann aus Mendels Heimat den Auftrag gegeben:»In deiner Stadt findet sich ein heiliger Funke. Forsche ihm nach und bringe ihn mir.« Der Mann spürte einigen Knaben nach, wie sie sich hielten; an Mendel dachte er nicht, denn er galt als»verdreht«. Schließlich kam es ihm in den Sinn, in einem Winkel des Lehrhauses zu übernachten, ob er da etwas erforschen könnte. Nach Mitternacht sah er Mendel auf einem Fuß dastehn, den andern an eine Bank gestemmt, und lernen. Das wiederholte sich mehrere Nächte. Schließlich hüstelte der Mann einmal. Sowie Mendel merkte, daß jemand im Raum war, ging er an den Ofen, klatschte in die Hände und trieb allerhand Narrenpossen. Jener aber sagte zu ihm:»Gib dir keine Mühe mich zu täuschen, der Rabbi von Lublin heißt dich holen, du mußt mit mir hinfahren.« In Lublin auf dem Weg sah Mendel in einem Laden ein Messerlein, das ihm gefiel, und kaufte es sich. Als er vor dem Seher stand, sagte der zu ihm:»Bist du hergekommen, ein Messerlein zu kaufen?« Mendel sah ihm ins

Gesicht. »Ich bin nicht gekommen, Gaben des Geistes zu bewundern«, antwortete er. Bald danach erschien Mendels Vater in Lublin, um ihn zurückzuholen. »Warum verläßt du den Brauch deiner Väter und hangst den Chassidim an!« rief er. »Im Gesang am Schilfmeer«, sagte Mendel, »steht zuerst: ›Dies ist mein Gott, ich rühme ihn‹ und danach erst: ›Meines Vaters Gott, ich erhebe ihn.‹« Das wollte der Vater aber nicht einsehn.

Als Mendel geheiratet hatte und in der Stadt Tomaschow im Haus seines Schwiegervaters lebte, erbat er sich, etwa achtzehnjährig, die Erlaubnis, für eine Woche nach Lublin zu fahren. Er erhielt sie und dazu etwas Geld, für eine Woche genug. Er blieb in Lublin mehr als sechs Monate. In den folgenden Jahren kam er ein paarmal wieder, verweilte aber stets nicht lang.

Kurz nachdem der Rabbi nach Rymanow gesandt hatte, kam Mendel wieder einmal nach Lublin. Man sah ihn verdüstert umherziehn, ohne mit jemand zu reden. Als er den Rabbi zu begrüßen kam, um ihm seinen Bittzettel zu überreichen, sagte der Rabbi zu ihm: »Dein Weg ist die Schwermut. Das ist kein guter Weg. Gib ihn auf.« Erbittert wandte sich Mendel zum Gehen. »Es ist mein Weg«, sagte er zwischen den Zähnen. Im Lehrhaus fand er einen Jüngling seines Alters, der unablässig auf und nieder wandelte. »Mit welchem Gedanken trägst du dich?«, fragte er. »Was geht's dich an!« erwiderte jener. »Es geht mich an«, sagte Mendel, »weil du ebenso wie ich dich mit dem Gedanken trägst, zu dem ›Juden‹ nach Pżysha zu fahren.« Der andere gab es zu und erzählte, seine größte Sorge sei, wie er, um Urlaub zu nehmen, vor dem Rabbi erscheinen sollte, da dieser seine Absicht doch sogleich durchschauen würde. Nun schlug Mendel vor, sie sollten gemeinsam abreisen, ohne sich vom Rabbi zu verabschieden, und so wurde es vereinbart. Doch wollten sie noch eine Woche in Lublin bleiben.

Einen Tag, nachdem der Bote von Rymanow zurückgekehrt war, unterredete sich der Rabbi mit den Schülern über das Kommen des Messias und stellte Fragen an sie. Als die Reihe an Mendel kam, sagte der: »Soviel ich verstehe, müssen sich zwei Dinge ereignen, eins unter uns und eins zwischen Himmel und Erde. Was sich unter uns Menschen ereignen muß, weiß jeder von seiner eignen Seele aus und man braucht darüber nicht viel zu reden.

Was sich aber zwischen Himmel und Erde ereignen muß, weiß niemand und man kann darüber überhaupt nicht reden. Seit vielen Geschlechtern hat man sich in jedem gemüht, den Messias zu bringen, und es ist nicht gelungen. Mir will es scheinen, er wird kommen, wenn man sich nicht mit ihm befaßt.« Der Rabbi hörte mit abweisenden Augen, aber schweigend zu.

Auf der Fahrt nach Pžysha erkrankte Mendel. Nach der Ankunft mußte er sich hinlegen. Sein Gefährte lief zum »Juden« und bat, Mendels im Gebet zu gedenken. »Seid ihr aus Lublin gegangen, ohne vom Rabbi Urlaub zu nehmen?« fragte der »Jude«. Als die Frage bejaht wurde, ging er mit in die Herberge. »Nimm es auf dich«, sagte er zu Mendel, »sobald du gesund wirst nach Lublin zurückzukehren und Urlaub zu erbitten.« Mendel schüttelte den Kopf. »Die Wahrheit«, erwiderte er, »habe ich nie bereut.« Der »Jude« betrachtete ihn lange. »Wenn du so auf deiner Einsicht beharrst«, sagte er dann, »wirst du auch ohne dies gesund werden.« Und so geschah es.

Als Mendel aber nach der Genesung zu ihm kam, sagte der »Jude«: »Gut ist's dem Mann, in der Jugend ein Joch zu tragen.« Da ging dem Jüngling die Bereitschaft zum wahren Dienst in alle Glieder ein.

Vision

Mitten in der Nacht riß es den »Juden« – der, seitdem Schöndel ihren zweiten Knaben nährte, allein in einem Stübchen schlief – aus dem Schlummer. Das Fenster, das er am Abend angelehnt hatte, war trotz der Windstille weit aufgeflogen. Eine Stimme rief: »Hebe deine Augen zur Höhe!« Er trat hin, blickte auf, – nicht der Mond noch ein Stern war zu sehn, das Dunkel war undurchdringlich tief. Da aber, ein sehr heller Ton, das langgezogene Schmettern eines himmlischen Widderhorns, und das Dunkel brach mit einem Mal auf. Milchweiß troff aus roten Eutern das Urlicht. Die Tropfen fielen in eine nun plötzlich irgendwoher grell beleuchtete Pfütze, deren Saum grünlich schillerte. Mitten darin war jetzt eine kleine weiße Lache. Der »Jude« stand nicht mehr im Fenster, sondern vor der Pfütze. Der milchige Glanz drang ihm in die Augen. Schon aber regte es sich in der weißen

Lache. Sie wogte auf, sie wölbte und gliederte sich, ein Leib wuchs empor. Der »Jude« schaute eine große Frau, vom Scheitel bis an die Knöchel in einen schwarzen Schleier gehüllt. Nur die Füße waren nackt, und durch den Rest der Lache, in dem sie standen, war zu sehen, daß Staub, wie von einer Wanderschaft auf der Landstraße, sie bedeckte, dazwischen aber erschienen blutende Wunden.

Die Frau sprach:

»Ich bin ermattet, denn ihr habt mich gehetzt. Ich bin siech, denn ihr habt mich gepeinigt. Ich bin beschämt, denn ihr verleugnet mich. Ihr seid der Zwingherr, der mich in der Verbannung hält. Wenn ihr einander feind seid, hetzet ihr mich. Wenn ihr einander verleumdet, verleugnet ihr mich. Jeder von euch verbannt seine Gefährten, und so verbannt ihr mitsammen mich.

Und du selber, Jaakob Jizchak, weißt du noch, wie du mir nachzufolgen meintest und entferntest dich von mir? Man kann nicht mich lieben und die Kreatur verlassen. Ich bin in Wahrheit bei euch. Wähne nicht, meine Stirn entsende himmlische Strahlen. Die Glorie ist drüben geblieben. Mein Gesicht ist das der Kreatur.«

Sie hob den Schleier vom Gesicht, und er erkannte es.

Sie sprach: »Wann finde ich meine Rast? wann darf ich heimkehren? Willst du mir helfen, Jaakob Jizchak? willst du mir ein wenig helfen?«

Und schon war die Gestalt verschwunden. Auch die Pfütze war nicht mehr zu sehen.

Der »Jude« fand sich im Fenster stehend. Eine Stimme rief: »Nahet mir und meine Erlösung naht.«

Das Dunkel barst. Mit großem rötlichem Hof schwang der weiße Mond am Himmel. Zu beiden Seiten ihm schwebten zwei Flügelwesen, feuerfarben die Flügel des einen, eisfarben die des andern, zur Erde herab und auf den Juden zu.

»Du sollst künden«, sagte der eine.

»Du sollst sterben«, sagte der andre.

Die Antwort des Juden

Am nächstfolgenden Sabbat, etwas mehr als eine Woche nachdem der Bote aus Rymanow nach Lublin zurückgekehrt war, versammelte der »Jude« seine Schüler, von dem ältesten und ersten, Bunam, bis zum jüngsten und letzten, Mendel. Sie saßen nicht wie in Lublin um einen langen Tisch mit dem Rabbi zuhäupten, sondern auf einigen kreuz und quer gestellten Bänken, ihr Lehrer auf einem beiläufigen Platz mitten unter ihnen, so daß im Raum sich das Bild einer bei allem Ernst der Führung unbefangenen und vertrauten Gemeinschaft darstellte.

Der »Jude« redete sie so an:
»Es steht geschrieben: ›Mit Hoheit und Hehre hast du dich bekleidet.‹ Alle Hoheit und Hehre, die wir für Gottes Wesen halten, ist nichts als sein Gewand. Er kleidet sich darein, um sich seiner Kreatur zu nähern. Auch das Äußerste an göttlicher Majestät, dessen wir inne werden können, ist nichts als eine Selbsterniedrigung Gottes um unsertwillen.

Zwiefach aber hat er ein wahres Knechtsgewand angezogen. Das eine ist, daß er der Welt seine Schechina, seine ›Einwohnung‹, zugeteilt hat, und hat sie, seine Schechina, in die Geschichte der Welt eintreten und Widerspruch und Leid der Welt mitmachen lassen, und hat sie, seine Schechina, in das Exil des Menschen und in das Exil Israels mitgesandt. Sie ist nicht gefeit gegen Schläge und Wunden, ganz und gar hat sie sich in unser Schicksal, in unser Elend, ja, in unsre Schuld selber hineinbegeben, und wenn wir sündigen, erfährt sie unsere Sündigkeit als etwas, was ihr widerfährt. Sie teilt nicht bloß unsre Schmach, sondern auch was wir nicht als Schande wahrhaben wollen, das verkostet sie in all seiner Schändlichkeit.

Das andre ist, daß er die Erlösung seiner Welt der Macht unserer Umkehr überantwortet hat. Es steht geschrieben: ›Kehret um, abgekehrte Söhne, ich will eure Abkehrungen heilen.‹ Gott will seine Schöpfung nicht anders als mit unserer Hilfe vollenden können. Er will sein Reich nicht offenbaren, ehe wir es gegründet haben. Die Krone des Königs der Welt will er nicht anders sich aufsetzen, als indem er sie aus unserer Hand entgegennimmt. Er will sich mit seiner Schechina nicht eher vereinigen, als bis wir sie ihm zuführen. Mit bestaubten und blutenden Füßen läßt er sie die Landstraße der Welt ziehen, weil wir uns ihrer nicht erbarmen.

Darum sind alle Berechnungen der Endzeit falsch und alle Bemühungen, den Messias zu bringen, müssen mißglücken. Ja, all dies lenkt von dem einen ab, worauf es ankommt: durch unsre Umkehr die Schechina Ihm wieder zuzuführen.

Wohl ist da ein Geheimnis. Aber wer es kennt, kann es nicht kundtun, und wer es kundzutun vorgibt, erweist, daß er es nicht kennt.

Und wohl ist da ein Wunder. Aber wer es vollbringen will, verfehlt es. Nur wer sich seiner nicht unterfängt, darf hoffen, daran teilzuhaben. Die Erlösung ist nah. Es hangt nur noch an unserer Umkehr.«

Nachdem der »Jude« gesprochen hatte, saßen die Schüler noch lange um ihn, ohne daß sie etwas vorzubringen wünschten. Nur Mendel sagte nach einer Weile: »Ich verstehe jetzt etwas, was ich vorher nicht verstanden habe.« »Und was ist das?« fragte der Lehrer. »Es sind«, antwortete Mendel, »die Worte Bileams: ›Der Herr sein Gott ist bei ihm, Königsjubel in ihm.‹« »Und wie verstehst du sie?« fragte der »Jude«. »Gott«, sagte Mendel, »ist bei uns, wo immer wir sind und wie immer wir sind. Aber der Aufbruch seines Königtums kann nur mitten unter uns geschehen, nur in Israel, – nicht eher als bis es dieses ›in‹, diesen Ort gibt.«

Der Lelower greift ein

Viele Jahre lang war es Sitte gewesen, daß vor dem Offenbarungsfest die auswärts lebenden Chassidim, die Rabbi David anhingen – und es hatten sich ihm trotz seiner Zurückhaltung immer mehr angeschlossen – sich nach Lelow aufmachten, eine Meile vor dem Städtchen sich versammelten und zu Fuß mitsammen weiter zogen, etliche Spielleute voran. Als man zum Wäldchen dicht vor Lelow kam, begannen die ihre Zimbeln zu schlagen und ihre kleinen Geigen zu streichen, daß man sie in der Stadt zu hören bekam, die Chassidim stimmten mit ihrem Gesang ein, und so zog die Schar zu Rabbi Davids Haus. Hier standen sie dann, spielten und sangen, bis Rabbi David in den

Hof kam. Da war es stets schon Abend geworden, mit langen
brennenden Wachskerzen standen die Leute um ihn, und er,
strahlenden Angesichts, legte die Schrift aus. Danach wurde wieder gespielt und gesungen, ein Tänzlein schloß sich an, und so
trieben sie's oft bis ans Morgenrot. Zuletzt entbot ihnen Rabbi
David den Friedensgruß, wonach alle »zum Leben« tranken,
und sie begleiteten ihn jubelnd bis zu seiner Tür. Am Morgen
wurde gemeinsam gebetet, dann gab's ein Mahl beim Rabbi,
schmal, aber fröhlich, nun aber fuhren sie alle miteinander, in
langen vollgepackten Leiterwagen stehend, übers Offenbarungsfest nach Lublin. Das Geld wurde zusammengetan und Rabbi
David hielt die Kasse.

In den letzten Jahren hatten immer wieder die Kriegsunruhen
die gemeinsame Fahrt verhindert, und Rabbi David mußte jedesmal seinen Chassidim, wie einst vor mehr als fünfzehn Jahren
dem Seher, die Geschichte von dem langen Tisch erzählen, der
von Lublin bis Lelow reicht. Nun aber war, nachdem Fürst
Poniatowski mit seinen Truppen von Lublin südwärts gezogen
war um Galizien zu erobern, eine wunderliche Stimmung über
die Leute gekommen. Nicht als ob sie den Zustand für gesichert
angesehen hätten, man war längst gewitzigt genug, dergleichen
Vorstellungen keinen Einlaß zu gewähren; aber man hatte jetzt
– niemand wußte warum – allgemein das Bedürfnis, sich in
wachsenden Scharen zusammenzufinden, und so war nicht bloß
ein großer Chassidimzug nach Lelow gekommen, sondern es geschah, ohne daß man etwas vereinbart hatte, wie selbstverständlich, daß am Frühmorgen alle Leiterwagen versammelt wurden
und, der Wagen Rabbi Davids voran, die Fahrt nach Lublin
ging.

Obgleich er nun schon seit drei Jahren in den Sechzigern stand,
hatte David von Lelow noch immer fast keine grauen Haare
und sein großes klares Gesicht hatte sich eher geglättet als gefurcht. Und wiewohl er sich nach wie vor in allem mit der
äußersten Bescheidenheit hielt und zudem immer lachte und
scherzte, hatte seine Erscheinung eine fürstliche Mächtigkeit gewonnen. Es gab Jünglinge, die allen Ernstes das Wort auf ihn
anwandten: »David, der König Israels, lebt fort und besteht.«
An dem Sabbat, der in diesem Jahr dem Offenbarungsfest un-

mittelbar vorausging, bei der dritten Mahlzeit, saßen und standen die Chassidim, darunter die aus Lelow Herbeigekommenen
mit ihrem Führer und auch etliche aus Pžysha mit dem ihren,
um die Tische im Lehrhaus des Sehers. Auch Jeschaja war aus
Pžedbož gekommen.
David von Lelow betrachtete von Zeit zu Zeit seinen Lehrer.
Das Verhältnis zu ihm war durch nichts, was sich in all den Jahren ereignet hatte, in seinem Herzen verändert worden; er wunderte sich, aber er urteilte nicht. Er würde gewiß immer noch,
wenn man ihm vom Seher gesagt hätte, er sei furchtbar, geantwortet haben: »Das ist der wahre Mensch«; nur daß er inzwischen mehr davon erfahren hatte, was der Mensch ist. Auch jetzt,
am Tische sitzend, blickte er den Rabbi mit einem leichten Staunen an. Da bemerkte er, daß auch die Augen des Rabbi auf einen
Gegenstand gerichtet waren: er sah unverwandt auf den »Juden«. Den Ausdruck der Augen vermochte David nicht zu enträtseln; am ehesten hätte er sagen mögen, sie hätten keinen. Nun
aber hoben sie sich vom Gesicht des »Juden« hinweg, nicht etwa
zu einem andern Gegenstand hin, sondern weit fort, in unaus-
denkliche Höhen oder Tiefen. Und jetzt schienen sie David doch
einen Ausdruck anzunehmen; was war es doch für einer? Er
traute seinem eignen Blick nicht, und dennoch – eben so hatte
der Knabe dreingeschaut, den er einmal dabei betraf, wie er sich
anschickte, einem Falter die bunten Flügel auszureißen. Was
hatte er, David, wohl damals getan, um die Untat zu verhindern? Er erinnerte sich: er hatte den schrillen Schrei des Habichts
ausgestoßen (die Kehle des Lelowers verfügte über alle ihm bekannten Tierstimmen), und der Knabe war zusammengefahren,
die grausame Hand hatte sich geöffnet, der Gefangene war ent-
flohn. Und plötzlich schlug David von Lelow mit geballter Faust
auf den Sabbattisch. Eine Weinflasche fiel klirrend zu Boden. Der
Seher fuhr auf. »Wer hat das getan?« fragte er. »Ich war's,
David Sohn Isais«, antwortete Rabbi David. Der Seher stutzte,
sprach aber kein Wort. Erst nach einer Weile wandte er sich
wieder zum Lelower und fragte mit einem Lächeln auf den
widerstrebenden Lippen: »Hat dein Vater Isai geheißen?« »Mein
Vater?« sagte David, wie aus einem Traum geweckt, »nein,
Schlomo, Salomo hat mein seliger Vater geheißen.«

Bei dieser Tafel ereignete sich nichts Besonderes mehr. Als Bunam
hernach den Lelower fragte, warum er auf den Tisch geschlagen
hätte, gab er Auskunft: »Ich sah den Rabbi in den Hallen des
Firmaments suchen, wo die Halle meines Gevatters steht, um
ihm die Gaben des Geistes zu nehmen. Da mußte ich ihn auf-
stören und auf die Erde zurückholen. Das genügt. Zum zweitenmal unternimmt man dergleichen nicht.« »Warum aber habt Ihr«,
fragte Bunam, »auf seine Frage geantwortet: ›Ich, David Sohn
Isais?‹« »Ja, wenn ich das wüßte!« sagte David und lachte.
– »Und habt Ihr daran gedacht, daß Ihr den Sabbat verletzt?« –
»Freilich habe ich daran gedacht. Aber Lebensrettung geht eben
über Sabbatgebot. Und hat nicht der heilige Baalschemtow gesagt,
bei den Zaddikim sei der Abstieg von der geistigen Stufe eine
Art von Tod?«
Auch die beiden Tage des Offenbarungsfestes verliefen ohne besondere Ereignisse. In einer großen Tischrede sprach der Seher
über die Zeichen, die Gott in der Geschichte den Menschen
gibt.
Als am Morgen nach dem Fest die Freunde kamen, sich von dem
Rabbi zu verabschieden, empfing er sie mit der alten Freundlichkeit, und sie saßen eine Weile bei ihm. Dann wandte er sich an
den »Juden« und sagte: »Ihr wißt, wie Eure Gegner mich bedrängen. Und Ihr wißt auch, daß ich Euch liebe und an der Gemeinschaft mit Euch Gefallen finde. Aber ich habe einst selber,
als es mir bei meinem Lehrer, Rabbi Elimelech, so erging, erkannt, daß der Macht des Hasses nicht zu steuern ist, und bin
von Rabbi Elimelech weg in ein anderes Land gezogen. So ist
denn mein guter Rat, daß Ihr nicht mehr nach Lublin kommt.«
Der »Jude« schwieg. Danach gab der Rabbi ihnen den Abschieds-
gruß.
Als sie hinausgingen, fragte Bunam: »Was werdet Ihr tun?« Und
David: »Ist es nicht in der Tat das Beste, du kommst nicht mehr
her?« Aber der »Jude« antwortete: »Der Rabbi hat von Rabbi
Elimelech nicht empfangen, was ich von ihm empfangen habe.
Sein Einfluß ist in mich gefallen und kann sich nicht mehr von
mir lösen. Wohl muß ich seinem Wort und seiner Handlung ent-
gegentreten, wenn es gilt, Zeugnis für Gott abzulegen ohne eines
Menschen zu achten. Aber keine irdische Macht kann mich von

ihm scheiden, sondern der Tod wird scheiden zwischen mir und ihm.« Dann fügte er noch leise hinzu: »Zudem ist die Stunde schon spät.« Die Freunde brachten kein Wort mehr hervor.

Die Frau an der Wiege

Einige Monate danach saß Schöndel einmal an der Wiege des kleinen Nechemja und wiegte ihn. In der anliegenden Stube hatte sich der »Jude«, wie es zuweilen sein Brauch war, wenn er von niemand gestört werden wollte, eingeschlossen. Plötzlich fuhr das Kind aus dem Schlaf und brach in ein unbändiges Weinen aus. Umsonst versuchte die Mutter es mit Spiel und Liebkosung zu beschwichtigen, es weinte nur noch mehr, nicht nach Kindesart, sondern wie ein Mensch, der sich keinen Trost mehr weiß. Da öffnete sich die Tür und Jaakob Jizchak fragte: »Schöndel, weißt du, warum er weint?« Sie schwieg, durch die seltsame Frage verwirrt. »Ich will's dir sagen«, fuhr er fort. »Seine Stimme beim Weinen ist die Stimme einer Waise.« Er ging in seine Stube zurück und verschloß die Tür hinter sich. Schöndel saß etwas betroffen an der Wiege. Da sie aber an Seltsamkeiten von ihrem Mann gewöhnt war, achtete sie nicht weiter darauf, sondern begann von neuem das Kind, das eine Weile still geworden war und nun wieder heftig weinte, zu beruhigen, ohne daß es ihr gelang. Wieder trat der »Jude« ein und wieder fragte er: »Schöndel, weißt du, warum er jetzt weint?« Sie zuckte nur die Achseln. »Er weint«, sagte er, »weil zeitlebens die Menschen ihn verfolgen werden und er den grundlosen Haß wird bis auf die Neige zu schlürfen bekommen.« Und noch einmal brach der Knabe in Weinen aus, und wieder fragte der »Jude« seine Frage. »Ach laß mich in Frieden!« fauchte Schöndel ihn an. Aber er ließ sich nicht beirren. »Er weint«, sagte er, »weil man auch seine Söhne verfolgen wird.« Er ging in seine Stube und schloß die Tür hinter sich. Das Kind hörte sogleich zu weinen auf und schlief ein.

Die Überlieferung dieser Begebenheit stammt aus Schöndels eigenem Mund.

Kampf

Es war unverkennbar: Pžysha, von dem man jetzt überall redete, vor allem freilich in den Familien, in denen Söhne oder Ehegatten gegen den Willen ihrer Angehörigen zum »heiligen Juden« gezogen waren, lag im Kampf mit der übrigen chassidischen Welt – einem Kampf, der oft innerhalb der Gemeinschaft, als Erziehung, begann, dann aber sich weit drüber hinaus, und nun eben in der Gestalt des Angriffs, ausbreitete. Von seinem Wesen kann man etwas aus zwei Beispielen erfahren, die aus dem nun folgenden Jahr, Frühling und Sommer, stammen.

Rabbi Baruch, der Enkel des Baalschem, pflegte der Gewißheit, daß er allen Zaddikim seiner Zeit unvergleichlich überlegen sei, kräftigen Ausdruck zu verleihen. Er sei berufen, sagte er, ihrer aller Aufseher zu sein, und so benahm er sich. Auch erzählte er, der Urmeister der geheimen Lehre aus der Frühzeit des Talmuds, Rabbi Simon ben Jochai, sei ihm erschienen und habe ihm bestätigt, er sei der »vollkommene Mensch«. »Nach meinem Tod«, sagte er einmal, »werden mir die Zaddikim die Tore des Paradieses verrammeln. Was werde ich tun? Ich werde mich vor dem Tor niedersetzen und aus dem Buch des Glanzes so vortragen, daß sich die Lebenskraft in alle Welten ergießt und die Zaddikim die Tore aufmachen und herbeikommen, um mir zu lauschen. Dann gehe ich ins Paradies und sperre es zu und die Zaddikim bleiben draußen.«

Ein Schüler Rabbi Baruchs weilte einmal in Pžysha und war Tischgast des »Juden«. Der wandte sich an ihn und sagte: »Überbringt Eurem Lehrer als meinen Gruß das Wort aus dem Prediger Salomo: ›Am Ende der Sache wird das Ganze vernommen.‹ Am Ende gelten alle Stufen und geheimen Kunden und wundersamen Künste nichts, nur das Ganze gilt. Und was ist das Ganze? Das ist das schlichte Leben. ›Denn dies‹, so heißt es weiter im Prediger, ›ist der ganze Mensch.‹ Nicht mehr als ein Mensch, nur ein Mensch und nichts als ein Mensch soll man sein – ein schlichter Mensch, ein schlichter Jud. Ich gebe diese und jene Welt um ein Quentchen Jüdischkeit her.«

Bald danach brachte ein Chassid aus Lublin dem »Juden« einen Brief des Sehers, den, seit er Rabbi Baruch vor langer Zeit ein-

mal besucht hatte, keine Freundschaft mit ihm verband. In dem
Brief stand: »Ihr habt recht getan.« Der »Jude« mußte sich besinnen, ehe er verstand, worauf sich die Worte bezogen. Dann
schrieb er die Antwort: »Ich habe nichts gesagt, als was ich bei
Euch, Rabbi, gelernt habe. Ihr habt einst mit großer Zuversicht
erwartet, daß die Erlösung in einem bestimmten Jahre käme. Als
das Jahr um war, spracht Ihr zu mir: ›Die einfachen Menschen
haben bereits die völlige Umkehr vollzogen, von ihrer Seite besteht kein Hindernis, daß die Erlösung komme. Das Hemmende
rührt von den gehobenen Menschen her. Ihrer hohen Eigenschaften wegen gelangen sie nicht zur Demut und somit auch nicht zur
Umkehr.‹« Der Rabbi von Lublin konnte sich, als er dies las,
durchaus nicht erinnern, je dergleichen gesagt zu haben. Im Gedächtnis hatte er vielmehr, der »Jude« hätte ihn einmal gefragt,
ob es sich so verhalte, und er habe zustimmend geantwortet, wie
er ja die Demut in der Tat über alles stellte. Aber es war eben
bekannt, daß der »Jude« nicht bloß, was er wirklich von seinem
Lehrer gehört hatte, sondern auch, was von diesem nur zuge-
geben worden war, in dessen Namen anzuführen pflegte.

Das andre Beispiel ist eine Erzählung, die Rabbi Bunam in späterer Zeit gern den neuen Schülern zu hören gab, damit sie
verstünden, was die Lehre seines Meisters war:

»Der heilige Jude trug mir einst an einem Morgen auf, mit
einigen seiner Chassidim eine kleine Reise zu unternehmen, gab
aber Ziel und Zweck nicht an. Ich fragte nicht, sondern holte die
Leute zusammen, und wir gingen zur Stadt hinaus. Gegen Mittag kamen wir in ein Dorf und kehrten beim Schankpächter ein.
Ich setzte mich allein in einen Vorraum, die andern gingen aber
aus und ein und forschten wegen des Fleisches nach, das ihnen
vorgesetzt werden sollte; sie fragten nach der Fehlerfreiheit des
Tiers, nach der Person des Schächters und nach der Genauigkeit des Salzens und Spülens. Da hob ein Mann in zerrissenen
Kleidern, der in der Wirtsstube hinter dem Ofen saß und den
Wanderstecken noch in der Hand hielt, so zu reden an: ›Oh ihr
Chassidim! Ihr macht viel Aufhebens, ob auch rein genug sei, was
ihr in den Mund tut. Aber was euch aus dem Munde geht, um
dessen Lauterkeit tragt ihr mindere Sorge.‹ Ich ging hinüber, um
mir den Mann anzusehn, aber schon war er verschwunden, wie

es Elias Sitte auf seinen Wanderungen ist, wenn er ein Werk getan hat. Wir verstanden alle, zu welchem Ende uns unser Lehrer auf den Weg geschickt hatte, und kehrten nach Pžysha zurück.«

Botschaften

An einem Novembertag jenes Jahres hat Rabbi Benjamin das Folgende in sein Buch eingetragen:
Seit der Rabbi mir jenen Verweis erteilt hat – das sind nun drei Jahre und etliche Monate her –, habe ich ihm nicht mehr Schreiberdienste leisten dürfen, wie ich's, weil er an meiner Handschrift Gefallen fand, früher so oft durfte. Gestern spät abends aber bin ich zu ihm gerufen worden: es gebe etwas zu schreiben.
Als ich in die Stube des Rabbi trat, saß er an seinem Tisch, auf dem drei Kerzen standen. Er bemerkte mich offenbar nicht. Seine beiden Hände lagen auf dem Tisch. Ich blickte auf sie und erschrak: sie zitterten. Nie zuvor hatte ich an ihm dergleichen gesehen. Die Hände lagen da und zitterten ohne Unterlaß. Plötzlich sah der Rabbi selber darauf. Im selben Augenblick hielten die Hände inne und zitterten nicht mehr. Nun erst merkte er, daß ich vor ihm stand. Er starrte mich eine Weile an, als kennte er mich nicht. Dann zeigte er auf zwei große weiße Blätter, die auf einem Tischchen zurechtgelegt waren, reichte mir eine frisch zugeschnittene Feder und hieß mich zuerst auf das eine, dann auf das andre Blatt schreiben, was er mir vorsagen würde.
Auf das erste Blatt hatte ich etwa das Folgende zu schreiben:
»An (hier hieß er mich den Raum für einen langen Namen freilassen) im Norden.
Dem Kaiser des Nordens im Traum einzugeben:
Die Stunde ist gekommen, wo du dich offen trennen mußt von dem Manne, der, wenn er die Herrschaft über die Meere erlangte, all deine Pläne vereiteln würde. Nur im Kampf kannst gegen ihn du die Ziele erreichen, die du dir gesetzt hast: deinem Reich die Oberhoheit auf dem Festland erringen, die den deinen verwandten Nationen vereinigen, die Würde der Völker und der Throne wiederherstellen, das zu Boden geworfene Recht unter deinem Schutze neu aufrichten. An seiner Seite wirst du schrump-

fen und schwinden, ihm entgegen wirst du der Herr der Zukunft.«

Auf das zweite Blatt hatte ich etwa das Folgende zu schreiben:
»An (wieder hieß er mich einen ebenso großen Raum freigeben)
im Westen.

Dem Sidonier, dem Heerfürsten, jetzt Herrscher im Westen, im
Traum einzugeben:

Die Stunde ist gekommen, wo du den Mann in seine Grenzen
weisen mußt, der sich deinen Freund nennt und die Länder gegen dich aufwiegelt. Du kannst die Herrschaft über die Meere
nur erlangen, wenn er es nicht mehr wagen kann, sich mit deinem
Feind zu verschwören. Dein großer Traum, die Erneuerung des
Ostens im Schatten deiner Hand, kann nicht in Erfüllung gehen,
solang dein Nebenbuhle in der Maske deines Bundesgenossen
seine Ränke spinnt. Aber auch das Werk, das du schon vollbracht
hast, mußt du gegen seine Anschläge sichern. Wenn du es nicht
tust, wird nach deinem Tode dein Reich zerbröckeln.«

Als ich fertig war, ließ der Rabbi sich die Blätter reichen und
las sie. Dann nahm er selber eine Feder zur Hand, tauchte sie
in eine andere Tinte und füllte die für die Namen freigelassenen
Räume aus, hielt die Blätter zum Trocknen über die Mittelkerze
und faltete sie. Dann hieß er mich das erste Blatt in die Hand
nehmen, es an der rechts von ihm entzündeten Kerze verbrennen
und die Asche in eine bereitstehende Zinnschale einsammeln.
Als ich das seiner Vorschrift gemäß getan hatte, hieß er mich
das zweite Blatt nehmen, es an der linken Kerze verbrennen und
die Asche in eine Kupferschale einsammeln. Beide Schalen waren
mit Deckeln versehen. Nun sagte er zu mir: »Nimm die Zinnschale in die Rechte und die Kupferschale in die Linke und geh
durch die Tür, die ich dir öffnen werde, und durch das Tor, das
ich dir öffnen werde, auf die Gasse.« Ich sagte: »Rabbi, wohin
soll ich dann gehen und was soll ich tun?« »Ich gehe mit dir«,
sagte er. Wir traten hinaus. Vor dem Tor stand der Rabbi eine
Weile still. Im vollen Mondlicht sah ich, daß er den Kopf ruck-
weise nach rechts und nach links wandte. »Wo ist Osten?« fragte
er plötzlich. »Hat denn der Rabbi noch nicht das Abendgebet
gesprochen?«, sagte ich verwirrt, denn ich konnte mir seine Worte
nicht anders deuten, als daß er nach der Gebetsrichtung frage.

»Zeige!« rief er ungeduldig. Ich zeigte. Nun ging er mir voran,
aber nicht in dieser Richtung, sondern nach Nordwesten. Ich
folgte ihm. Er ging schnell, mit einem schlurrenden und ungleichmäßigen Schritt. Wir wanderten zur Stadt hinaus nach Nordwesten bis an den Tschechower Teich. Hier blieb er stehen und ich
mit ihm. Er beugte sich über das Wasser. »Benjamin!« rief er
dann, als sähe er mich nicht. »Hier bin ich, Rabbi«, sagte ich.
»Benjamin«, sagte er, »stelle die Schalen zu Boden.« Ich tat es.
»Nimm jetzt die Zinnschale«, fuhr er fort, »und schütte die
Asche daraus ins Wasser.« Ich tat es. Im nächsten Augenblick
glitt der Rabbi an dem schlüpfrigen Ufer aus, und er wäre wohl
gefallen, wenn ich ihn nicht gehalten hätte. Er starrte mich wieder eine Weile an. »Wo ist der Osten?«, fragte er von neuem.
Ich mußte mich selber erst besinnen, ehe ich hinzeigte, so verwirrt war ich von alledem. »Nimm die Schalen auf, die volle
und die leere«, sagte er. Nun ging er mir voran nach Süden, bis
wir in die Krakauer Vorstadt gelangten. Hier wandte er sich
nach Westen, und wir gingen, bis wir an den großen grauen Stein
kamen, der von Moos überwachsen ist. Da blieb er stehen und
ich mit ihm. Er bückte sich, legte die Hand auf das feuchte Moos
und ließ sie eine Weile darauf liegen. Ich sah, daß sie wieder
zitterte, aber diesmal achtete er ihrer nicht. Nun richtete er sich
auf. »Benjamin!« rief er. »Hier bin ich, Rabbi«, sagte ich. »Benjamin«, sagte er, »stelle die Schalen zu Boden.« Ich tat es. »Nimm
die Kupferschale«, sagte er, »und streue die Asche auf den Stein.«
Ich tat es. In diesem Augenblick war plötzlich – bis dahin war
alles windstill gewesen – ein Wirbelwind über uns und trug die
Asche im Nu davon. Den Rabbi fröstelte es. »Benjamin«, sagte
er, »nimm die leeren Schalen und komm.« Er ging mir zu seinem
Haus voran, sein Schritt war zeitweilig fester, dann schlurrte
er wieder. Wir traten ins Haus und in sein Zimmer. Auf sein
Geheiß stellte ich die Schalen an ihren Platz zurück. »Wisse,
Benjamin«, sagte der Rabbi gelassen, »du bist von Stund an in
das Geheimnis genommen und darfst keinem Menschen offenbaren, was du erfahren und getan hast.«
Ich nahm Abschied und ging. Daß ich aber dies hier eingetragen
habe, erachte ich für keinen Verrat, denn ich gebe ja mein Buch
keinem Menschen zu lesen.

Die große Fahrt

Von jener Nacht an, da ihn die Schechina und die zwei Ge-
flügelten heimgesucht hatten, war in die Sprache des »Juden«
ein neues Wort getreten. Das hieß: »Die Erlösung ist nah.« Aber
er unterließ nie, ihm den Ruf »Kehret um« oder »Es hangt nur
noch an unserer Umkehr« vorauszuschicken oder nachfolgen zu
lassen. Wie ist das zu verstehn? Auch jetzt widersetzte er sich
jeder Festlegung der Endzeit; und doch sagte er, die Erlösung
sei nah. Er verkündigte die Nähe der Erlösung; und doch versicherte er zugleich, daß es an der Umkehr hange. Nur im Geheimnis ist es miteinander zu verstehen; aber das wahre Geheimnis kann der Mensch nicht anders als mit seinem Leben und
Sterben offenbaren. Was ich notdürftig zur Deutung beitragen
kann, ist dies, eine Stunde sei angebrochen, in der die Erlösung
der Welt uns nah kommt, und nun tut not, daß sie ergriffen
werde, ergriffen aber werde sie nicht anders als durch jene vollständige Wendung des Menschenwesens, von dem Menschenweg
auf den Weg Gottes, die wir als Umkehr bezeichnen.
Dem scheint der Anruf entgegenzustehn, der seit jener Nacht
immer wieder aus dem Mund des »Juden« kam. »Kehret um«,
rief er, »kehret eilig um, denn die Zeit ist kurz, und nicht Muße
ist mehr in neue Wandlungen einzugehn, denn die Erlösung ist
nah.« Der Widerspruch ist nur scheinbar. Die Menschen sollen
sich in ihrer tiefen Mangelhaftigkeit und Gottesferne nicht damit
vertrösten, sie könnten sich in den künftigen Wanderungen ihrer
Seele noch zur Vollkommenheit bringen. Die Zeit ist kurz, die
Entscheidung steht bevor. Hier sprach der »Jude« von der Not
und Bedürftigkeit der einzelnen Menschenseelen aus, zu denen
er sprach, auch wenn er sich an viele zugleich wendete. Zu erwägen ist überdies, daß die Worte »die Zeit ist kurz« seit jener
Nacht noch einen besonderen Sinn für den Mann hatten, der sie
dachte und sprach.
Und nun habe ich über die merkwürdige Fahrt zu berichten,
die er im Sommer nach jenen Botschaften des Rabbi von Lublin
unternahm.
Im Frühjahr davor besuchte er wieder einmal den Maggid von
Kosnitz. Bei seinem Anblick sagte sich der »Jude«: »Jetzt sieht

er aus wie ein alter Engel – wenn ein Engel altern könnte. Wir stellen uns das Gesicht der Engel glatt vor, aber bei denen, die mit Botenaufträgen auf die Erde gesandt werden, ist es vielleicht gar nicht glatt, denn sie nehmen gewiß an unseren Nöten teil, und unser Leiden mag auch in *ihre* Wangen Furchen graben. Und er?« Im gleichen Augenblick sagte der Maggid zu ihm: »Wisset, heiliger Jude, ich stehe jetzt vor Gott, bereit wie ein Botenknabe. Aber es gibt einen Zorn, den ich aus meinem Herzen nicht tilgen kann.« Nach einer Weile begann er wieder: »Jetzt wendet es sich.« Sogleich erriet er, daß der »Jude« die Worte messianisch verstand, und fügte hinzu: »Man redet jetzt viel von den Wehen des Messias. Ich rede nicht mehr davon. Wovon man nichts wissen kann, davon ziemt es zu schweigen.« Er wartete einen Augenblick zu, dann fuhr er fort: »Ich rede von dem ruchlosen Mann. Man sagt, daß er Gog sei oder werden könne. Ich weiß nichts davon und will nichts damit zu tun haben. Gott allein weiß, ob die Zeit reif ist. Mir will es scheinen, sie sei's noch nicht. Jedenfalls ist es nicht an uns, das Ruchlose noch stärker zu machen als es ist. Sondern an uns ist es, ihm entgegenzutreten. Wenn ein Drachen wie dieser die Völker erwürgt und die Seelen vergiftet, muß man ihm zurufen: Fallen wirst du, fallen! Und jetzt wendet es sich. Er will wieder einmal das Volk, in dessen Mitte wir leben, ausnutzen, indem er dessen Hoffnungen schmeichelt, die er nicht erfüllen will. Aber es wird sich nicht noch einmal von ihm ausnutzen lassen, es wird sich ihm nicht hergeben, und daran wird er scheitern. Es werden viele auch vom Lande Polen mit ihm gehen, ich kenne Männer, die sich ihm nun anschließen werden, aber das Volk wird sich nicht hergeben. Das Volk glaubt ihm nicht mehr. In allen Völkern gibt es nun Volk, das ihm nicht mehr glaubt. Jetzt wendet sich sein Schicksal.« Nach einer Weile begann er wieder: »Man muß den Versuchen von unserer Seite, das Ende des Ruchlosen aufzuhalten, ein Ende machen, sonst wird alles, was wir hier errichtet haben, in dessen Sturz mitgerissen. Wer in seinen Gedanken und in seinen Absichten dem Ruchlosen mehr Gewicht verleiht als er hat, versucht dessen Ende aufzuhalten. Wer das versucht, wird dem Fallenden nachfallen. Wir alle werden fallen, denn wir sind verbunden. Das Werk des heiligen Baal-schem-tow wird fallen, wenn seine

Schüler ihn verleugnen. Denn er ist gekommen, um das Böse in
den Seelen zu überwinden; wer aber diesem Mann noch Kraft
einflößen will, hilft ihm das Böse in den Seelen und in der Welt
mächtig machen.« Wieder schwieg er, er schien vom Sprechen
ermüdet, aber bald schien eine neue Kraft in ihn eingeströmt zu
sein. Er fuhr fort: »Der Rabbi von Lublin wird aus freien
Stücken von seinem Vorhaben nicht ablassen. Er muß erkennen,
daß seine Freunde nicht bereit sind, das letzte Stück des Wegs
mit ihm zu gehen. Von mir weiß er es. Aber ich kann nicht mehr
tun als ihm die Wahrheit sagen. Vielleicht könnt Ihr, was ich
nicht kann. Fahrt zu Rabbi Menachem Mendel nach Rymanow
und sagt ihm, was zu sagen ist.«

Zweifelnd sah der »Jude« ihn an, aber er konnte ihm nicht
widersprechen, denn er empfand zwischen sich und dem kleinen
siebzigjährigen Mann mit dem Gesicht eines in Leiden gealter-
ten Engels, der ihm gegenüber saß, ein Einvernehmen, das größer
war als die Worte der Menschensprache. »Seid Ihr willens zu
fahren?« fragte der Maggid. »Ich bin willens«, antwortete er.
»Gott segne dich, mein Sohn«, sagte der Maggid. »Ich möchte
dir noch etwas auf deinen Weg mitgeben«, fügte er später hinzu, »aber ich weiß nicht, ob du es annehmen kannst. Es steht
geschrieben: ›Kehret euch zu mir und ich will mich zu euch
kehren.‹ Der Prophet warnt die zu Gott Umkehrenden, daß ihr
Streben nicht darauf gehe, bloß ihre eigene Seele oder deren
Wurzel heilzumachen, denn auch das gehört in den Bereich des
Selbstdienstes. Der wahre Dienst ist, um des Exils der Schechina
und der Gemeinschaft Israels im besonderen willen zu Gott umzukehren. Darum heißt es: ›Kehret euch zu mir‹, – wendet euch
nicht zu eurer eignen Heilmachung, sondern zu der Heilmachung
für mich, dann werde ich auch eure Seele, Geist und Lebenskraft
heilmachen, ›und will mich zu euch kehren.‹« »Das kann ich
wohl annehmen«, sagte der »Jude«, »nur daß ich nicht darauf
verzichten darf, den Leuten, so gut ich vermag, den Weg zu weisen, den sie von selber und ihrer selber wegen suchen.«

Einige Zeit nach der Rückkehr aus Kosnitz rüstete sich der
»Jude« zur Reise nach Rymanow. Sie war etwas Seltsames für
ihn. Die Wanderschaften seiner Jugend waren notwendig gewesen, gerade weil sie kein Ziel hatten, sondern eine rechte Irr-

fahrt waren; die späteren Reisen zu seinen Lehrern und die er
sonst machte hatten stets ihr sinnreiches Ziel; nun aber hatte er
die für seine Vorstellung weite Strecke nach dem westgalizischen
Rymanow zu einem Ziel zurückzulegen, das er nicht als solches
fassen konnte. Aber der Weg selber war ihm Ziels genug. Er
reiste mit Bunam, Perez und Jerachmiel, nicht in einem Zug,
sondern in Ort um Ort verweilend. Man hat mit Recht gesagt,
daß die Fahrt ein Triumphzug war und wie kaum eine frühere
Begebenheit bewies, daß die Bewegung der Lebensfrömmigkeit,
die man die chassidische nennt, das Volk erfaßt hatte. Aber man
muß hinzufügen, was an dieser Reise für den »Juden« selber
das Wichtige war. Für Triumphe hatte sein Herz noch weniger
als je vorher übrig. Ihm war jede Judenstadt, durch die er kam,
ein Pżysha, in dem er, nicht in siebzehn Jahren, sondern in wenigen Tagen, ja Stunden, etwas von der gleichen Art wie in seiner
Gemeinde auszurichten hatte. Und das gelang ihm. Eine große
Welle der messianischen Sehnsucht und des Willens zur Umkehr
in einem erhob sich, wohin immer er kam. Sein Wort wirkte
es – aber auch sein Schweigen; seine Eindringlichkeit – aber auch
seine Zurückhaltung. Noch Geschlechter danach ist an jenen Orten nicht bloß die Erinnerung (die bis heute nicht abgebrochen
ist), sondern auch die lebendige Spur jener Tage zu finden. Er
aber war gar nicht zufrieden. »Wohl, ich rühre die Menschen
auf«, sagte er zu Bunam, »aber ich kann sie doch nicht auf meine
Schultern nehmen. Die Stunde ist spät. Und es sind auch so viele.
Ich müßte viele aussenden können. Aber wenn ich es auch könnte,
man würde nicht auf sie hören wie auf mich. Warum nicht? Weil
sie nicht ›berühmt‹ sind. Ach, was für ein jämmerliches Ding
ist doch dieser Ruhm! Wie gut verstehe ich den heiligen Maggid
von Mesritsch, der, als er der Welt bekannt geworden war, Gott
bat, ihm kundzutun, durch welche Sünde er sich schuldig gemacht habe!«
Auch in Ropschitz wurde Halt gemacht. Rabbi Naftali, der viel-
bekannte Mann, ging dem »Juden« nicht bloß meilenweit entgegen, sondern befahl auch seinen Leuten aufs strengste, ihm selber
während des Aufenthaltes des Gastes keinerlei Ehre zu erweisen,
sondern er wollte ganz diesem untergeordnet sein. Auch was ihn
dazu bewog ist überliefert. Man wird sich erinnern, daß Rabbi

Naftali durch seinen Verstand und Witz nicht behindert wurde, das ganze Dasein um Wunder und Gegenwunder – wenn es sich nicht um heilige Männer handelte, würde man sagen: um Zauber und Gegenzauber – kreisen zu sehen. Man hatte es in Lublin erlebt und aus Pžysha gehört, daß der »Jude« der Gegentäter war. Inzwischen war er immer mächtiger geworden, und nun war er offenbar ausgezogen, um mit seinen alten Widersachern abzurechnen. Aber zu solchen Handlungen ist es bekanntlich erforderlich, daß einem das Opfer einen Angriffspunkt liefere. Das mußte nun sogleich vermieden werden. Naftali unterwand sich nicht in sein eigenes Haus zu treten, ohne die Erlaubnis des »Juden« eingeholt zu haben. Er benahm sich ganz, als sei er einer von dessen Chassidim und hier mit ihm zu Gast. Der »Jude« sah ihm befremdet zu, ohne sein Gebaren zu verstehen. Ehe er weiterreiste, erstattete er der Mutter Naftalis einen Besuch und unterhielt sich mit ihr über allerhand Angelegenheiten des Hausstands. Naftali hörte ängstlich zu, ob nicht die Mutter durch ihre Antworten nun doch noch den Angriffspunkt liefern würde. Aber auch dies lief gut ab und die Gäste nahmen Abschied. Naftali sagte ihnen noch, er habe selber vor, am nächsten Tag nach Rymanow zu fahren, und da er ohne Aufenthalt reise, würde er jedenfalls noch vor ihnen dort sein.

Vor Rymanow konnte der Wagen des »Juden« kaum durchkommen, so dicht war die Straße von Fuhrwerken der um ihn zu sehen aus der nahen und fernen Umgebung Gekommenen und dem zu seinem Empfang zu Fuß ausgezogenen Stadtvolk besetzt. In der Stadt waren Mauern und Dächer der Schaulustigen voll. Ein sechsjähriger Sohn Rabbi Menachem Mendels kam zum Vater gelaufen und rief: »Messias ist gekommen!« Der strenge Mann, dem schon jede kleine Unordnung zuwider war, konnte nicht umhin das Getümmel als eine Art von Aufruhr zu empfinden, in dem sich der Aufruhr der Zeit spiegelte. Als er aus dem Fenster blickte, äußerte er seinen Unwillen unverhohlen, dann aber ging er zum Haus hinaus und den Gästen entgegen. Er begrüßte sie mit der gemessenen Freundlichkeit, die ihm eigen war; aber seine Gesinnung stellte sich in dem Verhalten Rabbi Hirschs, des »Dieners«, dar, der einst als Schneidergesell begonnen, aber der Lehre obgelegen hatte, nun schon seit langem den Rabbi zugleich

vorbildlich bediente und bei ihm wie kein anderer lernte und
der später sein Nachfolger geworden ist. Er stand an der Tür
von Rabbi Mendels Haus, an dem sie vorbeikamen, und wandte
vor den Augen seines Lehrers an den »Juden« einen herablassen-
den Gruß, nicht mehr als er etwa einem Fuhrmann zuteil werden
ließ.
Rabbi Menachem Mendel sandte danach in die Herberge und ließ
die Gäste zu seinem Tische laden. Als der Bote von dort gegangen war, sprach Bunam: »Ihr sagt zuweilen, Rabbi, Ihr ließet
mich manchmal bei einem schweren Fall, dem der Arzt nicht
leicht beikommt, holen, um die Meinung des Apothekers zu
hören. So hört denn heute darauf, was der Apotheker Euch sagt!
Wohl verhält er sich zum Arzt nur wie ein Gehilfe zum Kauf-
herrn. Aber ich habe mir in Deutschland sagen lassen, ein Gehilfe, der sich an seinem Platz in das Geschäft vertieft hat, wisse
oft besser als der Kaufherr selber, was frommt und was nicht.
So hört denn auf mich! Er wird Euch bei Tisch auffordern, die
Schrift auszulegen. Hört auf mich und sagt kein halbes Wort! Das
ist kein Geschäft für Euch!« Der »Jude« wunderte sich über die
Dringlichkeit, mit der Bunam sprach, aber er verstand ihn: wenn
Rabbi Menachem Mendel seinen Lehrworten geringes Gewicht
beimäße, würde er sich gegen ihn erheben, weil er Falsches oder
Belangloses spreche, wenn sie ihm aber gewichtig erschienen,
würde er sich gegen ihn erheben, weil er sich unterfinge, Größeres
zu reden als ihm zukomme. Er verstand, daß auch hier »Lublin«
war. Freilich, das wußte gewiß auch der Maggid, und doch hatte
er ihn hergehen heißen.
Bei Tisch kam es so, wie Bunam vorausgesehen hatte. Aber der
»Jude« begründete seine Ablehnung nicht mit einem Vorwand,
sondern sagte: »Ich kann nicht an Eurem Tische Worte der Lehre
sprechen, denn ich sehe, daß ein Groll gegen mich auf Eurem
Herzen liegt.« Verwundert sah Rabbi Menachem Mendel ihn an,
und seine etwas gespannten Züge lösten sich. »Wohl«, sagte er, »ich
kann Euch freilich nicht vergeben, wie Ihr an Eurem Lehrer, dem
Rabbi von Lublin, gehandelt habt.« »Welche Handlung ist es«,
fragte der »Jude«, »die Ihr mir nicht vergeben könnt?« »Ihr
seid«, sagte Rabbi Menachem Mendel, »gegen ihn aufgestanden,
habt Menschen von ihm abgezogen und überheblich von ihm ge-

redet.« »Wer zeugt gegen mich?« fragte der »Jude«. Rabbi Mendel sah sich unter den Tischgenossen um. Da saßen drei oder vier von den als Gegner des »Juden« bekannten Männern, aber auf keinem Gesicht nahm er eine Bereitschaft zur Äußerung wahr. Jissachar Bär, der auch zugegen war, wollte sprechen, aber Rabbi Mendel wies ihn ab und blickte wieder auf jene. Schließlich blieben seine Augen auf Naftalis Gesicht haften. »Rabbi Naftali soll Zeugnis ablegen«, sagte er. Naftali erschrak: da war es nun doch gekommen, was er befürchtet hatte! Aber schon im nächsten Augenblick geschah etwas mit ihm, worauf er nicht gefaßt war, eins von jenen Dingen, die der Verehrer des Wunders von Jugend auf unter die Zeichen göttlicher Gegenwart zählte, ohne daß ihm je in den Sinn gekommen wäre, ihm selber könnte dergleichen widerfahren. Spürbar als ein gewaltiges Drängen vom Rückenmark zum Hinterkopf hin stieg ein Befehl in ihm auf, wortlos und eindeutig: »Die Wahrheit!« »Ich muß die Wahrheit sagen«, stellte es sich ihm jetzt sprachlich im Gehirne dar, »ich darf mich nicht fürchten und muß die Wahrheit sagen.« Nun aber, als ihm die Klarheit des Denkens, freilich seltsam befeuert vom Befehl, wiederkehrte, merkte er erst plötzlich, daß die Wahrheit ja gar nicht das war, was er all die Jahre lang als selbstverständlich zum Rabbi von Lublin geredet hatte – gar nicht das? vielmehr: das Gegenteil! Wenn er zu fürchten hatte, dann nur von der anderen Seite, nicht vom »Juden«, – aber alle Furcht war von ihm abgefallen. Eine große Freiheit zog in ihn ein, eine andere als jene des selbständigen Verstandes, auf die er so stolz gewesen war, weil es sein eigner Verstand war. Diese Freiheit goß sich in ihn ein, und doch, er selber war's, er selber war frei. Er hob den Kopf – all das hatte nur einen Nu gewährt – und sagte: »Nach meinem Wissen hat sich der Rabbi von Pżysha an dem Rabbi von Lublin nicht schuldig gemacht.« Von ungefähr blickte er auf den ihm gegenüber sitzenden Bunam und sah dessen große gelbliche Augen, deren Sehkraft schon gestört war, voll auf sich gerichtet; dann senkte er den Kopf wieder. Am Tisch herrschte ein tiefes Schweigen. Auch Rabbi Menachem Mendel sagte kein Wort mehr, bis man nach einer Weile von anderem zu reden begann.

Nach Tisch bat der »Jude«, in seine Herberge zurückkehren zu

dürfen, doch blieben die Seinen noch auf Rabbi Mendels Bitte.
»Habt ihr gesehen?«, sagte er zu den ihn Umgebenden, als der
Gast hinausgegangen war, »wie Rabbi Seïra! ganz wie Rabbi
Seïra!« Die Chassidim verstanden natürlich, daß er meinte, die
Seele jenes talmudischen Meisters, der von Babylon nach Palästina ging und hundert Fasten fastete, um die Lehre der babylonischen Lehrhäuser zu vergessen, sei in dem »Juden« wieder
auf Erden erschienen; aber was war's, das die beiden gemein
hatten? Jissachar Bär dachte daran, wie er einmal in die Stube
des »Juden« getreten war und ihn fast entkleidet an dem brennenden Kamin hatte lehnen sehen: er schien der Leiblichkeit
völlig entrückt zu sein; und erzählt man nicht von Rabbi Seïra,
daß er auf dem brennenden Ofen saß und so lang nicht versengt
wurde, als man ihn nicht aufstörte? Naftali aber dachte an jene
andere Geschichte: wie Rabbi Seïra sich von einem den aus Babylon Gekommenen übelwollenden Metzger, bei dem er Fleisch
kaufen wollte, schlagen ließ, ohne ihm zu fluchen oder auch nur
ihn zu schelten, sondern meinte, so sei es der Brauch. Und wieder
an anderes dachten die Schüler von Pžysha. War es nicht überliefert, Rabbi Seïra habe mit einer Bande von wilden und zügel-
losen Kerlen, die in seiner Nachbarschaft hausten, freundlichen
Umgang gepflogen, um sie zur Umkehr zu bringen? war's nicht
das, was in Pžysha gelehrt und geübt wurde: man solle das Böse
auf seine Schultern nehmen?
Am nächsten Tage hatte der »Jude« eine Unterredung mit Rabbi
Menachem Mendel. »Die große Feuersbrunst«, sagte er, »deren
roten Widerschein wir seit einer Weile am Himmelskreise sehen,
nähert sich nun uns selber, und Ihr, Ihr und der Rabbi von Lublin, denkt nur daran das Feuer anzufachen. Was soll aus uns werden! Die andern Völker können sich zu schützen versuchen, wir
aber stehen gebunden und dem Brande preisgegeben, den unsre
Führer nur noch zu verstärken sinnen.« »Es ist gut«, rief Rabbi
Mendel, »daß jüdisches Blut vergossen werde, bis man von
Prystyk bis Rymanow bis an die Knie im Blute watet, wenn
nur das Exil endet und unsere Erlösung anbricht.« »Und wenn
das Feuer«, sagte der »Jude«, »nichts andres ist als das Feuer
der Zerstörung? Gott kann eins entzünden und schüren und weiß
was er tut, aber wir? Wer gibt uns das Recht, dem Bösen eine

Steigerung seiner Kraft zu wünschen und, wenn wir's können,
zu verleihen? wer sagt uns, wem wir damit dienen, dem Erlöser
oder dem Hinderer? darf heute jemand sich erkühnen wie die
Propheten zu sprechen:›Es geschah zu mir die Rede des Herrn‹?«
Rabbi Mendel schwieg. »Erlösung, sagt Ihr«, fuhr der »Jude«
fort. »Tut sich denn nicht dicht vor uns eine unabsehbare Möglichkeit auf, der Erlösung zu dienen? Seht, Rabbi, wie da vor
Euch ein großer Baum aus der dunklen Tiefe der Erde in die
Höhe wächst, von jungem Laub überdeckt, Blatt um Blatt eine
Seele von Israel, Tausende, Zehntausende von Seelen, und jede
wartet auf Euch, Rabbi, sie heilzumachen, daß der Baum in die
Erlösung eingehe!« »Es ist nicht mehr an der Zeit«, sagte Rabbi
Mendel, »an die einzelne Seele zu denken.« »Nie«, entgegnete
der »Jude«, »wird ein Menschenwerk glücken, wenn wir nicht
an die Seelen denken, denen beizustehn uns gegeben ist, und an
das Leben zwischen Seele und Seele, an unser Leben mit ihnen,
an ihr Leben miteinander. Wir können nicht zum Kommen der
Erlösung helfen, wenn Leben nicht Leben erlöst.« Rabbi Mendel schwieg. Wenn er so schwieg wie jetzt, pflegte er seinen
Blick zu senken, und dieses Senken des Blicks verschlug dem
Sprecher die Stimme. Das Gespräch dauerte nicht mehr lange.
Sie nahmen Abschied voneinander.
Hirsch, der »Diener«, der dem »Juden« in Rabbi Menachem
Mendels Haus keine Ehre erwiesen und ihn auch nicht heim-
begleitet hatte, ging nach dem Abendgebet, als sein Lehrer sich
wie gewöhnlich – um zu Mitternacht aufstehn zu können – früh
zur Ruhe begeben hatte, in die Herberge, obgleich man ihm
unterwegs sagte, die Gäste seien bereits abgereist. Immerhin,
dachte er, würde man ihm etwas von ihrem Tun und Treiben
erzählen. Als er kam, war die Reihe der Wagen mit den den
»Juden« zur Stadt hinaus Begleitenden nicht mehr da, weil der
vorderste Fuhrmann wähnte, der Wagen der Gäste sei ihnen
schon vorausgefahren; in Wahrheit aber war der »Jude« mit den
Seinen noch zurückgeblieben. Sie gingen zu zweien vors Haus
und auf der Gasse auf und nieder, der »Jude«, wie er zu tun
liebte, die Hand im Gürtel des Gefährten, und redeten miteinander. Wenn Hirsch später davon erzählte, pflegte er am
Schluß zu sagen: »Er hat von mir nichts erfahren, ich aber habe

von ihm alles erfahren was ich zu wissen begehrte.« Nach dem
Gespräch bat Hirsch den »Juden« ihn zu segnen, daß er wahrhaft beten könne. »Was wollt Ihr mehr!«, antwortete der »Jude«,
»alle Größe und Ehre erwartet Euch.« Danach fuhren die Gäste
von dannen.

Kerzen brennen im Wind

Rabbi Benjamin schreibt:
Als im Sommer hierher Nachricht aus Rymanow über die Reise
des heiligen Juden kam, ließ mich der Rabbi rufen. Bei meinem
Eintritt sagte er zu mir ohne Gruß: »Ich verbiete dir fortan
mein Haus zu betreten.« Ich sagte: »So erklärt mir nur noch,
warum Ihr das tut.« Er sagte: »Du hast meine Botschaften verraten, die du meinem Munde nachgeschrieben hast.« Ich sagte:
»Ich habe nicht verraten. Und wohl seid Ihr der Führer des Geschlechts und ich bin ein Garnichts, aber Gott der Herr der Geister richte zwischen mir und Euch!« Und ich ging.
Was ich jetzt noch in dieses Buch über Ereignisse im Hause des
Rabbi schreiben werde, weiß ich nur aus fremdem Munde. So
denn auch das Folgende.
Rabbi David hat mir erzählt, am Spätnachmittag vor dem Versöhnungstag, der in diesem Jahr auf einen Sabbat fiel, habe der
Rabbi zwei Kerzen entzündet und habe sie in zwei Leuchter gesteckt. Dann habe er das Fenster geöffnet und habe die Leuchter
mit den Kerzen ins Fenster gestellt. Da seien die Leuchter gestanden und gestanden und die Kerzen seien nicht erloschen. Rabbi
David war damals wie in jedem Jahr über die Furchtbaren Tage
in Lublin. Als er nach dem Ausgang des Festes wie alljährlich ins
Haus des Rabbi trat um Abschied zu nehmen, kam ihm der Rabbi
entgegen und sagte: »Gut Woch, lieber Rabbi David! Ich hatte
mich gestern gegürtet, zwei Berge auszureißen, aber es ist mir
nicht gelungen.« Rabbi David nahm Abschied und reiste, wie
in jedem Jahr zum Hüttenfest, nach Pžysha. Der heilige Jude
kam ihm an der Schwelle seines Hauses entgegen. »Rabbi David,
mein lieber Gevatter«, rief er, »hört was mir geträumt hat! Der
Sturmwind wehte durch die Welt. Zwei Kerzen standen in dem
großen Wind und brannten. Die eine wart Ihr und die andre
war ich.«

Kosnitz und Napoleon

Am Vorabend des Purimfestes 1812, als der Maggid von Kosnitz im Vortrag des Buches Esther an die Worte »nafol tippol«, »fallen, fallen wirst du« kam, die das Weib und die Freunde Hamans ihm sagen, unterbrach er sich und rief: »Napoleon tippol«, »Napoleon, du wirst fallen.« Er hielt eine Weile inne, dann nahm er den Vortrag wieder auf.

Zu eben der Zeit entwarf Napoleon die Einteilung der Großen Armee zum Feldzug gegen Rußland, die eine Woche danach bekanntgegeben wurde. Zuvorderst war das polnische Korps genannt, das dem Fürsten Poniatowski, dem Neffen des letzten Königs von Polen, unterstellt wurde. »Poniatowski«, hat Napoleon später auf St. Helena geäußert, »war der wirkliche König, er vereinigte alle Ansprüche und alle Gaben hiefür, und dennoch hat er geschwiegen.« Das heißt: er blieb bis an sein Ende dem Manne, dem er zu folgen beschlossen hatte, treu, ohne für sich zu fordern, was er fordern durfte.

Ende März erreichte ihn in Warschau die Nachricht vom kaiserlichen Befehl. Er hatte eben eine schwere Krankheit durchgemacht, von der er sich nur langsam erholte. Als die Nachricht kam, schrieb er sogleich »für den Fall eines plötzlichen Todes« sein Testament nieder. Dann verreiste er, ehe er mit der Mobilisierungsarbeit begann, für kurze Zeit. Man erzählt sich, daß er nur seinen jüdischen Leibgardisten mitnahm und mit ihm nach Kosnitz fuhr. Es war nicht das erste Mal, daß er den Maggid besuchte. Was er mit ihm besprach, hat er niemandem anvertraut. Es wird aber, anscheinend auf Grund einer Äußerung des Leibgardisten, erzählt, der Maggid habe dem Fürsten nicht bloß den Ausgang des Feldzugs vorausgesagt, sondern auch, daß er bald danach fallen würde, und dabei habe er ihn als Marschall angeredet, – einen Titel, den Poniatowski erst einen Tag ehe er fiel erhielt, nach der Schlacht bei Leipzig, in der er sich ausgezeichnet hatte. Gewiß ist, daß der bis zu jenem Gespräch lebensfreudige Mann die Zeit bis zu seinem Tode in einer düsteren Entschlossenheit verbrachte. Wie in der Erzählung vom Besuche Czartoryskis ein brauner Hund, so kommt in dieser eine dunkelgraue Stute des Fürsten vor, der der Maggid angesehen hätte, daß sie ein völlig weißes Füllen gebären würde. Man erzählt sich ferner, daß es dieses weiße Pferd war, von dem der Marschall etwa anderthalb Jahre später, zu Tode verwundet, in den Fluß Elster glitt.

Einige Wochen nachdem Poniatowski in Warschau den kaiserlichen Befehl erhalten hatte, am Abend des 16. Mai, langte Napoleon, von dem sich die Volksmenge, aber auch die Soldaten erzählten, er ziehe über Rußland nach Indien, zwischen Scheiterhaufen, die auf den Straßen entzündet worden waren, um seiner Fahrt zu leuchten, in Dresden an, um hier, ehe er sich zur Armee begab, mit den Monarchen von Österreich und Preußen zusammenzutreffen. »Nach einer Schlacht oder zweien«, äußerte er dort, »werde ich in Moskau sein und Alexander wird vor mir auf den Knien liegen.«

Am Morgen eben jenes Tags, der der Vortag des Offenbarungsfestes war, war Rabbi Abraham Jehoschua Heschel nach Kosnitz gekommen, um seinen Jugendfreund, den Maggid, zu besuchen. Eine Überlieferung nennt diesen Mann neben jenen Drei als einen, dem Rabbi Elimelech vor dem Sterben eine seiner Kräfte zugeteilt habe, und zwar habe er die Kraft des Mundes, die der schlichtenden und urteilenden Sprache erhalten; man sagte von ihm, er habe eine Goldwaage im Mund. Das schließt schon ein, daß er nicht Unnötiges redete, – wiewohl zum Nötigen für ihn seltsame und geheimnisvolle Fabeleien gehörten. Mit dem Maggid konnte er sich freilich auch ohne viel Rede verständigen.

Beim Eintritt in die Stube, in der der Maggid lag, blickten sie einander wortlos an. Dann fragte Rabbi Heschel immerhin nach seinem Ergehen. »Gegenwärtig«, antwortete der Maggid, »bin ich ein Kriegsmann. Jene fünf Bachkiesel, die der junge David für seine Schleuder genommen hatte, als er gegen Goliath den Philister auszog, halte ich bei mir im Bett.«

In der Nacht nach jenem Tag, die mit Lernen und Beten verbracht wird, blieben die Freunde beieinander. Zwei Stunden nach Mitternacht sagte der Maggid zu Rabbi Heschel: »Betet mit mir.« Dreizehn Stunden, so wird erzählt, stand der Maggid vor dem Betpult, er betete in der Frühe das Morgengebet, er betete das Zusatzgebet des Festes, und wieder stand er im Gebet, – von zwei Uhr nachts bis drei Uhr nachmittags. Wenn man ihn dazwischen aufforderte, sich hinzulegen und zu ruhen, antwortete er nur mit seinem Lieblingsvers: »Die auf Gott harren, tauschen Kraft ein.« Und er erklärte: »Ich tausche mit Ihm.«

Tags darauf, am zweiten Tag des Offenbarungsfestes, empfing Alexander den Abgesandten Napoleons. Er zeigte auf einer Karte auf die äußerste Grenze seines asiatischen Reiches, wo eine Meerenge die Kontinente trennt, und sagte mit sanftem Stolz: »Wenn der Kaiser Napoleon zum Krieg entschlossen ist und das Glück nicht die gerechte Sache begünstigt, wird er bis hierher gehen müssen, um den Frieden zu finden.« »Würde ohne Großsprecherei«, so kennzeichnete der Franzose die Haltung der Russen; sie sei ganz anders gewesen als die bei ähnlichen Verhandlungen in den früheren Kriegsjahren.

Vier Monate danach, in der Nacht vor dem Versöhnungstag, stand ein Enkel des Maggids, der junge Chaim Jechiel, auf der Straße vor dem Hause seines Großvaters. Er war ein Schüler des Sehers, aber in seinem Herzen dem »Juden« ergeben; beim ersten Blick, erzählt er, habe er erkannt, »was das für ein Vogel ist«. Der Gedanke an den unversöhnlichen Widerstreit zwischen Lublin und Pžysha setzte seinem Herzen in dieser Nacht besonders schwer zu. Aus dem Bethaus heimgekommen saß er stundenlang im weißen Sterbekittel, in den er der Vorschrift gemäß gekleidet war, in seiner Stube und sann sehr traurig diesen Dingen nach, die seinem guten Willen so ganz unzugänglich blieben. Schließlich hielt es ihn nicht in der Stube, und so wie er war, im Kittel, ging er in die Septembernacht hinaus und wandelte stundenlang auf und nieder. Als er nun wieder heimging und vor dem Hause des Maggids stand, sah er in dessen Schlafraum, der im oberen Stockwerke lag, einen breiten hellroten Streifen sich vom Boden zur Decke erheben, allzu gerade und unbeweglich, um für Feuer gehalten zu werden, aber dem Widerschein eines Feuers gleichend. Er eilte hinauf und öffnete die Tür: drin war es völlig dunkel. Der Großvater schlief offenbar. Jechiel ging hinaus und schloß leise die Tür. Am Morgen erzählte er den Vorfall dem Maggid. »So hast du etwas von meinem Traum gesehen«, sagte der. Ohne zu verstehen, starrte der Jüngling ihn an. »Ich habe vom Fürsten des Feuers geträumt«, fügte der Alte hinzu. Mehr als dies äußerte er nicht.

Das war die Nacht, da in der Stadt Moskau, in die Napoleon eben mit seinem Heer eingezogen war, der gewaltige Äquinoktialwind die Feuersbrunst von Gasse zu Gasse und von Viertel zu Viertel zu treiben begann.

Etwa drei Monate danach reiste Rabbi Naftali wieder wie 1809 nach Rymanow, Lublin und Kosnitz, in der gleichen Reihenfolge wie damals. Als die Nachricht von der Schlacht an der Beresina zu ihm gelangt war, wurde das Gefühl, nun sei des Bluts genug geflossen, überstark in dem seit jenem Tischgespräch im Vorjahr wie verwandelten Mann. Da er aber zugleich seine eigene Ohnmacht fühlte, machte er sich nach Rymanow auf. Rabbi Menachem Mendel war vor dem Seher sein Lehrer gewesen, und er konnte auch jetzt nicht anders als mit ihm beginnen. Auch meinte er, Rabbi Mendel habe nun gewiß seinen Irrtum erkannt, und nun werde gerade er am ehesten zu bewegen sein sich einzusetzen, um dem wütenden Verderben ein Ende machen zu helfen. Als er aber vor dem Rymanower stand, erschrak er. Das Gesicht, das einst den Frieden des Himmels widerzuspiegeln schien, war grausam verzerrt. Bei diesem Anblick wagte er kaum noch sein Anliegen vorzubringen. Und in der Tat fiel ihm Rabbi Menachem Mendel bald ins Wort. »Er wird wieder obenauf kommen und es ihnen vergelten!« rief er. »Aber, Rabbi«, wandte Naftali ein, »kann denn seine Sache zu unserer werden? Steht doch geschrieben: ›Nicht mit Heereskraft und nicht mit Gewalt, sondern mit meinem Geist‹! Dürfen wir denn einen andern Kampf führen oder fördern als den des Geistes gegen die Gewalt?« Da erschrak er von neuem: er merkte, daß Rabbi Mendel ihm nicht zuhörte; es war, als lausche er in die Ferne.

Nun fuhr Naftali nach Lublin. Hier wurde er ganz anders empfangen. Der Rabbi kam ihm mit einer so großen Bereitwilligkeit entgegen, als hätte er ihn erwartet. Bald nach der Begrüßung ging er mit ihm in seine Stube hinauf. Und nun nahm er, nicht anders als wäre es vor wenigen Wochen geführt worden, ein Gespräch von vor mehr als dreizehn Jahren auf. »Ich habe es Euch ja gesagt, Rabbi Naftali«, erinnerte er, »daß der Norden in der Weissagung Ezechiels auf Gog doch wirklich als Norden zu verstehen ist. Erst mußte er dahin, ehe er zu den Bergen Israels gebracht wird, wo ihm der Bogen aus der Linken ge-

schlagen und die Pfeile aus der Rechten zu Boden geworfen werden.«»Es will mir scheinen, Rabbi«, antwortete Naftali vorsichtig,»als hätte er schon jetzt Bogen und Pfeile verloren.«
»Ihr irrt Euch«, sagte der Rabbi,»er wird sich wieder zu seiner
Macht erheben.«»Soll's denn immer noch nicht zu Ende gehen?«
fragte Naftali. Sein Herz zog sich zusammen, und er wunderte
sich wieder einmal, als ihm das zu Bewußtsein kam, denn es
war ein hartes Herz gewesen; und nun wunderte er sich immer
wieder über dessen Regungen. Schon aber brach der Rabbi das
Schweigen, das einige Augenblicke gedauert hatte.»Kein Wort
von Ende«, rief er,»ehe das Ende kommt!« Da tat Naftali
etwas, was er noch kurz vorher sich nicht zugetraut hätte: er
sprach, zum Rabbi gewandt, das Wort aus, das niemand bisher
gewagt hatte.»Haben unsere Weisen nicht gewarnt?« sagte er,
»haben sie nicht gewarnt: ›Bedränget nicht das Ende!‹« Unter
den emporgezogenen Brauen entsandten die Augen des Rabbi
einen strafenden Blick. Aber Naftali war jetzt gefeit.
Nun fuhr er nach Kosnitz.»Wie oft bin ich nun schon nach
Kosnitz gefahren«, dachte er unterwegs,»aber niemals gelange
ich hin. Bis Rymanow komme ich wirklich und auch bis Lublin
komme ich wirklich, aber bis Kosnitz nie!« Als er aber vor den
Maggid trat, begrüßte ihn der mit den Worten:»Was ist's mit
Euch, Rabbi Naftali? Eure Stirn leuchtet wie reines Silber.«
Naftali verstand, daß er angenommen war, und wieder wunderte
er sich. Und noch eins war ihm offenbar: hier gab es nichts zu
reden wie bei den beiden andern. Dennoch empfand er es als
gut und richtig, daß er hier war.
Am Freitagabend sprach der Maggid, ehe er den Sabbatpsalm
»Gut ist es dem Herrn zu danken« sang:»Man redet in der
Welt noch immer davon, wie die Franzosen über die Beresina
zurückgegangen sind. Wir aber reden nicht davon, wir sagen« —
und nun stimmte er den Psalm an. Mit großer Macht trug er
die Verse vor:»Wann die Frevler sprossen wie Kraut und alle
Argwirkenden blühn, ist's, damit vertilgt sie werden auf ewig,
du aber, Herr, bist in Weltzeit erhaben. Denn, da, deine Feinde,
Herr, denn da, deine Feinde verlieren sich, es zerstieben die Argwirkenden alle.« Später bei Tisch sprach er:»Wir haben es nicht
mit Franzosen und nicht mit Russen zu tun, wir fragen nur

danach, wer frevelt, wer Arg wirkt, wer Gottes Feind ist. Wir
stehen gegen die Gewalt auf, die Frevel und Gottesfeindschaft
in den Seelen der Menschen erweckt und ernährt. Denn Frevel
und Arg sind in den Seelen aller Menschen, in unsern wie in
ihren. Der Kampf gegen Gottes Feinde gilt der Gewalt, die
Frevel und Harm in den Seelen großmacht. Wenn wir sie sprossen und blühen sehn, sollen wir eben darin die Ansage ihres Falls
erkennen. Mit ihrem Sichverlieren muß sich alles zerstreuen, was
sie an Kräften des Bösen zusammengeholt hat. Du aber, Herr,
bist in Weltzeit erhaben. Es gibt keinen Bund zwischen Gott und
der Ruchlosigkeit.«
Der Sabbat danach war der, an dem der Abschnitt der Schrift
verlesen wird, der von Jethros Besuch bei Mose handelt. Als
der Maggid beim Verlesen der Schrift zu den Worten kam »na-
wol tibbol, welken, welken wirst du und all dieses Volk das bei
dir ist«, wiederholte er sie dreimal, dann erst las er weiter. Die
Tischrede bei der dritten Sabbatmahlzeit aber beschloß er so:
»Es steht geschrieben: ›Welken, welken wirst du und all dieses
Volk das bei dir ist.‹ Das ist zu uns selber gesagt: Welken wird
das chassidische Volk, wenn wir über dem Bedrängen des Endes
es versäumen, den Kampf gegen Gottes Feinde, jeder in seiner
eigenen Seele und in seinem eigenen Leben, wir miteinander in
unsrer Seele und unserm Leben, zu kämpfen, bis der Sieg erfoch-
ten ist.«
»Ich bin wirklich nach Kosnitz gelangt«, dachte Naftali.
Als er Abschied nehmen kam, stand in der Stube ein Bote aus
Lublin. Naftali wollte zurücktreten, aber der Maggid hieß ihn
verweilen. Vor ihm lag ein entfalteter Brief, in dem er las. Er
las sehr langsam; es war zu merken, daß er manchen Satz zwei-
oder dreimal las. Sein Gesicht hatte einen Ausdruck von Betrübnis, aber ohne ein Aufwallen. Endlich faltete er den Brief
wieder und schloß ihn ein. »Richte dem Rabbi von Lublin, meinem Freunde, aus«, sagte er zum Boten, »daß es einem Geschöpf
wie unsereinem nicht zusteht, eine Antwort auf solch eine Frage
zu geben. Die muß ein andrer beantworten.«

Man erzählt sich Gleichnisse

Nach der Heimkehr des »Juden« aus Rymanow hatte sich die
Gemeinschaft von Pžysha enger zusammengeschlossen. Es war,
als hätte sie sich ihrem Gefühle nach allzuweit hinausgewagt und
müsse nun wieder bei sich selber einkehren. Und dieses innere
Leben steigerte sich noch in der Zeit danach. Nie war der Zusammenhang zwischen dem Lehrer und den Schülern, nie zwischen den Schülern untereinander so stark und innig gewesen
wie in dem Jahr, da der Kosnitzer Maggid seinen Kampf gegen
Napoleon ausfocht. Man hatte offenbar tiefer als je zuvor erkannt, daß nichts in der Welt zu verwirklichen ist, was man
nicht in der Gemeinde verwirklicht hat.

Eins hatte Pžysha gewiß von Lublin übernommen: das Ge-
schichtenerzählen in der auf den Sabbat folgenden Nacht, nach
dem »Geleitmahl der Königin«. Nur daß in Pžysha nicht der
Rabbi allein erzählte, sondern alle. So saßen sie in einer Winternacht, bald nach jenem Besuch Naftalis in Kosnitz, und erzählten einander Gleichnisse. Auch David von Lelow war damals
bei seinem Gevatter zu Gast. Diesmal fing die Reihe mit den
Jüngsten an. Die Gleichnisse waren wirkliche Gleichnisse, das
heißt: jedes meinte etwas, was die Gemeinschaft anging, alle ihre
Mitglieder oder einzelne, aber sie waren so beschaffen, daß das,
was einzelne im Kern ihres Daseins anging, die Gemeinschaft anging.

Mendel von Tomaschow schickte voraus, daß er das Gleichnis,
das er erzählen wolle, von einem Wanderprediger gehört habe.
»Zwei Kaufleute«, sagte er in seiner knappen Weise, nach je ein
paar Worten innehaltend, »hatten gemeinsam in einem Wagen
ihre Waren in die Stadt gebracht, jeder in einer Kiste. Die Kisten
waren etwa von gleicher Größe. In der einen befand sich, sorgsam in Tücher gewickelt und in Stroh gebettet, eine kleine Truhe
mit kostbaren Juwelen, die andre war mit Eisengerät vollge-
packt. In der Stadt angelangt hieß der Juwelenhändler einen
Lastträger seine Kiste zu seinem Hause bringen. Als er ihm da
den Lohn zahlen wollte, widersprach der Träger: für eine so
schwere und ermüdende Last gebühre ihm ein größerer. ›Dann
sind die Kisten verwechselt‹, antwortete der Kaufmann. ›Wenn

es eine schwere Kiste ist, ist es nicht die meine.‹ Das ist's, was
geschrieben steht: ›Mich hast du nicht gerufen, Jakob, daß du
dich um mich gemüht hättest, Israel‹: wenn du müd wirst, sagt
Gott, hast du nicht mich im Sinn gehabt, – von meiner Ware
wird man nicht müd.«
Alle sahen, mit Sorge und Beglückung zugleich, auf den »Juden«. Ein ruhiger, mehr heiterer als strenger Ernst lag auf seinem
Gesicht, der Blick war der eines Wissenden geworden, aber nein,
müde war er nicht. Und von ihnen allen war keiner müd.
Schüler um Schüler erzählte. Als letzter der Schüler kam Bunam
dran. Sachte hob er die vom Erblinden bedrohten Augen und
sah sich in der Runde um. »Ein großer Herr«, erzählte er dann,
»hatte einmal ein Rennpferd im Stall stehn, das war ihm über
alles wert und er ließ es wohl bewachen. Die Stalltür war mit
Sperrhaken verschlossen und ein Wächter saß beständig davor.
In einer Nacht war der Herr von einer Unruhe befallen. Er
ging zum Stall; da saß der Wächter und grübelte sichtlich angestrengt einer Sache nach. ›Was gibt dir so zu denken?‹ fragte
er ihn. ›Ich überlege‹, antwortete der Mann. ›Wenn ein Nagel
in die Wand geschlagen wird, wo kommt der Lehm hin?‹ ›Das
überlegst du schön‹, sagte der Herr. Er ging ins Haus zurück
und legte sich hin. Aber er konnte nicht schlafen. Nach einer
Weile hielt er's nicht aus und ging wieder zum Stall. Wieder saß
der Wächter vorm Tor und grübelte. ›Worüber denkst du nach?‹
fragte ihn der Herr. ›Ich überlege‹, sagte er. ›Wenn ein Hohlbeugel gebacken wird, wo kommt der Teig hin?‹ ›Schön überlegst du das‹, bestätigte ihm der Herr. Wieder ging er zur Ruhe,
wieder duldete es ihn nicht auf dem Lager und er mußte sich
zum dritten Mal zum Stall begeben. Der Wächter saß an seinem
Platz und grübelte. ›Was beschäftigt dich jetzt?‹ fragte der Herr.
›Ich überlege‹, antwortete jener. ›Da ist das Tor, mit Sperrhaken wohl verschlossen, da sitze ich davor und wache, und das
Pferd ist gestohlen, wie geht das zu?‹«
Jubelnd vernahmen alle die Geschichte. Ja, das war sie, ganz
zu Bild geworden, die Lehre von Pżysha: Wahn ist jeder Gedanke, der dich vom Dienst am Lebendigen ablenkt.
Zuletzt erzählte der Lelower. Wie immer, wenn er erzählte,
empfanden die Hörer, es gebe gar keine andere Möglichkeit das

auszusprechen, was er aussprechen wolle, als eben durch diese
Erzählung. »Wie Mendel«, begann er, »so weiß auch ich nur
zu sagen, was mir gesagt worden ist. Ich ging einmal, wie Jahr
um Jahr, den langen Weg von Lelow nach Lisensk zu Rabbi
Elimelech, zwei Mehlschaufeln über die Schultern gelegt, die ich
ihm zum Geschenk für Passah bringen wollte, für's Backen der
ungesäuerten Brote aus dem von der Ernte her wohlbehüteten
Weizen. Wie ich schon nah dem Ziel bin, komme ich in einen
Wald, den ich gut kannte, bin ich doch stets denselben Weg gegangen. Aber was meint ihr – ich verirre mich! Ich laufe hin,
ich laufe her, kein Ende und kein Ausblick! Stunden um Stunden vergehen, und ich irre so herum. Und was, meint ihr, hat
David schließlich getan? Geweint hat er! Und wie ich so weine,
kommt ein Mann daher und fragt: ›Was weinst du, mein lieber
Sohn?‹ ›Ach‹, klage ich ihm und höre nicht auf zu weinen, ›da
gehe ich doch Jahr um Jahr diesen selben Weg zu meinem Lehrer
und kenne mich in jedem Wegstück aus, und auch diesen Wald
kenne ich wie die Gasse in der ich wohne, und auf einmal verirre
ich mich und weiß nicht aus noch ein – das geht doch nicht mit
rechten Dingen zu, und offenbar ist an mir selber etwas nicht so
wie es sein soll!‹ ›Sei nun getrost‹, sagte der Mann, ›und komm
mit mir, mitsammen finden wir schon hinaus.‹ Und kaum waren
wir mitsammen einige Schritte gegangen, merkte ich, daß wir
dem Waldrand nahe waren. ›Weißt du nun‹, fragte der Mann,
›was das heißt: mitsammen?‹ ›Ich weiß es‹, antwortete ich.
›So gebe ich dir noch etwas auf den Weg‹, fügte er hinzu. ›Will
man zwei Holzstücke fest aneinander schließen, daß sie wie eines
werden, muß man erst beider Unebnes abhauen. Wenn aber die
Vorsprünge des einen sich in die Höhlungen des andern fügen
und umgekehrt, ist kein Abhauen not. Dies ist das wahre Mitsammen!‹«
»Ja, dies ist das wahre Mitsammen!« riefen alle.
Aber Jissachar Bär setzte hinzu: »Das ist der Prophet Elia gewesen!«
Man redete, man schwieg, man redete wieder. Dann baten alle
den »Juden«, auch er möge etwas erzählen.
»Ich will gern erzählen«, sagte er lächelnd, »aber es ist kein
Gleichnis, was ich heute zu erzählen habe.

Ein Chassid kam nach dem Tode vor das himmlische Gericht. Er hatte starke Fürsprecher, und eine günstige Entscheidung schien schon gesichert zu sein, als ein großer Engel auftrat und ihn einer Unterlassungssünde anklagte. ›Warum hast du das dir Gebotene unterlassen?‹ fragte man ihn. Der Chassid fand keine Antwort als: ›Meine Frau war der Anlaß dazu‹. Da lachte der Engel hoch auf: ›Wahrhaftig, eine treffliche Rechtfertigung!‹ Das Urteil wurde gefällt: dem Mann eine Strafe für sein Vergehen, dem Engel aber die Probe, in irdischen Leib einzugehen und eines Weibes Ehemann zu werden‹.«

Der »Jude« lachte selber über seine Geschichte. Das Lachen war klar und mild.

Der mißglückte Sseder

Einige Wochen vor Passah war eine große Bewegung im Haus des Sehers. Vertraute Boten wurden zu allen großen Zaddikim der Zeit ausgesandt, die mit ihm in der Schule des Maggids von Mesritsch oder in der des Rabbi Schmelke von Nikolsburg oder in der Rabbi Elimelechs gewesen waren. Von seinen eigenen Schülern sandte er nur an einen einzigen, und das war der »Jude«.

Die Botschaft war eine gemeinsame. Alle ihre Empfänger wurden aufgefordert, während des »Sseder«, der häuslichen Feier der Passahnacht, bei jedem ihrer Bräuche und ihrer Sprüche, die ganze Seele auf das Kommen der Erlösung zu richten, und zwar in einer besonderen Weise, mit ganz besonderen Intentionen, für die der Seher genaue Angaben machte. In der Kundgebung war nach Stunden und Minuten bestimmt, wann die Feier beginnen und welches Zeitmaß für jeden ihrer Teile gelten sollte. Mit einem sich zum beschwörenden Aufruf des gemeinsamen Willens steigernden Nachdruck wurde erbeten oder geboten, daß trotz der räumlichen Trennung alles mitsammen geschehen sollte, so daß nirgends eine persönliche Äußerung oder Gebärde sich vordrängen könnte. War sonst die Gestaltung dieser Nacht zum großen Teil den Eingebungen des Hausvaters überlassen, so sollte diesmal ein in Haltung, Handlung und Rede völlig geeinter Kreis die Fernen umschließen. Was unser Erzähler, Rabbi Ben-

jamin, zweimal sieben Jahre vorher, am Tag der Schlacht bei
Megiddo, wahrgenommen hatte, daß nämlich die Seelen der versammelten Chassidim zu einer einzigen, mit mächtigen Händen
ins Dunkel der Entscheidungen langenden verschmolzen, das
sollte nun mit den Häusern der großen Zaddikim geschehen.
Aber diesmal konnte der gemeinschaftliche Sinn nicht auf ein
gleichzeitiges Ereignis sich richten: ein allen Empfängern Gemeinsames konnte nur erfaßt werden, wenn man als den Blickpunkt,
auf den sich die Geister zu sammeln hatten, eben das von vorn-
herein allen in ihrem leidenschaftlichen Verlangen Gemeinsame
bestimmte: das Kommen der Erlösung, wie immer sie kommen
mag. Auch wurde im Grunde nichts weiter auferlegt, als was man
stets von selber in dieser Nacht zu versuchen pflegte: mit der Gewalt des Verlangens die Brücke zu schlagen von jener Tat Gottes
im Auszug von Ägypten zu seiner erwarteten namenlosen Tat.
Nur so war es ja für den Rabbi möglich, sich an alle, sogar an den
»Juden« zu wenden. Welch ein Verzicht, sei es auch nur für die
eine Nacht, in dieser Art der Aufforderung eingeschlossen war,
konnten manche der Empfänger ahnen; alle aber spürten, daß
kein andrer solche Botschaft hätte ausgehen lassen können, als der
anerkannte Führer des Geschlechts.
Von den zurückkehrenden Boten brachte keiner eine ablehnende
Antwort. Zwar hatte der Maggid von Kosnitz die Mitteilungen
schweigend empfangen, aber er hatte keinen Einwand erhoben.
Der »Jude« hatte nichts gesagt als: »Gott sei Dank, daß ich gehorchen darf.« Nur einer hatte in einer fast unverständlichen
Weise erwidert. Dies war der Rabbi von »Kalew«, das ist das
nordungarische Städtchen Nagy-Kálló. Während ihm die Botschaft kundgetan wurde, hatte er seiner Gewohnheit nach, anscheinend ohne recht hinzuhören, ein Liedlein vor sich hinge-
summt. In das ihm überreichte Schriftstück, das die besonderen Intentionen enthielt, warf er nur einen flüchtigen Blick. »Nun ja,
ungefähr so halten wir's auch!« sagte er dann. Damit mußte sich
der Bote zufrieden geben.
Rabbi Jizchak Eisik von Kalew war ein Sänger von Liebeslie-
dern. Sie handelten alle von der Liebe und Sehnsucht der Getrennten. Er lauschte sie den ungarischen Hirten ab, in deren
Nähe er gern weilte, war er doch selber als Kind Gänsehirt ge-

wesen. Dann bearbeitete er die Lieder mit behutsamer Hand; es ging ihm doch nicht darum, ihnen etwas Fremdes beizufügen, sondern ihren ursprünglichen großen Sinn wiederherzustellen, der unter das Hirtenvolk gefallen war: aller Liebe Ursprung ist in Gottes Liebe zu seiner Schechina, alle Liebe weist auf diese hin und kann in ihr ihre Heiligung erfahren. Die Hirten sangen von dem fernen Liebchen. Bald war's ein großer dichter Wald, der sich zwischen den Liebenden breitete, bald ein hoher steiler Berg, der sich zwischen ihnen erhob; immer aber endete das Lied damit, daß das Hindernis beseitigt wurde und die Zusammengehörigen zusammenkamen. So brauchte man nicht viel daran zu ändern. War das Exil nicht in Wahrheit ein dunkler Wald, in dem man irrte und irrte und kein Ende wollte sich zeigen, war es nicht ein unermeßlicher Berg, den man mit wunden Füßen erklomm, um immer neue, immer zackigere Felsen vor sich aufsteigen zu sehen? »Würd' ich doch endlich aus der Verbannung genommen, daß wir zwei möchten zusammenkommen!« sang der Kalewer Rabbi. Aber nicht sein Singen allein – jede Bewegung hatte die innige Absicht, daß die Getrennten wiedervereinigt werden. Unter allen Zeiten des Jahres aber war die Passahnacht ihm die teuerste, denn es war offenbar, daß diese vor allen andern die Zeit der befreienden Gnade war. Die Tochter Rabbi Hirschs von Żydatschow, des Schülers des Sehers, die mit einem Sohn des Kalewers vermählt war, erzählte einmal ihrem Vater, der Kalewer habe in der ersten Passahnacht mit dem Beginn des Sseder bis elf Uhr gewartet, dann habe er das Fenster geöffnet, »und da«, erzählte sie, »kam ein Wagen vorgefahren, mit silberweißen Pferden bespannt, darin saßen drei alte Männer und vier alte Frauen, fürstlichen Ansehns, in fürstlichen Gewändern, und der Rabbi ging hinaus, und ich sah, wie sie ihn umarmten und küßten, dann gab's einen Peitschenknall und der Wagen sauste davon, und der Rabbi schloß das Fenster und setzte sich an den Ssedertisch. Ich habe mich nicht zu fragen getraut.« »Das sind die Erzväter und die Erzmütter gewesen«, erklärte Rabbi Hirsch seiner Tochter. »Der Heilige von Kalew hat sich nicht zum Sseder setzen wollen, ehe die Erlösung anbricht, und hat mit seinem Gebet die höchsten Welten bestürmt. Da mußten die Väter und Mütter kommen und ihm kundtun, es sei noch nicht an der Zeit.« Der Seher selber pflegte zu sagen, es gebe in der ganzen Welt kein solches Licht mehr wie beim Sseder des Kalewer Rabbis.

In der Passahnacht hielt der Rabbi von Lublin den Sseder in großer Weihe mit allen Intentionen, die er bekanntgegeben hatte. Beim Mahl erörterte er sodann dem Brauch gemäß das Essen des Passahopfers und beschloß die Lehre mit dem herkömmlichen Spruch: »Das ist das Gebot des Essens des Passahopfers. Der Erbarmer würdige uns, es in der Stadt unsres Heiligtums bald, in unseren Tagen zu essen, und es erfülle sich an uns das Schriftwort, wie es heißt: ›Nicht in Hast ja fahret ihr aus, in Flucht nicht geht ihr hinweg, der Herr ja geht vor euch her, und eure Nachhut ist Israels Gott.‹ Wie in den Tagen unseres Auszugs vom Land Ägypten wird er uns Wunderbares sehen lassen. Das Wort unseres Gottes wird in Wahrheit bestehn. Seine Rechte ist erhoben, Furchtbares tut sie.« Kaum aber hatte er das letzte Wort gesprochen, schrie er auf, so gewaltsam, daß aller Kehlen, ehe noch einer wußte um was es ging, von dem gleichen Schrei bedrängt wurden. »Verfehlt!« rief er. »Der Sseder ist gestört! Der Sseder ist verstört! Vom Anbeginn ist der Sseder verstört!« Keuchend fiel er in seinen Sitz zurück. Worauf seine Worte sich bezogen, verstand niemand. Nach einer Weile flüsterte er: »Pžysha!« Und dann wieder: »Die Sache ist verloren.« Lange blieb er unbeweglich im Sitz zurückgelehnt. Es war nah an Mitternacht. Er holte der Vorschrift gemäß die zu Beginn der Feier für den Nachtisch zurückgelegte Hälfte eines ungesäuerten Brotes, das »Afikoman«, und sprach, ehe er davon aß und austeilte, mit noch bebender Stimme den Spruch: »Da bin ich bereit und bestellt, das Gebot des Afikoman-Essens zu erfüllen, zur Einigung des Heiligen, gesegnet sei Er, und Seiner Schechina, durch Ihn den Verborgenen und Verhohlenen, im Namen ganz Israels.« Nun sprach er, immer wieder zum Innehalten gezwungen, das Tischgebet, lehnte sich auf die linke Seite, wie es geboten ist, um die vom Joch Ägyptens Befreiten zu kennzeichnen, faßte mit einer noch bebenden Hand den Becher, sprach den Segen, trank, sang, gegen seine Gewohnheit nur halblaut, die Lobgesänge, vollendete den Sseder. Bei alledem war den Umsitzenden offenbar, daß er, was er sprach und tat, im Gegensatz zu seinem alljährlichen Brauch und besonders zu seiner vorherigen Haltung in dieser Nacht, ohne Intentionen sprach und tat. Als er sich erhob und langsam von dannen ging, sah man, daß seine Schritte mühselig waren, aber er ließ nicht zu, daß man ihn stützte.

Sogleich nach den zwei Festtagen sandte der Seher wieder die Boten aus und nach denselben Orten. Sie sollten forschen, wie überall der Sseder verlaufen war.

Die erste Nachricht kam aus Pžysha. Sie kreuzte sich mit dem dorthin gesandten Boten. Und dies ist, was sich in der Ssedernacht in Pžysha ereignet hatte:

Als die Mutter des »Juden« sich anschickte, wie alljährlich sich obenan an seine Seite zu setzen, begehrte Schöndel auf. »Das ist mein Platz!«, rief sie, »ich lasse mich nicht länger von meinem Platz verdrängen!« »Was redest du da, Tochter!«, sagte die alte Frau, »willst du mich in dieser Nacht nicht neben meinem Sohn sitzen lassen?« »Ich fordere«, keifte Schöndel, »was mir gebührt!« »Wenn dein Herz meint, daß es dir gebühre«, antwortete die Mutter, »sei es dir aus einem friedwilligen Herzen überlassen!« »Zu spät«, kam es kreischend aus Schöndels Mund, »jetzt müßt Ihr vom Tisch weg, eher setze ich mich nicht dran!« Alle starrten sie an, ohne ein Wort zu sprechen. Sie sprang herzu, riß die Kissen und Decken rings um die Tafel von den Sitzen, warf sie in die anliegende Kammer, stürzte ihnen nach und riegelte sich ein. Da sah man den »Juden« weinen. Schon zogen die Chassidim die Obergewänder aus, um die Sitze wieder zurechtzumachen, als Mendel von Tomaschow zu der verschlossenen Kammertür eilte. »Rabbanith«, rief er, »seht das Kind an!« Im gleichen Augenblick hörte man den Riegel gehen und Schöndel stürzte hervor. Sie blickte auf den Knaben Nechemja, der totenbleich, am ganzen Leibe zitternd, auf den weinenden Vater sah. Sein neben ihm stehender Bruder Ascher, um zwölf Jahre älter als der Sechsjährige, versuchte vergeblich, ihn zu beruhigen. Nechemja stieß kleine Schreie des Schreckens aus – man mochte an ein Vogeljunges denken, auf dessen Nest ein Räuber niederfährt. Schöndel war auf ihn zugelaufen. Sowie sie ihn aber bei der Hand nahm, riß er sich los, warf ihr einen bösen Angstblick zu und schlug, als sie sich noch einmal ihm zu nähern versuchte, wild um sich. Einen Augenblick stand Schöndel still, dann rannte sie in die Kammer, zerrte die Kissen und Decken hervor und begann sie von neuem auf die Sitze zu stopfen. Die Chassidim halfen ihr. Man setzte sich. Dabei gab es noch einen kurzen Aufenthalt, da Schöndel nun die Mutter bat, den Ehrenplatz einzunehmen, die alte Frau aber auf ihrem einmal ausgesprochenen Zugeständnis beharrte; schließlich ließ sie sich doch überreden. Nun wurde der Sseder gehalten. Der »Jude« erfüllte alles, wie ihn die Botschaft aus Lublin geheißen hatte. Nur die Zeit war nicht mehr einzuholen.

Die nach Lublin zurückkehrenden Boten brachten eine sonderbare Nachricht über die andere. Überall waren Störungen vorgefallen. In einem einzigen Haus, an dem weitberühmten Hof des Zaddiks von Tschernobil, war alles geglückt, – bis zum Augenblick, wo man das »Afikoman« essen wollte: es war nicht aufzufinden. Aber das Seltsamste von allem kam, der langen Fahrt wegen zuletzt, aus Kalew.

Der Kalewer Rabbi hatte, so flüchtig er auch hingehört und hingesehn hatte, alles genau so gehalten, wie der Seher es wollte, aber jedes Wort, das zu sprechen ist, hatte er auf Ungarisch gesprochen, wie er es gewohnt war. »Nicht umsonst«, pflegte er zu sagen, »heißt die Gesamtheit dessen, was in dieser Nacht zu sagen ist, Haggada, das ist: Bericht. Einen Bericht muß man so erstatten, daß ihn alle, die ihn hören, verstehen. Ich erstatte meinen Bericht allen, auch dem bedürftigen Gast, der an diesem Abend, um zu essen und zu trinken, über meine Schwelle getreten ist, auch dem Hausgesind, das sich in der Feier mit mir und den Meinen vereinigt. Alle sollen sie ihn verstehen, wie sie ja alle mit uns aus Ägypten gezogen sind.« In Lublin hatte man von dieser Gepflogenheit anscheinend nicht gewußt oder hatte nicht dran gedacht. Erst als die Nachricht ins Haus des Sehers kam, entsann sich ein alter Chassid und raunte einem andern zu: »Wißt Ihr, daß Rabbi Schmelke von Nikolsburg, der Lehrer des Kalewers, am Sscderabend in alle Orte hin hörte, wo Schüler von ihm die Haggada sprachen? Im Jahr, nachdem sein Schüler Jizchak Eisik der Rabbi von Kalew geworden war, sagte Rabbi Schmelke beim Sseder: ›Wie geht das zu, daß ich den Kalewer Rabbi keine Haggada sagen höre? Sollte er sie etwa gar auf Ungarisch sagen?‹«

Der Seher hatte die Nachricht aus Pžysha mit einem sonderbar gespannten Gesichtsausdruck empfangen. »Er sah aus«, erzählte der Überbringer der Nachricht später, »wie ein Löwe, der auf dem Sprung steht seine Beute zu packen.« »Weißt du denn«, wurde ihm vorgehalten, »wie ein Löwe aussieht?« »Jetzt weiß ich's«, erklärte jener, und dabei mußte es sein Bewenden haben. Alle späteren Nachrichten nahm der Rabbi mit großem Gleichmut entgegen.

Am Tag nach der Passahnacht hat Napoleon Bonaparte Paris verlassen, um sich in jenen entscheidenden Feldzug zu begeben, der ihn um seine Herrschaft bringen sollte.

Beim Neumondmahl

Von dem Neumondfest des Monats Ssiwan jenes Jahres (das war Ende Mai), wie es in Lublin gefeiert worden ist, hat lange Zeit danach Rabbi Chajim Jechiel von Mogielnica, jener Enkel des Kosnitzer Maggids, der in der Nacht vor dem Brand von Moskau den roten Schein im Schlafraum seines Großvaters gesehen hatte, seinen Chassidim erzählt.

Ich stand damals, erzählte er, neben dem reinen Tisch des Rabbi, um den saßen an dreißig Weißröcke, und der heilige Jude war unter ihnen. Ich habe kein Auge von ihm gewendet. Sein Gesicht war allen unähnlich, die ich kannte, aber auch sich selber, wie ich es bei früheren Gelegenheiten kennen gelernt hatte. Es schien erloschen, und doch, sieh nur hin, da strahlte es herrlich. Plötzlich kam es über mich, daß ich wußte: *Dort* wird *er* der Rädelsführer sein. So stand ich denn und schaute unverwandt auf ihn. Die Speisen, die man mir reichte, rührte ich nicht an – wie hätte ich essen können! Da rief mich der Rabbi zu sich heran. »Chajim'l«, sagte er, »weshalb issest du nicht?« Ich antwortete: »Weils mich nicht hungert.« Ich log dem Rabbi nicht, es war die Wahrheit, ich war vom Anschaun gesättigt. Er aber fragte weiter: »Warum hungert's dich nicht?« Ich schwieg. Der Rabbi aber sprach weiter: »Chajim'l, wenn du essen könntest – weißt du, was ›essen‹ heißt? essen um Gottes willen! – dann würde dir dergleichen das Essen nicht verleiden. Ich möchte den ›Juden‹ nach seiner Meinung fragen, aber...« Hier brach er ab und vollendete seine Rede nicht, und ein leichtes Lächeln erschien auf seinen Lippen. Nach

dem Mahl ließ mich der Rabbi in seine Stube holen. »Sag mir
noch«, begann er, »wozu kommst du her? Einfach um die Zeit
zu vertreiben? Wenn du nicht ein Enkel des Maggids wärst und
wenn ich dich nicht lieb hätte, würde ich dich nicht mehr kommen
heißen. Ich will, daß auch meine Leute dich lieb haben sollen,
und wenn du so weiter machst, werden sie zu mir gegen dich
reden.« Ich aber wußte in meinem Herzen, daß auch der Rabbi
selber, trotz allem, den heiligen Juden liebte und den Verleum-
dern nur wider Willen Gehör gab. Darum ging ich schnurstracks
zu dem heiligen Juden in seine Herberge. Er sagte zu mir: »Nun,
mein Lieber, eine rechte Strafpredigt hast du vom Rabbi zu hören bekommen – erzähl mir davon.« Ich aber wollte ihm nichts
erzählen, denn ein ehrlicher Mann muß man sein. Da sagte er
mir alles wieder, was der Rabbi zu mir gesprochen hatte. »Sei
guten Muts«, fuhr er fort, »essen wirst du schon noch lernen,
das wirst du nicht versäumen, aber wenn wir einander ansehn
wollen, ist es besser, wir sehn uns heute an. Und noch eins will
ich dir sagen. Du sollst nicht meinen, daß die mich verfolgen
es aus bösem Herzen tun. Das Menschenherz ist nicht böse, nur
sein ›Gebild‹, wie es in der Schrift heißt, das heißt: was es in
seiner Willkür, sich von der Gutheit der Schöpfung losmachend,
hervortreibt und hervorbildet, wird böse genannt. So ist es auch
mit jenen: der Grundantrieb ihrer Verfolgung ist, dem Himmel
zu dienen. Was haben sie vor allem andern im Sinn? Rabbi
Josef – da ja längst bekannt ist, daß Rabbi Israel die Nachfolge
ablehnen wird – den Thron zu sichern. Und warum haben sie
das im Sinn? Weil sie daran glauben, die Nachfolge von Vater
zu Sohn sei durchweg vom Himmel gewollt. Freilich, sie gehen
irre. Für Rabbi Josef werden sie nichts ausrichten, und ich – ich
stehe nicht im Weg.« Ich sah zu ihm auf, ich verstand ihn. Die
Augen trübten sich mir vom Blicken in das gelassen strahlende
Antlitz, ich brachte kein Wort mehr hervor. Als ich von ihm
Abschied nahm, hielt er meine Hand und ging so mit mir zum
Tor der Herberge hinaus. Er wies nach oben. ›Ist es nicht anzusehn, als gäbe es keinen Mond mehr?‹ sagte er. ›So ist es anzusehn, wenn etwas sich anschickt neu zu werden.‹«

Das letzte Mal

Dies ist der Schluß der Aufzeichnungen Rabbi Benjamins:
Ich schreibe dies drei Tage vor dem Neuen Jahr. Meine Hand
bebt und mein Herz bebt. Ich weiß nicht, wie ich dies wenige
aufschreiben kann.

In diesem Sommer hat mir Rabbi Meïr erzählt, der Rabbi von
Lublin spreche Mal um Mal davon, er müsse »einen Boten senden«. Ich verstand nicht, was er damit meinte: ist er doch mit
Botensenden wohlvertraut, ich selber habe ihm ja Botendienste
geleistet, an die zurückzudenken mich schaudert, und niemals
hat er davon geredet, ehe er den Auftrag erteilte. Aber ich habe
Rabbi Meïr nicht gefragt. Ich frage jene nicht mehr.

Gestern ist nun der heilige Jude (zu dem allein ich mich vor dem
himmlischen Gericht als zu meinem Lehrer bekennen werde)
hier gewesen, wie jetzt immer vor dem Fest, da er dieses mit
seiner Gemeinde verbringt. Er hat, vom Rabbi von Lublin gerufen, lange in dessen Stube verweilt. Bald nachdem er von da
zurückkehrte, bin ich zu ihm in seine Herberge gekommen. Ich
fand ihn bleich und in sich versunken. Mit einem Schlage ging
mir der Sachverhalt auf. »Rabbi«, fragte ich, »was hat Euch der
Rabbi von Lublin gesagt?« »Nicht doch, Benjamin«, erwiderte
er, »es ist nicht erlaubt so zu fragen«. »Rabbi«, fuhr ich fort,
»hat er Euch gesagt, daß er Euch als Boten senden wolle?« Er
schwieg. »Rabbi«, fragte ich noch einmal, »hat er Euch gesagt,
er wisse nach all den Fehlschlägen nicht mehr, was zu tun sei?«
Der heilige Jude schwieg. »Rabbi«, rief ich, »hat er Euch vor-
geschlagen, Ihr solltet sterben und ihm vom Himmel Kunde
bringen?« Er fuhr zusammen. »Benjamin«, sprach er, »was
brauche ich zu reden, wenn du es weißt!« »Rabbi«, fragte ich,
»was habt Ihr ihm zur Antwort gegeben?« »Benjamin«, erwiderte er, »ich weiß schon seit vier Jahren, daß es mir nicht beschieden ist alt zu werden. Aber ich habe gehofft, ich würde noch
zwei Jahre Frist haben, bis ich fünfzig bin, denn dann könnte
ich etwas vollenden. Das muß nun unvollendet bleiben.« »Erbarmt Euch unser, Rabbi!« rief ich. »Was meinst du denn, das ich
tun sollte?« fragte er. Und ich: »Ihm nicht gehorchen!« Da gab
er mir einen leichten Schlag auf die Hand. »Weißt du denn wirk-

lich nicht, Benjamin«, sprach er, »was es heißt, ein Chassid sein?
Weigert ein Chassid sich, sein Leben herzugeben?« »Aber, Rabbi«, bedrängte ich ihn wieder, »wie könnt Ihr ihm denn Kunde bringen wollen? Seid Ihr doch all seinem Treiben entgegen!«
»Wie töricht du bist, Benjamin!« erwiderte er und lächelte, wahrhaftig, er lächelte. »Darf man aus der Welt der Wahrheit Kunde bringen, so wird es doch die Wahrheit sein!«
Das ist das Letzte, was ich in dieses Buch eintrage. Genug geschrieben und übergenug! Steh mir bei, mein Gott! Steh ihm bei, ihm, Jaakob Jizchak, Sohn der Dajka, deinem Knecht! Steh deiner Welt bei! Entreiße sie den Händen Gogs und Magogs!

Perez

Am Tag nach dem Neuen Jahr legte sich Perez, Jekutiels jüngerer Bruder, der Schüler des »Juden«, von einem anscheinend leichten Fieberschauer befangen, zu Bett, nachdem er die letzten Verfügungen getroffen hatte. Der »Jude« kam zu ihm, setzte sich zu ihm und strich ihm über die Stirn. »Perez«, sagte er, »deine Zeit ist noch nicht gekommen.« Perez sagte: »Rabbi, ich weiß es wohl, aber ich bitte, daß mir gestattet sei, etwas auszusprechen.« »Sprich«, sagte der »Jude«. »Ich habe gesehen«, sprach Perez, »daß Ihr bald von der Erde scheiden müßt, und ich will nicht ohne Euch hier bleiben.« Er starb Tags darauf.

Der Jude gehorcht

In den Tagen zwischen Versöhnungstag und Hüttenfest hatte der »Jude« eine Reihe von Unterredungen mit seinen Vertrauten, aber auch jeder andre Chassid, der eine Frage oder ein Anliegen vorzubringen wünschte, fand bei ihm wie stets Gehör, und keiner von ihnen gewann den Eindruck, als seien seinem Meister die Stunden knapp zugemessen.
Nachdem er am Festabend an der Schwelle der laubgedeckten Hütte mit den vorgeschriebenen Worten die Väter zu Gast geladen hatte, ging er in die Hütte und sprach das Gebet. Als er zu den Worten kam »und mögest mir die Gunst verleihen, zur Zeit meines Abscheidens von der Welt im Schatten deiner Flü-

gel geborgen zu sitzen«, sah man ihn sich dreimal verneigen.
Dann begab er sich mit den Seinen und sieben Dürftigen, die wie
bekannt die sieben geladenen Väter darstellen, zum Mahl.

Als er am Festmorgen danach im Gebet Gott als den anrief, der
»treu ist die Toten wiederzubeleben«, sah Bunam, der neben ihm
stand, trotz seines arg geschwächten Blicks die Ader unterm Ohr
des »Juden«, die beim Beten oft leise bebte, heftig schlagen.

Am Nachmittag kam Bunam zu ihm in die Hütte. Lange saßen
sie schweigend beisammen. Zuweilen sah einer den andern an,
zuweilen faßte einer die Hand des andern. Sie wußten gemeinsam, was zu wissen war. Mehr noch, der Zurückbleibende geleitete den Freund bis an den schmalen Grat, den nicht zwei
mitsammen beschreiten können. Von hier aus, getrennt und doch
beieinander, betrachteten sie gemeinsam ihre Welt. Endlich brach
der »Jude« das Schweigen. »Apotheker«, sagte er, »ich habe einen schweren Fall für dich. Du bist es.« Bunam senkte den Kopf.
»Du wirst dich«, fuhr der »Jude« fort, »gegen ein Amt wehren,
das dir zugedacht ist. Aber ich sage dir, was du mir einst gesagt
hast: du wirst gezwungen werden. Wir brauchen jetzt nicht
weiter davon zu reden.«

Später ließ der »Jude« Mendel von Tomaschow rufen. »Mendel«, sagte er, »nimm dich Rabbi Bunams an, wenn ich nicht hier
bin. Frage nicht«, fügte er hinzu, als er sah, daß Mendel etwas
hervorbringen wollte, »ich könnte dir nicht antworten. Höre
mich nur an. Rabbi Bunam braucht dich und du brauchst ihn.
Lerne von ihm, was du von keinem wie von ihm lernen kannst.
Mit Recht sagt der Rabbi von ihm, er sei ein Weiser. Aber seine
ganze Weisheit ist Liebe zur Welt. Und du, Mendel – du wirst
an der Welt leiden, wie ich an ihr gelitten habe, nur dunkler.
Dagegen ist nichts zu sagen und nichts zu unternehmen. Aber
versuche ihr nicht zu zürnen. Sie, und wir alle in ihr, sie besteht
durch Gnade.«

Am zweiten Festtag versammelte der »Jude« alle Schüler und
sprach zu ihnen über den Seher. »Dem Rabbi«, sagte er, »ist
vom Himmel große Macht verliehen worden, und er hat ohne
Unterlaß all die Macht auf das Heil der Welt gerichtet. Auch wer
ihm entgegen ist muß ihn verehren. Wir alle sind seine Schüler.
Pžysha strebt anderswohin als Lublin, aber ohne Lublin könnte

Pžysha nicht sein. Ich selber bin, soweit ich etwas bin, es durch ihn geworden. Wer gegen ihn redet, redet gegen mich.«

Am Abend waren in der Hütte seine Kinder um ihn versammelt: Jerachmiel mit seiner Frau, Vögeles zwei Töchter mit ihren Männern, Ascher mit seiner Frau und der kleine Nechemja. Schöndel saß mit dabei, der Schwiegermutter zur Seite. Sie war seit dem Sseder seltsam still geworden. Der »Jude« sprach zu seinen Kindern von den Angelegenheiten ihres Lebens, gab Rat und Halt. In einer besonderen Weise wandte er sich an Jerachmiel. »Dein Handwerk ist gut«, sagte er zu ihm, »und du meisterst es, aber zuletzt wirst du dich der Lehre und den Chassidim nicht entziehen können. Und bleib meinem Freunde, dem Rabbi Bunam, treu! Weißt du noch, wie du als zehnjähriger Knabe einmal hier warst und dich darüber entrüstetest, daß er mir so müßige weltliche Geschichten aus Danzig erzählte, und als er gegangen war, sagte ich dir, was er mir erzählt habe reiche von unter dem großen Abgrund bis an den Thron der göttlichen Majestät? Vergiß es nicht!« Zuletzt wandte sich der »Jude« an seine Frau. »Und du, Schöndel Freude«, sagte er, »ich habe es dir allein vorm Anbruch des Versöhnungstags gesagt und sage es dir nun noch einmal vor deinen Kindern und Vögeles Kindern, vergib mir!« Schöndel wollte auffahren, aber die Tränen entstürzten ihr und machten sie wieder still. Schließlich schluckte sie heftig. »Ich bin dir eine schlechte Frau gewesen, Itzikel«, stammelte sie. »Eine gute Frau bist du gewesen, Schöndel Freude«, sagte er. »Du hast für Vögele geeifert. Es ist recht und schön, für Vögele zu eifern.«

Am Morgen danach bemächtigte sich des »Juden« eine große Gebetsverzückung, derengleichen von seiner frühen Jugend an über ihn gekommen waren und ihn zuweilen an den Rand des Lebens gebracht hatten. Seine Hausgenossen wußten darum, und so war jetzt immer jemand in seiner Nähe, um ihn, wenn er nach dem Gebet in die Erschöpfung verfiel, zu laben.

An diesem Morgen als an dem des ersten Bittgebetstags wiederholte er Mal um Mal flüsternd die Worte, in denen Gott der Befreier um Befreiung angefleht wird. Auch als Bunam ihn später besuchen kam, konnte er nur flüstern. »Bunam«, sagte er, »du hast mich einmal gefragt, was es um die drei Stunden sei, von denen es im Bittgebet heißt: ›Tosende Schreie! / Die Stunden, die dreie! / Eile, befreie!‹ Ich habe dir geantwortet, es seien die drei Stunden des stummen Grauens nach dem Getöse der Kriege Gogs und Magogs und vor dem Kommen des Messias, die sehr viel schwerer zu bestehen sein werden als alles Getöse, und erst wer sie besteht wird den Messias schauen. Aber alle Kämpfe Gogs und Magogs stammen aus den bösen Kräften, die in den Kämpfen gegen den Gog, der in den Menschenherzen lebt, nicht überwältigt worden sind. Und die drei Stunden spiegeln wider, was jeder von uns nach allen Kämpfen in der Einsamkeit seiner Seele zu bestehen hat.«

Am Abend waren Atem und Blick ganz ruhig geworden. Er wiederholte sehr langsam Mal um Mal den Spruch Obadias: »Den Berg Zion ersteigen Befreier, den Berg Esaus zu richten, und des Herrn wird das Königtum.« Schöndel, die bei ihm war, ging für eine Weile hinaus, als sie ihren Knaben weinen hörte. Auf dem Rückweg hörte sie in der Hütte etwas fallen. Herzulaufend sah sie ihren Mann am Boden liegen. Er sprach Mal um Mal: »Keiner mehr außer ihm!« Dabei hob er die Arme und breitete sie nach beiden Seiten, wie wenn einer etwas nach beiden Seiten von sich tut.

Die so angehobene neue Verzückung währte sechsunddreißig Stunden. Am Frühmorgen des dritten Bittgebetstags hörte Jerachmiel, der bei ihm wachte, ihn flüsternd die Worte des Bittgebets sprechen: »Sie gleicht der Palme. Sie, die erschlagen wird deinethalb. Und wie Schafe an der Schlachtbank erachtet. Ausgestreut zwischen sie, die sie kränken. An dir hangend und haftend. Mit deinem Joch beladen. Die Einzige, dich zu einen. In das Exil gebunden. An der Wange gerauft. Den Schlagenden hingegeben. Dein Leid erleidend.« Es war nichts mehr zu hören, aber die Lippen bewegten sich weiter, immer langsamer, dann hielten sie inne. Plötzlich hob Jaakob Jizchak die Hände, leicht, als wolle er einem ihm Nahen etwas reichen, und die Lippen bewegten sich wieder. Jerachmiel hielt das Ohr an den Mund des Vaters. Er hörte: »Die Einzige, dich zu einen.« Zugleich schlossen sich die beiden erhobenen Hände zusammen.

Ein Gespräch

Es heißt, daß an eben jenem Morgen Rabbi Kalman von Krakau und Rabbi Schmuel von Korow, auch er ein Schüler des Sehers, aber dem »Juden« zugetan, auf der Landstraße, in entgegengesetzten Richtungen fahrend, einander begegneten. Kalman sagte: »Ich bin um das Leben des ›Juden‹ besorgt. Es gibt eine geheime Einung, die an diesem Tag zu vollziehen ist. Aber nur im Lande Israel kann man sie vollziehen ohne zu sterben. Mir ist, als wolle der ›Jude‹ sich ihrer unterfangen.« »Wohl«, sagte Schmuel, »es mag sein, daß dies der Tag ist, von dessen Nähe er schon seit etlicher Zeit gewußt hat. Und gewiß, er hat etwas zu vollbringen versucht, was man außer dem Lande Israel nicht vollbringen kann ohne daran zu sterben. Aber wann wird man es im Lande Israel vollbringen?« Sie setzten das Gespräch nicht fort und fuhren in entgegengesetzten Richtungen weiter.

Totenklage in Lublin

Rabbi Chajim Jechiel von Mogielnica, der Enkel des Kosnitzer Maggids, erzählte:
»Ich hielt mich in Lublin auf, als mich die Nachricht vom Abscheiden des heiligen Juden erreichte. Das Weinen überkam mich, ich weinte und weinte ohne Unterlaß, und da ich nicht wollte, daß man davon dem Rabbi erzähle und er mich befrage, lief ich in den Wald und weinte mich aus. Dennoch wurde es dem Rabbi hinterbracht, und er ließ mich holen. Als ich zu ihm kam, umarmte er mich und sagte: ›Mein Chajim'l, tu's mir zulieb und wein nicht mehr! Nach allem was sich begeben hat fehlt mir der ‚Jude‘ mehr als dir. Als ich erfuhr, daß er nicht mehr da ist, habe ich mich in der Asche gewälzt. Ich habe keinen Chassid wie er gehabt und werde keinen haben.‹«

Das Lachen des Lelowers

Im Winter danach erkrankte David von Lelow. Ein Arzt von seinen Bekannten besuchte ihn, und als er ihn betrachtet hatte, sagte er ihm nichts als eine freundliche Redensart, dann wandte er sich zu den abseits stehenden Hausgenossen und sprach leise zu ihnen. Rabbi David rief ihn zurück: »Meinst du, ich wisse nicht, was du zu ihnen sprichst? Du sagst, es stehe nicht gut um David. Was redest du da! Ich gehe doch heim – wie könnte es um mich noch besser stehen!«

Die Chassidim, die sich später um sein Bett versammelten, sahen, daß er lachte. »Warum lacht Ihr, Rabbi?« fragten sie. »Ich lache«, antwortete er, »weil die Leute, die sich so viel mit uns zweien, mir und meinem Gevatter, dem ›Juden‹, befaßt haben, nun auch mich los sein werden.« Bald danach lachte er wieder. Nach dem Grund befragt sagte er: »Ich lache, weil der Traktat ›David Sohn Salomos‹ nun nicht mehr gelesen wird, bis Messias kommt. Außer dem ›Juden‹ hat ihn niemand aufgeschlagen, auch der Rabbi nicht.« Und noch einmal lachte er. »Ihr wollt wissen«, sagte er, »warum ich lache? Ich lache Gott an, weil ich seine Welt angenommen habe, wie sie steht und geht.« Damit kehrte er sich zur Wand und entschlief.

Einige Zeit vorher hatte er angeordnet, daß man nach seinem Tode seinen silbernen Weihebecher dem Rabbi von Lublin bringen solle. Sein Sohn Mosche, eben der, der mit der Tochter des »Juden« vermählt war, führte den Auftrag aus. Am nächsten Freitagabend, genau eine Woche nach dem Tod des Lelowers, hieß der Seher den Becher auf den Sabbattisch tun, damit er den Weihesegen über ihn spreche. Als er ihn aber ergriff, zitterte ihm die Hand so, daß er ihn wieder hinstellen mußte. Das wiederholte sich noch einmal. Erst beim dritten Mal vermochte er den Becher zu halten und aus ihm zu trinken. »Wehe«, rief er danach, »um sie, die verloren sind und nicht vergessen werden!« Dann wandte er sich an Simon Deutsch, der neben ihm saß. »Rabbi Simon«, sagte er, »Ihr seid ein Lügner.« Simon Deutsch stand auf und verschwand.

Zwischen Lublin und Kosnitz

Die Kunden von den Niederlagen Napoleons dämpften, wie nicht anders sein konnte, die messianische Bewegung unter den Chassidim. Selbstverständlich war es nicht die Tatsache, daß er besiegt wurde, was sich so schwer auf die Herzen legte, sondern daß danach das Leben der Erde in die gewohnten Geleise zurückglitt. Nichts deutete auf außerordentliche Folgen der Ereignisse hin. Man hatte den Mann in übermenschlicher oder unmenschlicher Größe gesehen, als der Gog des Landes Magog war er über die hingestürzten wundgeschlagenen Völker hinweggestampft, so Maßloses konnte nur das Vorspiel zur Entscheidung der Entscheidungen sein; nun aber war nichts zu merken als ein Aufatmen allerorten: allerorten war man selig, daß man aus den Schrecken der Geschichte heimkehrte in den geläufigen Gang der Dinge, wo die Tode sich auf derselben menschlichen, ganz menschlichen Ebene abspielen, wie die Geburten. Die Chassidim sahen es, spürten es, und waren wie betäubt. Wie war es möglich, daß trotz allem nichts das Kommen des Messias anzeigte? Waren alle jene Wagnisse, von denen man raunen gehört hatte, fehlgeschlagen? Der Alltag machte sich wieder breit – wo blieb Gott?

Nur in Pžysha, Lelow und was ihnen dem Herzen nach nahe war, verstand man, daß all das so war wie es sein mußte. Von Rabbi Bunam, der, dem Erblinden nah, nach mehrmonatigem Widerstand das Regiment übernommen hatte, war das Wort ausgegeben worden: »Zum Messias geht man nicht, man kommt zu ihm.« Damit war's gut. Alle wußten, daß hier das echte Erbe des »Juden« verwaltet wurde.

Hingegen herrschte in Rymanow eine düstere Stimmung. Wußten doch alle, daß Rabbi Menachem Mendel von Napoleons Sieg über die ganze Welt die Wende der Dinge erwartet hatte. Einer der Rymanower Chassidim hatte einmal erzählen gehört, der Kaiser sehe in allen Schlachten ein rotes Männchen vor sich hergehen, und seither stand es fest, dies könne kein anderer als der

rothaarige Rabbi Mendel sein. Nun aber höhnten die Gegner
des chassidischen Wegs, die schon früher Rymanow »Napoleons
zweites Hauptquartier« genannt hatten, und fragten, ob denn
der Rabbi noch immer mit in die Schlacht ziehe: mit seiner sieg-
bringenden Kraft scheine es vorbei zu sein. Rabbi Mendel schwieg
zu den Spottreden, die ihm überbracht wurden; aber zu seinen
Vertrautesten sagte er zuweilen: »Betet für mich, daß ich das
kommende Jahr überlebe, und ihr dürft gewiß sein, daß ihr das
Widderhorn des Messias zu hören bekommt.«

Am merkwürdigsten war die Lage in Lublin. Alle Nachrichten
von den Niederlagen hatte der Seher mit anscheinend unbeein-
trächtigtem Gleichmut hingenommen. Erst als ihm die Ab-
dankung Bonapartes gemeldet wurde, war er sichtlich überrascht. Zwei Wochen lang ging er mit einem kaum verhaltenen
Ingrimm einher – »wie ein Löwe im Käfig«, bemerkt jener Schüler, der einst nach Passah den Bericht aus Kalew gebracht hatte –
und behandelte jeden, der ihm in den Weg kam, so unwirsch,
als sei der und kein andrer an allem schuld. Da aber hörte man,
Napoleon sei nach der Insel Elba verbannt. Mit einem Schlag
lebte der Seher auf. »Der Sidonier hat eine Insel unter die Füße
bekommen«, sagte er zu Meïr, »nun ist der Weg wieder offen.«
Bald danach, eine Woche etwa nach dem Offenbarungsfest, reiste
er nach Kosnitz.

Von dem, was die zwei Alten, der großmächtige und ungebeugte
und der kleine und überzarte, damals miteinander geredet haben, ist nur weniges, und zwar durch die Erzählung Rabbi Chajim
Jechiels, des Enkels des Maggids, auf uns gekommen.

Der Seher sagte bald nach der Begrüßung – sie hatten sich auf
eine Bank vor dem Hause gesetzt –, es sei seine Absicht, gerade
jetzt den entscheidenden Vorstoß zu wagen.

»Der Abschnitt ist zu Ende«, antwortete der Maggid.

»Das Eigentliche wird erst kommen«, sagte der Seher.

»Wenn noch etwas kommt, kann es nur eine Nachbemerkung
sein, die den Sinn verdeutlicht.«

»Der wahre Sinn, der uns und die Welt angeht, ist noch nicht in
die Erscheinung getreten.«

»Woran Ihr denkt, Rabbi Jizchak, ist nicht der Sinn dieses Abschnitts.«

»Muß so Ungeheures nicht auf das Kommen der Erlösung abzielen?«

»Alles zielt auf das Kommen der Erlösung ab, aber anders, als
wir zu meinen neigen.«

»Könnt Ihr bestreiten, daß was vor unseren Augen geschah die
Wehen des Messias einleitet?«

Ehe der Maggid antworten konnte, stand ein junger Mensch vor
ihnen, der eben herangekommen die letzten Worte gehört hatte.
Der Lubliner erkannte ihn sogleich, obwohl das Gesicht, seit er
es zuletzt gesehen hatte, seltsam gealtert war; es war Mendel
von Tomaschow, der seit dem Offenbarungsfest hier weilte. Er
begann sogleich zu reden, noch dreister und heftiger als je zuvor.

»Was wissen wir von den Wehen des Messias!« rief er, »was
wissen wir, wann er kommt! Vielleicht wird's sein, wenn niemand mehr ihn ruft und niemand mehr ihn erwartet, an einem
Tag wie alle Tage, überall rennen die Juden in die Sorgen ihres
Erwerbs versponnen wirrköpfig hin und her, keiner denkt an
was andres als an die nächste Stunde, und da, da...!« Die
Stimme brach ihm.

»Mendel«, sagte der Maggid gelassen, »es geht nicht an, solcherweise ein Gespräch zu stören, dessen tiefste Wurzeln du nicht
kennen kannst.«

»Vergebt, Rabbi«, erwiderte Mendel und entfernte sich.

»Ihr fragt mich«, sagte der Maggid zum Seher gewandt, »ob
ich etwas bestreiten könne. Ich kann nichts bestreiten und Ihr
dürft nichts behaupten. Hier gibt es nichts zu behaupten und
nichts zu bestreiten.«

»Entsinnt Ihr Euch, Rabbi Israel, wie Ihr vor zwanzig Jahren
zu uns sagtet, der Leviathan werde die Fische des Meeres verschlingen?«

»Und Ihr fragtet, ob es Gog sei.«

»Und Ihr antwortetet, sein Name werde erst geschrieben, wenn
die Welt in den Wehen liegt.«

»Und Ihr fragtet wieder, ob es nicht die Wehen seien, was eben
beginnt.«

»Und Ihr antwortetet, es hange daran, ob dem Kind die Stätte
bereitet ist.«

»Wohl«, sagte der Maggid gelassen, »und ist sie bereitet? Ist sie da bereitet, wo sie zu bereiten ist? In der Gasse? im Haus? im Herzen?«

»Was meint Ihr damit?« fragte der Seher.

»Entsinnt Ihr Euch, Rabbi Jizchak«, erwiderte der Maggid, »wie ich Euch, als Ihr damals Abschied nahmt, das Blatt mit Rabbi Elimelechs Gebet übergab? Entsinnt Ihr Euch, wie ich fünf Jahre später an einem Abend nach Lublin kam und eine Nacht lang mit Euch von Eurem Schüler redete, der nun tot ist? Wißt Ihr noch, was ich, wieder nach Jahren, Eurem Weibe Bejle sagte, als sie zu mir kam, daß ich ihr ein Kind erbete? Es ist immer das gleiche gewesen.«

Der Seher trug sein großes Haupt mit Mühe aufrecht. Er schwieg.

Der Maggid schien eine Weile auf etwas zu warten. Dann streckte er die Hand aus und rührte mit dem Zeigefinger an die Brust des neben ihm, aber zu ihm gewandt Sitzenden. »Hier ist es«, sagte er gelassen. »Entsinnt Ihr Euch, wie vor zwanzig Jahren – Rabbi Naftali hat es mir viel später erzählt – Euer Schüler, der nun tot ist, Euch an Eurem Tische fragte, was es mit diesem Gog sei, es könne ihn doch da draußen nur geben, weil es ihn da drinnen gibt? Da drinnen ist er.« Sein Zeigefinger rührte noch immer an die Brust des Sehers.

Dem sank der Kopf nun fast bis auf die Knie. Er mußte ihn mit beiden Händen stützen.

Plötzlich zuckte ihm etwas durch den ganzen Leib. Er sah auf. Der Maggid hielt jetzt den Finger ans eigne Herz. »Und da drinnen«, sagte der Maggid.

Lange schwiegen sie beide.

»Ich bin schuldig«, sagte endlich der Seher. »Habe ich's nicht Mal um Mal gesagt: Weh dem Geschlecht, dessen Führer ich bin! Betet für mich, Rabbi Israel!«

»Ich werde für uns beten«, antwortete der Maggid. »Glaubt jedoch nicht etwa, daß ich nicht wüßte, um wie Hohes es Euch im Kampf gegen Euren Schüler ging, der Euren Unternehmungen entgegen war. Aber ihr habt das himmlische Feuer mit irdischen Stoffen gespeist.«

An diesem Tag wurde nicht mehr gesprochen.

Am nächsten Morgen, an dem der Rabbi von Lublin wieder

ganz ruhig und überlegen auftrat, war es der Maggid, der zu reden begann.

»Ich kann Euch in Eurem Vorhaben nicht beistehn, Rabbi Jizchak«, sagte er.

»Ich begehre nicht mehr«, antwortete der Seher, »als daß am Tag der Thorafreude auch in Kosnitz wie in Lublin eine vollkommene Freude herrsche.«

»Wohl«, sagte der Maggid nachdenklich, »soweit es an mir liegt, soll die Festfreude vollkommen sein.«

Als der Seher nach Lublin zurückkehrte, fand er statt einer Antwort auf den Brief, den er nach dem Empfang der Nachricht über Napoleons Verbannung durch einen besonderen Boten nach Rymanow gesandt hatte, Rabbi Menachem Mendel selber vor. Der sonst in allen Bewegungen so abgemessene Mann kam mit einer unbändigen Heftigkeit auf ihn zu. »Er muß frei werden«, sagte er.

Der Maggid entzieht sich

Wie in jedem Jahr kam die Judenschaft von Kosnitz, Männer und Frauen und bis zu den kleinen Kindern, am Vorabend des Versöhnungstags vor das Haus des Maggids. Der Maggid trat an die Schwelle. Als sie seiner ansichtig wurden, brachen alle in Weinen aus. Sie weinten alle laut, daß doch ihre Sünden als gesühnt angesehen werden möchten und im Himmel der Urteilsspruch über sie gesiegelt werde zu einem guten Leben. Und auch er weinte ihnen gegenüber. »Ich bin ein größerer Übeltäter als ihr«, sagte er und legte sich in den Staub. Dann gingen sie mitsammen, alle in weißen Gewändern, die Männer in ihren Sterbekitteln, ins Bethaus, und wer an dem Tag versäumt hatte, einen, den er im vergangenen Jahr, sei es auch nur durch ein lockeres Wörtlein, gekränkt hatte, um Vergebung anzugehn, lief jetzt, während sie unterwegs waren, zu ihm hinüber. Von Zeit zu Zeit aber sahen alle, bis zu den kleinen Kindern, zum Maggid hin. Denn als er an der Schwelle stand, war es offenbar, daß er sich nur mit großer Mühe aufrecht hielt, jetzt aber ging er festen Schrittes wie ein Junger und Kerngesunder unter ihnen. Als man die Schriftrolle aus dem Schrein genommen und die

Schrift für jedes Vergehen gegen ihre Ehre um Vergebung gebeten hatte und dann der Psalmspruch »Licht ist ausgesät dem Bewährten und dem Herzensgeraden Freude« Mal um Mal wiederholt worden war, sah man den Maggid den Kopf heben, und noch einmal rief er laut: »Freude!« Und als in jenem Abschnitt aus einem der Bücher der geheimen Lehre, der nun verlesen wird, die Worte gesagt wurden, in denen die Schechina im Exil erst mit einem Weibe in den Tagen der Unreinheit verglichen wird, dem der Gatte nicht nahen darf, und dann mit einem Aussätzigen, der außerhalb des Lagers weilen muß, ließ sich der Maggid beidemal auf die Knie nieder und verneigte sich zur Erde. Nie zuvor hatte er dergleichen getan.

Wie er nun aber danach, vor dem Betpult stehend, die Formel »Alle Gelübde« vortrug, und schon hatte er die Worte gesagt »Vergib doch der Verfehlung dieses Volkes der Größe deiner Gnade gemäß, und wie du es diesem Volk getragen hast von Ägypten an bis hierher«, hielt er inne und sagte nicht, was nun folgt: »Und der Herr sprach: ›Ich habe vergeben, deiner Rede gemäß‹«, sondern wiederholte alles und hielt wieder inne und sagte nicht, was nun folgt. Und plötzlich redete er von seinem Herzen aus zu Gott. »Herr der Welt«, sagte er nun, »deine Mächtigkeit kennt keiner als du allein, und auch meine Schwäche kennt keiner als du allein, und doch ist es das erste Mal, daß ich diesen Tag nicht, wie jeden im vergangenen Monat, vor dem Pulte stehend verbracht habe. Und du weißt es, nicht meinethalb habe ich getan was ich tat, sondern um deines Volkes Israel willen. So frage ich dich, was ist das, daß es mir Allerschwächstem leicht geworden ist, das Joch deiner Söhne, der Söhne Israel, auf mich zu nehmen, und du, der Allmächtige, dir sollte es schwer sein, die Worte ›Ich habe vergeben deiner Rede gemäß‹ zu sprechen?« Dann rief er die Verdienste der Zaddikim des Geschlechts an, Rabbi Menachem Mendels Gerechtigkeit und die Hingabe des Rabbi von Lublin. »Fehlt's aber an Büßern auf der Welt«, fügte er hinzu, »da bin ich, bereit bei all meiner leiblichen Schwäche für die ganze Gemeinschaft Israels Buße zu tun. Und nun bitte ich dich...« Zum drittenmal wiederholte er: »Vergib doch ...« bis an die Worte »Und der Herr sprach«. Wieder hielt er inne, schwieg, wartete. Jetzt aber wandte er sich zum Volke und rief mit starker

Stimme: »Und der Herr sprach: ›Ich habe vergeben, deiner Rede gemäß‹.«

Am fünften Tag danach, dem Vortag des Hüttenfestes, für dessen Ende, als für das Fest der Freude an der Lehre, der Seher von ihm die vollkommene Freude erbeten hatte, rief der Maggid am Morgen nach dem Aufwachen die Seinen herbei und sprach mit ihnen. »Und nun darf ich einschlafen«, sagte er und entschlief.

Der Tag der Freude

Hatte der Rabbi bei seinen beiden vorigen Unternehmungen allen Helfern – das eine Mal den herangezogenen Lubliner Chassidim, das andere all den Gefährten im Land – die genaueste Übereinstimmung mit ihm, innen und außen, in der Stunde der Handlung anbefohlen, so verlangte er diesmal von den wenigen, an die er sich wandte, nichts weiter als »die vollkommene Freude«. »Wollt Ihr durch die Freude wirken, Rabbi?« fragte Meïr. »Nichts wirkt so wie sie«, antwortete er, »auf die Vermählungen der oberen Welten, an denen doch alles hangt. Die Schwermut trennt, die Freude verbindet.« Der Tag der Freude an der Thora sei von ihm, so erklärte er, gewählt worden, weil nun, nach den Tagen des Gerichts, ganz Israel von der Sündenlast befreit sei und nun erst wieder sich wahrhaft freuen könne.

Der Weg dahin schien freilich über die Schwermut zu führen. In jener Zeit der Vorbereitung sagte er zu Meïr und zu anderen, es graue ihm vor jenen beiden, von denen Mose spricht: »Denn es graute mir vor dem Zorn und dem Grimm.« »Sie glotzen mich mit ihren grauenhaften Augen an«, sagte der Seher. Zu vermerken ist hier, daß er sich sonst keineswegs mit Mose, sondern gerade mit Moses Widersacher, Korah, dem großen Aufrührer, zusammenstellte, ihm, den der Erdboden verschlungen hat. »Mein Großvater Korah«, pflegte er zu sagen, womit zum Ausdruck gebracht war, daß die Seele Korahs in ihm wieder aufgelebt sei; und noch vor kurzem, zwei Wochen nach dem Besuch in Kosnitz, hatte er an dem Sabbat, an dem der Abschnitt von Korah verlesen wird, in seiner Tischrede wie alljährlich Korah gerechtfertigt und dargelegt, daß seine Absicht eine gute gewesen sei, nur daß er gegen Mose und Aaron, die gesündigt hatten, hochmütig auf seine Sündenfreiheit pochte.

Am achten Tage des Hüttenfestes lud der Rabbi nach dem Mittagsmahl eine Anzahl seiner Vertrauten in seine Stube. Man trank Met und stellte die leeren Flaschen ins Fenster. »Wenn wir eine gute ›Freude an der Thora‹ haben«, sagte der Rabbi, »werden wir auch einen guten ›Neunten Ab‹ haben.« Alle verstanden: wenn an diesem Herbsttag das Werk glückte, würde auch im Sommer danach der neunte Ab, der Tag der großen Trauer um die Zerstörung des Heiligtums, unter der Herrschaft des Messias in einen Freudentag gewandelt sein. Nie zuvor hatte der Seher das erhoffte Ziel in so greifbare Nähe gerückt.

Der Abend kam. Im Bethaus wurden, wie alljährlich, alle Schriftrollen aus der Lade genommen und die Großen der Gemeinde zogen, der Rabbi voran, jeder eine Rolle in den Händen, jubelnd und tanzend siebenmal um die Bühne. Man sang: »Engel versammelten sich zueinander, einer dem andern gegenüber, und einer sprach zum andern: Wer ist das und was ist der, der an die Vorderseite des Thrones greift? Gebreitet hat Er seine Wolke um ihn! Wer ist zur Höhe gestiegen? Wer ist zur Höhe gestiegen? Wer ist zur Höhe gestiegen und brachte starken Hort herab? Mose ist zur Höhe gestiegen, Mose ist zur Höhe gestiegen, Mose ist zur Höhe gestiegen, und er brachte starken Hort herab‹.«

Vom Tode des Maggids war dem Rabbi noch nichts bekannt. Die Nachricht war nach Lublin gelangt, aber man hatte sie ihm vorenthalten.

Nach den Umzügen, Gesängen und Gebeten blieben die Chassidim in großer Freude bei festlichem Gelage beisammen. Der Rabbi saß eine Weile unter ihnen. Dann hieß er seine Vertrauten vor seiner Stube, in die er sich begeben wolle, verweilen und ihn sorgsam bewachen. Aber, seltsam, es war, als verstünden sie ihn nicht. Sie nickten und rührten sich nicht vom Fleck. Er wiederholte einmal, zweimal das Geheiß. Sie nickten wieder, einer rief: »Ja, ja, Rabbi«, alle tranken und lärmten. Er sah sie betroffen an, sie merkten nichts. Er ging ins Wohnhaus und trug Bejle auf, ihn zu bewachen. Bejle begleitete ihn in seine Stube.

Nach einer Stunde vernahm Bejle ein Klopfen an der Haustür, mit leichtem Knöchel, aber beharrlich. Das Weinen eines Kindes

kam zu ihr von der Schwelle her. Sie erkannte die Stimme und
rannte hinaus. Draußen war niemand. Als sie zurückkehrte, fand
sie den Rabbi nicht in der Stube. Sie suchte ihn im ganzen Hause
vergebens. Jetzt störte sie die Chassidim vom Gelage auf. Sie eilten in die Stube des Rabbi. Niemand war darin, aber alles war
an seinem Platz. Auf dem überschulterhohen Fenstersims standen, so wird erzählt, noch die leeren Metflaschen aneinander-
gereiht, und das dreiteilige Fenster war geschlossen, bis auf den
offnen Auslug in der Mitte, an den der Rabbi zu treten pflegte,
wenn er in die andern Blicken unerreichbare Ferne schaute, wie
etwa damals, als er Bejle im bunten Kleid in Lemberg umher-
gehen sah.

Nach langem Suchen hörte ein Chassid, der das Haus in einer
Entfernung von mehr als fünfzig Ellen umging, ein leises Stöhnen vom Boden. »Wer ist hier?« fragte er. Er hörte vom Boden
her: »Jaakob Jizchak Sohn der Matel.« Er schrie vor Schreck,
rannte verstört hin und her und schrie. Man versammelte sich um
den Liegenden. Die Vertrauten des Rabbi warfen das Los, wer
ihn an den Füßen, wer am Rumpf, wer am Kopf tragen dürfe.
Das Los, den Kopf tragen zu dürfen, fiel auf Schmuel von Korow, der dem »Juden« angehangen hatte. Beim Tragen merkte
er, daß der Rabbi die Lippen bewegte. Er neigte das Ohr und
hörte den Psalmvers aus der Mitternachtsklage: »Abgrund ruft
dem Abgrund.« Es war die genaue Zeit, zu der der Rabbi allnächtlich die Klage zu sprechen pflegte.

Man sandte um den Doktor Bernard, einen berühmten Arzt, der,
durch David von Lelow bekehrt, ein glühender Chassid geworden war; er hatte das Arzten aufgeben und am Hof des Sehers
bleiben wollen, der aber hatte ihn davon abgebracht: es liege
ihm ob, das Gleiche wie bisher, aber auf die rechte Weise zu
treiben.

Bernard fragte den Rabbi, was ihn schmerze. »Die linke Hüfte«,
antwortete er mühsam, »die ganze ›Andere Seite[1]‹ hat sich auf
mich geworfen. Alle Glieder wären mir zerschlagen, hätte der
Maggid mir nicht einen Rockschoß untergebreitet. Warum hat
man mir nicht gesagt, daß der Maggid tot ist? ich habe es erst er-

---

[1] Dem so genannten satanischen Element entspricht die linke Seite.

fahren, als ich ihn sah. Hätte ich es vorher gewußt, ich hätte mich auf so etwas nicht eingelassen.«

Nach einer Weile sagte er: »Der ›Jude‹ hätte mich bewacht. Er hätte mich nicht fallen lassen.«

Und wieder nach einer Weile, mühsam, aber sehr klar: »Als wir einmal, ich und der Maggid und die andern, in Rabbi Elimelechs Haus versammelt waren, kam er aus dem Bethaus, ging auf uns zu und sah uns, einem nach dem andern, ins Gesicht. Dann holte er mich heraus und ging mit mir auf und nieder, ohne zu sprechen. Endlich sagte er zu mir: ›Wisse, es ist sehr not zu bitten: Wirf mich nicht hin in der Zeit des Alters!‹«

Der Rabbi schwieg, ermüdet. Man fragte den Arzt, wie es stehe. Er schüttelte nur den Kopf: er könne nichts sagen.

Aber der Rabbi lebte noch mehr als vierundvierzig Wochen, bis zum neunten Ab.

Das Ende der Chronik

Als die Kunde von dem Unglück sich verbreitete, zogen die Gro-ßen, die Schüler des Sehers waren, von allerwärts nach Lublin, blieben da, gingen Tag um Tag miteinander ins Haus ihres Lehrers und saßen an seinem Bett. Nur Naftali von Rop-schitz fehlte. Man hatte ihm sogleich Nachricht gesandt, aber er kam nicht.

Herbst und Winter vergingen, das Übel schien zu weichen. Aber um die Purimzeit – eben hatte man dem Rabbi erzählt, daß Na-poleon wieder in Frankreich sei – trat eine plötzliche Verschlim-merung ein. Man sandte einen besonderen Boten nach Ropschitz. Bald danach, am Neumondstag des Monats Nissan, zwei Wochen vor Passah, kam Naftali nach Lublin. Von da an verweilte er zwölf Tage ununterbrochen, auch nachts, in der Nähe des Rabbi. Man sah ihn nicht schlafen. Das sind die zwölf Tage der Opfer-darbringungen durch die zwölf Fürsten der Stämme, jeder einem Monat des Jahres entsprechend. Aber am dreizehnten Tag in der Morgendämmerung verließ Naftali das Haus des Rabbi und be-gab sich in die Herberge. Seither besuchte er seinen Lehrer nicht mehr.

Als Naftali am Neumondstag an das Bett des Rabbi getreten

war, hatte der ihn freundlich angesehn, nicht anders, als wären sie noch gestern beisammen gewesen. Als aber am dreizehnten Nissan, einen Tag vor dem Vortag des Passahfestes, Naftali nicht kam, sagte der Rabbi zu Meïr: »Naftali weiß viel, aber noch nicht genug.«

Nach dem Passahfest fuhr Naftali heim, reiste aber bald danach nach Rymanow weiter.

In Rymanow hatte Rabbi Menachem Mendel von dem Anbruch des Festes der Freude an bis zum Fest der Tempelweihe, neun Wochen lang, Nacht für Nacht mit zehn seiner Chassidim Umzüge mit den Schriftrollen um die Lade gehalten. Wenn in der Morgenfrühe die Stadtleute ins Bethaus kamen, begegneten sie den Zehn, die heimgingen. Danach begann eine seltsame Zeit in Rymanow. Jeden, der von auswärts kam, fragte der Rabbi, was er von Napoleon gehört habe. Endlich erfuhr er, daß der Kaiser die Insel Elba verlassen hatte. Am Abend danach versammelte er wieder jene Zehn, und wieder wurde allnächtlich, bis zur Passahrüste, eine geheimnisvolle Zeremonie abgehalten.

Rabbi Mendel von Rymanow war ein beharrlicher, ja ein hartnäckiger Mann. Er nahm nicht viele Dinge in seinen innersten Willen auf, aber die er aufnahm, waren nun behaust wie nirgendwo anders. So hatte er einmal, noch in seiner Jugend, den Ssederabend zu der großen Hoffnung seines Herzens gemacht: zu keiner andern Zeit als in dieser Nacht, in der einst der Aufbruch der Scharen geschah und in der er sich alljährlich erneut, mußte der große Aufbruch bereitet werden. Viel später hatte er seine Seele etwas ganz anderem geöffnet: der abenteuerlichen Unternehmung eines Usurpators, die zu den ungeheuersten Maßen der Gewalt und des Sieges erwachsen mußte, um das Vorspiel zu dem großen Aufbruch abzugeben. Beide, die Vollmondnacht des Frühjahrs und das immer wieder im Traum geschaute Gesicht des Mannes mit den wirren Haaren und der schwefligen Hautfarbe (sie war es in Wirklichkeit längst nicht mehr, aber es war der junge Napoleon, der Mendel noch immer erschien), verschmolzen in der Intention dieses beharrlichen Herzens. Er ließ von seiner Intention auch dann nicht, als der Rabbi von Lublin gescheitert war. Vielmehr, er bildete sie gerade jetzt, wo sie von den beiden großen Gefährten nicht mehr gestört wurde, zu ihrer höchsten Kraft aus.

Der Maggid war sein offener Gegenspieler gewesen, und er schien, als er starb, obgesiegt zu haben. Der Seher war mit seinem letzten Wagnis nicht gegen den Toten aufgekommen. Aber nun war die Reihe an Menachem Mendel. Die beiden »Königssöhne«, denen er, der »Bauer«, wie er einst gesagt hatte, die Fenster hütete, daß sie sie einander nicht einschlügen, waren vom Kampfplatz abgetreten. Jetzt brauchte er sich nicht mehr, wie damals, als die Botschaft aus Lublin kam, zu beugen. Die Seinen hielten zu ihm, und das war genug. Schon hatte der Kaiser seinen zweiten und endgültigen Zug der Welteroberung begonnen. Die Ssedernacht war nah.

Aber im Gegensatz zum Seher sandte Rabbi Menachem Mendel keine Boten aus und warb um keine Helfer. Wenn es Israel auf der Welt gab, mußten in dieser Ssedernacht die Wunschmächte aus den entbrannten Seelen allerorten aufsteigen und sich in der Höhe zusammenschließen. Mehr war nicht not, da war nichts zu gebieten oder anzuordnen, – müßte etwas geboten oder angeordnet werden, so wäre eben das nicht da, worauf allein es ankam.

»Dies ist der Becher des Heils für ganz Israel«, sagte Rabbi Mendel, als er am Ssederabend den ersten Becher hob. Mehr ist uns von den Begebenheiten jener Nacht nicht bekannt.

Das Passahfest verging. Nach dem Fest kam Rabbi Mendel von Kräften. Als Naftali erschien, fand er ihn so verfallen, daß er erschrak. Mendel wurde immer schwächer, bis zum dreiundzwanzigsten Tag der Zählung zwischen Passah und dem Offenbarungsfest. An diesem Morgen nahm er im Tauchbad besondre Reinigungen und Heiligungen vor. Danach setzte er sich auf den Stuhl, auf dem sitzend er die Chassidim zu empfangen und ihre Anliegen zu schlichten pflegte. »Ach, eine Welt senkt sich auf mich herab!« seufzte er mit geschlossenen Augen. Dann befahl er, ohne die Augen zu öffnen, man solle nach seinem Tode im Grabmal ein Fenster auf die Stadt zu anbringen. Naftali weinte laut. »Rabbi«, rief er, »tut mir's kund, wann wird Messias kommen?« Rabbi Mendel öffnete die Augen. »Grüne Würmer mit ehernen Rüsseln«, schrie er Naftali an, »werden über euch geraten, ehe Messias kommt.« Danach sprach er nicht mehr, und allen erschien es, er sei im Verscheiden. Aber die Wehklage der Chassidim holte

seine Seele in ihr Gehäuse zurück. Er lebte noch bis an den nächsten Morgen.

Bald nach dem Offenbarungsfest sandte der Seher nach Pžysha
und ließ Bunam, der seit dem Tode des »Juden« nicht in Lublin
gewesen war, bitten zu ihm zu kommen. Bunam fuhr sogleich mit
dem Boten hin. Als der Rabbi ihn, die Starbrille über den Augen,
sonst aber unverändert, eintreten sah, schickte er alle andern aus
der Stube. »Bunam«, sagte er, »wir sagen in der Hymne: ›Ihr
Brautführer, naht!‹ Wer sind die Brautführer?« »Die Furcht und
die Liebe«, sagte Bunam. – »Was ist das, Furcht?« – »Wenn einem
ist, als hielte er in seiner zitternden Hand beide, Hirn und Herz,
beisammen, und beide zittern aneinandergedrängt.« – »Und was
ist das, Liebe?« – »Wenn die Hand fest wird und beide Ihm, gesegnet sei Er, hinreicht.« – »So ist es«, sprach der Rabbi. »Es steht
geschrieben: ›Soll er unsere Schwester zur Hure machen?‹ Und
die Polen sagen: ›Eine Hure ist keine Schwester‹. Warum sprechen die Brüder Dinas, der fremde Häuptlingssohn, der sie zur
Frau nehmen wollte, hätte sie zur Hure machen wollen? Wenn
eine Frau einzig und vollkommen, mit Hirn und Herz, ihrem
Manne zugewandt ist, wird das Einung genannt; ist sie das aber
nicht, so ist sie eine Hure. Und in den Sprüchen Salomos steht geschrieben: ›Sprich zur Weisheit: Du bist meine Schwester‹. Eine
Hure aber ist keine Schwester. Wenn die Weisheit eine Hure ist,
kann sie keine Schwester sein. Heil der Weisheit, die keine Hure
ist!« Nach einer Weile des Schweigens sprach er: »Auch dies steht
in den Sprüchen: ›Wie im Wasser das Antlitz zum Antlitz, so das
Herz des Menschen zum Menschen‹. Warum heißt es ›im Wasser‹
und nicht ›im Spiegel‹?« »Im Wasser«, antwortete Bunam, »sieht
der Mensch sein Abbild nur, wenn er dicht herankommt. So muß
auch das Herz sich ganz nah zum Herzen beugen, dann erblickt
es sich darin.« »So ist es«, sagte der Seher. »Komm näher heran,
mein Sohn Bunam.« Bunam trat ans Bett. »Bunam«, sagte der
Seher, »warum bin ich gescheitert?« »Rabbi«, antwortete Bunam,
»es sei mir gestattet eine Geschichte zu erzählen. Rabbi Eleasar
von Amsterdam war auf einer Seefahrt zum Heiligen Land, als ein
Sturm das Schiff fast zum Sinken brachte. Vor der Morgenröte
hieß Rabbi Eleasar seine Leute aufs Deck treten und beim ersten
Lichtschein das Widderhorn blasen. Als sie es taten, legte sich der

Sturm. Meint aber nicht, es sei Rabbi Eleasars Absicht gewesen, das Schiff zu retten. Vielmehr war er gewiß, es gehe unter, und wollte mit den Seinen vor dem Tode noch ein heiliges Gebot, das des Widderhornblasens, erfüllen. Wäre er auf eine wunderbare Rettung ausgegangen, sie wäre nicht geglückt.« Wieder nach einer Weile des Schweigens sagte der Seher: »Gib mir deine Hand, mein Sohn Bunam.« Bunam nahm die abgezehrte Hand, die auf der Decke lag, in die seine. »Bunam«, sagte der Seher, »ich verstehe jetzt, daß man im Himmel Gericht über mich gehalten hat. Aber hält nicht hier auf Erden der Mensch allnächtlich Gericht über sich selber?« Und wieder nach einer Weile: »Weißt du, Bunam, daß ich deinen Freund unablässig, von der ersten bis zur letzten Stunde geliebt habe?« »Ich weiß es«, sagte Bunam. – »Aber nicht genug, denkst du?« – »Ja, Rabbi, nicht genug.« – »Ich hole es jetzt nach«, sagte der Seher. »Scheint dir ein Sinn darin zu liegen, daß ich es jetzt nachhole?« – »Ich glaube«, antwortete Bunam, und seine starke Hand, die die kraftlose des Rabbi umschloß, bebte, »daß ein großer Sinn darin liegt.« – »Warum haben sie mir aber«, fragte der Seher, »erst den Widerpart geschickt, der sich Jaakob Jizchak Sohn der Matel nannte, und nicht sogleich ihn?« Bunam dachte nach. Dann sprach er zögernd: »Es steht geschrieben: ›Das Geheimnis des Herrn ist für sie, die ihn fürchten‹. Mit denen, die ihn fürchten, verkehrt Gott durch das Geheimnis.« – »Bunam, Bunam«, rief der Seher, »habe ich Ihn, gesegnet sei Er, mehr gefürchtet als geliebt?« Bunam senkte den Kopf. Nach einigen Augenblicken aber erhob er ihn wieder. Durch die Starbrille drang ein Strahl aus seinen schier erblindeten Augen in die des Sehers. Er sprach leise: »Es steht geschrieben: ›Die Welt wird durch Gnade erbaut‹. Was hier Gnade, Chessed, genannt wird, ist die gegenseitige Liebe zwischen einem Herrn und seinen Lehnsleuten, seinen Chassidim. Einem Chassid kann in jedem Augenblick, bis zum letzten, seine Welt durch Chessed erbaut werden.« Er schwieg. Nach einer Weile flüsterte der Rabbi, so leise, daß ihn Bunam nur eben hören konnte: »Bunam, dein Freund, der wie ich geheißen hat, sagte mir einmal, die Gnade habe mit mir gespielt.«
Danach saß Bunam noch eine Stunde am Bett des Rabbi und hielt dessen Hand in der seinen. »Und nun, mein Sohn Bu-

nam«, sagte der Rabbi, »fahr heim. Du sollst nicht länger hier bleiben.«

An dem Sabbat, nachdem Bunam nach Pžysha zurückkehrte, wurde wieder der Wochenabschnitt »Korah« verlesen. In seiner Tischrede sprach er über Korah. »In jedem Geschlecht«, sagte er, »kehrt die Seele Moses und die Seele Korahs wieder. Und wenn einmal die Seele Korahs sich willig der Seele Moses unterwirft, wird Korah erlöst.«

Bald danach kam Naftali, der nach Rabbi Menachem Mendels Tod nach Ropschitz heimgekehrt war, wieder nach Lublin. Er besuchte aber den Seher nicht mehr, wie sehr ihn auch die andern bestürmten. Es war unter den Schülern die Rede davon, er warte auf eine Aufforderung des Rabbi, die aber nicht erfolgte. Andre hingegen erklärten, bei seiner vorigen Anwesenheit habe der Rabbi von ihm verlangt, einen neuen Versuch im Bereich der tätigen Kabbala für ihn zu unternehmen, Naftali aber habe es abgelehnt, sich an dergleichen auch nur zu beteiligen. Jedenfalls scheint bei jener ersten Anwesenheit, als Naftali zwölf Tage und Nächte am Bette des Sehers zugebracht hatte, eine Kluft sich zwischen ihnen aufgetan zu haben.

Drei Wochen nach der Verlesung des Wochenabschnitts »Korah«, an dem Sabbat des Wochenabschnitts »Pinchas«, ordnete der Rabbi an, daß Meïr, seiner levitischen Abstammung nach als Zweiter, zur Lesung der Thora aufgerufen werden, aber nicht bloß den dem aufgerufenen Leviten zukommenden Absatz, sondern auch die folgenden lesen solle, bis zur Erzählung von der Einsetzung Josuas als Moses Nachfolger. Denn für den Augenblick, wo er die Worte Moses an Gott lesen würde: »So verordne der Herr, Gott der Geister in allem Fleisch, einen Mann über die Gemeinschaft, der ausfahre vor ihnen, der rückwende vor ihnen, der sie ausführe, der sie rückwende, daß nicht werde die Gemeinschaft des Herrn wie Schafe, die keinen Hirten haben«, war ihm die Belehnung zugedacht. Und so geschah es.

Vierundzwanzig Tage danach war der neunte Ab.

Am Abend, an dem die Trauer beginnt, erschien der Rabbi wie von einer neuen Kraft belebt. Mit einer Stimme, die an die guten Tage erinnerte, sagte er zu den Getreuen, die bei ihm saßen: »Es heißt im Talmud, Rabbi Jehuda der Patriarch habe den Fasttag des Neunten Ab, als er auf einen Sabbat fiel, aufheben wollen, aber die Weisen hätten ihm nicht beigestimmt. Nicht für jenes eine Mal wollte Rabbi Jehuda den Fasttag aufheben, sondern weil er damals auf den Sabbat, die Gnadenzeit, fiel, wollte er die Erlösung herabbringen und den Trauertag gänzlich aufheben, aber seine Gefährten versagten ihm ihre Hilfe. Jedoch: was ist das, daß die Gefährten dir ihre Hilfe versagen? Was ist's, daß sie nicht sehen, wenn du beginnst, und nicht hören, wenn du sie anredest? Tun sie's aus Mangel an Erkenntnis und gutem Willen?« Und plötzlich schrie er auf: »Denn: nicht sind meine Planungen eure Planungen, nicht eure Wege meine Wege, ist das Erlauten des Herrn.« Danach sprach er die Nacht über nicht mehr.

Am frühen Morgen verlangte der Rabbi von Bejle, sie solle ihm versprechen, daß sie keines andern Mannes Frau würde; er wolle ihr im Himmel erwirken, daß sie, wiewohl sie kein Kind hatte, im Zelt der Erzmütter weilen dürfe. Sie weigerte sich es zu versprechen. Nach dem Tode des Sehers hat keiner der Rabbiner gewagt sie zu ehelichen. Schließlich heiratete sie einen Bürger jenes benachbarten Städtchens Tschechow oder Wieniawa, in dem der Seher gewohnt hatte, ehe er nach Lublin kam. Die Chassidim bekundeten ihr ihre Erbitterung so heftig, daß sie es bald aufgab aus ihrer Haustür zu treten. Als aber Simon Deutsch wieder in Lublin erschien – zum erstenmal, seit er es damals nach dem Tod des Lelowers verlassen hatte –, suchte sie ihn, einen Korb in der Hand, in der Herberge auf. »Was wollen sie von mir!« rief sie weinend. »Was halten sie mir vor, daß Schöndel Freude sich nicht wiedervermählt hat! Sie ist doch die Mutter zweier Söhne!« Und sie leerte den Korb, der die Wäsche ihres toten Kindes enthielt, auf den Tisch.

Nach seinem Gespräch mit Bejle schwieg der Rabbi zu allen bis an den Mittag. Da glühte sein Gesicht rot an, seine Augen öffneten sich noch einmal, wie von einem großen Staunen aufgerissen, er rief: »Höre, Israel!« und verschied.

In ebendem Augenblick betrat Naftali, der sich kurz vorher aus seiner Herberge langsam auf den Weg gemacht hatte, die Torschwelle des Hauses in der Breiten Gasse. Als man ihn später fragte, wie es zugegangen sei, daß er die genaue Zeit des Endes wußte, sagte er: »Als ich die zwölf Tage, die den Stämmen und den Monaten entsprechen, beim Rabbi wachte, sprach er zu mir am fünften Tag, der dem Monat Ab entspricht: ›Ich sehe den neunten Ab nur bis an den Mittag, nicht mehr.‹ Ich merkte, daß der Rabbi es dahin verstand, am Mittag des neunten Ab werde Messias kommen. Ich widersprach ihm nicht, doch muß er aus meiner Haltung entnommen haben, daß ich seine Meinung nicht teilte, denn er erwähnte den Gegenstand nicht mehr. Ich aber hatte sogleich verstanden, daß ihm solcherweise die Zeit seines Abscheidens kundgetan worden war.«

Was mich von den in dieser Chronik zusammengestellten Ereignissen, seit ich zuerst, vor langen Jahren, von ihnen gehört und gelesen habe, im stärksten Banne hielt und hält, sind die Daten, die Daten der Handlungen und der Tode einiger Menschen. Die wenigen Geschlechter, die mich von jener Zeit trennen, haben die Ereignisse erzählt und wieder erzählt, – so ist das Fleisch und Blut dieser Chronik entstanden. Was ich dazu getan habe, nenne ich ihr Kleid. Aber die Daten sind ihr mächtiges Skelett.

Die Widersacher des chassidischen Wegs in Lublin hatten ihr Oberhaupt in dem Raw, das ist etwa Gemeinderabbiner, der Stadt, dem hochgelehrten Rabbi Asriel Hurwitz, zubenannt »der Eiserne Kopf«. Der Kriegszustand zwischen ihm und dem Seher hatte sich viele Jahre hingezogen, und der Streit war bis zum äußersten entbrannt, seit bei einer beiläufigen Begegnung der Seher dem Rabbi Asriel auf dessen Frage: »Wie geht das zu, daß sich so viele um Euch scharen? ich bin doch weit größer in der Lehre als Ihr, und mir strömen sie nicht zu!« die Antwort gab: »Auch mich nimmt es wunder, daß einem Menschen geringen Wertes, als den ich mich doch kenne, viele nahen um Gottes Wort zu vernehmen, statt es bei Euch zu suchen, dessen Gelehrsamkeit Berge versetzt. Es mag sich aber so verhalten, daß sie zu mir kommen, weil ich mich darüber wundere, daß sie kommen, und daß sie zu Euch nicht kommen, weil Ihr Euch darüber wundert, daß sie nicht kommen.« Schließlich war es so weit gelangt, daß der Eiserne Kopf vom »Juden« in dessen letztem Lebensjahr zu wissen begehrte, warum der Seher sich in dem und jenem so und nicht anders halte, und auch darauf eine nachdrückliche Antwort erhielt. Nun, nach dem Tode seines Gegners, gab er der Bestattungsbrüderschaft die Anordnung, es dürfe kein Ehrenplatz für das

Grab des Sehers bestimmt werden. Als Naftali es erfuhr, sagte
er: »Habe ich mich einmal zu meinen Ehren verkleidet, um vom
Becher des Rabbi zu trinken, so ist es billig, daß ich mich jetzt zu
Ehren des Rabbi verkleide.« Er zog ein schlechtes Kleid an, kno-
tete ein Grabscheit und eine Axt zusammen und hing sie über
seine Schulter, daß er wie ein gedungener Arbeitsmann aussah,
und machte sich auf den Weg. »So sieht man aus, wenn man den
Rabbi begräbt«, lachte er in sich hinein. Erst suchte er die Totengräber auf, gab ihnen so viel Geld, daß sie ihn mißtrauisch an-
blinzelten, und sagte ihnen, es werde von ihnen nicht mehr verlangt, als daß sie, sowie er ihnen zuwinkte, sogleich mit dem Graben anfingen und nicht innehielten, bis das Grab fertig wäre; das
versprachen sie ihm in die Hand. Nun ging er zum Vorsteher der
Brüderschaft. Es war ein seltsamer Hochsommertag. Die ganze
Nacht vorher und den Tag über war ein unaufhörlicher Sturz-
regen niedergegangen, wie er um diese Jahreszeit sich nur einem
kurzen Gewitter zugesellt; aller Boden war zu Schlamm geworden. Als Naftali zum Vorsteher kam, war das Wetter noch in vollem Gang und der Himmel dicht bezogen. Es dämmerte schon,
man konnte nur eben vor sich hin sehen. »Ich komme zu Euch«,
sagte Naftali im breiten Idiom der niedern Arbeitsleute zu dem
Vorsteher, »um mir von Euch den Platz für sein Grab, des Rabbis der Chassidim, meine ich, zeigen zu lassen. Das sind dreiste
Leute, freche Leute! Ein Ehrengrab, sagen sie, muß es sein! Was
heißt das, ein Ehrengrab? Froh sollen sie sein, daß sie überhaupt
ein Grab bekommen!« Der Vorsteher ging mit ihm die Totengräber suchen. Die hatten sich inzwischen, wie Naftali vorausgesehen hatte, unverweilt ans Trinken gemacht und waren nicht
leicht aufzurütteln. Bis sie am Tor des Friedhofs standen, war es
dunkel. Die schlechten Laternen in den Händen, stiegen sie mühsam den in einen Morast verwandelten Boden hinan, Naftali mit
dem Vorsteher vorn. Er wußte es so einzurichten, daß sie bald in
dem verworrenen Gelände in die Irre gingen. Naftali redete in
einem fort auf den Vorsteher ein. »Es ist ja ganz gleich wo«,
schwatzte er, »es kommt ja gar nicht darauf an, wo immer
das Los hinfällt soll's uns recht sein.« Es gelang ihm schließlich,
durchs Gebüsch hin und her ziehend wie von ungefähr an einen
Platz zu gelangen, den er vorher sorgsam ausgesucht hatte und

den der Vorsteher, dem Weg gemäß, den sie genommen zu haben
schienen, für einen unansehnlichen halten mußte. »Meinetwegen
sogar hier«, rief Naftali, »was macht's aus!« Der erschöpfte
und verwirrte alte Vorsteher, dem nicht nur Bart und Schläfenlocken, sondern auch noch Brauen und Wimpern von Wasser
troffen, widersprach nicht. Indessen hatte Naftali den Totengräbern das vereinbarte Zeichen gegeben und selber Hand angelegt. Nicht bloß daß sie's versprochen hatten: sie waren bis
auf die Haut durchnäßt und wandten einen Eifer wie noch
nie an ihre Arbeit, um recht bald zum wärmenden Schnaps
heimzukehren. Indessen hatte sich der Vorsteher doch besonnen: er sah sich, mit einer Laterne herumleuchtend, die Umgebung an und merkte, daß sie sich ganz anderswo befanden, als
er angenommen hatte, nämlich neben dem Grabe des großen
Rabbi Schalom Schachna aus dem sechzehnten Jahrhundert. Naftali hatte diesen Platz gewählt, weil der Seher in Notzeiten an
dem Grab dieses Mannes hatte beten heißen, der nicht, wie viele
andre, ins Heilige Land gefahren war um dort zu sterben, sondern in Lublin hatte liegen wollen, um auch nach seinem Tode
über das Wohl der Gemeinde zu wachen. Bestürzt schrie der Vorsteher Naftali und die Totengräber an, aber schon war das Werk
vollendet. »Was geht's mich an?«, sagte Naftali. »Habe ich doch
immer wieder gesagt, Ihr könntet es damit halten wie Ihr wollt!
Jetzt freilich ist nichts mehr zu machen. Ich bin zwar ein unwissender Mann, aber das weiß ich, daß man einen Grabplatz nicht
ändern und ein frischgegrabnes Grab nicht unbesetzt lassen darf.
Aber geht nur zum Raw! Wenn der's erlaubt, mir kann's gleich
sein!« Der Vorsteher rannte zum Eisernen Kopf, aber der mußte
sich, wie widerwillig auch, an Vorschrift und Überlieferung halten,
und es blieb dabei.
Nach der Bestattung geriet es plötzlich über Naftali: wie ist es
möglich, daß es ihn nicht mehr gibt und die Welt steht noch? Seither kam er von dem Gedanken nicht los.
Viele Chassidim wandten sich an den ältesten Sohn des Sehers,
Israel, und baten ihn, an dessen Stelle zu treten. Er lehnte ruhig
und entschieden ab. Eine Schar sammelte sich um den zweiten
Sohn, Josef, der sich stets in der Nähe des Vaters aufgehalten
hatte und von ihm oft ins Vertrauen gezogen worden war, ver-

mochte aber nicht, ihm die Führung zu verschaffen. Die Obhut der »Lehre von Lublin« blieb in den Händen Meïrs, den der Rabbi kurz vor dem Tode belehnt hatte. Er nahm aber seinen Sitz nicht in Lublin, sondern in Apta, der Stadt, in der der »Jude« seine Jugend verlebt hatte. War so für die Lehre von Lublin gesorgt, die Schule von Lublin war mit ihrem Meister verschieden. Wenn Rabbi Chajim Jechiel von Mogielnica, der Enkel des Maggids, »Lublin« nennen hörte, pflegte er zu sagen: »Das wahre Lublin ist nicht zur Welt gekommen. Man kann ein Kind im Mutterleib töten.«

Es wird erzählt, nach dem Tode des Simon Deutsch sei dessen Geist in einen Knaben gefahren. Der sei vor Rabbi Chajim Jechiel von Mogielnica gebracht worden. »Ich kann dir nicht helfen«, beschalt er den Geist, »ehe du von den Söhnen des heiligen Juden die Vergebung erlangt hast.« Der »Dibbuk«, das heißt Verheftung – so wird der in Besessenen hausende Geist genannt – weigerte sich, sich an jene zu wenden. »So sollst du, du Frevler«, rief der Rabbi, »in die Tiefe des großen Abgrunds fahren.« Nun mußte es der Dibbuk doch auf sich nehmen. Ein Bote brachte den Knaben zu Rabbi Ascher, dem Sohn des »Juden«. Erst als der ihm vergeben hatte, erwirkte Rabbi Chajim Jechiel ihm die Erlösung.

In seiner hebräischen[1] und seiner englischen[2] Ausgabe ist die Absicht dieses Buches von etlichen Lesern und Kritikern mißverstanden worden. Eine Klärung mag erwünscht sein, die nur ich selber zureichend zu liefern vermag.

Ich habe diese »Chronik« nicht geschrieben, um, wie man gemeint hat, »meine Lehre in einer bestimmten Weise zusammenzufassen«. Es sind objektive Faktoren gewesen, freilich geistiger Art, die die entscheidenden Antriebe zu dieser Arbeit gegeben haben.

Ich habe schon in jungen Jahren begonnen, aus dem fast unübersehbaren Schatz der chassidischen Legenden das mir wichtig Erscheinende nachzuerzählen, zuerst mit epischer Freiheit, dann immer mehr bestrebt, mich auf das Notwendige zu beschränken, auf das nämlich, was mir meine Anschauung der erzählerischen Form gebot, um den vorgefundenen, zumeist rohen und formlosen Aufzeichnungen und Überlieferungen die ihnen angemessene Gestalt zu verleihen. Schließlich habe ich mich ganz dem Typus zugewandt, der in einer beispiellosen Fülle in der chassidischen Literatur angelegt ist, aber zumeist zu keinem echten erzählerischen Stil ausgebildet wurde: der »heiligen« Anekdote. Es geht hier fast durchweg um die Verknüpfung einer Begebenheit mit einem Ausspruch. Gerade in dem Faktum dieser Verknüpfung spricht sich der chassidische Sinn aus, der auf die Einheit von Außen und Innen, von Leben und Lehre gerichtet ist. Die Begebenheit muß mit der äußersten Konzentration erzählt sein, damit der Ausspruch rein aus ihr hervorsteige.

Ich pflegte auf Erzählungen, die nicht anekdotisch erzählt waren oder auf diese knappste Form nicht reduziert werden konnten, zu verzichten, da es mir nicht darum zu tun war, überhaupt zu erzählen, sondern darum, etwas Bestimmtes zu erzählen, etwas, das mir ungemein wichtig erschien, das erzählt werden sollte und mußte, und das noch nicht richtig erzählt war, das richtig zu erzählen meine Aufgabe war. Nun aber geriet ich an einen gewaltigen Komplex von Geschichten, die inhaltlich zusammen-

---

[1] Gog und Magog, Jerusalem 1943.
[2] For the Sake of Heaven, Philadelphia 1945.

hingen; sie bildeten geradezu einen großen Zyklus, wenn sie auch offenkundig von zwei verschiedenen, einander entgegengesetzten Traditionen und Tendenzen aus erzählt waren. Dieser Komplex war nicht auszuschalten, zumal die Vorgänge, die in seinem Mittelpunkt standen, höchst bedeutsam waren. Sie waren vielfach in legendärer Perspektive betrachtet, aber ihr realer Kern war unverkennbar. Es haben wirklich einige Zaddikim versucht, durch theurgische Handlungen (die sogenannte praktische Kabbala) Napoleon zu dem ezechielischen »Gog des Landes Magog« zu machen, auf dessen Kriege, wie einige eschatologische Texte verkündigen, das Kommen des Messias folgen soll, und andere Zaddikim haben diesen Versuchen die Mahnung entgegengestellt, nicht durch äußere Gebärden, sondern allein durch die Umkehr des ganzen Menschen sei der Anbruch der Erlösung zu bereiten. Und was das entscheidend Merkwürdige ist: sie alle, die Wagenden und die Warnenden, sind wirklich innerhalb eines Jahres gestorben. Man kann kaum einen Zweifel daran hegen, daß die Sphäre, die sie, wenn auch von verschiedenen Seiten her, betreten hatten, ihr irdisches Leben verbrannt hat. Es war nicht ein Gebild der Legende, sondern schlichte Tatsache, daß hier in einem Kampf beide Teile vernichtet worden sind. In dem Kampf ging es zunächst um die Frage, ob es erlaubt sei, die oberen Mächte zu bedrängen, daß sie wirken, was wir ersehnen, sodann aber eben um die, ob die Erfüllung durch magische Prozeduren oder durch die innere Wandlung anzubahnen sei; und die Fragen waren nicht ein Gegenstand der Erörterung, sondern eine Sache von Leben und Tod. Die Vorgänge waren so konkret und ihre Bedeutung so tiefgreifend, daß ich der Aufgabe, sie im Zusammenhang zu erzählen, nicht ausweichen durfte. Ich habe das in einer Anmerkung ausgedrückt, die in meinem Buch: »Der große Maggid« (von 1921) steht; sie lautet: »Ich habe darauf verzichtet, Stücke der Begebenheit, der letzten ihrer Art, unter die Geschichten dieses Buches aufzunehmen, da die Erzählung der ganzen ein Ganzes für sich ist.«
Es konnte sich hier nicht wie bei dem sonstigen Legendenstoff darum handeln, Anekdoten neben Anekdoten zu stellen; denn gerade ihrer aller äußerer und innerer Zusammenhang war das, was ich darzustellen hatte. Aber dieser Zusammenhang war in

der schriftlichen und mündlichen Tradition nur in Fragmenten
gegeben. Man mußte also wohl oder übel daran gehen, die Lücken
im Sinn des Überlieferten auszufüllen, um die Kontinuität der
Chronik herzustellen. Das »Epische« wurde zur Pflicht. Nur daß
ich jetzt nicht, wie in meiner Jugend, frei schalten konnte; ich
hatte dem Gesetz der Zusammenhänge zu gehorchen, hatte Feh-
lendes im Sinn des Vorhergehenden und Nachfolgenden, im festen
Sinn der Ereignisse und der Charaktere zu ergänzen. Auch für
die Ergänzungen war zumeist Material, wenn auch nur einzelne
Linien, verwendbare Details, kennzeichnende Andeutungen, aufzufinden.

Dazu kam aber noch ein anderes. Wie gesagt, lagen zwei Traditionen vor, eine von dieser, eine von jener Seite, eine mit ma-
gischer, eine mit antimagischer Tendenz, die Tradition von Lublin
und die Tradition von Pžysha. Beide waren, wie einst die Traditionen der Saulidenpartei und der Davidpartei, der Niederschlag
eines langen Kampfes. Beide bezogen sich offenbar auf wirkliche
Begebenheiten; jede wählte die ihr wichtigen aus, und jede berichtete die von ihr ausgewählten so, wie sie sie sah. Ich mußte
versuchen, von beiden Seiten zum Kern des Geschehens vorzudringen. Das konnte naturgemäß nur gelingen, wenn ich mich
nicht in den Dienst einer der beiden Tendenzen begab. Der einzige zulässige Standort war der der Tragödie, wo zwei einander
gegenüberleben, jeder so wie er eben ist, und der wahre Gegensatz ist nicht einer des »guten« und des »bösen« Willens, sondern
der grausame Gegensatz der Existenz. Gewiß, ich war »für«
Pžysha und »gegen« Lublin, zumal mich von Jugend auf das
Bild und die Lehre Rabbi Bunams in besonderer Weise für Pžysha
gewonnen hatte; aber erzählen durfte ich nur, wenn ich entschlossen war, der Wirklichkeit beider gerecht zu werden. Nichts,
was die Tradition von Lublin an Positivem bot, durfte vernachlässigt werden; und nichts, was die Tradition von Pžysha an
Kritischem vorbrachte, war brauchbar, wenn es nicht durch die
gegnerische im wesentlichen bestätigt wurde. Das war freilich
eine schwere Aufgabe; aber sie wurde durch einen seltsamen Sachverhalt erleichtert: wer sich in die Überlieferung von Lublin vertieft, wird merken, daß sie sich heimlich vor dem Widersacher,
dem »heiligen Juden« beugt.

Daß ich die Niederschrift versuchen konnte, war mir dadurch ermöglicht worden, daß ich, als mir das Thema am stärksten zu schaffen machte, im letzten Jahr des ersten Weltkriegs, auf einer Reise zum Besuch meines Sohns in der polnischen Etappe und auf der Rückfahrt, die Gegend kennen lernte, in der sich der Kampf abgespielt hatte. Nun erst konnte ich *sehen*.

Aber die Niederschrift mißlang doch zu zwei Malen, und ich stellte das Werk zurück, ohne Zuversicht, daß es noch zur Ausführung gelangen werde, aber doch auch nicht ohne Hoffnung; denn meine ganze Arbeitserfahrung hat mich gelehrt, daß Bücher, die einem aufgetragen sind, langsam reifen, und dann am stärksten, wenn man sich nicht mit ihnen befaßt, und daß sie schließlich ihr innres Fertiggewordensein einem so kundgeben, daß man sie sozusagen nur noch abzuschreiben braucht.

Was dieses Buch endlich, schon in Jerusalem, zur letzten Reife brachte, war wieder ein objektiver Faktor: der Anfang des zweiten Weltkriegs, die Atmosphäre der tellurischen Krisis, das furchtbare Wägen der Kräfte, und die Zeichen einer falschen Messianik hüben und drüben. Daß mir unversehens im Halbtraum die Gestalt jenes falschen Boten, von dem mein erstes Kapitel erzählt, als ein Dämon mit Fledermausflügeln und den Zügen eines judaisierten Goebbels erschien, gab mir den entscheidenden Anstoß. Ich schrieb – nun nicht mehr in deutscher, sondern in hebräischer Sprache (die deutsche Fassung kam erst später dran) – sehr schnell, als brauchte ich wirklich nur abzuschreiben, alles Sichtbare stand mir deutlich vor Augen, die Verknüpfungen ergaben sich wie von selber.

Nein, es ist mir nicht darum zu tun gewesen, »meiner Lehre« Ausdruck zu verleihen. Wohl habe ich auch die von den Personen des Buches vorgetragenen Lehren ergänzt und ausgebaut, aber immer im Sinn des Vorgefundenen und in der Fortführung seiner Linien. Möglich ist mir das deshalb gewesen, weil ich mit jenen Menschen, auf die ich hinzeige, in einer lebendigen Einheit stehe. Als ich in meiner Jugend das erste chassidische Buchwort vernahm, nahm ich es mit einer chassidischen Begeisterung auf. Ich bin ein polnischer Jude, zwar aus einer Familie von Aufklärern, aber in der empfänglichen Zeit des Knabenalters hat eine chassidische Atmosphäre ihren Einfluß auf mich ausgeübt. Es mag

auch andere, weniger faßbare Fäden geben. Gewißheit ist mir,
daß, wenn ich damals gelebt hätte, als man noch um das Wort
Gottes selber und nicht um dessen Karikaturen kämpfte, auch
ich, wie so viele, meinem Vaterhaus entlaufen und Chassid geworden wäre. In der Epoche, in die ich hineingeboren wurde,
war es mir nach Generation und Situation verwehrt. Nicht die
Voraussetzungen fehlten mir, aber die innere Möglichkeit, sie
ungewandelt zu erhalten. Mein Herz gehört zu jenen von Israel,
in denen sich heute, den blind Bewahrenden und den blind Be-
streitenden gleicherweise entrückt, das Ringen vollzieht, das der
Erneuerung von Glaubensgestalt und Lebensgestalt vorausgeht.
In diesem Ringen setzt sich das chassidische fort, nur eben in
einer Weltstunde, in der an die Stelle des langsam scheidenden
Lichtes die Finsternis getreten ist. Gewiß, ich bin nicht mit meinem ganzen Bestande in der Welt der Chassidim – ähnlich hat
es sich zumeist mit denen verhalten, die etwas Vergangenes so
den Menschen gegenwärtig machen wollten, daß es neu wirkte –,
aber mein Fundament ist dort, und meine Antriebe sind den
ihren verwandt. »Die Thora hat gewarnt«, sagte der Schüler
des »heiligen Juden« und Rabbi Bunams, Rabbi Mendel von
Kozk, »sich aus Gottes Gebot ein Götzenbild zu machen.« Was
hätte ich solchen Worten hinzuzufügen!

Man hat mir auch zum Vorwurf gemacht, ich hätte die Gestalt
des »heiligen Juden« von einer bewußten oder unbewußten
»christlichen Tendenz« aus verändert. Es gibt aber hier nicht
einen einzigen Zug dieser Gestalt, der nicht schon in der Tradition zu finden ist; auch jene Aussprüche des »Juden«, die an
evangelische erinnern, stammen aus ihr. Was der »Jude«, wie er
in diesem Buch erscheint, mit Jesus von Nazareth gemeinsam hat,
rührt nicht von einer Tendenz, sondern von einer Wirklichkeit
her. Es ist die Wirklichkeit der leidenden »Knechte des Herrn«.
Die Lebensgeschichte Jesu ist meines Erachtens nicht zu verstehen,
wenn man nicht erkennt, daß er (worauf auch von christlich
theologischer Seite, insbesondre von Albert Schweitzer, hingewiesen worden ist) im Schatten des deuterojesajanischen »Knechts
des Herrn« gestanden hat. Aber er ist aus der Verborgenheit des
»Köchers« (Jesaja 49, 2) getreten, der »heilige Jude« ist darin
verblieben. Das gilt es zu sehen: die Hand, die den Pfeil erst

zuspitzt und ihn dann ins Dunkel des Köchers versenkt, und den
Pfeil, der sich ins Dunkel duckt.

Ich aber habe keine »Lehre«. Ich habe nur die Funktion, auf
solche Wirklichkeiten hinzuzeigen. Wer eine Lehre von mir erwartet, die etwas anderes ist als eine Hinzeigung dieser Art,
wird stets enttäuscht werden. Es will mir jedoch scheinen, daß es
in unserer Weltstunde überhaupt nicht darauf ankommt, feste
Lehre zu besitzen, sondern darauf, ewige Wirklichkeit zu erkennen und aus ihrer Kraft gegenwärtiger Wirklichkeit standzuhalten. Es ist in dieser Wüstennacht kein Weg zu zeigen; es ist zu
helfen, mit bereiter Seele zu beharren, bis der Morgen dämmert
und ein Weg sichtbar wird, wo niemand ihn ahnte.

ABFOLGE DER ZADDIKIM
BIBLIOGRAPHISCHES VERZEICHNIS
INHALTSVERZEICHNIS

ABFOLGE DER ZADDIKIM[1]

Israel ben Elieser, genannt der Baal-schem-tow (1700–1760) *89*,
[151

Enkel des Baal-schem-tow
Mosche Chajim Efraim von Sadylkow 285
Baruch von Mesbiž (gest. 1811) *110*, 203
Urenkel des Baal-schem-tow
Nachman von Bratzlaw (gest. 1810) 895
(in die »Erzählungen der Chassidim« nicht aufgenommen).

Schüler des Baal-schem-tow
Dow Bär von Mesritsch, genannt »der große Maggid« (gest. 1772)
[*93*, 215

Jaakob Jossef von Polnoe (gest. 1782) *91*, 285
dessen Schüler
Arje Löb von Spola, genannt »der Spoler Großvater«
[(gest. 1811) 288
Pinchas von Korez (gest. 1791) *96*, 236
dessen Schüler
Rafael von Berschad (gest. 1816) *97*, 240
Löb, Sohn der Sara *97*, 287
David Leikes 292
Chajim von Krosno 292
Nachum von Tschernobil (gest. 1798) 290
dessen Sohn
Mordechai (Motel) von Tschernobil (gest. 1837)
Jechiel Michal von Zloczow, genannt »der Zloczower Maggid«
[(gest. 1786) *98*, 256

dessen Söhne
Seew Wolf von Zbaraž *99*, 277
Mordechai von Kremnitz 270
dessen Schüler
Meïr von Primischlan (gest. 1852)
Schüler Jechiel Michals
Ahron Löb von Primischlan (Vater Meïrs von Primischlan)

---

[1] Die kursiven Ziffern bezeichnen die Seiten der Einleitung, die stehenden die Seiten der »Erzählungen der Chassidim« selbst.

Mordechai von Neshiž (gest. 1800) *100*, 281
  dessen Söhne
  Jizchak von Neshiž 282
  Löb von Kowel 282

Nachkommen des »großen Maggids«
sein Sohn
Abraham der Engel (gest. 1776) *119*, 231
dessen Sohn
Schalom Schachna von Probischtsch (gest. 1802) *119*, 441
dessen Sohn
Israel von Rižin (gest. 1850) *120*, 445
dessen Söhne
Abraham Jaakob von Sadagora (gest. 1883) *121*, 463
Nachum von Stepinescht *121*, 467
David Mosche von Czortkow (gest. 1903) *121*, 469

Schüler des »großen Maggids«
Menachem Mendel von Witebsk (gest. 1788) *100*, 293
Schmelke von Nikolsburg (gest. 1778) *102*, 300
  dessen Schüler
  Abraham Chajim von Zloczow
  Jizchak Eisik von Kalew (gest. 1821) *121*, 493
  Mosche Löb von Sasow (gest. 1807*)* *122*, 473
    dessen Sohn
    Schmelke von Sasow 488
    Schüler Mosche Löbs
    Menachem Mendel von Kosow (gest. 1825) *123*, 489
      dessen Sohn
      Chajim von Kosow *123*, 491
Ahron von Karlin (gest. 1772) *101*, 314
Nachum von Tschernobil (gest. 1798) *119*, 290
  dessen Sohn
  Mordechai (Motel) von Tschernobil
Levi Jizchak von Berditschew (gest. 1809) *105*, 322
Meschullam Sussja von Hanipol (gest. 1800) *103*, 355
Elimelech von Lisensk, Sussjas Bruder (gest. 1786) *104*, 374
Schnëur Salman von Ljadi, genannt »der Raw« (gest. 1813) *105*,

Schlomo von Karlin (gest. 1792) *107*, 394
Jaakob Jizchak von Lublin, genannt »der Seher« (gest. 1815) *109*,
[421
Israel von Kosnitz, genannt »der Maggid von Kosnitz«
[(gest. 1814) *108*, 407
    dessen Sohn
    Mosche von Kosnitz 410
    Enkel Israels von Kosnitz
    Eleasar von Kosnitz
    Chajim Meïr Jechiel von Mogielnica (gest. 1849) *127*, 565
    dessen Schüler
    Jissachar Dow Bär von Wolborz (gest. 1876) *128*, 569
Schüler des Rabbi Elimelech
Abraham Jehoschua Heschel von Apta (gest. 1825) *123*, 499
Menachem Mendel von Rymanow (gest. 1815) *123*, 514
    dessen Schüler
    Zwi Hirsch von Rymanow (gest. 1846) *125*, 529
Schüler des Rabbi Schlomo von Karlin
Uri von Strelisk, genannt »der Seraf« (gest. 1826) *125*, 533
    dessen Schüler
    Jehuda Zwi von Stretyn (gest. 1844) *126*, 538
    dessen Sohn
    Abraham von Stretyn (gest. 1865) *126*, 540
Mordechai von Lechowitz (gest. 1811) *126*, 541
    dessen Sohn
    Noach von Lechowitz (gest. 1834) *127*, 546
    Enkel Mordechais von Lechowitz
    Schlomo Chajim von Kajdanow (gest. 1862) *127*, 547
    Schüler Mordechais von Lechowitz
    Mosche von Kobryn (gest. 1858) *127*, 548
    Michal von Lechowitz

Schüler des »Sehers von Lublin«
David von Lelow (gest. 1813) *129*, 570
Naftali von Ropschitz (gest. 1827) *132*, 578
    dessen Schüler
    Chajim von Zans (gest. 1876) *133*, 594
    dessen Sohn

Jecheskel von Sieniawa (gest. 1899) *134, 600*
Zwi Hirsch von Żydaczow (gest. 1831) *134, 602*
  dessen Neffen und Schüler
  Jehuda Zwi von Rozdol (gest. 1847) *135, 604*
  Jizchak Eisik von Żydaczow (gest. 1873) *135, 605*
Mosche Teitelbaum (gest. 1841) *130, 574*
Schlomo Löb von Lentschno (gest. 1843) *131, 584*
Jissachar Dow Bär von Radoschitz (gest. 1843) *130, 586*
Schalom von Belz (gest. 1855) *134, 592*
Jaakob Jizchak von Pżysha, genannt »der Jehudi« (gest. 1813)
                                                    [*136, 610*

  dessen Söhne
  Jerachmiel von Pżysha 620
  Jehoschua Ascher 620
  dessen Söhne
  Jaakob Zwi von Parysow 621
  Meïr Schalom 621

Schüler des »Jehudi«
Ssimcha Bunam von Pżysha (gest. 1827) *139, 623*
  dessen Sohn
  Abraham Mosche *141, 653*
Perez 619
Menachem Mendel von Kozk (gest. 1859) *141, 656*
Schüler Ssimcha Bunams
Jizchak von Worki (gest. 1848) *146, 680*
  dessen Sohn
  Mendel von Worki (gest. 1868) *146, 689*
Jizchak Meïr von Ger (gest. 1866) *146, 695*
Chanoch von Alexander (gest. 1870) *146, 705*

BIBLIOGRAPHISCHES VERZEICHNIS

Aufgenommen sind in chronologischer Folge die Erstdrucke und sämtliche Drucke in deutscher Sprache der in diesem Bande enthaltenen Schriften. Inhaber der Rechte ist der jeweils letztgenannte Verlag.

Die jüdische Mystik

In: Die Geschichten des Rabbi Nachman. Frankfurt a. M., Rütten und Loening 1906. Neudruck 1909
In: Die Geschichten des Rabbi Nachman. Frankfurt a. M. und Hamburg, Fischer-Bücherei 1955. Neudrucke 1957 und 1958

Vom Leben der Chassidim

(Unter dem Titel: Das Leben der Chassidim) in: Die Legende des Baal Schem. Frankfurt a. M., Rütten und Loening 1908. Neubearbeitete Ausgabe 1916. Dritte Auflage 1920.
Die Legende des Baal Schem. Erweiterte Neuausgabe. Berlin, Schocken 1932
Die Legende des Baal Schem. Umgearbeitete Neuausgabe. Zürich, Manesse Verlag 1955. Manesse Bibliothek der Weltliteratur

Des Rabbi Israel ben Elieser genannt Baal-Schem-Tow das ist Meister vom guten Namen Unterweisung im Umgang mit Gott aus den Bruchstücken gefügt von Martin Buber

Hellerau, Jakob Hegner 1927
Berlin, Schocken 1935. Bücherei des Schocken-Verlags 21

Die Erzählungen der Chassidim

Zürich, Manesse Verlag 1949. Manesse Bibliothek der Weltliteratur (Über frühere Veröffentlichungen chassidischer Erzählungen vgl. oben Seite 77.)

Der Weg des Menschen nach der chassidischen Lehre

Den Haag, Pulvis Viarum 1948. Neudruck 1950
In: Neue Wege, Jg. XLII, H. 7/8, Juli/August 1948
Heidelberg, Lambert Schneider 1960

Die chassidische Botschaft

Heidelberg, Lambert Schneider 1952
(Zur Frage der Entstehung und des früheren Abdrucks einzelner Abschnitte vgl. oben Seite 741.)

Rabbi Nachman von Bratzlaw

In: Die Geschichten des Rabbi Nachman. Frankfurt a. M., Rütten und Loening 1906. Neudruck 1909
In: Die Geschichten des Rabbi Nachman. Frankfurt a. M. und Hamburg, Fischer Bücherei 1955. Neudrucke 1957 und 1958

Der Chassidismus und der abendländische Mensch

In: Merkur, Jg. 10, H. 10, Oktober 1956

Christus, Chassidismus, Gnosis

In: Merkur, Jg. 8, H. 10, Oktober 1954

Mein Weg zum Chassidismus

In: Mitteilungen des Verbandes der Jüdischen Jugendvereine Deutschlands, Chanukka-Nummer 5678 (1917) Frankfurt a. M., Rütten und Loening 1918
In: Buber, Hinweise. Zürich, Manesse Verlag 1953

Zur Darstellung des Chassidismus

In: Merkur, Jg. 17, H. 2, Februar 1963

Noch einiges zur Darstellung des Chassidismus

Erstdruck in diesem Band

Gog und Magog. Eine Chronik

Hebräisch 1943
For the Sake of Heaven. Philadelphia 1945
Heidelberg, Lambert Schneider 1949
Frankfurt a. M. und Hamburg, Fischer Bücherei 1957

INHALTSVERZEICHNIS

MARTIN BUBER · WERKE

Dritter Band